KU-732-844

Probleme biblischer Theologie

Gerhard v. Rad

Probleme biblischer Theologie

Gerhard von Rad
zum 70. Geburtstag

Herausgegeben von Hans Walter Wolff

CHR. KAISER VERLAG MÜNCHEN
1971

 ISBN 3 459 00779 6

Porträtfoto gegenüber der Titelseite: Rose von Rad
Einbandentwurf und Umschlag: Ingeborg Geith & Willem Weijers
Satz und Druck: Druckerei Georg Appl, Wemding
Printed in Germany

VORWORT

Gerhard von Rad hat nachdrücklich den Wunsch ausgesprochen, daß man sich und ihm eine Festschrift ersparen möchte. Können wir am 21. Oktober nur mit Verlegenheit zum 70. Geburtstag unter seine Augen treten? Die alten Kollegen der Heidelberger Fakultät haben den Schwur gehalten, sich an keiner Festschrift zu beteiligen.

Doch was ist zu tun, wenn unter den Jüngeren die Saat von Gerhard von Rads Auslegung des Alten Testaments in einer wirklich ungewöhnlichen Fülle aufgeht, nicht nur in Deutschland, sondern in aller Welt, nicht im Protestantismus allein, sondern in allen Konfessionen, nicht nur in der alttestamentlichen Wissenschaft, sondern in allen theologischen Disziplinen und darüber hinaus? Darf man es verhindern, daß wenigstens eine Garbe Ähren von dem weiten Acker einen Augenblick auf den Geburtstagstisch gestellt wird? Sie soll ja sofort auch bei vielen anderen Erkenntnis und weiteres Forschen anregen.

Nur eine verhältnismäßig kleine Anzahl von Kollegen und Schülern haben sich gleichsam stellvertretend für die unübersehbare Zahl der dankbaren Leser Gerhard von Rads in diesem Bande versammelt. Es war nicht leicht, die Vervielfältigung der Mitarbeiterzahl zu vermeiden. Sehr viele hätten gern ihr Geburtstagsgeschenk hinzugefügt. Doch war der Verlag nicht in der Lage, den Band noch umfangreicher werden zu lassen, als er ohnehin schon – der Ausstrahlungskraft des Geburtstagskindes in etwa entsprechend – geworden ist. In diesen Monaten werden in vielen Zeitschriften und Einzelpublikationen im In- und Ausland Arbeiten erscheinen, die wie dieser Band dem Jubilar gewidmet sind.

Die hier vereinigten Autoren bitten den Siebzigjährigen, dieses Buch in Dankbarkeit gegen den, der seinen Wind wehen läßt, wo er will, anzunehmen als ein Zeichen der Dankbarkeit aus demselben Geist. Sie sprechen für viele, denen durch seine Arbeiten das Auge geöffnet wurde für reiche Erkenntnis und die dadurch zu weiterem Forschen angeregt wurden.

Die einzelnen Beiträge zeigen, wie das kritische Gespräch vor allem auf Grund der beiden Bände der »Theologie des Alten Testaments« in weiten Bereichen fortschreitet; sie fragen zurück und führen weiter. Sie möchten sich zu einem Arbeitsbuch zusammenfinden, das sich um jene wesentlichen Anstöße gruppiert, die Gerhard von Rad vermittelt hat und die hier unter dem Titel »Probleme biblischer Theologie« zusammengefaßt werden. Impulse werden spürbar, die vom Alten Testament her das Denken des Gottesglaubens für die Welt angeregt haben. So möchte dieses Buch den Ausleger des Alten Testaments genau dadurch ehren, daß es eine neue Aufmerksamkeit für die biblische Theologie zu wecken versucht – durch nichts anderes.

Die Autoren danken dem Chr. Kaiser Verlag und seinem Leiter, Herrn Fritz Bissinger, herzlich für die bereitwillige und sorgfältige Betreuung dieses Bandes. Herrn Dr. Frank Crüsemann verdankt der Leser die Hauptlast der Redaktions- und Korrekturarbeiten sowie die Register, die den Charakter des Arbeitsbuches unterstreichen wollen. Auch die Herren cand. theol. Christof Hardmeier und stud. theol. Michael Nüchtern sowie Fräulein A. Findeiß haben bei den Korrekturarbeiten in dankenswerter Weise geholfen.

Zu beachten ist, daß die meisten Manuskripte bereits im Sommer und Herbst 1970 abgeschlossen wurden. Anders wäre die rechtzeitige Herstellung mitsamt den Registern nicht möglich gewesen. Der Leser möge deshalb Verständnis für die damit gezogenen Grenzen der Verarbeitung neuerer Literatur haben.

Um die Veröffentlichung dieses Arbeitsbuches zu ermöglichen, wurden Druckkostenzuschüsse erbeten. In Anerkennung der hohen Verdienste des Jubilars für die Theologie stellten der Herr Bundesminister für Bildung und Wissenschaft, der Herr Kultusminister des Landes Baden-Württemberg, der Herr Landesbischof der Evangelischen Landeskirche in Baden, der Evang. Oberkirchenrat der Württembergischen Landeskirche und der Evangelisch-Lutherische Landeskirchenrat in München solche Zuschüsse zur Verfügung. Ihnen allen sei hier Dank gesagt.

Mit Gerhard von Rad möchten die Gratulanten verbunden bleiben in der Bitte des 119. Psalms:

»Öffne mir die Augen, daß ich sehe
die Wunder deiner Weisung.«

Heidelberg, zum 21. Oktober 1971

Hans Walter Wolff

INHALT

GUSTAV W. HEINEMANN

GERHARD VON RAD ZUM 70. GEBURTSTAG

Im Jahre 1934 beschlagnahmte die Geheime Staatspolizei (Gestapo) eine Broschüre, die die Bekenntnissynode im Rheinland hatte drucken und verbreiten lassen. Sie wurde als verkappter Angriff auf das nationalsozialistische Regime verstanden. In Wahrheit war sie jedoch ein unveränderter Neudruck dessen, was der Wuppertaler Pastor *Paul Geyser* schon in den siebziger Jahren des letzten Jahrhunderts unter dem Titel „Die Sünde Jerobeams" dargestellt hatte, und zwar „daß der Narr auch die Gewissen regieren, die Kirche sich unterwerfen, die Gottesverehrung nach dem Staatsinteresse, das will sagen, zur Befestigung seiner Herrschaft modeln und bestimmen wollte." In dieser Theologie Jerobeams fühlten sich die nationalsozialistischen Deutschen Christen getroffen und riefen die Gestapo zu Hilfe.

Das Alte Testament ist aber nun einmal schockierend direkt und konkret. Seine Weltoffenheit und Wirklichkeitsnähe hat die Christen immer schon in Verlegenheit gebracht. Es wurde oft einer minderwertigen Moral verdächtigt und sollte ebenso oft Kreuzzüge rechtfertigen. Der große Flügel des deutsch-christlichen Protestantismus sagte sich 1933 vom Alten Testament los und übertrug gleichwohl das Erwählungsbewußtsein Israels auf sich selbst.

Die Bekennende Kirche erklärte demgegenüber in der ersten These der Barmer Erklärung von 1934 das Alte Testament zum unverzichtbaren Zeugnis für Jesus Christus. Er allein ist Gottes Wort. Unkritische Benutzung oder ideologische Ablehnung des Alten Testaments waren damit in gleicher Weise abgewehrt.

Gerhard von Rad erbrachte mit seiner Arbeit am Alten Testament den Erweis für diese These des Barmer Bekenntnisses. Er machte deutlich, daß der Gott, dessen Handeln Israel seine Existenz verdankt, schon die Züge desselben Gottes trägt, den Jesus im Neuen Testament als unseren Vater verkündigt. Diese Einsicht stellte das altgewohnte theologische Schema vom Alten Testament als dem Gesetz und vom Neuen Testament als dem Evangelium biblisch in Frage. Wenn das Gesetz für Israel unter dem Vorzeichen des Evangeliums gegeben worden war, mußte auch die »Zwei-Reiche-Lehre« neu überdacht werden. Die Befreiung der Glaubenden durfte dann nicht auf die private Sphäre des Verhältnisses Gottes zum Menschen beschränkt bleiben, sie mußte sich vielmehr auch im öffentlichen Leben und im politischen Handeln bewähren und das ständige Bemühen um bessere Gerechtigkeit und Frieden in unserer vorläufigen Welt aufschließen.

Die Theologische Erklärung von Barmen ist bis jetzt nicht zu einer gemeinsamen Basis des Protestantismus geworden. Altüberlieferte Lehrmeinungen lassen sich wohl nicht in einem Menschenalter verändern. Doch hat uns *Gerhard von Rad* auf die Handgreiflichkeit und Diesseitigkeit der Abrahamsverheißung neu zu achten gelehrt: Glaubende werden von Gott gerufen und dazu geführt, schon jetzt Segen, nämlich Lebensrettung und Lebenshilfe, unter die Völker zu bringen.

Damit hat *Gerhard von Rad* gerade uns Nichttheologen für die politische und soziale Arbeit der beharrlichen kleinen Schritte in Richtung auf die »konkrete Utopie« eine dankenswerte Hilfe geleistet.

ROBERT BACH

»…, DER BOGEN ZERBRICHT, SPIESSE ZERSCHLÄGT UND WAGEN MIT FEUER VERBRENNT«

Unter den mannigfachen Überlieferungen des Alten Testaments, die, wie *GvRad* im 2. Band seiner Theologie des Alten Testaments (1960) gezeigt hat, in der prophetischen Verkündigung aktualisiert werden, hat die »Zion-Tradition« in der wissenschaftlichen Diskussion der letzten Jahre besondere Berücksichtigung gefunden.[1] Im Rahmen der »Zion-Lieder«, die diese Tradition am reinsten repräsentieren, findet sich zweimal ein Motiv, das in der neueren Forschung im Schatten von weiter reichenden mit den »Zion-Liedern« zusammenhängenden Problemen steht und zwar gelegentlich beiläufig erwähnt, aber, soweit ich sehe, bisher nirgendwo um seiner selbst willen untersucht worden ist: das Motiv von der Vernichtung des Kriegsmaterials durch Jahwe (Ps 46_{10}; 76_4). Der Untersuchung dieses Motivs sollen die folgenden Zeilen dienen. U. zw. soll zunächst eine Bestandsaufnahme erfolgen (I), dann nach der Vorgeschichte dieses Motivs gefragt (II) und schließlich seine Auswirkung auf die israelitische Eschatologie untersucht werden (III).

I.

Das Motiv von der Vernichtung des Kriegsmaterials durch Jahwe ist nicht nur in den beiden eingangs genannten »Zion-Liedern« belegt, sondern auch in einer Reihe von prophetischen Texten.

Zunächst sind zwei Unheilsankündigungen zu nennen, in denen angekündigt wird, Jahwe werde den »Bogen« eines Volkes zerbrechen. In Hos 1_5 ist ein Spruch überliefert, der offensichtlich einmal selbständig gewesen ist und eine Deutung des Namens des ersten Kindes Ho-

[1] Vgl. vor allem *ERohland*, Die Bedeutung der Erwählungstraditionen Israels für die Eschatologie der alttestamentlichen Propheten, Diss. theol. Heidelberg (1956) 119ff; *HJKraus*, Psalmen, BK XV ([2]1961) 342ff; *JSchreiner*, Sion-Jerusalem, Jahwes Königssitz, StANT VII (1963) 217ff; *GWanke*, Die Zionstheologie der Korachiten, BZAW 97 (1966); *HMLutz*, Jahwe, Jerusalem und die Völker, WMANT 27 (1968) 111ff.

seas gegeben hat, die keinesfalls in ursprünglichem Zusammenhang mit der Deutung von Hos 1$_{4}$ steht:[2]

> Und an jenem Tage werde ich den Bogen Israels zerbrechen in der Ebene Jesreel.

Das gleiche Bild ist im Elamspruch der Fremdvölkersprüche des Jeremiabuches verwendet, Jer 49$_{35}$:

> Siehe, ich werde den Bogen Elams zerbrechen,
> das Beste seiner Kraft.

In beiden Fällen ist offensichtlich der Bogen ein bildlicher Ausdruck für die gesamte Streitmacht des betr. Volkes, so daß der Sinn dieser Sprüche der ist, Israel bzw. Elam eine militärische Niederlage anzukündigen.

Ist das Motiv von der Vernichtung des Kriegsmaterials in den beiden genannten Sprüchen zur Ankündigung einer konkreten militärischen Niederlage verwendet, so erscheint es in Mi 5$_{9-13}$ im größeren Zusammenhang eines umfassenden Läuterungsgerichts über Juda:

> 9 Und an jenem Tage – Spruch Jahwes –
> vernichte ich deine Pferde aus deiner Mitte
> und zerstöre deine Streitwagen.
> 10 Und ich vernichte die Burgen deines Landes
> und reiße alle deine Festungen nieder.
> 11 Und ich vernichte die Zauberkünste aus deiner Hand,
> und du wirst keine Zauberer mehr haben.
> 12 Und ich vernichte deine Götzenbilder
> und deine Malsteine aus deiner Mitte,
> so daß du nicht mehr niederfällst
> vor dem Machwerk deiner Hände.
> 13 Und ich reiße aus deine Kultpfähle aus deiner Mitte
> und vertilge deine ›Götterbilder‹.[3]

Dieser Spruch hat nicht »eine innere Umwandlung der ... Menschen«[4] im Auge, sondern redet von einer gottgewirkten Katastrophe, die alles Gottfeindliche vernichtet. Dabei verdient Beachtung, daß die Kriegsausrüstung in einem Atemzug mit Zauberei und Götzendienst genannt wird, also ebenso wie diese als Ausdruck einer gottfeindlichen Haltung gilt.

[2] Vgl. *HWWolff*, Dodekapropheton 1, Hosea, BK XIV/1 ([2]1965) 20f; *WRudolph*, Hosea, KAT XIII, 1 (1966) 52f.

[3] Statt עָרֶיךָ ist wohl mit *HSteiner* (*FHitzig-HSteiner*, Die zwölf kleinen Propheten, [4]1881, 225) und den meisten Neueren עֲצַבֶּיךָ zu lesen. – Der Erwägung wert ist *ESellins* Vorschlag (Das Zwölfprophetenbuch, KAT XII, 1. Hälfte, [2.3]1929, 340), V. 12b hinter V. 13 zu stellen. – V. 14 kann ohne Textänderung schwerlich als ursprüngliche Fortsetzung des Spruches gelten.

[4] So *HGroß*, Die Idee des ewigen und allgemeinen Weltfriedens im Alten Orient und im Alten Testament, TThS 7 ([2]1967) 66 (anders 101).

Aber auch Heilsankündigungen benutzen das Motiv von der Vernichtung des Kriegsmaterials durch Jahwe. So Hos 2_{20}. Im Anschluß an die Ankündigung eines Bundes, den Jahwe für die Israeliten mit den Tieren schließen wird, heißt es dort:

> Bogen, Schwert und Kriegsgerät[5]
> zerbreche ich, daß sie nicht mehr im Lande sind,
> und ich lasse sie in Sicherheit ruhen.

Obwohl die Formulierung fast die gleiche ist wie in Hos 1_{5}, ist etwas ganz anderes gemeint: Es ist keine militärische Niederlage, die angekündigt wird. Vielmehr ist das Motiv von der Vernichtung des Kriegsmaterials als ein Bild für den Frieden gebraucht, den Jahwe für Israel schaffen wird. Es liegt daher nahe, speziell an feindliche Waffen zu denken und den Spruch etwa in der Zeit nach dem Eingriff Tiglatpilesers III im Jahre 733 vChr anzusetzen.[6] Aber es ist bemerkenswert, daß eben nicht ausdrücklich von den Waffen der feindlichen Eroberer gesprochen wird,[7] sondern ganz allgemein von den Waffen überhaupt. Wo keine Waffen sind, gibt es keinen Krieg, und wo kein Krieg ist, braucht man keine Waffen. Die Allgemeinheit der Formulierung in Hos 2_{20b} entspricht der Allgemeinheit der Formulierung in Hos 2_{20a}. Um den Zustand des »sicheren Wohnens« herbeizuführen, wird Jahwe alle Waffen zerbrechen, gleichgültig, wem sie gehören.

Ähnlich allgemein formuliert ist Sach 9_{10}, wo nach dem MT von Jahwe, nach der sicher vorzuziehenden Lesart der LXX aber von dem endzeitlichen König ausgesagt wird:

> ›Er‹ wird ausrotten die Streitwagen aus Ephraim
> und die Pferde aus Jerusalem,
> und ausgerottet wird der Kriegsbogen.

Auch hier fragt man vergeblich, wessen Waffen gemeint sind. Es wird eben überhaupt keine Waffen mehr geben, und das ist der konkrete Ausdruck des Friedenszustandes, von dem in der Fortsetzung die Rede ist.

Nach diesem ersten Überblick über die Verwendung des Motivs von der Vernichtung des Kriegsmaterials durch Jahwe in der prophetischen Literatur[8] wenden wir uns nunmehr den beiden eingangs erwähnten Belegen aus den »Zion-Liedern« zu.

[5] מִלְחָמָה muß hier und Hos 1_{7}; Ps 16_{4} den konkreten Sinn entweder einer bestimmten Waffe (so *HGunkel*, Die Psalmen, HK II, 2, ^{4}1926, 331) oder von Kriegswaffen und -gerät überhaupt haben (so *WRudolph*, Hosea, KAT XIII, 1, 1966, 38).

[6] Vgl. *HWWolff*, Dodekapropheton 1, Hosea, BK XIV/1 ($_{2}$1965) 59.

[7] Vgl. die sehr viel konkretere Formulierung Jes 9_{3}.

[8] Weder Jes 9_{3} noch Jes 9_{4} gehören hierher; Jes 9_{3} nicht, weil hier nicht Waffen ge-

In der letzten der drei Strophen von Ps 46, einer Art »hymnischen Abschlusses«,[9] wird Jahwe in V. 10 als derjenige gepriesen,

> der Bogen zerbricht, Speere zerschlägt[10]
> und Wagen[11] mit Feuer verbrennt.

Das Motiv, das in den prophetischen Belegen meist ein konkretes, einmaliges geschichtliches Geschehen bezeichnet, ist hier auf die höhere Ebene einer grundsätzlichen Aussage über Jahwe transponiert. Im Rahmen von Ps 46 ist es durch den Kehrvers V. 8 von dem Völkerkampfmotiv getrennt, so daß man den Eindruck gewinnt, es sei nicht einfach ein Bestandteil des Völkerkampfmotivs.[12] Dieser Eindruck wird verstärkt durch die gegenüber den perfektischen Aussagen von V. 7 allgemeinere und grundsätzlichere Formulierung.

In Ps 76$_{4}$ heißt es von Jahwe, dessen Hütte in »Salem« und dessen Wohnung auf dem Zion ist:

nannt sind, sondern bildliche Ausdrücke für die Unterdrückung durch die Assyrer (vgl. dazu Jes 14$_{5.20}$), der Jahwe ein plötzliches Ende bereiten wird; Jes 9$_{4}$ nicht, weil hier nicht Waffen, sondern Ausrüstungsgegenstände der Assyrer genannt sind und offensichtlich nicht Jahwe das logische Subjekt ist, sondern »die Bewohner der bisherigen Provinzen auf dem Boden des Reiches Israel«, denen »am nächsten Morgen das Aufräumen mit dem zurückgebliebenen Hab und Gut der vernichteten oder außer Landes geflüchteten assyrischen Soldateska übrigbleibt« (*AAlt*, Jesaja 8$_{23}$–9$_{6}$. Befreiungsnacht und Krönungstag, Festschrift Alfred Bertholet, 1950, 39 = Alt II, 215). *HWWolff* sieht allerdings einen Zusammenhang zwischen Jes 9$_{3f}$ und Ps 46$_{10}$ (Frieden ohne Ende, BSt 35, 1962, 65). Aber nach dem oben Gesagten scheint mir eine stärkere überlieferungsgeschichtliche Differenzierung notwendig zu sein. – Ebensowenig dürften Ez 39$_{3}$ (Jahwe zerbricht die Waffen nicht, sondern schlägt sie den Feinden aus der Hand) und Ez 39$_{9f}$ (Verbrennung der feindlichen Waffen durch die »Bewohner der Städte Israels« – und eben nicht durch Jahwe) in diesen Zusammenhang gehören, obwohl *WZimmerli* (Ezechiel, BK XIII, 1969, 963) die Verse mit Ps 46$_{10}$ zusammenstellt und in den Aussagen von Ez 39$_{9f}$ »alte Ziontradition« sieht. – Zur Frage eines Zusammenhangs zwischen dem Motiv vom Zerbrechen der Waffen durch Jahwe und der »Zion-Tradition« s. weiter unten.

[9] So *HMLutz*, aaO 163.

[10] »Das perf. ist schwierig« (*DMichel*, Tempora und Satzstellung in den Psalmen, Diss. ev. theol. Bonn 1960, § 16, 16). Vielleicht ist mit BHK יְקַצֵּץ zu lesen.

[11] Bei MT עֲגָלוֹת »Lastkarren« könnte man allenfalls an den Troß denken (so *HSchmidt*, Die Psalmen, HAT 15, 1934, 88). Besser liest man mit LXX und Targ. עֲגִלוֹת »Rundschilde«, ein im Alten Testament nicht, wohl aber im Jüdisch-Aramäischen belegtes Wort (so nach *FBaethgen*, Die Psalmen, HK II, 2, 1892, 135 die meisten Neueren). Keinesfalls geht es an, den MT beizubehalten und unter den עֲגָלוֹת stillschweigend Streitwagen zu verstehen, wie *HJKraus*, Psalmen, BK XV ([2]1961) 346 es tut. Der von Pferden gezogene Streitwagen (מֶרְכָּבָה bzw. רֶכֶב) und der vom Rind gezogene Lastkarren (עֲגָלָה) sind im Alten Testament terminologisch scharf unterschieden.

[12] Vgl. *HMLutz*, aaO 163: »Vorstellungen . . ., die sich ursprünglich nicht mit denen von vv 6b. 7 decken«.

Dort zerbrach er die Flammen[13] des Bogens,
Schild, Schwert und Kriegsgerät.[14]

Anders als in Ps 46$_{10}$ ist das Motiv hier zur Bezeichnung einer einmaligen Tat Jahwes in der Vergangenheit verwendet. Immerhin erscheint es auch hier nicht einfach als Bestandteil des Völkerkampfmotivs,[15] sondern ist von diesem durch den Wechsel von der 3. Person der Verse 2–4 zur 2. Person der Verse 5ff sowie durch den allgemeineren lobpreisenden V. 5 abgesetzt.

Eine Übersicht über die behandelten Texte läßt erkennen, daß die rein materiale Aussage überall die gleiche ist und sich etwa in dem Satz zusammenfassen läßt: »Jahwe zerbricht Waffen«.[16] Nur Sach 9$_{10}$ (LXX) nennt statt Jahwe den endzeitlichen König als Subjekt. Als Waffen werden hauptsächlich genannt: Bogen (Jer 49$_{35}$; Hos 1$_{5}$; 2$_{20}$; Sach 9$_{10}$; Ps 46$_{10}$; 76$_{4}$), Pferd und Wagen (Mi 5$_{9}$; Sach 9$_{10}$), Schwert (Hos 2$_{20}$; Ps 76$_{4}$), »Kriegsgerät« (מִלְחָמָה[17]) (Hos 2$_{20}$; Ps 76$_{4}$). Die übrigen Objekte erscheinen nur je einmal neben den genannten: Burgen und Festungen (Mi 5$_{10}$), Speer (Ps 46$_{10}$), Schild (Ps 76$_{4}$) und das textlich unsichere Wort עֲגָלוֹת (Ps 46$_{10}$). Als Prädikat ist meist שׁבר ḳ. oder pi. verwendet (Jer 49$_{35}$; Hos 1$_{5}$; 2$_{20}$; Ps 46$_{10}$; 76$_{4}$) oder כרת hi. bzw. ni. (Mi 5$_{9f}$; Sach 9$_{10}$), daneben je einmal אבד hi. (Mi 5$_{9}$), הרס (Mi 5$_{10}$), קצץ pi. und שׂרף (Ps 46$_{10}$). Angesichts der offensichtlich gleichartigen materialen Aussage »Jahwe zerbricht Waffen« wiegt diese relativ große terminologische Breite nicht allzu schwer.

Der Beachtung wert erscheint die Beobachtung, daß als Objekt immer nur das Waffenmaterial genannt ist, der Personenkreis, der diese Waffen handhabt, als Objekt des Handelns Jahwes dagegen nie in den Gesichtskreis rückt. Dabei ist dem Alten Testament die Aussage durch-

[13] Mit den „Flammen des Bogens“ könnten allenfalls (Brand-?)Pfeile gemeint sein (vgl. *HSchmidt*, aaO 145). Aber da bei fast allen Belegen des Motivs von der Vernichtung des Kriegsmaterials durch Jahwe der Bogen direktes Objekt des Zerbrechens ist, verdient *HGunkels* Konjektur (aaO 331) אַשְׁפָּה וָקֶשֶׁת (»Köcher und Bogen“) nach wie vor Beachtung.

[14] Zu מִלְחָמָה in dieser Bedeutung s. o. Anm. 5.

[15] Richtig beobachtet von *HMLutz*, aaO 170 (»zwei voneinander unabhängige ... Traditionen«).

[16] Die Zurückführung der unterschiedlich formulierten Aussagen (vgl. dazu im einzelnen das Folgende) auf diesen ganz allgemein und grundsätzlich formulierten Satz rechtfertigt sich m. E. durch die Tatsache, daß in der Tat überall Waffen genannt sind (daß die Rosse neben den Streitwagen als »Waffen« gelten, bedarf keiner Erörterung; auch die in Mi 5$_{9f}$ neben Rossen und Wagen einmal genannten »Burgen und Festungen« können im weiteren Sinne als »Waffen« gelten). Daß in dem oben geprägten formelhaften Satz nicht gesagt ist, *wessen* Waffen Jahwe zerbricht, hat in Hos 2$_{20}$; Sach 9$_{10}$; Ps 46$_{10}$; 76$_{4}$ seine Stütze.

[17] Vgl. dazu oben Anm. 5.

aus nicht fremd, daß Jahwe ein Volk »zerbricht« (Jes 8_{15}; 14_{25}; 30_{14}; Jer $48_{4.38}$; 51_{8}; Klgl 1_{15}), aber in diesen Fällen sind eben nicht die Waffen zugleich erwähnt, woraus sich m. E. schlüssig ergibt, daß die Aussage »Jahwe zerbricht Waffen« ein eigenständiges Motiv ist.

Besonderes Interesse verdient die Tatsache, daß die material gleiche Aussage intentional ganz unterschiedlich verwendet wird: Sie kann die militärische Niederlage Israels ebenso ankündigen (Hos 1_{5}) wie die militärische Niederlage eines Fremdvolks (Jer 49_{35}); sie kann der Schilderung eines umfassenden göttlichen Läuterungsgerichts ebenso dienen (Mi 5_{9ff}) wie der Schilderung des eschatologischen Friedens (Hos 2_{20}; Sach 9_{10}); sie kann Jahwes Tun grundsätzlich-hymnisch preisen (Ps 46_{10}) oder sein einmaliges, für die Wertung des »Zion« offenbar als grundlegend erachtetes Tun in der Vergangenheit Jerusalems bezeichnen (Ps 76_{4}). Diese intentionale Verschiedenheit der Aussage kann an ihrer materialen Gleichförmigkeit nichts ändern. Sie zeigt aber, gerade in Verbindung mit der materialen Gleichartigkeit der Aussage, daß die Formulierung nicht erst für die jeweiligen Zusammenhänge geprägt ist, sondern daß hier ein überlieferungsgeschichtliches Motiv vorliegt, das den jeweiligen Zusammenhängen vorgegeben und in ihnen in jeweils unterschiedlichem Sinne verwendet worden ist. Diese Erkenntnis zwingt zu der Frage, woher die Aussage »Jahwe zerbricht Waffen« überlieferungsgeschichtlich stammt.

Bevor diese Frage erörtert werden kann, ist ein erstes, vorläufiges Ergebnis der vorangehenden Erwägungen festzuhalten. Aus der Untersuchung von Ps 46 und 76 hat sich ergeben, daß das Motiv vom Zerbrechen der Waffen durch Jahwe in ihnen nicht sonderlich fest verankert ist, jedenfalls offensichtlich nicht in ursprünglichem Zusammenhang mit dem Völkerkampfmotiv, einem der Hauptmotive der »Zion-Tradition«, steht. Es erscheint daher nicht möglich, das Motiv vom Zerbrechen der Waffen durch Jahwe einfach als einen Bestandteil der »Zion-Tradition« anzusprechen.[18] Dieses erste, negative Ergebnis der Untersuchung jenes Motivs wird gestützt durch die Tatsache, daß es auch außerhalb der »Zion-Lieder« vorkommt, u. zw. in Zusammenhängen, die eine überlieferungsgeschichtliche Verbindung mit den »Zion-Liedern« nicht erkennen lassen. Niemand wird doch im Ernst behaupten wollen, daß Jer 49_{35}; Hos 1_{5}; 2_{20}; Mi 5_{9f} von der »Zion-Tradition« abhängig seien. Aller Anschein spricht vielmehr dafür, daß das Motiv vom Zerbrechen der Waffen durch Jahwe einen eigenen überlieferungsgeschichtlichen Ursprung abseits der »Zion-Tradition« hat und in diese erst im Laufe der Zeit eingedrungen ist. Dafür spricht

[18] So offensichtlich *HWildberger*, VT 7 (1957) 68. 81; ders., Jesaja, BK X (1965ff) 86; vgl. auch *WZimmerli*, Ezechiel BK XIII (1969) 963.

auch die Art, wie dieses Motiv in Ps 46₁₀ formuliert ist: Hier scheint eine vorgegebene, einstmals konkrete Aussage auf einen formelhaften hymnischen Nenner gebracht worden zu sein. Und dergleichen geschieht vergleichsweise spät. Wenn diese Erwägungen richtig sind, stellt sich nunmehr die Aufgabe, nach der überlieferungsgeschichtlichen Herkunft jenes Motivs zu fragen.

II.

Fragt man, wo das Motiv vom Zerbrechen der Waffen durch Jahwe seinen überlieferungsgeschichtlichen Ursprung haben könnte, legt sich der Gedanke nahe, es aus der Tradition von den Jahwekriegen aus Israels Frühzeit abzuleiten,[19] also etwa anzunehmen, daß von Jahwe einmal als von dem die Rede gewesen wäre, der die Waffen der Feinde zerbricht (und Israel dadurch den Sieg verleiht). Diese Vermutung läßt sich aber schwerlich halten. Denn in der erzählenden Tradition von den Jahwekriegen ist zwar von mannigfachen Formen des Eingreifens Jahwes die Rede,[20] nirgendwo aber davon, daß er die Waffen der Feinde zerbrochen habe.[21] Überhaupt erscheinen in jenen Zusammenhängen viel eher die Feinde selbst als ihre Waffen als das Objekt von Jahwes Tun,[22] und von den Waffen ist höchstens insofern die Rede, als sich unter den Feinden eines jeden Schwert gegen den anderen richtet (Ri 7₂₂; 1Sam 14₂₀), und das ist natürlich etwas ganz anderes als das Zerbrechen der Waffen durch Jahwe. Und unter den oben angeführten prophetischen Belegen des Motivs vom Zerbrechen der Waffen durch Jahwe findet sich allenfalls ein einziger, bei dem sich ein direkter Zusammenhang mit der Überlieferung von den Jahwekriegen vermuten lassen könnte (Jer 49₃₅).[23] Das Motiv »Jahwe zerbricht Waffen« scheint demnach nicht einfach aus den Jahwekriegen der Frühzeit

[19] So mehr oder minder vorsichtig vermutend *WZimmerli*, Gottes Offenbarung, ThB 19 (1963) 73; *HJKraus*, aaO 346; *JSchreiner*, aaO 225f; *HMLutz*, aaO 163.

[20] Vgl. die Zusammenstellung bei *GvRad*, Der Heilige Krieg im alten Israel, AThANT (1951) 12.

[21] Trotz der teilweisen, allerdings geringfügigen terminologischen Übereinstimmung mit einem Teil der Belege des Motivs vom Zerbrechen der Waffen durch Jahwe (»Rosse«) gehört das Mirjam-Lied Ex 15₂₁ nicht hierher, da es eben nicht von der Zerstörung des Kriegsmaterials allein spricht, sondern von der Vernichtung der gesamten Streitmacht einschließlich der Soldaten.

[22] Vgl. die Zusammenstellung bei *GvRad*, aaO 12.

[23] Zum Zusammenhang mindestens einer bestimmten Schicht innerhalb der Fremdvölkersprüche des Jeremiabuches mit dem Jahwekrieg vgl. *RBach*, Die Aufforderungen zur Flucht und zum Kampf im alttestamentlichen Prophetenspruch, WMANT 9 (1962).

Israels abgeleitet werden zu können. Es dürfte auch schwerfallen, eine Aussage, die der Erwartung eines künftigen Friedens dienstbar gemacht ist (Hos 2 20; Sach 9 10; Ps 46 10), unmittelbar aus der kriegerischen Tradition Israels herzuleiten. Die Frage nach der überlieferungsgeschichtlichen Herkunft jenes Motivs erscheint demnach verwickelter, als es der erste Blick vermuten läßt.

Darum ist genaueres Zusehen erforderlich. Dem oben als eine formelhafte Zusammenfassung jenes Überlieferungselements geprägten Satz »Jahwe zerbricht Waffen« ist ein bestimmtes Pathos eigen: Jahwe erweist sich als Gegner von Waffen und Kriegsrüstung. Dieses Pathos eignet nicht nur der von uns geprägten Formel, sondern es tritt ebenso in den Texten selbst hervor. So besonders deutlich in Ps 46 10. Aber auch in Mi 5 9f ist es unverkennbar: Waffen und Kriegsrüstung sind widergöttlich und stehen auf einer Stufe mit Zauberei und Götzendienst. Dieses Pathos läßt das Motiv vom Zerbrechen der Waffen durch Jahwe in einem größeren Zusammenhang erscheinen, nämlich der vor allem im 8. Jh. vChr laut werdenden prophetischen Polemik gegen Waffen und Kriegsrüstung. Um sich den überlieferungsgeschichtlichen Zusammenhang zwischen dem Motiv »Jahwe zerbricht Waffen« und der prophetischen Polemik gegen militärisches Machtpotential klarzumachen, vergleiche man nur Mi 5 9ff mit Jes 2 7f:

> Sein Land wurde voll von Silber und Gold,
> nicht zu zählen sind seine Schätze.
> Und sein Land wurde voll von Pferden,
> nicht zu zählen sind seine Wagen.
> Und sein Land wurde voll von Götzen . . .

In diesem Fragment eines Scheltworts[24] aus Jesajas Frühzeit[25] sind ebenso wie in Mi 5 9ff Götzendienst (dazu hier noch hybrider Reichtum) und Kriegsmaterial auf eine Stufe gestellt. Das gleiche ist in Hos 14 4 der Fall, wo es in einem Bußlied, das Hosea dem Volk in den Mund legt, heißt:

> Assur soll uns nicht helfen,
> mit Pferden wollen wir nicht fahren,
> und wir wollen nicht »unser Gott!« sagen
> zum Machwerk unserer Hände.

[24] Ein solches scheint mir in Jes 2 7f eher vorzuliegen als eine historisch-erzählende Schilderung (so Alt III, 348 Anm. 1) oder eine »prophetische Geschichtsdeutung« (so *HWildberger*, Jesaja, BK X, 1965ff, 100). *Alts* und *Wildbergers* Verständnis des Spruches setzt die Zusammengehörigkeit mit V. 9 voraus, die mir aber bei dem literarischen Charakter des Kapitels sehr fraglich ist.

[25] Zur Datierung von Jes 2 7f vgl. die Kommentare. In dem Spruch scheint sich die ökonomische Blütezeit zu spiegeln, die Juda nach 2Chr 26f während der Regierungszeit Asarjas/Ussias und Jothams erlebte.

Ohne diesen spezifischen Zusammenhang mit dem Götzendienst, aber als Begründung für eine Unheilsankündigung und insofern als etwas dem Willen Jahwes durchaus Zuwiderlaufendes erscheint die Kriegsrüstung in dem Scheltwort Hos 10_{13b}:

Ja, du hast vertraut auf deine ›Streitwagen‹,[26]
auf die Menge deiner Soldaten.

Bekanntlich hat vor allem Jesaja in den Zeiten der assyrischen Bedrohungen Judas dessen Rüstungspolitik als widergöttlich gebrandmarkt. Die Formulierung in Jes 30_{15f} und $31_{1.3}$ ist offensichtlich so gewählt, daß das Vertrauen auf Pferd und Wagen als absoluter Gegensatz gegen das Vertrauen auf Jahwe erscheint.

Vom unversöhnlichen Gegensatz zwischen Jahwe und jeglicher Kriegsrüstung ist auch Ps 20_8 beherrscht:

Diese halten's mit Streitwagen, jene mit Pferden,
wir aber rufen den Namen Jahwes, unseres Gottes, an.

Der Vers ist Bestandteil der Antwort des Volkes auf ein Orakel, mit dem, vermutlich von einem Propheten,[27] ein speziell für den König in einer Situation akuter Kriegsgefahr[28] bittendes »Klagelied des Volkes« beantwortet wurde. Insofern spiegelt sich auch hier indirekt die prophetische Polemik gegen Kriegsrüstung.

Auf einen geradezu formelhaften Nenner ist die Unversöhnlichkeit Jahwes mit Waffen und Kriegsrüstung in Sach 4_6 gebracht:

Nicht durch Heer und nicht durch Gewalt,
sondern durch meinen Geist!

In Ps 33_{16-18} und 147_{10f} schließlich hat jene prophetische Abwertung der militärischen Stärke späten Eingang in die Kultlyrik gefunden, ist also, wenn auch nicht mehr aktuell (es wird ja auf keinerlei konkrete kriegerische Situation Bezug genommen), sondern nur noch in der Gestalt hymnischer Formeln, Gemeingut der Kultgemeinde geworden.

Wo jene prophetische und nachprophetische Polemik gegen militärische Rüstung ihrerseits ihre überlieferungsgeschichtliche Wurzel hat,

[26] Statt בְּדַרְכְּךָ ist wahrscheinlich mit einem Teil der LXX-Überlieferung, BHK und den meisten neueren Kommentaren בְרִכְבְּךָ zu lesen. Anders zuletzt *WRudolph*, Hosea, KAT XIII, 1 (1966) 205.

[27] Zur Frage des Sprechers des auf das Klagelied des Volkes antwortenden Orakels vgl. einstweilen *HEvWaldow*, Anlaß und Hintergrund der Verkündigung des Deuterojesaja (Diss. ev. theol. Bonn 1953) 82ff. Ich hoffe demnächst auf diese Frage in anderem Zusammenhang eingehen zu können.

[28] Unter den verschiedenen Versuchen, den Sitz des Psalms im Leben zu bestimmen, hat m. E. derjenige von *HGunkel*, Die Psalmen, HK II, 2 (^{4}1926) 81 (»Bettag vor dem Kriege«) die größte Wahrscheinlichkeit für sich.

ist längst erkannt: *GvRad* hat überzeugend nachgewiesen, daß hier Nachwirkungen der Überlieferung von den Jahwekriegen aus Israels Frühzeit vorliegen.[29] Allerdings besteht keine unmittelbare Verbindung zwischen den Jahwekriegen und diesen polemischen Äußerungen gegen militärische Machtmittel. Verständlich werden diese Äußerungen nur auf dem Hintergrund der erzählenden Überlieferung von den Jahwekriegen, in der Jahwe immer stärker zum allein Handelnden und die einstigen Kämpfer des Heerbanns zu bloßen Zuschauern des Wirkens Jahwes geworden waren. Schon in der erzählenden Überlieferung von den Jahwekriegen konnte es zu Äußerungen kommen, in denen Jahwe und die Benutzung von Waffen als ein unüberbrückbarer Gegensatz erscheinen, wie *GvRad* am Beispiel von 1Sam 17_{45-47} gezeigt hat.[30] Das alles ist bekannt und braucht hier nicht weiter ausgeführt zu werden.

Worauf es im gegenwärtigen Zusammenhang ankommt, ist vielmehr die Erkenntnis, daß das dem Motiv vom Zerbrechen der Waffen durch Jahwe innewohnende Pathos das gleiche Pathos ist, das sich in der prophetischen Polemik gegen militärische Rüstung ausspricht. Darum scheint mir die Vermutung alles für sich zu haben, daß die Aussage »Jahwe zerbricht Waffen« ihre überlieferungsgeschichtliche Wurzel in der prophetischen Erkenntnis des unversöhnlichen Gegensatzes zwischen Jahwe und militärischer Rüstung hat, die ihrerseits in der erzählenden Überlieferung von den Jahwekriegen präludiert ist. Das Motiv »Jahwe zerbricht Waffen« hat demnach seine letzte Wurzel durchaus im Jahwekrieg, aber es ist aus ihm ableitbar nur auf dem Umweg über die erzählende Überlieferung, in der der Jahwekrieg zum »absoluten Jahwewunder«[31] und Jahwe der geworden war, der die Waffen Israels unnötig machte. Die Waffen, von denen das Motiv ausgeht, sind nicht die Waffen der Feinde, die Jahwe etwa zerbrochen hätte, um Israel zum Sieg zu verhelfen,[32] sondern die Waffen Israels, die angesichts des wunderhaften Einsatzes Jahwes für Israel unnötig wurden. Einen Schritt weiter führte die prophetische Erkenntnis, daß Waffen nicht nur unnütz, daß sie vielmehr dem Willen Jahwes grundsätzlich zuwider sind. Jahwe (und das Vertrauen auf ihn) und militärisches Machtpotential (und das Vertrauen darauf) sind zu einer absoluten Alternative geworden. Jahwes »Eiferheiligkeit«[33] kann das Vertrauen auf militärische Machtmittel ebensowenig vertragen wie das Vertrauen auf andere Götter. Dementsprechend richtet sich Jahwes Eifer nicht nur gegen den

[29] Vgl. *GvRad,* Der Heilige Krieg im alten Israel, AThANT (1951) 50ff.
[30] Vgl. *GvRad,* aaO 47ff.
[31] *GvRad,* aaO 50.
[32] Vgl. die Diskussion dieser Möglichkeit oben S. 19.
[33] Vgl. *GvRad,* Theologie des Alten Testaments I ([4]1962) 216ff.

Götzendienst, sondern auch gegen die Waffen, vorab Israels. Wir möchten also meinen, daß Mi 5$_{9ff}$ dem überlieferungsgeschichtlichen Ursprung des Motivs »Jahwe zerbricht Waffen« am nächsten steht. Aber die skizzierte Tendenz ist nicht die einzige, die sich mit dem Motiv verbunden hat. Nachdem sich der Satz »Jahwe zerbricht Waffen« überhaupt erst einmal als ein Überlieferungselement in prophetischen Kreisen durchgesetzt hatte, ist er auch ganz anderen Zwecken dienstbar gemacht worden.

Doch bevor wir darauf eingehen, ist folgendes festzuhalten: Das Motiv vom Zerbrechen der Waffen durch Jahwe ist von prophetischen Voraussetzungen (und darüber hinaus von der erzählenden Überlieferung von den Jahwekriegen) her voll verständlich, und es bedarf zur Erklärung der prophetischen Belege dieses Motivs keines Rückgriffs auf die »Zion-Tradition«. Im Gegenteil: Ps 46$_{10}$ und 76$_{4}$ setzen offensichtlich ihrerseits jenes prophetische Überlieferungselement voraus. Damit soll nichts gesagt sein gegen das mögliche Alter anderer für die »Zion-Tradition« in Anspruch genommener Motive.[34] Aber daß Jahwe Waffen zerbricht, ist allem Anschein nach kein Motiv alter »Zion-Tradition«, sondern ein *prophetisches* Überlieferungselement.

III.

Das Motiv »Jahwe zerbricht Waffen« hat in höchst bedeutsamer Weise auf die prophetische Eschatologie eingewirkt: Dreimal (Hos 2$_{20}$; Sach 9$_{10}$; Ps 46$_{10}$) erscheint es im Kontext mit der Erwartung eines künftigen dauernden Friedens. In Hos 2$_{20}$ wird den Israeliten als Folge des Zerbrechens der Waffen ein Wohnen in ruhiger Sicherheit verheißen, der in Sach 9$_{10}$ erwartete König »wird den Völkern Frieden sprechen«, und Ps 46$_{10}$ rühmt Jahwe als den, »der die Kriege beendet bis ans Ende der Erde«. In diesem Kontext erscheint das Zerbrechen der Waffen jeweils als das entscheidende Tun, das den Frieden herbeiführt.

Im Unterschied zu Hos 2$_{20}$, das die Ungestörtheit auf den nationalen Rahmen beschränkt, ist an Ps 46$_{10}$; Sach 9$_{10}$ ihre universale Ausdehnung bemerkenswert. Der Eiferheiligkeit Jahwes wohnt offensichtlich eine solche Vehemenz inne, daß sie keinerlei Waffen duldet, gleichgültig, wem sie gehören. Der unversöhnlichen Feindschaft Jahwes gegen militärische Stärke fallen nicht nur Israels Waffen zum Opfer (Mi 5$_{9f}$), sondern die Waffen »bis ans Ende der Erde«. So spricht alle Wahrscheinlichkeit dafür, daß die Erwartung eines künftigen Völkerfrie-

[34] Vgl. dazu *HSchmid*, Jahwe und die Kulttraditionen von Jerusalem, ZAW 67 (1955) 168ff und die oben Anm. 1 genannte Literatur.

dens[35] ihre Wurzel (oder zum mindesten eine ihrer Wurzeln) im Überlieferungselement vom Zerbrechen der Waffen durch Jahwe hat.

Es kann daher kein Zufall sein, daß auch der locus classicus der Erwartung eines Völkerfriedens, Jes 2$_{4b}$ (= Mi 4$_{3b}$), von einem Zerbrechen der Waffen spricht. Dort wird von den Völkern gesagt:

> Sie werden ihre Schwerter zerschlagen, um Pflugscharen,
> und ihre Lanzen, um Winzermesser daraus zu machen.
> Kein Volk wird mehr gegen ein anderes das Schwert erheben,
> und das Kriegshandwerk werden sie nicht mehr lernen.[36]

Bemerkenswert an diesem Spruch ist die Tatsache, daß es hier die Völker selbst sind, die ihre Waffen zerbrechen, und nicht Jahwe. Darum könnte der Gedanke naheliegen, Jes 2$_{4b}$ ebenso wie Jes 9$_{4}$; Ez 39$_{9f}$ von dem Überlieferungselement »Jahwe zerbricht Waffen« abzurükken.[37] Aber im Unterschied zu Jes 9$_{4}$; Ez 39$_{9f}$ sind es die eigenen Waffen, die verschrottet werden, nicht die Waffen der Feinde. Und die Waffen werden nicht nach einem Kriege und als dessen Überbleibsel vernichtet, sondern *vor* einem etwaigen Kriege; man verzichtet also von vornherein auf die Anwendung von Waffen. Insofern steht Jes 2$_{4b}$ den in Teil I genannten Belegen des Motivs »Jahwe zerbricht Waffen« wesentlich näher als Jes 9$_{4}$; Ez 39$_{9f}$.

Es kommt hinzu, daß hinter dem Tun der Völker unverkennbar Jahwes Wille und seine Belehrung stehen (Jes 2$_{3b.4a}$). Nur weil die Völker Jahwes Willen kennengelernt haben, kommen sie auf den Gedanken, ihre Waffen zu vernichten. Unter Jahwes Schiedsspruch (Jes 2$_{4a}$) werden Waffen unnötig, und unter seiner Belehrung (Jes 2$_{3b}$) werden sie als widergöttlich erkannt und darum vernichtet. Die treibende Kraft ist also auch hier Jahwes Wille und sein unversöhnlicher Gegensatz gegen militärische Stärke. Worin Jes 2$_{4b}$ über die Motivreihe »Jahwe zerbricht Waffen« hinausgeht, ist allein die Tatsache, daß Jahwe die Völker zum freiwilligen Verzicht auf Waffen führt und sich in seiner Gegnerschaft gegen militärische Rüstung der spontanen Aktivität der

[35] Vgl. zu dieser Erwartung *WEichrodt*, Die Hoffnung des ewigen Friedens im alten Israel, BFChTh 25, 3 (1920); *FJames*, Is there Pacifism in the Old Testament? AThR 11 (1928/29) 224–232; *HGreßmann*, Der Messias, FRLANT 43 (1929) 153–155; *JJStamm-HBietenhard*, Der Weltfriede im Alten und Neuen Testament (so das Titelblatt; Titel auf dem Einband: Der Weltfriede im Lichte der Bibel) (1959); *HGroß*, Die Idee des ewigen und allgemeinen Weltfriedens im Alten Orient und im Alten Testament, TThS 7 (^{2}1967).

[36] Die übliche Übersetzung »umschmieden« bringt nicht zum Ausdruck, daß in der constructio praegnans primär von einem »in-Stücke-Schlagen« die Rede ist. – Die textlichen Unterschiede zwischen Jes 2$_{4b}$ und Mi 4$_{3b}$ sind unerheblich und können hier auf sich beruhen bleiben.

[37] Vgl. dazu oben Anm. 8.

Völker bedient. Jes 2$_{4b}$ darf daher gewiß als eine Sonderform des Überlieferungselements vom Zerbrechen der Waffen durch Jahwe gelten.

Eine Frage, die im Anschluß an Jes 2$_{4b}$ erneuter Erörterung bedarf, ist die Frage nach einem etwaigen ursprünglichen überlieferungsgeschichtlichen Zusammenhang zwischen dem Motiv »Jahwe zerbricht Waffen« und der »Zion-Tradition«. Einen solchen Zusammenhang haben wir oben nicht anzuerkennen vermocht. In Jes 2$_{2-4}$ = Mi 4$_{1-3}$ erscheint das Motiv vom Zerbrechen der Waffen erneut im Zusammenhang mit Aussagen über den Zion. Nun ist aber das Überlieferungselement von der Völkerwallfahrt zum Zion[38] ein durchaus eigenständiges Überlieferungselement, das einer Ergänzung durch das Motiv des Zerbrechens der Waffen von Hause aus nicht bedarf. Mit der Abgabe der Tribute der Völker auf dem Zion bzw. dem Empfang der Belehrung ist die Wallfahrt beendet. Jes 2$_{4b}$ versetzt den Hörer offenbar auch in eine andere Situation: Die Völker sind jetzt wieder zu Hause, und vom Tempelberg, von dem im Vorangehenden in fast jeder Zeile gesprochen war, ist jetzt nicht mehr die Rede. Andererseits ist in den übrigen Belegen der Tradition von der Völkerwallfahrt zum Zion vom Zerbrechen der Waffen nicht die Rede – wenn auch das Wort שָׁלוֹם gelegentlich mehr oder minder beiläufig erscheint (Jes 60$_{17}$; Hag 2$_{9}$). Das alles spricht doch sehr dafür, daß in Jes 2 keine ursprüngliche Verknüpfung zwischen der Tradition von der Völkerwallfahrt zum Zion und dem Motiv vom Zerbrechen der Waffen vorliegt.[39] Vielmehr wird die Verknüpfung der beiden ganz eigenständigen Traditionen auf den Verfasser von Jes 2 zurückgehen.[40]

Das Motiv vom Zerbrechen der Waffen durch Jahwe erweist sich demnach überall, auch in Jes 2$_{4b}$, als ein selbständiges Überlieferungselement. Innerhalb der Geschichte der prophetischen Überlieferungen hatte dieses Überlieferungselement eine überaus interessante Geschichte: Es geht zurück auf die prophetische Polemik gegen Waffen und Kriegsrüstung, die ihrerseits in der erzählenden Überlieferung von den Jahwekriegen und damit letztlich in diesen selbst ihre Wurzel hat. Und

[38] Jes 60; Hag 2$_{1-9}$; Sach 14$_{16f}$; vgl. dazu *GvRad,* Die Stadt auf dem Berge, EvTh 8 (1948/49) 439–447 = *GvRad,* Gesammelte Studien zum Alten Testament, ThB 8 (1958) 214–224.

[39] So, wenn auch von anderen Voraussetzungen aus, richtig beobachtet auch von *HGreßmann,* aaO 154.

[40] Die nach wie vor heftig umstrittene Frage nach dem Verfasser von Jes 2$_{2-4}$ kann in diesem Zusammenhang nicht ausführlich behandelt werden. Als ein Argument für Jesaja als den Verfasser darf aber auf Grund der obigen Erörterungen der souveräne Umgang mit vorgegebenen Traditionen, insbesondere die Verknüpfung der »Zion-Tradition« mit einem letztlich aus dem Jahwekrieg stammenden Traditionselement genannt werden.

es ist seinerseits die Wurzel (oder zum mindesten eine der Wurzeln) der Erwartung eines allgemeinen und dauernden Friedens zwischen den Völkern. Daß diese Erwartung demnach in einem verwickelten Überlieferungsprozeß auf die Tradition von den Jahwekriegen in Israels Frühzeit zurückgeht, ist ein überraschender und auf den ersten Blick paradoxer Tatbestand. Dieser Tatbestand wird aber verständlich, wenn man sich die Eigenart der Jahwekriege und vor allem die Eigenart der von den Jahwekriegen ausgehenden Überlieferung vor Augen hält: In der erzählenden Überlieferung von den Jahwekriegen wurde Jahwe in einem solchen Maße zum allein Handelnden, daß das eigentliche kriegerische Geschehen einer Paralysierung unterworfen wurde, die die Erzählungen das kriegerische Handeln der beteiligten Israeliten ganz vergessen läßt (vgl. schon Ri 5_{21}). Im Zuge dieser Paralysierung des eigentlichen kriegerischen Geschehens wurden Jahwekrieg und der Gebrauch von Waffen schließlich »Gegensätze, die sich überhaupt ausschließen«.[41] Dieser Gegensatz wurde unter dem Zugriff der Propheten zu einem Gegensatz zwischen Jahwe und dem Krieg überhaupt, so daß schließlich als eine späte Blüte an den von den Jahwekriegen ausgehenden Überlieferungen die Erwartung eines Zerbrechens der Waffen durch Jahwe und die Herbeiführung eines dauernden Friedens zwischen den Völkern entstand.

Die Ankündigung eines künftigen dauernden Friedens ist demnach in der Überlieferungsgeschichte des Jahweglaubens organisch verwurzelt und nicht etwa so etwas wie ein »Überbau« über menschliche Friedenssehnsucht.[42] Aus einem der Zentren des Jahweglaubens heraus hat schon das Alte Testament in Jahwe den »Gott des Friedens« (Röm 15_{33}; 16_{20}) gesehen. So gewiß menschliche Friedenssehnsucht ernst zu nehmen ist, so klar gilt es doch zu erkennen, daß nach dem Zeugnis des Alten Testaments der aus Jahwes Eiferheiligkeit entspringende Friedenswille Jahwes aller menschlichen Friedenssehnsucht vorangeht. – Den »kriegerischen Geist« des alten Israel[43] wird man angesichts der oben verfolgten Überlieferungsgeschichte nicht isoliert betrachten dürfen. Dem Spezifikum der Jahwekriege wird man vielmehr nur gerecht, wenn man berücksichtigt, daß die von ihnen ausgehende Überlieferungsgeschichte der Mutterboden des Bekenntnisses ist, daß Jahwe »ein Ende macht den Kriegen in aller Welt, Bogen zerbricht, Spieße zerschlägt und Wagen mit Feuer verbrennt«.

[41] *GvRad,* Der Heilige Krieg im alten Israel, AThANT (1951) 48.

[42] *HGroß* bringt aaO 111 als einen der drei von ihm genannten Faktoren für die Gestaltung der Hoffnung auf einen allgemeinen Weltfrieden eine Überhöhung allgemeinmenschlichen Glücksverlangens in Anschlag.

[43] Vgl. dazu zB *HGunkel,* Israelitisches Heldentum und Kriegsfrömmigkeit im Alten Testament (1916).

KLAUS BALTZER

ZUR FORMGESCHICHTLICHEN BESTIMMUNG DER TEXTE VOM GOTTES-KNECHT IM DEUTERO-JESAJA-BUCH

BDuhm hat in seinem Jesaja- Kommentar 1892[1] die Sonderstellung der »Dichtungen vom Ebed-Jahwe« erkannt und beschrieben.[2] Seine These ist Grundlage der Auslegung des Dtjes-Buches in der alttestamentlichen Wissenschaft geworden.[3] Eigenartig ist nur, daß sich seitdem auch die Bezeichnung als »Lieder«, wenn auch hin und wieder eingeschränkt als »sogenannte« Lieder, durchgehalten hat.[4] *Duhm* verwendet den Begriff »Lieder« abwechselnd mit »Dichtungen«, »Gedicht« und beschreibt so den poetischen Stil der Texte, zu dem auch der strophische Aufbau gehört. An Gesang ist dabei nicht notwendig gedacht.

Zur Gattungsbestimmung reicht der Begriff »Lieder« nicht mehr aus. Eine Reihe von Untersuchungen hat sich mit dem Problem der Gattung dieser Texte beschäftigt.[5] Meist ließen sich nur einzelne Ele-

[1] *BDuhm*, Jesaja, HK ([3]1914).

[2] ebd 284.

[3] An Übersichten zur Literatur siehe:
CRNorth, The Suffering Servant of Deutero-Isaiah ([2]1956);
HHaag, Die Ebed-Jahwe-Forschung 1948–58, BZ 3 (1959) 174–204;
GFohrer, ThR NF 28 (1962) 234–239;
WZimmerli, Art. παῖς θεοῦ, AT, ThWBNT V 653–676.
An neueren Auslegungen siehe u. a.:
JMuilenburg, The Book of Isaiah 40–66, IntB V (1956) 381–773;
CRNorth, The Second Isaiah (1964);
GFohrer, Das Buch Jesaja III (1964);
CWestermann, Das Buch Jesaja, Kap. 40–66, ATD 19 (1966);
KElliger, Jesaja II, BK 11 (1970).

[4] vgl. das Literaturverzeichnis von *OEissfeldt*, Einleitung in das AT ([3]1964) 444 bis 446.

[5] s. u. a. *JBegrich*, Studien zu Deuterojesaja, BWANT 77 (1938), Neudruck 1963;
IEgnell, The Ebed Yahweh Songs and the Suffering Messiah in Deutero-Isaiah, BJRL 31 (1948);
JLindblom, The Servant Songs in Deutero-Isaiah, A New Attempt to Solve an Old Problem (1951);
HEvWaldow, Anlaß und Hintergrund der Verkündigung Deuterojesajas. Diss. Bonn (1953);
MHaran, The Literary Structure and Chronological Framework of the Prophecies in Is XV–XVIII, VTSuppl IX (1963)
und bes. *OKaiser*, Der Königliche Knecht (1959).

mente erkennen, deren Zusammenhang aber unklar bleibt. Im folgenden soll der Versuch gemacht werden, durch den Vergleich mit einer auch außerhalb des Alten Testaments gut belegten antiken Gattung zu einem besseren Verständnis des literarischen Charakters dieser Texte zu kommen. Wir nehmen dabei eine Anregung *GvRads* auf, der auf den Zusammenhang von Nehemia-Denkschrift und der ägyptischen »Idealbiographie« hingewiesen hat.[6] Biographien sind sicher nicht auf Ägypten beschränkt, aber dort ist die Form der Biographie vom Alten Reich bis in die Spätzeit besonders entwickelt worden.[7] Biographische Inschriften finden sich an den Wänden der Gräber, auf Stelen und schließlich auf Tempelstatuen. Träger der Biographien sind vor allem hohe ägyptische Beamte. Wenn man aber von »Biographie« spricht, muß man sich zunächst einen wesentlichen Unterschied zwischen der modernen und der antiken Auffassung einer Biographie deutlich machen. In der Moderne herrscht das Interesse am persönlichen, privaten, einmaligen Schicksal vor, so sehr man auch hier in der Distanz Stereotype feststellen könnte.

Die antike Biographie stellt vor allem das öffentliche Leben dar, welche allgemeinen Tugenden einen Menschen auszeichneten, wie er seine Tätigkeit erfüllt hat.[8] Der formelhafte Charakter der ägyptischen Biographie hängt auch damit zusammen, daß sie ursprünglich aus einer Reihe von Titulaturen entwickelt ist, die den jeweils verliehenen Ämtern und damit dem Verhältnis zum Pharao entsprachen.

Nach *EOtto* lassen sich »in den biogr. Inschriften selbst ... zwei formale und inhaltliche Bestandteile unterscheiden, einmal die sog. ›Idealbiographie‹, sodann die eigentliche biogr. Erzählung, die die Ereignisse des jeweiligen Lebenslaufes enthält«.[9] Wie *EOtto* aber weiter zeigt,[10] können Einzelheiten einer ursprünglich an eine bestimmte Zeit und konkrete Person gebundenen biographischen Erzählung im Laufe der Tradition zu festen Elementen der Idealbiographie werden.[11] Umgekehrt braucht die typisierte Form und Redeweise nicht gegen einen historischen Gehalt sprechen. So erscheint es im ganzen gerechtfertigt,

[6] in: Die Nehemia-Denkschrift ZAW 76 (1964) 176–187.

[7] s. *EOtto,* Die biographischen Inschriften der ägyptischen Spätzeit. Ihre geistesgeschichtliche und literarische Bedeutung (1954); (zitiert als »Inschriften«); und ders Art. »Biographien« in: Handbuch der Orientalistik, 1. Bd. Ägyptologie, 2. Abschnitt Literatur (1952) 148–157, (^{2}1970) 179–188 (zitiert als »Handbuch«).

[8] s. *FLeo,* Die griechisch-römische Biographie nach ihrer literarischen Form (1901); *WSteidle,* Sueton und die antike Biographie (1951).

[9] Handbuch ^{2}181f.

[10] ebd 182.

[11] s. auch *KSethe,* Einsetzung des Veziers unter der 18. Dynastie ... (1909) bes. 53f [101f].

gegenüber der modernen Biographie und ihren Interessen, die Gattung als *Idealbiographie* zu bezeichnen.

Die Biographie ist in der Regel als direkte Rede des Toten an die Nachlebenden stilisiert. In der Biographie gibt der Gestorbene Rechenschaft über sein Leben vor Göttern und Menschen. Sie ist in Ägypten verbunden mit der besonderen Form des Totenkultes, dh insbesondere dem Opfer und Opfergebet für den Toten.

Mit der Wendung an die Nachwelt wird die Biographie schließlich zur »Lehre«.[12] Das Leben des Dargestellten wird zum Vorbild, dem man folgen soll.

Bei der Untersuchung der Texte im Dtjes-Buch gehen wir aus von der Beobachtung, daß der erste ausgesonderte Text Jes 42_{1-9} eine Einsetzung enthält (»Ich, Jahwe, rufe dich ... und mache dich zum ...« 42_{6}) und daß im letzten, Jes 52_{13}–53_{12}, der Tod und das Begräbnis des »Knechtes« erwähnt werden (»abgeschieden vom Land der Lebenden ... und man gab ihm ... sein Grab« 53_{8f}). Von der Einsetzung bis zum Tode, das ist aber gerade die Zeitspanne, die für eine am öffentlichen Leben interessierte Biographie charakteristisch ist. Die Einsetzung ist dabei wichtiger als die Geburt. Die Darstellung der Einsetzung enthält die Legitimation und das Programm der Amtsführung, wie sowohl die Einsetzungsberichte der Propheten als auch in den ägyptischen Biographien zB die Einsetzung des Veziers *Rḫ-mj-Rʿ* zeigen.[13] Nur bei einem König kann die Erwähnung der Geburt in der Biographie wichtig sein, wenn dieser in der Erbfolge der Dynastie seine Legitimation durch seine Abstammung erhält.

Der äußere Umfang einer Biographie könnnte somit bei den Texten im Dtjes-Buch durchaus erhalten geblieben sein. Im jetzigen Kontext sind die Texte, gleich wie man ihre Entstehung und die Verfasserfrage beurteilt, sekundär verarbeitet. Das läßt schon ihre Streuung innerhalb des Buches erkennen. Ob eine Biographie vollständig erhalten ist oder nicht, darüber lassen sich kaum Vermutungen anstellen.[14] Die Einzelexegese wird zeigen können, daß jedenfalls wesentliche Stücke erhalten sind.

Eine andere Schwierigkeit bei der Erklärung dieser Texte liegt darin, daß jegliche anschaulichen Elemente zu Raum, Zeit und handelnden

[12] s. *Otto,* Handbuch 181ff. Zur Bezeichnung der Biographie als »Lehre« verweist er auf *Sethe,* Lesestücke 68.
und *AHermann,* Stelen thebanischer Felsgräber (Ägyptologische Forschungen 11) 121.

[13] s. vom Verfasser, Considerations Regarding the Office and Calling of the Prophet, HThR 61 (1968) 567–581.

[14] Zu erwägen ist, ob auch noch andere Texte des Dtjes-Buches aus ähnlichem Material stammen. Vgl. 41_{8f}; 43_{1f}; $44_{1f.24f}$.

Personen fehlen. Es finden sich verschiedene Reden, ohne daß ihre Umstände angegeben wären. Einzelne Stücke haben einen szenischen Charakter, der weniger an »Lieder« als an ein »Drama« denken läßt. Bei den biographischen Texten in Ägypten besteht hier keine Schwierigkeit. In den Gräbern der hohen Beamten sind die Texte mit den Darstellungen verbunden. So wird bei der Einsetzung seit der Zeit des Mittleren Reiches der Pharao selbst abgebildet, sicher ein außerordentliches Vorrecht der hohen Beamten. Durch die Weise der Anbringung der Inschriften ist meist gut erkennbar, was als Rede des Pharao zu verstehen ist, was als Beischrift zur Erklärung der Szene. Daneben aber gibt es Abschriften der Texte ohne die zugehörigen Bilder, also eine rein literarische Tradition. Die Texte konnten in Ägypten auch in verschiedenen Gräbern wieder verwendet werden. Die Biographien in den Gräbern selbst sind einem Bilderbuch mit Texten vergleichbar. Wieweit es in Israel Darstellungen solcher Szenen gegeben hat, ist bisher, auch archäologisch, noch nicht genügend geklärt. Es ist verlockend zu erwägen, wie weit zu Texten, wie sie im Dtjes-Buch vorliegen, auch eine darstellende Tradition gehört hat.

Durch den Vergleich mit anderen alttestamentlichen Texten läßt sich jedoch ein Teil der Szenen, aus denen die Biographie aufgebaut ist, im wesentlichen rekonstruieren.

Jesaja 42_{1-7}

Die Einsetzung in Jes 42_{1-7} ist als Fremdbericht stilisiert. Vom »Knecht« ist in 3. Person die Rede. Man sollte aber die Grenze zwischen Biographie über eine Person und Autobiographie nicht zu scharf ziehen. Schon die ägyptischen Texte zeigen den Wechsel von der 1. zur 3. Person.[15]

Der Text beginnt jetzt ohne Angaben zu den Umständen mit einer Gottesrede. Die Gottheit stellt ihren »Knecht« vor (»Siehe mein Knecht« 42_1) und setzt ihn ohne irgendwelche Vermittlung selber ein. Von daher ist anzunehmen, daß es sich um eine himmlische Szene handelt.[16] Menschen, außer dem Knecht, wenn er gerufen wird, haben hier keinen Zutritt. Etwaige Zeugen sind damit zunächst als himmli-

[15] vgl. zB die Texte der Einsetzung *Rh-mj-R'ˁs*, *NdeGDavies*, The Tomb of Rekh-mi-Re at Thebes, Publications of the Metropolitan Museum of Art XI, New York (1943) 79ff und 85ff, Übersetzung von *Gardiner*, ANET 213 Text A und B.
Die Frage der Authentizität von Biographien ist daher nicht mit stilistischen Gründen zu beantworten.

[16] s. *FMCross*, The Council of Jahweh in Second Isaiah, INES 12 (1952) 274–277.

sche Wesen anzusehen.[17] Die beste Illustration ist daher die Thronszene von Jes 6 und 1Kön 22.[18] Der Thron steht im Palast, Ort der Einsetzung ist der himmlische Palast Gottes, so die Vorstellung.[19] Schon der äußere Rahmen der Einsetzung läßt somit auf die hohe Stellung des Eingesetzten, jedenfalls von Menschen aus gesehen, schließen. Er hat Zugang zu den Himmeln und ist Gott-unmittelbar. Von Gott, seinem Herrn aus gesehen, ist er »Knecht« (עבד).

In Jes 6₈ und 1Kön 22₂₀ (vgl. Hiob 1) findet sich ebenfalls das Motiv der Beratung des Herrschers mit seinem Hofstaat. Dies ist besonders wichtig bei einem so bedeutenden Staatsakt, wie ihn eine Einsetzung darstellt.

Vergleichbar ist hier die Einsetzung des Veziers *Wśr*.[20] Dort wird zunächst berichtet, wie die hohen Beamten des Pharao über die Nominierung beraten: »Diese Freunde nun ließen viele treffliche Möglichkeiten Revue passieren, die man zu seiner Kenntnis bringen konnte ...«. Aber die Entscheidung ist Sache allein des Pharao. In der Beratung empfehlen die Beamten: »erhöhe den Wunsch, der in deinem Herzen ist, welches dir eine Entscheidung der Wahrheit erfreut«.[21]

An diesem Punkt setzt der vorliegende Dtjes-Text ein, indem er die göttliche Erwählung hervorhebt:

42₁ »Mein Erwählter, den meine Seele (נפש) wohlgefällig annimmt«.

In dem eben genannten ägyptischen Text gibt der Pharao dann eine kurze Charakteristik der Anforderungen an den Vezier: (ein Mann) »der entschlußfreudig ist bei den Problemen des [Staates]. [energisch] beim Heranholen der Prozessierenden, indem er beglückt, wenn seine Stimme [erklingt (o. ä.)]«.[22] Der ideale Charakter der Biographie wird auch in solchen Einzelheiten wieder gut erkennbar.

Die Tugenden, die von dem »Knechte« Jes 42 gefordert werden, sind:

V. 1b »Er wird dafür sorgen, daß Rechtsentscheid[23] (משפט) zu den Völkern ausgeht

[17] so mit *CRNorth*, The Suffering Servant, 142.

[18] *WZimmerli*, Ezechiel, BK 13, 18ff.

[19] Dies gilt auch, wenn nach Jes 6 an eine Verbindung mit dem irdischen Tempel gedacht wäre.

[20] *Sethe*, Urkunden IV 1381, Übersetzung nach *WHelck*, Urkunden der 18. Dynastie (1961) Nr. 420: Einsetzung des Veziers *Wśr* aus seinem Grab Nr. 131, S. 70–71.

[21] ebd.

[22] ebd.

s. auch im folgenden aus der Rede an den Vater des neuen Veziers. (*Sethe*, Urkunden IV 1383, *Helck*, aaO 71) »Ich (selbst) habe deinen Sohn *Wśr* anerkannt als tüchtig im Darlegen von Problemen, als rechtschaffen (durch) deine Lehre, dessen Herz offen ist für deine Klugheit ...«

[23] Wenn in den Handschriften von Qumran (s. BHK) ומשפטו gelesen wurde, so ist damit deutlicher, daß nicht allgemein das Recht, sondern der Rechtsentscheid gemeint ist, vgl. תורתו in V. 4.

2 er wird nicht schreien
er wird nicht laut rufen
er wird seine Stimme nicht draußen hören lassen
3 Ein geknicktes Rohr wird er nicht zerbrechen,
den glimmenden Docht wird er nicht auslöschen
In Treue wird er Rechtsentscheid (משפט) ausgehen lassen
4 er wird nicht erlöschen
er wird nicht zerbrechen
bis er auf Erden[24] Rechtsentscheid (משפט) in Kraft setzt
und auf seine Weisung werden die Inseln harren.«

Der »Knecht« hat richterliche Funktionen. Er sorgt für die Aufrechterhaltung der Rechtsordnung im Herrschaftsbereich dessen, der ihn einsetzt. Zugleich hat er prozessuale Aufgaben im engeren Sinn,[25] wobei wir immer daran denken müssen, daß darunter nicht nur strafrechtliche, sondern vor allem auch zivilrechtliche Angelegenheiten fallen.

Entsprechend dem ägyptischen Text enthielte V. 1–4 nur die Beratung über die Person. Davon ist die eigentliche Einsetzung zu unterscheiden. Sie wird dort eingeleitet: (Datum) »An diesem Tag Vorführen des Schreibers des Gottesschatzes *Wśr-ʾImn* des Amuntempels vor Seine Majestät (L. H. [G.) Da sagte Seine Majestät: Mein Herz] neigt sich sehr dem *Wśr-ʾImn* zu.«[26] Die Unterscheidung gäbe die Möglichkeit das eigenartige Nebeneinander von V. 1–4 und 5–9, bei dem ein sachlicher Fortschritt zunächst nicht erkennbar wird, zu erklären.[27]

Die *Einsetzung* beginnt mit einer hymnischen Prädikation Gottes. (V. 5) Es sind Titulaturen, wie sie ähnlich auch der Hofstil kennt.[28]

[24] Oder »im Lande« als Gegensatz zu »Inseln«?

[25] Möglicherweise kann die Ablehnung des »Schreiens« in V. 2 durch das positive: »er beglückt, wenn seine Stimme [erklingt]« (s. o. bei der Einsetzung des Veziers *Wśr*), erklärt werden. Zu der Rede vom »geknickten Rohr« und »glimmenden Docht« wäre die verschiedentlich beobachtete Verwendung von Bildworten weisheitlichen Charakters bei Einsetzungen zu vergleichen. Die Übersetzung von *Torrey* in V. 4a (nach *CRNorth,* Second Isaiah 109) »He will not chide or deal harshly«, würde einen guten Sinn geben, insbesondere, wenn man die Stellen 1Sam 12$_{3f}$ im Richterspiegel Samuels und Amos 4$_1$ vergleicht. Es ginge um den Schutz der Schwachen gegenüber rechtlicher Willkür. Es braucht hier noch nicht vom Leiden des Knechts die Rede sein. Die Deutung als Ausrüstung des Knechts im Sinne der Einsetzung Jeremias: »Ich selbst, ich mache dich heute zur festen Burg . . .« (Jer 1$_{8f}$) ist ebenfalls möglich (so *Westermann,* aaO 80).

[26] Urk. 1384; *Helck,* aaO 71.

[27] Ähnlich *Kaiser,* aaO 16: »Der eigentlichen Berufung des Knechts in den v 5–7 geht also seine Vorstellung voraus«.

[28] vgl. die Einleitung des Vorschlages der Beamten bei der Einsetzung des Veziers *Wśr* »Du schützest deine beiden [Länder] beim Schaffen für den Vater, [du] sicherst [Ägypten . . .] Du machst die Gesetze fest in alle Ewigkeit zur Zufriedenheit der Menschen. [Du befriedigst] die Bedürfnisse, gründest die beiden Länder, indem die Ämter an [ihren (richtigen) Plätzen] sind. Du befestigst die Grenzen

Jahwe ist der Gott, der die Welt geschaffen hat und erhält, und damit ihr Herr. Das *Einsetzungswort* enthält V. 6: »Ich, Jahwe, rufe dich in Gerechtigkeit ... und mache dich zum [...] für das Volk, zum Lichte für die Völker.« Im Einsetzungswort ist an dieser Stelle ein Titel, mit dem die Tätigkeit des Eingesetzten bezeichnet wird, zu erwarten. Leider gibt das im Text stehende ברית wenig Sinn.[29] Dagegen läßt sich das in Parallele stehende »Licht für die Völker« verstehen. Die »Herstellung des gottwohlgefälligen Rechtszustands auf Erden«[30] ist Licht, Heil. Es ist die Aufgabe dessen, der hier eingesetzt wird. Wie *OKaiser* richtig beobachtet hat, ist es die Aufnahme des in V. 4 Ausgeführten (תורה...משפט) in der eigentlichen Einsetzung. Der *Zuständigkeitsbereich* ist mit עם und גוים umschrieben, wobei hier die Unterscheidung zwischen einem engeren und einem weiteren Bereich festgehalten sein könnte.[31] Die spezielle *Dienstanweisung* lautet auf »Herausführung eines Gefangenen aus dem Kerker, der in Finsternis Sitzenden aus dem Gefängnis« (V. 7). Eines der übelsten Bereiche der antiken Rechtspflege – und nicht nur dieser – ist das Gefängniswesen. Es gibt eine ganze Reihe von Texten im Alten Testament, die dies illustrieren.[32] Untersuchungshaft und Strafhaft sind nicht getrennt. In jedem Fall kann man sehr lange im Gefängnis sein. »Sie werden gefangen weggeführt in das Gefängnis und eingeschlossen im Kerker und nach langen Tagen zur Verantwortung gezogen«.[33] Der Prozeß erfolgt hier wohl erst nach langer Haft. Die Gebete der unschuldig Angeklagten sind ein beredtes Zeugnis der Bedingungen von Gefangenen.

Jahwe selbst tritt für die Gefangenen ein.[34] Er ist »ein Vater der Waisen, ein Anwalt der Witwen ... er ist es ... *der Gefangene herausführt«* (Ps 68_{6} u. $_{7}$). Diese Aufgabe, die Gefangenen herauszuführen, wird in der Dienstanweisung auf den »Knecht« delegiert. Er hat ex officio die Pflicht, sich um die Gefangenen zu kümmern, was sonst

gegen die Neunbogen; was Re beleuchtet, untersteht deiner Aufsicht ...« Urk. 1381f, *Helck*, aaO 70.

[29] Die von *Torczyner* zuerst vorgeschlagene Erklärung ist zu erwägen. S. hierzu *CRNorth*, The Suffering Servant in Deutero-Isaiah (^{2}1956) 133 und *North*, Second Isaiah, 112 mit Hinweis auf Luk 2_{32}.

[30] s. *OKaiser*, aaO 35 z. St. unter Heranziehung von Spr 6_{23}; Ps 119_{105}; Jes 42_{16}; 45_{7}; 49_{6}; 51_{4}.
Vgl. auch Joh 8_{12}: »Jesus redete nun wieder zu ihm und sprach: Ich bin das Licht der Welt. Wer mir nachfolgt, wird nicht in Finsternis wandeln, sondern er wird das Licht des Lebens haben.« Der enge Zusammenhang zwischen der Bezeichnung Jesu als »Licht der Welt« und seinem »Richten« wird im folgenden deutlich (s. V. 15 u. 16; ebenso in 12_{44-50}).

[31] vgl. Jer $1_{5.10}$; Hes 2_{3}.

[32] s. Gen 39_{19f}; 40_{14}; 41_{1}; Jer 37_{15f}.

[33] Jes 24_{23} s. BHK, s. a. Jes 14_{17}: »der seinen Gefangenen den Kerker nicht aufschloß.«

[34] s. u. a. Ps 69_{34}; 107_{10ff}; 142_{8}; Klgl 3_{34-36}.

niemand tut. »Herausführen« bedeutet Freilassung, es kann aber auch den Sinn haben, daß nun endlich der Prozeß stattfindet. Wenn der »Knecht« nicht selber Gerichtsherr ist, beruht im »Herausführen« die Pflicht zur Petition bei den Verantwortlichen. Die Überlegungen zu Gefängnis und Gerichtswesen machen klar, wie groß Umfang und Bedeutung des Amtes in diesem speziellen Bereich sind, in das hier eingesetzt wird.

Ob V. 8 und 9 noch in den Zusammenhang gehören, ist umstritten.[35] Man kann die Möglichkeit jedenfalls erwägen. V. 8 wäre wieder eine hymnische Prädikation. Ihre Häufung kann Stilelement sein.[36] Nur V. 9 würde noch ein neues Element zu der Einsetzung hinzufügen. Es wird die Zusage gemacht, daß neue Ereignisse kundgetan werden. Die Information ist zuverlässig, die Ereignisse sind in der Vergangenheit eingetreten;[37] die Information ist rechtzeitig (»bevor es sproßt, lasse ich es hören« V. 9). Fraglich ist nur, an wen die Information ergeht.[38] Im Zusammenhang der Einsetzung würde man erwarten, daß das Objekt »der Knecht« ist. Das würde dem Sinn nach übereinstimmen mit Amos 3$_{7}$: »denn nicht wird *der Herr*, Jahwe, eine Sache tun, wenn er nicht seinen Ratschluß offenbart hat an *seine Knechte*, die Propheten«. Die Zuverlässigkeit der Information zwischen Herr und Knecht ist über alle Zweifel erhaben. Am Ende der Einsetzung ist diese Zusage gut vorstellbar. Daß ihm alles Geschehen kundgetan werden muß, zeigt seine Abhängigkeit trotz der Machtfülle, die ihm verliehen wird. Die Änderung, statt »dich« »*euch* werde ich es hören lassen«, wäre dann die einzige Stelle, an der innerhalb dieses Textes ein kollektives Verständnis vom »Knecht« notwendig ist.[39] Dieses Verständnis wäre aber auch hier gegenüber dem individuellen Verständnis sekundär.

In 42$_{10-13}$ folgt ein Hymnus, in dem alle Welt zum Lobpreis Jahwes aufgefordert wird. Als Abschluß der Einsetzung sind diese Verse denkbar.[40] Der »Knecht« ist in ein Amt eingesetzt worden. Der eigentliche Herrscher, dem man akklamiert, bleibt Jahwe selbst. Da alle

[35] Ein Argument für die Zusammengehörigkeit ist nach *Kaiser:* »Rein formal fällt es auf, daß V. 8 keine neue Einleitungsformel besitzt, so daß der Schluß auf Grund des gleichen redenden Subjektes nahe liegt, daß beide Verse mit den vorhergehenden Abschnitten zu verbinden sind« (aaO 39).

[36] vgl. den Text der Einsetzung des *Wśr-'Imn.* In den Übersetzungen ägyptischer Texte werden die gehäuften Prädikationen mehrfach weggelassen.

[37] vgl. Jes 44$_{26}$.

[38] s. C*Westermann:* »das ›euch‹ im letzten Satz ist beziehungslos.« (aaO 84).

[39] Die LXX hat in V. 1 »Ιακωβ ὁ παῖς μου, ... Ισραηλ ὁ ἐκλεκτός« und damit das kollektive Verständnis erweitert.
Für das NT ist wieder die individuelle Deutung auf Jesus das einzige Verständnis s. Mt 12$_{17-21}$.

[40] vgl. Jes 6$_{3f}$, dort allerdings steht der Hymnus innerhalb der Einsetzung.

szenischen Elemente fehlen, erfährt man nichts Direktes über eine Ordinationshandlung, wie sie bei anderen Einsetzungen vorkommt. Gern wüßte man, wie das »Ich gebe meinen Geist auf dich« vorzustellen ist.[41] Ein Indiz für eine vorgenommene Handlung ist möglicherweise תמך in V. 1, wenn man es mit einem Ritus der Handergreifung verbindet.[42] Auffallend ist immerhin, daß im 1. Teil V. 1–4 das Imperfekt verwendet wird »ich werde ihn ergreifen«, während im 2. Teil in V. 6 – jedenfalls nach dem Targum und der LXX – zu übersetzen ist »ich habe deine Hand ergriffen«. Es würde bedeuten, daß inzwischen eine Handlung stattgefunden hat. Eine übertragene Bedeutung ist aber in beiden Fällen ebenfalls möglich.

Der erste Gottesknechttext enthält somit einen nahezu vollständigen Einsetzungsbericht. Seiner Form nach entspricht er den prophetischen Einsetzungsberichten.[43] In der Sache wird durch die Einsetzung die Legitimation für das Amt dargestellt. Der Einsetzungsbericht hat somit seinen Sinn und Zweck als Anfang einer Biographie. Im weiteren ist zu fragen, ob sich nicht auch andere Elemente einer Biographie in diesen Texten finden.

Jesaja 49$_{1-6}$

49$_1$ setzt unvermittelt ein mit einer direkten Rede des »Knechtes«. Er wendet sich an die Inseln und an die Völker in der Ferne und fordert ihre Aufmerksamkeit. Er stellt sich ihnen vor als einer, den Jahwe berufen hat. Auch hier liegt der Vergleich mit der Einsetzung des Veziers in Ägypten wieder nahe, denn die erste Amtshandlung, die von *Rh-mj-Rᶜ* gezeigt wird, ist die Entgegennahme des Tributes der Fremdländer für den Pharao.[44] Damit werden der Antritt seines Dienstes und

[41] vgl. Mk 1$_{10}$ par.

[42] *Kaiser*, aaO 20.

[43] s. jetzt bes. *W Richter*, Die sogenannten vorprophetischen Berufungsberichte, FRLANT 101 (1970).

[44] s. hierzu *Kurt Sethe*, Die Einsetzung des Veziers unter der 18. Dynastie . . ., 53f: »Neben dem Bilde, das die Einsetzung des *Rech-mi-reᶜ* zum Vezier darstellt und zu dem unser Text als Beischrift gehörte, befindet sich nämlich ein anderes Bild, das *Rech-mi-reᶜ* von eben jener Szene herkommend und die Tribute der Fremdvölker für den König in Empfang nehmend darstellt. Die Inschrift zu diesem allbekannten Bilde besteht aus drei Teilen: erstens dem Titel der Darstellung ›Empfangen der Tribute der und der Fremdländer durch den Vezier *Rech-mi-reᶜ*‹, zweitens der Rede der Hofleute, die vor *Rech-mi-reᶜ* hergehen und drittens endlich einer speziellen Beischrift zu dem Vezier selbst«.
Diese Inschrift lautet in der Übersetzung Sethes (54) »Glücklich kommen von Hofe – er lebe, sei heil und gesund – durch die Fürsten, Mund von Hierakonpolis, Propheten der Gerechtigkeit, Vorsteher der Hauptstadt und Vezier

seine Vollmacht demonstriert. Von da her gewinnen einige Einzelheiten des Textes in Jes 49 ein neues Licht. Dabei sollen zunächst nur V. 1–3 berücksichtigt werden.

Es bereitet Schwierigkeiten, sich die Szene vorzustellen. *Kaiser* meint: »Die in V. 1 als Adressaten erscheinenden Fremdvölker scheiden ja als reale Zuhörer aus«,[45] und »Die Anrede der entfernt wohnenden Völker kann hier keineswegs realistisch verstanden werden, da der Prophet keine Gelegenheit hatte, sich mit ihnen in Verbindung zu setzen.«[46] In den ägyptischen Beamtengräbern, wenn eine solche Rede Beischrift ist, kann man sehen, wer die Adressaten sind. Die Vertreter der Fremdländer sind, treffsicher unterschieden nach Völkern und Ländern, je mit ihren Gaben, an den Wänden dargestellt.[47] Wenn man hinzunimmt, daß der alttestamentliche Text in einer Zeit äußerer politischer Ohnmacht ins Dtjes-Buch aufgenommen worden ist, so zeigt die Diskrepanz zwischen Anspruch und Wirklichkeit, wie sehr hier ein traditioneller Topos der Idealbiographie gestaltet wird. Er führt aber nur aus, was in einer Einsetzung unter dem Stichwort »für die Völker« ausgesagt wird. Es ist die Frage, ob je ein Prophet in der Lage war, so bei seiner Einsetzung die Vertreter der Völker zu versammeln. Der Anspruch wird nur erträglich in dem Festhalten daran, daß es allein Jahwes Herrschaft ist und bleibt, die durch den »Knecht« repräsentiert wird.

Die Beglaubigung des Knechtes wird in seiner Antrittsrede auf zwei Momente zurückgeführt, seine Berufung und seine Einsetzung. Seine Berufung durch Jahwe geschah schon vom Mutterleib an. Jahwe hat »bewirkt, daß mein Name genannt wurde«,[48] schon damals! Aber seine Designation blieb bis zu seiner Einsetzung verborgen (V. 2a und b). Die Erwählung vom Mutterleib an und die Verborgenheit seiner Be-

Rech-mi-reʿ, nachdem er die Gunst des Herren des Palastes empfangen hat, nachdem [ihm] aufgegeben worden ist, die beiden Länder zu regieren und die beiden Lande zu verwalten, wie es seinem Vater, dem Vorsteher der Hauptstadt und Vezier *ʿmt* obgelegen hatte«.

[45] aaO 55.

[46] ebd 57

[47] s. *EMeyer*, Bericht über eine Expedition nach Ägypten zur Erforschung der Darstellungen der Fremdvölker, SAB (1913) 769–801. Vgl. die Darstellung der »Könige aus dem Morgenland« nach Mt 2$_{1-12}$ in der christlichen Kunst.

[48] Man könnte paraphrasieren: ›So wie im Thronrat ein Name genannt wird, den man sich merken muß, wenn man einen guten Beamten sucht‹, vgl. aus der Einsetzung des Veziers *Wśr:* »Diese Freunde nun ließen viele treffliche Möglichkeiten Revue passieren, die man zu seiner Kenntnis bringen könnte«. S. auch Hiob 1$_{6ff}$ »Nun begab es sich eines Tages, daß die Gottessöhne kamen vor Jahwe hinzuzutreten und es kam auch der Satan in ihrer Mitte ... Und Jahwe sprach zum Satan: Hast du deinen Sinn (לבך) gerichtet auf meinen Knecht Hiob, denn es gibt keinen wie ihn auf Erden« (V. 8).

stimmung gehören m. E. zu den Indizien, die gegen eine Auffassung des »Knechts« als König sprechen. (Er sei denn ein Usurpator!). Beim König ist vor allem der Vater wichtig. König wird man durch Geburt und der Thronfolger ist nicht »verborgen«. Dagegen ist dieser Zug bei einem von einer Einsetzung abhängigen Amt verständlich.

Daß Jahwe seinen Mund wie ein scharfes Schwert macht, läßt an den Titel des Veziers als »Mund« denken. Die Fremdvölkersprüche sind eine gute Illustration, was unter dem »scharfen Schwert« in diesem Kontext zu verstehen ist. Wie so häufig in Einsetzungsberichten finden sich wieder bei der Beschreibung der Tätigkeit sprichwortartige Vergleiche:[49] »Er machte mich zum auserlesenen Pfeil,[50] in seinem Köcher hielt er mich versteckt«.

V. 3 zitiert die Einsetzung. Jahwe selbst hat unmittelbar zu ihm die entscheidende Formel gesprochen: »Mein Knecht (bist) du!« Deshalb kann er sich jetzt an die Völker wenden und damit zeigt Jahwe durch ihn seine Herrlichkeit.

Soweit ist der Text wieder individuell zu deuten. Aber ich zweifle nicht, daß das »Israel« in den vorliegenden Text gehört und nicht textkritisch emendiert werden darf. Damit wird der Knecht kollektiv, auf Israel als Ganzes, gedeutet und das ist die Meinung des jetzigen Kontexts im Deuterojesaja-Buch. Aber da dieser Text so nahtlos mit dem Einsetzungsbericht in Jes 42 zusammenpaßt, ist es wahrscheinlich, daß hier eine literarische Form sekundär benutzt worden ist.

In V. 4–6 ist das Thema zunächst die Aufgabe des »Knechtes« an Israel und »Jakob«. Der erneute Rückgriff darauf, daß er von Geburt an Jahwe alles verdankt, der ihn sogar vom Mutterleib an »gebildet« hat, der Verweis auf seine Aufgabe und die Erwähnung der Ehrung durch Jahwe, zeigen, daß dieser Abschnitt in manchem dem über das

[49] s. hierzu *KSethe*, Einsetzung 55: »Eine gewisse sprach- und literaturgeschichtliche Bedeutung hat der Text durch die zahlreichen Sinnsprüche, die in ihm verstreut sind und die sich z. T. durch die Art, wie sie zitiert werden, als Sprichwörter verraten (z. B. ›Man sagt: der Bittsteller liebt das Beachten seines Spruches mehr als das Erhören dessen, weswegen er gekommen ist‹ in Abschnitt 11), z. T. durch ihre Fassung und ihren Inhalt den Eindruck erwecken, daß sie zu dem im Munde des Volkes lebenden Spruchschatz gehörten oder indirekt daraus geschöpft sind (z. B. der Vergleich mit dem ›Erz, das das Gold umschließt‹ in Abschnitt 3).«

[50] Daß ברור »geschärft« heißt, ist einfach aus der Verbindung mit »Pfeil« erschlossen. Der Ausdruck ist ungewöhnlich (s. *CRNorth*, The Second Isaiah, 187), aber vielleicht steckt darin ein Wortspiel. ברר bedeutet »läutern, auslesen« (vgl. KBL 156). Man kann es von einem Pfeil sagen (so noch Jer 51$_{11}$), dann wäre es eine Qualitätsbezeichnung, aber man kann es zugleich von Menschen sagen (vgl. 1Chr 7$_{40}$ »Das alles waren die Söhne Assers, die Familienhäupter, auserlesene Leute, Krieger, Häupter unter den Fürsten«, s. a. 1Chr 9$_{22}$; 16$_{41}$). ברור käme damit in der Bedeutung dem בחירי von Jes 42$_{1}$ nahe. In diesem Sinne hat es das Targum geändert.

Verhältnis des »Knechtes« zu den Völkern parallel läuft. Im Vergleich mit den ägyptischen biographischen Darstellungen wäre es eine neue Szene.

Der Knecht soll Jakob zu Jahwe zurückführen und »Israel ›für ihn‹ versammeln« (V. 5) oder mit den Worten von V. 6 »aufzurichten die Stämme Jakobs und die [...] Israels zurückbringen«. Israel und Jakob, das ist der Bereich seiner Zuständigkeit und Verantwortung. Auffallend ist hier, daß mit dem Auftrag zur Aufrichtung der Stämme auf frühe, vorstaatliche und damit wohl auch vorkönigliche Traditionen zurückgegriffen wird.

Aber bei allen stereotypen Wendungen läßt der Text doch zum ersten Male ein Element erkennen, das nicht ohne weiteres in die Idealbiographie hineingehört, und damit der Anfang einer im modernen Sinne »wirklichen« Biographie ist.[51] Es wird erkennbar, daß der Knecht Schwierigkeiten gehabt hat: »Aber ich sprach: Vergeblich habe ich mich gemüht, nur um nichts und wieder nichts habe ich meine Kraft vertan«. Worum es sich eigentlich handelt, erfahren wir genau so wenig wie in den weiteren Gottesknecht-Texten.[52] Gleich wird die Abweichung von der Norm wieder eingeholt und betont: »Aber dennoch ist mein משפט bei Jahwe, und mein Lohn bei meinem Gott« (V. 4). Die göttliche Gerechtigkeit ist durch das persönliche Geschick nicht angetastet. Jes 50_{4-11} wird zeigen, wie tief die Katastrophe gegangen ist.

Jesaja 50_{4-11}

Die Gattungsbestimmung dieses Textes ist viel diskutiert worden. Vor allem entziehen sich immer einzelne Stücke einer einheitlichen Bezeichnung. Spricht man den Text als Stück einer Biographie an, so ließe sich erklären, warum verschiedene Gattungselemente aufgenommen sind. Alle Verse sind dadurch verbunden, daß in ihnen der »Knecht«[53] redendes Subjekt ist und zwar sowohl in den eigentlichen Redestücken als auch in der Darstellung der Ereignisse. Der Text ist somit als Autobiographie stilisiert.

V. 4–5 berichtet in geprägten Wendungen über die Ausführung seines Amtes: »Mein Herr Jahwe hat mir die Zunge eines Jüngers ge-

[51] Beachte aber die gehobene Sprache: לתהו והבל (49_{4a}).

[52] In der Sparsamkeit des Ausdrucks kommen diese Texte der Idealbiographie Davids in 2Sam 23 nahe. Vgl. die ähnliche Erscheinung im Stil der ägyptischen Texte, s. u. a. *EOtto,* Handbuch, 188.

[53] Wenn auch nicht expressis verbis vom »Knecht« die Rede ist (s. aber V. 10), so doch vom »Herrn«, wahrscheinlich sogar in der betonten Form »mein Herr« in V. 4. 5. 7. 9 (s. *Kaiser,* aaO 67).

geben ...«. Mit »Hören« und »Reden« läßt sich die Tätigkeit des »Knechtes« beschreiben. Beides tut er in unmittelbarer Abhängigkeit von Jahwe, seinem Herrn. Dieser hat die Fähigkeit zu hören (V. 5) wie zu reden (V. 4) verliehen, was als ein Rückbezug auf die Einsetzung verstanden werden kann.[54] Der »Knecht« ist aber auf das immer neu ergehende Wort angewiesen. Alle diese Formulierungen entsprechen dem, was man von einem Propheten sagen kann.[55]

Ähnlich wie in 49₁₋₆ folgen auf die allgemeinen Feststellungen zu Amt und Funktion Aussagen, die stärker ein besonderes Schicksal erkennen lassen. Aber dabei wird auch hier nicht abgegangen von der Verwendung vorgeformter Elemente. V. 5b–9 weist, wie von verschiedenen Exegeten festgestellt wurde, deutliche Anklänge an die »Gebete des Unschuldig-Angeklagten« auf.[56] Besonders nah kommen die Klagen Jeremias,[57] vor allem deshalb, weil Jeremia ebenfalls wegen seiner Amtsführung angeklagt worden ist und dadurch in persönliche Gefahr kommt.[58] Der »Knecht« kann erwarten, daß sein Herr für ihn eintritt. Möglicherweise beruft er sich dabei ebenfalls auf seine Einsetzung.[59] Das Vertrauensmotiv ist ganz stark in diesen Versen. Daß dieses Vertrauen auch in der Not trägt, hat der Knecht erfahren und bekennt es durch seine Biographie. Das Allgemeingültige wird festgehalten, dahinter verschwinden für unser Auge die Einzelheiten des Erlebens.

V. 10 und 11 werden von einer Reihe von Exegeten aus stilistischen und gattungsmäßigen Gründen abgetrennt.[60] Es ist deutlich, daß bei der Wortwahl viel formelhaftes Gut verwendet ist. Das braucht aber nicht Grund für eine Ausscheidung zu sein. Im Rahmen einer Biographie haben die beiden Verse eine wichtige Funktion, indem hier die Wendung an den Leser – dh ursprünglich an den Besucher des Grabes – vollzogen wird.[61] Dabei ist auch die doppelte Ausrichtung in Segen

[54] vgl. zB Jer 1$_{7.9}$ (vgl. 15$_{19}$); Hes 3$_{10}$.

[55] Leider ist der mittlere Teil von V. 4, in dem, wie das //ל zeigt, etwas über die Tätigkeit gesagt wird, nicht recht verständlich, s. die Kommentare.

[56] s. bes. die Untersuchung *vWaldows*.

[57] vgl. die Aufstellung *Westermanns*, aaO 184.

[58] vgl. Jer 11$_{20f}$; 20$_{12}$.

[59] s. Jer 1$_{10}$, vgl. Jes 50$_{6}$ »mein Angesicht verbarg ich nicht ...«
7 »... daher mache ich mein Gesicht wie Kiesel ...«
mit Hes 3$_{8f}$ aus der Einsetzung Hesekiels:
»Siehe, nun mache ich dein Angesicht hart gleich ihrem Angesicht und deine Stirn hart wie ihre Stirn. Wie Diamant, härter als Kiesel mache ich deine Stirn. Fürchte dich nicht vor ihnen und erschrick nicht vor ihrem Angesicht ...«.

[60] Zur Diskussion s. *Kaiser*, aaO 77ff; 81ff.

[61] *EOtto*, (Handbuch, 181): »sie (die biographischen Inschriften) werden durch den Anruf den Nachlebenden als empfehlenswertes Beispiel dargeboten ... Diese

und Fluch sinnvoll. Angeredet wird in V. 10 »Wer auch immer Jahwe fürchtet«.[62] Denen gilt positiv das Zeugnis des Knechtes: »Man kann auf den Namen Gottes vertrauen, sich auf seinen Gott stützen«. Dies ist bewährt auch in den »Finsternissen«; wobei man fragen kann, ob hier nur irdische Drangsal gemeint ist. Die »*Stimme* seines Knechtes« (V. 10a) ist ja in der Biographie die eines Toten, der durch seine Biographie zu den Lebenden spricht.

Der Fluch (V. 11) richtet sich gegen irgendwelche Leute, die dem »Knecht« Übles tun. Es könnte sich etwa um die in V. 6–9 genannten Gegner handeln. Sie werden nicht nur mit dem Tod durch Feuer, sondern auch mit dem Verlust der Grabesruhe bedroht: »Sie werden sich niederlegen zu einem Ort der Qual«.[63] Tat und Ergehen sollen sich entsprechen (vgl. Jer 18_{18-23}; 20_{7-13}).

Jesaja 52_{13}–53_{12}

Mit der Wendung an die Leser in 50_{10} könnte die Biographie zu Ende sein, und sie ist es auch, was das irdische Leben des Knechtes angeht. In Jes 52_{13}–53_{12}[64] folgt noch eine Szene, in der ein himmlisches Gericht den »Knecht« in seiner Amtsführung rehabilitiert. Aus dem Rahmen in 52_{13-15} und 53_{11b-12} geht hervor, daß die Handlung sich in himm-

Entwicklung bahnt sich bereits seit dem MR an, erfährt aber erst in der Spätzeit ihre volle Ausprägung. Man knüpft an den Begriff der ›Lehre‹ an, als welche die Biographie bezeichnet wird. Die Verbindung wird beispielsweise im Grab des Rechmire in folgender Form hergestellt: ›Seid gegrüßt ihr, die auf Erden sein werden ... ein Weiser ist jeder, der hören wird, was die Vorfahren aus früheren Zeiten gesagt haben!‹«. S. ferner *EOtto*, Biographie, Inschrift 46 Nr. 58b, 175: »Die Tochter des Petosiris Tehen spricht ... ›Möge jeder, der auf dem Wege kommt, sagen: Wer seinem Gott folgt, wird ein Ehrwürdiger sein.‹« (So auch Nr. 81 Petosiris, ebd. 183), Nr. 127 ebd. 183: »Der Vater des Petosiris, Sia-Schu sagt: ›... wer später kommt, o jeder Mann, der die Schrift lesen kann! Kommt, lest die Schriften, die in diesem Gebäude sind! Ich führe euch auf den Weg des Lebens. Ich sage euch euren (rechten Lebens-) Plan ...‹«

[62] Zur Übersetzung s. *CRNorth*, Second Isaiah, 204f.
Zur Gottesfurcht s. a. *EOtto*, Biographie, 27: »Wem die Gottesfurcht im Herzen groß ist, dessen Gunst auf Erden ist (auch) groß« (Inschrift 46 Nr 62,2); ferner: »Die Furcht vor dir ist groß wegen seiner (des Heiligtums) Herrlichkeit (*sfj.t*)« (Inschr. 8c, 5). »Ich gab die Furcht vor dir in die Herzen von Jedermann« (Inschr. 29).

[63] s. zu dieser Übersetzung *CRNorth*, Second Isaiah, 205f; ferner die Erklärung von *Duhm*, Jesaja 353f, *Westermann*, aaO 170 und *Herbert Donner*, Zur Formgeschichte der Ahiram-Inschrift, WZ der Karl Marx-Universität Leipzig 3 (1953/54) 283–287; bes. den Fluch des Ahiram, 283.

[64] s. zum folgenden *FMerkel*, *DGeorgi* u. Verf. in GPM 16 (1962) 154–159.

lischen Sphären abspielt. Anschauliche Elemente fehlen wieder völlig. Aber es ist deutlich, daß Gott selber spricht.[65] So müssen auch Teilnehmer der Verhandlung, die zuhören und zuschauen, zunächst in seinem himmlischen Hofstaat gesehen werden. Wie häufig in antiken Prozeßberichten wird in 52_{13-15} das Ergebnis des Prozesses vorweggenommen, hier durch das Urteil Gottes selbst, das den »Knecht« rehabilitiert: »Siehe, mein Knecht ...«

In der eigentlichen Verhandlung lassen sich zwei Standpunkte und damit wahrscheinlich zwei Sprecher unterscheiden. Einmal wird ein Bericht über das Schicksal des Knechtes gegeben, so wie es sich von außen gesehen darstellt.[66] Dieser Bericht enthält wesentliche Elemente einer Biographie. Er beginnt mit der Jugend »er wuchs auf« (V. 2). Möglicherweise ist hier auch auf seine niedrige Geburt angespielt. Es fehlt die Erwähnung seiner Einsetzung, aber diese ist ja, wie die Autobiographie zeigte, ihm allein von Gott zuteil geworden. Genannt werden seine Ablehnung durch die menschliche Gemeinschaft (V. 3), Verfolgung, Gefangenschaft und Verurteilung (V. 7 und 8). Diese Punkte entsprechen dem, was man aus der Biographie in 49_{4}; 50_{5b-9} ebenfalls erfährt. Diese Texte lassen sich gegenseitig zur Erklärung heranziehen, so wenig Konkretes sich daraus auch für uns ergibt. Aber das hängt mit der stilistischen Eigenart der Gattung zusammen. Das Ende des Knechts berichtet V. 9: seinen Tod und sein unehrenhaftes Begräbnis. Es muß sich somit bei dem vorliegenden Text um ein Totengericht handeln.

Damit bekommt aber auch die zweite Stimme, resp. der zweite Sprecher seinen Sinn. Es ist eine Art Verteidigung, Fürsprache. Das Leben und Leiden des Knechtes wird kommentiert unter dem Gesichtspunkt, was er für die Gemeinschaft getan hat.[67] Die irdische Gemeinschaft wird durch einen Zeugen im himmlischen Gericht repräsentiert. Das Urteil Gottes folgt dem Zeugnis der Verteidigung. Damit wird die Biographie des »Knechtes« umgewertet. Nicht er ist in Scheitern und Tod ein Verfluchter, sondern er hat für die Gemeinschaft den Fluch getragen. Das Urteil Gottes stellt die gerechte Weltordnung wieder her.[68] Auch Jes 52_{13}–53_{12} läßt erkennen, daß die Aufgabe des »Knechtes« eine politische Dimension hat. Was mit dem Knecht geschieht, geht Könige und Völker an (52_{15}). Nach V. 6 kann man annehmen, daß der Knecht ein Hirtenamt an Israel hat: »Wir alle gingen wie Schafe irre, wandten uns jeder auf seinem Weg.« Er vertritt sein Volk vor Jahwe: »Er hat

[65] »Mein Knecht« 52_{13}; 53_{11b}.
[66] 53_{2-3} und $_{7-9}$.
[67] $53_{4-6.\ 10-11a}$.
[68] vgl. 50_{8f}; ferner *HHSchmid,* Gerechtigkeit als Weltordnung (1968).

die Sünde der Vielen getragen und für die Empörer tritt er ein.« Aber vor allem ist er »Knecht Jahwes«.

Ergebnisse

Die Untersuchung der »Gottes-Knecht-Texte« aus dem Buch Deuterojesaja ergibt, daß sie sich als Teile einer Biographie verstehen lassen. Eine konsequente individuelle Deutung ist möglich. Die Angaben über Amt und Funktion entsprechen dem der Propheten.[69] Gegenüber den traditionellen Elementen der Biographie, Einsetzung, Ausübung des Amtes in den verschiedenen Bereichen, Tod und Begräbnis, ist eigentümlich das starke Hervortreten von Leiden und Scheitern des Amtsträgers. Die Biographie ist anonym überliefert. Dies hat immer wieder dazu verlockt, Identifizierungen vorzunehmen. Wenn man die Geschichte der ägyptischen Biographien vergleicht, wird deutlich, wie wenig sichere Schlüsse hier möglich sind. Abgesehen vom Interesse der Biographien am Typischen, werden einzelne Elemente, bis zu genauen Formulierungen, immer wieder verwendet. Wenn aber die Bedeutung des Einzelschicksals in der Biographie zurücktritt, wird um so interessanter, wie man sich das typische Leben eines »Knechtes Jahwes«, und wir meinen, daß dies bedeutet, eines Propheten in Israel, vorgestellt hat. Zu diesem Bild gehören dann auch Leiden und Verfolgung. Wenn es gilt »welchen der Propheten haben eure Väter nicht verfolgt« (Apg 7_{52}), dann bekommt auch die Darstellung von Leiden und Tod etwas Typisches, das zu diesem Amt gehört.[70]

Unter den Voraussetzungen der vorliegenden Untersuchung ist es wahrscheinlich, daß die Biographie, wie sie sich aus den sogenannten Gottesknecht-Texten zusammensetzen läßt, dem Deuterojesaja-Buch bereits vorgelegen hat. Die entscheidende Veränderung im jetzigen Kontext ist das kollektive Verständnis des »Knechtes«. Daß »Israel« Knecht ist, ist ausdrückliche Meinung im übrigen Deuterojesaja-Buch. Bei der Einfügung der Biographie kommt es zu einigen Verständnisschwierigkeiten, so wenn der Knecht, der ursprünglich an Israel gesandt ist, nun auf einmal selber Israel ist, aber diese Unklarheiten hatte

[69] Hierin stimme ich den Überlegungen *GvRads* zu; in: Theologie des AT II (1963) 270f.

[70] Zu vergleichen wäre die spätere Tendenz, auch den Propheten ein gewaltsames Ende zuzuschreiben, bei denen die biblischen Texte davon nichts wissen, so Jesaja und Jeremia. Hier könnten historische Überlegungen einsetzen, ab wann damit zu rechnen ist, daß aus einem individuellen Schicksal je eines Propheten ein dauernder Konflikt für die Prophetie geworden ist; s. hierzu eingehend *OSteck* Israel und das gewaltsame Geschick der Propheten, WMANT 23 (1967).

man offensichtlich ohne größere Veränderungen im Text in Kauf genommen. An solchen Stellen läßt sich die sekundäre Verwendung literarischen Materials am besten beobachten.

Aber die kollektive Deutung ist nicht nur ein literarisches Phänomen. Wenn Israel als Ganzes eine prophetische Aufgabe hat, so bedeutet das eine Umwertung, wenn nicht das Ende alles dessen, was einmal Prophetie geheißen hat. Das exklusivste Amt – Gott selber mußte den Propheten einsetzen – jetzt war ganz Israel eingesetzt; keiner konnte die Prärogative für sich behaupten. Israel nahm die Würde eines »Knechtes Jahwes« in Anspruch, es repräsentierte die Herrschaft Gottes in der Welt, aber – so muß man gleich hinzusetzen, es war auch bereit, sein Schicksal in Leid und Verfolgung als ein Propheten-Schicksal anzunehmen. Es erwartete die Bestätigung seiner Legitimation nicht von seiner eigenen Größe und Macht, seinem eigenen Erfolg, sondern allein von dem Urteil seines Herrn.

Für die Prophetie läßt sich damit etwas Ähnliches feststellen wie für das Königtum. Die »David verheißene Gnade« (Jes 55$_3$) bedeutet ja auch nicht die Wiederherstellung der davidischen Dynastie, sondern es bedeutet, daß die Verheißung seines Gottes, in der Vergangenheit an David ergangen, nicht hinfällig wird und jetzt ganz Israel gilt. Am Beginn des Deuterojesaja-Buches steht ein Text, der deutlich Elemente einer Einsetzung enthält (Jes 40$_{1-11}$). Soweit ist der Verfasser noch an die Tradition gebunden. Aber bei einem kollektiven Verständnis von Prophetie ist es nur konsequent, wenn der Verfasser, von uns Deuterojesaja genannt, anonym bleibt.[71]

Wer kann es wagen, nach der Katastrophe in die Nachfolge eines Mose und Elia einzutreten!

[71] Dem alttestamentlichen Seminar der Ev. Theol. Fakultät München, in dem diese Thesen zuerst vorgetragen wurden, habe ich zu danken für intensive Diskussion.

CHRISTOPH BARTH

DIE ANTWORT ISRAELS

Den so lautenden Untertitel zum letzten Kapitel von Band 1 der »Theologie des Alten Testaments«[1] werden aus der großen Lesergemeinde *Gerhard von Rads* nur Wenige vergessen haben; ich wüßte kaum ein anderes Stichwort, das in derselben Schärfe das zentrale Thema alttestamentlicher Überlieferung aufleuchten ließe!

Die »Antwort Israels«? Gegenüber den grundlegenden Heilstaten Jahwes – so erfährt der Leser – ist Israel nicht stummes Objekt geblieben. »Vor Jahwe« versammelt, hat es je und je selber das Wort ergriffen und »Jahwe ganz persönlich angeredet«: preisend, fragend, klagend oder wie immer redend, aber in jedem Fall als selbständig denkendes und handelndes Subjekt. Diese »Antwort Israels« hat vor allem in den Psalmen und in der Weisheitsliteratur des Alten Testaments ihren Niederschlag gefunden.[2] Der Theologie der Psalmen und der Weisheitsliteratur gilt denn auch das ganze, im Haupttitel mit »Israel vor Jahwe« überschriebene Kapitel.[3]

Nur im Untertitel, nicht als das eigentlich gemeinte Thema und Problem wird hier also die Rede von der »Antwort Israels« aufgegriffen. Nur auf eine ganz bestimmte »Seite« dieser Antwort hat es *vRad* abgesehen: auf die Aussagen, die Israel über sich *selbst* gemacht hat, wenn es »vor Jahwe« trat. Sein Programm in diesem Kapitel ist denn auch die Erhebung der »Grundzüge einer theologischen Anthropologie« aus Psalmen und Weisheit.[4]

Natürlich hat die »Antwort Israels« noch andere »Seiten« als die bei *vRad* in den Mittelpunkt gestellte, anthropologisch-ekklesiologische. Wegen seiner vielseitigen Implikationen – als grundlegende Kategorie der Ethik und Anthropologie, aber doch auch auf dem Gebiet der

[1] Theologie I (1957) 352–457. – Zitate nach [4]1962, 366–473.

[2] In weiterem Sinn stellt auch die Vergegenwärtigung der Taten Jahwes in immer neuen geschichtlichen Entwürfen eine Antwort Israels dar, aaO 366. Im Blick auf die Entfaltung der prophetischen Überlieferungen in Bd 2 wird man im Sinne *vRads* sagen dürfen, daß auch die Propheten Israels Antwort auf Jahwes Taten zum Ausdruck bringen.

[3] Die Abschnitte 1–3 behandeln in der Hauptsache den Psalter und Hiob, die Abschnitte 4–6 die Bücher Spr, Sir und Pred.

[4] aaO 367.

Exegese und Hermeneutik – spielt der Ausdruck im theologischen Gespräch der Gegenwart eine zunehmende Rolle. Aber wovon reden wir eigentlich? Soll es sich um ein zwar sinnvolles, aber doch von außen her an die biblische Überlieferung herangetragenes Interpretament –, oder soll es sich um eine innerhalb der biblischen Überlieferung selbst erhebliche Kategorie und Realität handeln? Sagen *wir*, Israel habe da und dort auf Jahwes »Offenbarung« in Wort und Tat »geantwortet«, oder weiß und sagt es *Israel* selbst in seinen Überlieferungen?

Gerade aufgrund der in *vRads* Werk gewonnenen Einsichten vom Wesen und Wachsen der Überlieferung muß hier weitergefragt, dh nach den Bereichen der Überlieferung gesucht werden, in denen das Theologumenon von der »Antwort Israels« seinen Ort und Ursprung haben könnte. Die folgenden Blätter, mit denen ich den Meister zu seinem Ehrentag grüße, möchten in der angegebenen Richtung ein paar anfängliche Überlegungen beitragen.

1. Vorausgehen mag eine – teilweise durch zufällige Funde zustandegekommene – Sammlung von Äußerungen, aus denen hervorgeht, was man unter der »Antwort Israels« heute alles verstehen kann. Die »Vieldeutigkeit« des Ausdrucks ist beunruhigend, und zwar nicht am wenigsten im Gehege unserer eigenen Disziplin!

1.1 Einzelne Autoren verbinden den Begriff geradlinig mit der biblischen Überlieferung als solcher. Das »Alte Testament« als ganzes, also nicht nur bestimmte Teile darin, ist Menschenwort, nämlich Antwort Israels »auf Jahwes Wort«, »auf Gottes Heilswillen an Israel«; gegenüber jedem einzelnen Text haben wir darum zu »werten« und zu entscheiden, ob und inwiefern die darin enthaltene Antwort als »recht« (zB: Ps 90!) oder als falsch (zB: Ps 109!) zu gelten hat.[5] Die Schwierigkeit dieses ganz folgerichtig entwickelten Verfahrens liegt darin, daß eine außerhalb der Texte gewonnene Vorstellung vom »wirklichen« Wort Jahwes in der Funktion und Autorität eines Kanons der Richtigkeit an die Texte herangetragen werden muß. Entsprechendes geschieht auf dem Gebiet der neutestamentlichen Wissenschaft, wenn bei der Exegese zwischen dem »echten« Evangelium Jesu und dem »Kerygma der Urkirche« souverän geschieden und von den beiden gesagt wird, sie verhielten sich »wie Ruf und Antwort«.[6]

[5] *FHesse*, Zur Frage der Wertung und Geltung alttestamentlicher Texte (1959), in: ThB 11, 266–294. – Ähnlich, aber in Sachen »Vorverständnis« gegenüber den Texten noch schärfer *FBaumgärtel*, Das hermeneutische Problem des Alten Testaments (1954), in: ThB 11, 114–139. Vgl. weiter *F. Baumgärtels* Rezension der *vRad*schen Theologie, ThLZ 86 (1961) 802ff. 896ff, bes. 816.

[6] *JJeremias*, Das Problem des historischen Jesus (1960) 22f.

1.2 Nach verbreiteter Ansicht wäre die Antwort Israels nicht im Ganzen, sondern vorab in bestimmten *Teilen* oder *Büchern* oder noch kleineren Einheiten der alttestamentlich-biblischen Überlieferung zu finden. Mit ihrer Bezeichnung des dritten Teils des hebräischen Kanons als »Schriften« scheint ja schon die jüdische Tradition zu sagen, daß hier – im Unterschied zu den beiden andern, als Gotteswort verbuchten Teilen – Menschen am Wort seien.[7] »Nur« Menschenwort? Der drohenden Konsequenz einer geringeren, ja überhaupt anfechtbaren Autorität der so eingestuften Bibelteile hat man dadurch zu entgehen versucht, daß man vom Wort Jahwes als dem »primären«, von der menschlichen Antwort als dem »sekundären« Element der einen, biblischen Offenbarung redete.[8] Die Kennzeichnung bestimmter Bibelteile als »Wort« bzw. »Antwort« mag vordergründlich ihren guten Sinn haben;[9] daß sie, in der Exegese angewendet – wer soll denn schon entscheiden, wo »primäre«, wo »sekundäre« Elemente vorliegen? – nur größte Verheerungen anrichten kann, darüber gibt es m. E. kein Wort zu verlieren.

1.3 In ganz anderer Richtung geht die Anschauung derjenigen Autoren, die unter der »Antwort Israels« zunächst überhaupt nicht die biblische Überlieferung oder bestimmte Teile derselben verstehen, an deren Stelle vielmehr an das dem Wort und der Aktion Jahwes entsprechende »Reagieren«, also an den *Gehorsam* Israels in der ganzen Breite seiner Äußerungsmöglichkeiten denken. Wirkliche »Antwort« wäre demnach nur da gegeben, wo Israel in Worten und Taten einmal seine Dankbarkeit und Treue, einmal seine Umkehr und neue Bereitschaft zum Dienst – wo es seine *Willigkeit* und *Bereitschaft* gegenüber dem Anruf und der Zuwendung Jahwes bezeugt. Weder der »Anruf« noch die so verstandene »Antwort« sind in irgendwelchen Dokumenten objektiv faßbar; sie ereignen sich nur in freier, personaler Begegnung und »Zwiesprache«. Die Überlieferungen Israels sind das entscheidende, weil einzige Dokument dafür, daß sie sich ereignet haben; eben so begründen sie auch die Hoffnung auf ein immer neues Ereigniswerden solcher Begegnung und Zwiesprache.[10]

[7] Vgl. *BDEerdmans*, The book of Psalms, OTS IV (1946) 1.

[8] Vgl. *TCVriezen*, Theologie des Alten Testaments in Grundzügen (1956) 83ff. 259ff. Psalmen und Weisheitsbücher verhalten sich zu Tora und Propheten wie im NT die Zeugnisse der Apostel zu den Evangelien, aaO 259.

[9] Es will mir scheinen, daß *GvRad*, aaO 366f, doch nicht mehr als eine Prävalenz des »Wortes« bzw. der »Antwort« in bestimmten Bibelteilen im Auge hatte.

[10] Systematisch ist dies Verständnis der »Antwort Israels« zuerst in der Kirchlichen Dogmatik von *KBarth* konzipiert und entfaltet worden. Die entscheidenden Stücke finden sich in KD I/2 418ff; II/2 701ff; III/2 64ff. 147ff. 196ff; IV/1 43ff. 140–240. – Aufgrund ihrer exegetischen Arbeit sind *WZimmerli*, Das AT in der

2. Schon eingangs habe ich die Frage nach der Möglichkeit einer »*biblischen*« Herkunft und Bedeutung des Theologumenons von der »Antwort Israels« gestellt. Da zwischen Form und Sache unterschieden werden darf, beginne ich mit der uns bekannten Form.

2.1 Der Rede von der »Antwort Israels« müßte im Hebräischen eine Konstruktusverbindung entsprechen. Nun gibt es zwar ein Nomen für »Antwort« (מענה), aber die Mehrzahl der sechs Belege[11] findet sich in weisheitlichem Zusammenhang. In der Spruchsammlung Spr 10_1–22_{16} steht es dreimal ($15_{1.23}$; 16_1) für »Rede« oder »Gegenrede«[12] im Gespräch von Mensch zu Mensch. Dieselbe Bedeutung hat das Nomen in der Prosaeinleitung zu den Elihureden des Hiobbuches (Hi 32–36; vgl. $32_{3.5}$); den Reden der Freunde Hiobs wird hier gerade das abgesprochen, was sie zweifellos sein wollten: treffende Antworten auf Hiobs Klage und Protest.[13]

2.2 Den einzigen, in direktem Sinn »theologisch« relevanten Beleg für מענה enthält der Spruch gegen die falschen Propheten, Seher und Wahrsager, Mi 3_{5-8}. Zu Tode beschämt, ihrer Lüge überführt, werden diese am Tag des Gerichts dastehen: trotz Aufbietung aller Künste bleibt ihnen dann die göttliche Erhörung und Antwort in Form eines Orakels versagt (אין מענה אלהים 3_7). מענה entspricht hier genau dem sehr häufigen Gebrauch von I ענה im Sinne von »erhören«, dh durch Gewährung eines Orakelspruchs auf Gebete »antworten« (im Psalter 34 Belege).[14]

Verkündigung der christlichen Kirche, in: Das AT als Anrede, BEvTh 24 (1956) 62–88; Offenbarung im AT, EvTh 22 (1962) 15–30; *GBornkamm*, Geschichte und Glaube im NT, EvTh 22 (1962) 1–15; *CWestermann*, Zur Auslegung des AT (1953), in: ThB 11, 18–27; *HWWolff*, Hosea (1961), BK XIV/1, 65ff u. a. zu analogen Resultaten gekommen. – Den Versuch, die »Ethik des Alten Testaments« grundsätzlich als »Antwort Israels« darzustellen, hat m. W. zum ersten Mal der in Indien wirkende, französische Gelehrte *Jean L'Hour* unternommen; vgl. *JL'Hour*, Die Ethik der Bundestradition im Alten Testament, SBS 14 (1967) 25ff. 31f. 47f und *passim*.

[11] Mi 3_7; Spr $15_{1.23}$; 16_1; Hi $32_{3.5}$; außerdem Sir 4_{24}; 20_6. – Das im Allgemeinen für »Rückkehr« – in der Damaskusschrift einmal für »Bekehrung« (CD 19_{16}) – gebrauchte Nomen תשובה hat nur selten (Hi 21_{34}; 34_{36}) die Bedeutung »Antwort«.

[12] Beachte den Parallelismus von מענה und דבר in Spr $15_{1.23}$! Spr 16_1 unterscheidet das im Herzen Gedachte מערכי לב von dem mit der Zunge Gesprochenen מענה לשון. Sämtliche Vorkommen von מענה in den Qumrantexten (1QH 2_7; $7_{11.13}$; 11_{34}; 16_6; 17_{17}) dürften sich auf den letzteren Ausdruck beziehen; unter dem Einfluß des מיהוה in Spr 16_{1b} ist hier freilich aus dem »mit der Zunge Gesprochenen« ein inspiriertes Reden« bzw. »Zungenreden« geworden, vgl. besonders 1QH 11_{34}; 17_{17}!

[13] Vgl. dazu die ausgezeichneten Bemerkungen von *GBornkamm*, Lobpreis, Bekenntnis und Opfer (1964), in: Ges. Aufsätze III 137.

[14] Vgl. 1Sam 9_{17}; 28_{15}; Jer $23_{35.37}$. Beherrschendes Motiv ist die göttliche »Erhö-

2.3 Angesichts der reichen, liturgischen Traditionen Israels sollte man einen Begriff für die von der Gemeinde oder von deren Leitern gesprochene »Antwort« gewiß erwarten dürfen.[15] Wie noch zu zeigen sein wird, gibt es einen entsprechenden Gebrauch des Verbs I ענה;[16] dagegen habe ich für das Nomen מענה im Sinne einer liturgischen Antwort keinen einzigen Beleg finden können. Wie nahe eine solche Verwendung an sich gelegen hätte, zeigen vielleicht jene ugaritischen Texte, in denen *mʿn* sechsmal begegnet und nach dem Zusammenhang soviel wie »(liturgische) Antwort« zu bedeuten scheint.[17]

2.4 Das Nomen מענה bezeichnet demnach sowohl die Antwort im menschlichen Zwiegespräch wie die göttliche Erhörung in Form einer Offenbarung, aber in keinem Fall die von menschlicher Seite geäußerte Antwort auf ein von Gott her zu ihm gekommenes Wort. Das Fehlen von Beispielen für diesen Gebrauch kann auf Zufall beruhen. Wenn es auch die gesuchte cs-Verbindung (מענה ישראל oder מענה העם) in unserer Literatur nicht gibt, so liegt doch in דברי העם (Ex 19_{8}) eine genaue Entsprechung vor: die Zürcher Bibel übersetzt treffend »die Antwort des Volkes«.

3. Die soeben genannte Stelle (Ex 19_{8}) führt von selbst auf die Frage nach einem Gebrauch des Verbs I ענה mit Israel als Subjekt und einer Gottesrede als Bezug des Antwortens. In mehreren Berichten über Versammlungen Israels »vor Jahwe« heißt es abschließend, daß »ganz Israel«, »das (ganze) Volk« oder »die (ganze) Gemeinde« in feierlicher Weise auf ein Gotteswort »geantwortet« habe.[18]

»Mose kam, berief die Ältesten des Volkes und legte ihnen alle diese Worte vor, die Jahwe ihm aufgetragen hatte, und das ganze Volk antwortete (ויענו) einmütig: Alles, was Jahwe gesprochen hat, werden wir tun! Dann brachte Mose die Antwort des Volkes zurück zu Jahwe.« (Ex 19_{7-8})

»Mose kam und berichtete dem Volk alle Worte Jahwes und alle Satzungen, und das ganze Volk antwortete (ויען) aus einem Munde: Alle Worte, die Jahwe gesprochen hat, werden wir tun!« (Ex 24_{3})

»Dann nahm er (Mose) das Bundesbuch und las es dem Volke vor, und sie antworteten (ויאמרו): Alles, was Jahwe geboten hat, werden wir tun und darauf hören!« (Ex 24_{7})

rung« bzw. »Antwort« in der Prophetenerzählung vom Gottesentscheid auf dem Karmel, 1Kön 18 $_{17-40}$ (V. 24.26.29.37).

[15] Die bekanntesten Beispiele für »Responsorien« finden sich in den Pss 42/43, 46 und 136.

[16] s. u. 3. Gerade das Buch der Psalmen kennt diesen Gebrauch des Verbs überhaupt nicht.

[17] *CHGordon*, Ugaritic Textbook (1965), Glossar Nr. 1883 s. v. *ʿnj/ʿnw*.

[18] Die Reihenfolge der hiernach aufgeführten Stellen will nichts über deren relatives Alter besagen.

»Esra, der Priester, stand auf und sprach zu ihnen: Ihr habt euch versündigt ... So legt nun Jahwe, dem Gott eurer Väter, ein Bekenntnis ab und tut, was ihm gefällt ... Da antwortete (ויענו) die ganze Gemeinde und sprach mit lauter Stimme: Ja, an uns ist es, nach deinen Worten zu tun!« (Esr 10_{10-12})

»Esra, der Priester, brachte das Gesetz vor die Gemeinde ... und er las daraus vor ... Esra pries Jahwe, den großen Gott, und das ganze Volk antwortete (ויענו) mit erhobenen Händen: Amen! Amen!« (Neh $8_{2f.6}$)

In den genannten Beispielen[19] weist die »Antwort Israels« eine ganze Reihe gemeinsamer Züge auf.

3.1 *Subjekt* des Antwortens ist in allen Fällen ausdrücklich das *ganze* Volk, die *ganze* Gemeinde bzw. Versammlung Israels.[20] Diese für unser Empfinden schematische Vollzähligkeit wird manchmal näher qualifiziert, indem von den »Ältesten« sowie von den »Häuptern, Richtern und Amtleuten« des Volkes[21] oder von »Männern, Frauen, Kindern und Fremdlingen«[22] usw die Rede ist; auch die Teilnahme aller zwölf Stämme[23] gehört hierhin. Der äußeren »Ganzheit« entspricht die innere; eben darum antwortet das Volk »einmütig«, »aus einem Munde« oder »mit lauter Stimme«.[24] Nicht nur ein Teil, sondern das ganze Volk oder seine legitime Vertretung spricht das entscheidende Wort, und nicht etwa ängstlich, halbherzig oder gedankenlos, sondern freiwillig, spontan und bewußt wird es gesprochen. Daß in diesem Element der Berichte eine paränetische Absicht liegt, ist nicht zu verkennen.

3.2 Das für unsere Überlegungen in erster Linie interessante Verb I ענה[25] hat in allen genannten Fällen die Bedeutung eines wirklichen, dialogischen Antwortens; immer steht es in direktem *Bezug* zu einer ihm vorangehenden, von bestimmter Seite an Israel gerichteten, solche Antwort unmittelbar provozierenden *Anrede*. Dieser Sachverhalt muß

[19] Vgl. weiter:
Dtn 27_{11-26} (Ja des ganzen Volkes zu jedem Gebot; וענו V. 15); 1Kön 18_{17-40} (Unfähigkeit des Volkes zu antworten, V. 21); Jos 24_{14-28} (die Antwort des Volkes, V. 16 vgl. 21f); 2Kön 23_{1-3} (Bundschließen anstelle der Antwort, V. 3); Num 32_{28-32}; Jos 1_{12-18} (Antwort einzelner Stämme); Dtn 31_{9-13} (Gesetz über periodische Toralesung).

[20] כל־העם Ex 19_8; 24_3; Dtn 27_{15}; Jos 24_{16} Syr; Neh 8_6. כל־הקהל Esr 10_{12}. – Vgl. כל־ישׂראל und כל־העם in 2Kön $18_{19.21}$.

[21] Ex 19_7; Jos 24_{1f}.

[22] Dtn 31_{12}; Neh 8_{2f}; vgl. Dtn 27_{14}; 2Kön 23_2; Esr 10_9.

[23] Ex 24_4; Jos 24_{1a}.

[24] יהדו Ex 19_8; קול אחד Ex 24_3; קול גדול Esr 10_{12}; קול רם Dtn 27_{14}.

[25] Zur Etymologie und Bedeutungsgeschichte sowie zur Möglichkeit einer Identität der Wurzeln I ענה, II ענה und III ענה vgl. die nicht in allen Teilen überzeugenden Aufstellungen von *HBirkeland*, *ʿani* und *ʿanaw* in den Psalmen (1933) 10ff und *LDelekat*, Zum hebräischen Wörterbuch, VT 14 (1964) 37–43.

darum festgestellt werden, weil das Verb in anderem Kontext auch ganz Anderes bedeuten kann: hier ein durch keine vorangehende Rede bedingtes »Wortergreifen« oder »Anheben«,[26] dort ein (meistens belastendes) »als Zeuge Reden«,[27] anderswo gar ein bezugslos gebrauchtes »Gehorchen«.[28] Die Bedeutung »antworten« im Sinn eines »liturgischen« Dialogs scheint mir in den verglichenen Stellen dadurch gesichert, daß die Rede Israels durch ein ihr vorangehendes Wort herausgefordert ist und nur von diesem her ihren Sinn bekommt.[29]

3.3 Es kann schwerlich auf Zufall beruhen, daß sich die »Antwort Israels« durchgehend auf eine soeben gehörte *Jahwe*rede bezieht; auch das haben alle Texte gemeinsam, daß es sich dabei um ein Antwort heischendes Sprechen Jahwes handelt. Immer wieder sind es Berichte über die erstmalige oder bestätigende »Ausgabe« und »Entgegennahme« göttlicher *Weisungen* – bestimmter Gebote und Befehle,[30] eines Gesetzbuches oder des Gesetzes schlechthin[31] – in deren Zusammenhang von jener feierlichen Antwort des Volkes die Rede ist. Im Zusammenhang mit keiner von den vielen anderen Gattungen der Jahwerede[32] ist uns dies notwendige Antworten Israels – oder auch des Einzelnen im Volke – bezeugt! Zu den Einzelgeboten und -befehlen, auf die sich die Antwort manchmal bezieht, rechne ich auch die zugespitzten *Entscheidungsfragen*, vor die sich das Volk nach einigen Texten gestellt sieht.[33]

3.4 Bei dem »Wortwechsel« zwischen Jahwe und Israel tritt regelmäßig eine menschliche Führergestalt als *Vermittler* in Erscheinung: am Sinai und »in den Gefilden Moabs, am Jordan, gegenüber Jericho«

[26] GB[17] gibt für I ענה die Bedeutungen »antworten«, »erhören«, »Rede stehen«, »Zeugnis ablegen« und »anreden«. KBL hat die letztere Bedeutung nicht genügend in ihrer Selbständigkeit zur Geltung gebracht. Zu der KBL 719 verzeichneten Schwierigkeit, I ענה »anheben« von IV ענה »anstimmen« zu unterscheiden, vgl. besonders Dtn 27_{14f}; Neh 8_{6}.

[27] Belege bei GB, KBL und *LDelekat*, aaO 39f.

[28] Belege bei *LDelekat*, aaO 41 (u. a. Ex 10_{3}; Jer 7_{13}; 35_{17}; Jes 65_{12}, aber auch Hos $2_{17.23f}$, vgl. unten Anm. 50).

[29] *LDelekat* will die meisten von diesen Stellen mit »feierlich sprechen«, »bezeugen« übersetzen. Der Kontext mag die Heranziehung des Adverbs »feierlich« rechtfertigen, doch ist nicht einzusehen, warum die Bedeutung »antworten« gerade hier »verlorengegangen« sein sollte.

[30] Vgl. Jos 24_{14f}; 1Kön 18_{21}; Num 32_{28ff}; Jos 1_{12ff}; Esr 10_{12}.

[31] Vgl. Ex 19_{5}; $24_{3.7}$; Neh 8_{6}; 2Kön 23_{2}.

[32] Über ein »liturgisches« Antworten des Volkes auf bestimmte Gottesworte der Propheten ist bis dahin wenig bekannt.

[33] Die Antwortformel in Ex 19_{8} geht auf ein Gesetzbuch; anstelle eines Gesetzes überbringt aber Mose die auf Entscheidung drängende, in dtr Stil formulierte Paränese V. 3b–6a. Vgl. dazu jetzt *LPerlitt*, Bundestheologie im AT, WMANT 36 (1969) 167–181.

Mose,[34] vor dem Jordanübergang und in Sichem *Josua,*[35] auf dem Karmel *Elia,*[36] in Jerusalem *Josia*[37] und später *Esra.*[38] Da in nachexilischer Zeit Mose als der wichtigste, ja als der letztlich einzige Vermittler göttlicher Weisung galt, vermögen nach den jüngeren Texten sowohl Esra wie Josua[39] nur als Platzhalter Moses zu funktionieren; dasselbe trifft zu für die Leviten, Priester und Ältesten, die bei der periodisch wiederholten Toralesung den Vortrag der Jahwerede zu übernehmen haben.[40] Der unentbehrliche Dienst der Vermittler beschränkt sich fast immer auf das Überbringen bzw. Vortragen der göttlichen Weisung, also auf eine Vermittlung »von oben nach unten«; nur in Ex 19_{8} vermittelt Mose auch »von unten nach oben«, indem er die Antwort des Volkes Jahwe »überbringt«.

3.5 Was die *Struktur* der als »Antwort« gesprochenen Worte Israels betrifft, so liegt auch hier ein erstaunliches Maß an Gemeinsamkeit der verglichenen Texte vor. Am engsten ist die Verwandtschaft in den drei Stellen der Sinaiperikope, wo man von Varianten einer »Formel« reden möchte;[41] überall findet sich 1. die Bezeichnung der göttlichen Weisung, 2. die Betonung der Vollständigkeit (כל) und 3. eine Verbalform (1. pl. impf. qal), in der die Selbstverpflichtung des Volkes zum Ausdruck gebracht wird. Etwas abgewandelt erscheint diese »Formel« in der Episode von den transjordanischen Stämmen.[42] Kompliziert ist die Frage des »ursprünglichen« Bestandes der »Antwort« in Jos 24.[43] In Esr 10_{12} ist die Form des Satzes besonders frei;[44] ein doppeltes, liturgisches »Amen« vertritt seine Stelle in Neh 8_{6}.[45] – Für die auch so noch

[34] Ex 19_{7f}; $24_{3.7}$; Num 32_{31}.

[35] Jos 24_{14ff}; 1_{12ff}.

[36] 1Kön 18_{21}.

[37] 2Kön 23_{2}.

[38] Esr 10_{12}; Neh 8_{6}.

[39] Vgl. Jos 1_{12ff}; das Kapitel gilt in seinem Gesamtbestand als dtr Überleitung von der Mose- zur Josuageschichte (*MNoth,* Josua, HAT I/7, ²1953).

[40] Dtn 27_{15}; 31_{9}.

[41] Ex 19_{8} כל אשר־דבר יהוה נעשה
24_{3} כל הדברים אשר־דבר יהוה נעשה
24_{7} כל אשר־דבר יהוה נעשה ונשמע

[42] Num 32_{31} את אשר דבר יהוה ... כן נעשה
Jos 1_{16} כל אשר־צויתנו נעשה

[43] Das auf Josuas Entscheidungsfrage (V. 14f) folgende Stück (V. 16–24) ist von dtr Hand stark erweitert, vgl. *MNoth,* aaO 135ff. Den verschiedenen Antworten des Volkes dürfte am ehesten ein Satz wie ליהוה אלהינו נעבד zugrundeliegen; er kehrt in V. 18. 21. 24 wieder und entspricht der durch Josua an das Volk gerichteten Forderung und Frage.

[44] כן כדבריך עלינו לעשות

[45] Allerdings bleibt unklar, ob sich dies »Amen« lediglich auf den Lobpreis Esras (V. 6a), oder über ihn hinweg auf die Lesung des Gesetzes (V. 2–5) bezieht.

oft genug belegte »Formel« kommt m. E. nur eine einzige Herkunft in Frage: mit einem Satz dieser Struktur nimmt man im höfischen, militärischen oder sonstigen Leben den Befehl oder Wunsch eines Höhergestellten auf sich.[46]

3.6 Über den *Inhalt* der »Antwort Israels« scheint nach dem Obigen nicht viel Weiteres gesagt werden zu müssen. Durchgehend handelt es sich um *Bereitschaftserklärungen*[47] des ganzen Volkes: Israel erklärt sich bereit und übernimmt damit die Verpflichtung,[48] den Forderungen Jahwes entsprechend zu »tun«.[49] Eine andere als gerade *diese* Erklärung kann als Antwort *»Israels«* auf die ihm zukommende Weisung überhaupt nicht in Frage kommen: nur indem es *so* antwortet, wird es Jahwes Eigentumsvolk und betätigt es sich als solches (Ex 19$_{3-8}$!). – Da hier die Entscheidung des Volkes im Sinn einer geist- und risikolosen »Automatik« mißdeutet werden könnte, ist eine weitere Präzisierung doch unumgänglich. Sollte in den verglichenen Texten schon beim Gebrauch von I ענה »antworten« die Bedeutung »bereitwillig sein«, »willfahren« mitgemeint und mitgehört worden sein?[50] Die »Antwort Israels« wäre dann nicht erst in ihrem aktuellen Wortlaut, sondern schon aufgrund ihrer Bezeichnung, also per definitionem zustimmende Antwort! Ich halte diese Möglichkeit jedoch schon aus sprachlichen Gründen für ausgeschlossen.[51] Erst recht steht ihr die grundsätzliche Kontingenz der »Antwort« im Wege, von der in der Überlieferung Israels durchaus nicht nur späte Texte wissen.[52] Das Ja des Volkes ist

[46] 1Kön 20$_{9}$ כל אשר־שלחת אל־עבדך אעשה
Ruth 3$_{5}$ כל אשר־תאמרי אעשה
Gen 47$_{30}$ אנכי אעשה כדבריך
(dafür 1Kön 20$_{4}$ kurz כדברך »zu Befehl«)
Ri 11$_{10}$ כדברך כן נעשה
Neh 5$_{12}$ כן נעשה כדבר הזה
Jer 18$_{12}$ enthält die »Formel« in ironischer Verkehrung; die beiden Verbalformen נעשה und נלך finden sich in Jos 1$_{16}$ wieder (dtr Sprache!).

[47] Zum Ausdruck vgl. *GvRad*, Theologie II 280.

[48] Die Formen der 1. pl. impf. werden in vielen Übersetzungen zu Unrecht mit »wir *wollen* ...« wiedergegeben.

[49] Der bevorzugte Ausdruck dafür ist »wir werden *tun*«; in der dtr Sprache häufig »wir werden *hören*«, besonderen Weisungen entsprechend auch »wir werden *gehen*«, »wir werden *dienen*« oä.

[50] So postuliert es *HWWolff* für Hos 2$_{17.23f}$ (BK XIV/1 53f.65f; ähnlich *WRudolph*, KAT XIII/1 73–76); vgl. oben Anm. 28. – *Wolffs* Erklärung des schwierigen ענתה שמה (2$_{17}$) will nicht ganz überzeugen.

[51] In der Bedeutung »willig sein«, »gehorchen« (oben Anm. 28) ist I ענה nie Einleitung zu einer direkten Rede.

[52] Vgl. innerhalb der älteren Sinaiperikope die Einschaltung der Episode vom Stierkalb (Ex 32); in Jos 24 die nachdrückliche Problematisierung der »Antwort Israels« (V. 16–24) und in 1Kön 18$_{17-40}$ die Unfähigkeit des Volkes (V. 21), die von ihm

trotz aller Gleichförmigkeit des Berichteten keine liturgische Routine, sondern Ereignis – unverfügbare Zukunft »vor Jahwe«.

3.7 Als *Ort* solcher »Bereitschaftserklärungen« wird – ich nenne die letzte der ins Auge fallenden Gemeinsamkeiten – in allen Texten ein feierlicher, *liturgischer Akt* erkennbar. »Ganz Israel« ist »vor Jahwe« versammelt, um dessen Weisung zu hören und »verantwortlich« auf sich zu nehmen. Solche Versammlungen scheinen in der Regel an heiliger Stätte gehalten worden zu sein; nicht um eine Formalität, sondern um einen zentralen Akt des Gottesdienstes ging es ja. Periodisch begangene Feste mögen bei Gelegenheit[53] den Rahmen abgegeben haben. Diesen Akt der Übernahme göttlicher Weisungen muß man sich zunächst als eine Begehung sui generis vorstellen; man darf ihn nicht zum vornherein in den Ablauf bestimmter Feste – zB in »amphiktyonische« Anlässe oder in den »Bundeskult« – einordnen. Nur so, scheint mir, kann man sich den Blick freihalten für das, was das Charakteristische an dem feierlichen Akt gewesen zu sein scheint: die Konfrontation der Versammlung mit dem verbatim vorgetragenen Willen der Gottheit, gefolgt durch die ebenso verbatim ausgesprochene Antwort der Versammlung in Form einer bindenden Verpflichtung. Daß es Zeiten gab, in denen dieser Akt literarisch oder in actu mit anderen Begehungen verbunden wurde,[54] ist damit nicht in Abrede gestellt.

4. Nach einem »biblischen« Ursprung, Ort und Sinn des Theologumenons von der »Antwort Israels« hatte ich eingangs gefragt. Auf der Suche nach diesem Ursprung sind Spuren eines gottesdienstlichen Handelns in Israel sichtbar geworden: eines Handelns, in dem es wesentlich um die Antwort des versammelten Volkes auf ein ihm vorher bekanntgemachtes Gotteswort geht.

Im Vergleich zu der umfassenden Bedeutung, die man der »Antwort Israels« zugeschrieben hat, sieht dies Ergebnis doch recht »mager« aus. Allerdings sind es nicht irgendwelche, peripherischen Texte, auf die es sich stützt, sondern lauter Berichte, die sich auf folgenreiche Entscheidungen in kritischen Stunden der Geschichte Israels beziehen. Aber auch so

erwartete Antwort zu geben. Zur Beziehung von 1Kön 18 und Jos 24 vgl. *GvRad*, TheolAT II 30f. 281f.

[53] Daß dies nicht immer der Fall zu sein brauchte, zeigt 1Kön 18_{17ff}. – Nach Dtn 31_{10} soll das (dtn) Gesetz alle sieben Jahre anläßlich des Laubhüttenfestes vorgelesen werden, doch bleibt dies Fest als solches vom Akt der Gesetzesverlesung deutlich unterschieden. Dasselbe gilt von der Feier des Laubhüttenfestes in Neh 8_{9-18}.

[54] Die (literarische) Kombination eines alten Opferritus mit dem Akt der Verpflichtung auf das Gesetz zu einem »Bundesschluß« hat *LPerlitt,* aaO 190–203, an Ex 24_{3-8} überzeugend dargetan.

ist zuzugeben, daß sich die textliche »Basis« unseres Theologumenons in der alttestamentlichen Überlieferung als ziemlich schmal erwiesen hat. Einige mir notwendig erscheinende Konsequenzen möchte ich wenigstens andeuten.

4.1 *»Der Sache nach«*, dh ohne expliziten Gebrauch der für Rede und Widerrede üblichen Termini, spielt die »Antwort Israels« auf den »Anruf Gottes« eine viel größere Rolle; in diesem Sinn gehört sie in die zentrale Thematik der Überlieferung. Selbstverständlich haben wir ein Recht, die mannigfaltigen Selbstkundgaben Jahwes in Taten und Worten,[55] von denen diese berichtet, unter dem Begriff des »Anrufs« oder der »Anrede« zusammenzufassen. Und selbstverständlich ist es richtig, wenn wir alles, was die Angeredeten in Erwiderung des Gehörten sagen und tun, als »Antwort« bezeichnen. Als ein »Gespräch zwischen Gott und den Menschen in Wort und Tat«[56] wird ja hier wirklich die ganze Geschichte zwischen Jahwe und Israel dargestellt. Als Zeugnis von Gottes Tun und Reden ist auch die Überlieferung selbst zweifellos »Anrede«,[57] wie sie umgekehrt als menschliches Zeugnis in ihrem ganzen Umfang »Antwort« heißen kann.[58]

Trotz aller sachlichen Berechtigung dieser Terminologie muß nun aber doch gefragt werden, ob sie der schärferen Erfassung des Überlieferten dient oder im Gegenteil schadet.[59] Wo Heilstaten und Verheißungen, Gerichte und Segensworte, Orakel und Gesetze, göttliche Führung und göttlicher Ratschluß unter dem einen Begriff des *»Anrufs«* oder der *»Anrede«* subsumiert werden, und wo andererseits Glauben und Gott Fürchten, Umkehren und Lieben, Opferbringen und Rechttun, Loben und Klagen gesamthaft als *»Antwort«* bezeichnet werden, da entsteht zwar Übersicht und Ordnung, da verlieren aber auch die Begriffe ihren markanten Sinn, und wird allzu Verschiedenes gewalttätig eingeebnet. *Das Theologumenon von der »Antwort Israels« sollte – ebenso wie das vom »Anruf Gottes« – kritischer und präziser gebraucht werden, als es heute weithin üblich ist.*

4.2 Das eben Gesagte gewinnt dadurch größere Dringlichkeit, daß die alttestamentliche Überlieferung einen prägnanten Gebrauch des Theo-

[55] Zur Problematik dieser Unterscheidung vgl. *FMildenberger*, Gottes Tat im Wort (1964) 116–123 und passim.

[56] So – lange vor *MBuber* – schon *FEDSchleiermacher*, 5. Rede über die Religion, hg. *HJRothert* (^{2}1962) 160f. – Ich verdanke das Zitat *FWMarquardt*, Die Entdeckung des Judentums für die christliche Theologie (1967) 39.

[57] Vgl. *WZimmerli*, Das Alte Testament als Anrede, BEvTh 24 (1956).

[58] *CBarth*, Grundprobleme einer Theologie des Alten Testaments, EvTh 23 (1963) 368f.

[59] »Ob die ›Sache‹ vorhanden ist, wo der Begriff fehlt, bleibt zu fragen«, *LPerlitt*, aaO 3.

logumenenons zu kennen scheint. Die »Bereitschaftserklärung des Volkes« ist nicht nur »der Sache nach«, sondern explizit und in aller Form eine Antwort Israels auf den Anruf Gottes, und sie erwidert eine Selbstkundgabe Gottes, die wiederum nicht nur »der Sache nach«, sondern gezielt und in aller Form fragt und anredet. Von einem so direkt auf Antwort und Entscheidung zielenden Reden Gottes kann man gewiß nicht sagen, daß es für *sämtliche* Arten göttlicher Selbstkundgabe typisch sei. Auch die Antwort des Volkes hat hier einen zu speziellen Inhalt und Sinn, als daß man sie zur beherrschenden Kategorie *alles* menschlichen Reagierens auf das Handeln Gottes machen könnte.

Wenn nicht alles täuscht, so stammen die Texte, aus denen wir diese »Bereitschaftserklärung des Volkes« kennen, aus dem Bereich einer ganz bestimmten, theologischen »Richtung« der ausgehenden Königszeit. *GvRad,* dessen Arbeit am Alten Testament nicht umsonst vom Deuteronomium ausgegangen ist, hat uns wie kaum ein anderer den Geist der levitischen (?) Erneuerungsbewegung verständlich gemacht.[60] Mir scheint nun, die deuteronomische Paränese mit ihrem eindringlichen Appell zum Hören und Tun der »Worte Jahwes«, mit ihrem Insistieren auf einer klaren Wahl und Entscheidung, sei inhaltlich und sprachlich-formal *der* Boden, auf dem die »Bereitschaftserklärung des Volkes« als Form und Ritus gewachsen sein muß.[61] Wie vielleicht nie zuvor,[62] ist in *dieser* »Stunde der Entscheidung«, dem 7. Jh. a.,[63] die Notwendigkeit einer klaren und bindenden »Antwort« des Volkes erkannt worden. Wenn diese Datierung auch nur ungefähr das Richtige trifft, so muß die Konsequenz gezogen werden: *Die Rede von der »Antwort Israels« findet sich in einer bestimmten Schicht der Überlieferung, ist also von deren geschichtlichen und theologischen Voraussetzungen her zu verstehen.*

4.3 Auf den beunruhigend vielseitigen Gebrauch dieser Rede habe ich schon früher (oben 1.) hingewiesen. Eine Klärung ist hier wohl nur

60 *GvRad,* Das Gottesvolk im Deuteronomium (1929); Deuteronomium-Studien (1947, ²1948); Theologie I 82ff. 232–244.

61 Die alltägliche »Befehlsabnahme« (oben 3. 5) konnte fast unverändert in den Dienst der dtn Verkündigung (in Paränese und Liturgie) gestellt werden. Daß die großen Heilstaten Jahwes erst in Form einer gezielten Weisung und Entscheidungsfrage zur »Anrede« werden, ist gerade für die dtn Theologie bezeichnend.

62 Die Entscheidungsfrage Elias auf dem Karmel (1Kön 18) zeigt Ansätze derselben »Richtung« schon im älteren Prophetismus. – Erst recht hat dann Hosea den Gedanken eines Klarheit schaffenden »Gesprächs« zwischen Gott und Mensch in die prophetische Verkündigung eingeführt, vgl. Hos 2$_{17.23f}$ und *HWWolff* zSt.

63 Vgl. *LPerlitt,* aaO 6. 271ff. – Daß die Stunde verpaßt wurde, sagt in dtn, vielleicht schon dtr Sprache Jer 7$_{13}$; vgl. 35$_{17}$; Jes 65$_{12}$:
»Obwohl ich redete, habt ihr nicht gehört /
obwohl ich rief, habt ihr nicht geantwortet.«

dann zu erwarten, wenn wir uns zu einem exakteren, dh nun aber: mehr an seinem biblischen Vorbild orientierten Gebrauch des Theologumenons entschließen. Ein erster Schritt in dieser Richtung wäre der Verzicht auf jeden ambivalenten, Gehorsam *und* Ungehorsam umfassenden Gebrauch: nur das *Jawort* kann im Sinn der Überlieferung als »Antwort *Israels«* gelten. Verzichtet werden müßte – zweitens – schon auf den Versuch, die »Antwort Israels« in bestimmten Bibelteilen zu verobjektivieren: sie ist im Sinn der Überlieferung unfaßbares, wie der »Anruf Gottes« nur gerade überliefertes, für die Späteren bezeugtes *Geschehen.* Schließlich – drittens – frage ich mich, ob nicht die »Bereitschaftserklärung des Volkes« in dem Sinn zu einer Präzisierung des Theologumenons beitragen könnte, daß unter den verschiedenen Möglichkeiten frommen »Entsprechens« die gemeinsame, verbindliche *Entscheidung* und *Selbstverpflichtung* auf ein konkretes, von Gott her gebotenes Tun in den Vordergrund treten würde. *Die »Antwort Israels« muß ihrem frühesten Sinn, der gemeinsamen Übernahme einer konkreten Weisung, zurückgegeben werden.*

Ich schließe mit dem Hinweis auf eine Wortgruppe von allgemein menschlicher, zeitloser und doch höchst aktueller Bedeutung. Etymologisch kommt sie von »Antwort«, doch wird ihr diese Herkunft selten bescheinigt. Daß es übel um uns stünde, hätten wir nicht Leute, die *»verantwortlich«* handeln, weil sie ihr Tun *»verantworten«* können, sich ihrer *»Verantwortung«* bewußt sind – wer wagte es zu bezweifeln? Gerade für die christliche Ethik haben diese Worte grundlegende Bedeutung.[64] Eine »biblische« Begründung und Füllung derselben gibt es aber – abgesehen von der allgemeinen, praktisch doch wenig hilfreichen Erinnerung an das göttliche »Wort«, dem der Mensch durch sein Handeln zu »antworten« berufen ist[65] – bis dahin erstaunlicherweise nicht. Es könnte wohl sein, daß bei einer künftigen Bemühung um dies Vakuum auch die »Antwort Israels« eine Rolle spielen wird. Über echte Verantwortung dürfte hier – im Befragen seiner Überlieferung und in Solidarität zum lebenden Gottesvolk – so manches zu lernen sein.

[64] Vgl. außer der Fachliteratur vor allem *EKluge,* Verantwortlichkeit und Verantwortung – Gedanken eines Psychiaters. Die Innere Mission 50 (1960) 199–208.

[65] Vgl. als Beispiel *HvOyen,* Evangelische Ethik, Grundlagen (1952) 20–30; Ethik des Alten Testaments (1967) 17. 159–164. – *KELøgstrup,* Art. Verantwortung, RGG[3] VI 1254ff läßt jeden Versuch einer Begründung vermissen. EKL: kein Artikel.

FRANK CRÜSEMANN

KRITIK AN AMOS IM DEUTERONOMISTISCHEN GESCHICHTSWERK

Erwägungen zu 2. Könige 14₂₇

Das Verhältnis des deuteronomistischen Geschichtswerkes (dtrG) und seiner Theologie zur Verkündigung der klassischen »Schriftprophetie« von Amos bis Jeremia ist bis jetzt in vielem ein Rätsel. Das zentrale Interesse am »Funktionieren des göttlichen Wortes in der Geschichte«, das *Gerhard von Rad* in diesem Werk aufgedeckt hat,[1] ist sicher ohne die großen Propheten so nicht zu denken; hier wie in manchen anderen Zügen seiner Theologie hat *HWWolff* recht, wenn er das dtrG als »Frucht« und als »Kind« der Prophetie bezeichnet.[2] Aber andere Beobachtungen widersprechen einer so engen Verwandtschaft. So hat *GvRad* davor gewarnt, die Propheten, die in ihm auftreten, zu sehr »in die Nähe der sog. Schriftpropheten« zu rücken, da zB der »weltgeschichtliche Horizont« ganz fehlt.[3] In der Tat weicht das Bild der Prophetie, das Dtr vor allem in den Königsbüchern entwirft, sowohl in den grundsätzlichen theologischen Äußerungen darüber (vgl. vor allem 2Kön 17₇₋₂₀)[4] als auch in den konkreten Gestalten ganz entscheidend von dem ab, was wir von Hosea, Amos, Micha, Jesaja, Jeremia aus ihren eigenen Worten wissen. Und vor allem: Warum eigentlich fehlen fast all diese Namen in einem Werk, das auf der anderen Seite eine so große Zahl von uns sonst völlig unbekannten Propheten vorführt?[5] Nur Jesaja taucht auf, aber in welch anderer Gestalt![6] Diese

[1] *GvRad*, Die deuteronomistische Geschichtstheologie in den Königsbüchern, jetzt in: Gesammelte Studien zum Alten Testament, ThB 8 (^{3}1965) 204; vgl. ders., TheolAT I (^{5}1966) 352f.

[2] *HWWolff*, Das Kerygma des Deuteronomistischen Geschichtswerks, jetzt in: Gesammelte Studien zum Alten Testament, ThB 22 (1964) 308f; weiter zB *ASoggin*, Deuteronomistische Geschichtsauslegung während des babylonischen Exils, Oikonomia, Festschr. OCullmann (1968) 14, Anm. 10 u. a.

[3] Deuteronomistische Geschichtstheologie, aaO 196f.

[4] Zum dtr Prophetenbild, bes. in diesen Versen vgl. zB *OHSteck*, Israel und das gewaltsame Geschick der Propheten, WMANT 23 (1967) 66ff: »Die Propheten sind hier am Volk wirkende Umkehr- und Gesetzesprediger, nichts anderes« (70).

[5] Sollte in 1Kön 13 eine ursprüngliche Amos-Überlieferung vorliegen (vgl. dazu die unterschiedlichen Meinungen von *OEißfeldt*, Amos und Juda in volkstüm-

Tatsache hat in den Diskussionen um das dtrG bis jetzt eine erstaunlich geringe Rolle gespielt. Die pauschale Annahme, Dtr habe von ihnen allen nichts gewußt, da sie in den offiziellen Annalen verständlicherweise nicht auftauchen und es Sammlungen ihrer Worte noch nicht gab,[7] ist schon deshalb schwer zu glauben,[8] weil ja einige dieser Bücher eine dtr Redaktion erfahren haben, die doch nicht in völlig anderer Zeit und in ganz anderen Kreisen stattgefunden haben wird. Zumindest bei dem letzten Propheten vor und noch in der Katastrophe, bei Jeremia, ist es wohl schlechterdings nicht glaubwürdig, daß die Verfasser eines Geschichtswerkes derartigen Ranges, denen nachweislich Quellen aus allen Jahrhunderten ihres Volkes zur Verfügung standen und die zudem am Phänomen der Prophetie zentral interessiert waren, nichts mehr oder noch nichts von ihm gewußt haben sollten, dessen Überlieferungen doch zu einem guten Teil durch die gleichen oder eng verwandte Kreise hindurchgegangen sind, wie sie im dtrG zu Worte kommen.[9] Nein, hier – und dann wohl auch an anderer Stelle – müssen ganz bestimmte und sehr bewußte theologische Entscheidungen hinter dem Schweigen von diesen Gestalten stehen.[10]

licher Überlieferung, jetzt in: KlSchr IV, 1968, 137–142; *MNoth,* Könige, BK IX/1, 1968, 295; zuletzt *HWWolff,* Das Ende des Heiligtums in Bethel, Archäologie und Altes Testament, Festschr. KGalling, 1970, 292f), so trüge das für diese Fragestellung nichts aus, weil »letzte Klarheit über die Frage, ob der Deuteronomist bei dem Gottesmann aus Juda an Amos dachte oder nicht«, keinesfalls mehr zu gewinnen ist (*Wolff,* aaO 293). Von den folgenden Überlegungen aus muß man zudem fragen, ob Dtr nicht ein wesentlich genaueres Bild vom Kern der Amosbotschaft hatte, als es 1Kön 13 gibt.

6 Hierzu *GvRad,* TheolAT II ([4]1965) 42: »So klafft zB das Bild, das wir aus den Jesajaerzählungen ... gewinnen, und dasjenige, das uns die Sprüche vermitteln, ganz erheblich auseinander«.

7 So die Erklärung von *MNoth,* Überlieferungsgeschichtliche Studien ([2]1957) 97f. Vgl. a. *WHerrmann,* Die Bedeutung der Propheten im Geschichtsaufriß des Deuteronomisten, Diss.theol. Berlin (1957) 106, Anm. 238, der die von *MNoth* gesprächsweise vertretene Meinung, »Dtr habe sich nur an erzählende Stücke gehalten«, mit Recht als keine zureichende Lösung betrachtet.

8 Was nicht ausschließt, daß sie für einige dieser Propheten zutrifft.

9 Vgl. *MNoths* Hinweis, daß in der Übernahme von Teilen aus Jer 39–41 in 2Kön 25$_{1-16}$ »alles auf Jeremia persönlich Bezügliche weggelassen« ist, »das Plus über Jer 39–41 hinaus stammt jeweils deutlich von Dtr« (ÜSt 86f). In welchem Sinne darf man »DtrG als Schüler Jeremias« (so *HWWolff,* ThB 82, 323) bezeichnen?

10 Die dahinterstehenden Gründe sind sicher vielschichtig und so wenig eine Einheit wie die »Schriftprophetie«. Sie aufzuhellen ist für eine Verhältnisbestimmung der dtr Theologie zur Prophetie unerläßlich und damit für das Verständnis dieser Theologie. Wichtig wird hier die Frage nach den Kreisen sein, aus denen Dtr seine Prophetenüberlieferungen erhielt, und die offensichtlich in nicht unbeträchtlicher Spannung zur klassischen Prophetie standen. Hier verknüpft sich das Problem mit dem des Trägerkreises der dtn-dtr Bewegung.

Im folgenden soll nur auf einen einzigen Vers das Augenmerk gerichtet werden, auf den vielleicht unter dieser Fragestellung neues Licht fällt: 2Kön 14_{27}.

2Kön 14_{23-29} handeln von Jerobeam II, dem König, unter dem Amos und Hosea auftraten. Aber nicht diese, sondern ein Jona ben Amittai ist es, den Dtr hier kennt. Wir wissen von ihm, der wohl das Urbild der späteren Jona-Novelle war,[11] nur das, was hier mitgeteilt wird.[12] Auf seine Zusage hin hat Jerobeam gewaltige Eroberungen gemacht, von Lebo Hamat bis zum Meer der Araba wurden Israels Grenzen wiederhergestellt. Diese Mitteilung in V. 25 wird in ihrem Kern aus den offiziellen Quellen stammen, die Dtr für die Königszeit zur Verfügung hatte, V. 26f aber gehen wohl auf diesen selbst zurück;[13] Elemente seiner Sprache sind deutlich,[14] wobei die Frage nach verschiedenen dtr Schichten oder Redaktionen hier ganz außer Betracht bleiben kann.

Erstaunlich ist im Grunde schon, daß diese Siege Jerobeams überhaupt erwähnt werden, denn die spärlichen Auszüge aus den »Tagebüchern« des Nordreiches werden sonst nach erkennbar anderen Kri-

[11] Vgl. *OEißfeldt* aaO; *HWWolff*, Studien zum Jonabuch, BSt 47 (1965) 14ff.

[12] Vielleicht hat schon Amos gegen diesen Jona und seine Heilsbotschaft polemisiert (Am 6_{13f}), vgl. *Wolff*, Amos, BK XIV/2 (1969) 335f.

[13] So *Noth*, ÜSt 75; JGray, I&II Kings (^{2}1970) 615f; vgl. a. die Kommentare von *Benzinger* (KHC IX, 1899, 165), *Kittel* (HK I/5, 1900, 263) und *Snaith* (IB, 1954, 265). *Jepsen* (Die Quellen des Königsbuches, ^{2}1956, 80; ders., Nabi, 1934, 94; vgl. a. *GHölscher*, Das Buch der Könige, seine Quellen und seine Redaktion, Eucharisterion, Festschr. HGunkel, FRLANT 36/1, 1923, 197) hält auch V. 25b für eine Zutat von R^{II} = Dtr, wofür das typische ביד־עבדו spricht (vgl. 1Kön 15_{29}; 2Kön 9_{36}; 17_{13} u. ö.). Wird dieser aber die Jona-Gestalt wirklich selbst erfunden haben? Sollte dies jedoch der Fall sein, würde es die im folgenden aufgewiesene Tendenz des Dtr noch verstärken.

[14] Vgl. die Tabelle bei *Jepsen*, Quellen 83–87; a. *Hölscher*, aaO 197. Für V. 26 mag der Hinweis auf עָצוּר und עָזוּב genügen, die jedenfalls in 1Kön 21_{21}; 2Kön 9_8 mit Sicherheit dtr sind (vgl. nur *OHSteck*, Überlieferung und Zeitgeschichte in den Elia-Erzählungen, WMANT 26, 1968, 38f mit Hinweisen auf die weitere Lit.; zuletzt *AJepsen*, Ahabs Buße, Archäologie und Altes Testament, Festschr. KGalling, 1970, 147); in 1Kön 14_{10} wird dies von *Noth* (BK IX/1, 310f) bestritten (gegen *Jepsen* u. a.). In V. 27, auf den es hier vor allem ankommt, ist entscheidend: der Ausdruck מחה אֶת שֵׁם ... מִתַּחַת הַשָּׁמָיִם kommt ausschließlich im Bereich der dtn-dtr Sprache vor: Dtn 9_{14}; 29_{19}; mit זֵכֶר statt שֵׁם Dtn 25_{19} und (davon wohl abhängig, so u. a. *Noth*, Überlieferungsgeschichte des Pentateuch, ^{2}1960, 132, Anm. 343; zuletzt *VFritz*, Israel in der Wüste, 1970, 12; anders *GvRad*, Das fünfte Buch Mose, ATD 8, 111) Ex 17_{14}; vgl. a. Dtn 25_6; 2Kön 21_{13} dtr. So ist nicht anzunehmen, daß in V. 27 noch eine Erinnerung an ein Orakel des Jona durchklingt (so *Montgomery*, ICC, 1951, 44; *Gray*, aaO 616; *MHaran*, VT XVII, 1967, 271, Anm. 3). Selbst wenn dies aber der Fall wäre, bliebe die Frage, was Dtr mit diesen Versen will.

terien ausgewählt[15] und richten sich keineswegs nach den politischen oder militärischen Erfolgen eines Königs. Zudem weicht dieser Heilsprophet Jona so stark von dem ab, was etwa nach 2Kön 17 als Funktion eines Propheten im Sinne des Dtr zu bezeichnen ist, daß ein »Interesse an prophetischen Worten«[16] allein ihn wohl kaum zur Aufnahme dieser Notiz gebracht hätte. Warum dieser Jona und sein Wort aus der Tradition übernommen werden, ist also nur aus der Interpretation zu erschließen, die Dtr in V. 26f dem Mitgeteilten gibt.

Der Grund für Jahwes siegbringende Hilfe liegt nicht in Jerobeam, der wie nahezu alle Könige des Nordens der Sünde Jerobeams I anhängt (V. 24). Nein, Jahwe hilft, weil er den עֳנִי יִשְׂרָאֵל sieht[17] (V. 26a). עֳנִי bezeichnet im dtrG durchaus gewichtige Nöte[18], und V. 26b läßt die Lage Israels als geradezu ausweglos erscheinen.[19] Worin aber diese große Not besteht, bleibt merkwürdig undeutlich, denn im weiteren Kontext ist die größte Bedrängnis durch die Aramäer (vgl. vor allem 2Kön 13$_{3.7}$) mit den in 13$_{23-25}$ berichteten Siegen des Joas doch bereits überwunden.[20] Auch im engeren Kontext wirkt die Größe dieser Not

[15] Vgl. *Noth*, ÜSt 74f, wonach nur dieser Prophet aus den Tagebüchern der Könige von Israel stammt. Sollte mit *Jepsen* (vgl. o. Anm. 13) auch V. 25b von Dtr stammen, so ist der Unterschied dieses Jona und seiner Botschaft zu den sonst in den Königsbüchern erscheinenden Propheten noch auffälliger; vgl. nur die bei *vRad*, ThB 8, 193ff aufgeführten Weissagungen mit ihren Erfüllungen: Nach Form und Inhalt fällt dieser Jona völlig heraus.

[16] *Noth*, ÜSt 75; vgl. a. *WHerrmann*, aaO 107.

[17] מֹרֶה wird allgemein mit 𝔊, 𝔖, 𝔙 in מָר (BHK; KBL; *Eißfeldt*, HSAT I 565; *Montgomery*; *Gray*) oder מַר הוּא (*Benzinger, Kittel*) verändert. Das würde die Größe der Not erheblich unterstreichen und damit die hier beobachtete Tendenz. Doch wäre eine Verbindung von עֳנִי und מר durchaus singulär. Liegt nicht eher in מֹרֶה מְאֹד eine auf Israel bezogene Glosse vor, die trotz Not und Jahwes Hilfe an die Widerspenstigkeit des Volkes erinnern will und von den alten Übersetzungen falsch gedeutet wurde? (Zu מרה vgl. nur Hos 14$_1$; 1Sam 12$_{15}$; Ps 78$_8$; Jer 5$_{23}$; 4$_{17}$ ua).

[18] So in Dtn 16$_3$; 26$_7$ die Bedrückung in Ägypten (vgl. Ex 3$_7$) und in 1Sam 9$_{16}$ (cj. c. KBL 721) die Philisternot; für Einzelpersonen vgl. 1Sam 1$_{11}$; 2Sam 16$_{12}$. – Da V. 26 u. 27 doch wohl untrennbar zusammengehören, ist die Beschränkung der Not in V. 26 auf die »israelitische Bevölkerung im aramäisch annektierten Gebiet« (*LDelekat*, Asylie und Schutzorakel am Zionheiligtum, 1967, 339) ausgeschlossen.

[19] Obwohl die Verbindung von עצור und עזוב nicht sicher deutbar ist (zuletzt *Noth*, BK IX/1, 316), geht es eindeutig um die »Umschreibung einer Gesamtheit« (ebd): In 1Kön 14$_{10}$; 21$_{21}$; 2Kön 9$_8$ zielt der Ausdruck auf die »Ausnahmslosigkeit der Vernichtung« (ebd) des jeweiligen Königshauses. Die einzige genaue Parallele (mit אֶפֶס) in Dtn 32$_{36}$ steht ebenfalls in der Beschreibung einer großen Not. אֵין עֹזֵר hat keine Parallele im dtrG (in 1Kön 20$_{16}$ meint עֹזֵר wohl außenpolitische Hilfe), aber vgl. zB Thr 1$_7$; Ps 107$_{12}$ u. a.

[20] Da das übliche dtr Schema der Königsbücher gerade bei Joas durchaus gestört ist (die Schlußformel steht zweimal, 13$_{12f}$ u. 14$_{15f}$, davon keinmal an der üblichen

etwas deplaziert, denn in V. 25 ist nur von Expansion im Ostjordanland die Rede, wofür als Grund (כי) jetzt eine Israel in seiner Substanz bedrohende Notlage eingeführt wird. Worin besteht für Dtr diese Not und warum unterstreicht er sie so sehr? Sicher ist hier nur, daß es sich wie schon 13$_{4f.23(?)}$[21] für Dtr darum handelt, zu erklären, warum das seit 1Kön 14$_{15f}$ angekündigte und mit 2Kön 10$_{32}$ bereits begonnene[22] Unheil für Israel von Jahwe noch weiter hinausgeschoben wird.[23]

Genügt aber dieses »retardierende Moment«[24] schon nicht zur Erklärung von V. 26, so erst recht nicht für V. 27a:

> »Aber Jahwe hatte nicht gesagt, daß er den Namen Israels wegwischen wollte unter dem Himmel«.

Was veranlaßt Dtr zu dieser Bemerkung und was soll damit gesagt sein? Das Wegwischen[25] des שֵׁם ist – ähnlich wohl wie das des זֵכֶר[26] – ein Geschick, das – in dtn-dtr Sprache! – für den Einzelnen[27] und das Volk[28] »mehr als die Vernichtung der physischen Existenz« bedeutet.[29] Nach Dtn 9$_{14}$ drohte Israel ebendies am Horeb, und diese Stelle macht deutlich, um was es dabei geht: ein neues, ein ganz anderes Volk müßte dann geschaffen werden, für Israel gibt es keinerlei Kontinuität über dieses Ausgewischtwerden hinweg. Für ein Denken, das kein Jenseits

Stelle), sind allerdings spätere Eingriffe nicht auszuschließen. Es verbleiben Unsicherheiten im literarischen und sachlichen Verhältnis von 13$_{4f.14-18.22.23.24f}$ zu ihrem Kontext, zueinander und zu unserer Stelle; es sei nur an die Diskussion um den מוֹשִׁיעַ von 13$_{5}$ erinnert: Elisa (so zB *Noth,* ÜSt 84; *Gray,* aaO 538f), Jerobeam (zB *Kittel,* HK I/5, 263) oder Adadnirari III. (zuletzt *Wolff,* Amos, BK XIV/2, 182). Die historische Lage unter Jerobeam II (hierzu etwa *MHaran,* The rise and decline of the Empire of Jeroboam ben Joash, VT XVII, 1967, 266–297) ist hier natürlich nicht entscheidend, nur das Bild des Dtr davon. Aber auch die neue Erstarkung der Aramäer im »2. Viertel des 8. Jahrhunderts« (dazu *Wolff,* Amos, 183) hat für Israel kaum existenzbedrohenden Charakter gehabt; wir wissen nur von Kriegshandlungen im Ostjordanland (Am 1$_{3.13}$; *Wolff* 182ff).

[21] Für 13$_{23}$ ist die Unsicherheit von *Gray* zu beachten (Komm. 601f).

[22] Hierzu *OHSteck,* Überlieferung und Zeitgeschichte, 95 Anm. 5; *GChrMacholz,* Israel und das Land, Hab-Schr. Heidelberg (1969) 131.

[23] Vgl. *vRad,* Geschichtstheologie, ThB 8 197f; TheolAT I 352f; *Macholz,* aaO 131f.

[24] So *Macholz,* aaO 132.

[25] Die Grundbedeutung »ab-, wegwischen« (Prov 30$_{20}$; Jes 25$_{8}$) ist, wie das Bild 2Kön 21$_{13}$ zeigt, für Dtr noch lebendig.

[26] Ex 17$_{14}$; Dtn 25$_{19}$; vgl. zur Vernichtung des זכר *WSchottroff,* »Gedenken« im Alten Orient und im Alten Testament, WMANT 15 (^{2}1967) 288f.

[27] Bes. Dtn 29$_{19}$ (der Fluch gilt dem Einzelnen oder Gruppen im Volk, nicht ganz Israel, vgl. V. 17!); 25$_{6}$; vgl. Ps 109$_{13}$.

[28] Bes. Dtn 9$_{14}$; vgl. Jud 21$_{17}$; Gen 6$_{7}$; 7$_{4}$.

[29] So *Schottroff,* aaO 289 für die Vernichtung des זכר; ähnliches gilt ganz sicher, wenn der שֵׁם ausgelöscht wird.

des Todes kennt, ist damit das absolute Ende bezeichnet. Trotz aller Flüche, allem Unheil und allen Drohungen, die dtrG für Israel bereithält – und hier in 2Kön 14_{27} lassen Grundsätzlichkeit der Aussage wie Kontext »Israel« nicht nur als staatsrechtlichen Begriff erscheinen[30] – der שֵׁם ישׂראל soll im Denken des Dtr durchaus nicht absolut ausgelöscht werden. Auch mit dem späteren Untergang des Nordreiches (wie dem folgenden Judas) ist *das* durchaus nicht geschehen. Niemals wird dieser Ausdruck dafür verwendet.[31] Aufschlußreich ist ein Vergleich mit 2Kön 13_{23}: Dort steht einmal עַד־עַתָּה, das in 2Kön 14_{27} keine Entsprechung hat, zum anderen wird das jetzt noch hinausgeschobene הִשְׁלִךְ מֵעַל־פָּנָיו dann in 2Kön 17_{20}.$(_{18.23})$ für Israel und in 2Kön 24_{20} für Juda ausdrücklich konstatiert.[32] Nimmt man hinzu, daß die Aussage in 2Kön 14_{27} durch ein gewichtiges וְלֹא דִבֶּר יהוה eingeleitet wird, so ist klar: Es geht um eine nach Form und Inhalt durchaus grundsätzliche Feststellung: Jahwe hat nicht gesagt, daß der Name Israels unter dem Himmel ausgewischt werden soll.

Wieso aber stand dies für Dtr ausgerechnet unter Jerobeam II überhaupt zur Debatte? Warum wehrt er hier eine Möglichkeit ab, nämlich die absolut zukunftslose Vernichtung Israels, die sonst in seinem Werk gar nicht auftaucht? Die Aramäernot ist im Kern bereits beseitigt, und warum sollte sie auch für Dtr bedrohlicher sein, als es dann der Assyrer ist? Und weshalb tritt diese Aussage als Verneinung eines Jahwewortes auf? Hat denn jemand derartiges behauptet? Sollte Jahwe gesagt haben? Eines wissen wir genau: Gerade und nur unter Jerobeam II trat ein Prophet auf, der als Jahwewort verkündete: »Das Ende ist gekommen für mein Volk Israel« (Am 8_{2}). Wenn auch in anderer Terminologie, so hat Amos doch genau das und im Grunde nur das gesagt, von dem hier – vom Kontext her völlig unmotiviert – behauptet wird: לֹא דִבֶּר יהוה. Der Schluß ist m. E. unumgänglich: Dtr spricht in 2Kön 14_{27} ohne den Namen zu nennen unter Berufung auf Jona ein eindeutiges Nein zur Botschaft des Amos. Nicht was Amos verkündete, war das Wort Jahwes zur Zeit Jerobeam II, sondern –

[30] Mit *Macholz*, aaO 132, der zurecht auf אלהי ישׂראל in V. 25 hinweist; in die gleiche Richtung weist die Beziehung zu Dtn 9_{14}, aber auch die zu 2Kön 13_{23} (Bund mit den Vätern).

[31] Zwar wird in 2Kön 21_{13} mit dem Verb מחה das Schicksal Jerusalems (nicht Judas) beschrieben. Aber das verwendete Bild vom Auswischen einer Schüssel und der andere Sprachgebrauch (nicht mit שׁם und מתחת השׁמים) macht den Unterschied deutlich: Jerusalem soll völlig entleert, nicht aber »Israel« total vom Erdboden verschwinden.

[32] Vgl. a. 1Kön 9_{7} (cj. c. BHK); Jer 7_{15} (C). Auffällig aber ist in 2Kön 13_{23} das שׁחת hi., das nie zur Bezeichnung des Untergangs von Nord- oder Südreich verwendet wird (doch vgl. 2Kön 18_{25}); es ist vielleicht traditionell mit dem Väterbund verknüpft (vgl. Dtn 4_{31}).

trotz allen Drohungen, die über dem Nordreich hingen – die Heilsbotschaft des Jona ben Amittai.

Warum Amos im großen dtrG fehlt, wird hier erkennbar: In der dunkelsten Stunde Israels, in der dieses Werk entstand (und das im Kontext unverständliche עֳנִי יִשְׂרָאֵל aus 2Kön 14$_{26}$ ist letztlich nur als die Not der Exilszeit zu verstehen, in der in der Tat galt: וְאֶפֶס עָצוּר וְאֶפֶס עָזוּב וְאֵין עֹזֵר לְיִשְׂרָאֵל) – in dieser Lage war für die Deuteronomisten das radikale »Nein des Amos«[33] nicht das Wort Jahwes.[34] Aber Amos wird auch nicht zum Verkünder des eigenen Geschichtsbildes, nicht zum deuteronomistischen Propheten gemacht. Und so läßt dieses לֹא ein erstaunlich genaues Wissen um die Botschaft des Amos erkennen, gerade auch darum, daß sie in der Negation immer noch besser bewahrt wird als in der Integration.[35] Die Notwendigkeit des »Mißtrauens« gegen alle »Einheitskonzeptionen« im Verständnis des Alten Testaments, »die sich an den Stoffen nicht oder nicht genügend bewähren«, von der *Gerhard von Rad* am Ende seiner Theologie des Alten Testamentes spricht,[36] erfährt von hier aus eine kleine Bestätigung.

[33] Vgl. *RSmend*, Das Nein des Amos, EvTh 23 (1963) 404–423. *Smend* stellt hier 421f auch Erwägungen zum Verhältnis Amos-Deuteronomismus an, die als Hintergrund der vorgetragenen Beobachtungen wichtig sind. Er nimmt damit Gedanken von *GvRad* wieder auf, die dieser in seiner Arbeit Das Gottesvolk im Deuteronomium (1929) 73ff vorgetragen hat: »Es muß anerkannt werden, daß im Deuteronomium eine der Prophetie prinzipiell wesensfremde theologische Grundanschauung am Werke ist« (77).

[34] Deutlich ist, daß hier genau gemäß dem dtn Gesetz verfahren wird (Dtn 18$_{21f}$): »Was der Prophet im Namen Jahwes redet und was dann nicht geschieht und eintrifft: הוּא הַדָּבָר אֲשֶׁר לֹא־דִבְּרוֹ יהוה« (V. 22; Übersetzung nach *vRad*, ATD 8, 87). Die eingangs angeschnittenen Fragen stellen sich von hier aus verschärft; ihnen kann hier nicht nachgegangen werden.

[35] Vgl. dazu *Smend*, aaO bes. 404f. 422f.

[36] TheolAT II 447.

ERHARD GERSTENBERGER

DER KLAGENDE MENSCH

Anmerkungen zu den Klagegattungen in Israel

Israels Antwort auf das Heilshandeln seines Gottes, so lehrt uns *Gerhard von Rad,*[1] ist zuerst und vor allem gottesdienstlicher Lobpreis gewesen. So sehr man sich aber von Jahwes צדקה umschlossen und geborgen wußte: In der Alltagswirklichkeit, im »Leben voller Leiden, voll schwerer Gefährdungen sowohl für die Gesamtheit wie für den Einzelnen«[2] brach immer wieder die Frage auf: Wie kann Jahwe das alles zulassen? Klagelieder sind die dumpfe Begleitmusik zum lebensvollen israelitischen Gottesdienst.

Die alttestamentliche Wissenschaft hat die verschiedenen Situationen und Ausdrucksformen nachgezeichnet, in denen Israel gegen das »Ausgeschlossensein« von Jahwe[3] ankämpfte. Die Frage ist, ob die Klage um einen Verstorbenen oder um den zerstörten Tempel, die Bitte um Rettung aus Krankheitsnot und Verfolgung, der prophetische Notschrei und das weisheitliche Ringen um einen gerechten Gott[4] so beziehungslos nebeneinanderstehen, wie es in wissenschaftlichen Untersuchungen manchmal den Anschein hat, oder ob trotz aller Gattungsunterschiede Verbindungen zwischen den verschiedenen Arten der Klage bestehen.

I.

Die Totenklage, so die communis opinio, ist in Israel in völliger Isolation von Jahwe gehalten worden. »Der Tote ist und macht unrein. Darin ist die stärkstmögliche kultische Disqualifizierung ausgedrückt.«[5] Wo immer das Alte Testament oder vergleichbare altorientalische

[1] *GvRad,* TheolAT I (^{5}1966) 367ff.

[2] *GvRad,* aaO 396.

[3] *GvRad,* aaO 401.

[4] Unberücksichtigt bleibt hier die Klage Jahwes um sein Volk (vgl. Hos 11$_{8f}$; Jer 31$_{20}$), die *KKitamori* zum Ansatzpunkt für seine »Theologie des Schmerzes Gottes« nimmt (vgl. *HJMargull,* VuF 13, 1968, 74ff).

[5] *GvRad,* ThW II 848.

Quellen[6] an das Schattendasein der Verstorbenen rühren, wird das Grauen der Menschen spürbar; die schreckliche Kluft zwischen dem Totenreich und dem Leben ist nicht mehr zu überwinden.[7]

Welchen Sinn hatten dann die Trauerfeierlichkeiten im allgemeinen[8] und die Leichenklagelieder im besonderen? Das Knäuel von Motivationen läßt sich für die damalige sowenig wie für unsere heutige Zeit völlig entwirren.[9] Die Angst vor dem Toten spielt ebenso eine Rolle wie die Sorge um seine weitere Existenz, ganz zu schweigen von der kreatürlichen Betroffenheit der Zurückbleibenden angesichts eines unfaßlichen Übergangs in das Un-Leben. Für den israelitischen Bereich verraten die beiden einzigen »echten« und voll ausgeführten Leichenklagelieder 2Sam 1_{19-27} und 3_{33-34} die tiefe Erschütterung des Klagenden. Im Leichenlied, so scheint es, antwortet der Mensch wirklich auf ein »unwiderruflich abgeschlossenes, irreparables Geschehen, auf das nur rückwärts geblickt wird, während der Blick in die Zukunft im wesentlichen ausgeschlossen ist ...«.[10] *HJahnow* hat diesen Sachverhalt in ihrer klassischen Studie auf die Formel gebracht, die Totenklage in Israel sei völlig akultisch und völlig profan gewesen;[11] damit hat sie die heute herrschende Auffassung recht eigentlich begründet.

Nun ergeben sich aber einige Bedenken gegen den Versuch, die israelitische Totenklage in Bausch und Bogen in einem jahwefernen Niemandsland anzusiedeln. Dem widerspricht eigentlich schon die Beobachtung, daß die Klage um den Verstorbenen nicht nur legitim, sondern geradezu von Jahwe geboten war.[12] Und wenn man die Motive der Totentrauer differenzierter betrachtet, müßte sich herausstellen, daß die Leichenklage in Israel nicht in völliger Abkehr von Jahwe stattgefunden haben kann.

Das anscheinend nie ganz eingehaltene Verbot gewisser »heidnischer« Trauerbräuche (vgl. Lev 19_{27f}) beweist einmal die entschiedene Abwehr fremder Praktiken und Ideologien.[13] Fordert es nicht anderer-

[6] Vgl. bes. *EEbeling*, Tod und Leben nach den Vorstellungen der Babylonier (1931).

[7] Vgl. *LWächter*, Der Tod im Alten Testament, AzTh 8 (1967).

[8] Zu den Trauerbäuchen vgl. *EKutsch*, Trauerbräuche und Selbstminderungsriten im Alten Testament, ThSt 78 (1965) 25–42; *EOßwald*, BHHW III (1966) 2021ff.

[9] Vgl. *CMEdsman*, RGG³ VI 959ff; 998ff.

[10] *CBudde*, ZAW 2 (1882) 37. Vgl. die Nachbildungen der Gattung zB Am 5_{2}; Jer 9_{20f}; Ez 19_{1ff}; zu 2Sam 1_{18ff} jetzt *WLHolladay*, VT 20 (1970) 186: »in the light of the word-plays of the lament, it becomes astonishing that David made no use of the derivation of Jonathan's name in the course of the poem: there is no mention here of *Yahwe* or what he has *given*. Evidently the Gattung excluded such a possibility.«

[11] *HJahnow*, Das hebräische Leichenlied, BZAW 36 (1923) 55f. »Der Name Jahwe kommt ... im Leichenliede nicht vor.« (aaO 56).

[12] *HJahnow*, aaO 56.

[13] In vielen mythologischen Texten des Alten Orients, zB solchen aus dem Tammuz-

seits die Interpretation heraus: Der Trauernde hat die Totenklage in einer Jahwe genehmen Weise auszuführen? Weiter: Man mag im Alten Testament den Toten in ein dunkles Niemandsland entlassen. Die Lebenden wollen in der Gemeinschaft mit Jahwe bleiben; sie brauchen Schutz vor neuen Katastrophen. Ob sich dieser Wille zur Verbundenheit mit Jahwe nirgends in den israelitischen Trauerriten niedergeschlagen hat?[14] Es ist kaum eine Totentrauer denkbar, die sich ausschließlich auf den Verstorbenen konzentriert. Totenklage verlangt auch im Alten Testament nach Trost[15] und nach Sicherung der Hinterbliebenen.[16] Es wäre in der Tat merkwürdig, wenn man in Israel vergessen hätte, daß Jahwe der Tröster und Helfer in der Not ist, vgl. Jes 51_{12}; Jer 31_{13}; Ps 71_{20f}.

Die direkten Zeugnisse schweigen jedoch. Darum erhoffen wir uns ein wenig Aufklärung von einer zweiten, artverwandten Gruppe von Liedern. Man hat sie immer wieder der Leichenklage an die Seite gestellt.[17] Es handelt sich um die Klage, die nach der Vernichtung einer Stadt oder eines Tempels erhoben wurde. Auf die komplizierte Ge-

Kult (vgl. *EEbeling,* Tod und Leben Nr. 10 und 11) ist von der Wiederbringung des toten Gottes aus der Unterwelt die Rede. Er muß, wie in der Geschichte von der Höllenfahrt der Inanna/Ischtar, dem Unterweltsgott abgerungen werden, vgl. *SNKramer,* JCS 4 (1950) 220ff; 5 (1951) 1ff.

[14] In der Regel beschränkt sich das Alte Testament auf eine kurze Notiz: Sie klagten um den (bzw. vor, über dem) Verstorbenen, vgl. 1Sam 25_1; 1Kön $14_{13.18}$. Auch ausführlichere Darstellungen wie Gen 49_{29}–50_{14}; Ri 11_{34ff} sind, was das Ritualgeschehen anlangt, lückenhaft und sagen nichts über dessen Sinn. Das Verbot der Totenklage (vgl. Jer 16_{5f}; Ez 24_{16ff}) bedarf dagegen einer Begründung, die gewisse Rückschlüsse zuläßt: Das Interdikt kündigt ein verschärftes Strafgericht an und läßt die Sühnefunktion der Leichenklage erkennen. »... ihr dürft nicht klagen und weinen, sondern müßt in eurer Schuld verkommen ...« (Ez 24_{23}; vgl. Jer 4_8; 49_3; Jo 1_{13ff} und das »Weinen vor Jahwe« Ri 20_{23}; 21_{2f}). In diesem Zusammenhang – ich verdanke den Hinweis Herrn Prof. *HWWolff* – wäre zu überlegen, ob Israel in Am 5_{17} klagt, weil Jahwes »Durchschreiten« Tod bewirkt (vgl. *HWWolff,* BK XIV/2,292) oder weil das Volk Jahwe gnädig stimmen will. Wo עבר ב als unheilvoll verstanden werden soll, erscheint die Wendung stets eindeutig qualifiziert; vgl. Ex $12_{12.23}$; Lev 26_6.

[15] Bei Jer ist נוד ein beliebter Terminus für die Bekundung der Teilnahme (vgl. Jer. 15_5; 16_5; 22_{10}; 48_7), im übrigen ist נחם pi zu vergleichen (vgl. KBL² 609: »bei Todesfall«); vgl. *HJahnow,* aaO 7; 183ff.

[16] Ein entferntes Beispiel: Bei den Dobu muß der verwitwete Ehegatte während der einjährigen Trauerzeit für die Sippe des verstorbenen Partners unentgeltlich arbeiten (*RFortune,* The Sorcerers of Dobu, 1932, 12).

[17] Vgl. *HJahnow,* aaO 162ff. Hier wird das Problem der Wanderung gattungstypischer Handlungen und Texte akut. Der »Sitz im Leben« ist nie ein für allemal festgelegt, vgl. die Trauerbräuche Gen 44_{13}; 2Sam 13_{19}; Ps 69_{11f} und *EKutsch,* aaO 29. *RFortune* berichtet, daß Frauen Totenklagelieder sangen, wenn ihre Sprößlinge von den erziehungsberechtigten Männern verprügelt wurden (aaO 62. 64).

schichte dieser bis in sumerische Zeiten zu verfolgende »Untergangsklage«[18] kann hier im einzelnen nicht eingegangen werden. Genug darauf hinzuweisen, daß sie alle Merkmale der einfachen Totenklage aufweist, das Wehgeschrei, die Beschreibung des desolaten Zustandes, den Rückblick auf früheres Glück. Und das ist entscheidend: Die alttestamentlichen Untergangslieder sind für die Ohren Jahwes bestimmt! Man lese jene vom Schicksal Jerusalems handelnden Gesänge Klgl 1; 2; 4. Jahwe soll diese Klage hören, auch dort, wo scheinbar richtungslos lediglich himmelschreiendes Elend geschildert wird. Man sehe sich Ps 44; 74; 79 an: Das sind echte Untergangslieder, auch wenn in ihnen der ominöse Kinah-Vers nicht vorkommt. Jahwe hat die Zerstörung angeordnet oder doch zugelassen. Er ist gehalten, das »irreparable Geschehen« zur Kenntnis zu nehmen. Er soll eingreifen und den Überlebenden die Chance des Neuanfanges geben. Gewiß, mit direkten Bitten wagt sich die Trauergemeinde nur zaghaft hervor.[19] Unter dem Schock des Zusammenbruchs dominiert die Klage. Aber sie ist zweifellos an Jahwe gerichtet und will ihn zum Handeln bewegen. Möglicherweise fanden die Trauerversammlungen sogar auf den Trümmern des zerstörten Heiligtums statt.[20] Hier versuchte die Gemeinde, durch Wehgeschrei und Elendsschilderung, durch Frage und Bitte ihr Leid an Jahwe heranzutragen, in dessen Hand es lag, auch in Zukunft Leben oder Tod zu verhängen. Sicher, für die Totenklage läßt sich keinerlei Beziehung zu einem heiligen Ort nachweisen. Sie wird jeweils im oder am Sterbehaus stattgefunden haben. Die räumliche Trennung vom Heiligtum muß aber nicht eine Loslösung von Jahwe signalisieren. Man sollte nach Analogie der Untergangsklage vermuten, daß auch die Totenklage von Jahwe gehört werden wollte.

Die beiden Gattungen, Totenklage und Untergangsklage, sind, so können wir sagen, nahe miteinander verwandt. Sie unterscheiden sich in ihrer Feinstruktur sowie durch den liturgischen Rahmen, in dem sie zu Wort kamen. Beide werden aber nach einer eingetretenen Katastrophe gesungen. Das Undenkbare ist geschehen: Den Klagenden steht Tod und Vernichtung handgreiflich vor Augen. Die Erinnerung an

[18] Vgl. zB *SNKramer,* Lamentation over the Destruction of Ur (1940); ders., The Death of Ur-Nammu and his Descent to the Netherworld, JCS 21 (1967) 104–122; *JKrecher,* Sumerische Kultlyrik (1966). *ThFMcDaniel* bestreitet die literarische Abhängigkeit, VT 18 (1968) 198–209; diese Kritik schießt aber daneben, denn es geht um eine aus der gleichen Lebenssituation zu erklärende Gattungsanalogie!

[19] Vgl. Klgl $1_{9.11.20}$; 2_{20}: »Sieh doch, Jahwe ...«; dazu *AFalkenstein,* RLA III 159 zur sumerischen lamentatio: »Bei Klageliedern mochte es besonders naheliegen, den Schluß als Gebet zu gestalten.«

[20] Vgl. *HJKraus,* BK XX ([3]1968) 10.

frühere Wohlfahrt verschärft den Schmerz. Man versucht zu begreifen, was geschehen ist und schaut Trost suchend nach Überlebensmöglichkeiten aus.

II.

Die Klagelieder des einzelnen und des Volkes,[21] die uns im Psalter überliefert sind, haben in der Mehrzahl einen ganz anderen Standort. Die Katastrophe kündigt sich erst an, in Krankheit, gesellschaftlicher Ächtung, Trockenheit, vordringenden Feindtruppen. Eine kleinere oder größere Gemeinde tritt im Bittgottesdienst vor Jahwe. Bei der Toten- und bei der Untergangsklage war der Schlag Gottes bereits gefallen, hier zittert man, daß er treffen könnte. Die Gebete drängen den unverständlicherweise zögernden Herrn, das Äußerste zu verhüten; sie rufen nach Rettung, ehe es zu spät ist.

Gewiß haben die Bittgebete des oder der Leidenden manches zu beklagen. Schon verfällt der Körper (vgl. Ps 22$_{15f}$); schon meidet man den Unglücklichen wie einen Aussätzigen (vgl. Ps 31$_{12}$), schon hat sich das Kriegsglück gewendet (vgl. Ps 89$_{39ff}$). Der furchtbare Gedanke drängt sich auf, Jahwe habe seine Loyalität aufgekündigt oder sich teilnahmslos zur Ruhe gesetzt. Die personale Gemeinschaft mit Jahwe scheint gestört, darum kann Unheil nicht ausbleiben.

Der äußere Rahmen, in dem Bittzeremonien vollzogen wurden, scheint weitgehend dem der Trauerriten zu entsprechen.[22] Man fastet, weint, trägt Trauerkleider, man zerreißt sein Gewand, streut sich Asche aufs Haupt. Wie kann man diese Identität der rituellen Handlungen anders erklären als durch die Annahme, daß in Toten- und Bittklage ähnliche Ziele verfolgt werden? In beiderlei Zeremonie will der Klagende Jahwe erreichen, wenn auch von verschiedenen Ausgangspositionen aus.

Auch im Sprachlichen und Formalen zeigen sich Berührungspunkte. Der Klageteil der Bittgebete erinnert gelegentlich an die Toten- oder die Untergangsklage. Zwar fehlt in der Bittklage der charakteristische Trauerruf »Ach, mein Bruder« oder »Ach, weh«,[23] es fehlt jede Anrede an ein beklagenswertes Objekt. Das ist verständlich, kommen

[21] Beide Gattungen können hier trotz ihrer charakteristischen Unterschiede zusammen behandelt werden; als Abwandlung der individuellen gehört die prophetische Klage noch hinzu, vgl. *WBaumgartner,* Die Klagegedichte des Jeremia, BZAW 32 (1917); *EGerstenberger,* JBL 82 (1963) 393ff.

[22] Vgl. *RdeVaux,* Les institutions de l'Ancien Testament I (1961) 97; *EKutsch,* aaO 29.

[23] Doch vgl. zB Ps 120$_{3}$; 73$_{19}$.

doch in den Klageliedern des Psalters die Beter in eigener Sache zu Wort. Hier wie dort aber schildert die Klage – oft weitschweifig und drastisch – das schon eingetretene bzw. das noch zu befürchtende Unglück.[24] Hier wie dort gehen die Gedanken zurück in eine Zeit, als Jahwe noch der zuverlässige Helfer war (vgl. Ps 77_{6ff}; Klgl 1_{7}). Streckenweise geben auch die Bittgebete den Eindruck, als sei schon alles vorbei (vgl. Ps 38_{3ff}; 88_{4ff}).

Die Bittklage gehört nun zweifellos überwiegend in den kultischen Bereich.[25] Zwar nicht in dem engen Sinn einer absoluten Bindung an den Kulturort, aber in dem präzisen Sinn einer strengen Bindung an Jahwe. Hiskia betet etwa auf dem Krankenlager und wird dort erhört und geheilt (2Kön 20_{1-7}); Elia verrichtet seine Bitte in der Wohnung der Sunamitin (2Kön 4_{32ff}). Beide Geschichten lassen ahnen, wie im Falle einer akuten persönlichen Not außerhalb des Tempels verfahren werden konnte. Ähnlich konnte die ganze Gemeinde im fremden Land ihr Anliegen vor Jahwe bringen (vgl. Esr 8_{21}). Die kultische Verankerung der Bittzeremonien wird also am ehesten darin sichtbar, daß das Kultpersonal die verantwortliche Leitung innehatte. Denn nur Fachleute konnten die Notursachen feststellen und die richtigen Gebete und Ritualhandlungen bestimmen.[26]

So ist die – kultisch gebundene und doch vom Heiligtum unabhängige – Bittklage im Alten Testament der gemeindliche Versuch, einer drohenden Umklammerung durch das Böse zu entgehen. Ihr gehen »Anfechtungen«[27] vorauf, die das gute Verhältnis zu Jahwe bedroht, wenn nicht schon verschüttet haben. Insofern wird jedes Bittgebet aus der Tiefe (Ps 130_{1}) oder der Enge (Ps 120_{1}) geschrien, aus einem Ghetto, das keinen Weg zu Jahwe offenzulassen scheint. Die agendarischen Gebete des Psalters und die personalen Einrichtungen des Jahwekultes bieten jedoch dem Verzweifelten die Möglichkeit, einen Ausbruch zu versuchen.

[24] Sehr ausführliche Klagen bieten zB die Ps 22; 31; 38; 55; 88. Kleinere Klagelieder (zB Ps 3; 54; 70) begnügen sich manchmal mit bloßen Andeutungen. Vielleicht haben bei der Ausweitung des Klageteils im Bittgebet Toten- und Untergangsklage stimulierend gewirkt.

[25] Vgl. *SMowinckel*, The Psalms in Israel's Worship, 2 Bde (1962), bes. I 23ff, gegen *HGunkel, JBegrich*, Einleitung in die Psalmen (1933) 180ff.

[26] Über Spezialisierung, Funktionen und Bedeutung des Kultpersonals in Babylonien sind wir wesentlich besser unterrichtet, vgl. *BMeißner*, Babylonien und Assyrien II (1925) 52ff; *JRenger*, ZA 58 (1967) 110ff; 59 (1968) 104ff.

[27] *GvRad*, TheolAT I (^{5}1966) 396; über die Rätselhaftigkeit und Verborgenheit Gottes vgl. aaO 403ff.

III.

In Israel und im Alten Orient wird an einer dritten Stelle geklagt: im Kreis derer, die grübelnd und lehrend mit den Ungereimtheiten des Lebens fertigwerden mußten. Mangels genauerer Nachrichten bezeichnen wir diese Menschen gerne als Weisheitslehrer und denken uns ihre Tätigkeit analog der eines heutigen Schulmeisters.[28] Diese weisen Männer konnten sich mit der Gerechtigkeit Gottes und dem Zustand der menschlichen Gesellschaft aus einer größeren Distanz auseinandersetzen, als es Toten- oder Bittklage je vermochten.

Doch sollte man die Lebenserfahrung der Weisen keineswegs unterschätzen. Ein kurzer Seitenblick auf babylonische Verhältnisse mag das verdeutlichen. Die sog. babylonische Theodizee[29] läßt den Leidenden mit überzeugenden Elendsschilderungen zu Wort kommen. Der kundige Gesprächspartner verzichtet unter dem Druck des Beweismaterials auf eine bloß theoretische oder theologische Lösung des Konflikts. Das kunstvolle, akrostichische Gedicht verrät uns nun durch seine Anfangsbuchstaben, senkrecht gelesen, wer der Dichter dieser Lebenskunde ist: Saggilkīnamubbib, der Beschwörungspriester (mašmāšu)! Einer jener Männer also, die von Berufs wegen fortwährend mit den leidenden Menschen in Berührung kamen,[30] ein Weiser im Nebenamt!

Natürlich haben sich in der weisheitlichen Diskussion auch für die Klage besondere Formen und Anschauungsfelder herausgebildet. Während die Bittklage in der Regel den konkreten Einzelfall vor Augen hat, wendet die weisheitliche Klage das Problem des ungerechtfertigten Leidens ins Grundsätzliche. Warum muß es dem Frommen schlecht gehen? Wie kann ein Gottloser es gut haben? Und hinter diesen Fragen taucht wieder bedrohlich der Gedanke auf: Wie, wenn Gott daran schuld wäre? Wenn diejenigen, die sich lauthals gegen Jahwes Ordnung entscheiden und trotzdem ungeschoren bleiben (vgl. Ps 10$_{4ff}$; Hi 21$_{7ff}$), am Ende Recht hätten?

[28] *JHermisson* hat vollkommen Recht, für gewisse geistige Vorgänge in Israel »die Schule« verantwortlich zu machen (WMANT 28, 1968, 113ff); leider sind wir in allen Einzelheiten auf Vermutungen angewiesen. Vgl. jetzt auch *GvRad*, Weisheit in Israel (1970).

[29] *WGLambert*, Babylonian Wisdom Literature (1960) 70ff.

[30] Dem großen Gedicht ludlul bēl nēmeqi kann man entnehmen, wie der Leidende alle möglichen Ärzte bemüht (vgl. *Lambert,* aaO 32,52; 38,6ff; 44,108ff). Viele Vorschriften regeln die Hausbesuche, Krankenbehandlung und Ritualpraxis des Beschwörungspriesters, vgl. *HZimmern*, Beiträge zur Kenntnis der babylonischen Religion (1901) 96ff; *RLabat,* Traité akkadien de diagnostics et pronostics medicaux I (1951).

Aber die weisheitliche Klage steht in einer Beziehung zur Bittklage der Psalmen.[31] Hiobs Verteidigungsreden zB[32] gleiten häufig in die Gebetsklage hinüber, die sich bis zur Anklage Gottes steigert.[33] Obwohl schärfer im Ausdruck, sind diese Passagen durchaus mit den Klagepsalmen zu vergleichen. Andererseits sind auch thematisch der Hiobkomposition nahestehende Texte in den Psalter gelangt, zB Ps 37; 49; 73. Darf man annehmen, daß sie einmal demselben Zweck dienten, wie die anderen Klagepsalmen? Daß sie also in Bittzeremonien rezitiert wurden? Vielleicht hat eine Art der Stichwortverknüpfung das Ihre getan, die Verwendung im Gottesdienst zu ermöglichen. Der רשע spielte in den echten Klagegebeten des Kultes als Mitverursacher des Leides eine Rolle. Hier waren Gedichte, die den רשע weiter entlarvten; das mochte den Gebrauch neben der feindverwünschenden Bittklage nahelegen. Die lehrhafte Grundstimmung der weisheitlichen Klage hätte auf diesem Wege den Gottesdienst bereichert.

Stimmen diese Vermutungen, dann wären mehrere Kreise geschlossen: Erstens hätte die Weisheitsschule die Formen und Probleme der kultischen Bittklage aufgenommen, möglicherweise durch Vermittlung von Kultangestellten. Weisheitliche Klagegedichte wären umgekehrt im Kult verwendet worden. Zweitens: Bittklage und Toten- bzw. Untergangsklage stehen in einer formalen und inhaltlichen Beziehung. Es ist sicher die Frage erlaubt, ob nicht manche Texte bei der einen wie der anderen Gelegenheit benutzt werden konnten. ZB würden Ps 39 oder 88 sehr wohl zu einer Totenklagefeier passen. – Die verschiedenen Klagegattungen Israels stehen untereinander in einer kommunizierenden Verbindung!

IV.

Können wir zusammenfassende Aussagen über die Gattungen der Klage in Israel wagen? An ernsten Warnungen vor falschen Systematisierungen fehlt es nicht. Im Hintergrund steht der Zweifel, ob ein Westeuropäer des 20. Jahrhunderts – zumal bei der ungünstigen Quel-

[31] Von den Formen der Selbstverfluchung (vgl Hi 33ff; Jer 2014ff) her lassen sich evtl. auch Verbindungslinien zur Totenklage ziehen.

[32] Die Gattung der Dialog- oder Wettrede ist eine alte weisheitliche Spezialität (vgl. *JJAvanDijk*, La sagesse Suméro-Accadienne, 1953, 31ff). Die Formen der gerichtlichen Auseinandersetzung (*HJBoecker*, WMANT 14, ²1970) mögen auf den weisheitlichen Stil eingewirkt haben (vgl. *HRichter*, Studien zu Hiob, 1959).

[33] Vgl. Hi 77ff; 928ff; 1327f. *CWestermann* hat schon längst darauf aufmerksam gemacht, daß Klage und Anklage in einem besonderen Spannungsverhältnis zueinander stehen (ZAW 66, 1954, 44ff).

lenlage – überhaupt das Denken und den Glauben des Altorientalen verstehen kann.[34] Wenn anerkannt bleibt, daß jede Beschreibung eines geschichtlichen Tatbestandes immer nur eine höchst unvollständige Nachbildung sein kann, wird Verstehen ermöglicht und Verstehenwollen zur Pflicht. Und weil die Gattungen der Klage in Israel deutlich untereinander in Verbindung stehen, ist die Frage zumutbar: Was geschah, wenn man dort klagte, heulte, schrie?

Alle Klage Israels kommt wie aus dem Kerker, wo die Lebensmöglichkeiten beschnitten und die Sicherheiten zerbrochen sind. Speise ist in Gift, Freude in Trauer verkehrt, die zwischenmenschlichen Bindungen lösen sich auf, die Gemeinschaft hat kein Fundament mehr. Todesmächte scheinen die Oberhand zu bekommen.

Alle Klage Israels sucht, ausgesprochen oder unausgesprochen, den Gott, der sich mit Israel eingelassen und die Verantwortung für dieses Volk übernommen hat. Der Klagende fühlt sich verlassen. Er schreit zu dem, den er nicht mehr wahrnehmen kann. Er greift nach einem Strohhalm. Wer weiß, wie viele Menschen damals das »Sage Gott ab und stirb« (Hi 2_9) befolgt haben. Von ihnen hören wir nicht viel (vgl. Gen 21_{15f}; Jon 4_3). Die Klagenden, von denen allein wir Nachricht haben, klammerten sich an den, der sie schlug.

Alle Klage Israels hofft auf einen Durchbruch, selbst dann noch, wenn sie auf den Tod eingestellt ist oder gar zur Selbstverfluchung entartet. Sie setzt gegen allen Augenschein auf die Hilfe Jahwes. Eine Antwort auf die Klage, wie sie im Gottesdienst ergehen konnte, bedeutete Erfüllung der Bitte. Aber manchmal blieb diese Antwort aus und der Klagende mit sich allein (vgl. Ps 22_3).

[34] Keiner hat die Unfähigkeit des westlichen Menschen, die antiken Kulturen und Religionen des Orients zu begreifen, stärker beschworen als *ALOppenheim*, Ancient Mesopotamia (1964) 171ff.

HARTMUT GESE

NATUS EX VIRGINE

Unter den verschiedenen christologischen Aussagen des Credo bereitet die der Jungfrauengeburt dem Verständnis besondere Schwierigkeiten. Eine solche Aussage, die sich im Neuen Testament nur auf die Darstellungen der Geburt Jesu in Mt 1 und Lk 1 berufen kann, scheint nicht ganz unproblematisch zu sein, wenn sie nirgendwo sonst ausdrücklich bezeugt wird. Sie gehört zweifellos zu den späteren christologischen Bildungen, und doch stellt die Inkarnationschristologie mit ihrer Präexistenzaussage eine weitere Stufe dar. Von Seiten der Dogmatik wird unter Bezug auf *Schleiermacher*[1] gern betont, daß die christologische Aussage von der Jungfrauengeburt keine notwendige und unaufgebbare sei, und man ist sich dessen bewußt, daß hier recht spezielle theologische Interessen, geprägt von zeitgenössischen Anschauungen und Vorstellungen, in der Traditionsbildung zu Worte kommen. Nichts scheint darauf hinzudeuten, daß hier eine wesentliche Komponente alter biblischer Überlieferung aufgenommen, weitergebildet und zur abschließenden Form gelangt ist.

Um so wichtiger wäre es, gerade an einem solchen Thema zu prüfen, ob sich die Berücksichtigung der gesamten biblischen Traditionsbildung als notwendig erweist. Es soll hier also über die unmittelbaren neutestamentlichen Beiträge zu diesem Thema hinausgegangen werden, die aus der Zeitgeschichte heraus zu einer gewiß eindrücklichen historischen Erklärung kommen, aber unter Beschränkung auf die Zeitgeschichte wenig die Frage berücksichtigen, wie eine solche Traditionsbildung sich im Gesamten der biblischen Theologie hat entwickeln können. Deutungen wie die, daß in den Legenden von der Jungfrauengeburt der Begriff des Sohnes Gottes veranschaulicht oder der Geistbesitz der Person Jesu begründet oder der Anfang der neuen Schöpfung dargestellt werden soll, mögen durchaus zutreffen, aber sie sind viel zu summarisch, als daß sie erklären könnten, warum die Tradition diese und keine andere Gestalt annahm. Der υἱὸς ϑεοῦ, das πνεῦμα und die καινὴ κτίσις können christologisch auch ganz anders sichtbar werden. Andererseits sind Hinweise auf fremde Einflüsse, etwa des Gedankenguts des ägyptisch-hellenistischen Judentums, letztlich keine

[1] *FSchleiermacher,* Der christliche Glaube (^{2}1830/1) § 97, 2.

Erklärung; denn – vorausgesetzt, man könnte zB philonische Konzeptionen[2] hier nachweisen – es stellt sich die Frage, warum gerade diese Strömungen zur Wirkung kamen. In der Traditionsbildung wird doch nur das rezipiert, was wesensmäßig angelegt ist, so daß es zu einer Entwicklung des Überlieferungsstoffes kommt, in der sich dieser Stoff selbst expliziert. Äußere Gründe, wie eine Entstehung dieses Stoffes in Ägypten, sind bei dem palästinischen Charakter gerade der lukanischen Vorgeschichte[3] rein hypothetisch. Es bleibt also die Frage, wie und warum die Tradition von der Jungfrauengeburt hat entstehen können, und eine Antwort scheint nur vom Ganzen der biblischen Traditionsbildung her möglich zu sein.

I.

Bevor auf die alttestamentlichen Stoffe übergegangen wird, ist es angezeigt, sich den neutestamentlichen Bericht von der Geburt Jesu zu vergegenwärtigen. Wir stellen zunächst fest, daß die Überlieferungen von der Geburt Jesu nur in Mt 1 und Lk 1 vorliegen, die auch das *natus ex virgine* bezeugen. Es ist verständlich, daß zB die johanneische Theologie nicht zu einer Geburtserzählung kommen kann, die sie mit der Inkarnationschristologie gleichsam schon hinter sich gelassen hat. Man hat aber auch vor den bei Mt und Lk überlieferten Geburtslegenden nie etwas über die Geburt Jesu in erzählender Form tradiert. Das γενόμενον ἐκ γυναικός bei Paulus Gal 4_4 ist eine grundsätzliche Aussage über das Menschsein des Christus und kein Hinweis auf eine Geburts*geschichte*. Die Entstehung einer erzählenden Darstellung der Geburt Jesu ist also verbunden mit der christologischen Erkenntnis des *natus ex virgine*. Diese verhältnismäßig späte christologische Entwicklungsstufe muß genauer bestimmt werden.

Wenden wir uns zunächst der entwickelteren Form der Darstellung bei Lukas zu! Der Kern dieser Darstellung liegt in 1_{30-33} vor: Maria erfährt aus dem Mund des ihr erscheinenden Engels das Sohnesverhei-

[2] Hier wäre vor allem an die wunderbare Geburt Isaaks, Jakobs und der Jakobsöhne zu denken (Cher 40ff); aber Philos Tendenz geht nicht dahin, die jungfräuliche Geburt der Genannten zu konstatieren, sondern den Geschlechtsverkehr der Erzväter und Moses umzudeuten: sie verbinden sich nicht mit Frauen, was bedeuten würde, daß sie der Sinnlichkeit und dem Körper verfielen, sondern erkennen als Liebhaber der Weisheit Tugenden; und deswegen werden Sara, Rebekka, Lea und Zippora allegorisch als Tugenden gedeutet (41). Solche Gedanken liegen aber den neutestamentlichen Berichten völlig fern.

[3] Vgl. zB (*PFeine, JBehm*) *WGKümmel*, Einleitung in das Neue Testament ([14]1965) 82ff.

ßungsorakel.[4] Die Gattung des Sohnesverheißungsorakels ist uns alttestamentlich aus Gen 16$_{11}$, Ri 13$_{3.5}$ und auch aus Jes 7$_{14}$ bekannt. Die in der Wortwahl genau festliegende Struktur ist: »Siehe, du wirst schwanger werden und einen Sohn gebären, seinen Namen sollst du N. N. nennen; dieser wird . . . tun / . . . sein.« Das Orakel wendet sich stets an die bis dahin Unfruchtbare und ist eigentlich viel mehr als eine Sohnesverheißung; denn der so Angekündigte – und das ist für den Inhalt des Orakels ganz wesentlich – ist mehr als ein gewöhnlicher Mensch, und seine besondere Bedeutung wird im Orakel, auch durch die anbefohlene Namengebung, definiert. Während im Alten Testament dieses Orakel im Fall von Jes 7$_{14}$ durch den Propheten dem König vorgetragen wird – hier liegt deutlich eine Ausnahme vor –, wird es sonst durch den Jahweboten, der menschlichen Erscheinungsform Jahwes,[5] der Frau verkündet. In Lk 1 ist es Gabriel, der zu Maria spricht. Für das Verständnis des Orakels, und damit für die ganze Überlieferung von der Geburt Jesu, ist die Bestimmung des angekündigten Menschen entscheidend. Wir erfahren in Lk 1: 1) er wird μέγας »groß« und »Sohn des Höchsten« genannt werden. »Sohn des עליון« – עליון die letztlich aus kanaanäischen Quellen stammende Bezeichnung Jahwes als des höchsten Gottes,[6] der vom Zion aus seine Königsherrschaft über alle Götter ausübt – zeigt nicht nur eindeutig, daß der neue David, der υἱὸς θεοῦ, gemeint ist, sondern gibt dem auch mit einem besonderen Prädikat Ausdruck. μέγας = רב (»Großkönig«) ist Terminus für den über die Könige regierenden König, gibt also das irdische Pendant zum theologischen עליון-Begriff wieder.[7] 2) Jahwe-Elohim gibt ihm den Thron Davids, seines Vaters. Wie selbstverständlich erscheint hier das durch die Tradition festgelegte Begriffspaar eines Sohnes Davids als Sohnes Gottes. 3) wird die Ewigkeit seiner Herrschaft über Israel angesagt und schließlich 4) die räumlich-völkische Unbegrenztheit.

Bis dahin ist der Stoff völlig alttestamentlich, in Form, Inhalt, in jedem einzelnen Begriff. Selbst von einer jungfräulichen Geburt ist noch nichts gesagt. Die Geburt erscheint wie bei einer alttestamentlichen Sohnesverheißung an sich als wunderbares Wirken Gottes. Erst der Einwand Marias, sie erkenne (ידע) keinen Mann, führt zu einer weiteren Verkündigung Gabriels. In der poetischen Form des Parallelismus

[4] Vgl. zu dieser Gattung besonders *PHumbert*, Der biblische Verkündigungsstil und seine vermutliche Herkunft, AfO 10 (1935) 77–80.

[5] Auch in Jes 7$_{14}$ ist es Jahwe, der das Zeichen gibt.

[6] Vgl. *HGese*, Die Religionen Altsyriens (1970) 116f.

[7] Der עליון-Gott als Vater der Davididen Ps 21$_{8}$ u. ö., daher auch עליון = Davidide Ps 89$_{28}$. Zu מלך רב vgl. Ps 48$_{3}$. μέγας an dieser Stelle ist nicht zu verwechseln mit μέγας ἐνώπιον κυρίου Lk 1$_{15}$.

wird feierlich gesagt, daß heiliger Geist (רוח הקדש) auf sie komme, δύναμις ᶜEljons (wohl חיל עליון) werde sie überschatten. Das lebenschaffende Prinzip רוח ist alttestamentlich ohne weiteres verständlich,[8] aber auch das seltsame Überschatten (ἐπισκιάζειν), das in Septuaginta von der anwohnenden (שכן) Offenbarungswolke (Ex 40₃₅) ausgesagt wird, die die Präsenz des göttlichen כבוד anzeigt. Ganz entsprechend begegnet dieses Überschatten in der Verklärungsgeschichte (Mt 17₅; Mk 9₇; Lk 9₃₄).[9] So wird – heißt es weiter – das (so) geborene Heilige Sohn Gottes genannt werden. Auf den υἱὸς θεοῦ-Charakter des Davididen als entscheidendes Element der Zionstraditionen wird unten genauer einzugehen sein. Die Verkündigung Gabriels kommt damit zum Abschluß, daß er auf die Geburt Johannes des Täufers durch die alternde Elisabeth wie auf ein Zeichen hinweist und am Ende aus der Geschichte der ersten biblischen Sohnesverheißung, an die alte Sara, zitiert, daß bei Gott nichts unmöglich sei (Gen 18₁₄). Die Jungfrauengeburt und das Wunder der Geburt bei bisheriger Unfruchtbarkeit und in hohem Alter können hier also parallelisiert werden. Die Jungfrauengeburt wird wohl als etwas Größeres, nicht aber als etwas unvergleichlich Anderes empfunden.

Wir sehen also, daß es selbst in der schon sehr entwickelten Überlieferung von der Jungfrauengeburt Jesu bei Lukas nicht prinzipiell um das biologische Paradox einer vaterlosen Geburt geht und nicht um die Geburt irgendeines Heroen oder Gottmenschen (θεῖος ἀνήρ), sondern um den neuen David, den Messias. Dieser Vorstellung des davidischen Zionskönigs ist die der jungfräulichen Geburt völlig untergeordnet, das *natus ex virgine* ist abhängig von einer Sohn-Gottes-Christologie. Es geht hier nicht um ein höchstes Mirakel an sich, sondern um das Erscheinen des eschatologischen Davididen. Der Davidismus wird dazu geführt haben, daß dieses Erscheinen nur als jungfräuliche Geburt vorgestellt werden konnte.

Mt 1 bestätigt diese Beobachtung. Allerdings ist die Geschichte hier grundsätzlich anders, nämlich aus der Perspektive des Davididen Joseph gestaltet, weil sie als Ausführung zum Element 1₁₆b des Stammbaums erscheint und Matthäus besonders an der familienrechtlichen Bedeutung des Davididen Joseph interessiert ist.[10] Die Engelerscheinung wendet sich an Joseph, und das Sohnesverheißungsorakel muß daher zu Beginn der Formulierung variiert werden: Maria »wird einen Sohn gebären, und seinen Namen sollst du Jesus nennen; dieser

[8] Vgl. zB Ps 104₃₀.

[9] Vgl. zu ἐπισκιάζειν *DDaube*, The New Testament and Rabbinic Judaism (1956) 27ff. Siehe ferner Anm. 26.

[10] Vgl. V. 24f; man beachte auch die rechtliche Bedeutung der Namengebung durch den davidischen Vater.

nämlich wird sein Volk von seinen Sünden erretten« (V. 21). Im Zusammenhang mit einer Etymologisierung des Namens Jesus wird die Bestimmung des Angekündigten vorgenommen. »Jesus« wird als Gottes σωτήρ gedeutet. Der σωτηρία/σωτήριον-Begriff ist im späteren Alten Testament ein Grundbegriff der Theologie von der endzeitlichen Königsherrschaft Gottes: ישועה bezeichnet das Ereigniswerden der göttlichen βασιλεία, während εὐαγγελίζειν (בשר) der Terminus für die Verkündigung dieses Ereignisses ist.[11] Man spricht hier in Mt 1 ganz selbstverständlich von »seinem Volk«, das er von den Sünden errettet. Es handelt sich also um den messianischen König, und wenn seine Errettungstat zur Sündenbefreiung spiritualisiert ist, dann entspricht das den apokalyptischen Vorstellungen in der βασιλεία-Theologie.[12] Auch bei Matthäus geht es nicht um die jungfräuliche Geburt an sich, sondern um die Geburt des davidischen Messias; in der Geschichte von den Magiern und Herodes wird das ebenso deutlich wie durch den ausdrücklichen Hinweis auf Jes 7$_{14}$.[13]

Die Tradition eines davidischen Joseph als Vaters Jesu ist zunächst unabhängig von einer Geburtsgeschichte, sie hatte die Funktion einer rein genealogischen Angabe, die sich aus der christologischen Aussage vom Davididen ergibt. Im Zusammenhang der Geburtsgeschichte ist aber diese Josephsüberlieferung nicht nur ein notwendigerweise mit übernommenes, eher störendes Erzählungselement, sondern sie bekommt eine besondere Bedeutung. Es geht, wie wir sahen, in der Geburtsgeschichte nicht primär um die Virginität der Mutter Jesu, sondern um die Geburt des neuen David, des Gottessohnes, die eben nur als Jungfrauengeburt verstanden werden kann; selbst in dem Geburtsorakel bei Lukas wird der »Vater« David erwähnt. Es ergibt sich von vornherein ein Nebeneinander von göttlicher Geburt und menschlicher Genealogie, und letzteres wird durch die Josephsgestalt adoptianisch expliziert. Das ist kein künstliches Nebeneinander zweier ursprünglich gegensätzlicher Traditionen, sondern dieses Nebeneinander findet sich schon in der frühen alttestamentlichen Überlieferung, nur daß sich das Verhältnis von physischer Geburt und Adoption umgekehrt hat: der physische Davidide wurde bei der Thronbesteigung von Gott zum Gottessohn – wenn man so will – adoptiert.

[11] Vgl. Ps 96$_{2}$; Jes 52$_{7f}$.

[12] Vgl. Jes 33$_{24}$; 43$_{24f}$; 44$_{22}$; Sach 12$_{8}$.

[13] Zur besonderen Bedeutung dieses Zitats vgl. *RPesch,* Der Gottessohn im matthäischen Evangelienprolog (Mt 1–2). Beobachtungen zu den Zitationsformeln der Reflexionszitate, Bibl 48 (1967) 395–420.

II.

Israel, ursprünglich ein internationaler Verband von selbständigen Stämmen, geeint durch die Verehrung Jahwes, kam mit der Staatenbildung nicht nur zu einer Konsolidierung, sondern trat damit eigentlich erst vollgültig ein in die geschichtlich-politische Welt der vorderasiatischen Staaten. Dieser Prozeß des Eintretens in die Völkerwelt, diese Staatsbildung, erreichte mit der Entstehung des davidischen Königtums seinen Höhepunkt und Abschluß. Wohl hat David in der Erbschaftsnachfolge der Pharaonen ein Großreich errichten können, das Israel mehr als einen Staat unter anderen erscheinen ließ, so daß es Glanz und Ruhm staatlicher Machtgröße erfuhr, aber dieses neue Sein Israels ist auch ein neues Sein Gottes für Israel gewesen. Davon legt die sog. davidische Königsideologie Zeugnis ab. Diese Königsideologie, die den Davididen als Sohn Gottes bezeichnet, der Gottes Herrschaft auf Erden repräsentiert, die die davidische Dynastie als von Gott in einem speziellen Bund zugesagte ewige Herrschaftsabfolge versteht und die ihren höchsten kultischen Ausdruck findet in den besonderen Riten der Thronbesteigung auf dem Zion, mag dem Betrachter zunächst als die besondere Form altorientalischer Königsideologie erscheinen, mit der man in Israel sich nun auch den geläufigen Königskonzeptionen anschloß und womit eben nur die abgeschlossene Staatsbildung ihren üblichen religiösen Hintergrund erhielt. Aber abgesehen davon, daß im alten Orient diese religiösen Aussagen über das Königtum mehr als schöner Hofstil und religiöse Ausschmückung waren, hat diese sog. Königsideologie im Davidismus eine recht eigenartige Gestalt gewonnen, die sich nicht als bloße Kopie und Übernahme erklären läßt. Man kann zwar auf manche Parallelen im Einzelnen hinweisen,[14] besonders auf ägyptische Parallelen, wollte gerade auch den Begriff des Gottessohnes aus Ägypten herleiten, zu dessen Herrschaftsbereich Jerusalem gehört hatte, und man wird durch die Heranziehung spezifisch kanaanäischer Konzeptionen auch die nicht zu übersehenden starken Differenzen zu ägyptischen Vorstellungen etwas mildern können,[15] aber alle diese Parallelisierungen aus der Umwelt finden ihre Grenze im Kernstück der davidischen Königskonzeption, und das ist die durch den Einzug der Lade rituell dargestellte Annahme des Zions als Eigentumsland durch Jahwe. Gottes Zionserwählung und der Davidsbund sind nur zwei Seiten ein und derselben Sache.[16] Die ursprüngliche Kon-

[14] Siehe besonders *GvRad,* Das judäische Königsritual, ThLZ 72 (1947) 211–216 (= Gesammelte Studien 205–213).

[15] Vgl. *JASoggin,* Das Königtum in Israel (1967) 115ff; *HGese,* aaO 84ff, 87ff, 90ff, 177f.

[16] Für die Begründung des Folgenden sei hingewiesen auf *HGese,* Der Davidsbund und die Zionserwählung, ZThK 61 (1964) 10–26.

zeption des Davidismus können wir u. a. dem vordeuteronomischen Psalm 132 entnehmen, während der zumeist herangezogene Text 2Sam 7 eine spätere Uminterpretation in deuteronomischem Geiste darstellt. Wie ist diese Zionserwählung zu verstehen?

David hatte Jerusalem mit seinen Söldnertruppen erobert, war damit Eigentümer dieses Grund und Bodens mitsamt dem Zionsheiligtum geworden, dh nach israelitischen Vorstellungen des Boden- und Familienrechts war die Davidsippe, die ewig weiterlebende Familie Eigentümerin des Erblandes, der נחלה. Durch die Überführung der Lade auf den Zion hat David mehr als die Einführung des Jahwekultes auf dem Zion zum Ausdruck gebracht. Die Lade, ein leerer beweglicher Kasten, repräsentierte schon ursprünglich das Gegenwärtigsein Gottes im Sinne des Anwohnens.[17] Mit dem Verständnis Jahwes als des Königs aller himmlischen Wesen und der ganzen Welt war in Silo[18] dieses Anwohnen Gottes als Thronen des Königs über der Lade vorgestellt worden. Damit, daß David diese Lade[19] auf den Zion als den »Ruheort (מנוחה) der Lade für immer« überführte, ergriff der König der allumfassenden βασιλεία, Jahwe Zebaoth, Besitz von einem Stück Erde als Erbland. Der Zion wurde der Ruheplatz der Lade, über der Jahwe Zebaoth auf den Keruben thronte; damit wohnte Gott auf dem Zion, hier war der Thron seiner Herrschaft – und der auf dieser נחלה herrschende Vertreter der Davidsippe wurde dadurch zum irdischen Repräsentanten des eigentlichen Zionsherrn. Diese Akzeption des Zions durch Jahwe, den Ladegott, ist der Inhalt des Davidsbundes, und sie besagt, daß die weitererbende, weiterlebende Davidfamilie, also die Dynastie, ewig vor dem König Jahwe sein und vom Zion aus herrschen solle. Theologisch bedeutet die Zionsakzeption das gnädige Ergreifen und Erwählen eines Weltortes, das Sich-Verbinden und Eingehen in den Raum dieser Welt, gleichsam ein Irdischwerden, ein kondeszendierendes Einwohnen Gottes, also eine für Israel neue Struktur des Seins Gottes. Natürlich konnten sich mit dieser Konzeption kanaanäische Theologumena leicht verbinden, aber wir vermögen diese Verbindung erst zu verstehen, wenn wir grundsätzlich die neue Struktur des Seins Gottes erkennen, die die

[17] Das ergibt sich aus dem Wesen des Kastens als Behälter. Vgl. besonders die von *GvRad*, Zelt und Lade, NKZ 42 (1931) 476–490 (= Gesammelte Studien 109–129), herausgearbeitete Verbindung von Lade und Präsenztheologie.

[18] Die Frage, inwieweit die Verfasser der Ladegeschichte jerusalemische Ladetheologumena nach Silo zurückprojiziert haben, läßt sich nicht leicht beantworten. Die Nachricht aber von einem היכל יהוה in Silo 1Sam 1_9; 3_3 wird schwerlich Erfindung sein, und dieser Terminus (Königspalast) für einen »Tempel« setzt die Auffassung Jahwes als König voraus.

[19] Das Problem der historischen Identität der Silolade mit der von Kirjat-Jearim ist theologiegeschichtlich zweitrangig.

Voraussetzung für eine dann auch ganz legitime interpretierende Auffüllung darstellt.

Aus diesem Zionsverständnis ergibt sich ein merkwürdiges Nebeneinander, ja Ineinander von göttlicher und menschlicher Vaterschaft für den vom Zion aus herrschenden Davididen. Die Zions-נחלה, das Zionserbland als Grund und Boden der irdischen Davidsippe ist zur נחלה Gottes geworden. Der auf dem Zion Inthronisierte ist wohl genealogisch Davidsohn, der das Erbe angetreten hat, aber ebenso Sohn des eigentlichen Herrn der נחלה, Sohn Gottes. Die Inthronisation auf dem Zion ist gleichbedeutend mit der Geburt oder Zeugung durch Gott.

So wird im Thronbesteigungsritus folgender an den Davididen gerichteter Gottesentscheid (durch den Davididen selbst) zitiert: »Mein Sohn bist du, *ich* habe dich heute geboren« (Ps 2$_7$). Man weist gern darauf hin, daß das in diesem Text erscheinende »heute« die Vorstellung physischer Zeugung durch Gott deutlich ausschlösse, daß also nur adoptianisch die Sohnschaft zum Ausdruck gebracht und dadurch eine anscheinend fremde königsideologische Rede von der Gottessohnschaft entmythologisiert werde. Es ist gewiß richtig, daß man in Jerusalem diese Gottessohnschaft der Davididen, wenn man sie bis ins Rechtliche und Natürliche hinein hätte präzisieren wollen, wohl am ehesten als Adoption bezeichnet hätte. Aber es wäre zu weit gegangen, dem Zitat des Gottesorakels beim Höhepunkt der Thronbesteigungszeremonien Formulierungen zuzumuten, die rein negativer und einschränkender Art wären. In diesem feierlichen Moment höchster Heilszusage geht es nicht darum, eine als zu stark empfundene Rede im Nachsatz wieder herabzudämpfen. »Ich habe dich heute geboren« ist als Parallelformulierung zum ersten Stichos »Mein Sohn bist du« gestellt und hat damit stilistisch sogar das stärkere Gewicht. Die ausdrückliche Aussage von der Geburt hätte ja nicht zu erscheinen brauchen, hätte der Sohnestitel nur als ausländischer Hofstil Bedeutung und wollte man darum eine entsprechende, kräftige Vorstellung vermeiden. Vielmehr hat das »heute« durchaus einen positiven Sinn: jetzt, in diesem feierlichen Moment der Thronbesteigung vollzieht sich die Geburt; denn nur die zur Herrschaft kommenden, inthronisierten Davididen treten als Besitzer der נחלה ein in das Sohnesverhältnis zum נחלה-Herrn. Die Gottessohnschaft der Davididen ist nicht ausländische Mythologie,[20] sondern die

[20] Man sollte nicht über die historischen Schwierigkeiten hinwegsehen, daß ein von Ägypten abhängiges Ausland Formen ägyptischer Königsideologie kopiert. Für das viel stärker unter ägyptischem Einfluß stehende Byblos ist es jedenfalls nicht zu einer beträchtlichen Übernahme der ägyptischen Königsideologie gekommen, wie das dem 18. Jahrhundert entstammende Siegel des Stadtfürsten Ḥasrūrum zeigt, in dem der König lediglich als von dem einheimischen Götterpaar (Baᶜalat

familienrechtliche israelitische Konzeption des Verhältnisses zum נחלה-Herrn.

Als Parallele zu Ps 2_7 sei auf Ps 110_3 hingewiesen, denn beide Texte können sich gegenseitig interpretieren. Dem Davididen wird hier bei seiner Inthronisation zugesprochen: »Bei dir ist Adel am Tage deiner Kraft« – dieser Tag der Macht, der δύναμις, ist offenbar der gegenwärtige Inthronisationstag –, und dann heißt es analog zu Ps 2_7 weiter:[21] »Auf heiligem Bergland aus dem Mutterleib, aus der Morgenröte habe ich dich geboren«. Das »heilige Bergland« ist natürlich der Zion (wie Ps 87_1 und auch Ps 2_6; 3_5; 15_1; 43_3; 99_9 zeigen), auf dem sich diese Geburt vollzieht, die hier besonders konkret formuliert wird als Geburt »aus dem Mutterleib«; und das unmittelbar folgende Wort deutet den Mutterleib als die Morgenröte. Man sollte hier gegenüber dem Versuch, in Ps 2_7 Entmythologisierung festzustellen, nicht in das entgegengesetzte Extrem verfallen und in dieser Morgenröte die kanaanäische Gottheit *šḥr* zitiert sehen;[22] denn das ist ein Gott und keine Göttin, kann hier also auf keinen Fall gemeint sein. Vielmehr wird in dieser Morgenröte des neuen Tages das Pendant zu dem »heute« von Ps 2_7 stecken: aus diesem werdenden Tag heraus wird der Davidide als Gottessohn geboren, nämlich am Tag der Inthronisation. Diese göttliche Geburt wird durch den Raum des Zion und durch die Zeit der Thronbesteigung definiert.

Wir würden einen solchen Text gründlich mißverstehen, beurteilten wir ihn als eine barocke Allegorie. Israel sah in dem Königwerden auf dem Zion eine reale Geburt durch den auf dem Zion thronenden Weltenkönig, der hier in diese Welt und Erde eingetreten war und Wohnung genommen hatte. Wie real diese Geburt verstanden werden konnte, geht aus einer anderen Stelle in Ps 2, aus V. 6 hervor. Man bevorzugt an dieser Stelle mit Recht die Septuagintaüberlieferung und liest מַלְכּוֹ und קָדְשׁוֹ, dementsprechend das Nifᶜal in נסכתי; denn der König redet (vgl. V. 7).[23] Schwierigkeiten bereitet aber das Verbum נסכתי. Die

= Hathor und Rešep = *ḥᶜ(j)-t*;*w*) »geliebt« bezeichnet wird; vgl. *HGese*, Die Religionen Altsyriens (1970) 46f.

[21] Für בהדרי קדש ist mit hebr. Mss, σ′, Hier zu lesen בהררי קדש, vgl. Ps 87_1; für das künstliche und tendenziöse Hapaxlegomenon [illegible] ist [illegible] parallel [illegible] מֵרֶחֶם mit 𝔊, o εβϱ′, ϑ′, 𝔖 מִשַּׁחַר zu punktieren; לך טל ist mit 𝔊 zu tilgen, es ist eine unter Benutzung von שַׁחַר entstandene Metapher, die die kräftige Vorstellung durch Verschiebung auf die Bildebene neutralisieren will; ילדתיך ist mit hebr. Mss, o εβϱ′, 𝔊 und 𝔖 und parallel zu Ps 2_7 יְלִדְתִּיךָ zu punktieren, vgl. מֵרֶחֶם.

[22] Vgl. den Hinweis von *HJKraus*, Psalmen, BK XV (1960) 759.

[23] Die MT-Lesart מלכי und קדשי ist durch das ידבר (Subjekt Gott) in V. 5 veranlaßt, also *lectio facilior*.

Bedeutung von נסך »Trankopfer ausgießen« und darum »unter Trankopferausgießung weihen« paßt nicht, da wir von einem Trankopfer im Zentrum der Inthronisationsfeierlichkeiten nichts wissen und auch sonst nirgends bezeugt finden, daß der Davidsbund in der Form von נסך מסכה (vgl. Jes 30_{1}) zelebriert worden sei, was dem Wesen dieses Bundes auch nicht entspräche. Eine abstrakt-technische Bedeutung »weihen« läßt sich für נסך nicht nachweisen, so daß ein Nif'al in Ps 2_{6} besonders schwierig ist.[24] Dieses נסכתי taucht noch einmal in Spr 8_{23} auf, wo von der Erschaffung der Weisheit in der Urzeit die Rede ist. Die Parallelität mit קנה »erschaffen« in V. 22 und חיל Polal »unter Kreißen geboren werden« in V. 24f hat bald dazu geführt,[25] entsprechend Ps 139_{13} (auch hier die Parallele zu קנה) נסכתי von סכך »schirmend bedecken«, »weben«, »auf kunstvolle Weise wirken, bilden« herzuleiten und demzufolge נְסַכֹּתִי zu lesen. Auch in Ps 2_{6} empfiehlt es sich gegenüber einer nicht belegbaren Bedeutung von נסך, נְסַכֹּתִי zu punktieren und zu übersetzen: »Ich aber wurde (auf wunderbare Weise) erschaffen als sein König auf dem Zion, seinem heiligen Berg«. Entsprechend Ps 2_{7} und 110_{3} wird also die Inthronisation des davidischen Königs auf dem Zion als Geburt und Erschaffung durch Gott verstanden.[26]

[24] Daß diese Schwierigkeit der Herleitung von נסך so wenig empfunden wird, liegt offenbar am Vorkommen von נָסִיךְ II »Beduinen-, Stammesscheich« (Jos 13_{21}; Ez 32_{30}; Mi 5_{4}; Ps 83_{12}; vgl. auch Sir 16_{7}; ferner Achiq 119), das aber nicht direkt vom hebräischen נסך herzuleiten (wenn auch von der entsprechenden semitischen Wurzel), sondern akkadisches Fremdwort ist (vgl. AHW s. v. ***nasīku*** II und die Untersuchung der Herkunft des Wortes in *JvdPloeg*, Les chefs du peuple d'Israël et leurs titres, RB 57, 1950, 51). Es wäre undenkbar, daß der davidische König sich als נסיך bezeichnet.

[25] Zuerst *FHitzig*, Die Sprüche Salomo's (1858) 77; vgl. heute zB *BGemser*, Sprüche Salomos, HAT I/16 (^{2}1963) 46.

[26] Von hier aus muß noch einmal die Bedeutung des ἐπισκιάζειν von Lk 1_{35} erwogen werden. Mit Ausnahme der freien Übersetzung für das שׁכן der Offenbarungswolke in Ex 40_{35} gibt ἐπισκιάζειν in 𝔊 stets (das gilt auch für die Vorlage von Spr 18_{11}) eine Form von סכך wieder (vgl. 𝔗 טלל). Sollte in Lk 1_{35} die Übersetzung eines ursprünglich hebräisch formulierten Stückes vorliegen, so wäre etwa vorauszusetzen:

רוח הקדש תבוא עליך   וחיל עליון יס(כ)ך לך

was man versucht sein könnte zu übersetzen: »Heiliger Geist wird auf dich kommen / und Kraft 'Eljons wird dir (auf wunderbare Weise) erschaffen«. Aber objektloses aktives סכך in diesem Sinn ist nicht belegt, und wahrscheinlich wird im zweiten Stichos nur der Inhalt des ersten in verstärkendem Parallelismus wiedergegeben: »und Kraft 'Eljons wird dich bedecken«, wobei von vornherein an das schirmende Bedecken der »Wolke« gedacht sein mag, was in der Übersetzung mit ἐπισκιάζειν ja auch gut zum Ausdruck kommt.

III.

Der Zweifel, daß dies alles vielleicht doch nur eine raffinierte theologische Verklärung irdischer Machtentfaltung der Davididen gewesen sein könnte, verschwindet, wenn man diese Vorstellung in der Zeit tiefster staatlicher Erniedrigung und Auflösung Ende des 8. Jahrhunderts wiederfindet, in einer Zeit, die das Nordreich ausgelöscht hatte und für den Süden das Ende der selbständigen staatlichen Existenz brachte. Solche staatlichen Katastrophen haben überall sonst die Königsideologien beseitigt, im alttestamentlichen Bereich aber kam es zu einer seltsamen Vertiefung der Tradition. Der Prophetismus zeigte in dieser Auflösung des Staates das Gericht Jahwes, und damit verschob sich das Verhältnis Jahwe-Israel von der äußerlich faßbaren Form im Staat, Kult usw weg auf eine andere Ebene des Eigentlichen. Die alten heilsgeschichtlichen Traditionen wurden auf einen neuen Raum bezogen, aus dem vorfindlichen Israel, dem Staat, hinausgehoben in eine neue Wirklichkeit: die Jahwe-Offenbarung transzendiert das vorfindliche Sein. Für das hier behandelte Thema beobachtet man das bei dem jerusalemischen Propheten dieser Zeit, bei Jesaja.

In Jes 9_{5f} scheint zunächst ganz im Sinne der alten Tradition die Rede zu sein von dem Gottessohn, der für das große Heil der Zukunft nun eben in gesteigerter Weise dem Königsideal entspricht. Die hier erwähnte Geburt des Kindes in Parallele zu Sohn könnte wie früher allein die Zionsgeburt der Inthronisation meinen.[27] Aber so sicher es ist, daß es sich hier um ein Ereignis handelt, das den Thron Davids und sein Königreich betrifft, so deutlich ist auch die Diskontinuität zu der historischen Vergangenheit. Dieser Herrscher ist nicht einfach die geradlinige Weiterführung der alten Dynastie, und er setzt nicht nur die Autorität seines väterlichen Vorgängers fort, vielmehr kommt es hier aus der völligen Auflösung heraus zu einer Neugründung des davidischen Königtums. Die hier vorausgesetzte Diskontinuität muß auch für die bisher herrschende Familie (als Teil der weitverzweigten Davidsippe) gelten, und genealogisch kann dann der neue Herrscher, der den Davidsthron besteigt, höchstens in sehr indirekter Weise mit der Dynastie verbunden sein. Das gilt um so mehr, als er mit seinem vierfachen Königsnamen[28] die Gestalt Davids überstrahlt

[27] Diese Möglichkeit wurde von *GvRad,* Das judäische Königsritual, ThLZ 72 (1947) 216 (= Ges. Stud. 212f) und *AAlt,* Die Staatenbildung der Israeliten in Palästina, Reformationsprogramm der Univ. Leipzig (1930) 76 (= Kl. Schr. II 63); Jesaja 8,23–9,6. Befreiungsnacht und Krönungstag, Festschr. ABertholet (1950) 41f (=Kl. Schr. II 217f), gesehen.

[28] Ein fünfter Name in Analogie zu den fünf »großen Namen« des Pharao ist weder aus textlichen noch metrischen Gründen in Jes 9_{5b} am Platze: Ebenso wie sich sonst in

und erst die eigentliche Verwirklichung und Erfüllung der davidischen Königskonzeption darstellt. Der neue Herrscher von Jes 9 muß eben auch physisch erst geboren werden. Die Formulierung »Ein Kind ist uns geboren« sollte daher mehr meinen als die Inthronisation eines durch die bestehende Dynastie ja vorhandenen Davididen.[29] Daß hier nicht von einer Geburt im übertragenen Sinn gesprochen wird, ergibt sich aus dem Wortlaut, dem Redenden und dem Zusammenhang: יֶלֶד als Bezeichnung für den Gottessohn ist trotz des verbalen ילד in Ps 2₇; 110₃ seltsam, das redende »Volk«[30] kann den König als Gottessohn nicht einfach »Sohn« nennen, V. 5aβb, die Erwähnung von Investitur und Namengebung, *nach* der gerade durch die Inthronisation auf dem Zion erst erfolgende »Geburt« zum Gottessohn wirken deplaziert; die Sohnschaft des Zionskönigs kann durch beides nicht gesteigert und auch nicht expliziert werden. Die in besonderer hymnischer Form gehaltene prophetische Verkündigung von Jes 9₅f handelt also von der physi-

V. 6a Paare finden, על כסא דוד-ועל ממלכתו, להכין אתה-ולסעדה, במשפט-ובצדקה, so auch am Anfang (לם)רבה המשרה – ולשלום אין קץ (ein konjunktives Waw fehlt zu Beginn, wie die Parallelen zeigen, gerade nicht; gegen *HWildberger*, Die Thronnamen des Messias, Jes 9,5b, ThZ 16, 1960, 329), mag sich das לם mit dem Mem finale als Dittographie oder als Variantenabgabe (למרבה oder רבה) erklären. Vor allem sind auch die vier Namen in V. 5b formal paarweise geordnet. In der st.cs.-Verbindung kann sowohl das Individuelle vom Generellen als auch umgekehrt das Generelle vom Individuellen bestimmt werden (*CBrockelmann*, Hebräische Syntax, 1956, § 76 f), der erste Fall liegt bei אבי עד und שׂר שלום vor, der zweite bei פלא יועץ und אל גבור. Die Genusaussagen (*WGesenius*, *EKautzsch*, Hebräische Grammatik, [28]1909, § 128,1) werden mit גבור, יועץ und mit שׂר, אב gegeben; ein fünfter Name, etwa מרבה המשׂרה (*HWildberger*, aaO 329), würde den Aufbau in zwei Paaren zunichte machen. Schließlich wäre zu bedenken, daß das komplizierte königsideologische System der historisch entstandenen fünffachen Titulatur in Jerusalem inakzeptabel war und daß freie Nachahmungen (vgl. *HWildberger*, aaO 328) nur dort ihren Sinn haben und verstanden werden konnten, wo dieses System lebendige Wirklichkeit war.

[29] In neuerer Zeit haben sich besonders *HJKraus*, Jesaja 9₅₋₆ (₆₋₇), »Herr, tue meine Lippen auf«, hg. v. *GEichholz* ([2]1961) 46f, und *HWWolff*, Frieden ohne Ende. Jesaja 7₁₋₁₇ und 9₁₋₆ ausgelegt (1962) 67f, gegen eine Interpretation der in Jes 9₅ₐα ausgesagten Geburt als Zionsinthronisation gewandt und die Deutung auf eine physische Geburt begründet. Auch *ThLescow*, Das Geburtsmotiv in den messianischen Weissagungen bei Jesaja und Micha, ZAW 79 (1967) 184ff, versteht hier יֶלֶד und בן nicht im Sinne göttlicher Adoption, aber auch nicht im Sinne physischer Geburt, sondern möchte in beiden Ausdrücken den Messias lediglich als Davididen bezeichnet sehen. Doch bleibt das unbefriedigend, da יֶלֶד im Zusammenhang mit dem Verbum ילד im Sinne des letzteren verstanden werden muß und kaum eine spezielle Bedeutung »Sproß« haben kann, und בן נתן לנו gerade nicht mit den angeführten Beispielen 1Kön 3₈; 13₂ verglichen werden kann, weil hier mit ל nicht der Vater bzw. die väterliche Familie eingeführt wird.

[30] *GvRad* sieht allerdings in V. 5 eine Gottesrede (aaO 216).

schen Geburt und Inthronisation des Heilskönigs als bevorstehendes Werk Gottes. Damit rücken beide Vorstellungen von der Geburt des Zionskönigs, die Vorstellung von der physischen Geburt und die von der Inthronisation als Gottesgeburt, in eine starke Nähe zueinander. Aus Jes 7_{10-17}, der Prophetenerzählung vom Immanuelzeichen, erfahren wir darüber Genaueres.

Bei der Interpretation dieses vieldiskutierten Stückes[31] sollte man nicht in Zweifel ziehen, daß das Ahas gegebene Zeichen der Immanuelgeburt für ihn schlimmstes Unheil bedeutet.[32] Schon das ja nicht Ahas allein, sondern der regierenden Dynastie geltende Wort des vorhergehenden Abschnitts[33] »Glaubt ihr (!) nicht, so bleibt ihr nicht!« bezeichnet die Krisis, in die diese Dynastie geraten ist.[34] Nachdem jetzt (V. 12) Ahas die Zeichenbitte an Jahwe abgelehnt hat und der Prophet in scharfer Entgegensetzung zur davidischen Auffassung Jahwe nicht mehr den Gott der Davididen nennt,[35] kann dieses Zeichen nur die Verwerfung der regierenden Dynastie beinhalten; [36] und das wird auch am Ende orakelhaft ausgesprochen, wenn es heißt, daß über ihn, Ahas, über seinen עם[37] und über seine Familie Tage kommen, die nur mit der Auflösung des Davidreiches nach dem Tode Salomos verglichen werden können (V. 17a). Es ist daher auch sachgemäß, daß dieses Zeichen nicht ihm allein gegeben wird, sondern »ihnen« (לכם V. 14), dh der herrschenden Dynastie (בית דוד V. 13). M. E. ist damit die beliebte Exegese, mit Immanuel sei der Ahassohn Hiskia gemeint, schlechterdings ausgeschlossen.[38] Man wird sich ebenso hüten müssen,

[31] Letzte Kommentierung und Literaturzusammenstellung *HWildberger*, Jesaja (BK X), Lieferung 4 (1969) 262ff, letzte zusammenfassende Darstellung *MRehm*, Der königliche Messias im Licht der Immanuel-Weissagungen des Buches Jesaja (1968).

[32] Die Formulierung mit לכן V. 14 in diesem Zusammenhang läßt keinen anderen Schluß zu, vgl. *JJStamm*, Die Immanuel-Weissagung. Ein Gespräch mit E. Hammershaimb, VT 4 (1954) 31.

[33] Den Zusammenhang von 7_{10-17} mit 7_{1-9} beweisen die Einleitungsformel V. 10, der nicht weiter vorbereitete Einsatz in V. 11 und der Inhalt beider Stücke.

[34] Der Bezug auf die Dynastie gerade in Hinsicht ihrer Begründung durch den Davidsbund ergibt sich aus der Analogie zu V. 8a.9a.

[35] Vgl. אלהיך noch in V. 11, aber אלהי in V. 13.

[36] Besonders *HWWolff*, aaO 28ff, 43, 46, hat den antidynastischen Charakter des Immanuelzeichens herausgearbeitet; man vgl. auch *WVischer*, Die Immanuel-Botschaft im Rahmen des königlichen Zionsfestes (1955), der aber die Zugehörigkeit des Immanuel zur engeren Davidfamilie voraussetzt und daher in dem Zeichen nur ein Durchbrechen der normalen Thronfolge sieht (besonders 52).

[37] עם kann in dieser Aufzählung nur die Blutsverwandten väterlicherseits meinen, vgl. Jer 37_{12}; Ru 3_{11}. Es ist natürlich nicht auszuschließen, daß hier eine Texterweiterung vorliegt (so *HWWolff*, aaO 10 Anm. s).

[38] Daß man die nach 2Kön $18_{1.2a\alpha}$ bestehenden chronologischen Schwierigkeiten

wegen der Parallelität zum Zeichen des »Eilig hat's Beute, rasch ist Raub« von 8₃f in der (dann unverständlicherweise mit עלמה bezeichneten) Mutter des Immanuel die Frau Jesajas zu sehen. Gegen die herrschende Dynastie kann sich dieses Zeichen nur richten, wenn es die Geburt eines neuen Königs[39] ansagt.

Der Kern des Zeichens ist ein Sohnesverheißungsorakel, das für eine *bestimmte* עלמה (deswegen der Artikel), dh für eine bestimmte junge Frau, die noch nicht geboren hat, gilt, und das als Namen des Kindes Immanuel, »*Bei uns* ist Gott«,[40] angibt. Daß die Mutter nicht näher bezeichnet wird, ist nicht verwunderlich; abgesehen von der Frage, ob Jesaja wußte, wer die Mutter sein werde – eine solche Frage entfernt sich vom Text –, gehörte es auf keinen Fall zum Verkündigungsauftrag des Propheten, die Mutter näher zu bezeichnen, denn eine solche Angabe würde bedeuten, daß man über sie und ihr Kind verfügen und jede Gefährdung des eigenen Thrones ausschalten könnte. Die Verborgenheit Immanuels entspricht einer solchen Situation, wie wir sie aus Mt 2 kennen, als Herodes von den Magiern die Geburt des neuen Königs erfährt. Man kann dieser Deutung gegenüber einwenden, daß die so verstandene Immanuelgeburt keinen zeichenhaften Charakter habe; denn wenn es ein Zeichen ist, muß es Ahas auch sehen können. Dieser Einwand gilt jedoch nur scheinbar. Was Ahas sehen kann, ist der mit der Geburt zeitlich verknüpfte Untergang der Reiche von Samaria und Damaskus (V. 16b); daran kann Ahas ablesen, was die Stunde geschlagen hat.

Die Prophetie Jesajas hat sich in der unmittelbar folgenden Zeit nicht erfüllt. Die Heilsweissagung hatte zwar einen durchaus realistischen politisch-historischen Charakter, aber gleichzeitig transzendierte sie diese Dimension in dem Entwurf einer alle Empirie weit übersteigenden Heilszukunft. So wurde alles Vorfindliche zum Vorläufigen, und das eigentliche Sein bestand in der Erwartung; die Offenbarung bekam eine eschatologische Struktur, und das gegenwärtige Heil lag hinter allem Vorfindlichen im Verborgenen. So wurde die verborgene »Gebärende, die gebiert« (Mi 5₂ unter Aufnahme von Jes 7₁₄)[41] das Tor,

durch Konjektur beseitigt, läßt diese Identifikation auch nicht überzeugender erscheinen.

[39] *HWWolff* stellt vor allem eine Rezeption der alten Retterüberlieferungen der Richterzeit fest; aber eine solche Rettergestalt müßte doch als Gegenbild zu Ahas und seiner davidischen Familie Königsfunktion haben, und bei der bekannten Verwurzelung Jesajas in den Zionstraditionen, die sich gerade auch in der Verkündigung der bleibenden Bedeutung des Zions zeigt, kann dieses Königtum wohl nur als Zionskönigtum verstanden werden.

[40] Dh gerade auch: nicht bei der herrschenden Dynastie. Zur Aussage Gott mit (עם) David, bzw. Davididen vgl. *WVischer*, aaO 21ff.

[41] Vgl. *JWellhausen*, Die Kleinen Propheten ([3]1898) 145f. Die These von *ThLes-*

durch das das göttliche Heil in diese Welt eintritt. Die Einwohnung des Zionsgottes in dieser Welt erscheint erst mit und in der Geburt des messianischen Kindes. In dieser neuen ontologischen Offenbarungsstruktur der Verborgenheit und Hoffnung rücken in unserer Überlieferung die Zionsgeburt des Inthronisierten und seine physische Geburt eng zusammen, insofern *beides* das Werk des in dieser Welt Wohnung nehmenden Gottes ist.

Auf die vielfältige Entwicklung der Messianologie kann im Rahmen dieses Aufsatzes auch nicht andeutungsweise hingewiesen werden. Obwohl der Davidismus in der deuterojesajanischen עבד-Konzeption auf Israel bezogen, eine völlige Metamorphose durchmachen oder von der apokalyptischen βασιλεία-Theologie stark absorbiert werden konnte, blieb die Messianologie nicht nur ein wesentlicher Überlieferungsstrang, sie behielt auch, wie sich von Mi 5$_2$ (als interpretierender Zusatz zu 5$_{1-3}$) bis zu Apk 12$_{1ff}$ zeigt, die Form der Geburtserwartung bei.[41a] Eine besondere, in gewisser Weise parallele theologische Entwicklung soll aber wenigstens noch erwähnt werden. Die in der späteren Weisheitstheologie hypostasierte Weisheit, die als in der Urzeit geschaffenes Kind Gottes vorgestellt werden mußte (Spr 8$_{22ff}$), hat als Repräsentant der Ordnung Jahwes eine mit dem Zionskönig vergleichbare Funktion. Ihre Identität mit der Jahweoffenbarung an Israel führt zu der Vorstellung, daß sie als präexistenter göttlicher Logos (Sir 24$_{3ff}$) wie die Lade nur auf dem Zion die מנוחה, die bleibende Wohnung finden kann (V. 7ff).[42] Die den Davidismus begründende Einwohnung Gottes auf dem Zion wird als Aussendung seines Logos verstanden (V. 8). So verbindet sich die Weisheitstheologie mit dem Zionsmessianismus in der Wurzel, und diese Verbindung ist in jenen verhältnismäßig frühen υἱὸς ϑεοῦ-Stellen des Neuen Testaments vorausgesetzt, die von der Sendung des Sohnes sprechen (Gal 4$_{4f}$; Röm 8$_{3f}$; Joh 3$_{16f}$; 1Joh 4$_9$).[43] Die sapientale Interpretation der Zionstheologie führt zur Präexistenzvorstellung des υἱὸς ϑεοῦ, und in neuem Lichte mußte die Überlieferung erscheinen, die in der Davidzeit die Urzeit sah und wie Mi 5$_1$ daher den protologischen Ursprung des eschatologischen Messias lehrte.

cow, aaO 199ff, יולדה bezeichne hier als Chiffrewort das Ende der Krisis Israels, ist angesichts der Einfügung von Mi 5$_2$ zwischen V. 1 und V. 3, die vom Aufkommen und Auftreten des Messias reden, ganz unwahrscheinlich. Was liegt näher, als יולדה ילדה nach V. 1 auf die Geburt zu beziehen? Auch in V. 4f wirkt jesajanische Tradition nach.

[41a] Vgl. 1QSa II 11, siehe *OMichel-OBetz*, Von Gott erzeugt; Judentum, Urchristentum, Kirche, Festschr. JJeremias (1960) 11ff.

[42] V. 7 ἀνάπαυσις = מנוחה, κληρονομία = נחלה.

[43] Auch das Thema der Retterfunktion der Weisheit durchzieht Spr 1–9 und ist auch in Sir 24 (V. 19–22, V. 32–34) zum Ausdruck gebracht. Vgl. *ESchweizer*, Zum religionsgeschichtlichen Hintergrund der »Sendungsformel« Gal 4$_{4f}$ Rm 8$_{3f}$ Joh

IV.

Man muß die Frage stellen, ob die spätestens aus der Mitte des 2. Jahrhunderts vChr stammende[44] griechische Übersetzung von עלמה in Jes 7$_{14}$ mit παρθένος schon die Vorstellung einer jungfräulichen Messiasgeburt voraussetzt. Diese Frage bleibt aber unbeantwortbar. Septuaginta konnte παρθένος archaisierend wie im frühen Griechisch als »junges Mädchen/junge Frau« verstehen, und die Übersetzung von נַעֲרָ(ה) in Gen 34$_{3}$ durch παρθένος belegt diesen Gebrauch.[45] Davon abgesehen läßt sich der Formulierung des Sohnesverheißungsorakels wenig entnehmen, setzt doch dieses Orakel das Fehlen einer früheren oder gegenwärtigen Schwangerschaft voraus, so daß im Fall einer עלמה die Übersetzung παρθένος naheliegt und doch nichts über eine jungfräuliche Geburt ausgesagt wird. Vor der neutestamentlichen Traditionsbildung läßt sich also die Vorstellung einer jungfräulichen Messiasgeburt im Rahmen der biblischen Tradition nicht mit Sicherheit nachweisen.

Diese neutestamentliche Traditionsbildung ist selbstverständlich erst nachösterlich. Wesentliche, mit dem Thema zusammenhängende Motive sind sogar primär in ganz anderen Komplexen der Christologie zu finden, so die Davidsohnschaft und besonders die vielfältige Überlieferung der Inthronisation (der galiläische Auferstehungsbericht, die Himmelfahrtserzählung, die Verklärungsgeschichte mit dem Zitat von Ps 2$_{7}$, dann auch eine besondere Interpretation der Taufe Jesu mit demselben Zitat). Eine aus biographischen Gründen entstandene Geburtsgeschichte konnte im Rahmen der neutestamentlichen Traditionsbildung garnicht aufkommen; hier entstand erst eine Geburtsgeschichte, als man die Geburt selbst als das Heilsereignis, als Evangelium verstand. Die Geburt ist schon das *ganze* Evangelium, auf eine besondere Inthronisation braucht nicht Bezug genommen zu werden. Dh in diesem Verständnis der Geburt fiel zusammen, was bei Jesaja in so große Nähe zueinander gerückt war: die physische Geburt und die Gottesgeburt zum Sohne Gottes. Damit war die Vorstellung eines *natus ex virgine* erreicht. Das Motiv der Einwohnung Gottes in dieser Welt wurde bis zur letzten Konsequenz geführt: das Heilige selbst tritt ein

3$_{16f}$ 1Joh 4$_{9}$, ZNW 57 (1966) 199–210, wo ebenso wie in: Ökumene im Neuen Testament: Der Glaube an den Sohn Gottes, Neues Testament und heutige Verkündigung (1969) 44f die ganz andere Herkunft dieser Überlieferung betont wird, die nicht dort habe entstehen können, wo die Davidverheißungen von Bedeutung waren, sondern im außerpalästinischen, griechisch sprechenden Judentum. Angesichts der (palästinischen und hebräischen) Entwicklung von Spr 8 zu Sir 24 wird es fraglich, ob man mit einem solchen Gegensatz arbeiten kann.

[44] Vgl. Sir Prolog.

[45] *GDelling*, Art. παρθένος, ThW V 831.

in diese Welt, der lebenschaffende Geist ist רוח הקדש. Es genügte nicht, daß die Autorität eines menschlichen Vaters stark zurücktrat, so wie man das bei Jesaja beobachten kann, es mußte hier die totale Zuwendung Gottes zur Welt ihren Ausdruck finden. Damit zeichnete sich die Struktur der neutestamentlichen βασιλεία ab: keine Überhöhung dieser Welt, auch nicht mehr als letztes Ziel hinter dem Verborgenen, sondern die Überwindung der Gottesferne durch die Hingabe an die Welt und – das ist bei einer nachösterlichen Traditionsbildung vorauszusetzen – in den Tod. Dies war nicht mehr wie bei Jesaja ein Erscheinen der βασιλεία im Verborgenen und auf Zukunft hin, sondern ein Offenbarwerden *sub contrario*, die Epiphanie Gottes in tiefer menschlicher Armut und Erbärmlichkeit, die Erscheinung des ganz Anderen.

Dieser Transzendenzcharakter der Jungfrauengeburt könnte nicht stärker mißverstanden werden als im Sinne doketischer Entleiblichung und Sublimation. Nicht Heraushebung Jesu aus dem Menschlichen ist Sinn dieser Überlieferung, sondern das Gegenteil, Hineinsenkung des Heiligen in diese Welt.

Fassen wir zusammen: Im *natus ex virgine* wird die Einwohnung Gottes in diese Welt Ereignis in einer nicht zu überbietenden letzten Weise. Die Offenbarung des Eingehens Gottes in die Welt wird uns in der biblischen Überlieferung in einem Prozeß bezeugt, dem eine Abfolge ontologischer Stufen entspricht: (1) das Staat- und Weltsein Israels; (2) das Zerbrechen des Staates und die Transzendierung des Vorfindlichen im Verborgenen und in der eschatologischen Erwartung der Zukunft; (3) die Aufhebung aller Vorfindlichkeit und Verborgenheit in Tod und Auferstehung Christi. In diesem Prozeß ereignet sich das Eingehen Gottes in die Welt (1) im Erwählen eines Weltortes, des Zions, auf dem der inthronisierte Davidide als Sohn Gottes erscheint. (2) Die Geburt des wahren Davididen wird aber zum verborgenen Werk Gottes, das erst in der Heilszeit offenbar wird. (3) In diesem Eschaton aber geht das Heilige selbst in die menschliche Welt ein und ist gegenwärtig in dem, der alle Gottesferne überwindet durch seinen Tod. Dieser Offenbarungsprozeß wäre mißverstanden als eine sich ablösende Aufeinanderfolge verschiedener Konzeptionen. Vielmehr handelt es sich um eine Vertiefung, um eine Seinsaufweitung und Seinsgründung. Nur im Ganzen ist das Wesen zu greifen.

FERDINAND HAHN

GENESIS 15_{6} IM NEUEN TESTAMENT

I.

Gerhard von Rad hat 1951 in seinem Aufsatz »Die Anrechnung des Glaubens zur Gerechtigkeit« der Stelle Gen 15_{6} eine im Blick auf das Neue Testament so aufschlußreiche Interpretation gegeben,[1] daß man sich wundert, warum seither keine Untersuchung über das Verhältnis zwischen dem alttestamentlichen und neutestamentlichen Verständnis dieses Textes erschienen ist. *Von Rad* geht von der Feststellung aus, daß es sich »um eine sorgsam ausgewogene theologische Formel« handelt, die nur »auf der Basis ganz bestimmter sakraler Traditionen denkbar« ist.[2] Er geht dem Gebrauch des Verbums חשב in kultischer Sprache nach und zeigt, daß es sich dabei ursprünglich um einen deklaratorischen Akt handelt, der entweder im Zusammenhang mit der Opferdarbringung oder im Zusammenhang mit den Tor-Liturgien bzw. ähnlicher katechismusartiger Befragungen stand.[3] Dieser Hintergrund ist maßgebend für die Wendung וַיַּחְשְׁבֶהָ לּוֹ צְדָקָה in Gen 15_{6}, nur daß hier der »strenge Rahmen des Kultischen mit seiner Bindung an Opfer und konventionierte Riten« zerrissen ist. »Der Vorgang der ›Anrechnung‹ ist ja jetzt in den Raum eines freien und ganz persönlichen Verhältnisses Jahwes zu Abraham hinaus verlagert ... Aber der erstaunlichste Unterschied liegt in folgendem: Die kultische Anrechnung geschah auf Grund von irgendwelchen Leistungen des Menschen; von Opfergaben oder bestimmten Gehorsamsakten; immer waren es Handlungen. Hier aber wird in einem gehobenen und programmatischen Satz gesagt, daß der Glaube in das rechte Verhältnis setze«.[4] Nun läßt es *von Rad* offen, ob dieser revolutionär und polemisch klingende Satz tatsächlich im Sinne einer Kultkritik gemeint war; es könne auch sein, daß hier einfach eine Spiritualisierung vorliegt, der eine Polemik gegen kultische Einrichtungen fern lag; »dann handelt es sich gegenüber der kultischen

[1] *GvRad*, Die Anrechnung des Glaubens zur Gerechtigkeit (1951), in: Gesammelte Studien zum Alten Testament, ThB 8 (^{3}1965) 130–135.

[2] aaO 130.

[3] Er verweist aaO 130ff. 132f auf Lev 7_{11ff}; 17_{4}; Num 18_{27} und auf Ps 15; Jes 33; Ez 18_{5-9}.

[4] aaO 133f.

Anrechnung, die sich in vielen einzelnen Akten ereignet, in Gen 15$_6$ vielmehr um eine Generalisierung des ganzen Vorgangs, der sich zwischen Jahwe und dem Menschen ereignet, und vor allem um eine Subjektivierung und Verinnerlichung ... Jetzt wird also die ganze Innerlichkeit und ihre Einstellung zu Jahwe bei dem Vorgang der Rechtfertigung mit einbezogen«.[5]

In Anknüpfung an dieses Verständnis des Textes hat *Norbert Lohfink* das damit verbundene traditionsgeschichtliche Problem nochmals aufgegriffen.[6] Er vermutet, daß weniger die deklaratorischen Akte bei der Opferdarbringung und den Tempeleinlaßliturgien als vielmehr die Praxis des Heilsorakels im Hintergrund stehe. Dabei ginge es dann um die vertrauensvolle Annahme der Heilszusage, wonach in Gen 15$_{5f}$ die von Abraham angenommene Verheißung stilisiert worden sei. Hierbei würde auch eine unbewußte oder beabsichtigte Distanzierung von kultischen Traditionen entfallen, denn es wäre ja gerade von der kultischen Erfahrung des Israeliten her gesagt, daß Abraham die Heilsverheißung angenommen hat, was ihm dann als Gerechtigkeit angerechnet worden ist.

Wie immer es mit der speziellen Tradition steht, die im Hintergrund dieser Erzählung vermutet werden kann, so viel ist deutlich, daß durch die Übertragung in die Abrahamserzählung jeder spezielle kultische Zusammenhang verlassen ist und daß bei dem Charakter dieser theologischen Formel in Gen 15$_6$ der Glaube eine Rolle gewinnt, wie das wohl an keiner anderen alttestamentlichen Stelle der Fall ist. Allerdings bleibt nun zu fragen, wie הֶאֱמִין zu verstehen ist, und wie der Zusammenhang mit der Rechtfertigung bestimmt werden muß. Ursprünglich dürfte sicher das »Sich-Festmachen in Jahwe« im Sinne des rückhaltlosen Vertrauens eine entscheidende Rolle gespielt haben und dementsprechend die Anrechnung der Gerechtigkeit verstanden worden sein. Was allerdings später unter dem »Sich-Festmachen in Jahwe« präzise verstanden und zusammengefaßt werden konnte, ist nicht ohne weiteres deutlich. Im Alten Testament selbst ist eine Nachwirkung und Auslegungstradition, wenn man von den verschiedenen Schichten und

[5] aaO 134; vgl. *GvRad*, Theologie des Alten Testamentes I ([5]1966) 391; die Formulierung in ihrer ungewöhnlichen Prägung verrät, »daß zu ihrer Zeit die Frage, was denn nun von Jahwe ›als Gerechtigkeit angerechnet‹ wird, einigermaßen lebendig gewesen sein muß, ja vielleicht schon problematisch geworden war; und sie vertritt die These, daß das Ernstnehmen der Zusage Jahwes, das Sich-daraufeinstellen als auf etwas ganz Reelles, – daß dies das wahre gemeinschaftsgemäße Verhalten gegenüber Jahwe sei«, wobei man diesen Satz jedoch nicht »im exklusiven Sinn verabsolutieren« dürfe, »als solle damit jede andere Möglichkeit eines menschlichen Erweises von Gerechtigkeit negiert werden«. Vgl. außerdem noch *GvRad*, Das erste Buch Mose. Genesis Kapitel 12$_{10}$–25$_{18}$, ATD 3 ([7]1964) 155f.

[6] *NLohfink*, Die Landverheißung als Eid. Eine Studie zu Gn 15, SBS 28 (1967) 57ff.

der Endredaktion in Gen 15 absieht,[7] kaum festzustellen. Nur Ps 106_{31} ist hier zu nennen, wo aber das entscheidende Stichwort הֶאֱמִין nicht vorkommt, sondern lediglich eine mit Gen 15_{6b} weitgehend übereinstimmende Formel gebraucht wird; sollte eine bewußte Anspielung auf Gen 15_{6} vorliegen, dann wäre die hier erwähnte Tat des Pinehas (Num 25_{7-13}) als ein solches »Sich-Festmachen in Jahwe« verstanden.[8]

II.

Wenden wir uns dem Neuen Testament zu, so stoßen wir an drei Stellen auf eine Zitierung von Gen 15_{6}. Die Stellen dürften alle voneinander abhängig sein; denn neben dem Gebrauch in Gal 3 und Röm 4 enthält Jak 2_{23} keinen eigenständigen Rückgriff auf das Alte Testament, setzt vielmehr die Verwendung des Zitats bei Paulus voraus.

Es ist heute weithin unbestritten, daß der *Jakobusbrief* aus nachpaulinischer Zeit stammt[9] und daß er in 2_{14-26} einem Mißverständnis bzw. Mißbrauch der paulinischen Rechtfertigungslehre wehren will. Daß der Verfasser des Jakobusbriefs dabei der theologischen Konzeption des Apostels Paulus nicht wirklich gerecht wird, ist bei unserer Fragestellung weniger wichtig als die Tatsache, daß er sich in diesem Zusammenhang einer vorpaulinischen Überlieferung, genauer: einer aus dem Judentum übernommenen Auslegungstradition bedient.[10]

Zum Verständnis des Textes Jak 2_{14-26} geht man dabei am besten von der These V. 24 aus: ὁρᾶτε ὅτι ἐξ ἔργων δικαιοῦται ἄνθρωπος καὶ οὐκ ἐκ πίστεως μόνον. Der Bezug auf die paulinischen Aussagen von Gal 2_{16} und Röm 3_{28} ist deutlich, wobei interessant ist, daß erst hier das

[7] Außer der Arbeit von *Lohfink* sind an Untersuchungen über dieses Kapitel aus der neueren Literatur zu nennen: *OKaiser*, Traditionsgeschichtliche Untersuchung von Genesis 15, ZAW 70 (1958) 107–126; *HSeebass*, Zu Gen 15, WuD NF 7 (1963) 132–149; *HWildberger*, »Glauben« im Alten Testament, ZThK 65 (1968) 129–159, bes. 142ff.

[8] Zu dem »Sich-Festmachen in Jahwe« vgl. *vRad*, Theologie I 185. Zu Psalm 106_{31} vgl. *HWHeidland*, Die Anrechnung des Glaubens zur Gerechtigkeit, BWANT IV/18 (1936) 82ff; *HJKraus*, Psalmen II, BKAT XV/2 (1960) 731.

[9] Es sei nur verwiesen auf *(PFeine-JBehm-)WGKümmel*, Einleitung in das Neue Testament ([16]1969) 292ff. Anders *FMussner*, Der Jakobusbrief, HerdTheolKomm XIII/1 (1964) 7f, der mit dem Herrenbruder Jakobus als Verfasser rechnet, welcher sich möglicherweise eines griechisch sprechenden Mitarbeiters bedient habe.

[10] Vgl. dazu *OSchmitz*, Abraham im Spätjudentum und Urchristentum, in: Festschrift für ASchlatter (1922) 99–123; *(HLStrack-)PBillerbeck*, Kommentar zum Neuen Testament aus Talmud und Midrasch III (1926) 186ff; *MDibelius-HGreeven*, Der Brief des Jakobus, MeyerK XV ([11]1964) 206ff; *ELEhrlich*, Abraham in der jüdischen Tradition, in: Littera Judaica (In memoriam EGuggenheim) o. J. [1964] 68–75.

bei Paulus implizit vorausgesetzte μόνον auftaucht. Ebenso wie bei Paulus wird diese These in Verbindung mit dem Schriftzitat aus Gen 15₆ gebraucht (Jak 2₂₃b). Aber der Verfasser des Jakobusbriefes begnügt sich nicht mit diesem Schriftwort; er hat in V. 21 ein Zitat aus Gen 22₉ vorangestellt[11] und begründet in V. 22.23a diese Kombination, nachdem er zuvor schon mehrfach die Zusammengehörigkeit von Glaube und Werken betont hat. Seine Begründung V. 22a lautet: βλέπεις ὅτι ἡ πίστις συνήργει τοῖς ἔργοις αὐτοῦ, sodann, daraus folgernd, V. 22b: καὶ ἐκ τῶν ἔργων ἡ πίστις ἐτελειώθη. Es geht also um das Zusammenwirken von Glaube und Werken, wobei der Glaube die Werke unterstützt und fördert, aber seinerseits aus den Werken »vollendet« wird, »seine Vollkommenheit gewinnt«. Unter dieser Voraussetzung und so allein ist für den Verfasser dieses Briefes das Schriftwort Gen 15₆ »erfüllt« worden: καὶ ἐπληρώθη ἡ γραφὴ ἡ λέγουσα· ἐπίστευσεν δὲ Ἀβραὰμ τῷ θεῷ, καὶ ἐλογίσθη αὐτῷ εἰς δικαιοσύνην. Die Argumentation setzt voraus, daß das Schriftwort über Abrahams Glaube an Gott durch dessen eigene Tat, durch seine Werke »erfüllt« worden ist, was eben nirgendwo eindeutiger als an seiner Bereitschaft zur Opferung Isaaks hervortritt.[12] Darum wurde Abraham nach Jak 2₂₃c φίλος θεοῦ genannt.[13] Dieser ganze Schriftbeweis[14] steht nun in dem Zusammenhang von Jak 2₁₄ff, wo es um das Problem des »toten Glaubens« geht, wie V. 17.20.26 klar erkennen lassen; der tote Glaube hat keine Werke, kann daher nach V. 14 nicht »retten« (σῴζειν). V. 15–17 bringen ein Beispiel für toten Glauben, V. 18f berücksichtigen dann noch die Beziehung des Glaubens auf das Bekenntnis zu dem einen Gott.[15] Damit wird deutlich, worum es in dem Gesamtzusammenhang geht: der Glaube als Akt der Anerkennung des einen Gottes kann nicht retten (V. 14.19), er muß sich vielmehr bewähren und mit den Werken »zu-

[11] Während Gen 15₆ im wesentlichen mit LXX übereinstimmt (dort steht nur Ἀβράμ statt Ἀβραάμ), ist im Zitat aus Gen 22₉ ἀνενέγκας statt ἐπέθηκεν gebraucht (für וַיָּשֶׂם); doch kommt ἀναφέρειν in Gen 22₂.₁₃ LXX vor (für עלה hiph.).

[12] Wie *Dibelius,* Jakobus 203f, mit Recht festgestellt hat, muß in dem ἐλογίσθη »ein Hinweis auf die Werke liegen«. Aber ich halte es nicht für richtig, wenn er dann annimmt, Glaube und »Buchung« der Werke als Gerechtigkeit würden nebeneinander treten; vielmehr geht es um einen »Glauben«, der mittels der Werke zu seiner eigenen Vollkommenheit gelangt. [illegible] muß λογισθῆναι sich auf Glaube und Werke zugleich beziehen. Ähnlich *Mussner,* Jakobus 144.

[13] Zu dem Prädikat »Freund Gottes« vgl. *Dibelius,* Jakobus 211ff; *GStählin,* Art. φιλέω, ThW IX (1970) 165f.

[14] Das Rahab-Beispiel in Jak 2₂₅ will denselben Sachverhalt noch einmal unterstreichen, wie der zusammenfassende V. 26 zeigt, obwohl in V. 25 nur von den Werken der Dirne, nicht aber von ihrem Glauben die Rede ist.

[15] Auf die teilweise sehr schwierigen exegetischen Probleme von Jak 2₁₈f ist hier nicht einzugehen; vgl. dazu *Dibelius,* Jakobus 190ff; *Mussner,* Jakobus 136ff.

sammenwirken«, um so zur Vollkommenheit zu gelangen, andernfalls ist er »tot in sich selbst« (V. 17.22); eine Rechtfertigung des Menschen gibt es nur aus Glauben und aus Werken zugleich, wie das bereits für Abraham Gültigkeit hatte. Das bedeutet, daß das Zitat aus Gen 15_{6} nur in Zusammenhang mit Gen 22 recht verstanden werden kann.[16] Der hier gemeinte Glaube ist also ein Glaube, der Anerkennung und treues Festhalten zugleich ist, der darum zusammen mit den Werken als ein »erfüllter Glaube« zur Gerechtigkeit »angerechnet« wird. Es geht um die Einheit von Bekenntnis und Leben, und in diesem Sinn ist das Zusammenwirken von Glaube und Werken verstanden. Die Verbindung von Gen 15_{6} mit 22_{9} ist somit konstitutiv, wobei noch beachtet sein will, daß ein christologischer Bezug hier völlig fehlt.[17] Der Glaube bezieht sich auf den einen Gott und das treue Festhalten an ihm, wie umgekehrt allein von Gott Rechtfertigung auf Grund des durch Werke »vollendeten« bzw. »erfüllten« Glaubens empfangen werden kann.[18]

III.

Vergleicht man hiermit die *jüdische Tradition,* so lassen sich überraschende Parallelen feststellen. Durchgängig ist für die jüdische Überlieferung im palästinischen wie im hellenistischen Bereich Abraham der wahre Fromme und vollkommene Gerechte. Im »Preis der Väter« Sir

[16] Es verdient Beachtung, daß gleich die erste Bezugnahme auf den Glauben Jak $1_{3f.12}$ in Zusammenhang mit πειρασμός und ὑπομονή steht. Damit verbindet sich in 1_{6} das Motiv des Glaubens als rückhaltlosen Vertrauens, ebenso 5_{15}. Es gehören für den Verfasser des Jakobusbriefes somit das monotheistische Bekenntnis, das Vertrauen auf Gott und die treue Bewährung im Leben, gerade auch in der Versuchung, unlösbar zusammen.

[17] Die πίστις τοῦ κυρίου ἡμῶν Ἰησοῦ Χριστοῦ in Jak 2_{1} steht unverbunden daneben; in christologischem Sinne ist wohl auch das absolut gebrauchte πίστις in 2_{5} zu verstehen.

[18] Nach *GEichholz,* Glaube und Werk bei Paulus und Jakobus, ThEx 88 (1961) 37ff, bes. 43f, geht es in Jak 2_{14-26} darum, daß der Glaube »zur Tat wird«; aber das ist wohl nicht ganz im Sinne des Jakobusbriefs gedacht, wo Glaube und Werke als zwei unterschiedliche Gegebenheiten unter Vorordnung des Glaubens zur Einheit zusammenwachsen sollen. In dieser Hinsicht hat *RWalker,* Allein aus Werken. Zur Auslegung von Jakobus 2_{14-26}, ZThK 61 (1964) 155–192, dort 164, recht; es ist aber völlig verfehlt zu sagen, die Rechtfertigung ergehe allein aus den Werken, es handle sich um einen Glauben, der alles den Werken überlasse, weswegen die πίστις qualitativ nichts anderes bezeichne als eine christliche »Gesetzesfrömmigkeit« (181f. 189). Das entspricht weder dem Abschnitt Jak 2_{14ff} noch dem Gesetzesverständnis des Jakobusbriefs. *RBWard,* The Works of Abraham. James 2_{14-26}, HThR 61 (1968) 283–290, geht von πίστις als Glaubensbekenntnis aus (V. 19), orientiert sich dann aber einseitig an dem Beispiel 2_{15f} und dem Thema der Gastfreundschaft gegenüber den Brüdern.

44$_{19b.20}$ heißt es von ihm: »Keiner wurde gefunden, der an Ehre ihm gleich ist; denn er beachtete das Gebot des Höchsten und schloß einen Bund mit ihm; an seinem Fleisch richtete er einen Bund auf und in der Versuchung ward er treu erfunden«.[19] Beachtung des νόμος ὑψίστου, wobei an alle Weisungen Gottes von Gen 12 an gedacht sein dürfte, Bundesschluß Gen 15, Bestätigung des Bundes durch Vollzug der Beschneidung in Gen 17 und Bewährung in der Versuchung Gen 22 (καὶ ἐν πειρασμῷ εὑρέθη πιστός) sind die entscheidenden Motive. Hier erscheint in gebündelter Form all das, was in der nachalttestamentlichen Sicht der Gestalt Abrahams eine besondere Rolle spielt; man wird voraussetzen dürfen, daß diese Auffassung bereits eine längere Tradition hinter sich hat.[20] Auffällig ist vor allem, wie stark das eigene Tun Abrahams betont wird, was sich in der sonstigen Überlieferung des nachalttestamentlichen Judentums fortsetzt. Immer wieder geht es um Gesetzesgehorsam und Beschneidung Abrahams einerseits, und um die Bewährung in der Versuchung andererseits. Ein besonders interessanter, ebenfalls eindeutig vorchristlicher Text ist 1Makk 2$_{50-52}$. Der sterbende Mattathias spricht: »Jetzt, Kinder, eifert für das Gesetz und setzt euer Leben ein für den Bund eurer Väter und gedenkt der Werke der Väter, welche sie zu ihren Zeiten getan haben, und ihr werdet große Ehre und einen ewigen Namen empfangen; wurde nicht Abraham in der Versuchung treu erfunden, und das ist ihm zur Gerechtigkeit angerechnet worden?«[21] Hier wird nun ausdrücklich Gen 15$_{6}$ zitiert, und zwar in der für das nachalttestamentliche Judentum charakteristischen Verbindung mit Gen 22. Bedeutsam ist vor allem noch, daß ebenso wie in Sir 44$_{20}$ der Glaubensbegriff im Sinne der Treue verstanden wird, was allerdings die Motive des Vertrauens und Gehorsams nicht ausschließt;[22] dieses Verständnis, das in dem Bußgebet Neh 9$_{8}$ wohl schon vorbereitet ist, kommt in der LXX-Fassung des Nehemia-Textes deutlich zum Ausdruck.[23] Diese Linien lassen sich in palästinischer und hellenistischer Tradition des Judentums weiter ver-

[19] *RSmend,* Die Weisheit des Jesus Sirach erklärt (1906) 423, betont zutreffend, daß in V. 20 nur von den Dingen die Rede ist, die Abraham selbst tat.

[20] Zu Sir 44$_{19a.21-26}$ vgl. Anm. 42.

[21] Vergleicht man allein diese beiden bisher herangezogenen Stellen, so zeigt sich, daß sich eine feste Reihe von Topoi herausgebildet hatte, die mit der Gestalt Abrahams verbunden wurde: Festhalten an Gesetz und Bund, die frommen Werke (μνήσθητε τὰ ἔργα τῶν πατέρων), die dadurch erlangte Ehre (δέξασθε δόξαν μεγάλην), die Treue in der Versuchung (ἐν πειρασμῷ εὑρέθη πιστός). Die Übereinstimmung zeigt sich im letzten Glied bis in die Formulierung hinein.

[22] Vgl. dazu *RBultmann,* Art. πιστεύω, ThW VI (1959) 199f.

[23] Neh 9$_{8}$ וּמָצָאתָ אֶת־לְבָבוֹ נֶאֱמָן לְפָנֶיךָ וְכָרוֹת עִמּוֹ הַבְּרִית = LXX Esdras B 19$_{8}$: καὶ εὗρες τὴν καρδίαν αὐτοῦ πιστὴν ἐνώπιόν σου καὶ διέθου πρὸς αὐτὸν διαθήκην κτλ.

folgen:[24] besonders der Aspekt der Treue[25] und das Durchhalten in der Versuchung[26] werden regelmäßig betont, wobei das Anrechnen der Gerechtigkeit auf Grund eines Tuns selbstverständliche Voraussetzung ist.[27] Damit war verbunden, daß der Verdienstgedanke immer stärker betont wurde und sich vor allem in Verbindung mit dem Motiv der »Anrechnung« durchsetzen und ausprägen konnte; und hierbei konnte dann auch der Glaube selbst, etwa als größte Tugend wie bei Philo, zu einem verdienstlichen Werk werden.[28]

Eine weitere Voraussetzung des vorchristlichen Judentums, die meist in diesem Zusammenhang nicht genügend berücksichtigt wird, muß für den Jakobusbrief noch genannt werden. Es ist ja nicht zufällig, daß in Jak 2$_{19}$ auf das Bekenntnis zu dem einen Gott Bezug genommen wird und der Glaube dadurch auch die Komponente der Anerkennung Gottes erhält. Trotz der hohen Bedeutung des *Schᵉma* für das Leben jedes Juden wird man doch nicht übersehen dürfen, daß die Verbindung mit dem Glaubensverständnis eine spezifisch diasporajüdische Intention erkennen läßt. Bei der zum philosophischen Monotheismus geschlagenen Brücke[29] konnte sich dann auch eine gewisse »Rationalisierung« des Glaubensbegriffes ergeben.[30] Die urchristliche Mission im hellenistischen Bereich zeigt, daß man auf den so geprägten jüdischen Gottesglauben, die πίστις πρὸς τὸν θεόν (ἐπὶ θεόν) zurückgriff, wie besonders deutlich der kleine Katechismus in Hebr 6$_{1(f)}$, aber auch die Aussage Hebr 11$_{6b}$ oder die paulinischen Ausführungen in 1Thess 1$_{8-10}$ erkennen lassen.[31]

Von diesen Prämissen her wird die Eigenart des Verständnisses und der Anwendung von Gen 15$_{6}$ im *Jakobusbrief* verständlich. Daß πιστεύειν zunächst ein Akt der Anerkennung Gottes ist, aber als solcher nicht »retten« kann, sondern des »Zusammenwirkens« mit den Werken

[24] Vgl. vor allem *Dibelius*, Jakobus 206ff; *AMeyer*, Das Rätsel des Jakobusbriefes, BZNW 10 (1930) 123ff.

[25] Vgl. dazu bes. Jub 18$_{16}$: »Ich habe es allen kundgetan, daß du mir treu bist in allem, was ich dir gesagt habe«.

[26] Vgl. zB Jdt 8$_{26}$; Jub 17$_{17f}$ (18$_{1ff}$); Pirqe Abot 5$_{3}$; Pirqe RE 26; Abot RN 33; 4Makk 16$_{19f}$ (18$_{10ff}$); Philo, De Abr. 167. Zu Philo vgl. *ASchlatter*, Der Glaube im Neuen Testament (^{4}1927 = ^{5}1963) 60ff.

[27] Vgl. etwa Jub 23$_{10}$: Abraham war »vollendet in seinem Tun gegenüber Gott und wohlgefällig in Gerechtigkeit alle Tage seines Lebens«. Zum rabbinischen Material vgl. *Billerbeck* III 186ff.

[28] Dazu *Heidland*, aaO 74f. 84ff. 89ff.

[29] Vgl. dazu nur *GDelling*, ΜΟΝΟΣ ΘΕΟΣ (1952), in: Studien zum Neuen Testament und zum hellenistischen Judentum (1970) 391–400.

[30] Man sollte allerdings nicht zu rasch von einem Glaubensverständnis im Sinne des bloßen Für-wahr-Haltens sprechen!

[31] Vgl. *UWilckens*, Die Missionsreden der Apostelgeschichte, WMANT 5 (1961) 80ff; *Bultmann*, ThW VI 209.

bedarf, daß weiter die πίστις sich in der Versuchung bewähren muß und nur als Vertrauen, Treue und Standhaftigkeit in allem Tun »angerechnet wird zur Gerechtigkeit«, entspricht jüdischer Tradition. Von da aus erklärt sich auch, daß Abraham als »Freund Gottes« wie im Judentum der vorbildliche Gerechte ist. Jedoch liegt in diesem Text sicher kein ausgeprägtes Verdienstschema vor, es geht vielmehr um die Einheit von Bekenntnistreue und Lebenshaltung, mit der der Mensch allein vor Gott bestehen kann. Eine spezifisch christliche Problematik taucht in Jak 214–26 nur insofern auf, als eine falsch verstandene paulinische These abgewehrt werden soll; dementsprechend fehlt auch ein spezifisch christliches Verständnis des Genesis-Textes. Die paulinische Fragestellung ist hier gar nicht erkannt, und gegen ein Auseinanderfallen von Bekenntnis und praktischer Verantwortung wehrt sich der Verfasser mit Hilfe einer vorgegebenen jüdischen Interpretation von Gen156.

IV.

Geht man von Jak 214–26 weiter zum *Galaterbrief*, so wird eine sachgerechte Verhältnisbestimmung nur möglich sein, wenn man die völlig verschiedenartige Verwendung der Begriffe berücksichtigt. Neben dem anderen Verständnis von πιστεύειν im Sinne des πιστεύειν εἰς Χριστόν und der totalen Existenzbestimmung unter Einschluß des daraus resultierenden verantwortlichen Handelns zeigt sich dies vor allem am Begriff der »Werke«. Wo der Jakobusbrief von ἔργα spricht, nämlich im Zusammenhang der Paränese, vermeidet Paulus nach Möglichkeit diesen Begriff. Er verwendet hier in der Regel καρπός, καρποφορεῖν,[32] ganz allgemein περιπατεῖν, wobei er voraussetzt, daß dieses »Wandeln« ἐν καινότητι ζωῆς bzw. πνεύματος geschieht.[33] Zwar hat er die Vorstellung vom »Gericht nach den Werken« in einer modifizierten Form übernommen,[34] er kann auch einmal die Wendung »jedes gute Werk« gebrauchen,[35] bedient sich aber nach Möglichkeit des Singulars τὸ ἔργον (ἀγαθόν) statt des Plurals.[36] Wo Paulus umgekehrt von den ἔργα

[32] Vgl. Röm 622; Gal 522; Phil 111; das Verbum Röm 74f.

[33] Vgl. Röm 64 (76), 84; 1313; 1415; 1Kor 33; 717; 2Kor 57; 102f; Gal 516; Phil 317f; 1Thess 212; 41.12. In diesen Zusammenhang gehört auch das mehrfach gebrauchte κατὰ σάρκα / κατὰ πνεῦμα.

[34] Vgl. vor allem Röm 26–11. Zu diesem Problem sei verwiesen auf *EJüngel*, Paulus und Jesus (³1967) 66ff; *LMattern*, Das Verständnis des Gerichts bei Paulus, AThANT 47 (1966).

[35] 2Kor 98.

[36] Vgl. Röm 27; 1Kor 313–15; Gal. 64.

spricht, geht es ihm um die ἔργα νόμου, womit der Mensch nach Röm 10_{3} versucht, seine ἰδία δικαιοσύνη gegenüber Gott aufzurichten. Mit diesem Problem befaßt sich der Jakobusbrief überhaupt nicht, er läßt sich daher streng genommen nur mit der paulinischen Paränese, nicht aber den grundsätzlichen Ausführungen des Paulus vergleichen.[37] Die Wendung Jak 2_{24} ist zwar gegen die paulinische Grundthese gerichtet, verschiebt aber faktisch das Problem. Die Zusammengehörigkeit von Glauben und verantwortlichem Handeln ist bei Paulus noch sehr viel eindeutiger festgehalten und wird mit seinem Verständnis des Glaubens als πίστις δι'ἀγάπης ἐνεργουμένη (Gal 5_{6}) als eine unauflösliche Einheit gekennzeichnet.

Gen 15_{6} wird von Paulus in Gal 3_{6} zitiert. Zur Klärung des paulinischen Verständnisses der Stelle muß man den Zusammenhang von Gal 2_{16}–3_{29} berücksichtigen. Paulus hat in 2_{16} zunächst seine Auffassung von der Rechtfertigung in der These zum Ausdruck gebracht: οὐ δικαιοῦται ἄνθρωπος ἐξ ἔργων νόμου, ἐὰν μὴ[38] διὰ πίστεως Χριστοῦ Ἰησοῦ.[39] V. 19–21 betonen die Freiheit vom Gesetz und die Ausschließlichkeit der Zugehörigkeit zu Christus, andernfalls wäre Christus »umsonst« gestorben. Nach einem unmittelbar an die Galater gerichteten Abschnitt 3_{1-5} beginnt Paulus in 3_{6} mit der Entfaltung seiner These, wobei er sofort auf Gen 15_{6} Bezug nimmt. In V. 6–9 einerseits und V. 10 bis 12 andererseits geht es ihm um die Kennzeichnung derer, die ἐκ πίστεως bzw. ἐξ ἔργων νόμου sind. Diejenigen ἐκ πίστεως sind »Söhne Abrahams« (V. 7), denn sie haben »wie Abraham« geglaubt (V. 6a), daher gilt auch für sie die »Anrechnung zur Gerechtigkeit« (V. 6b).[40] Aufschlußreich ist nun, mit welchen anderen Texten Paulus dieses Zitat verbindet. In V. 10–12, wo es um die Unerläßlichkeit des »Tuns« der Gesetzesvorschriften und um den Fluch des Gesetzes geht, weist er auf Hab 2_{4} hin; denn nur der »aus Glauben Gerechte« wird »leben«.[41]

[37] Damit soll das alte Problem der Verhältnisbestimmung des Jakobusbriefs zu Paulus nicht entschärft, wohl aber an seinen richtigen Ort gestellt werden.

[38] ἐὰν μή leitet einen ausschließlichen Gegensatz ein; vgl. *Bl-Debr* § 376; *HSchlier,* Der Brief an die Galater, MeyerK VII ([12]1962) 92 Anm. 6.

[39] In seinem Bericht über den Streit mit Petrus Gal 2_{11ff} geht Paulus von V. 16 an zu grundsätzlichen Aussagen über. Die schwierigen exegetischen Probleme von 2_{17f} können für unseren Zusammenhang auf sich beruhen.

[40] *GKlein,* Individualgeschichte und Weltgeschichte bei Paulus. Eine Interpretation ihres Verhältnisses im Galaterbrief (1964), in: Rekonstruktion und Interpretation, Gesammelte Aufsätze zum Neuen Testament (1969) 180–224, betont 203 zu Recht, daß diese Kennzeichnung der Glaubenden als Abrahams Söhne einen exklusiven Charakter hat und daß Abraham ausschließlich als Ahnherr der Christen reklamiert werden soll. Die daraus gezogenen Folgerungen für das paulinische Verständnis der Geschichte Israels müssen hier unerörtert bleiben.

[41] Daß für Paulus ἐκ πίστεως zu ὁ δίκαιος gehört, sollte nicht bestritten werden.

Vor allem aber führt er Gen 15₆ in 3₈f weiter mit dem Motiv der Segensverheißung für alle Völker aus Gen 12₃ und 18₁₈, eine Verbindung, die auch der jüdischen Tradition nicht fremd ist, aber dort keine besondere Bedeutung erlangt hatte.[42] Was die Schrift voraussah und was die im voraus an Abraham ergangene Frohbotschaft verkündigt hatte, ist nun erfüllt (V. 8); deshalb kann Paulus sagen: ὥστε οἱ ἐκ πίστεως εὐλογοῦνται σὺν τῷ πιστῷ Ἀβραάμ (V. 9); und das gilt, weil die »Heiden«, nachdem Christus uns »freigekauft« hat vom Fluch des Gesetzes und selbst zum Fluch geworden ist (V. 13), die an Abraham ergangene und nun verwirklichte Verheißung empfangen haben »durch den Glauben« (διὰ τῆς πίστεως, V. 14). Nach den Ausführungen über Verheißung und Gesetz in 3₁₅–₁₈.₁₉f.₂₁–₂₅ schließt Paulus diesen Gedankengang in 3₂₆–₂₉ ab: auf der im Glauben ergriffenen und in der Taufe befestigten Teilhabe am Heilswerk Christi, des einen »Samens« (3₁₆), beruht die Zugehörigkeit zur Nachkommenschaft Abrahams und damit die Gottessohnschaft und das Erbe-Sein gemäß der Verheißung (V. 26.29).

Für Paulus ist also die erfüllte Verheißung des Segens für die Völker aus Gen 12₃; 18₁₈ der eigentliche Schlüssel für das Verständnis von Gen 15₆. Diese Verbindung wird nun für ihn konstitutiv, nicht dagegen die Verbindung mit Gen 22₁ff, ein alttestamentlicher Text, der bei ihm in diesem Sachzusammenhang überhaupt nicht begegnet.[43] Die Segensverheißung für die Völker kann er allerdings nur in Bezug auf das Christusgeschehen verstehen, weswegen die Aussage 3₁₃f ein so entscheidendes Gewicht erhält. Auch die gewaltsame Deutung der kollektiv gemeinten Wendung καὶ τῷ σπέρματί σου aus Gen 12₇ u. ö. auf

[42] Vgl. nur Sir 44₁₉a.₂₁–₂₆: Abraham war »der große Vater vieler Völker« (μέγας πατὴρ πλήθους ἐθνῶν); wegen seiner in V. 19b.20 beschriebenen »Ehre« und seiner »Treue« heißt es dann: »darum legte er (sc. Gott) mit einem Schwur fest, daß die Völker durch seinen Samen gesegnet werden sollen ...«. Die weitere Beschreibung betrifft aber nur die Tatsache, daß Isaak, Jakob und die zwölf Stämme den Segen und das Erbe empfangen haben.

[43] Eine Anspielung auf Gen 22₁₆ dürfte nur in der christologischen Aussage Röm 8₃₂ vorliegen. *NADahl*, The Atonement – An Adequate Reward for the Akedah? (Ro 8 : 32), in: Neotestamentica et Semitica, Studies in honour of MBlack (1969) 15–29, hat diesen Text untersucht und das einschlägige jüdische Material sorgfältig zusammengestellt. Er möchte allerdings auch in Röm 3₂₄f und Gal 3₁₃.₁₄a einen Zusammenhang mit dieser jüdischen Vorstellung und mit Gen 22 nachweisen. In beiden Fällen rechnet er mit geprägten judenchristlichen Überlieferungsstücken. Der vorpaulinische Charakter von Röm 3₂₄f ist m. E. unbestreitbar, aber ein Zusammenhang mit Gen 22 ist sehr fraglich. In Gal 3₁₃.₁₄a dürfte eine Anspielung auf Gen 22 ausgeschlossen sein. Daß Paulus sich hier, abgesehen von dem Motiv des »Loskaufs«, einer vorgegebenen Tradition bedient, ist zudem ganz unwahrscheinlich; 3₁₄a läßt sich überhaupt nur aus dem Zusammenhang paulinischer Theologie verstehen.

Christus will unter dieser Voraussetzung verstanden werden,[44] woran sich dann die Aussagen über die Taufe und das εἶναι ἐν Χριστῷ anschließen ($2_{19b.20}$; 3_{26-29}). Ist nun aber die πίστις, was Paulus seit 2_{16} voraussetzt und in 3_{22} nochmals wiederholt, Glaube an Jesus Christus, und wird nur so das in Christi Tod verwirklichte Heil ergriffen, dann ist der Segen für alle Völker in dieser πίστις Ἰησοῦ Χριστοῦ beschlossen; deshalb kann es auch allein für diesen Glauben eine »Anrechnung zur Gerechtigkeit« geben. Das Gerechtwerden kommt also nicht aus dem eigenen Tun des Menschen, sondern aus dem, was Christus für ihn getan hat. Damit wird in der Tat der »schärfste Gegensatz gegen die jüdische Überzeugung« formuliert.[45] Hieraus resultiert für Paulus, daß πίστις und ἔργα νόμου sich gegenseitig ausschließen müssen (2_{16}; $3_{6-9.10-12}$), mehr noch: daß die auf Christus vorausweisende ἐπαγγελία prinzipiell unterschieden werden muß von dem untergeordneten und bloß intermediär gültigen νόμος (3_{15-25}).[46] Gen 15_6 wird von Paulus, wie es seinem Auslegungsgrundsatz Gal 3_{15ff} entspricht, von der Verheißung her verstanden, und zwar konkret unter Berücksichtigung von Gen 12_3; 18_{18} als Verheißung des Segens für die Völker. Da diese Verheißung in Christus in Erfüllung gegangen ist, kann es Glaube allein noch als Glaube an Christus geben, das aber schließt die Werke und jede eigene Gerechtigkeit des Menschen aus. Allein dieser Glaube wird »angerechnet«, allein auf Grund dieses Glaubens gibt es Gerechtigkeit und nach Hab 2_4 die Verheißung des Lebens. Die wahre Abrahamskindschaft besteht im Christusglauben.

V.

Paulus zieht Gen 15_6 nicht nur in Gal 3 heran, wo das Zitat seine Ausführungen über die These 2_{16} beherrscht, sondern er verwendet es auch im *Römerbrief*. Dort gewinnt es ein noch größeres Gewicht, weil die Gedanken von c. 4 gleichsam am Leitfaden von Gen 15_6 entwickelt werden. Paulus verwendet das Zitat gleich am Anfang in 4_3, greift es in V. 9 wieder auf und schließt in V. 22 die Darstellung damit ab; allerdings wird die Stelle nur in V. 3 vollständig zitiert, in V. 9 liegt der Text in einer verkürzten Form vor und in V. 22 begnügt sich Pau-

[44] Paulus bedient sich übrigens nur hier, nicht in Röm 4, dieser Interpretation. Vgl. dazu *AOepke*, Der Brief des Paulus an die Galater, ThHK IX (²1957) 78f; über Berührungen mit der rabbinischen Methode der Schriftauslegung *EEarle Ellis*, Paul's Use of the Old Testament (1957) 70ff.

[45] *Schlier*, Galater 93.

[46] Hierzu verweise ich auf meine in Vorbereitung befindliche Studie: Verheißung und Gesetz. Zur Verwendung des Alten Testaments bei Paulus.

lus mit Gen 15_{6b}. In den Schlußbemerkungen 4_{23-25} greift er dann mit ἐλογίσθη αὐτῷ noch einmal auf dieses Schriftwort zurück.

Im Ansatz entspricht die Gedankenführung von Röm 4 der von Gal 3. Auch hier steht eine These voran (Röm 3_{28}) und nach einer Überleitung (4_{1f}) setzt Paulus mit dem wichtigen alttestamentlichen Zitat ein (4_{3}). Röm 4 will allerdings nicht in erster Linie, wie immer wieder behauptet wird, ein »Schriftbeweis« für den vorangegangenen Abschnitt 3_{21-31} sein,[47] sondern nach den soteriologischen Ausführungen von 3_{21ff} soll jetzt an Hand der Gestalt Abrahams expliziert werden, was Glaube ist.[48] Auch im Römerbrief ist für Paulus ausschlaggebend, daß der Glaube Christusglaube ist und daß dieser Glaube die ἔργα νόμου ausschließt. Aber er verfährt nun anders als in Gal 3: er schließt an das Zitat sofort eine Interpretation an (Röm 4_{4f}): »Dem, der Werke tut, werden diese nicht aus Gnade angerechnet, sondern er erhält den Lohn, der ihm zusteht; dem aber, der keine Werke tut, sondern an den glaubt, der die Gottlosen gerecht macht, dem wird sein Glaube als Gerechtigkeit angerechnet«.[49] Hiermit sind folgende, über Gal 3 hinausführende Motive gegeben: einmal wird, gemäß dem alttestamentlichen Text, ausdrücklich vom Glauben an Gott gesprochen, weswegen über das Verhältnis von Gottesglaube und Christusglaube im folgenden reflektiert werden muß; sodann wird der Begriff des »Anrechnens« (λογίζεσθαι) präzise definiert, und zwar in Abgrenzung gegen das jüdische Verständnis; schließlich wird die Rechtfertigung expressis verbis als ein δικαιοῦν τὸν ἀσεβῆ gekennzeichnet. Paulus grenzt sich damit in aller Deutlichkeit gegen die jüdische Abrahamstradition und ihre Auslegung der Stelle Gen 15_{6} ab. Nach jüdischem Verständnis war eben das Anrechnen ein λογίζεσθαι κατὰ ὀφείλημα, wobei dem, der Werke tut (ὁ ἐργαζόμενος), ein ihm zustehender Lohn (μισθός) in der von Gott zu-

[47] So zB *OKuss*, Der Römerbrief (1. Lieferung 1957) 178; ähnlich *OMichel*, Der Brief an die Römer, MeyerK IX ([13]1966) 114: »exegetischer Midrasch«.

[48] Mit Rücksicht auf die begrenzte Thematik verzichte ich hier auf eine Stellungnahme zur Diskussion über das »Geschichtsverständnis« in Röm 4. Zu verweisen ist auf *UWilckens*, Die Rechtfertigung Abrahams nach Röm 4, in: Studien zur Theologie der alttestamentlichen Überlieferungen, Festschrift für GvRad (1961) 111–127; *ders.*, Zu Römer 3_{21}–4_{25}, EvTh 24 (1964) 586–610; *GKlein*, Römer 4 und die Idee der Heilsgeschichte (1963), in: Rekonstruktion und Interpretation (1969) 129–169; Exegetische Probleme in Römer 3_{21}–4_{25} (1964), ebd. 170–179; *CDietzfelbinger*, Heilsgeschichte bei Paulus?, ThEx 126 (1965); *OCullmann*, Heil als Geschichte (1965) 239ff; *LGoppelt*, Paulus und die Heilsgeschichte (1966), in: Christologie und Ethik, Aufsätze zum Neuen Testament (1968) 220–233; *LBerger*, Abraham in den paulinischen Hauptbriefen, MThZ 17 (1966) 47–89; *ULuz*, Das Geschichtsverständnis bei Paulus (1968) 168ff.

[49] Wiedergabe nach dem Text der gemeinsamen evangelisch-katholischen Übersetzung des Römerbriefs.

erkannten δικαιοσύνη gewährt wird.[50] Für Paulus gibt es demgegenüber nur ein λογίζεσθαι κατὰ χάριν und ein μὴ ἐργάζεσθαι, wobei diese letzte Wendung an dem Begriff der ἔργα νόμου orientiert ist. Fast noch schärfer, weil auf die große Gestalt der Vorzeit bezogen, ist die hier gegebene Kennzeichnung des Erzvaters als eines »Gottlosen« (ἀσεβής).[51] Aber allein so ist für Paulus rechtfertigendes Handeln Gottes angesichts der Verfallenheit aller Menschen an die Sünde (Röm 1_{18ff}; 3_{23}; 5_{12ff}) und angesichts des Christusgeschehens als ἀπολύτρωσις (Röm 3_{24ff}) verständlich.[52] Daher schließt sich nun auch in Röm 4_{6-8} als weiteres Zitat der Makarismus derer an, denen die Ungerechtigkeiten und Sünden vergeben sind (Ps 32_{1f}).

Paulus führt den Gedanken mit einer doppelten Frage in V. 9 und V. 10 weiter. Hierbei nimmt er mit ἐλογίσθη τῷ 'Αβραὰμ ἡ πίστις εἰς δικαιοσύνην erneut Gen 15_6 auf. Durch diese modifizierte Fassung des Zitats, in der gleichsam V. 6a in V. 6b hineingeschoben ist, soll jeder Gedanke daran ausgeschlossen werden, als könne etwas anderes als die πίστις angerechnet werden. Es geht dem Apostel jetzt um den »Stand« Abrahams ἐν ἀκροβυστίᾳ bzw. ἐν περιτομῇ zur Zeit des Empfangs der Glaubensgerechtigkeit und um eine daraus resultierende Verhältnisbestimmung von Glaubensgerechtigkeit und Beschneidung (V. 11a): das »Zeichen der Beschneidung« (σημεῖον περιτομῆς)[53] ist »Siegel der Glaubensgerechtigkeit, die er in der Unbeschnittenheit empfangen hat« (σφραγὶς τῆς δικαιοσύνης τῆς πίστεως τῆς ἐν τῇ ἀκροβυστίᾳ).[54] Daraus

[50] Vgl. *HWHeidland*, aaO 119ff; *ders.*, Art. λογίζομαι, ThW IV (1942) 287–295, bes. 293ff.

[51] Vgl. *GBornkamm*, Paulus, Urban-Bücher 119 (1969) 152f: diese Erkenntnis, die Paulus der Geschichte Abrahams entnimmt, ist »nicht nur für jüdische Ohren geradezu blasphemisch«; der starke Ausdruck darf keinesfalls abgeschwächt werden, denn es geht nicht um moralische Mängel Abrahams, sondern um Abraham als Prototyp aller Menschen, die von Natur keinen Zugang zu Gott haben. Vgl. dazu auch *PVielhauer*, Paulus und das Alte Testament, in: Studien zur Geschichte und Theologie der Reformation, Festschrift für EBizer (1969) 33–62, dort 43f.

[52] Die vorpaulinische Tradition in Röm 3_{24-26a} ist an dem Aspekt der Sühne für die Sünden orientiert, was Paulus im Sinne seiner an der Korrelation von Glaube und Gottesgerechtigkeit orientierten Rechtfertigungslehre interpretiert; vgl. meinen Aufsatz: Die Gerechtigkeit Gottes bei Paulus in ihrem Verhältnis zur vorpaulinischen Tradition, NTSt 18 (1971/72).

[53] In Gen 17_{10} geht es um den Bund Gottes mit Abraham und um die Beschneidung als »Zeichen des Bundes« (אוֹת בְּרִית = σημεῖον διαθήκης LXX). Unter bewußtem Verzicht auf den Bundesgedanken wird nun vom σημεῖον περιτομῆς gesprochen, wobei der Genetiv als Gen. explicativus verstanden werden muß: das »Zeichen, das in der Beschneidung bestand«.

[54] Vgl. dazu *GFitzer*, Art. σφραγίς, ThW VII (1964) 939–954, dort 947.949f. Eine in späterer rabbinischer Literatur nachweisbare Bezeichnung der Beschneidung als Siegel darf auf Grund von Röm 4_{11} für das 1. Jh. n. Chr. bereits vorausgesetzt

zieht er dann die Folgerung, daß Abraham »Vater aller Glaubenden«, sowohl der Unbeschnittenen wie auch der Beschnittenen, ist (V. 11b. 12). In einem parallelen Gedankengang zu 4$_{9-11a}$ und 4$_{11b.12}$ nimmt er anschließend in V. 13–15 die aus Gal 3$_{14ff}$ bekannte Unterscheidung von Verheißung und Gesetz auf und stellt in V. 16.17a mit Hilfe eines mit καθὼς γέγραπται eingeführten Zitats aus Gen 17$_{5}$ fest, daß Abraham als »Vater unser aller« der von Gott eingesetzte »Vater vieler Völker« ist.[55] Dabei wird im Zusammenhang mit dem Gedanken, daß die Verheißung »festgemacht«, also erfüllt worden ist, auch das Motiv des »Samens« eingeführt, aber es wird hier weder Gen 12$_{7}$ u. ö. im Wortlaut aufgegriffen, noch kommt es zu der singularischen Deutung auf Christus wie in Gal 3$_{16}$; vielmehr geht es um die Erfüllung für »jeden Samen« (Röm 4$_{16a}$). In diesem zweiten Abschnitt von Röm 4 mit seinen beiden im wesentlichen parallelen Gedankengängen V. 9–12. 13–17a kommt es also zu einer Verbindung von Gen 15$_{6}$ mit der Aussage über den »Vater vieler Völker« aus Gen 17$_{5}$, was der Zuordnung von Gen 15$_{6}$ und Gen 12$_{3}$; 18$_{18}$ in Gal 3$_{6.8}$ entspricht. Wiederum ist somit die Vorstellung von der erfüllten Verheißung maßgebend. Zu dieser grundlegenden Verbindung von Gen 15$_{6}$ mit Gen 17$_{5}$ kommen zwei weitere, aber untergeordnete Elemente hinzu: einerseits das Motiv des »Samens« Abrahams (V. 16), andererseits die Anschauung von der Beschneidung als σημεῖον und als »Siegel der Glaubensgerechtigkeit« (V. 11a). Im Blick auf den alten Bund will Paulus in jedem Fall, sowohl was das Leben Abrahams wie das den Israeliten gegebene Gesetz betrifft, die Priorität der Verheißung herausstellen.

In einem letzten, besonders interessanten Gedankengang V. 17b–22 greift Paulus auf V. 3–5 (6–8) zurück, bezieht aber in V. 18b auch den Doppelabschnitt V. 9–12.13–17a mit in die Betrachtung ein. Gen 15$_{6}$ steht hier nicht wieder am Anfang, sondern am Ende; daß aber dieses alttestamentliche Zitat für den ganzen Abschnitt maßgebend ist, ist leicht zu erkennen. Hat Röm 4$_{3ff}$ mit Hilfe der Antithetik von χάρις und ὀφείλημα, von πίστις und ἔργα erläutert, was unter »Anrechnen zur Gerechtigkeit« verstanden werden muß, hat 4$_{9ff}$ die Verbindung mit der an Abraham ergangenen Verheißung für alle Völker hergestellt, so soll jetzt in einem Dreischritt positiv ausgeführt werden, was das Wesen des Glaubens Abrahams ist. Zunächst greift Paulus nicht auf Schrift-

werden. Entscheidend ist, daß Paulus das traditionellerweise als Bestätigung für den Gesetzesbund verstandene Beschneidungssiegel als Bestätigung für die Glaubensgerechtigkeit Abrahams ansieht.

[55] In Gen 17$_{5}$ LXX steht πατέρα πολλῶν ἐθνῶν für אַב־הֲמוֹן גּוֹיִם, während in der Gal 3$_{8}$ zitierten Aussage über den Segen für die Völker aus Gen 12$_{3}$; 18$_{18}$ in LXX es nur im zweiten Fall πάντα τὰ ἔθνη τῆς γῆς (für כֹּל גּוֹיֵי הָאָרֶץ) heißt, in Gen 12$_{3}$ dagegen πᾶσαι αἱ φυλαὶ τῆς γῆς (für כֹּל מִשְׁפְּחֹת הָאֲדָמָה).

stellen, sondern auf die jüdische Bekenntnistradition zurück, wenn er vom Glauben an den Gott spricht, »der die Toten lebendig macht und das Nichtseiende ruft, daß es sei« (V. 17b).[56] Wird Glaube aus der Relation zu diesem Gott verstanden, dann kann es lediglich ein Glaube »wider Hoffnung auf Hoffnung« sein, ein Glaube also, bei dem alle menschlichen Möglichkeiten, nicht bloß des Tuns, sondern auch des Begreifens und Erwartens, ausgeschlossen sind; dann muß der Glaube selbst angesichts des Wortes und Handelns dieses Gottes wie aus dem Nichts entstehen (V. 18a).[57] In einem zweiten Schritt verknüpft Paulus nun Gen 15_6 mit Gen 15_5: οὕτως ἔσται τὸ σπέρμα σου. Gerade dieses verheißende Wort Gottes, das in der alten Erzählung Anlaß für jene so bedeutsame Feststellung über Abrahams Glaube und dessen Anrechnung zur Gerechtigkeit war, wird hier, allerdings unter der für den Apostel unerläßlichen Voraussetzung, daß Abraham der »Vater vieler Völker« werden soll, was außerhalb des Gesichtskreises von Gen 15_{1-6} lag,[58] mit Nachdruck aufgegriffen, um daran zu verdeutlichen, was ein Glaube παρ' ἐλπίδα ἐπ' ἐλπίδι ist (V. 18b). Damit verbindet Paulus dann in einem dritten Schritt auch noch die Erzählung von der Verheißung der Geburt Isaaks Gen 17_{15-22}, ohne allerdings zu zitieren und ohne die dort erhaltene Tradition unkorrigiert zu übernehmen. Denn jeder Gedanke an einen gebrochenen Glauben, wie es in Gen 17_{17} mit der Verbindung von Lachen und Anbetung zum Ausdruck kommt,[59] ist für diesen Zusammenhang unbrauchbar. Trotz seines erstorbenen, hundertjährigen Leibes und des Erstorbenseins des Mutterschoßes Saras wird Abraham gerade nicht schwach im Glauben,[60] zweifelte deshalb

[56] Vgl. das Material bei *Michel*, Römerbrief 124; *Kuss*, Römerbrief 190.

[57] Das besagt jedoch keinesfalls, daß die πίστις eine »Gabe« sei, vielmehr geht es bei Paulus stets darum, daß Glaube durch Zuwendung und Wort Gottes »hervorgerufen« wird, aber doch die eigene vertrauende und bekennende Antwort des Menschen ist. Nur insofern ist Glaube auch »Gehorsam«, doch sollte man dies nicht als das primäre Motiv im Sinne einer gehorsamen Entscheidung ansehen, wie dies bei *RBultmann*, Theologie des Neuen Testaments (^{6}1968) 315ff, geschieht. Ebensowenig sollte man sagen, daß »die πίστις zugleich ἐλπίς ist« (ebd. 320f), vielmehr steht die πίστς in einer notwendigen und unauflösbaren Korrelation mit der ἐλπίς.

[58] In dieser Erzählung geht es ja nur um die leibliche Nachkommenschaft Abrahams. Nachdem der Erzvater den Blick zu den Sternen erhoben hat, wird ihm gesagt: »So wird deine Nachkommenschaft sein«. Dagegen dürfte in Gen 17_5 (P) von Anfang an das auch für den Jahwisten wichtige Motiv von der Ausweitung des göttlichen Heils über Israel hinaus berücksichtigt sein; vgl. *vRad*, Das erste Buch Mose 155.169.

[59] Dazu *vRad*, Das erste Buch Mose 172.

[60] Es ist für das Gesamtverständnis von V. 19–21 belanglos, ob in V. 19 das textkritisch unsichere οὐ gelesen wird oder nicht. Heißt es κατενόησεν κτλ., dann wird damit zum Ausdruck gebracht, daß gerade angesichts der unübersehenen

nicht an der Verheißung Gottes, sondern »erstarkte im Glauben«, »gab Gott die Ehre« und war »von der Gewißheit erfüllt«, daß Gott die Macht hat, auch auszuführen, was er verheißen hat (V. 19–21).[61] Das rückhaltlose Vertrauen und Sich-Ausliefern an Gottes verheißendes Wort und die darin beruhende Gewißheit, ist somit das Kennzeichen jenes Glaubens, »der ihm zur Gerechtigkeit angerechnet wurde« (V. 22).

Paulus führt bei seiner Interpretation von Gen 15_6 in Röm 4 also sachlich weit über das hinaus, was er in dem älteren Brief an die Galater gesagt hat. Dennoch fehlt in Röm 4_{3-22} noch eine für Gal 3 wesentliche Komponente. Das betrifft nicht den Verzicht auf Hab 2_4, denn durch das am Anfang des Römerbriefs stehende Thema von 1_{16f} wird dieses Schriftwort bei allen folgenden Ausführungen mit vorausgesetzt. Wohl aber hat Paulus den Bezug des Glaubens auf das Christusgeschehen im Zusammenhang von c. 4 bisher in keiner Weise zur Geltung gebracht und damit keine deutliche Verbindung zu den soteriologischen Aussagen von 3_{21ff} hergestellt. Das erfolgt nun in dem Schlußabschnitt 4_{23-25}, der formal ein Nachtrag, sachlich aber Angelpunkt für den Gesamtzusammenhang ist.[62] Hat Paulus in Gal 3 den Glauben Abrahams an Gott mit dem Glauben an Christus parallelisiert, ohne auf den inneren Zusammenhang von Gottesglauben und Christusglauben einzugehen, so spricht er in Röm 4 konsequent im Anschluß an das Zitat von Gen 15_6 (ἐπίστευσεν ... τῷ θεῷ) von dem Glauben an Gott. Aber der Glaube an Gott kann nichts anderes sein als der Glaube an den die Toten lebendig machenden und das Nichtseiende ins Sein rufenden Gott (V. 17b), und das heißt zugleich: Glaube an den Gott, der »Jesus, unseren Herrn, von den Toten auferweckt hat, welcher dahingegeben wurde um unserer Übertretungen willen und auferweckt wurde um unserer Rechtfertigung willen« (V. 24f).[63] Was der Gottesglaube Abra-

realen Gegebenheiten Abraham im Glauben nicht schwach wurde; demgegenüber dürfte οὐ κατενόησεν κτλ. eine gewisse Abmilderung sein, sofern der nicht nachlassende Glaube diese Tatsache überhaupt nicht beachtet.

[61] An dieser Stelle berührt sich Paulus mit Hebr 11_{11f}, wo ebenfalls Gen 17_{15ff} mit Gen 15_5 (22_{17}) verbunden ist. Ansonsten enthält die Darstellung in Hebr 11_{8-19} in V. 17ff auch noch die Versuchung Abrahams Gen 22_{1ff}, wobei hier interessanterweise im Blick auf Isaak von Abraham gesagt wird: λογισάμενος ὅτι καὶ ἐκ νεκρῶν ἐγείρειν δυνατὸς ὁ θεός. Eine Bezugnahme auf Gen 15_6 findet sich im Zusammenhang von Hebr 11 nicht. Der von Paulus ganz unabhängige, wie Jak 2_{20-24} stark aus jüdischer Tradition gespeiste Abschnitt zeigt, daß der Apostel sich auch in Röm 4_{17b-21} vorgegebenen Materials bedient, daß er dieses jedoch im Zusammenhang der Rechtfertigung und des Glaubens völlig neu gestaltet hat.

[62] Der Nachtragscharakter entsteht vor allem durch die hermeneutische Bemerkung in Röm 4_{23}; doch ist die enge sachliche Verbindung unverkennbar.

[63] In Röm 4_{25} liegt eine alte christologische Formel vor. Vgl. dazu *WKramer,* Christos Kyrios Gottessohn, AThANT 44 (1963) 26f.116.

hams in Wirklichkeit ist, was das Herzstück jedes Gottesglaubens sein muß, wird also an dem Tod und der Auferweckung Jesu Christi sichtbar. Hierin ist die Vergebung der Sünden und Rechtfertigung des Gottlosen begründet. Darum ist das in Röm 4 entfaltete Schriftzeugnis über Abraham nicht bloß »um seinetwillen«, sondern auch »um unseretwillen« geschrieben; denn der Glaube soll nicht nur ihm, sondern »uns« angerechnet werden, die an den die Toten auferweckenden Gott und damit zugleich an den für uns gestorbenen und auferweckten Christus glauben. Deshalb kann Paulus auch im Römerbrief durchaus die Wendung πίστις Ἰησοῦ bzw. πίστις Χριστοῦ gebrauchen (3₂₂.₂₆ u. ö.). Der rechtfertigende Glaube realisiert sich ja nicht anders als in der Bindung an die lebendige Botschaft und an die Person des von Gott auferweckten Herrn.

VI.

Blicken wir auf die besprochene Auslegungsgeschichte von Gen 15$_6$ im nachalttestamentlichen Judentum und im Urchristentum noch einmal zurück, so ergibt sich, daß der alttestamentliche Text in zwei ganz verschiedenen Richtungen interpretiert worden ist. Eine Gestalt des Verständnisses begegnet uns, bei etwas verschiedener Akzentsetzung, im Judentum der vorchristlichen und frühchristlichen Zeit und im Jakobusbrief, eine grundsätzlich andere Art der Deutung bei Paulus. Man wird zunächst feststellen müssen, daß Gen 15$_6$, wie immer man den speziellen traditionsgeschichtlichen Hintergrund deutet, durchaus offen blieb zur Interpretation. Gerade weil an dieser Stelle ein bestimmter kultischer und institutioneller Zusammenhang für den Akt der Anrechnung nicht mehr sichtbar wird, ist die »sorgsam ausgewogene theologische Formel«[64] zumindest auf die Dauer in ihrem Bedeutungsgehalt nicht eindeutig festgelegt, da der ursprünglich vorausgesetzte Zusammenhang immer stärker zurücktrat. Man wird nun von der, wenn auch erst spät greifbaren jüdischen Deutung immerhin sagen können, daß sie einem möglichen Interpretationsgefälle des Textes entspricht.[65] Demgegenüber hat Paulus eine von Grund auf neue Auslegung gewonnen, die von der eschatologischen Bedeutung des Christusgeschehens und der hierdurch gegebenen Erfüllung der einst ergangenen Verheißung ausgeht, auch erst von dort her voll verständlich wird. Der damit veranlaßte Rückgriff auf das Alte Testament und die dadurch gegebene Neuinterpretation hat in vielen anderen Fällen zu höchst

[64] *vRad*, Gesammelte Studien 130.

[65] Das gilt besonders dann, wenn man an die Tor-Liturgien und an Ez 18$_{5ff}$ denkt.

gewaltsam erscheinenden Korrekturen der alttestamentlichen Texte geführt. Auch im Zusammenhang von Gal 3 und Röm 4, etwa bei der Verhältnisbestimmung von Glaubensgerechtigkeit und Beschneidung Abrahams, von Verheißung und Gesetz, bei der Verwertung des σπέρμα-Motivs oder bei der Anwendung von Gen 17$_{15-22}$ darf dies nicht übersehen werden. Bei Gen 15$_6$ wird man jedoch sagen müssen, daß dieser Text der paulinischen Interpretation in einem hohen Maße entgegenkommt; denn immerhin ist hier »von irgendwelchen Leistungen des Menschen, von Opfergaben oder bestimmten Gehorsamsakten« nicht die Rede, vielmehr wird »in einem gehobenen und programmatischen Satz gesagt, daß der Glaube in das rechte Verhältnis zu Jahwe setze«.[66] So wird man die Offenheit gerade dieses alttestamentlichen Textes für die spezifisch neutestamentliche Interpretation beachten müssen.

Paulus verfährt methodisch nicht anders als die jüdische Auslegung seiner Zeit. Auch er gewinnt seine Textinterpretation dadurch, daß er Gen 15$_6$ mit anderen Texten der Abrahamsüberlieferung verbindet. Aber er löst nun diese Aussage aus ihrer traditionellen Zuordnung zu Beschneidung, Gesetzesgehorsam und Bewährung in der Versuchung, um statt dessen die Verheißung des Segens für viele Völker und die Bestimmung Abrahams zum »Vater vieler Glaubenden« zum Ausgangspunkt zu machen. Die Stelle Gen 15$_6$ wird somit auch von Paulus im Kontext der Abrahamsüberlieferung gelesen und verstanden, aber der Apostel hat von der Person und Stellung Abrahams ein völlig neues Bild gewonnen und versteht in diesem Rahmen den für ihn fundamentalen Satz Gen 15$_6$, der gerade in Abgrenzung gegenüber jeder nomistischen Tendenz entscheidende Bedeutung gewinnen mußte.[67] So kann er an Hand dieser schon in der Frühzeit Israels bedeutsamen »theologischen Formel« darlegen, was christliches und dh für ihn zugleich: was schriftgemäßes Glaubensverständnis ist.

[66] *vRad* aaO 133f.

[67] Vgl. auch noch *CDietzfelbinger*, Paulus und das Alte Testament. Die Hermeneutik des Paulus, untersucht an seiner Deutung der Gestalt Abrahams, ThEx 95 (1961) bes. 32ff.36ff.

EDUARD HALLER

MÄRCHEN UND ZEUGNIS

Auslegung der Erzählung
2 Könige 4 1–7

Definitionen

Mythos

Der Mythos bietet dem Menschen die bejahende Teilhabe am zeitlosen Mysterium des Zeugens, Lebens und Sterbens, läßt ihn die Welt als ein ewiges Bild von Göttlichem erkennen im heiligen Rhythmus von Licht und Finsternis.

Literarisch ist der Mythos Dichtung als eine Erzählung von Göttern, deren welt-, leben- und völkerbegründendes Spiel oder Ringen im religiösen Ereignis des mythologischen Erzählens uranfänglich wiederkehrt, also in der mythologischen Sprache als beschwörendem Medium des Mythos sinnenfällig, gegenwärtig und Anteil gebend wird: für die in die Zeitlosigkeit ihrer Bestimmung eintauchende Seele. (Anfang und Ende, Oben und Unten *sind* eins.)

Das mythologische Erzählen ist dem *Tremendum* angesichts des *Numen* zugeordnet.

Der Mythos ermöglicht religiöse Geborgenheit in der Welt als göttlichem Bilde, in den Bildern als göttlich durchwalteter Welt.

Sage

Die Sage bietet der Sippe, dem Stamm, dem Volk den Spiegel der Herkunft, um der Gemeinschaft von daher die Identität mit sich selbst durch Bejahung des Tragischen und Überwindung des Traumatischen im völkischen Erleben zu ermöglichen.

Literarisch ist die Sage Dichtung als ein Singen und Erzählen von wunderbaren Geschicken großer Menschen aus einer fernen Zeit, die nur völkisch gebunden erinnert werden kann; ergriffen von der Größe besungener Zeiten und ihrer typischen Gestalten sollen die Zuhörer der Sage ihre völkische Sonderheit geschichtlich bejahen und den Kräften der Erneuerung in der Kontinuität mit der von der Sage dargebotenen geschichteten Wirklichkeit Raum geben. (*Uns* ist in alten Mären Wunders viel geseit.)

Dieses Singen und Sagen ist dem *Fascinosum* durch das *Numen* zugewendet.

Die Sage typisiert geschichtliches Selbstverständnis eines Volkes.

Märchen

Das Märchen lockt in liebenswerten, vom gefährlichen Weg immer wieder ins Idyll führenden, durch alle Völker und Zeiten beweglich wandernden Bildern vom Sieg des Guten über das Böse die guten Kräfte des Menschen.

Literarisch sind die Märchen eine zahllose Variation für archetypisch gestaltete Schicksale des Individuums; unermüdlich bieten sie im Modellieren dieser dem Gemüt des Volkes eingebetteten Bilder die ängstigenden Urthemen von Liebe und Leid, Verlieren und Finden, Täuschung und Wahrheit, Schaden und Helfen, List und Demut, Eigensucht und Barmherzigkeit, guten und bösen Mächten versöhnt und heiter dar, so daß die Kräfte kindlichen Vertrauens wie gereifter Treue gestärkt werden. (*Es* war einmal . . .)

Märchenerzählen ist Korrespondenz zwischen der Erfahrung des weisen Alten und der Bildseele des vertrauenden Kindes.

Legende

Die Legende erbaut die Seelen Halt suchender Frommer, indem sie die an ehrwürdiger Stätte auffindbaren Spuren der Tugend früher Vorbilder heilkräftig bewahrt und anschaulich erklärt.

Literarisch ist die Legende Erzählung von übernatürlichen Eingriffen und Hilfen, die zu frommem Leben Berufene oder Bekehrte empfingen. Wo die Sage in der Feier des Heros völkische Bande erneuert, spricht die Legende gleichgestimmte Wege des Suchens und Hoffens religiöser Gemeinschaft an und verspricht ihr den Lohn der Treue. Weil das Vorbild der Legende auffindbar ist, sollen ihm die Frommen nacheifern. (Damals begab es sich, *daß* . . .)

Die friedvolle Demonstration der Legende ist dem *mitmenschlichen Vorbild* zugewendet.

Die Geschehenes vergeistigende Legende ermöglicht Lebenswege als Wallfahrt.

Der Erzählung 2Kön 4$_{1-7}$ liegt ein Märchenmotiv zugrunde.

»Und es schrie eine Frau unter den Frauen der Jünger der Propheten zu Elisa und sprach: Dein Knecht, mein Mann, ist gestorben, und du weißt, daß er, dein Knecht, den Herrn fürchtete. Nun kommt der Schuldherr und will meine beiden Knaben als Sklaven holen. Elisa sprach zu ihr: Was soll ich dir tun? Sage mir, was hast du im Hause? Sie sprach: Deine Magd hat nichts im Hause als nur einen Krug Öl. Da sprach er: Gehe hin und erbitte dir draußen von allen deinen Nachbarn leere Gefäße, aber nicht zu wenig, und gehe hinein und schließe die Tür hinter dir und deinen Söhnen zu und gieße in alle Gefäße; und wenn du sie gefüllt hast, stelle sie beiseite. Da ging sie weg von ihm und tat so: schloß die Tür hinter sich und ihren Söhnen; die brachten ihr die Gefäße und sie goß ein. Als die Gefäße voll waren, sprach sie zu ihrem Sohn: Reiche mir noch ein Gefäß her! Er aber antwortete ihr: Es ist kein Gefäß mehr vorhanden. Da stand das Öl. Da ging sie hin und sagte es dem Gottesmann. Der aber sprach: Gehe hin, verkaufe das Öl und bezahle deine Schulden; du aber und deine Söhne, ihr sollt von dem übrigen leben.« (2Kön 4₁–₇).

I. Das Märchen

»Das Wunder ist des Glaubens liebstes Kind«, sagt der eine Dichter. Und der andere Dichter lehrt: Der Mensch ist »nur da ganz Mensch, wo er spielt«. Darum auch spielt der religiöse Mensch mit dem Wunder wie mit einem Wunsche.

Auf der einen Seite weiß der Dichter zu viel von Geheimnissen des Lebens, als daß er sich über den Wunderglauben erheben möchte. Steht er doch selbst beim ernsten Spiel seines Dichtens in Verbindung mit den gleichen geheimnisvollen Kräften, in deren Feld sich je und dann ein Wunder ereignet. Auf der andern Seite aber sehen wir den Dichter doch ein wenig lächeln bei seinem Wort vom »Wunder«, das »des Glaubens liebstes Kind« sei; denn er zielt dabei auch ein wenig über den Glauben des frommen Volkes hinaus: Der des Schauens immer kundiger werdende Mensch, der sich immer tiefer der in den Dingen wirkenden Gesetze vergewissert, der sinnt dem Sinne des Wunders nach in der merkwürdigen Zuversicht, daß die Schale des Wunders dort entbehrlich ist, wo der Sinn einer Wundererzählung als Frucht vom Baume der Erkenntnis begriffen wird.

Von einem Wunder handelt auch die kleine Elisa-Erzählung. Sie berichtet in der Form des Volksmärchens. Wenn das Wunder des Glaubens liebstes Kind genannt werden kann, so ist das Märchen des erzählenden Volkes liebstes Kind. Ein solches Märchen tröstet. In unzähligen Abwandlungen bringen die unmeßbaren unterirdischen Seelenströme des Volkes das tröstliche Märchen hervor, diesen in vielen Geschlechtern erworbenen Erfahrungsschatz vom Sieg der guten Kräfte über das Böse, vom endlich doch guten Geschick dessen, der unschuldig leidend der Tugend die Treue hielt, vom Glück dessen, der in geringer

Kraft mit witzigem Einfall des Geistes der dumpfen Übermacht unbeweglicher Kräfte ein Schnippchen schlägt, vom erfahrbaren Frieden dessen, der auf einem langen Weg der Trauer einer unsichtbar lenkenden Hand ausgleichender Gerechtigkeit vertraut hat.

Nichts dagegen! Nichts gegen die Kunst solchen Erzählens, nichts gegen die Gültigkeit dieser Erfahrungen! Die Weisheit der einfachen Menschen guten Willens hat hier gesammelt und erzählt. Märchen erzählen und Märchen hören, das ist eine Kunst, die böse Menschen ohnehin nie erlernen.

Von solcher Beobachtung herkommend gilt es zu lauschen auf das, was Israel erzählt, und wie es erzählt. Auch ein Märchen gerät Israel unter den Händen zu etwas Neuem, das wir noch nicht kennen. Ist doch jede Art, von der Welt oder von Gott zu reden, im Munde Israels zu etwas ganz anderem geworden. Im Reden von nur seiner Geschichte mit nur seinem Gott wurde Israel schöpferisch; dabei, aber nur dabei, wurde Israel in analogieloser Weise schöpferisch. So sehr sind seine Sinne von einer unauswechselbaren Erfahrung in Beschlag genommen. Wo das Märchen Vertrauen wecken will zur Stärkung der Kräfte des dem Guten sich verbündenden Menschen, da weckt Israels Erzähler das gezielte Vertrauen zum gehorsamen Bleiben innerhalb der Zusage Gottes, der sich nur diesem Israel bekannt gemacht hat. Ihm hat er sich in einem unverwechselbaren Bund versprochen.

II. Der gnädige Gott der Grenze

»Mein Mann ist gestorben«. Mit dieser Klage beginnt die Geschichte. So spricht der Mensch an der Grenze, die unser Leben schneidet und an der sich unser Leben entscheidet. Aber wo im Märchen die Armut und Verachtung der vaterlosen, mutterlosen, rechtlosen Gestalten steht, deren sich dann, geheimnisvoll vieldeutig verkleidet, schützende Geister annehmen, da tritt in Israel eine ganz andere, überraschende Beziehung in Geltung: die Gottesfurcht. »Du weißt, daß mein Mann, dein Knecht, den Herrn fürchtete«.

Hier spricht jene gewaltige Überlieferung des Glaubens, die seit den Tagen des großen Elia Gestalt gewann, wo der Glaube an den Gott Israels zum Gehen an der Grenze der »Man-Gesellschaft« wird. Glaube, das ist das Wohnen draußen vor dem Tor der fortschrittsgläubigen Stadt, in der sich die Religionen mischen; Glaube, das ist gehorsam heiteres Wandern unter der führenden Aufsicht Jahwes. Daher ist der klagende Beginn der Erzählung so nüchtern, so frei von dem, was sonst Totenklage ist. Im Kreise der Jünger um Elisa findet sich noch die altisraelitische Ergebung unter den Gott, der Grenzen setzt: der Religionsmischung die deutliche Grenze, der Forderung des Gläubigers ihre Grenze, der Bitte der Witwe wie ihrem Mangel die gnädige Grenze, dem Leben des Menschen seine Grenze, aber auch der Vergöttlichung des Todes die Grenze. Bei diesem Grenzen-setzenden Gott ist nicht Ja und Nein als Widerspruch. Wer ihm vertraut, wird das Nein der schmerzhaften Grenzziehung dieses Bundesgottes als Inhalt seines Ja und Amen zur bleibenden Erwählung Israels erfahren, als ein Stücklein schon aus der Fülle, von der die Jünger Gnade um Gnade empfangen (Joh 1$_{16}$). Der Bundestreue dieses Herrn bleibt auch alles Schneidende und Scheidende auf den Wegen des Bundes gnädig eingebunden. »Gottesfurcht ist die Quelle des Lebens« (Spr 14$_{27}$) heißt es im Gespräch derer, die Gott fürchten. Diese Wahrheit wird von der Grenze des Todes markiert, aber nicht mehr aufgehoben. Auch der Mythos vom Kreislauf des wiederkehrenden Todesgottes ist hier durchstoßen: Der gnädige Gott der Grenze hat einen Bund personaler Gemeinschaft gestiftet, die nicht aufhebbar ist. »Der Griff der Totenwelt« ist nicht mehr lückenlos, Gott selbst hat als Erlöser sich kundgegeben. Er stiftete die Geschichte, in der er auch »mich erlöst«, »mich in seine Gemeinschaft hineinholt« (Ps 49$_{16}$).

Der Mann ist gestorben. Die Grenze des Leides hat geschnitten. Aber nur der Unglaube schneidet einen aus dem Bund heraus. Das Leid, ja selbst der Schnitt des Todes, werden dem Jünger zu Kerben und Marken innerhalb des Bundes. Die gottesfürchtig den Herrn suchen, werden auf den Wegen der Treue der Verläßlichkeit der Zusage des Lebens inne, sie er-innern sich dann und erzählen die Botschaft vom gnädigen Gott der Grenze weiter. Demütig, ganz leiderfahren, aus der Wurzelschicht des Glaubens heraus wächst dann die Grenzaussage, daß die, die Jahwe suchen, »alles fassen« (Spr 28$_{5}$), daß der Herr selbst denen, die ihn lieben, »alles zum Guten zusammenwirken läßt« (Röm 6,$_{28}$).

III. Der findbare Gott der Nachfolger

Woher weiß denn diese Frau solches? Nicht aus sich selbst. Sie lernt es in der Gemeinschaft der Hoffenden, die bleiben in der Unterweisung und Zwiesprache mit ihrem prophetischen Lehrer Elisa. Diese unbekannte Frau ist nicht einfach irgendwer. Sie ist eine Frau unter Frauen der Nachfolger, der Prophetenjünger. Als solche ist sie bedrängt! Unschwer kann man sich vorstellen, daß sie ihre Schulden tilgen und ihre beiden Kinder hätte retten können, wenn sie baalsläufig geworden wäre, wenn sie die Gemeinschaft derer verlassen hätte, die ihre Kniee nicht vor Baal gebeugt haben, wie ja wohl zu allen Zeiten der Weg der Angleichung an die religiöse Zeitströmung Freunde und Gewinn gebracht hat. Aber dann hätte sie »das Geschlecht der Söhne Gottes« verraten (Ps 73_{15}). Das tut sie nicht. Die Jünger, zu denen sie gehört, blieben in der Lehre und in der Gemeinschaft und im Brotteilen und im Gebet zum Gott Israels. Ihrem Meister Elisa galt auch eines Tages Besitz und Vermögen eines Hoferben weniger als ein Teil des Glaubensgeistes Elias, seines Meisters. Ihn, Elisa den Nachfolger, bittet sie, der auch nur einen ererbten Prophetenmantel hat, ihm klagt sie, und das darf sie: denn in der Gemeinschaft derer, die die Weisung Gottes bewahren, ist der höchste Bundesgott mitmenschlich auffindbar. »Was hast du?« fragt der Meister. »Was soll ich dir tun?« Sie hat wenig und erbittet viel. Und sobald der Meister weiß, was sie braucht, weist er sie an, mit ihrem Wenigen gehorsam zu hantieren. Im verarmten Kreis derer, die Lehre und Gehorsam bewahren, da allein wird auch die Erfahrung des Wunders bewahrt.

Wenn die Wahrheit der Märchen sagt, daß der dem Geheimnis des Lebens noch ferne ist, der das Wunder nicht kennt, so sagt uns diese Erzählung die Wahrheit des Glaubens Israels, daß einer dem Geheimnis des findbaren Gottes noch ferne ist, solang er dem Wort fernbleibt, das im Kreise der Hörenden ergeht. Nur in der Gemeinschaft der Nachfolgenden wird Gottes erwählende Gnade konkret. Gnade, die nicht im Glauben der Nachfolger konkret ist, ist ein leeres Wort. In dieser Gemeinschaft aber ereignet sich das Wunder der Findbarkeit Gottes. »Das Geheimnis der Gegenwart des Herrn ist unter denen, die ihn fürchten, und ihnen macht er seinen Bund offenbar« (Ps 25_{14}).

IV. Der armenfreundliche Gott Israels

Dieser hier findbare Gott ist der Armenfreundliche. Weil er das ist, darum ist er ja der Gott Israels! Er ist der Helfer der Witwen und Waisen, weil in ihrem Geschick Israel das ist, was es in Wahrheit ist: das Volk, das allezeit auf Gottes Rechtsschutz angewiesen bleibt. Damit das ja nie vergessen wird, darum muß es allezeit Arme unter euch geben!

Das stellt freilich unsere Ansichten vom sozialen Fortschritt, von sozialer Gerechtigkeit, vom Recht auf Leben in Wohlfahrt auf den Kopf. Die Armut der Nachfolger wirkt nicht den Aufruf zur sozialen Gerechtigkeit. Sie ist auch nicht der Wahrheitserweis einer Religion der Bedürfnislosigkeit. In dieser Erzählung liegt Sinn und Wert der Armut überhaupt nicht mehr in ihr selbst, nicht in ihrer Überwindung noch in ihrem Eigengewicht, weder in dem, was bei uns Poverello-Ideal sein kann noch in dem, was sie an revolutionären Bewegungen provoziert. Nein, in dieser Armut der deklassierten Prophetenjünger am Rande der zivilisationsseligen Gesellschaft geht es um etwas ganz anderes. Die Armen und unter ihnen vornehmlich die Witwen und Waisen sind der lebendige Hinweis auf das Wunder der Erwählung, durch das Israel wurde, was es ist, und das sich stets erneuert. Diese Witwe und ihre Waisen bewahren die Gestalt des Israel, das aus Ägypten erlöst ist.

Das macht nun freilich einen Strich durch Karriere – Denken, Ruhmsucht, Habgier und Besitzstreben, wie es sich zu allen Zeiten im Volke Gottes breitmacht. Es bleibt dabei: »Das Verachtete hat Gott erwählt, und was da nichts gilt, damit er zunichte mache, was etwas gilt« (1 Kor 1 28). Weil Gott Israels Gott ist, darum ist er der Rechtlosen Anwalt, und weil er der Armenfreundliche ist, darum ist er Israels Gott geworden und in diesem Israel mitmenschlich auffindbar. Hier »rettet er den Armen durch sein Elend hindurch, er öffnet ihm das Ohr durch die Drangsal hindurch« (Hiob 36 15).

V. Das Zeugnis der Erretteten

Diesen Erretteten gerät unter den Händen auch ein Märchen zum Zeugnis für etwas, was nur im Kreis der Jünger erfahren werden kann, allerdings umfassender, als mancher beim ersten Blick auf unsere Erzählung meint: das Wunder ist zu eng gefaßt, wenn man es nur auf die Vermehrung des einen Kruges Öl abstellt. Manche Einzelzüge gilt es noch zu bedenken in dieser Erzählung: so die Wahrhaftigkeit der Witwe, als sie ihren vorhandenen Besitz benennt: »Einen Krug Öl habe ich«; sie verbirgt keinen heimlich zur Sicherung gesparten Rest; diese Wahrhaftigkeit und solche Rest-losigkeit ist ja auch ein Wunder. Oder wie nun die Frau leere Krüge betteln gehen muß, ohne zu wissen, wie die Sache hinausgehen wird; ein wunderbares Vertrauen zum heilen Ende durchwirkt das törichte Tun des Glaubens. Oder wie der letzte einfältige Gehorsam, das Eingießen in die leeren Krüge, im verborgenen Raum geschieht hinter der verschlossenen Tür; Eckensteher und Zuschauer gibt es beim Zirkus, aber der Raum des Glaubens und der Raum der Wunder ist identisch mit dem Alltagsraum in Israel, wenn Gott sein Wort tut. Oder daß das Öl fließt, solange die Gefäße leer sind, und dann steht der Fluß des Öles plötzlich still: Gefäße und Öl, Ort und Zeit, Gewicht und Menge – ist nicht alles mitdiktiert von alltäglichen Umständen und zugleich in den Plan Jahwes einbezogen? Bis es dann am Ende der Geschichte einerseits so weltlich, irdisch, alltäglich und zugleich ins grenzenlose Heil hindeutend heißt: »Bezahle deinen Schuldherrn, du aber und deine Söhne, ihr sollt leben«.

Wie wird doch hier erzählt, mit welcher Bescheidung, mit welcher Zucht! Nahezu wortarm ist dieses Zeugnis der Erretteten, damit nur ja nicht das Wort des armenfreundlichen Bundesgottes, das weiterzutragen die Prophetenjünger da sind, verwechselt werden kann mit der Gemeinde selbst. Weder der Wundertäter noch die Gemeinde stehen im Mittelpunkt. Die Geretteten sind um des Zeugnisses willen da. Gerade darin ist diese Erzählung groß, daß die Erretteten das Zeugnis von der Rettung so unpathetisch festhalten – was tut der Name der Frau schon zur Sache? – und das Wunder von der Selbstbezeugung Gottes im Kreise der Armen so schlicht überliefern. Das alles ist keine große Dichtung, so wie eine Predigt nicht originale Schöpfung eines großen Dichters sein muß. Was aber diesen enthaltsamen Reiz der Erzählung durchwirkt, das macht auch die rechte Predigt aus: Das Zeugnis kann nur durch die Gottesfurcht der Armen hindurch laut werden, die um die Gegenwart ihres Gottes gelitten haben. Anders wird das Zeugnis nicht laut. Kein Dankgottesdienst beschließt diese Geschichte, keine wortreich ausgebreitete Moral, nicht einmal ein Wink von »so sollt ihr!« oder »ihr müßt«. Bezahlt eure Schulden und lebt! Das genügt. Lebt dankbar und gehorsam weiter, bekümmert euch nicht um das kanaanäische Geschnatter, das damals wie heute diskussionsfreudig das Geheimnis zerreden möchte, woher eine arme Witwe plötzlich so viel Geld hat, und das schon in Kürze sich einem anderen interessanten Ereignis zuwenden wird. Denn die Diskussion der Sensation ist vergeßlich, wo der Glaube bewahrt.

Mit dieser auffallenden Zurückhaltung im Erzählen wird etwas von der Fremdheit sichtbar, mit der das Zeugnis der Erretteten immer zu tun hat: wie der Glaube inmitten einer Welt von Alleswissern immer merkwürdig fremd und zugleich glücklich dasteht; wie er durch alle Zeiten der religiösen Besserwisser oder Skeptiker auf der einen Seite ein wenig hilflos und linkisch und auf der anderen Seite so strahlend beschenkt dasteht: vom Staunen erfüllt und zugleich ergreifend schlicht im Vergleich mit der flinken, nach Gottes Wirklichkeit geistvoll fragenden Eloquenz. So kann nur erzählt werden, wo das Geheimnis der Gegenwart Gottes leidvoll und selig umschwiegen wird. Nicht Worte werden weitergesagt, sondern eine Tat-sache wird bewahrt. Nicht intelligible Wahrheit wird bewiesen, sondern erfahrbare Realität wird bezeugt. Kein Mysterium nur für Eingeweihte wird verschlüsselt dargereicht, sondern Leben in der Gemeinschaft des Bundesgottes mitten in der Welt wird gestiftet. Über den lieblichen Sternen der Märchen am blauen Bogen der Nacht geht im Erzählen Israels die Sonne des Zeugnisses auf, die Sonne der Offenbarung: Der Tag der Rettung ist nahe herbeigekommen.

MARTIN HENGEL

»WAS IST DER MENSCH?«

Erwägungen zur biblischen Anthropologie heute[1]

Es geht hier um eine uralte und zugleich immer neue Frage: Sie wurde gestellt, seitdem es Menschen gibt, dh seitdem Menschen über sich selbst reflektieren. Und sie wird gestellt werden, solange es Menschen gibt. Wenn wir einmal glauben sollten, sie wirklich völlig gelöst zu haben und daß damit der einzelne wie die Gesellschaft völlig durchschaubar, machbar und manipulierbar geworden sei, dann würde dies das Ende des Menschen bedeuten: An seine Stelle würde der rationale Automat treten, dessen einzige Aufgabe es ist, daß er in einem übergeordneten Kollektiv »funktioniert«.

Doch mit diesem Hinweis auf ein mögliches »Ende des Menschen« – und zwar nur eines von vielen Möglichkeiten – habe ich schon weit vorgegriffen. Es ist ein Zeichen des Freiheitsraumes, den wir heute noch besitzen, daß wir diese Frage: »Was ist der Mensch?« oder an mich selbst gerichtet: »Was bin ich?« stellen können, ja im Unterschied zum Tier und zum Automaten stellen müssen. Sie gehört zum unabdingbaren Wesen, zur Würde des Menschen, gerade weil und solange sie ohne dogmatistisch-definitive, »eindimensionale« Antwort bleibt. Der Vielfalt der Ausgangspunkte entspricht vielmehr die Fülle der Antwortversuche. Auch ich muß meine Fragestellung darum füglich einschränken. Ich kann weder als naturwissenschaftlicher Anthropologe noch als Philosoph, sondern nur als Theologe und Exeget sprechen – wobei ich jenes »nur« umsomehr betonen muß, da man heute nach einem verbreiteten sensus communis von der Wissenschaft »Voraussetzungslosigkeit« fordert und die Theologie eo ipso für befangen erklärt. Aber bei der Antwortsuche auf diese Frage: »Was ist der Mensch?«, bei der das Suchen wichtiger ist als das Finden, gibt es Grenzpunkte, wo sich jede Voraussetzungslosigkeit als Illusion erweist. Hinter jener »Bestseller-Definition« des Menschen als »der nackte Affe« steht zB ein sehr massives Vorverständnis, um nicht zu sagen Befangenheit, und erst recht ist es naiv, wenn man glaubt, eine philo-

[1] Vortrag gehalten vor Studenten auf Einladung der SMD-Gruppe Erlangen am 27. 1. 1970. Er wurde zum Druck leicht überarbeitet und mit Anmerkungen versehen.

sophische Ethik, eine Anweisung zum Handeln, in der sich der Mensch selbst definiert, könne man voraussetzungslos, rational – more geometrico demonstrata – deduzieren. Als Theologe will ich – bewußt – bei meinem »eigenen Leisten« bleiben und von Antwortversuchen ausgehen, die – ich möchte mich hier zunächst recht umfassend ausdrücken – im Geschichtsraum des christlichen Glaubens gegeben wurden.

Unsere Frage »Was ist der Mensch?« ist ja *ein alttestamentliches Bibelzitat.* Ein unbekannter Dichter richtet sie dort nicht an sich, auch nicht an Weise oder Propheten, sondern an Gott selbst, nur in der Relation zu ihm wird sie für ihn sinnvoll: Im 8. Psalm lesen wir:

> »Wenn ich deinen Himmel betrachte, das Werk deiner Finger, den Mond und die Sterne, die du (daran) befestigt: *Was ist der Mensch*, daß du seiner gedenkst, und das Menschenkind, daß du dich seiner annimmst?«

Der Dichter spürt bei der Betrachtung des »gestirnten Himmels über ihm« trotz, ja vielleicht auch gerade wegen seines sehr viel einfacheren Weltbildes etwas vom Anhauch der »Unendlichkeit«, vor der seine Ohnmacht und Nichtigkeit offenbar wird. Freilich – und das unterscheidet ihn von uns – artikuliert sich die Übermacht der Welterfahrung in der Gewißheit, daß alles, was er bewundernd schaut, Gottes Werk ist, und auch seine erschrockene Frage: »Was ist der Mensch?« bleibt geborgen in der Gewißheit des göttlichen Gedenkens und der göttlichen Fürsorge. Ja die Reflexion über die eigene Ohnmacht ist nur der Ausgangspunkt, von dem aus er umso gewisser die Größe des Menschen preist:

> »Du machtest ihn wenig geringer als die göttlichen Wesen, und mit Ehre und Hoheit kröntest du ihn,
> bestelltest ihn zum Herrscher über die Werke deiner Hände, alles legtest du ihm zu Füßen . . .«.[2]

Es ist das vertraute Bild vom Menschen als dem Herrn der – freilich noch relativ überschaubaren – Schöpfung, als dem Partner Gottes, dem Gott und damit der Ursprung, das Ziel und der Sinn seiner Existenz unmittelbar nahe sind. Diese unmittelbare Partnerschaft, die für den priesterlichen Verfasser des Schöpfungsberichtes von Gen 1 eine wirkliche Entsprechung bedeutet, erscheint besonders deutlich in Gen 1_{26} in der Aufforderung Gottes an sich selbst: »Lasset uns Menschen machen nach unserem Bilde, nach unserer Entsprechung«. In Umkehrung der alten These, daß Israel Gott anthropomorph verstanden habe, läßt sich von hier aus mit besserem Recht sagen, Israel habe »den Menschen für theomorph« gehalten.[3] Eben darin besteht dessen ein-

[2] Ps 8_{4-7}. Zur Beziehung von הדר וכבוד auf den König s. Ps 21_{6}, auf Gott 29_{1}; 104_{1}; *HJKraus*, Psalmen I ([3]1966) 70f. Völlig anders *Seneca*, cons. ad Marc. 11,3!

[3] *GvRad*, Theologie des Alten Testaments I ([4]1962) 159, dort unter Beziehung auf

zigartige Würde in der geschaffenen Welt. Sie wird für die biblischen Erzähler aktualisiert in der sich immer neu ereignenden Zuwendung Gottes zu seinem vornehmsten Geschöpf. Vor allem in den älteren Berichten kann diese ohne weiteres in räumlichen Kategorien umschrieben werden: Gott fährt auf den Sinai herab, um mit seinem Volk zu reden (Ex 19$_{20ff}$); er wohnt auf dem Zion; er erscheint den Erzvätern wie auch einzelnen späteren Propheten. Freilich ist solche Zuwendung und Nähe nicht einlinig, sondern ambivalent: sie kann erwählende Gnade wie vernichtendes Gericht bedeuten. Gott redete »mit Mose von Angesicht zu Angesicht, wie man mit einem Freunde redet« (Ex 33$_{11}$), aber er fährt herab und verwirrt die Turmbauer zu Babel, so daß keiner mehr den anderen versteht (Gen 11$_{1-9}$). In der Größe liegt zugleich die Bedrohung, in der Würde die Schande des Menschen verborgen. Diese Ambivalenz zeigt am eindrücklichsten der 2. Schöpfungsbericht von Gen 2 und 3. Hier ist in der mythischen Erzählung Gott seinem Geschöpf physisch nahe wie ein Vater seinem Kind, wie der ältere Bruder dem jüngeren. Nicht die Herkunft des Menschen aus dem Staub der Erde, sondern der Lebenshauch Jahwes ist es, der den Menschen prägt, der ihn zum dialogfähigen Partner Gottes macht. Freilich enthält nach dem Mythus seine Größe auch den Keim zum Fall: Er überschreitet die Grenze, mit dem naiv-seligen Stand der Unschuld nicht zufrieden, trachtet er nach mehr, der Erkenntnis des Guten und des Bösen, nach der Aufwertung zum wirklichen »eritis sicut deus ...«. Und eben dadurch entsteht der Bruch. Das erste Menschenpaar ist der neuen Erkenntnis des Guten und des Bösen nicht gewachsen: Es scheitert an Gottes Gebot und wird aus dem Garten der Unschuld vertrieben.

Hier stellt sich die Frage, ob der Mensch mit dieser Würde der Partnerschaft – die der priesterliche Erzähler von Gen 1 die Gottebenbildlichkeit nennt – nicht im Grunde von seinem Schöpfer *überfordert* wurde, da er zwar – vielleicht – das Gute und das Böse zu erkennen und zu scheiden vermag, in ihm selbst jedoch Wissen und Wollen, Erkennen und Handeln auseinanderklaffen. Das ständige Auf und Ab im biblischen Geschichtsbericht von der Urzeit bis in die Zeit nach dem Exil, der sich immer neu wiederholende Wechsel zwischen göttlicher Zuwendung und menschlichem Ungehorsam, göttlicher Strafe und menschlichem Neuanfang scheint dazu die beste Illustration zu bieten. Dabei hätte gerade mit der Erkenntnis dieser Aporie das Menschenbild des Alten Testaments eine unvergleichlich größere Tiefendimension erreicht als die philosophische Ethik der Griechen, die nie über die ein-

Ps 8$_{6}$: »Der Mensch ist elohimartig erschaffen«. Wie die gottähnlichen Elohimwesen in Gottes Hofstaat ist auch der Mensch zum Partner Gottes bestimmt.

fache Gleichung hinauskam: Das Tun des Guten erfordert allein das Wissen um das Gute, ergo: Bosheit ist Unwissenheit, ergo: Tugend ist lehrbar. Sie erfordert allein richtiges Denken, eine Sache, die jedem Menschen durch seine Partizipation am Göttlichen erschwinglich ist, er muß nur dazu erzogen werden, seine inneren Kräfte zu entfalten[4]. Dieser »ethische Rationalismus« wirkt heute wieder sehr anziehend; das vielverwendete Schlagwort vom »Lernprozeß« zeigt, wie wenig wir hier über die antiken Fragestellungen hinausgekommen sind. Demgegenüber läßt sich das alttestamentliche Menschenbild nicht in so einliniger Weise festlegen. Vielleicht könnte man – in vereinfachender Weise – von einem *vierfachen »Ausgang«* desselben sprechen.

1. Die erste Möglichkeit möchte ich den »ethischen Optimismus« – gegenüber der göttlichen Forderung und dem eigenen Vermögen – nennen. Er gehört zum Wesen der prophetischen Predigt und wir finden ihn bereits unüberhörbar bei den ersten Schriftpropheten. So etwa in Amos 5$_{14f}$:

> »Suchet das Gute und nicht das Böse,
> damit ihr am Leben bleibet,
> daß Jahwe (...) wirklich mit euch sei,
> wie ihr es behauptet!
> Hasset das Böse und liebet das Gute,
> richtet das Recht im Tore auf!
> Vielleicht ist Jahwe (...) gnädig dem Reste Josephs.«

Hier könnte man sich zwar noch fragen, ob der Begriff »Optimismus« berechtigt sei, da das »vielleicht« es offen läßt, ob die Verwirklichung dieses Mahnrufes als eine echte Möglichkeit für die Hörer gedacht ist;[5] um so eindeutiger wird der Mensch als voll verantwortlicher,

[4] Zur »Gottähnlichkeit« des Menschen bzw. der Heroen in dem vorplatonischen Griechentum s. *DRoloff*, Gottähnlichkeit, Vergöttlichung und Erhöhung zu seligem Leben (1970); zu der platonischen Vorstellung der ὁμοίωσις ϑεῷ κατὰ τὸ δύνατον (Theait. 176b 1f) und ihrem Fortwirken *HMerki*, ʽΟΜΟΙΩΣΙΣ ΘΕΩ, von der platonischen Angleichung an Gott zur Gottähnlichkeit bei Gregor von Nyssa (1952); zur Verwandtschaft mit Gott *EdesPlaces*, Syngeneia, La parenté de l'homme avec dieu d'Homère à la patristique (1964). Zur griechischen Ethik s. *A Dihle*, RAC VI (1966) 647ff: »Rechtes Handeln hängt ausschließlich oder doch primär ... von der rechten Einsicht ab« (649). »Alle hellenist. E. ist im Kern streng individualistisch u. lehrt die Autonomie u. Autarkie des Einzelnen. Möglich wird dieser Individualismus nur dadurch, daß man allein der Seele u. ihrem Ergehen ethische Relevanz zuschreibt« (652). Die theologische Ethik des Protestantismus war, stärker als sie es sich vielleicht bewußt war, bis in die jüngste Vergangenheit hinein von diesen Axiomen her geprägt. Vgl. *HDBetz*, HTR 63 (1970) 465–484.

[5] Darüber hinaus ist die Echtheit der Stelle umstritten: *HWWolff*, Dodekapropheton 2, Joel und Amos, BK XIV/2 (1969) 274f. 294f. Sie paßt eher in den Mund eines Schülers. Amos selbst wäre dann reiner Gerichtsprophet, er hätte damit jeden

seiner selbst mächtiger Partner Gottes jedoch in Micha 6₈ angesprochen:

> »Es ist Dir gesagt, Mensch, was gut ist
> und was Jahwe von Dir fordert,
> nichts anderes als Recht zu üben und Güte zu lieben
> und demütig zu sein vor deinem Gott«.

Der Prophet, der im Namen Gottes solches forderte, war gewiß, daß der Hörer dem unter Anspannung all seiner Kräfte entsprechen konnte. Die Summe dieses »ethischen Optimismus« prophetischer Predigt geht dann in die Entscheidungsforderung des Deuteronomiums ein: »Leben und Tod habe ich euch *zur Wahl* vorgelegt, Segen und Fluch! So wähle denn das Leben, damit du lebest, du und deine Nachkommen, indem du Jahwe, deinen Gott, liebst, seiner Stimme gehorchst und ihm treu anhängst ...«[6]

Wenn die großen Propheten seit Hosea in steigendem Maße mit ihrer Gerichtspredigt die Möglichkeit der Umkehr verbinden, so könnte man darin schon das einschränkende Zugeständnis vermuten, daß Israel wegen seiner Schwäche der volle, ungebrochene Gehorsam nicht mehr zugemutet werden könne und ihm in Verbindung mit der Gerichtsdrohung eine letzte Chance eingeräumt werden müsse. Aber auch hier wird die Möglichkeit freier Entscheidung grundsätzlich vorausgesetzt. Darüber hinaus demonstriert bereits das zuweilen fast ermüdende deuteronomistische Geschichtsschema – Gottes Gericht, Umkehr, Aufhebung des Gerichts, neue Sünde, neues Gericht – die Grenzen dieser Betrachtungsweise.

Daß schließlich ein solcher »ethischer Optimismus« bei einer akuten

»Optimismus« menschlicher Hoffnung im Blick auf das eigene Vermögen schroff zurückgewiesen. Er paßte so nicht in das heute wieder moderne Bild des Propheten als »sozialen Umkehrpredigers«.

[6] Vgl. dazu *GvRad,* aaO (Anm. 3) II ([4]1965) 193f, der mit Recht hervorhebt, daß die ethische Verkündigung der großen Propheten nicht »das Leben gesetzlich normieren« wollte. Dennoch erscheint es mir unübersehbar, daß die ethische Predigt der Propheten – wie auch das sie weiterüberliefernde Volk Israel selbst – nur dadurch erhalten blieb, daß sie mit dem Gesetz identifiziert werden konnte und – wie etwa im Deuteronomium – auf die Entwicklung des Gesetzes Einfluß nahm. Das Judentum verdankt in der nachexilischen Zeit seinen ethnischen und religiösen Bestand allein dieser Verbindung von Tora und prophetischer Botschaft. Sie waren das Salz, das es vor der Auflösung im Synkretismus bewahrte. Wenn *GFohrer,* ThZ 26 (1970) 20f als das Fazit der prophetischen Verkündigung die Forderung des »mündige(n) Gehorsam(s) ... in der Ausführung des göttlichen Willens« bezeichnet, so ist ihm damit recht zu geben, nur bleibt die Frage offen, ob der Mensch wirklich mündig ist, solchen Gehorsam zu leisten. Paulus beschreibt demgegenüber in Rö 7₁₄ff die Unfähigkeit des natürlichen Menschen zum »mündigen Gehorsam«.

Glaubenskrise in schwerste Anfechtung geraten konnte, zeigt in der Spätzeit des Alten Testaments Jesus Sirach rund ein halbes Jahrtausend nach dem Propheten Micha. Er kämpft erbittert gegen Aufklärer, die die Entscheidungsfreiheit des Menschen bestreiten (15_{11ff}):

> »Sage nicht: ›Von Gott kommt meine Sünde‹;
> denn er bewirkt nicht, was er haßt.
> Damit du nicht sagest: ›Er hat mich zu Fall gebracht!‹;
> denn schlechte Menschen sind für ihn keine Notwendigkeit ...
> Wenn du willst, kannst du das Gebot halten,
> und Treue ist es, Gottes Willen zu tun.
> Feuer und Wasser ist vor dich hingeschüttet,
> strecke deine Hände aus, wonach du willst.«

Der von Sirach polemisch vertretene moralische Optimismus findet dann seine endgültige Form im Pharisäismus und im Rabbinentum. Bezeichnend ist dabei, daß hier nicht nur der Einfluß des hellenistischen Erziehungsdenkens wirksam wurde, sondern daß auch – zuerst bei Sirach – Gottes Gebote durch die Identifizierung mit der Weisheit kosmologisch verankert wurden. Welt und Tora wurden konform. Dieses Junktim hat der jüdischen Torareligion über Jahrtausende hinweg bis heute ihre Kraft gegeben. Voraussetzung war dazu das Postulat des freien Willens. Der Mensch kann mit Hilfe der Tora seinen »bösen Trieb« in sich überwinden.[7] Diese Betonung des freien Willens führte zu jener optimistischen Selbstüberschätzung, die weder dem Einwand der »Überforderung« wirklich begegnen konnte, noch die »Mächtigkeit« dessen erkannte, was Paulus unter σάϱξ und ἁμαϱτία verstand.[8]

2. Die zweite Möglichkeit ist die der »ethischen Resignation«. Sie tritt in Sirachs Polemik als Antithese dazu klar hervor. Wir finden sie in prägnanter Form bei einem Weisheitslehrer, der etwa eine Generation früher lebte, bei Kohelet. Hier ist der Mensch nicht mehr freier Partner Gottes, vielmehr erstarrt Gott selbst zur Chiffre für das unerforschliche, unentrinnbare Schicksal, und der Mensch ist ihm willenlos unterworfen:

[7] *MHengel*, Judentum und Hellenismus (1969) 254ff. 287ff; zum Einfluß des hell. Erziehungsdenkens s. 143ff. 310ff. Vgl. Bill. IV, 7f. 471. 476.

[8] Zur Willensfreiheit vgl. noch Sir 17_{7f} und 27_{8}. Ihr entspricht seine betonte Vergeltungslehre, aaO (Anm. 7) 258ff; vgl. noch 1Hen 98_{4-8}; PsSal 9_{4f}; Jos. Bell II 162f; Ant XIII 171f; XVIII 13 (in der Form des Synergismus); R. Aquiba in Abot 3_{15} u. aaO 398 Anm. 638. Dieser »ethische Optimismus« wirkt selbst im Reformjudentum weiter, er zeigt sich bei dem Neukantianer *Hermann Cohen* in gleicher Weise wie bei *Karl Marx, Herbert Marcuse, Ernst Bloch* u. a. Durch die Verbindung mit einer teleologisch-utopischen Geschichtsschau, die man als »immanente Apokalyptik« bezeichnen könnte, erhält er sogar wieder besondere Eindringlichkeit.

»Sind doch die Gerechten und die Weisen
und, was sie tun, in Gottes Hand,
es sei Liebe oder Haß,
der Mensch weiß es nicht,
alles liegt vor ihrer Zeit,
alles ist eitel!
Wie ja auch jeden das gleiche trifft,
den Gerechten und den Frevler ...«(91f)

In dieser skeptischen Resignation über das Unvermögen des Menschen und die Uneinsichtigkeit des Schicksals, vor dem alles nichtig wird, mag bereits der kühle Geist der hellenistischen Aufklärung wehen, aber zugleich steht dahinter die ernüchternde Lebenserfahrung eines jüdischen Patriziers, der an der Lehre seiner Väter über die Partnerschaft zwischen Mensch und Gott verzweifelt. Er sieht nur noch die unüberbrückbare Distanz, und entsprechend ist sein Rat im Blick auf Gebet und Frömmigkeit: »Denn Gott ist im Himmel, und du bist auf Erden, darum seien deine Worte wenige« (51). Es gibt hier nicht mehr viel zu bereden zwischen Mensch und Gott: Das Schicksal ist stumm.[9]

3. Aus jener Spannung zwischen einem »ethischen Optimismus«, der darüber hinwegsieht, daß seine Vorstellung von der freien Partnerschaft zwischen Mensch und Gott illusionäre Züge trägt, weil darin der Mensch überfordert wird, und jener Resignation, die die Überforderung erkennt und darüber an einer Möglichkeit der Partnerschaft verzweifelt, erwuchsen neue Lösungsversuche, neue Variationen über das alte Thema: Was ist der Mensch? Die Frage war jetzt freilich nicht mehr die Gottesnähe des Menschen, seine »theomorphe« Gestalt, sondern umgekehrt die Frage nach dem Ursprung des Bösen, nach der Widergöttlichkeit des Menschen, nach dem Ursprung des menschlichen Versagens in der Geschichte. Eine Frage, die identisch ist mit dem Problem der Theodizee.[10] Deuterojesaja konnte zwar noch – vermutlich

[9] Vgl. dazu *GvRad,* aaO (Anm. 3) I 468–473 »... der Mensch kann mit der dunklen göttlichen Macht, der er ausgeliefert ist, nicht Schritt halten« (472). Zum historischen Ort Kohelets s. Judentum und Hellenismus 210–240.

[10] *WFAlbright,* Von der Steinzeit zum Christentum, übers. v. *ILande* (1949) 318. 327ff. 342; *GvRad,* aaO (Anm. 3) I 421 Anm. 25. Eine ausführliche Theodizee mit starken Anklängen an stoische Vorstellungen bringt wieder Sirach: Judentum u. Hellenismus 262ff, vgl. 357ff. 368. 395ff. 455ff. *GvRad,* aaO II 325f verweist auf das Fortwirken des aus der Weisheit stammenden Theodizeeproblems in der jüdischen Apokalyptik. Hinter dieser Entfaltung des Theodizeeproblems steht freilich nicht nur weisheitliche Skepsis oder Neugier, sondern die notvolle Erfahrung geschichtlicher Katastrophen, die an Gottes Gerechtigkeit zweifeln lassen. Die Theodizee erzwingt zB bestimmte eschatologische Vorstellungen wie Auferstehung und Gericht. Am deutlichsten wird dies in 4Esra und syr. Baruch, dazu jetzt *WHarnisch,* Verhängnis und Verheißung der Geschichte (1969); vgl. dagegen die rationalistische Auflösung der Theodizee im rabbinischen Judentum

in der Auseinandersetzung mit dem iranischen Dualismus – Gott selbst sprechen lassen (45$_{6f}$):

> »Ich bin Jahwe, und sonst ist keiner,
> der das Licht bildet und die Finsternis schafft,
> der das Heil wirkt und das Unheil schafft.
> Ich bin Jahwe, der dies alles wirkt.«

Doch wenig später schob sich im nachexilischen Judentum die Gestalt des personifizierten Bösen zwischen Gott und den Menschen: vor Gott als Ankläger und gegenüber den Menschen als Verführer.[11] Die Begegnung mit dem griechischen Geist beschleunigte diesen Prozeß der bohrenden, kritischen Reflexion. Der Dualismus von Qumran bildet dabei eine eigenartige Zwischenstufe, da in ihm iranischer Einfluß sichtbar wird.[12] Im 1. Jh. nChr erreichte er dann seinen ersten Höhepunkt: Die letzte Konsequenz war eine dualistische Betrachtung von Welt und Mensch: Man konnte in gewissen Kreisen das personifizierte Böse als den eigentlichen Herrn von Menschheit und Geschichte betrachten. Selbst ein Paulus oder Johannes nennen die Personifikation des Bösen den »Gott« oder »Fürsten dieser Welt«.[13] Unterstützt wurde diese Entwicklung durch eine verbreitete, platonisierende Popularphilosophie, in der alles Physisch-Materielle schroff abgewertet wurde. Von hier aus war es bis zur letzten Konsequenz nur noch ein Schritt: Wenn die Bindung an die Materie die Seele des Menschen – oder besser sein Selbst – zum Bösen verleitet, mußte dann nicht auch der Schöpfer oder, wie man mit Plato im Timaios sagte, der Demiurg des Menschen und der materiellen Welt auf der Seite der bösen Mächte stehen, während der wahre Gott allein in der reinen, von allem Welthaften radikal geschiedenen Transzendenz zu finden war? Diese radikalen Fol-

Abot 4$_{15a}$; TBer 7$_{3}$ (Z. 15); Ber 7a das Gespräch zwischen Mose und Gott und die Umdeutung von Ex 33$_{19}$ in Tg Jer I und der rabbinischen Exegese, Bill. III 268 zu Rö 9$_{15}$. Wie sehr die Fragen der Theodizee in der späteren (mandäischen) Gnosis aus jüdischer Tradition stammen, zeigt die »Rechtssache«, die Adam dem »großen Leben« vorträgt: »Warum hast du diese Welt geschaffen, warum hast du die Stämme weg aus deiner Mitte befohlen, warum hast du in die Tibil Streit geworfen? Warum verlangst du nun nach mir und meinem ganzen Stamme? Warum hast du die ganze Welt in die Einöde gebracht, während kein Hüter für sie da war ...« (Linker Ginza 18 *Lidzbarski* 436f; vgl. Rechter Ginza 324 *Lidzbarski* 330); dazu *HJonas,* Gnosis und spätantiker Geist 1 (^{2}1954) 136f. Zum Rechtsstreit mit Gott um die Theodizee s. 4Esra 1 u. 2; 7$_{15}$; die Esraapokalypse (ed. *Tischendorf,* Apocalypses Apocryphae, 1866, 24ff); die Sedrachapok. c. 7 (ed. *James,* Texts and Studies II, 3, 1893, 132); Apok. Abr 23 (ed. *Box*) u. *ELDietrich,* Die rabbinische Kritik an Gott, ZRGG 7 (1953) 193–224.

[11] Hi 1; 2$_{1-10}$; 1Chr 21$_{1}$ im Gegensatz zu 2Sam 24$_{1}$; Sach 3$_{1-5}$; *WFoerster,* ThW VII (1964) 151ff.

[12] Judentum und Hellenismus 395ff. 418ff; *PvdOsten-Sacken,* Gott und Belial (1969).

[13] 2Kor 4$_{3}$; vgl. Eph 2$_{2}$; Joh 12$_{31}$; 14$_{30}$; 16$_{11}$.

gerungen kamen in der sogenannten *Gnosis* zum Durchbruch, jener vielfältig schillernden geistigen Bewegung, mit der die junge Kirche vom Ende des 1. Jahrhunderts an einen Kampf auf Leben und Tod zu bestehen hatte. Ihre entscheidende Prägung scheinen die meisten gnostischen Systeme durch die Verbindung der biblischen Urgeschichte und jüdischen Weisheitslehre mit einem platonisierenden Dualismus erhalten zu haben.[14] Die treibende Kraft war dabei auch hier die Frage: »Was ist der Mensch?« So hatten nach *Tertullian* die gnostischen Häretiker 3 Grundprobleme: unde malum et quare et unde homo et quomodo et quod proxime Valentinus proposuit unde deus?[15] Den Namen Gnosis (1Tim 6$_{20}$) gab sich diese Bewegung, weil sie versprach, die wahrhaft befreiende, erlösende »Erkenntnis« dadurch zu bringen, daß sie derartige Grundfragen menschlicher Existenz eindeutig beantwortete. Entsprechend formuliert ein gnostisches Originalfragment: »Wer waren wir? Was sind wir geworden? Wo waren wir? Wo hinein sind wir geworfen? Wohin eilen wir? Wovon sind wir befreit? Was ist Geburt? Was ist Wiedergeburt?«[16] Die Reflexion auf das Wesen des Menschen wird hier identisch mit der Frage nach seiner Herkunft und seinem mythischen Schicksal. Denn das menschliche Selbst erscheint jetzt als versprengtes, gefallenes Teilchen der transzendenten göttlichen Lichtwelt, das von dem Demiurgen und seinen finsteren Mächten in

[14] Die Definition der »gnostischen Bildungen« als »acute ... Hellenisirung des Christenthums« durch *Harnack* DG I, 250 hat darum noch nichts von ihrer Bedeutung verloren; nur müßte man ergänzend von einer Hellenisierung des Judentums *und* des Christentums sprechen. S. dazu *HLeisegang*, Die Gnosis (^{4}1955); *HLangerbeck*, Aufs. z. Gnosis, AAG 3. Folge Nr. 69 (1967) 17ff. 38ff; vgl. dazu den Vf in: Verborum Veritas, Festschr. f. GStählin (1970) 330f. *Hippolyt* betont in seiner Refutatio mehrfach den platonisch-pythagoreischen Einfluß in den gnostischen Systemen: 6$_{21ff.37ff.52}$ bei Valentin und seiner Schule; 8$_{15.17}$; 9$_{14.17}$: Alkibiades und die Elkesaiten u. a. Zum »mittleren Platonismus« und seinem Einfluß auf die Gnosis s. *HJKrämer*, Der Ursprung der Geistmetaphysik, Untersuchungen zur Geschichte des Platonismus zwischen Platon und Plotin (1964) 223ff. Zum Einfluß von Gen 1 u. 2 und der jüdischen Weisheitsspekulation auf die Gnosis s. *OBetz*, in: Abraham unser Vater, Festschrift OMichel (1963) 24–43 u. *GWMacRae*, Nov Test 12 (1970), 86–101. Vgl. auch *HMSchenke*, Der Gott »Mensch« in der Gnosis (1962) 64ff. 69ff. 72ff über die gnostische Interpretation von Gen 1 u. 2 und besonders Gen 1$_{26f}$. Bezeichnungen zur jüdischen Vita Adae et Evae arbeitet *UBianchi*, Gnostizismus und Anthropologie, Kairos NF 11 (1969) 6–13 heraus.

[15] de praescript. haer. 7; vgl. dazu den von Pythagoras gepriesenen Spruch des Hippodamos von Salamis nach *Jamblich* vit. Pyth. 18, 82 ὦ θεοί, πόθεν ἐστέ, πόθεν τοιοίδ' ἐγένεσθε; ἄνθρωποι, πόθεν ἐστέ, πόθεν κακοὶ ὧδ' ἐγένεσθε; und aus dem Bereich der Apokalyptik 4Esra 2(4)$_4$: »... et doceam quare cor malignum«. S. auch o. Anm. 10 den Rechtsstreit mit Gott um die Frage nach dem Ursprung des Bösen.

[16] Clem. Alex. Exc. ex Teod. 78. Vgl. dazu *KBeyschlag*, Die verborgene Überlieferung von Christus (1969) 88ff.

der Welt der Materie gefangen und den menschlichen Leib gebunden wurde. Dadurch, daß das Selbst des Menschen an seine göttliche Herkunft erinnert wird, erhält es die Kraft, in seine himmlische Heimat zurückzukehren. Hier geht es nicht mehr um vom Schöpfer geschenkte, verpflichtende Partnerschaft, sondern um Seinsidentität des Selbst mit dem transzendenten Göttlichen. Freilich in einer paradoxen Verfremdung: die Seele ist in der Welt gefangen und bedarf der »Gnosis«, um ihrem Gefängnis zu entfliehen.

In dem Kampf auf Leben und Tod mit der gnostischen Häresie blieb die alte Kirche Sieger. Der Versuch, durch die Apotheose des menschlichen Selbst und die Verteufelung der sichtbaren, konkreten Welt die Grundfragen der menschlichen Existenz und der Theodizee zu lösen, war im Ansatz verfehlt.[16a] Die Kirche hatte recht, daß sie an der Einheit von Schöpfer und Erlöser festhielt. Freilich war der Preis, den sie für ihren Sieg zu zahlen hatte, nicht gering. Die gnostische Abwertung der Welt und vor allem der menschlichen Leiblichkeit färbte stark auf sie ab, ähnliches gilt von dem übersteigerten Heilsindividualismus der frommen Seele, die die »Entweltlichung« und »Vergöttlichung« erstrebte, sowie von der weitgehenden Eliminierung einer realistischen, dieser Welt als Schöpfung Gottes verpflichteten Eschatologie.[17] Über der Sehnsucht nach einer transzendenten Lichtwelt und der asketischen Weltflucht vergaß man zu leicht den Auftrag, den der Schöpfer seinem Partner nach Gen 1 28 zugerufen hatte: »erfüllet die Erde und machet sie euch untertan«, ein Auftrag, der durch den Aus-

[16a] Man könnte sich fragen, ob heute nicht – zT selbst in der Theologie – eine ganz neue, andersartige und doch verwandte »Gnosis« sichtbar wird, in der sich die Verteufelung der jeweiligen »heillosen« geschichtlichen Gegenwart und die Apotheose des Menschen und der ihm angeblich verfügbaren imaginär-utopischen Zukunft miteinander verbinden. Als »Heilsgnosis« würde dann hier die richtige »gesellschaftskritische Theorie« erscheinen. Vgl. dazu die glänzende Analyse des Soziologen *HMKepplinger,* Rechte Leute von links – Gewaltkult und Innerlichkeit (1970) 136, die sich vor allem mit *HMEnzensberger* befaßt. »Dieses Denken, das in der Gegenwart keinerlei Moral erkennt, das jeden gesellschaftlichen Widerspruch als Vorboten einer Katastrophe begreift und permanent zwischen absoluter Hoffnungslosigkeit und euphorischer Hoffnung pendelt, ist Ausdruck einer verzweifelten Suche nach Worten, nach Wahrheit, nach endgültiger Sinndeutung der Welt, nach Auflösung der Widersprüche, nach Harmonie und Ruhe. Historisch [illegible] ein Erbe der Romantik. Verursacht wurde sie durch den Zerfall der ursprünglichen Einheit von sinngebendem Glauben und konstatierendem Wissen«. Die geistigen Wurzeln gehen hier offenbar weiter auf den spätantiken Dualismus zurück.

[17] Diese setzt im Grunde bereits im Johannesevangelium ein. Zu seiner Tendenz s. *EKäsemann,* Jesu letzter Wille nach Johannes 17 (^{2}1967). Heute wird der Theologie die Rechnung dafür präsentiert, daß sie die berechtigten Anfragen einer »realistischen« Eschatologie allzulange zugunsten eines spiritualistisch-existentiellen Heilsindividualismus verdrängt hat.

sendungsbefehl Mt 28_{18}: »gehet hin in alle Welt und lehret alle Völker« eine völlig neue, »eschatologische« Interpretation erhalten hatte.

4. Doch damit habe ich wieder weit vorgegriffen. Wir finden in der prophetischen Verheißung des Alten Testaments einen weiterführenden Weg, der weder bei der »Illusion des ethischen Optimismus« stehen bleibt, noch der skeptischen Resignation, noch auch der dualistischen Aufspaltung Gottes, der Welt und des Menschen wie in der Gnosis verfällt. Ich möchte ihn in freier Anlehnung an eine Formulierung von *Herbert Marcuse* »das Versprechen der Utopie«[18] nennen. In Jer 31_{31ff} lesen wir: »Fürwahr, es kommen Tage – Spruch Jahwes –, da schließe ich mit dem Haus Israel ... einen neuen Bund, nicht gleich dem Bund, den ich mit ihren Vätern schloß, als ich ihre Hand erfaßte, um sie aus Ägypten zu führen – diesen Bund haben sie ja gebrochen, obwohl ich ihr Herr war ..., sondern dies ist der Bund, ... den ich schließen werde ...: Ich lege mein Gesetz in ihr Inneres und schreibe es in ihr Herz, so werde ich ihr Gott sein, und sie sollen mein Volk sein. Sie werden sich nicht mehr gegenseitig, einer den anderen, belehren: »Erkennet Jahwe!« denn sie alle werden mich erkennen vom Kleinsten bis zum Größten ... Ja, ich erlasse ihre Schuld, und ihrer Sünde gedenke ich nicht mehr.«[19]

Mir scheint, daß dieses Wort zu jenen Verheißungen gehört, in denen das Alte Testament über sich selbst hinausweist. Hier wird am Paradigma Israels klar, daß der Mensch, in die Partnerschaft Gottes gerufen, überfordert war. Die Gottebenbildlichkeit, die sich in der freien Entscheidung für Gottes Willen realisieren soll, ist nicht gesicherter Besitz, sondern Auftrag, an dem der Mensch in der konkreten Situation je und je scheiterte. Doch dieses Wort gibt Hoffnung: Des Menschen Sein ist nicht fertig, es ist vielmehr »im Werden«, um seine wahre Bestimmung der wirklichen Partnerschaft zwischen Mensch und Gott zu erreichen, muß er sich selbst transzendieren, verändern, freilich nicht kraft eigener Möglichkeit und Leistung, sondern allein durch Gottes freie Gabe. Solche Veränderung soll den eigentlichen kritischen

[18] Triebstruktur und Gesellschaft 233. *Marcuse* bezichtigt freilich die (Existential)-philosophie und die Theologie des Verrats am »Versprechen der Utopie«, weil sie der »biologischen Tatsache« des Todes ihren »transzendentalen Segen« gegeben hätten. Dazu EvKomm 3 (1970) 651.

[19] Vgl. Jer 32_{38-40}; 24_7; Hes 36_{25-27}; 11_{18-20}; Jes 54_{13}; 59_{21}. Auf das Individuum bezogen finden wir diesen Gedanken in der Bitte Ps 51_{12}. Das Gegenstück dazu bietet etwa Ps 78_{18ff}, die Schilderung, wie das Israel der Vergangenheit als das »Geschlecht mit wankelmütigem Herzen« ständig versagte. Vgl. dazu *WZimmerli*, Ezechiel 2 (1966) 878: »Den beiden Propheten der Wende zum Exil war ... die harte Erkenntnis erwachsen, daß Israel seiner ganzen Art nach unfähig war zum Gehorsam«. Ähnlich *GvRad*, aaO (Anm. 3) II 424 vgl. 220ff. 244ff.

Punkt betreffen, nämlich das Herz des Menschen als den Ursprung des Bösen. Die Realisierung dieser zukünftigen Gabe wird angesprochen in der messianischen Hoffnung. Unter den vielen alttestamentlichen Beispielen für diese Hoffnung möchte ich jenes anführen, das später vielleicht die größte Wirkung entfalten sollte, und das zugleich die Macht der Veränderung, dh der befreienden Erneuerung des Menschen, zum Ausdruck bringt: Nach Jes 61_{1-3} spricht ein uns unbekannter Prophet:

> »Der Geist des Herrn Jahwe ruht auf mir,
> denn Jahwe hat mich gesalbt;
> er hat mich gesandt, den Elenden die Frohbotschaft zu bringen,
> zu heilen, die gebrochenen Herzens sind,
> auszurufen für die Gefangenen Freilassung
> und für die Gebundenen Lösung (der Fesseln),
> auszurufen ein Jahr der Freundlichkeit Jahwes
> ....
> zu trösten alle Trauernden ...
> ihnen zu geben Schmuck statt Schmutz,
> Freudenöl statt Trauergewand,
> Dankgebet statt Verzweiflung«[20]

Es klingen hier die Grundmotive jener Seligpreisungen an, die einer, der größer ist als alle Propheten, gesprochen hat:

> »Selig die Armen, denn euch gehört die Gottesherrschaft.
> Selig, die ihr jetzt hungert, denn ihr sollt satt werden.
> Selig, die ihr jetzt weint, denn ihr sollt lachen.« (Lk 6_{20ff})

Nicht die Repräsentanten einer ethischen Haltung, sondern die Elenden und Leidenden erhalten – ohne zu leistende Vorbedingung – das Heil zugesprochen. Das Jesajawort umschreibt so im Grunde das Wirken Jesu schlechthin. Nach der Darstellung des Lukas (4_{18ff}) war es das Thema bei Jesu erster Predigt in seiner Heimatstadt Nazareth, nach Q (Mt 11_{2ff} = Lk 7_{18ff}) erklärte er damit dem zweifelnden Täufer im Gefängnis den Inhalt seines Auftrages.

Man könnte nun freilich kritisch dagegen fragen: Ist das nicht nur eine Seite der Botschaft Jesu, enthält sie nicht auf der anderen Seite – etwa in der Bergpredigt – einen ethischen Rigorismus ohnegleichen, der die Überforderung, die uns im Alten Testament begegnet, noch weit übertrifft? Dazu nur ein Beispiel: Lk 6_{36} hören wir die Forderung: »Werdet barmherzig, wie euer Vater im Himmel barmherzig ist!« Dominiert bei Jesus – wie schon bei den Propheten – nicht in extremer

[20] Dieser Text hat auf folgende neutestamentliche Stellen eingewirkt: Mt 5_{3f} = Lk 6_{20}; Mt 11_{5} = Lk 7_{22}; Lk 4_{18f}; Apg 4_{27}; 10_{38}. Vgl. seine zentrale Rolle in dem Melchisedekfragment aus 11 Q: *ASvdWoude*, OTS 14 (1969) 354–373 u. *MdeJonge/ASvdWoude*, NTS 12 (1965/66) 301–326 (309ff Lit.). Zur Bedeutung dieser Tritojesajastelle s. *JMLochman*, EvKomm 3 (1970) 329.

Weise der unerbittliche Imperativ? Wo ist bei ihm von jenem erneuernden Indikativ Jer 31_{33}: »ich schreibe mein Gesetz in ihr Herz«, jenem »Versprechen der Utopie« etwas zu spüren?

Dazu wäre zweierlei zu sagen:

1. Er selbst ist – nach dem Zeugnis seiner Jünger, wie es sich im Neuen Testament niedergeschlagen hat – der Mensch, der jene vom Alten Testament vorgegebene Partnerschaft mit Gott in vollkommenem Gehorsam verwirklicht.[21] Damit ist er im eigentlichen, vollen Sinne Mensch, das von ihm gebrauchte Rätselwort »Menschensohn«, das ja im Grunde nur »Mensch« heißt, könnte dies andeuten. Paulus nennt ihn daher mit Recht »Ebenbild Gottes« und bringt damit die »Urbildlichkeit« seines Menschseins zum Ausdruck (2Kor 4_4; Kol 1_{15}). Eben in seinem vollkommenen Menschsein weiß er sich als »Sohn«, sein einzigartiges Gottesverhältnis offenbart sich in der schlichten Gottesanrede »Abba« = lieber Vater. Die Jünger übernehmen sie von ihm: Die Urform des Vaterunsers Lk 11_2 beginnt mit einem solch einfachen »Abba«, und später wird daraus der vertrauensvolle Gebetsruf der Gemeinde (Rö 8_{15}).[22] Als der, der den Willen des Vaters ohne Einschränkung realisiert, ist er auch ermächtigt, diesen Willen den Hörern in seiner ganzen Tiefe darzustellen. Freilich nicht im Sinne eines unbarmherzigen Imperativs, vor dem dem Menschen nur der Rückzug in die Gleichgültigkeit seines verhärteten Herzens oder aber – wenn er ihn ernst nimmt – die Verzweiflung bleibt, sondern Gottes Wille als Versprechen, das aufweckt und mitreißt, als die erneuernde Kraft eines großen Ziels. Dieses Ziel ließe sich an den Antithesen der Bergpredigt aufzeigen. Sie sind im Grunde nicht Gesetz, sondern Verheißung. Die Gegenposition, der Zwang der Selbstbehauptung, die Nötigung zur Wiedervergeltung, die Rechtfertigung der Gewalt und die Verherrlichung einer egozentrischen Sexualität könnte man mit besserem Recht als »Gesetz« im Sinne von »Naturgesetz« bezeichnen.[23] Dieses sein wahres Menschsein besiegelt Jesus mit dem Tode. Die Jünger haben denselben als Ausdruck echter Stellvertretung verstanden: Die Über-

[21] *GvRad*, aaO II 435: »die Tatsache, daß das alttestamentliche Gesetz als ›Gesetz‹ erst an Jesus Christus, seinem einzigen Erfüller, ganz offenbar geworden ist. Dann hat aber auch Gottes Bund mit Israel erst in Jesus Christus seinen rechten Bundespartner gefunden«. Zum Folgenden s. *MHengel*, Bergpredigt und Veränderung, EvKomm 3 (1970) 647–651. Vgl. *WGKümmel*, Die Theologie des Neuen Testaments in ihren Hauptzeugen (1970) 39–52: Jesu Forderung ist »Ethik der Heilszeit oder Ethik des neuen Bundes« (44. 47 nach *AWilder*).

[22] *JJeremias*, Abba (1966) 15–67.

[23] aaO II 434 weist *vRad* darauf hin, daß die Antithesen in dem »Gedenket nicht des Früheren« von Deuterojesaja (43_{18}) ihre »heilsgeschichtliche Parallele« besitzen.

forderung des Gebots wird durch seinen vollkommenen Gehorsam entmächtigt, aufgehoben. Die Worte beim Abendmahl, wie sie uns Paulus berichtet: »Dieser Kelch ist der neue Bund in meinem Blut«, signalisieren, daß der neue Bund von Jer 31 Wirklichkeit geworden ist.[24]

2. Das wird auch daran deutlich, daß er sich den Ausgestoßenen und Deklassierten, den Parias seines Volkes zuwendet und ihnen das ganze Heil zueignet, bedingungslos, ohne daß er ihnen – die es doch besonders nötig hätten – vorher noch Moral predigt. Diese Annahme der »Verlorenen« bedeutet dabei nicht nur das Heil des Einzelnen, sondern stiftet zugleich eine neue Gemeinschaft, wirkt einen Raum des Heils, der jedem offen steht. Zwei Beispiele mögen genügen: Der verlorene Sohn, eben noch schmutzig und zerlumpt, ist, angetan mit dem besten Gewand des Vaters und dem kostbaren Ring am Finger, – um mit Paulus zu sprechen – »eine neue Kreatur« geworden (2 Kor 5_{17}). Er »war tot und ist wieder lebendig geworden, er war verloren und ist wiedergefunden« (Lk 15_{32}). Nicht anders ist es im Gleichnis vom Pharisäer und Zöllner: Der Fromme führte gewiß ein sehr viel moralischeres Leben. Aus seinem Dankgebet spricht jener naive Optimismus, der scheinbar eine Konsequenz des alttestamentlichen Gesetzesverständnisses ist. Der Zöllner wagt nur fünf Worte zu sprechen: »Gott sei mir Sünder gnädig«. Und doch geht er gerechtfertigt (δεδικαιωμένος) – dh in den Stand der Partnerschaft mit Gott versetzt – nach Hause, nicht jener selbstbewußte Fromme.[25] Hier klingt bereits bei Jesus selbst das Grundmotiv paulinischer Theologie an: daß Gott den Sünder gerecht macht (Rö 4_{5}) – dh ihm ein neues Sein im Heilsraum der Gemeinde Jesu Christi schenkt.

Im Blick auf die Gewißheit der verändernden Kraft seiner Botschaft hat niemand Jesus so kongenial verstanden wie der ehemalige Pharisäer aus Tarsus.[26] Bei ihm wird in letzter, konsequenter Fortführung

[24] 1Kor 11_{25}; Lk 22_{20}. Dagegen sind Mk 14_{24} u. Mt 26_{28} mehr von Ex 24_{8} abhängig. S. dazu *JJeremias*, Die Abendmahlsworte Jesu (^{4}1967) 164. 180. 187f. Dort 188 Anm. 2 Belege für die Bedeutung von Jer 31_{31-34} in Palästina zur Zeit Jesu. Besonders häufig ist der Gedanke des »neuen Bundes« in der Qumranliteratur: CD 6_{19}; 8_{21} = 19_{34}; 20_{12}; 1QpHab 13_{12} (?); vgl. auch 1QSb 3_{26}; 5_{21} und 1Q 34 bis 3. II. 6 (DJD I 154). Vgl. auch Jub 1_{22ff}. Dazu *ASKapelrud*, Der Bund in den Qumranschriften, in: Bibel u. Qumran, Festschrift H. Bardtke (1968) 137–149.

[25] Lk 15_{32}; 18_{9-14}; vgl. dazu EvKomm 3 (1970) 650.

[26] Die Entfaltung der paulinischen Anthropologie muß in diesem Zusammenhang unterbleiben. Ich kann hier auf einige neuere Arbeiten verweisen, die den grundlegenden Entwurf *RBultmanns* korrigieren und weiterführen: *EKäsemann*, Paulinische Perspektiven (1969) 9–60: »Imago Dei ist für ihn einzig Christus, der den Glaubenden, und ihnen allein, mit der Gliedschaft an seinem Leibe die verlorene Ebenbildlichkeit des Geschöpfes wiedergibt« (44). Der ins Kosmische projizierte »Dualismus« ist bereits für Jesus (Lk 10_{17}; 11_{20} vgl. Nachfolge und Charisma, 1968, 72ff. 86f) wie erst recht für Paulus der notwendige Hintergrund für das

der prophetischen Verheißung von der Erneuerung des Menschen zur Ehre Gottes jeder Versuch, auf Grund der Forderung des Gesetzes und in optimistischem Selbstvertrauen »die eigene Gerechtigkeit zu verwirklichen«, schroff zurückgewiesen. Denn damit wird die »Gerechtigkeit Gottes« verkannt (Rö 10₃) und die Ursünde des eigenen καυχᾶσθαι vollendet.[27] Das »Wollen und Vollbringen« ist allein das Werk der unbegründbaren Güte Gottes (Phil 2₁₂; Rö 9₁₆), es geschieht in der καινὴ κτίσις, dh in einem Leben aus dem Glauben. Gerade mit seiner Rechtfertigungslehre ist Paulus im Grunde ein Interpret der Botschaft Jesu, in der sich die prophetische Verheißung des Alten Testamentes erfüllt.[27a]

Damit kommen wir zurück zum Ausgangspunkt unseres Themas. Es lautet: »Was ist der Mensch?« Im Blick auf das Werk Jesu müßte es korrigiert werden und lauten: »Was kann der Mensch werden?« Dadurch steht es vor uns wie ein Versprechen. Man kann dieses im Blick auf unsere persönliche und transsubjektiv-strukturelle Wirklichkeit hoffnungslos utopisch nennen, man kann ihm vorwerfen, seine Anhänger hätten es im Laufe einer nun fast 2000jährigen Geschichte häufiger verraten als eingelöst, kurz, man kann sich gegenüber dem Angebot Jesu wie jener Pharisäer verhalten: Ich selbst bedarf keiner »Veränderung«, sie geht andere an, die Gesellschaft, die Kapitalisten, die Herrschenden. Es wäre dies eine neue zeitgemäße Form der Selbstrechtfertigung auf Grund »politischer Rechtgläubigkeit«.

Doch sollten wir nicht zu sehr nach den Splittern in den Augen moderner Zweifler Ausschau halten, da doch bei uns Christen heute genügend Balken vor der eigenen Haustür liegen. Nur wer stets den Mut zur Selbstkritik hat und jenes diagnostische »γνῶθι σεαυτόν« nicht

Verständnis des Heils als »Neuschöpfung«, s. *Käsemann,* aaO 47: »Das Verständnis der Erlösung als eschatologischer creatio ex nihilo setzt solche Anschauung ... zwingend voraus. Nur eine Theorie, welche den freien Willen postuliert, wird daran interessiert sein, den metaphysischen in einen ethischen Dualismus abzuschwächen. Dem widerspricht paulinische Theologie auf jeder Seite. Der im Zwiespalt mit sich selbst verstrickte, faktisch dem Bösen unterliegende Mensch ist nicht frei«. Vgl. auch *PStuhlmacher,* Erwägungen zum ontologischen Charakter der καινὴ κτίσις bei Paulus, EvTh 27 (1967) 1–35 und »Das Ende des Gesetzes«, Über Ursprung und Ansatz der paulinischen Theologie, ZThK 67 (1970) 14–39: »Weil der Kampf des Christus um die Welt heute und hier in jedem einzelnen Menschen entschieden wird (vgl. Röm 8₂–₁₁), widmet sich Paulus mit einem im *Neuen Testament nur von Jesus vorgezeichneten Ernst* dem Thema der Anthropologie und der Menschwerdung des Menschen« (37; Sperrung von mir).

[27] Vgl. *PStuhlmacher,* Gerechtigkeit Gottes bei Paulus, FRLANT 87 (²1967) 91–99. *RBultmann,* Theologie des Neuen Testaments (⁶1968) 242f. 265. 269. 281.

[27a] Dazu jetzt *EGräßer,* EvTh 30 (1970), 235. 247. »Dieser Fundamentalartikel ist der jesuanischen Verkündigung ebenso inhärent wie dem paulinischen Kerygma von der Kreuzestheologie. Ja, er ist der eigentliche Kanon im Kanon«.

fürchtet, das nicht nur über dem Tempel von Delphi stand,[28] sondern uns auch das Neue Testament lehrt und ein integrierender Bestandteil unserer Ausgangsfrage nach dem Menschen ist, der kann die Botschaft Jesu, die ja selbst als helfende immer zugleich auch eine kritische Botschaft war, glaubwürdig vertreten. Ich möchte darum mit vier mich selbst bedrängenden Fragen und vier noch sehr vorläufigen Antwortversuchen schließen.

1. Gewiß hat die Botschaft Jesu immer wieder Menschen erfaßt und verwandelt, ihnen eine neue Zukunft im Glauben erschlossen – unsere eigene Entwicklung wäre wohl undenkbar ohne die Begegnung mit solchen Menschen –, aber wie viele andere haben den Namen Christi nur für ihre eigene Macht und Ehre mißbraucht oder aber die Sache Jesu opportunistisch dem jeweiligen Zeitgeist ausgeliefert? Auch im Kirchenkampf gab es in der Evangelischen Kirche nicht weniger Versager als Bekenner. Müßte die durch Jesus eröffnete Überwindung des menschlichen Herzens nicht sichtbarer, greifbarer werden, wenn sie überzeugend wirken sollte? Stehen hier nicht Anspruch und Realität in einem unerträglichen Mißverhältnis? M. a. W. ist das »Versprechen der Utopie vom neuen Herzen«, das bei Jeremia anklingt und durch das Evangelium Wirklichkeit werden soll, nicht ein ungedeckter Wechsel, der ständige Prolongation verlangt, aber niemals eingelöst werden wird?

2. Gewiß hat das Christentum im Laufe seiner Geschichte und durch einzelne seiner Vertreter gegen Unrecht gekämpft und Not gelindert, aber hat es nicht gleichzeitig in seiner etablierten Gestalt im Interesse der Herrschenden Unrecht sanktioniert und die Veränderung hin zu »größerer Gerechtigkeit« (Mt 5$_{20}$) verhindert? Und heute – da sein politischer Einfluß nicht zuletzt durch den Mißbrauch eigener Macht geschwunden ist – kann man von ihm noch einen Beitrag zur Lösung der brennenden Weltprobleme, etwa in der 3. Welt oder im Blick auf das Wettrüsten der Großmächte, erwarten? Stehen nicht der weltweite Anspruch des christlichen Glaubens und seine so begrenzte Effektivität in einem unüberbrückbaren Mißverhältnis?

3. Genügt es, daß man nur die Veränderung des einzelnen fordert und für ihn eine geöffnete, freie Zukunft erhofft, in der der Mensch als Partner Gottes seinen Lebensauftrag verwirklichen kann? Geht es heute nicht um unvergleichlich mehr, um die Veränderung verhärteter, ungerechter Strukturen, um die Befreiung ausgebeuteter Völker, entrechteter Klassen und Rassengruppen, um die Beseitigung von weltweiter Ungerechtigkeit notfalls auch mit Gewalt? Liegt hier nicht der

[28] Dazu jetzt *HDBetz*, HTR 63 (1970) 470ff.

einzige Weg, »den Verdammten dieser Erde« zu einer geöffneten Zukunft, zu einer neuen Existenz – nicht des Glaubens, sondern des sichtbaren Glücks – zu verhelfen?

4. Können wir noch so naiv von Gottes räumlicher Nähe, der imago dei des Menschen, Gottes Gebot und Gottes Liebe, kurz von Gott als Schöpfer und Partner des Menschen sprechen, wie ich es am Anfang von den biblischen Berichten aus tat, da sich in den letzten 500 Jahren, vor allem aber seit der Aufklärung das Welt- und Menschenbild in unvorstellbarer Weise geändert hat? Größer als alle politischen Revolutionen sind die geistigen, die etwa mit den Namen *Kopernikus, Galilei, Descartes, Newton, Marx, Darwin* und *Freud* verbunden sind. Was bleibt vom biblischen Glauben und seinen mythischen Bildern, wenn er von dem kritischen Feuer dieser großen geistigen Beweger der Neuzeit durchglüht worden ist?

Dies mag genügen, es werfen sich hier Berge auf, die man nicht einfach mit leichter Hand beiseiteschieben kann, derartige Fragen werden für den Christen, der sich selbst und seiner Umwelt nüchtern und verantwortbar Rechenschaft über den Grund seiner Hoffnung gibt, stets Begleiter sein. Die Naivität der Ignoranz und die Sterilität der Selbstisolierung werden für ihn zu Geschwistern der Lüge. Bei alledem ist leichter gefragt als geantwortet. Man erwarte keine Patentrezepte:

1. Jeder Mensch trägt in sich ein letztes Geheimnis. Auch dies gehört zu seiner Würde. Wird es angetastet und bloßgelegt, dann droht er seine Identität zu verlieren, zum seelenlosen Automaten zu werden. Dies ist vielleicht heute die größte Bedrohung unseres Menschseins. Dazu gehört das Geheimnis der Bewährung wie des Versagens. In der Leidensgeschichte stehen Judas Ischariot und Petrus Hand in Hand. Wir können die Beweggründe unseres Handelns bis zu einem gewissen Grade zurückverfolgen, die unbewußten Motive ausleuchten, die tiefsten Gründe einer Entscheidung sind uns verschlossen. Jeder steht hier unmittelbar zu Gott. Die Frage der Überforderung, von der ich am Anfang sprach, ist uns so wenig einsichtig wie die der Gnade. Darum können wir auch nie über die Schuld des anderen urteilen, so leicht es uns fällt, darüber zu reden. Freilich, wer die Feuerprobe der Bewährung durchsteht, wer im desillusionierenden Gottesdienst des Alltags die Zuversicht des glaubenden Vertrauens bewahrt, der weiß, daß alles Geschenk ist, daß er nichts sich selbst verdankt, es sei denn sein eigenes Versagen. Und selbst diese Erfahrung der Schuld kann zum heilsamen Geschenk werden, gerade jetzt, da man sie psychologisch radikal auflösen will. Wer die Möglichkeit der Schuld leugnet, leugnet zugleich die Verantwortlichkeit und damit ein konstitutives Element unseres Menschseins. Die Existenz im Glauben ist zudem nicht ostentativ, son-

dern, wenn sie echt bleiben will, unscheinbar. Man sucht ja nicht die Ehre von Menschen. Sichtbar wird bestenfalls die Tat, aber auch sie ohne alle Selbstbeweihräucherung. Die rechte Hand braucht nicht zu wissen, was die linke tut. Die christliche Existenz taugt nicht auf dem Jahrmarkt der Öffentlichkeit. Ihr Wahrheitsanspruch kann nur im lebendigen Nachvollzug realisiert werden.

2. Die Sünden der Kirche und der Christen im Laufe ihrer langen Geschichte sind gewiß nicht weniger mannigfaltig als die Sünden Israels, die das Alte Testament so anschaulich und unermüdlich schildert. Aber hat nun dieses ständige Versagen Israels die Erwählung, dh die immer neue Anrede dieses Volkes durch Gottes Wort zunichte gemacht? Das Geheimnis der Juden ist als ein beredtes Zeichen für Gottes freie, unwiderrufliche Wahl bis heute wirksam. Das bedeutet aber, daß Gottes Ja zum Menschen, das sich in der Sammlung der von seinem Wort Betroffenen, dh in der Kirche, manifestiert, sich durch das Versagen dieser Menschen nicht in ein Nein verwandelt. Die Tatsache, daß der Besitz der Macht über Jahrhunderte hinweg Christen, die an ihren Schalthebeln standen, je und je korrumpierte, zeigt lediglich, wie bedroht und hinfällig der Mensch ist – selbst wenn er glaubt, bona fide zu handeln. Ich erinnere nur an die Zeichnung des Großinquisitors durch *Dostojewski*.[29] Es war Gericht und Gnade zugleich, daß die Kirche diese Macht weitgehend verloren hat. Wir sind heute als Christen wieder eine Minderheit in der Welt. Aber gerade wie der Jesus des Matthäusevangeliums dieser ärmlichen, winzigen Kirche am Ende des 1. Jhs im großen römischen Reich zuruft: »Ihr seid das Salz der Erde, ihr seid das Licht der Welt« (5_{13}) oder auch »gehet hin und machet zu Jüngern alle Völker« (28_{19}), so gilt uns heute dieser Auftrag wieder mehr, als in jenen scheinbar glanzvollen Zeiten, da man vom sacrum imperium einer ecclesia triumphans träumte. Erfordert wird von uns für diesen Auftrag nicht ein großartiges Sozial- und Friedensprogramm für eine zukünftige Weltregierung, sondern jener Dreiklang, der uns nach Paulus allein dazu frei machen kann, in der richtigen Situation das Richtige zu tun: Glaube, Liebe, Hoffnung. Durch sie haben wir die Verheißung, als Salz und Licht in dieser Welt zu wirken, auch wenn sich die 2. Aufklärung, in der wir jetzt zu leben glauben, am Ende gar als eine letzte große Verdunkelung erweisen sollte.

3. Das 3. Problem ist dadurch schon beantwortet. Die alte Streitfrage, ob das Elend und die Ungerechtigkeit in der Welt letztlich durch das Versagen der einzelnen Individuen, durch das böse Herz des Menschen oder durch die ungerechten transsubjektiven Strukturen bedingt

[29] Vgl. dazu die gerade in ihrem sachlichen understatement erschütternde Darstellung des englischen Historikers *HKamen*, Die spanische Inquisition, dtv 605 (1969).

sind, ist ein Scheinproblem. Beides bedingt sich gegenseitig und schafft einen circulus vitiosus. Verhärtete Herzen bewirken verhärtete Strukturen und umgekehrt. Das weiß schon das Alte Testament. Sicher scheint dagegen eines: Nur wirklich freie Menschen können einen Raum der Freiheit schaffen. Wo soll die Freiheit zum Guten anderswo beginnen als beim einzelnen? Der einzelne ist der Punkt, wo der Ring des Verhängnisses aufgebrochen werden muß. Das ist das eine. Das andere ist wohl ebenso gewiß: Der Teufel läßt sich nicht mit Beelzebul austreiben. Die Gewalt und ihre Zwillingsschwester, die Lüge, werden nicht dadurch überwunden, daß man ihnen mit noch wirksamerer – dh in der Regel noch brutalerer – Gewalt und Lüge begegnet. Wer meint, daß nur auf diese Weise die Ungerechtigkeit in der Welt gebrochen werden könne, wird sich in einen neuen Teufelskreis der Ungerechtigkeit, der Gewalt und Lüge verstricken und dabei im Versuch der Selbstrechtfertigung so verblendet werden, daß er diesen neuen Teufelskreis nicht mehr erkennt, in dem er sich selbst verfangen hat und aus dem er nicht mehr ausbrechen kann.[30] Die Geschichte der Kriege und Revolutionen der letzten 200 Jahre bietet dafür genügend Anschauungsmaterial. Der Weg, den uns Jesus gewiesen hat, ist ein anderer. Es ist übrigens zugleich in unserer Situation der Weg der Vernunft, zu der nach *Kant* ja auch die praktische Vernunft gehört: Es ist der Weg der geduldigen, u. U. auch harten – aber stets sachlichen – Argumentation, wenn es sein muß aber auch der des gewaltlosen Protests und der exemplarischen Leidensbereitschaft.[31]

4. Die letzte Frage ist die schwierigste. Die Welt ist nicht mehr das wohnliche Heim wie bei den Griechen, in dem Götter und Menschen beieinanderwohnten, nur durch Stockwerke geschieden. Auch eine Nähe Gottes, wie sie uns die Erzähler des Alten Testaments berichten, ist uns heute unerschwingbar. Die Erde, unsere Wohnung, ist weniger als ein Stäubchen im All: Der Mensch starrt in die Unendlichkeit, aber diese ist zwar erfüllt von titanischen Energien, jedoch ohne Seele und darum ohne Antwort. Auch in der anderen Richtung stoßen wir letztlich bei allem angehäuften Wissen ins ἄπειρον, ins Unausmeßbare. Die Atome waren wider Erwarten teilbar, die Zahl der »Elementarteilchen« nimmt eher zu, eine »Endlösung« ist schwer abzusehen, ihre Möglichkeit bis heute umstritten. Daß der Mensch in diesem geordneten Chaos oder in dieser chaotischen Ordnung, die wir Natur nennen, wurde, widerspricht allen Regeln der Wahrscheinlichkeitsrechnung. *Darwin* erkannte zwar einiges von dem Wie dieses Werdens, aber das

[30] Vgl. jetzt *JMoltmann*, Gott versöhnt und macht frei, EvKomm 3 (1970) 520.

[31] *MHengel*, War Jesus Revolutionär? Calwer Hefte 110 (1970); *OCullmann*, Jesus und die Revolutionäre seiner Zeit (1970).

Ganze dieser Entwicklung wird immer vielfältiger, unübersehbarer und rätselhafter, das letzte Warum bleibt uns auch hier verschlossen. Was ist das für eine Materie, die sich im Denken selbst erkennt: Verdient sie noch diesen Namen? Nahezu alle diese Aporien hat bereits im 17. Jh. ein Gelehrter und Christ erkannt und wurde gerade dadurch dazu geführt, das Wagnis des Glaubens einzugehen: *Blaise Pascal.*[32] Weil wir Menschen unsere Nichtigkeit im Anblick der Unendlichkeit nicht ertragen konnten, haben wir uns und unsere Ratio absolut gesetzt. Und doch wissen wir weniger denn je, woher wir kommen noch wohin wir gehen – es sei denn, wir antworten ehrlich: aus dem Nichts ins Nichts. Um es mit einem Wort *Horkheimers* auszudrücken, dessen Kritische Theorie, weil sie wirklich kritisch ist, uns heute Wesentliches sagen kann: »Einen unbedingten Sinn zu retten ohne Gott, ist eitel«.[33] Die großen Beweger von *Kopernikus* bis *Freud* haben zwar unser Sehfeld ungeheuer erweitert, den Gang der Geschichte beschleunigt, einen Sinn konnten sie ihr nicht geben.[34] Sinnvoll wird diese rätselhaft-unsinnige Welt nur – darin unterscheiden wir uns eben nicht von den Menschen der Antike –, wenn uns Gottes Anrede trifft. Ihr sollen wir in Jesus von Nazareth begegnen, durch ihn kann uns ein Raum der Freiheit eröffnet werden, der in die Zukunft weist, der uns von uns selbst befreit zum Dienst für die anderen. Hier ist der archimedische Punkt, von dem aus der Mensch, der heute wie noch nie in seiner Geschichte bedroht ist, zum bloßen funktionierenden Automaten degradiert zu werden, seine einzigartige, unverlierbare Würde erhält: Partner Gottes zu sein, jenes Gottes, der das All in seinen Händen hält.

[32] Pensées fr. 348: »Par l'espace l'univers me comprend et m'engloutit comme un point; par la pensée, je le comprends«; vgl. 347 sowie die großen Fragmente 233: »infini – rien«; 72 über die »disproportion de l'homme« angesichts der Unendlichkeit des Alls. Zum Gottesbild Pascals s. *GPicht*, Der Gott der Philosophen, Wahrheit und Verantwortung (1969) 229–251.

[33] Zur Kritik der instrumentellen Vernunft (1967) 227.

[34] Zur »verständigen Resignation« bei Freud s. *JScharfenberg*, EvTh 30 (1970) 376.

HANS-JÜRGEN HERMISSON

WEISHEIT UND GESCHICHTE

Die Frage nach der Geschichte hat die alttestamentliche Diskussion der letzten Jahrzehnte weithin bestimmt. Von daher mußte die Weisheit zurücktreten, denn die Weisheit Israels wie die des ganzen alten Orients hat, wie es scheint, mit der Geschichte wenig im Sinn. Ist sie auf der Suche nach den in der Welt gültigen Ordnungen, nach dem Zusammenhang der Phänomene im sozialen wie im natürlichen Bereich, nach der Gesetzmäßigkeit bestimmter, immer wiederkehrender und so als gültige Wahrheit fixierbarer Abläufe, so muß sie offenbar von geschichtlicher Kontingenz gerade absehen. Gewiß hat die Weisheit, wo sie vom Menschen redet, geschichtliche Phänomene im Blick, aber das ändert nichts an dem Sachverhalt, daß die Geschichte eines Volkes in der eigentlichen Weisheitsliteratur nirgends thematisch wird – sieht man einmal von der spätnachexilischen israelitischen Weisheit ab. Diesen Sachverhalt meint das häufig gefällte Urteil von der »Geschichtslosigkeit« der Weisheit, die sie als einen Fremdling in der Tradition des Jahweglaubens erscheinen ließ.[1] Ein solches Urteil ist noch nicht dadurch zu widerlegen, daß man einen geschichtlichen Wandel der Weisheit, bedingt durch geschichtliche Veränderungen ihrer Welt, aufzuweisen sucht.[1a] Gewiß hat die Weisheit etwa dem Wandel der sozialen Strukturen Rechnung getragen, hat ihre Lehren veränderten Situationen anzupassen gewußt – wiewohl sich das aus ihrer Hinterlassenschaft nur in begrenztem Umfang zeigen läßt, und überdies ihr Interesse doch wohl mehr dem bleibend Gültigen als dem beständig sich Wandelnden galt. Aber nicht solche Geschichte der Weisheit im Rahmen der Geschichte ihrer Welt soll uns hier beschäftigen, sondern die Frage, ob es in Israel nicht doch zu Begegnungen zwischen weisheitlichem und Geschichtsdenken gekommen ist, die jenes israelitische Geschichtsdenken befruchtet, zu seinen besten Leistungen erst instandgesetzt haben. Diese Frage soll im folgenden an zwei zeitlich und sachlich weit voneinander entfernten Beispielen erörtert werden: das eine die Thronfolgegeschichte, wahrscheinlich im 10. Jahrhundert entstanden, das andere die Verkündigung Jesajas im letzten Drittel des 8. Jahrhunderts.

[1] Cf. dagegen aber jetzt mit Recht *GvRad*, Weisheit in Israel (1970) 390.

[1a] *HHSchmid*, Wesen und Geschichte der Weisheit (1966).

I. Die Thronfolgegeschichte

Am Anfang israelitischer Geschichtsschreibung steht mit der Thronfolgegeschichte[2] ein Werk, das sogleich einen Höhepunkt solcher Geistesbeschäftigung erreicht.[3] Rang und Bedeutung dieses Werkes sind längst erkannt und mehrfach dargestellt worden, so daß ich mich hier auf einige Stichworte beschränken kann. Die Darstellung der Geschichte geht von einem gegenwärtigen Sachverhalt – der Thronfolge Salomos – aus, und sie beantwortet die Frage, wie gerade Salomo zum Nachfolger Davids werden konnte. Ihr Ziel mag somit auch die Legitimation des Thronfolgers sein, aber der Verfasser bewahrt doch durchaus eine kritische Distanz zum König, die ihn vor dem Verdacht schützt, er könne der Propagandaabteilung Salomos angehört haben.[4] Die Antwort auf die ihm vorgegebene Frage gibt er, wie es scheint, mit einer einfachen Darstellung des vergangenen geschichtlichen Geschehens mit seinen jeweiligen Voraussetzungen und Wirkungen. Auffällig ist im Vergleich mit der älteren Literatur Israels schon der Umfang der Darstellung, die einen Spannungsbogen vom Anfang bis zum Ende durchhält, die eben nicht aus vielen ursprünglich selbständigen Einzelerzählungen kombiniert ist und somit auch nichts ohne Schaden für das Ganze entbehren kann. Auffällig aber vor allem die durchweg innerweltlich-kausale Verknüpfung der Ereignisse – da folgt alles mit einer inneren Notwendigkeit aufeinander, die keinen Raum mehr läßt für ein massives, wunderhaftes Eingreifen Jahwes in die Geschichte.

Gerhard von Rad hat gezeigt, wie der Erzähler behutsam, mit drei Deuteworten, jenen Bereich immanenter Notwendigkeiten transzendiert;[5] aber keine Rede davon, daß damit der rational einsichtige saekulare Zusammenhang durchbrochen würde. Es ist ja nur ein dem ganzen geschichtlichen Geschehen aufgesetztes Licht, das gerade soviel erkennen läßt: in diesem Geschehen verwirklicht sich eine Fügung Jahwes; die handelnden Figuren sind zuletzt nicht autonom in ihren Entscheidungen. Jahwe führt auch hier einen Plan zu seinem Ende, und sein eigentliches Wirkungsfeld ist nun das menschliche Herz, das kluge oder törichte Entscheidungen trifft.

[2] Zu den Problemen der Abgrenzung und der Analyse der Thronfolgegeschichte cf. *LRost,* Die Überlieferung von der Thronnachfolge Davids, BWANT III, 6 (1926), sowie *MNoth,* Könige (BK), zu 1Kön 1–2.

[3] Cf. *GvRad,* Der Anfang der Geschichtsschreibung im alten Israel, GesSt 149f: »Die ›Entstehung‹ der altisraelitischen Geschichtsschreibung läßt sich nicht darstellen. Sie ist zu einem bestimmten Zeitpunkt da, und zwar steht sie da vor uns in ihrer vollkommensten Gestalt.«

[4] Cf. auch *MNoth,* Könige (BK) 39.

[5] *GvRad* aaO; 2Sam 11$_{27}$; 12$_{24}$; 17$_{14}$.

Es ist gerade die Fähigkeit des Erzählers, die Dinge in ihrer innerweltlichen Verknüpfung darzustellen, die ihm den Ruhm des ältesten Geschichtsschreibers eingebracht hat, denn hier spürt der Historiker der Neuzeit verwandten Geist.[5a] Aber wir können uns nun doch nicht mit der Feststellung begnügen, daß hier »einfach« vergangenes Geschehen in seinen geschichtlichen Zusammenhängen dargestellt sei. Der Erzähler trifft eine Auswahl – wie es ja das gute Recht des Historikers ist. Er trifft seine Auswahl nach dem Maßstab, was ihm *bemerkenswert* an der Vergangenheit erscheint, und er folgt dabei einem ganz bestimmten Leitbild. Davon muß man reden, wenn man seine Art, Geschichte zu verstehen, erfassen will. Seine Sicht des Bemerkenswerten in der Geschichte hat ihm ja auch einige moderne Kritik eingebracht. Er schreibt im wesentlichen die Geschichte der Königsfamilie, Davids und seiner Söhne; er zeigt, wie da ein Sohn nach dem anderen aus der Anwartschaft auf den Thron ausscheidet. Er läßt die Gestalten auftreten, die bei Hof eine Rolle spielen. Aber er zeigt kaum etwas von den durch das Königtum verursachten sozialen Spannungen, die offenbar eine wesentliche Rolle für den Anfangserfolg des Aufstands Absaloms gespielt haben.[6] Die Rolle der Gesellschaft, soziale Strukturen als Bedingungen geschichtlicher Entwicklungen – das kommt in dieser Geschichtsschreibung faktisch nicht in den Blick. Man könnte noch darauf verweisen, daß die Außenpolitik wiederum nur am Rande erscheint, doch mag das mit der Wahl des geschichtlichen Themas zusammenhängen.

Es sind demnach vor allem die Einzelgestalten, die die Geschichte vorantreiben. Gewiß ist das für den Erzähler noch eine vordergründige Erscheinung, die auf eine tiefere Dimension verweist: eine Dimension, in der die Dynamik der Geschichte von Jahwes Plan und Vorhaben bestimmt ist. Aber das realisiert sich doch in den Entscheidungen und Geschicken Einzelner, und die Darstellung der Geschichte zeigt bewußt nur diesen Vordergrund.

Wie ist diese Sicht des »Bemerkenswerten« in der Geschichte zu erklären? Sie entspricht gewiß auch der sozialen Stellung des Erzählers, der im engsten Umkreis des Königshauses zu suchen ist. Aber eine solche Erklärung reicht nicht zu. Die Frage nach der geistigen Welt, der sich diese Art der Geschichtsschreibung verdankt, beantwortet nur die Darstellung selbst. Wie diese Antwort ausfällt, das soll im folgenden an einigen Beispielen gezeigt werden.

1. Der Bericht vom Aufstand Absaloms bildet schon dem äußeren Umfang nach einen Schwerpunkt der Erzählung, nimmt er doch mit

[5a] Cf. aber dazu *GvRad,* Weisheit in Israel 132f.

[6] Cf. *AAlt,* Kleine Schriften II, 56f.

seiner Vor- und Nachgeschichte (2Sam 13 und 14 / 19 und 20) allein acht Kapitel der ganzen Thronfolgegeschichte ein. Solche Gewichtsverteilung ist zweifellos sachlich gerechtfertigt, weil jener ganze Geschehenszusammenhang die schwerste innenpolitische Bedrohung des Königtums Davids, oder, vom Standort des Erzählers aus gesehen, der Thronfolge Salomos bildete. Die Vorgeschichte in 2Sam 13 und 14 hatte ein ernstes Zerwürfnis zwischen dem König und dem wichtigsten (wohl auch bedeutendsten) Anwärter auf die Thronnachfolge geschildert, aber jener Spannungszustand war mit der endlichen Versöhnung zwischen David und Absalom vorerst zur Ruhe gekommen. Den Aufstandsbericht leitet der Erzähler mit einem Satz ein, der erneut einen Spannungsbogen eröffnet, ja der, wie sich zeigen wird, den Leser bereits ahnen läßt, wie die Sache ausgehen soll:

> Danach verschaffte sich Absolom Wagen und Pferde und fünfzig Mann, die vor ihm herliefen. (2Sam 15$_1$).

Der Bericht wechselt im folgenden sogleich zu einer anderen Situation, in deren Verlauf die Ambitionen Absaloms deutlich zur Sprache kommen; demgegenüber hat die anfängliche Notiz ihre eigenständige Funktion. Weshalb stellt der Erzähler sie an den Anfang des Aufstandsberichts? Man könnte antworten, daß er einfach einen historischen Sachverhalt berichtet habe, aber wenn das zutrifft, bleibt ja immer noch die Frage, warum ihm gerade jenes Verhalten Absoloms unter der Vielzahl geschichtlicher Umstände aus jener Zeit bemerkenswert erschien; so wichtig, daß er gerade das in seinem Bericht erwähnen mußte. Daß er den Absalom dabei im Verdacht gehabt habe, heidnische Sitten einzuführen,[7] ist nicht wahrscheinlich, denn solche Betrachtungsweise lag dem Erzähler fern; eher wäre zu vermuten, daß Absalom damit ein Vorrecht des Königs für sich beanspruchte,[8] wiewohl David selbst von solchem Vorrecht noch keinen Gebrauch gemacht zu haben scheint. – Nun gibt aber der Erzähler an anderer Stelle selbst einen Hinweis, wie er solche historische Notiz verstanden hat. Der gleiche Vorgang wiederholt sich ja bei Adonia, dem ebenfalls zum Scheitern verurteilten Thronprätendenten. Auch er verschafft sich Wagen, Pferde und Trabanten – hier aber hat der Erzähler dem Verhalten zuvor eine Deutung gegeben: Adonia »überhob sich«, sagte: »Ich bin es, der König wird« (1Kön 1$_5$). Es ist also der *Hochmut* der beiden Königssöhne, den der Erzähler mit ihrem Verhalten anzeigt, und der ihm dieses Verhalten geschichtlich bemerkenswert erscheinen läßt. Zugleich aber signalisiert er damit dem aufmerksamen Leser schon am Anfang der Ge-

[7] So *HWHertzberg*, ATD 10, 276.

[8] Cf. *MNoth*, Könige (BK) 15.

schichte das Ende: wer so auftritt, kann nicht zum Ziel kommen. Denn »Hochmut kommt vor dem Zusammenbruch« (Prov 16_{18}) – das ist eines der Grundthemen der Weisheit, und in diesem weisheitlichen Horizont gewinnt die Erwähnung einer geschichtlichen Einzelheit erst ihren vollen Sinn.

Gewiß: weisheitliches Denken kommt in der Darstellung des Verfassers hier nicht ausdrücklich zur Sprache; es wird kein Lehrsatz der Weisheit thematisiert, nicht einmal in der Weise, daß der Verfasser geschichtliche Exempel für eine weisheitliche Lehre beibringen wollte. Er will ja wirkliche Geschichte berichten, und nur soviel läßt sich erkennen, daß Geschichte sich ihm in einem bestimmten geistigen Horizont darstellt, der gerade von der Weisheit geprägt zu sein scheint.

Diese Vermutung läßt sich aber gleich durch ein Gegenstück in der Darstellung erhärten. Es findet sich in der Schilderung des Verhaltens Davids auf der Flucht vor Absalom. Gewiß weiß sich der Verfasser auch hier an die geschichtlichen Begebenheiten gebunden. Aber es ist keine Frage, daß er im Detail einen großen Spielraum hat, die Freiheit, die Dinge so vorzuführen, wie sie sich ihm in seiner geistigen Welt zeigen. Das gilt vor allem für die verschiedenen kurzen Reden des Königs, die ja gewiß nicht protokollarisch festgehalten wurden, die der Verfasser vielmehr frei gestalten kann, soweit die allgemeine geschichtliche Situation das erlaubt. So charakterisiert er das Verhalten des Königs in seiner tiefsten Erniedrigung. David schickt die Priester mit der Lade Jahwes zurück nach Jerusalem – das motiviert der Erzähler, indem er David sagen läßt:

> Finde ich Gnade in den Augen Jahwes, so wird er mich zurückkehren lassen ... Wenn er aber so spricht: Ich habe kein Gefallen an dir – hier bin ich, er tue mir, wie es ihm gefällt. (2Sam 15_{25f}).

Ein zweites Beispiel ist danebenzustellen. Auf der Flucht in die Jordansenke wird der König ein Stück Wegs von den Flüchen und Schmähungen des Sauliden Simei begleitet. Abisai will den unerwünschten Weggenossen töten, aber David verwehrt es ihm mit den Worten:

> Wenn Jahwe ihm gesagt hat: Fluche dem David! – wer darf dann sagen: Warum tust du so? ... Siehe, mein Sohn, der aus meinen Lenden hervorgegangen ist, trachtet mir nach dem Leben, wieviel mehr jetzt der Benjaminit! ... Vielleicht sieht Jahwe ›mein Elend‹ an ... (2Sam 16_{10-12}).

Schließlich mag man auch die Schilderung des Königs in 2Sam 15_{30} in den gleichen Zusammenhang stellen:

> David zog weinend den Ölberg hinan, verhüllten Hauptes und barfuß ...

– der Erzähler mag hier wieder ein historisches Moment berichten, aber es fügt sich doch in seine Sicht der Dinge gut ein. Er zeigt den

König als den beispielhaft Demütigen, und er gibt damit wieder einen Hinweis auf den Ausgang des Geschehens: wer sich in der tiefsten Schmach so verhält, der kann auch darauf hoffen, wieder zu Ehren zu kommen. Das aber ist ein Satz, der der Weisheit ebenso geläufig ist wie der Zusammenhang von Überhebung und Zusammenbruch; das eine ist ja nur die Umkehrung des anderen – so in Prov 18$_{12}$: »... vor der Ehre Demut«, oder auch in dem schönen Satz ägyptischer Weisheit, der als das rechte Verhalten gegenüber Widersachern rät:

Setze dich in die Arme Gottes, so wird dein Schweigen sie schon fällen! (Amenemope Kap. 21)

Auch hier fällt das Stichwort »Demut« nicht; der Verfasser gebraucht überhaupt keine spezifisch weisheitliche Terminologie, aber er will ja auch kein weisheitliches Lehrstück schreiben. Zwei Gestalten im Zentrum der Ereignisse werden aufs schärfste kontrastierend charakterisiert – ihre Charakteristik entspricht ihrem Geschick, und so setzen sich die von der Weisheit entdeckten Ordnungen in der Geschichte durch. Oder genauer: so erscheint dem Verfasser die vergangene Geschichte – ganz unprätentiös und selbstverständlich – in den ihm geläufigen Ordnungen der Weisheit. Daß das möglich ist, hat eine Voraussetzung, die wieder zur Eigenart seiner Geschichtsschreibung gehört, und von der nachher noch zu reden ist.

2. Sind wir von einigen unscheinbaren Anzeichen des weisheitlichen Horizonts der Geschichtsschreibung ausgegangen, so bietet die Erzählung doch auch sehr deutliche Beispiele weisheitlicher Idealsituationen. Natürlich denkt man dabei zuerst an die berühmten Reden der Ratgeber vor Absalom in 2Sam 17. Aber die hohe Einschätzung der Redekunst ist ja gewiß nicht auf diese dramatische Situation beschränkt. Das ganze Werk ist von Reden durchzogen: gerade damit gewinnt die Darstellung ihre Lebendigkeit. Da läßt der Verfasser eine weise Frau aus Tekoa auftreten, die im Auftrag Joabs den König mit Absalom versöhnen soll (2Sam 14). Eine andere weise Frau rettet die Stadt Abel-Bet-Maacha vor der Vernichtung (2Sam 20). Da ist auch der Bote, der den Zorn des Königs zu besänftigen hat (2Sam 11$_{18ff}$), oder Simei und Meribaal, die die Gunst der Stunde mit einem klugen Wort nutzen (2Sam 19$_{17ff}$); schließlich auch Joab selbst, der in einer fatalen Situation den König zurechtweist und damit die Lage rettet (2Sam 19$_{6ff}$). Gewiß liegen diese Reden auf ganz verschiedenen Ebenen; sie haben zunächst nur soviel gemeinsam, daß das richtige Wort zur rechten Zeit seine Wirkungen tut. Man mag die Häufung solcher Redestücke in einem Geschichtswerk zunächst auch mit dem Hinweis erklären, daß hier teils historische Realitäten (aber das gilt zweifellos nicht für den Wortlaut!) aufgenommen werden, teils ein nun einmal am Königshof gegebenes

Milieu der Anlaß zu solcher Gestaltung der Geschichte ist. Aber eine solche Erklärung der Geschichte reicht nicht aus, da sie noch nicht berücksichtigt, welche Funktion die Reden in der Geschichtsdarstellung haben. Sie sind doch mehr oder weniger alle für den Fortgang des Geschehens wesentlich. Das gilt natürlich besonders für die Reden in hochpolitischen Situationen, in geringerem Maße – je der Bedeutung der Situation angemessen – aber auch für die Reden Einzelner zu ihren eigenen Gunsten. Der Wettstreit der Ratgeber vor Absalom mag auf einen historischen Vorgang zurückgehen, aber dann wäre ja wieder zu fragen, warum der Verfasser die Szene aufgenommen und so breit ausgestaltet hat. Die Antwort ist klar: weil hier die Entscheidung für den weiteren Verlauf der Geschichte gefallen ist, und man muß dem hinzufügen: weil die Entscheidung hier für denjenigen gefallen ist, dessen Welt sich im Horizont der Weisheit darstellt.

Denn das ist ja offenkundig und bedarf jetzt keiner Belege, daß die Kunst der guten Rede der Weisheit als eine der höchsten Tugenden gilt, und daß dies Vermögen für sie in kritischen Situationen entscheidende Wirkungen hervorzubringen vermag. Man kann gegen diesen Bezug zur Weisheit nur einwenden, daß dort die Redekunst viel stärker mit ihren Auswirkungen für den Einzelnen oder für das Verhältnis zwischen zweien im Blick steht, während sie hier entscheidende Bedeutung für den Geschichtsverlauf haben soll. Es wird noch zu zeigen sein, in welchem Sinn dieser Unterschied für eine derartige Geschichtsschreibung hinfällig wird.

Eine gesonderte Betrachtung verdienen in diesem Zusammenhang noch die Reden der beiden weisen Frauen in 2Sam 14 bzw. 20. In beiden Fällen ist fraglich, wieweit der Verfasser hier auf geschichtlich vorgegebenem Material aufbaut. Mit Sicherheit ist anzunehmen, daß die kunstvolle Rede der weisen Frau von Tekoa sein eigenes Werk ist. Andererseits ist das Zerwürfnis zwischen David und Absalom nach der Ermordung Amnons und die endliche Versöhnung des Königs mit seinem Sohn sicher historisch, wohl auch die Vermittlerrolle Joabs. Daß nun gerade eine weise *Frau* vor den König treten muß, hängt aber mit der Eigenart des fingierten Rechtskasus, den sie dem König vorträgt und mit dessen Entscheidung der König in eigener Sache festgelegt werden soll, zusammen – wovon man sich leicht überzeugen kann. Wird die Frau aber erst mit der vom Erzähler gestalteten Rede eine für den Geschichtsverlauf notwendige Figur, so liegt die Annahme nahe, daß es sich nicht um eine geschichtliche, sondern um eine erzählerische Gestalt handelt. Wir hätten dann hier ein besonders deutliches Beispiel dafür, wie für den Verfasser der Verlauf der Geschichte durch die Überzeugungskraft der klugen Rede vorangetrieben wird. – Der zweite Fall, die Rettung von Abel-Bet-Maacha durch eine weise Frau der Stadt, wird auch erst durch das Motiv von der »weisen Frau« die vorliegende Gestalt bekommen haben (2Sam 20$_{16ff}$). Historisch dürfte zugrundeliegen, daß der Aufrührer Seba in der Stadt Zuflucht gefunden hatte, die Stadt daraufhin von Joab belagert wurde und durch Auslieferung des Rebellen vor Einnahme und Zerstörung bewahrt blieb.[9] Das etwa hätte ein moderner Historiker berichtet – dem Erzähler der Thronfolgegeschichte aber steht ein Modellfall geschichtlicher Zusammenhänge vor Augen, wie ihn gerade die Weisheit kennt; ein spätes, aber sicher der älteren Tradition entnommenes Beispiel findet sich in Koh 9$_{14f}$: die Beispielerzählung von dem armen weisen Mann, der die von einer Übermacht belagerte Stadt hätte retten können.[10] Das heißt: auch hier werden geschichtliche Zusammenhänge erst im Licht weisheitlicher Ordnungen durchsichtig.

3. Das Thema von der Thronnachfolge Davids hat den Verfasser nicht allein von dem politischen Resultat des Königtums Salomos her interessiert. Es ist ja zugleich die Geschichte Davids und seiner Söhne, ist die Geschichte des Versagens der Söhne und des Versagens des Vaters an seinen Söhnen. Gewiß weiß sich der Verfasser auch hier an die geschichtlichen Vorgänge gebunden, wieder aber ordnen sie sich ihm in einen bestimmten Denkhorizont ein, von dem her er sie als *Geschichte* (und nicht als eine bloße Abfolge von Fakten) darstellen kann. Vom Versagen und Scheitern Absaloms und Adonias im Licht weisheitlicher Ordnungen war schon die Rede, aber auch der älteste Sohn, Amnon, ist durch seine Gewalttat an Tamar von vornherein als einer, der untergehen muß, bezeichnet.[11] – Von Salomos Verhalten wird dagegen bis zu seiner Thronbesteigung nichts berichtet, aber sein künftiger Aufstieg zur höchsten Würde ist schon bei seiner Geburt durch eines der Deuteworte des Erzählers angezeigt: »Jahwe liebte ihn« (2Sam 12$_{24}$) – damit ist über sein Geschick schon entschieden. Ist hier nicht das gleiche Merkmal wie beim jungen David gegeben, wenn es in der Charakteristik 1Sam 16$_{18}$ zuletzt heißt: »Jahwe ist mit ihm«? – dasselbe wird mehrfach von Joseph in Ägypten gesagt (Gen 39$_{3.23}$). Daß aber Liebe oder Haß Gottes letztlich über das Schicksal eines Menschen entschei-

[9] Daß eine Frau die Auslieferungsverhandlungen geführt hätte, ist im alten Israel nicht wahrscheinlich.

[10] Der Irrealis ist die Pointe des Predigers, mit der er die vorgegebene und durchaus positiv ausgehende Geschichte umbiegt, cf. *KGalling*, HAT I, 18^2 zSt. Ein Beispiel mit einer weisen Frau als Retterin der Stadt ist mir nicht bekannt; vielleicht steht die »Frau« hier an Stelle des »Armen« (der normalerweise keine Stimme im Rat der Stadt hat).

[11] Der Maßstab, an dem das Verhalten gemessen wird, ist hier nicht spezifisch weisheitlich, cf. die formelhafte Wendung »so tut man nicht in Israel« 2Sam 13$_{12}$. Aber der Fall Amnon steht im gleichen Licht von Schuld und Verhängnis wie die übrigen.

det, das weiß die Weisheit seit langem – wiewohl sie es selten ausspricht, weil es ja gerade als die Grenze ihrer erzieherischen Möglichkeiten in den Blick tritt.[12]

Wesentlich für den Fortgang der Geschichte erscheint dann aber auch das Versagen Davids an seinen Söhnen. Der Erzähler weist an einer Stelle ausdrücklich darauf hin: das überhebliche Verhalten Adonias, das seinen kommenden Untergang schon ahnen läßt, ist ihm von David niemals verwehrt worden (1Kön 1$_{6}$). Darüberhinaus zeigt sich die schwankende Haltung und die Entschlußlosigkeit des Königs gegenüber seinen Söhnen allenthalben: schon bei Amnons Frevel, dann aber auch in seinem Verhalten gegenüber Absalom. Die andeutende Darstellung des Erzählers vergröbernd könnte man sagen: David hat in der Erziehung seiner Söhne versagt und ist damit an ihrem Verderben wie an dem Unheil, das sie über ihn bringen, mitschuldig geworden. Die Weisheit aber wird nicht müde, zur strengen Erziehung der Kinder zu ermahnen, weil sie weiß, daß man nur damit die Kinder »vom Tod erretten« und sich selbst vor Kummer bewahren kann (Prov 23$_{13f}$ und oft). So wird auch hier eine weisheitliche Erkenntnis zur Deutekategorie geschichtlichen Geschehens.

In diesem Zusammenhang muß nun auch von Davids eigenem Frevel, dem Ehebruch mit Batseba, die Rede sein. Wieder wird ein geschichtliches Ereignis berichtet, das im Urteil des modernen Historikers wohl keine erheblichen Folgen für den Gang der Geschichte gehabt hat – sieht man einmal davon ab, daß hier die Mutter des Thronfolgers eingeführt wird. Für den Erzähler und seine Sicht der Geschichte aber ist es von größerer Bedeutung: es ist ein Beispiel dafür, wie Geschichte Folge menschlichen Verschuldens ist, denn das über David und sein Haus (und so auch über das Königtum) kommende Unheil ist von Davids privater Schuld nicht abzutrennen. Man wird zwar die beiden prophetischen Drohworte in 2Sam 12$_{7b-10.11-12}$ kaum dem ursprünglichen Bestand der Erzählung zurechnen können, aber was in dem zweiten Drohwort ausgesprochen ist – die öffentliche Vergeltung für das heimliche Tun des Königs –, das dürfte auch die Meinung des Erzählers treffen; nur daß er es nicht eigens ausspricht, sondern den Zusammenhang von Tun und Ergehen in der Darstellung des Geschichtsverlaufs zutagetreten läßt – da, wo Absalom den Harem seines Vaters öffentlich in Besitz nimmt. Denn Ehebruch führt ins Verderben, führt eigentlich zum Tod (Prov 6$_{20ff}$ u. ö.).

4. Die weisheitliche Bildung des Verfassers wie die weisheitliche Motivierung geschichtlichen Verlaufs ließe sich noch an mancherlei Einzelgestaltungen zeigen. Da ist Itai von Gat (2Sam 15$_{18ff}$), der sich in

[12] Cf. zB schon Ptahhotep 545f und *SMorenz*, Ägyptische Religion (1960) 69ff.

der Not als zuverlässiger Gefährte des Königs bewährt (cf. Prov 17_{17}; 18_{24}). Da ist die zwielichtige Gestalt des Joab, der einmal als der Gewaltmensch, ein andermal als der besonnen Handelnde erscheint. Oder die beiden Boten wären zu nennen, die dem König die Nachricht vom Sieg über Absalom bringen (2Sam 18_{19-32}): Ahimaaz, der es sich von Joab nicht verwehren lassen will, die gute Botschaft zu überbringen, der dann aber vor dem König seiner Botschaft die passende Gestalt zu geben weiß. Dagegen der Kuschit: er kündet den Tod Absaloms als vermeintliche Heilsbotschaft (V. 32) und verfehlt so das rechte Wort für die schwierige Situation. – Allgemein wäre zu fragen, ob nicht erst die intensive Beschäftigung der Weisheit mit dem Wesen des Menschen die eindringende Charakteristik von Verhaltensweisen, menschlichen Reaktionen und Empfindungen, wie sie in diesem Werk begegnet, ermöglicht hat – die Psychologie des Einzelnen wird ja erst hier zum interessierenden Thema, wovon viele Sprüche der Proverbien zeugen. Man kann ferner auf die kunstvollen Redeformen hinweisen – etwa den reichen Gebrauch von Metaphern (cf. zB 2Sam 17_{8ff}; 14_{14} u. a.). Ein Beispiel sei hier noch vorgestellt. Es ist die Ablehnung des betagten Barsillai, dem König an den Hof nach Jerusalem zu folgen (2Sam 19_{35ff}). Er gibt als Begründung für die Ablehnung des ehrenvollen Angebots eine Schilderung der Altersleiden: die Genüsse der königlichen Tafel schmecken nicht mehr, die Stimme von Sängerinnen und Sängern kann man nicht mehr hören und überhaupt nicht mehr Gutes von Schlechtem unterscheiden. Solche Beschreibung der Altersbeschwerden ist der Weisheitsliteratur recht geläufig; im Alten Testament begegnet sie Koh 12, ist aber schon der ägyptischen Weisheit vertraut; man vergleiche nur die einleitende Rede des Veziers Ptahhotep, der u. a. sagt: »Die Augen sind schwach, die Ohren taub ... Was gut war, ist schlecht geworden, jeder Geschmackssinn ist vergangen, das, was das Alter dem Menschen zufügt, ist schlecht in jeder Hinsicht«[13] – so kann der alternde Vezier dem König nicht mehr dienen und ersucht um die Erlaubnis, einen Nachfolger in den Lehren der Weisheit auszubilden. Für die Gestaltung dieser Rede des greisen Barsillai hatte der Verfasser der Thronfolgegeschichte also offenbar Vorbilder aus der Weisheitsliteratur vor Augen. Schließlich mag auch noch ein Einzelzug aus der Rede der weisen Frau von Tekoa erwähnt werden: sie nennt den König »weise wie der Gottesengel«, daß er Gutes und Böses unterscheiden, ja alles im Lande erkennen kann – ganz ähnlich weisheitliche Aussagen über die Fähigkeiten des Königs (zB Prov 20_{8}; 25_{2}; 16_{10}).

5. Was bisher genannt wurde, sind Einzelbeispiele, die zeigen, wie weisheitliches Denken vergangene Geschichte erfassen lehrt oder doch

[13] Ptahhotep 14.18–21. Weitere Parallelen bei *KGalling*, HAT I, 18[2], 121.

die Mittel an die Hand gibt, solche Geschichte darzustellen. Es kommt jetzt darauf an, sie in ihrem Zusammenhang zu sehen und zu fragen, inwieweit die Weisheit nicht zufälliges Beiwerk, sondern für diese Art der Geschichtsschreibung wesentlich ist. Der grundlegende Zusammenhang zwischen weisheitlichem Denken und der hier vorliegenden Geschichtsauffassung läßt sich in drei Schritten zeigen.

a) Zu den auffälligsten Eigenarten dieser Geschichtsschreibung gehört, wie anfangs bemerkt, daß die Darstellung die Geschichte wesentlich durch das Handeln und Reagieren, durch Verhalten und Geschick von Einzelpersonen bewegt sieht. David, seine Söhne, die Gestalten bei Hof oder Einzelne, die zufällig den Gang der Ereignisse kreuzen – das sind die Träger des geschichtlichen Geschehens. Man mag das heute als einen Mangel der Geschichtsschreibung empfinden, aber man darf dabei doch nicht übersehen, daß sich dem Verfasser diese Sicht der Geschichte notwendig aufdrängt, ja, daß für ihn Geschichtsschreibung erst in solcher Beschränkung überhaupt möglich wird. Das hängt nicht allein mit der Wahl des geschichtlichen Themas zusammen, sondern erklärt sich gerade aus seiner geistigen Welt. Oder man könnte auch sagen: schon die Wahl des Themas ist von daher bedingt. Sie ist durch den weisheitlichen Horizont bedingt, denn die Weisheit hat ja gerade mit dem Einzelmenschen zu tun, mit seinem Verhalten und Geschick – natürlich in den sozialen Relationen, in denen sich jeder Mensch vorfindet. Demgegenüber wird das Tun und Ergehen von Gruppen in der Weisheit nur ganz am Rande thematisch; wesentlich ist ihr, zu zeigen, wie sich der Einzelne in seinem Leben und in seinen mannigfachen Umweltbezügen bewähren kann, oder wie er versagen und scheitern kann. Die Beschränkung des Verfassers ist deshalb notwendig, weil nur so die in der Weisheit erkannten Ordnungen der Welt den Leitfaden für die Erkenntnis geschichtlicher Zusammenhänge hergeben können. Gewiß vollzieht sich das nicht so, daß der Geschichte nachträglich weisheitliche Maßstäbe aufgepfropft würden, sondern unreflektiert und selbstverständlich erscheint Geschichte nicht anders als in diesem Gewand.

b) Ein zweites wesentliches Moment dieser Geschichtsschreibung hängt damit zusammen. Wenn sich dem Verfasser Geschichte in innerweltlich-kausalen Zusammenhängen darstellt, und wenn das gerade seinen Ruhm als Geschichtsschreiber ausmacht, so ist dem jetzt hinzuzufügen, daß diese Kausalität geschichtlichen Geschehens bei ihm weithin und in wesentlichen Zügen gerade als die »Kausalität« der Weisheit erscheint. Dh, es sind die von der Weisheit erkannten innerweltlichen Ordnungen, mit denen innerweltlich-geschichtliche Zusammenhänge einsichtig werden: daß der Hochmütige zu Fall kommt, Demut der Ehre voraufgeht, daß ein rechtes Wort zur rechten Zeit erstaunliche Wirkungen haben kann, daß menschliche Schuld ihre unheilvollen Folgen hat u. dgl. Derlei Ordnungen sind es, die in entscheidenden Momenten den Fortgang der Ereignisse bestimmen. Möglich ist das nur, weil die Geschichte hier gerade als Geschichte Einzelner zur Sprache kommt. Daß es Einzelne an der Spitze des Staatswesens sind, macht dann freilich ihre geschichtliche Relevanz aus.

c) Das alles betrifft die – wie der Verfasser wohl weiß – vordergründige Darstellung des Geschehens. Wenn er mit seinen wenigen Deuteworten darauf verweist, daß die geschichtlichen Zusammenhänge in einer tieferen Dimension gegründet sind, daß Geschichte zuletzt von Mißfallen und Wohlgefallen Jahwes an Menschen und ihrem Verhalten abhängt, so hat er auch diese Einsicht mit der Weisheit gemeinsam. Daß das menschliche Herz das vornehmste göttliche Wirkungsfeld ist, das ist gerade der Weisheit bekannt. Aber mehr noch: Jahwes verborgene Geschichtsführung ist doch auch für diesen Verfasser nicht nur in jeweiligen Reaktionen auf menschliches Verhalten manifest – Jahwe ist nicht darauf beschränkt, die weisheitlichen Ordnungen in der Geschichte in Kraft zu setzen. Vielmehr steht auch hinter dieser Geschichte mit ihren irdischen Verwicklungen und menschlichen Verwirrungen ein bestimmtes Ziel Jahwes – Jahwe verwirklicht einen Plan. Der Erzähler läßt das nur an einer Stelle aufleuchten, wenn er bei der Geburt des endlichen Thronfolgers scheinbar ganz unmotiviert feststellt: »Jahwe liebte ihn.« Das hat mit dem ganzen irdischen Geschehen nichts zu tun, aber es markiert doch den Anfang eines Spannungsbogens, der verborgen über alle folgenden Ereignisse hinwegreicht bis zur Lösung in der Thronbesteigung Salomos, und der zuletzt und auf einer höheren Ebene das eigentliche Deuteprinzip der Geschichte hergibt. Gewiß spricht der Verfasser nicht von einem Plan Jahwes, er ist mit seinen Deutungen noch zurückhaltender als der Verfasser der Josephsgeschichte, er läßt das geschichtliche Geschehen in seinen vordergründigen Zusammenhängen sprechen, aber das Wissen, daß die Erkenntnis weisheitlicher Ordnungen ihre Grenze an den Vorhaben und Absichten Jahwes hat, und daß zuletzt diese Absichten sich geschichtlich realisieren, das ist auch ihm gegeben. Wo es in der Weisheit begegnet, das hat *Gerhard von Rad* bei der Untersuchung der Josephsgeschichte beispielhaft gezeigt;[14] ich verweise nur auf Prov 16_9 und 19_{21}.

6. Daß Geschichtsschreibung selbst geschichtlich ist, daß sie nur von ihrem jeweiligen geistigen Standort her verständlich wird, das ließ sich auch am Beispiel der Thronfolgegeschichte zeigen. Ist weisheit-

[14] Josephsgeschichte und ältere Chokma (1953), GesSt 272ff; Die Josephsgeschichte, BSt 5 (^{4}1964).

liches Denken der Horizont, in dem sich diese Geschichtsschreibung begreift, so ist das natürlich nicht exklusiv zu verstehen. Daß die geistige Welt eines Erzählers komplexer ist, daß sie nicht *allein* von einer vorherrschenden Strömung seiner Zeit bestimmt ist und mancherlei sich kreuzende Einflüsse sich im Blick auf das dem Autor »Bemerkenswerte« geltend machen, das ist dabei vorausgesetzt. Man kann daher gewiß nicht sagen, daß die Weisheit die einzige Voraussetzung solcher Geschichtsschreibung war; dann wäre ja auch kaum zu erklären, warum es in der weisheitlichen Kultur der altorientalischen Großreiche nicht zu einer vergleichbaren Leistung gekommen ist. Aber für andere Voraussetzungen israelitischer Geschichtsschreibung kann hier einfach auf die Arbeit *Gerhard von Rads* verwiesen werden.[15] Hier war nur zu zeigen, wie weisheitliches Denken als eine wesentliche Voraussetzung in der Geschichtsdarstellung zum Zuge kommt, eine Voraussetzung, ohne die solche geistige Leistung nicht möglich gewesen wäre.

Es bleibt abschließend zu bemerken, daß der Autor der Thronfolgegeschichte wirkliche Geschichte darstellen wollte, nicht etwa ein weisheitliches Lehrbuch schreiben.[16] Der Einwand, den man gegen weisheitliche Einflüsse auf die Thronfolgegeschichte geltend machte, daß hier als Vertreter der Weisheit zT recht zwielichtige Gestalten auftreten, daß der Rat des Weisen gerade keinen Erfolg hat (Ahitophel!) u. dgl.,[17] könnte gegen ein Lehrbuch sprechen, nicht gegen eine Geschichtsdarstellung im weisheitlichen Horizont. Als Geschichtsschreiber muß man den Autor wohl mit den Maßstäben seiner eigenen Welt messen und darf ihm dann nicht vorrechnen, in welchem Maß er geschichtliches Geschehen stilisiert hat. Denn es ist gerade das Maß, das ihm Erkenntnis von Geschichte ermöglicht hat.

[15] Der Anfang der Geschichtsschreibung im alten Israel (1944), GesSt 148ff.

[16] Gegen *RNWhybray*, The Succession Narrative, SBT II, 9 (1968) bes. 72ff; 78ff. *W.* sieht freilich den Hauptzweck der Geschichte in der politischen Propaganda für die Daviddynastie und ihren gegenwärtigen Vertreter (50ff) – eine These, die angesichts der distanzierten Haltung des Verfassers so kaum zu halten sein wird. *W.* hat in seinem Buch eine ganze Reihe weisheitlicher Motive in der Thronfolgegeschichte zusammengestellt, geht aber von einer ganz anderen Fragestellung aus. Eine Auseinandersetzung mit seinen Thesen ist hier nicht möglich und nötig.

[17] Cf. *JLCrenshaw*, JBL (1969) 129–142, bes. 134; 139f. Sein weiterer Einwand, die bei *Whybray* aufgeführten Einflüsse der Weisheit seien gar nicht spezifisch weisheitlich, sondern im Alten Testament verbreitet zu belegen, beruht doch wohl auf einer recht oberflächlichen Sicht der Dinge – wie man vermuten muß, wenn er das gerade an 1Kön 13 illustrieren will (138f. Anm. 39).

II. Jesaja

Daß Jesajas Verkündigung vielfach von den Traditionen, der Sprache, den Vorstellungen der Weisheit geprägt ist, muß hier nicht erst nachgewiesen werden.[18] Es bleibt die Frage, ob nicht auch sein Geschichtsverständnis von weisheitlichen Voraussetzungen mitgestaltet ist. Der Abstand des Propheten von der Zeit des Verfassers der Thronfolgegeschichte ist beträchtlich, und über eine mögliche geistesgeschichtliche Vermittlung, auch über den Wandel weisheitlichen Denkens wissen wir wenig; zudem ist es nicht die Aufgabe des Propheten, Geschichte zu schreiben. Gleichwohl soll hier die Frage gestellt werden, ob nicht im Geschichtsverständnis des Propheten Elemente begegnen, wie sie auch jenem Geschichtswerk zugrundelagen.

Freilich: zur Differenzierung verschiedener Richtungen in der Weisheit scheint uns die Verkündigung des Jesaja selbst zu nötigen. Sie zeigt, daß es wenigstens zu Zeiten starke Strömungen in der Weisheitsbewegung gegeben hat, die mit dem alten Jahweglauben schlechterdings nichts mehr anzufangen wußten, und die damit faktisch auch die tragenden Grundlagen, das religiöse Fundament israelitischer Weisheit preisgegeben haben. Wir können sie im wesentlichen nur aus der prophetischen Polemik erschließen, sofern sich die prophetische Scheltrede gerade gegen »die Weisen« richtet.

Hier ist zuerst zu fragen, welche Weisheit, was für Weise in solchen Scheltreden gemeint sind, weil Jesajas eigene Position gerade am Kontrast deutlicher werden kann.

> Wehe denen, die in ihren Augen weise sind, und vor sich selbst klug (5 21).

Das ist ein Satz, der ganz ähnlich in der Weisheit selbst begegnet (Prov 3 7). Jesaja nimmt also einen Leitsatz der Weisheit auf, der in den Zusammenhang der Mahnungen zur Bescheidenheit und Demut gehört, wendet ihn gegen die Vertreter der Weisheit und spricht sie so auf ihre eigenen Maximen an. Wie die folgenden Texte zeigen, hat er dabei offenbar eine Weisheit vor Augen, die sich vom Jahweglauben gelöst hat und eigenmächtig den Lauf der Welt zu bestimmen und das danach weise Verhalten zu ermitteln sucht: Jahwe wird »wunderbar«, »seltsam« an diesem Volke handeln,

> dann wird zugrundegehen die Weisheit seiner Weisen, und die Klugheit seiner Klugen wird sich verbergen. (29 14).

Daß es in jener Weisheit konkret um die politischen Pläne, insbesondere um Rüstungs- und Bündnispolitik geht, zeigen Texte wie 30 1ff und 31 1ff:

---

[18] Cf. *JFichtner,* Jesaja unter den Weisen, ThLZ (1949) 18ff; *HWildberger,* Jesaja (BK) passim, u. a.

Wehe denen, die nach Ägypten hinabziehen um Hilfe, die sich auf Pferde stützen und auf Wagen vertrauen ... aber nicht auf den Heiligen Israels schauen ... Aber auch er ist *weise,* und bringt Unheil ... (31 1f).

Welche Haltung der mit solchen Sprüchen angegriffenen Weisen liegt dem zugrunde? Ihre Position ist klar: sie sind politische Ratgeber des Königs, nehmen also höchste Staatsämter ein, und sie geben ihren Rat nach nüchterner Erwägung politischer Notwendigkeiten – auf ein mögliches Eingreifen Jahwes, wie der Prophet es erwartet hat, kann dabei keine Rücksicht genommen werden. So stellt sich das Denken der Gegner Jesajas an der Oberfläche dar. Ein anderer Weheruf des Propheten läßt aber noch erkennen, was solcher nüchternen Pragmatik zugrundeliegt:

Wehe denen, die die Schuld mit ›Ochsen‹seilen herbeiziehen ... die da sagen: Es eile, beschleunige sich doch sein Werk, damit wir es sehen, und es nahe und komme doch der Plan des Heiligen Israels, damit wir ihn erkennen (5 19).

Was setzt dieses Zitat der Gegner – es kann durchaus wörtlich gegeben sein – voraus? Offenbar doch die Auffassung, daß Gott keinesfalls wirkend in die Geschichte eingreift. Das muß indes kein Zeichen einer völligen religiösen Gleichgültigkeit sein. Gottes Existenz ist ja nicht bestritten, wohl aber, daß er noch in die geschichtliche Welt hereinwirke. Ist auch hier die weisheitlich gebildete Oberschicht Jerusalems angesprochen, so könnte eine solche Gottesauffassung durchaus als Konsequenz weisheitlicher Theologie verstanden werden – eine Konsequenz, wie sie ähnlich später in der Skepsis des Predigers begegnet. Die Weisheit hatte ja vor allem den Schöpfergott vor Augen: den Gott also, der am Anfang die Welt erschaffen und ihre Ordnungen festgesetzt hatte. Wird aber dieses Element weisheitlicher Theologie von seinem theologischen Kontext getrennt, so wird die Haltung der Zeitgenossen Jesajas erklärlich: dieser Gott schwebt in einer unendlichen Ferne; sein Wirkungsort war am Anfang, aber mit der Gegenwart hat er wenig zu tun. Gewiß: hier wäre dann ein Moment weisheitlichen Denkens isoliert und die Weisheit so zur autonomen Welterkenntnis des Menschen geworden. Vergessen wären die Grenzen, die die genuine Weisheit zu respektieren wußte; vergessen auch, daß der Schöpfergott ja noch fernerhin die Ordnungen der Welt und des Menschenlebens in Kraft hielt; vergessen schließlich jene tiefere Dimension der Geschichte, wie sie der Darstellung der Josephs- und der Thronfolgegeschichte bewußt blieb. Man kann aber angesichts der Geschichtsauffassung des Autors der Thronfolgeerzählung fragen, ob hier nicht ein Weg eingeschlagen wurde, der sehr wohl zur Konsequenz einer »atheistischen« Geschichtsauffassung führen konnte. Damit wäre aber die weisheitliche Strömung, wie sie in den Gegnern Jesajas zutagetritt, im Grundsätzlichen eben doch schon vom Traditionsstrom genuiner (und nicht nur israelitischer!) Weisheit abgezweigt.

Hier stellt sich sogleich die Gegenfrage: Ist die Gottesauffassung »genuiner« Weisheit dann die des Jesaja? Genauer: Versteht Jesaja Jahwes Verhältnis zur Geschichte ebenso, wie es auf Grund weisheitlicher Voraussetzungen in der Josephs- oder Thronfolgegeschichte dargestellt war?

Die Antwort ist nicht mit einem klaren Ja oder Nein zu geben. Es zeigen sich Übereinstimmungen, aber ebenso wesentliche Divergenzen.

Fragen wir zuerst nach dem Gemeinsamen, so scheint es gerade im Kern jesajanischer Geschichtsauffassung, in seiner Rede vom Ratschluß und Geschichtsplan,[19] dem »von fernher« gebildeten Werk Jahwes zu liegen (cf. schon 5_{19}; dann 14_{24-27}; 22_{11}; 29_{14}). Die hier verwendeten Begriffe – עצה, יעץ; פעל, מעשה u. a. – mögen nicht spezifisch weisheitlich sein oder überhaupt einem anderen Bereich angehören; die Rede vom »Ratschluß« mag ihren konkreten Hintergrund in der Thronratsvorstellung haben (cf. aber auch Prov 19_{21}) – das damit bezeichnete Phänomen scheint dennoch in der Nähe der älteren, von der Weisheit bestimmten Geschichtserzählungen zu stehen. Hier wie dort ist es der die Geschichte überspannende Plan Jahwes, mit dem Jahwe in allen vordergründigen geschichtlichen Ereignissen, in allem menschlichen Durcheinander ein bestimmtes Ziel verfolgt. Das stellte sich für den Erzähler der Thronfolgegeschichte wenigstens vom Ende des Geschichtszusammenhangs her heraus, und er hat es in seinen Deuteworten ausgesprochen; das hat der Autor der Josephsgeschichte dem Helden seiner Erzählung am Ende in den Mund gelegt, und man könnte den Vergleich von daher noch ein wenig zuspitzen: diese Funktion, die Geschichte zu deuten – freilich nicht erst nachträglich! –, die übt auch der Prophet aus, indem er Jahwes Plan Stück für Stück enthüllt.

Jesaja hat das einmal programmatisch in einem durchweg weisheitlichen Gleichnis formuliert. Er beginnt mit dem »Lehreröffnungsruf« des Weisheitslehrers:

> Hört und vernehmt meine Stimme, lauscht und hört meine Rede!

Dann beschreibt er die Ordnung der Arbeiten des Ackerbauern:

> Pflügt der Pflüger den ganzen Tag, öffnet und furcht seinen Acker? Ist's nicht [illegible] Oberfläche geglättet hat, so streut er Dill und sprengt Kümmel aus, und setzt Weizen und Gerste, und Emmer als Einfassung?
> Es hat ihn in der rechten Ordnung unterwiesen, sein Gott ihn belehrt.
> Fürwahr: nicht mit dem Dreschschlitten drischt man Dill, und das Wagenrad rollt man nicht über den Kümmel. Wird Brotkorn zermalmt? Man drischt es doch nicht

[19] Cf. dazu *JFichtner*, Jahwes Plan in der Botschaft des Jesaja, in: Gottes Weisheit (1964) 27ff, und *GvRad*, TheolAT II[4] 168ff.

ewig! Er treibt das Rad seines Wagens an, und breitet es aus, er zermalmt es nicht.
Auch das geht von Jahwe Zebaoth aus!
Wunderbar macht er den Ratschluß, groß die Umsicht. (28_{23ff}).

Das ist ein reines Weisheitsgedicht, das über die wunderbaren, von Jahwe gesetzten Ordnungen belehrt; aber hier wird es zum Gleichnis für Jahwes Geschichtsplan:[20] auch diesem Plan hat er eine bestimmte Ordnung gesetzt, er führt auf ein Ziel zu – wie die verschiedenen Arbeiten des Bauern. Was in der Vereinzelung und von außen betrachtet verwirrend und unverständlich erscheinen mag, das ist doch alles wohlgeordnet.

Die in den Grundzügen weisheitliche Konzeption der Rede von Jahwes Geschichtsplan dürfte daran deutlich werden. Aber das ist nun doch nur eine Seite in Jesajas Verständnis des geschichtsmächtigen Gottes. Die Unterschiede zum Verständnis der alten Weisheit liegen deutlich vor Augen. Jesajas Gott ist nicht der Gott, der sein vornehmstes Betätigungsfeld in den Herzen der Menschen findet und so *mittelbar* die Geschichte lenkt. Nein, Jahwe greift viel unmittelbarer in die Geschichte ein: wie in den alten heiligen Kriegen erscheint er selbst, um Jerusalem zu vernichten oder zu erretten; er führt den Assyrer heran, um ihn schließlich selber zu zerschlagen. Wenn der Hochmut des Menschen sich unheilvoll in der Geschichte auswirkt – auch darin ist Jesaja von der Weisheit bestimmt –, so wird das jetzt *so* geschichtliche Realität, daß Jahwe selbst an seinem »Tage« in einer gewaltigen Theophanie erscheint, um alles Hohe und Ragende in den Staub zu ducken. Und der Prophet ist nicht nur der Deuter der Geschichte, wie die alten Erzähler, sondern er greift als Jahwes Bevollmächtigter mit seinem Wort wirkend in die Geschichte ein. Es ist ganz klar, daß Jesaja hier von ganz anderen Traditionen her redet: von denen des heiligen Krieges, von den Ziontraditionen, vom Jahwetag oder von der alten Theophanietradition. Es sind *die* Traditionen des Jahweglaubens, die die Weisheit nicht aufgenommen hatte, die ihr wohl notwendig fremd bleiben mußten. Sie werden jetzt bei Jesaja mit Elementen weisheitlichen Geschichtsdenkens verbunden zu einer ganz neuen Sicht der Geschichte – einer Sicht freilich, die zuletzt jenes alte Geschichtsverständnis sprengt.

Zwei Beispiele israelitischen Geschichtsdenkens wurden im Vorangehenden skizziert. An beiden hatte die Weisheit ihren Anteil; deutlich auf ganz verschiedene Weise. Jene weltliche und deshalb scheinbar so moderne Sicht der Geschichte in der Thronfolgeerzählung ließ die

[20] Es ist dabei kaum belanglos, daß gerade ein weisheitliches Lehrgedicht die göttliche Ordnung der Geschichte an einer „natürlichen“ Analogie aufweist. Auch das Denken in solchen Analogien ist für die Weisheit typisch.

weltlichen Ordnungen der Weisheit in ihr Recht kommen; der Glaube an Jahwes Geschichtslenkung fand dann freilich seinen Ort allein in jener tieferen und verborgenen Dimension, von der auch die Weisheit wußte.[21] Damit war aber Jahwes Wirken in eine Mittelbarkeit verwiesen, er selbst doch auch in eine Ferne gerückt, die dem Jahweglauben auf die Dauer wohl nicht genügen konnte; die auf der anderen Seite auch einer rein pragmatischen und atheistischen Geschichtsauffassung den Weg bereiten konnte – gewiß gegen die Intentionen jenes alten Erzählers. Von daher ist es eine notwendige Gegenbewegung, wenn bei Jesaja sich die Verborgenheit göttlicher Geschichtslenkung und Geschichtsplanung verbindet mit Jahwes unmittelbarem Eingriff in die Geschichte, indem jetzt die alten Traditionen des Jahweglaubens in ihr Recht kommen und die Nähe des fernen Gottes in seinem Geschichtshandeln demonstrieren. Erst hier ist das theologische Moment weisheitlicher Geschichtsauffassung dem Jahweglauben voll integriert

[21] Zum Problem »Weisheit und Geschichte« cf. jetzt *GvRad*, Weisheit in Israel (1970), bes. 366–75. (Das Buch erschien, nachdem das Manuskript dieses Beitrags zum Druck gegeben war, und kann hier nur noch in Anmerkungen berücksichtigt werden.) *GvRad* hebt vor allem die Unterschiede zwischen Weisheit und Geschichtsschreibung hervor: es sind nicht allein Unterschiede der literarischen Form, sondern auch der je spezifischen Geistesbeschäftigung, der Fragestellung und Zielsetzung sowie der Sprache. Solche Unterschiede sind hier vorausgesetzt (s. o. I,6); sie hindern aber nicht, nach dem Einfluß weisheitlichen Denkens auf die Geschichtsdarstellung zu fragen. Die Thronfolgegeschichte ist nach *GvRad* (370) ein hervorragendes Beispiel solchen Einflusses. Darüberhinaus sollte hier gezeigt werden, daß weisheitliches Denken nicht nur in Einzelelementen in die Geschichtsdarstellung eingegangen ist, sondern diese Konzeption von Geschichte maßgeblich geprägt und überhaupt erst ermöglicht hat.

Von daher wäre freilich zu fragen, ob das weisheitliche Wissen von den Grenzen der Erkenntnis als differentia specifica zwischen der Weisheit und *dieser* Geschichtsdarstellung gelten kann (cf. *vRad* 371ff). Denn einerseits ist dieses Wissen in der Weisheit zwar von Anfang an da, aber doch erst allmählich stärker zur Geltung gekommen (das »göttliche Geheimnis« ist offensichtlich erst in späteren Texten »zu einem Gegenstand der Lehre geworden«, *vRad* 372). Andererseits begegnet es verhalten doch auch in der Thronfolgegeschichte: der Verfasser ist sich dessen bewußt, daß er nur das Geschehen an der Oberfläche schildern kann; Jahwes verborgenes Walten in der Geschichte, das doch über den Verlauf und Ausgang der Ereignisse entscheidet, kann er nur nachträglich konstatieren. Ein *Lobpreis* auf die Verborgenheit göttlichen Handelns lag seiner Zeit wohl noch fern. – Unterschiede sind sicher auch in den ganz verschiedenen Gegenständen der Erkenntnisbemühung begründet (cf. *vRad* 373); das gilt m. E. auch für die im Unterschied zur Weisheit fehlende Selbstlegitimation des Erzählers (*vRad* 370). Überdies ist zu bedenken, daß wir den Anfang der Thronfolgegeschichte nicht kennen.

Mit solchen Erwägungen sollen freilich die offenkundigen Unterschiede in Zielsetzung und Geistesbeschäftigung nicht wieder nivelliert werden – es ging hier nur um *einen*, aber einen wesentlichen Aspekt der Thronfolgegeschichte. Ob man ihren Verfasser unter den Weisen suchen kann, hängt davon ab, wie weit man hier die Kreise ziehen will.

worden; freilich auf Kosten jener vordergründig so ganz profanen Sicht der Geschichte, die der alte Erzähler gewonnen hatte. Hier mußten sich die Wege des Geschichtsschreibers und des Propheten notwendig trennen – weil der eine nur von einer abgeschlossenen Vergangenheit, der andere wesentlich von einer Zukunft göttlichen Handelns zu reden hatte, und das aus dem größeren Reichtum der Gotteserfahrung, die dem Jahweglauben gegeben war.

SIEGFRIED HERRMANN

DIE KONSTRUKTIVE RESTAURATION

Das Deuteronomium als Mitte biblischer Theologie

Aus dem Kreis deutscher Alttestamentler um die Mitte dieses Jahrhunderts erzielten die Arbeiten *Gerhard von Rads* die stärkste Breitenwirkung, die weit über das eigene Fach hinausging. Die Gründe sind mannigfacher Art. In dem umfangreichen Lebenswerk des Theologen *von Rad* hat sich nicht nur der individuelle Gestaltungswille eines selbständigen Denkers niedergeschlagen, sondern es sind zugleich wesentliche neuere Intentionen historischer, literaturwissenschaftlicher und gesamttheologischer Forschung am Alten Testament zu einem geschlossenen und überzeugenden Bild verarbeitet und vereinigt worden. Dadurch trat das Alte Testament stärker als vorher wieder in den Gesamthorizont theologischen Nachdenkens überhaupt ein. Zustimmung und Widerspruch blieben nicht aus. *Gerhard von Rad* provozierte diese Entwicklung nicht. Er entfaltete konsequent die Ansätze seiner eigenen Arbeit am Alten Testament und vertiefte sie im Kontakt mit der Forschung seiner Zeit und ihren führenden Vertretern. Anregungen und Anstöße gingen anfänglich von *Hermann Gunkel* und *Otto Procksch* aus, sie wurden geläutert und profiliert durch die Begegnung mit *Albrecht Alt* und ein fortwirkendes Gespräch mit *Martin Noth*, sie wurden abgerundet durch die Auseinandersetzung mit theologischen, philosophischen und historischen Hauptrichtungen der Zeit. Eine breite Publikations- und Vortragstätigkeit beförderte die Diskussion um die aufgeworfenen Fragen und regte zahlreiche Schüler zu weiterer Durchdringung von Einzelthemen an.

Dies alles mögen bis zu einem gewissen Grade Äußerlichkeiten sein. Dem Kenner der Materie erschließen sich weitere Einsichten, die alles andere als zufällig sind und auf ganz andere Tiefenschichten hinweisen, die die Genesis und die Wirkungen der Arbeiten *von Rads* erhellen und verständlich machen können. Einer Anregung von *Otto Procksch* folgend, befaßte sich *GvRad* in seiner Erlanger Dissertation mit Grundfragen des Deuteronomiums.[1] Dieser Einstieg in eine äußerst komplizierte und noch heute in zahlreichen Einzelheiten umstrittene Materie erweist sich dem rückschauenden Betrachter als schick-

[1] *GvRad*, Das Gottesvolk im Deuteronomium, BWANT 47 (1929).

salhaft. Daß *GvRad* in regelmäßigem Rhythmus zu diesem Stoff immer wieder zurückkehrte,[2] ist weniger bemerkenswert als die Tatsache, daß im Deuteronomium (Dtn) die Grundfragen alttestamentlicher Theologie in nuce konzentriert sind, und wahrhaftig eine Theologie des Alten Testaments dort ihr Zentrum zu haben hat, wenn sie sachgemäß sein soll. Nicht die abstrakt-spekulative Frage nach dem Wesen von Offenbarung Gottes im Alten Testament, sondern die Entfaltung und Erklärung dieses eigenartigen Phänomens deuteronomischen Denkens rührt an das Zentrum israelitischer Gottes- und Lebenserkenntnis. Denn hier verflechten sich in einer bis zur Stereotypie verfestigten Sprache Grundauffassungen des israelitischen Geschichts- und Rechtsdenkens mit der Erkenntnis von der Überlegenheit des Gottes Jahwe als des einen für Israel allein wirkungsmächtigen Gottes, der sich seinem ganzen Volk ungeteilt zuwendet und solch ungeteilte Hinwendung auch von diesem seinem Volk erwartet.

Aus dieser so konzipierten und scheinbar in sich ganz abgerundeten Gesamtschau resultieren die Formen und Themen des deuteronomischen Denkens, die den Rückblick auf Landnahme und Gesetzesmitteilung ebenso in sich aufnehmen wie die Ermahnungen und konstruktiven Vorstellungen für ein künftiges israelitisches Gemeinwesen, die in den besonderen Forderungen nach »Kultuseinheit« und »Kultusreinheit«[3] kulminieren und unter diesem Gesichtswinkel das ältere Gesetzeswerk geradezu normieren und vereinheitlichen. Ergänzt werden diese besonderen Gedankengänge des Deuteronomiums durch einen gern »sozial« genannten Zug zur Vermenschlichung des alten Rechts, der aber kaum in einem humanitären Denken allein seine Wurzeln hat, sondern damit zusammenhängt, daß die »Liebe« des einzelnen

[2] Neun Jahre nach seiner Arbeit über das Gottesvolk ging *von Rad* in seiner Schrift über das formgeschichtliche Problem des Hexateuch, BWANT 78 (1938), jetzt auch in: Gesammelte Studien zum Alten Testament 9ff, von Dtn 26$_{5b-9}$, dem »kleinen geschichtlichen Credo«, aus und sprach diesem Text konstitutive Bedeutung für die Komposition des Hexateuch zu; abermals neun Jahre später erschienen die Deuteronomium-Studien, FRLANT 58 (1947). Im Zusammenhang damit steht der Aufsatz Herkunft und Absicht des Deuteronomiums, ThLZ 72 (1947) Sp. 151–158. Im Vorwort seiner Genesisauslegung greift *von Rad* ausdrücklich auf den Text aus Dtn 26 zurück: Das erste Buch Mose, ATD 2 (1949) 7ff. Im ersten Band seiner Theologie des Alten Testaments ist in der 1. Aufl. von 1957 das Deuteronomium auf S. 218–230 abgehandelt. 1961 erscheint The Preaching of Deuteronomy and our Preaching, Interpretation 15 (1961) 3–13 und 1965 die Gesamtauslegung Das fünfte Buch Mose Deuteronomium, ATD 8 (1965). Es braucht nicht betont zu werden, daß auch in anderen Arbeiten das Dtn eine hervorragende Rolle spielt, auch wenn dies im Titel nicht zum Ausdruck kommt.

[3] Unter diesen beiden Stichworten lassen sich die elementaren neuen Grundforderungen des Dtn einprägsam zusammenfassen. Ich verdanke ihre Kenntnis der Kollegpraxis *AAlts*. Näheres dazu s. u.

»von ganzem Herzen und ganzer Seele« zu dem Gotte Israels folgerichtig auch innerhalb der israelitischen Gemeinschaft jedem ihrer Mitglieder die ihm angemessenen menschlichen Grundrechte sichern muß.

Daß unter diesen Gesichtspunkten der dauernden Wahrung der Rechte und Pflichten des einzelnen vor dem Angesicht Jahwes auch die tragenden Institutionen des Gemeinwesens, Priester, Könige und Propheten, sich den übergreifenden Normen angleichen müssen, versteht sich fast von selbst und erklärt die Fixierung besonders auf sie zugeschnittener Satzungen im Dtn. Daß schließlich ein so geschlossen konzipiertes Corpus vor willkürlichem Eingriff geschützt werden muß, liegt nicht nur im Interesse seiner Autoren, sondern wird von den Grundideen der deuteronomischen Rechtsauffassung fast gefordert. Deshalb ist es kein Zufall, daß die sogenannte »Wortlautformel«, daß diesen Rechten nichts hinzuzufügen und nichts wegzunehmen sei, im Dtn erscheint,[4] und damit das klassische Prinzip der Kanonbildung hier seinen ersten ausdrücklichen Niederschlag findet.

Diese wenigen Andeutungen über Wesenszüge des Dtn machen deutlich, daß hinter diesem Werk eine höchst komplexe Entwicklung israelitischer Denkprinzipien steht, daß aber das Dtn selber offenbar einen verzweigten Überlieferungsprozeß unterschiedlicher Geschichts- und Rechtstraditionen aufgefangen, kanalisiert, konzentriert, systematisiert, ja fast sogar ideologisiert hat. Daß dies im Widerspruch zum israelitischen Empfinden geschehen sei, ist angesichts der Breitenwirkung deuteronomischen Denkens in späterer Zeit kaum wahrscheinlich. Im Gegenteil, hier artikuliert sich deutlicher als anderwärts, wie sich Israel selbst verstanden wissen wollte, wie es, bedingt durch sein Schicksal in der Königszeit, sich selbst abzugrenzen und zu definieren versuchte gegen die Bedrohung der eigenen ganzen Existenz von außen. So gewiß das Dtn ein Produkt der Geschichte ist, es ist sehr wesentlich auch das Produkt einer vorgefaßten Gedankenarbeit. Das ist auch die Meinung *von Rads*, der es schon auf der ersten Seite seiner Dissertation eine »theoretische Urkunde« nannte, die ein »spezifisches Anliegen« hat und ein »eigengesetzliches Gedankengefüge« zeigt.[5]

Das historisch und geistesgeschichtlich bemerkenswerte Phänomen aber muß dabei konstatiert werden, daß diese so konzipierte »theoretische Urkunde« Geschichte gemacht hat und für die Gesamtgestaltung des ganzen Alten Testaments möglicherweise sogar einflußreicher war, als wir es uns in der Regel bewußt machen. Es will angesichts dieser Wirkungskraft des Dtn nur wenig bedeuten, wenn es gelingt, Schichten im Dtn aufzuweisen, die auf ein sukzessives Wachstum schließen

[4] Dtn 4_{2}; 13_{1}.
[5] *GvRad*, Gottesvolk 1.

lassen und zu erkennen geben, daß dieses Werk selbst aus verschiedenen differenzierteren Vorstellungskreisen zusammengewachsen ist. Im Grunde bestätigt ein solcher Prozeß allmählichen Wachstums nur die innere Lebendigkeit, die die tragenden Grundideen auslösten und im Deuteronomium zu einer Vielfalt innerhalb der Einheit beitrugen.[6]

Die Frage nach Ursprung und Ausgangspunkt deuteronomischen Denkens ist weder historisch noch sachlich klar und eindeutig zu beantworten. Es gibt keinen geradlinigen Weg, auf dem die deuteronomische Denkstruktur sich entwicklungsgeschichtlich verfolgen ließe und der mit Notwendigkeit auf die deuteronomischen Konzeptionen zuführte; es gibt in sachlicher Hinsicht eine komplexe Fülle von Einzelelementen, die im Dtn verarbeitet sind, die aber nicht notwendig die uns heute vorliegende Gestalt hätten hervorbringen müssen. Die Problematik zeigt sich sofort an den konkreten Dingen. Es ist möglich, die deuteronomische Gedankenwelt wesentlich unter drei entscheidend neue und charakteristische Gesichtspunkte zu subsumieren. Das Dtn vertritt den Gedanken der »Kultuseinheit« und der »Kultusreinheit« in Verbindung mit der Vorstellung des einheitlich gedachten »ganzen Israel«. Unter der »Kultuseinheit« wird die Idee der Zentralisation des Opferkultes auf das eine Heiligtum verstanden, wo Jahwe »seinen Namen wohnen lassen« werde und das im Dtn selbst nicht mit einer mit Namen genannten Ortslage in Verbindung gebracht ist.[7] Die »Kul-

[6] Kaum eine neuere Untersuchung zum Dtn kann sich der Problematik des literarischen Wachstumsprozesses im Dtn selbst verschließen. Hier wäre eine Fülle von Literatur zu nennen. Als letzte umfangreiche Äußerung zur Sache sei hingewiesen auf eine Münsteraner Dissertation von *GNebeling*, Die Schichten des deuteronomischen Gesetzeskorpus. Eine traditions- und redaktionsgeschichtliche Analyse von Dtn 12–26 (1970) (Maschinenschriftliche Kopie). Im vorliegenden Aufsatz sind die einschlägigen Probleme absichtlich zurückgestellt, einschließlich der Frage, in welchem Umfang an der Formung des sogenannten deuteronomischen Rahmens in c. 1–11 und 27–34 deuteronomistische Arbeit anzunehmen ist. Nicht auf die literarisch nachweisbare Entfaltung innerhalb der deuteronomischen Konzeptionen ist Wert gelegt, sondern auf das sachliche Gewicht des im gesamten Dtn aufbewahrten komplexen Gedankengefüges überhaupt.

[7] An keiner Stelle im Dtn steht der Name Jerusalem. Daß auf Grund von Dtn 27 Sichem als »der erste kultische Mittelpunkt Israels im Kulturland« auf Grund einer möglicherweise sogar vordeuteronomischen Tradition anzusehen sei, hat in Verbindung mit Dtn 11$_{29f}$; Jos 8$_{30-35}$ und Jos 24 *MNoth* mehrfach wahrscheinlich gemacht. *MNoth*, Das Buch Josua, HAT I,7 (^{2}1953) 52; vgl. auch *Noth*, Das System der zwölf Stämme Israels, BWANT 52 (1930) 71ff; 133ff. Ähnlich entscheidet sich *GvRad*, Das fünfte Buch Mose 117f, ist aber sehr skeptisch, daß etwa der in der Königszeit unbedeutende Altar auf dem Garizim der ursprünglich vom Dtn gemeinte zentrale Kultort sei. Möglicherweise ist eine alte Sichemtradition vom Dtn aufgegriffen und für das ganze Israel generalisiert worden. Das Gesetz der Kultuszentralisation steht an der Spitze des Rechtskorpus in Dtn 12, dort ohne jeden Hinweis auf eine bestimmte Örtlichkeit. Zu den literarischen

tusreinheit« ist in der eindeutigen Form gefordert, daß Israel keine anderen Götter zu verehren habe als Jahwe allein, daß jede Form fremden oder »synkretistischen« Kultes zu beseitigen und jeder Vertreter fremder Kultpraktiken als Verführer und Abtrünniger auszumerzen sei.[8] Im Zusammenhang mit diesen Vorstellungen von der Ausschließlichkeit der einen göttlichen Person und des ihr entgegenzubringenden Dienstes am zentralen Heiligtum steht in einem logisch komplementären Verhältnis die Idee von der alle Stammeseigenarten aufhebenden Ganzheit des Gottesvolkes als unteilbarer Aktionseinheit. Das Bild ist abgerundet: das eine Volk dient seinem einzigartigen Gott an einem einzigen zentralen Heiligtum.

Es würde an dieser Stelle zu weit führen, die geschichtlichen Vorstufen und Ansatzpunkte dieses Ideenkomplexes wahrscheinlich zu machen. Darüber ist auch schon genug gesagt worden.[9] Worauf es hier im Augenblick mehr ankommt, ist die Feststellung der Ideenkonzentration und Kombination im deuteronomischen Programm. Es erscheint methodisch nicht glücklich, etwa davon auszugehen, daß der altisraelitische Stämmeverband nach dem Muster amphiktyonischer Zusammenschlüsse ein zentrales Heiligtum hatte und eben diese alte Idee im Dtn klassische Form angenommen habe; oder daß die seit frühesten Zeiten überwältigende Macht des aus der nomadischen Vergangenheit des Volkes überkommenen Jahwe in ihrer unbedingten Ausschließlichkeit im Dtn überzeugend zur Geltung gebracht wurde; und schließlich, daß ein schon früh erwachtes Einheitsbewußtsein auf der Grundlage ethnischer Gemeinsamkeiten die Idee des einheitlich handelnden »ganzen Israel« im Dtn zwangsläufig hervorbrachte. Dieser gewiß traditionell übliche und partiell auch einsichtige Weg der Evolution

Problemen *HGraf Reventlow*, Gebotskern und Entfaltungsstufen in Deuteronomium 12, in: Gottes Wort und Gottes Land (Hertzberg-Festschrift) (1965) 174ff.

[8] Gegen den Abfall zu anderen Göttern wendet sich ausschließlich Dtn 13, ein komplexer Text, der verschiedene Situationen erkennen läßt, in denen in Israel der Entschluß laut werden konnte: »Wir wollen fremden Göttern dienen!« Der ganze Text hat freilich einen mehr theoretischen und hypothetischen Charakter. Die klaren Positionen, die dort bezogen werden, ließen sich in Wirklichkeit den jeweiligen tatsächlichen Umständen entsprechend sicher nicht ganz so eindeutig und kompromißlos vertreten und zur Anwendung bringen.

[9] Fast jede Untersuchung zum Dtn wirft in irgendeiner Form die Frage nach seinem Ursprung oder dem Ursprung einzelner Anordnungen auf. Da es aber bisher nicht gelungen ist, ein für die Mehrzahl der Forscher annehmbares Bild der inneren geistigen und theologischen Entwicklungen Israels im Verlaufe seiner Geschichte zu entwerfen, stehen auch die Überlegungen zum Dtn in der Regel auf dem Hintergrund ausgesprochener oder unausgesprochener Prämissen. Abgesehen vom Charakter des Buches und der ganzen Publikationsreihe täuscht darüber auch nicht die neue Kommentierung des Dtn von *PBuis* hinweg: Le Deutéronome, Verbum Salutis Ancien Testament 4 (1969).

israelitischer Zentralgedanken erweist sich dann als methodisch fragwürdig, wenn es darum geht, das Verhältnis von Idee und Wirklichkeit zu bestimmen. Die deuteronomischen Gedanken historisch rückläufig verifizieren zu wollen, führt zwangsläufig in ein Dilemma. Denn es kann doch beispielsweise absolut nicht historisch bewiesen oder auch nur wahrscheinlich gemacht werden, daß der Gedanke von dem Orte, da Jahwe seinen Namen wohnen lassen wolle, seine spezifische Heimat in Gilgal, Hebron, Sichem, Silo oder Jerusalem hatte. Denn alle diese Stätten hätten je und dann in bestimmter Situation das Recht gehabt, die Zentralisationsformel für sich in Anspruch zu nehmen. Das ist nirgends der Fall. Ihre Heiligkeit gründen sie bestenfalls, wenn wir überhaupt davon wissen, auf göttliche Erscheinungen an diesen Orten, nicht aber auf Zentralisationsforderungen des Kultes mit dem Hintergrund ethnisch-politischer Gemeinsamkeiten in einem einheitlich geführten Stammes- oder Staatsganzen.

Die Lage ändert sich von dem Augenblick an, in dem die deuteronomische Idee in die Praxis umgesetzt wird und dieses Dtn den Charakter eines »Staatsgrundgesetzes« anzunehmen beginnt. Als Josia dieses Dokument für Jerusalem und Juda verbindlich erklärte, mußte sich geschichtlich und politisch in handfester Weise konkretisieren, was als Idee konzipiert war. Der eine Kultort wurde zwangsläufig Jerusalem, die Ausschließlichkeit der Gottesverehrung gewann angesichts zahlreicher fremdreligiöser Bedrohungen an unmittelbarer Aktualität. Nur die Idee der Einheit Israels, mit dem Untergang des Nordreiches schon hundert Jahre vor Josia zerbrochen, fand keinen unmittelbaren Realisationspunkt mehr. Während das Dtn selbst keineswegs zwischen Juda und Israel unterschied, sondern durchweg es nur mit »Israel« oder »dem ganzen Israel«, dem *kol Jisrā'ēl,* zu tun hatte, wird es seit der josianischen Epoche üblich, vom »Haus Israel und dem Haus Juda« zu sprechen. Eben das ist von nun an die Formel zur Umschreibung eben des ganzen Israel, das es tatsächlich nicht mehr gab, das aber doch als Idealvorstellung und Zukunftspostulat weiterlebte. Nach Lage der Dinge war aber dieses Postulat nur zu erfüllen, wenn die getrennten Reiche Israels und Juda sich wiedervereinigten, nachdem die zerstreuten Söhne des Nordreiches zurückgekehrt waren.[10]

[10] Von solchen Hoffnungen sind etwa die Kapitel Jer 30 und 31 und Ez 37 erfüllt, um hier nur diese beiden repräsentativen Stellen zu nennen. Gerade aus den Büchern Jeremia und Ezechiel ließen sich zahlreiche weitere Stellen dieser und ähnlicher Art beibringen, und es ist eine bis zur Stunde noch ungeklärte, aber gegenwärtig wieder stärker ventilierte Frage, in welchem Zusammenhang diese Stellen mit dem deuteronomistischen Denken stehen. Schüler *GvRads* und *HWWolffs* sind einschlägigen Problemen in jüngster Zeit auf breiter Basis, wenn auch letztlich konzentriert auf Sonderprobleme, nachgegangen: *OHSteck*, Israel und das

Wenn hier die deuteronomischen Hauptideen mit solcher Entschiedenheit als selbständige Gedankenbildungen herausgestellt werden, so deshalb, um das Geheimnis ihrer besonderen Wirkungskräftigkeit wenigstens ansatzweise zu verdeutlichen. Denn nicht der Verlauf der Geschichte Israels bis zum Exil in allen ihren komplexen Stadien, in ihrer inneren Zerrissenheit und ihrer beständigen Bedrohung von außen hätte allein die Voraussetzungen dafür schaffen können, daß Israel letztlich sogar die Katastrophe seines staatlichen Unterganges und des babylonischen Exils überstand; entscheidend wurde, daß Israel seine komplexen Erfahrungen auf durchschlagende Formeln brachte, die geeignet waren, die Vergangenheit damit zu begreifen und zu deuten und die Zukunft konstruktiv zu gestalten. Im Deuteronomium sind diese Grunderfahrungen bei aller Komplexität zu einer einheitlich-praktikablen Gesamtkonzeption vereinigt und fast widerspruchslos auch gedanklich durchdrungen und bewältigt. Die nunmehr unmittelbar davon ausgehenden geschichtlich verifizierbaren Wirkungen sind unverkennbar.

Der Gedanke der Kultuseinheit hat sich unangefochten durchgesetzt. Jerusalem blieb die eine legitime Stätte des Opferkultes; außerhalb der Stadt, im Lande, setzte sich die Thoralesung im opferlosen Synagogengottesdienst durch; die Priesterschrift des Pentateuch setzt den Status des einen Heiligtums diskussionslos voraus; die Selbständigkeitstendenzen der samaritanischen Gemeinde enden in einem Schisma. Mögen äußere politische Umstände diese Entwicklung begleitet oder sogar gefördert haben, es deutet doch nichts darauf hin, daß die kultpolitischen Grundsätze Jerusalems von innen her in Frage gestellt wurden und etwa die Errichtung einer zweiten Opferstätte in nachexilischer Zeit auch nur erwogen wurde.

Der Gedanke der ausschließlichen Verehrung Jahwes als des einzigartigen Gottes Israels war nach dem Exil nach unserer Kenntnis ein unbestrittenes Allgemeingut in Israel. Äußere Umstände traten hinzu, aber waren wohl letztlich nicht ausschlaggebend. Die Perser verlangten nicht die Devotion vor ihren Göttern; die Griechen scheinen es vorerst ebenso gehalten zu haben, und als die hellenistische Bedrohung im 2. Jahrhundert vChr verbunden mit militärischer Macht auf das kleine Juda zukam, wurde dies mit dem entschiedenen Widerstand der Jahwetreuen beantwortet. Zeus war nie eine Alternative zu Jahwe!

gewaltsame Geschick der Propheten. Untersuchungen zur Überlieferung des deuteronomistischen Geschichtsbildes im Alten Testament, Spätjudentum und Urchristentum, WMANT 23 (1967); *LPerlitt*, Bundestheologie im Alten Testament, WMANT 36 (1969). Speziell ausgerichtet auf Jeremia ist die soeben abgeschlossene Berliner Dissertation von *WThiel*, Die deuteronomistische Redaktion des Buches Jeremia.

Die Idee des »ganzen Israel« war im ethnisch-politischen Sinne nicht mehr zu verwirklichen. Was aber zu leisten war, ist im Gefolge der deuteronomischen Grundsätze in auffallender Konsequenz geschehen: Das Bild der Vergangenheit Israels wurde der Idee angeglichen. In Gestalt einer durchgreifenden Revision judäisch-israelitischen Traditionsgutes entstand ein Geschichtswerk, das unter der Voraussetzung konzipiert wurde, Israel habe von allem Anfang an einheitlich existiert und gehandelt, es habe seit seinem Auszug aus Ägypten unter der Führung Jahwes eine einzige gemeinsame Geschichte durch Höhen und Tiefen hindurch gehabt. Das sog. »Deuteronomistische Geschichtswerk«, über dessen Schichtung und Quellenverarbeitung man im einzelnen zu unterschiedlichen Resultaten gelangen kann, ist doch als Gesamtwerk kaum mehr in Frage zu stellen. Es verdankt seine Entstehung nicht einem annalistisch-historischen Impuls, sondern dem Wunsche, Israel in Vergangenheit und Gegenwart als das seinem Gotte verpflichtete Volk zu verstehen, dessen gemeinsame Verfehlungen Grund gemeinsamen Schicksals wurden, dessen Erwählung aber auch Erwählung und Verheißung für das ganze Israel sein und bleiben sollte.

Im Gefolge dieses Ausbaus deuteronomischer Denkprinzipien liegt es, daß eine Reihe weiterer Strukturelemente des Dtn zu außergewöhnlicher Bedeutung aufstieg, die bisher innerhalb ihrer Lebenskreise ein relativ selbständiges Dasein führte. Dazu gehört der systematische Ausbau der sogenannten »Bundestheologie«, dh die selbständige Konzeption, daß das Verhältnis des einen unteilbaren Jahwe zu seinem ganzen unteilbaren Israel in der Gestalt eines *berīt* – Verhältnisses in zutreffender Weise definiert sei.[11] Zwar ist dieser Gedanke im Dtn selbst noch nicht in voller Breite entfaltet,[12] aber doch wesentlich durch den deuteronomischen Gedanken der Erwählung[13] vorbereitet. Tatsächlich verbinden sich in der Bundestheologie zwei Elemente miteinander, die sehr leicht als komplementäre Größen verstanden werden können, es aber nicht von Anfang an gewesen sein müssen. Einerseits hat Jahwe sein Volk »erwählt«, andererseits aber bindet er es durch Recht und Gesetz, und beides ist im Bundesgedanken scheinbar legitim vereint. Das Dtn vermag es, diese beiden Elemente, die freie Erwählung und die rechtliche Bindung, in einer höheren Einheit zusammen-

[11] Eine bisher noch nie so konsequent vom deuteronomischen Denkansatz aus verfolgte Darstellung der »Bundestheologie im Alten Testament« hat jetzt eben unter diesem Titel *LPerlitt* vorgelegt. Siehe auch vorhergehende Anm.

[12] Es sind nur die Rahmenstücke des Dtn, die vom »Bund« sprechen. Siehe jetzt *Perlitt,* aaO 54–128.

[13] Der Erwählungsgedanke setzt die Idee des Gottesvolkes voraus. Der Begriff »erwählen« ist für das Dtn charakteristisch und ein »schon fest umrissener dogmatischer Terminus«. *GQuell,* ThWB IV 149ff. Zur Funktion des Begriffes der Erwählung im Dtn *GvRad,* Theologie I, 4. Aufl. 242–244.

zufassen. Es verlangt von Israel die Hingabe an seinen Gott »von ganzem Herzen« und von allen seinen verfügbaren Kräften. Darin soll Israel der freien Zuwendung Jahwes im Erwählungsgedanken entsprechen, gleichzeitig aber das geforderte Gesetz als eine Ordnung zum Leben[14] aus innerster Überzeugung annehmen.

In enger Korrespondenz zum Erwählungsgedanken steht das, was in einer vielleicht leicht mißverständlichen Weise die »Bundesformel« genannt worden ist, jener Satz, in dem Jahwe versichert, daß er des Volkes Gott sei und Israel sein Volk wäre.[15] Diese Formulierung ist nicht denkbar ohne jene deuteronomischen Voraussetzungen des ganzen Israel und der von Jahwe beschlossenen vollkommenen göttlichen Hingabe in Gestalt der Erwählung seines Volkes. Ob nun freilich diese Erwählung gleichzeitig auch durch bestimmte Formen rechtlicher Bindung untermauert und immer wieder neu bekräftigt werden mußte, ist eine davon unabhängige Frage. Zumindest hat das Dtn für die Gesamtheit der für Israel bindenden Rechtssatzungen den Begriff »Thora« verwendet und diesen zum Oberbegriff für »Rechtssätze und Satzungen« gemacht.[16] Mit diesem Begriff führt das Dtn selbst aus einem streng legalistischen Denken heraus und macht das »Gesetz« zu einer verbindlichen Lebensordnung, die sich durch freie Hingabe an den Gott Israels mit innerer Notwendigkeit bestätigen wird. Die vielverhandelte Frage, ob sich die Rechtsbindung Israels an seinen Gott von Fall zu Fall auch in festen vertraglichen Formen unter Verwendung eines sogenannten »Bundesformulars« vollzogen habe, kann hier offen bleiben.[17] Daß die Anwendung eines solchen Formulars nicht unabhängig von einem bestimmten Inhalt zu beurteilen ist, dürfte deutlich sein. Da aber alle im Alten Testament geschlossenen *berīt*-Verhältnisse, für die ein solches

[14] Dtn 5_{30-33}.

[15] Leicht mißverständlich ist die Bezeichnung »Bundesformel« insofern, als sie die Auffassung suggerieren kann, daß diese Formel selbst integrierender Bestandteil bei Bundesschließungen gewesen sei, daß ein Bund überhaupt nur durch Verwendung dieser Formel rechtens und vollständig wird. Tatsächlich bezeichnet die Formel das, was man als den entscheidenden Inhalt jenes besonderen *berīt*-Verhältnisses zwischen Jahwe und Israel ansprechen muß. Aber durchaus nicht immer ist die Formel selbst in Verbindung mit dieser besonderen Art von Bundesschließungen erwähnt, wie umgekehrt auch Bundesschließungsakte ohne diese Formel erzählt werden. Über Streuung und Geschichte der Redewendung unter gebührender Berücksichtigung des deuteronomisch-deuteronomistischen Denkens *RSmend*, Die Bundesformel, Theologische Studien 68 (1963).

[16] Für das Nebeneinander der Begriffe charakteristisch zB Dtn $4_{44.45}$.

[17] Die Literatur zu dieser Frage ist umfangreich und widerspruchsvoll. Verwiesen sei hier lediglich auf die abgewogene Übersicht von *DJMcCarthy*, Der Gottesbund im Alten Testament, Stuttgarter Bibelstudien 13 (1966), die den Abschluß einer Reihe eindringender Studien des Verf. zu dieser Frage bildet. Zur Auseinandersetzung vgl. jetzt auch *Perlitt* aaO, besonders 44ff.

Formular angenommen werden könnte, Israel als eine Gesamtheit voraussetzen, ist die Konzeption des Formulars mindestens in vordeuteronomischer Zeit wenig wahrscheinlich. Es kommt hinzu, daß wir nicht einen einzigen Vertragstext kennen, sondern nur Berichte über Vertragsabschlüsse.[18]

Die Verbindung von freier Erwählung Israels und rechtlicher Verpflichtung hat innerhalb des deuteronomischen Denkens noch eine andere Gedankenreihe ausgelöst, die sich auf den Besitz des palästinischen Kulturlandes bezieht. Jahwe hat Israel das Land zu seiner freien Verfügung »gegeben«,[19] damit es zu seinem Besitztum werde; er hat vor ihm seine Bewohner vertrieben oder zu Untertanen Israels werden lassen. Die wiederholte Beteuerung dieses Sachverhaltes im Dtn soll eine besondere Form des Rechts begründen. Israel konnte den Besitz des Landes nicht mit dem Recht des Eroberers behaupten, dies sollte es auch nicht. Sein Rechtsanspruch auf das Territorium gründet allein auf der freien Entscheidung des Gottes Israels, der für Israel eintritt und seinen Anspruch auf Grund und Boden verbürgt. Dies dürfte der tiefere Grund für die relativ breite Landnahmedarstellung von Dtn 1–3 sein. Hier wird die materielle Basis Israels mit Bezug auf sein Bodenrecht abgesichert und der Landbesitz für alle Zukunft als Gabe seines Gottes legitimiert.[20]

Die Verbindung von gemeinsamer Geschichte seit Vätertagen mit dem Rechtsanspruch auf das Land[21] festigt im Dtn endgültig die Überzeugung, daß Israels Existenz untrennbar mit seiner frühesten Geschichte verknüpft ist, und daß sein Recht auf Leben sich allein auf diese Geschichte eines göttlichen Handelns mit ihm berufen kann. Israels Vergangenheit stellt sich dar als eine Abfolge göttlicher Zusiche-

[18] Die Annahme eines sogenannten »Bundesformulars« als Grundlage gültiger Vertragstexte nach dem Vorbild außerisraelitischer Verträge wäre dann überzeugender, wenn wir sagen könnten, auch nur einer der Texte, die im Alten Testament mit dem »Bundesformular« in Berührung gebracht wurden, diente als Vertragsurkunde. Jedoch sind Überlieferungen wie etwa Jos 24 und Ex 24 durchaus nicht Texte, die bei den Vertragsabschlüssen selbst eine Rolle spielten, sondern Berichte über den Verlauf von Vertragsabschlüssen. Ob gewisse stereotype Elemente im Aufbau von Vertragstexten auch die Komposition des Dtn selbst beeinflußten, ist nicht strikt beweisbar, aber zumindest in der späten Königszeit denkbar.

[19] Dtn 1_{8}; 26_{9} und an zahlreichen anderen Stellen im Dtn. Vgl. darüberhinaus im deuteronomistischen Geschichtswerk etwa Jos 1_{3} mit Rückbezug auf die Zusage an Mose; vgl. damit Jos $13_{15.24.29}$.

[20] Zur Wertung und Bedeutung des Landes in Dtn 1–3 und zu den zahlreichen mit diesem Text verbundenen Fragen *JGPlöger*, Literarkritische, formgeschichtliche und stilkritische Untersuchungen zum Deuteronomium, BBB 26 (1967) 1–129; besonders 60ff.

[21] Auf breiter Basis untersucht die Fragen *GvRad*, Verheißenes Land und Jahwes Land im Hexateuch (1943); jetzt in: Gesammelte Studien 87ff.

rungen, deren Vergegenwärtigung zu einem wichtigen und ganz selbständigen Bestandteil kultischen Handelns wird. Dies hat seinen Niederschlag im kleinen geschichtlichen Credo von Dtn 26_{5ff} gefunden, dies ist nicht minder deutlich in der Form der Vergegenwärtigung des Horeb-Bundes, wie sie Dtn 5_{1ff} vorgetragen und begründet wird.[22]

Die kontinuierliche Vergegenwärtigung von Recht und Geschichte aber, die hier zur Stärkung des Jahwe-Bewußtseins Israels gefordert wird, ruft zwangsläufig nach einer Institution, die dieses Kontinuum auch wirklich schafft und erhält. Das Dtn verlangt darum die periodische Verlesung »dieser Thora« in festen Abständen, ohne daß dabei von begleitenden Opferhandlungen gesprochen wird. Damit tut sich der Weg auf zu jenem eigenartigen Phänomen göttlicher Vergegenwärtigung durch das Wort in Gestalt des heiligen Textes. So entsteht das, was im Gegensatz zur »Kultreligion« mit einigem Recht »Buchreligion« genannt worden ist.[23] Der Wunsch nach Sicherung eines nunmehr authentischen Wortlautes ist nur Folge dieses Vorganges. Die »Wortlaut-Formel« erscheint zutreffend und konsequent zuerst und nur im Dtn.[24]

[22] Dazu *MNoth*, Die Vergegenwärtigung des Alten Testaments in der Verkündigung (1952); jetzt in: Gesammelte Studien zum Alten Testament II (1969) 86ff; siehe besonders 92ff.

[23] Zum gesamten Fragenkreis unter Einschluß religionsgeschichtlichen Belegmaterials *JLeipoldt* und *SMorenz*, Heilige Schriften. Betrachtungen zur Religionsgeschichte der antiken Mittelmeerwelt (1953). Mit Zuspitzung auf das Alte Testament *SMorenz*, Entstehung und Wesen der Buchreligion, ThLZ 72 (1950), Sp. 709–716. Vgl. ferner *SMorenz*, Ägyptische Religion (1960), wo S. 224 ein selbständiger Abschnitt über Heilige Schriften aufgenommen ist. Als Kultreligion im Unterschied zu einer Buchreligion charakterisierte Morenz die ägyptische Religion zusammenfassend in: Gott und Mensch im alten Ägypten (1964) 19ff. Unter Aufnahme der von Morenz aufgezeigten Kriterien *SHerrmann*, Kultreligion und Buchreligion. Kultische Funktionen in Israel und in Ägypten, in: Das ferne und das nahe Wort. Festschrift L. Rost (1967) 95–105.

[24] Dtn 4_2; 13_1; vgl. auch Apk 22_{18f}. In seiner Kommentierung des Dtn in ATD 8 merkt *von Rad* zu Dtn 4_2 auf S. 36 an, daß es neuerdings fraglich geworden sei, ob diese »Kanonsformel« bei Ptahhotep ursprünglich diesen Sinn hatte. Hingewiesen wird auf *SMorenz*, Ägyptische Religion (1960) 235f. *Morenz* stützt sich auf Überlegungen *Gardiners* und vor allem auf den Kommentar von *ZŽába* zur Lehre des Ptahhotep, wonach die früher so übersetzte Stelle (*Erman*, Literatur 98): »Nimm kein Wort weg und füge keines hinzu und setze keines an die Stelle eines anderen« zutreffend lautet: »Sage nicht einmal dies und einmal das (und) vermenge nicht eine Sache mit der anderen«. Dies würde bedeuten, daß es sich bei Ptahhotep nicht um die Bewahrung und Sicherung eines Wortlautes handelte, sondern um eine Aufforderung zu klarer und unmißverständlicher Rede. Auf die sprachlichen und grammatischen Probleme kann hier nicht eingegangen werden. Selbst wenn diese durch den Kontext bei Ptahhotep gestützte Auffassung richtig sein sollte, schließt das nicht aus, daß die Mahnung schon von den späten Ägyptern und ihren Nachbarn im Sinne einer »Wortlautformel« verstanden und

Mag man über die Vorgeschichte des Dtn sehr unterschiedlicher Auffassung sein, kaum zu bestreiten ist, daß in ihm israelitisches Denken in einem Ausmaß konzentriert und auf wenige, klassisch zu nennende Gedankengänge und Begriffe zugespitzt ist, deren Wirkungskraft auf das Alte Testament und darüber hinaus nicht zu verkennen ist. Die hier nur ganz kurz vorgeführten Einzelpunkte, die in ihrer Gesamtheit eine in sich geschlossene und abgerundete israelitische Volks- und Lebensordnung auf theonomer Grundlage ermöglichen, sind die Schlüssel für das Verständnis der Geschichtstraditionen Israels, für die Struktur des Pentateuch in seiner Verbindung von Geschichte und Gesetz, sie sind noch viel mehr der Ausgangspunkt der nachjosianischen Entwicklung Israels und des werdenden Judentums. Dieser einzigartige Gott, den Israel als einen יהוה אחד späterhin im Gebet täglich bekannte, »gab« seinem erwählten Volk das Land seines dauernden Besitztums. Er garantiert die Erträge dieses Landes, er gibt seinem Volk eine Thora als feste Lebensordnung und weiß sich ihm durch einen »Bund« ständig nahe, der die Verehrung anderer Götter grundsätzlich ausschließt, seine eigene Verehrung jedoch auf einen einzigen Kultort beschränkt, im übrigen aber die Vergegenwärtigung seiner Thora durch periodische Lesung wünscht und darum ihren Wortlaut gesichert sehen will. Die Auswirkungen, die dieses Strukturganze deuteronomischer Theologie, wie es hier genannt sei, auf die fernere Geschichte Israels hatte, namentlich auf sein kultisches, geistiges und literarisches Leben und Schaffen, können und brauchen hier in ihrer Breite nicht entfaltet zu werden. Aber wenigstens einige Stichworte sollen andeuten, was für die Betrachtung des Alten Testamentes aus diesen Beobachtungen abzuleiten ist. Das Dtn hat das alttestamentliche Denken, genauer gesagt, es hat das Gesamtbild, das wir vom Alten Testament haben, in entscheidender Weise beeinflußt und normiert. Es hat entscheidend dazu beigetragen, daß wir Israel als eine einheitlich handelnde Größe von allem Anfang an operieren zu sehen glauben, daß schon von seinen frühesten Entwick-

angewandt wurde. Vgl. *Morenz*, aaO 235, der sich später noch vorsichtiger äußerte und den von *Žába* aufgewiesenen Sachverhalt nicht als endgültig hinstellte. *Morenz* machte auf eine Stelle aus der Lehre des Cheti aufmerksam, wo in Bezug auf einen Auftrag gesagt ist: »Sage ihn so, wie er (der Auftraggeber) ihn gesagt hat, nimm nichts davon weg, lege nichts hinzu.« Dieser Text empfiehlt durchaus ein Verständnis im Sinne der »Wortlautformel«, wie er für die biblischen Stellen zweifellos allein zutreffend ist. Die Schwierigkeit in der Beurteilung des Sachverhaltes beruht darauf, daß die fraglichen ägyptischen Verben für »hinzufügen« und »wegnehmen« tatsächlich in ambivalentem Sinne verstanden werden können, so daß auch der von *Žába* vertretene Sinn des Textes möglich wird. *ZŽába*, Les Maximes de Ptaḥḥotep (1956) 63 (hieroglyphischer Text); 104 (Übersetzung); 169f (Kommentar). Die kritischen Äußerungen dazu bei *Morenz*, Gott und Mensch im alten Ägypten (1964) 26f.

lungsstufen an der Gott Jahwe normativ und vielleicht sogar legislativ bestimmend war. Die bereits in die älteren Überlieferungen zurückverlagerte Bundesidee hat die Suche nach einheitlichen theologischen Strukturen bereits in der Frühzeit gefördert, mußte aber zwangsläufig zu widersprüchlichen Resultaten kommen. Die Überzeugung, Israels Religion sei in Verbindung mit diesem Bund schon früh eine Gesetzesreligion nach festen Maßstäben gewesen, gründet sich wesentlich auf die durch das Dtn stärkstens beeinflußte Verbindung von Geschichte und Rechtsdenken und verhalf im Zuge dieser Entwicklung auch Mose als Gesetzesmittler zu außergewöhnlicher Stellung. Die gesamte Geschichte der Landnahme und der Staatenbildung ließ unter dem Eindruck der deuteronomistischen Redaktion der einschlägigen Quellen immer wieder nach den verbindenden und für Israel bindenden Elementen fragen, die insgeheim und offen diese Entwicklungen bereits in dieser frühen Zeit auch historisch bestimmt haben sollten. In Wirklichkeit hat sich aber in dieser ganzen vorexilischen Zeit erst sehr allmählich das überzeugend herausgebildet, was Religion und Theologie Israels ausmacht und im Dtn zu festen Begriffen und Formulierungen geronnen ist.

Diese Überlegungen reizen zu einer massiven Zuspitzung: Theologie des Alten Testaments, wie auch immer differenziert, wird letztlich Theologie sein, die sich an den Maßstäben des Dtn orientiert. Daß das Dtn tatsächlich in diesem Sinne Konzentrat alttestamentlichen Denkens ist, bestätigt in gewichtiger Weise die synoptische Tradition des Neuen Testaments. Die Nähe zum Reiche Gottes kann dort als die rechte Erfüllung der Forderungen von Dtn 6_{4ff} definiert werden;[25] nicht zuletzt aber setzte sich der Bundesgedanke als entscheidendes Merkmal für die beiden Teile des christlichen Bibelkanons, zumindest dem Begriff nach, durch.[26] Der »Neue Bund« ist jedenfalls die Jer 31_{31-34} im

[25] Mk 12_{28-34}; vgl. besonders V. 34.

[26] Zu unterscheiden ist ja hier zweifellos zwischen den Begriffsbildungen »alter Bund« und »neuer Bund« und ihrer konsequenten Anwendung auf Teile des biblischen Kanons. Dem Begriff nach ist der »neue Bund«, möglicherweise auf dem Hintergrund von Jer 31_{31-34}, durch seine Aufnahme in die Abendmahlsworte 1Kor 11_{25} von grundlegender Bedeutung geworden; die Gegenbezeichnung, der »alte Bund«, findet sich ebenfalls im Text des Paulus 2Kor 3_{14}. Die Übertragung dieser Begriffe auf Teile des Kanons erfolgt spät, ist mindestens relativ spät bezeugt. *Melito von Sardes* (gest. 180 nChr) teilt in seiner Schrift 'Εκλογαί eine Liste alttestamentlicher Bücher mit, die er zusammenfaßt unter dem Namen ἡ παλαιὰ διαθήκη. Von einem »Neuen Testament« sagt er ausdrücklich nichts. Das tut erst ein anonymer Antimontanist (*Euseb*, Kirchengeschichte V 16,3), der von dem »Wort des Evangeliums des neuen Bundes« spricht, dem »weder hinzuzufügen noch hinwegzunehmen(!) gut ist für den, der sich entschließt, nach dem Evangelium selbst zu handeln«. Allerdings bleibt fraglich, ob dieser Antimontanist wirklich schon kanonische Evangelienbücher gekannt hat.

Alten Testament singulär auftauchende Formulierung, die dort in einem kaum übersehbaren deuteronomistischen Kontext steht.[27] In der neueren Forschung hat *Julius Wellhausen* das »bleibende Prinzip« der »politisch-religiösen Geschichte« Israels in die bekannte Formel gebannt: »Jahwe der Gott Israels, Israel das Volk Jahwes«.[28] Daß er damit nur die Grundgedanken deuteronomischer Theologie nachsprach, ist deutlich; insofern ist es auch vollkommen sachgemäß, wenn von eben dieser Formel her neuerdings *RSmend* die »Mitte des Alten Testaments« zu bestimmen sucht.[29] *Gerhard von Rad* hat freilich darauf verzichtet, das Dtn zu einer spürbaren Mitte seiner »Theologie des Alten Testaments« zu machen. Aber doch war es ganz unausweichlich, daß er in der Entfaltung namentlich der geschichtlichen Überlieferung Israels jenem Konzept folgen mußte, dessen Konzentrat er selbst im kleinen geschichtlichen Credo vor Jahren als das Leitmotiv für die Form des Hexateuch herausgestellt hatte. Indem er aber diesem vom deuteronomisch-pentateuchischen Geschichtsbild bestimmten alttestamentlichen Überlieferungsprozeß folgte, geriet er in einen scheinbar bedenklichen Widerspruch zum faktischen Verlauf der Geschichte Israels. Man hat dies als Vorwurf erhoben. Es bleibt zu fragen, ob die aufgewiesene Diskrepanz zwischen den Fakten und ihren Überlieferungsformen so gewichtig und irreführend ist, daß man deswegen zu theologisch grundsätzlich verschiedenen Einsichten kommen müßte.[30] Wesentlich ist die Frage nach der historischen und theologischen Verbindlichkeit der vom Dtn aufgestellten Norm und der von ihr weitgehend bestimmten Geschichtsdarstellung.

Tatsächlich hat das Dtn die vor ihm liegenden Traditionen normiert, hat auf Formeln gebracht, was zuvor in mancherlei variabler Gestalt im Umlauf war. Aber eben dieser Prozeß, der nach allem, was wir wissen, sich auf der Höhe der israelitischen Königszeit vollzog, gehört auch mit seinen möglichen Vereinseitigungen zu den legitimen Rechten

So urteilt mit Hinzufügung der hier gegebenen Belege *JLeipoldt*, Geschichte des neutestamentlichen Kanons 1. Bd. (1907) 128 Anm. 4.

[27] Die auffallende Parallele zu Jer 31$_{31-34}$ in 32$_{37-41}$, die *von Rad*, Theologie II, 226 in Synopse mitteilt, spricht merkwürdigerweise nicht von einem »neuen Bund«, sondern allein von einem »immerwährenden Bund« (*berīt ʿōlām*). Vgl. dazu auch Ez 37$_{26}$. Meine Auffassung von Jer 31$_{31-34}$ und in analoger Weise auch von seiner Parallele in 32 als einem Werk deuteronomistischer Schultradition glaube ich im Sinne der von *vRad* 227 Anm. 29 vorgenommenen Erwähnung aufrechterhalten zu müssen, ohne dies hier weiter ausführen zu können.

[28] *JWellhausen*, Israelitische und jüdische Geschichte, 7. Ausgabe (1914) 23.

[29] *RSmend*, Die Mitte des Alten Testaments, Theologische Studien 101 (1970).

[30] Bezeichnenderweise haben diejenigen, die *von Rad* angegriffen oder kritisiert haben, ihre Meinungen bis jetzt noch zu keiner selbständigen Theologie des Alten Testaments verdichtet, die ein grundlegend anderes Konzept erkennen ließe oder die bei *von Rad* entdeckten »Mängel« behoben hätte.

im Zuge religiöser Entwicklungen. Im selben Augenblick, in dem religiöse Erkenntnis in ihrer vollen Breite reflektiert wird, sucht sie nach einer verbindlichen Gestalt und Form. Was das Dtn auf seine Weise geleistet hat, dürfte im Blick auf die vordeuteronomische Religion Israels ein umfassenderer Verarbeitungsvorgang von Traditionen gewesen sein, als er sich etwa im Hinblick auf die Revision des Rechtfertigungsgedankens im Rahmen des europäischen Reformationszeitalters vollzog. Damals ist christliche Glaubenstradition punktuell ergriffen, auf »Loci« beschränkt und dabei ungleich stärker verengt worden, als es gegenüber der ganzen Breite der beiden Testamente letztlich angemessen gewesen wäre.

Die Wirkungen des reformatorischen Erbes für die protestantische Frömmigkeit waren entsprechend. Sofern sie sich nicht in bloßer Antithese zum katholischen Glauben und seinen Kultbräuchen bewegte, gewann sie jenseits des Rechtfertigungsgedankens einen nur vagen Freiheitsbegriff, der je länger desto mehr der theologischen Begründung ermangelte. Allzusehr traten Begriffe wie »Gnade«, »Glaube« und »Evangelium« unter dem Gesichtspunkt unveräußerlicher Gaben Gottes in den Vordergrund, und es wurde zu leicht darüber vergessen, daß ein Gott, der solches tut, eine Hingabe »von ganzem Herzen« und mit allen personalen Kräften verlangt, wenn er für eine tragbare Lebensordnung von Bedeutung bleiben soll.

Gegenüber einer solchen Entwicklung hat das Dtn ungleich umfassender Israels Religion als ganze durchdrungen und dabei ebenso Kultus und Recht, Ethos und Geschichte, Nation und Glaube berücksichtigt und die Ausschließlichkeit der Verehrung Jahwes für Israel als conditio sine qua non bestätigt. Der Zeitpunkt, in dem dies geschah, ist nicht zufällig. Das 7.Jh. vChr brachte einen Durchbruch zu neuer individueller Erfassung der Person Jahwes und der für Israel entscheidenden Glaubenserfahrungen. Jeremia ist einer der wichtigsten Zeugen der neuen Zeit, die sich von der klassischen Epoche des 8. Jh. merklich unterscheidet. Jeremia ist Zeitgenosse des Josia. Die Reform des Königs auf der Grundlage deuteronomischer Satzungen ist gern als ein Akt der »Restauration« hingestellt worden,[31] geschehen in einer Zeit, die

[31] So faßt etwa *OBächli* Grundlinien und Tendenzen des Dtn und der Josianischen Reform in die drei Begriffe zusammen: Restauration, Repristination und Integration. Unter dem Stichwort »Repristination« will er im Dtn die Übertragung historischer Gegebenheiten auf die veränderten Verhältnisse einer neuen Zeit wiedererkennen. Hier sei die Grenze der deuteronomischen Bewegung. Schließlich sei die Integration des Gottesvolkes, unter der *Bächli* »die Gestaltung der absoluten Theokratie im Kulturland Kanaan« versteht, überhaupt nicht zum Ziel gekommen. *OBächli*, Israel und die Völker, AThANT 41 (1962) 206ff. Es bleibt fraglich, ob damit an das Dtn sachgemäße Maßstäbe angelegt sind.

nicht nur in Israel Neigungen zu »klassizistischen« Idealen hatte.[32] Eine entfernte Verwandtschaft zur Epoche der »Renaissance« sollte nicht übersehen werden! Die oben angeführte Parallele aus dem Reformationszeitalter ist darum nicht rein zufällig! Die letzte Frage ist darum, ob man das, was im Dtn und mit dem Dtn geschah, auf den so stark rückwärts gerichteten, mit negativem Beigeschmack belasteten Begriff einer »Restauration« bringen kann und darf. Nicht das Alte allein wurde zu neuer Geltung gebracht, am wenigsten war es das Ziel, dieses Alte »wiederherzustellen«, um es in musealer Weise zu konservieren. Im Dtn wurden mit der Traditionsverarbeitung zugleich neue Normen und Ideen verkündet, wurden Kräfte entbunden, Potenzen freigesetzt, die das Vergangene in klares Licht stellten und eine neue Lebensordnung für Israel wollten. Israel hat darin seinen bisherigen Weg nicht verleugnet, es hat ihn neu verstanden und geklärt. Es war auf der Suche nach der wahren Erkenntnis Jahwes für eine neue Ordnung in Israel. In diesem Sinne weist das Dtn nicht nur in die Vergangenheit, sondern in die Zukunft, ist die Restauration alter israelitischer Überzeugungen unter neuen Gesichtspunkten ein konstruktiver Akt. Was das Dtn auslöste, war, wenn diese Dialektik erlaubt ist, eine »konstruktive Restauration«.

Das Verhältnis von Überlieferung und Geschichte mußte *Gerhard von Rad,* vom Dtn herkommend, zu einem entscheidenden Problem werden. Die Problemstellung aber ist nicht die Folge eines von ihm gesuchten theologischen Ansatzes, sondern resultiert aus der Einsicht in die deuteronomische Theologie und Weltbetrachtung, und nicht nur in sie! Denn das Verhältnis von Überlieferung und Geschichte ist nicht nur ein wesentlicher Faktor innerhalb der biblischen Theologie und des religiösen Schrifttums überhaupt, es spielt überall dort eine Rolle, wo das Wirkliche denkend und zugleich deutend im Kontext von Zeit und Erfahrung ergriffen wird. Welt und Geist leben zum wenigsten von den vielzitierten »Realitäten«, sondern von den fruchtbaren Ideen und Gedanken, die in dem unermeßlichen Feld zwischen Gottheit und Weltgeschichte gefunden werden.

[32] Als „klassizistisch" können etwa Entwicklungen in Ägypten eingeschätzt werden, die schon im 8. Jahrhundert einsetzen und vor allem seit der 26. Dynastie (beginnend mit Psammetich I. 663 v. Chr.) deutlicher beobachtet werden können. Stilelemente des Alten Reichs kommen erneut in Geltung. Kunstwerke werden kopiert, Abschriften von Texten veranstaltet und alte Kultbräuche wiederbelebt. Ähnliches ist in Babylonien der Fall. Auch die Auffindung des Buches im Tempel zu Jerusalem könnte in diesem Sinne allein als Akt antiquarischen Interesses gedeutet werden. Ganz gewiß sind solche Empfindungen der Rückorientierung nicht auszuschließen, verbinden sich aber gleichzeitig mit der Befähigung zu selbständiger Reflexion über die eigene Vergangenheit und Zukunft. Die Josianische Reform entspricht dieser Zeitlage, aber geht nicht allein im Zeitgeist auf.

ALFRED JEPSEN

GOTTESMANN UND PROPHET

Anmerkungen zum Kapitel 1. Könige 13

Seit *Karl Barth*[1] das Kapitel 1Könige 13 so ausführlich im Zusammenhang seiner Gotteslehre behandelt hat, ist es noch einige Male Gegenstand besonderer Besprechungen geworden; so bei *Gottfried Quell*[2] und bei *MAKlopfenstein.*[3] Dazu kommen die Auslegungen in den neueren Kommentaren, wie zB denen von *JGray*, *MNoth* und *JFichtner.* Aber eine einigermaßen einheitliche Deutung dieser seltsamen Geschichte hat sich noch nicht erreichen lassen. Was soll sie eigentlich im Rahmen des gegenwärtigen Königsbuchs? Wie ist sie literarisch, wie historisch, wie theologisch zu werten? Einige Bemerkungen sollen den Versuch einer weiteren Klärung machen.

1. Was gehört eigentlich zu der Erzählung? Genauer: Wie ist das Verhältnis von 2Kön 23_{16-18} zu 1Kön 13 zu denken? Bisweilen, so bei *Noth*, wird die Ansicht vertreten, die Verse in 2Kön seien eine spätere Anfügung aus der Josiazeit, die Erzählung sei also älter und habe mit 1Kön 13_{32} geschlossen. Aber ist das wirklich möglich? Die Erzählung hätte dann mit der Aufforderung des alten Propheten geendet, seine Gebeine zu denen des Gottesmanns zu legen, da sich alles erfüllen werde, was dieser über den Altar angekündigt habe. Wie sollte sich ein Hörer dieser Geschichte diesen Schluß deuten? Er mußte sich fragen: Warum wollte denn der Prophet im Tode mit dem Gottesmann vereint liegen? Was hatte die Weissagung gegen den Altar von Bethel mit dem gemeinsamen Grab zu tun? Nach *Noth* hätte der Hörer sich überlegen müssen: Auf dem Altar von Bethel wird also ein König von Juda einmal Menschengebein verbrennen; die wird er sicherlich aus den Gräbern der Umgebung nehmen. Wenn er dann aber hört, daß in einem Grab die Gebeine des Gottesmanns liegen, der dieses Geschehen schon dem Jerobeam angekündigt hat, wird er dieses Grab unangetastet lassen und damit auch die Gebeine des Propheten. Ob eine solche Überlegung wirklich durch die jetzt vorliegende Erzählung an die Hand gegeben werden konnte? Mir scheint das kaum denkbar zu sein. Viel-

[1] *KBarth,* KD II/2 (^{3}1959) 434–453 (= Heft 4 der »Biblischen Studien«).

[2] *Gottfried Quell,* Wahre und falsche Propheten (1952) 67–71.

[3] 1. Könige 13, in Parrhesia, Karl Barth zum 80. Geburtstag (1966) 639–672.

mehr fordert der Schluß von 1Kön 13 als Fortsetzung: Und wirklich, als das eintrat, was der Gottesmann angekündigt hatte, da wurde auch die Erwartung des alten Propheten erfüllt; mit den Gebeinen des Gottesmanns wurden auch seine in Ruhe gelassen. Dh 1Kön 13 ist ohne 2Kön 23$_{16-18}$ nicht, sondern vielmehr nur in Verbindung mit diesen Versen verständlich. Das führt dann freilich zu der Folgerung, daß die Erzählung in der gegenwärtig vorliegenden Form frühestens in der Zeit Josias entstanden ist.

2. Weiter könnte man fragen, ob 1Kön 13 eine ursprüngliche Einheit darstellt, ob nicht, wie *Gray* will, V. 1–10 zunächst selbständig überliefert waren, so daß die Geschichte vom Gottesmann und Propheten erst später als Ergänzung angefügt wäre. Daß die Verse 11–32a an 1–10 anknüpfen und diese voraussetzen, ist deutlich; das zeigt sowohl der Rückweis von V. 32a auf V. 2, wie die Anknüpfung des alten Propheten an das Verbot, in Bethel etwas zu essen und zu trinken. Das schließt an sich natürlich nicht aus, daß V. 1–10 zunächst für sich stand. Aber auch hier kann man fragen, ob der Schluß in V. 9 und 10 wirklich Abschluß einer Erzählung sein kann: Entgegen der Bitte des Königs verweigert der Gottesmann jede Nahrungsaufnahme und kehrt auf einem anderen Wege heim. Wozu soll das erzählt werden? Um den strikten Gehorsam des Gottesmannes darzustellen oder um deutlich zu machen, daß wirklich keine Gemeinsamkeit zwischen einem Mann aus Juda und dem König von Israel bestehen kann, daß also die Verkündigung endgültig ist? Ist es nicht doch wahrscheinlicher, daß dieser Schluß auf die Fortsetzung in V. 11 angelegt ist?

Dann ist also 1Kön 13$_{1-32a}$ + 2Kön 23$_{16-18}$ eben doch als eine einheitlich konzipierte Erzählung anzusprechen. *Greßmann*, der sonst mit dieser Erzählung so gar nichts anfangen kann, hat doch wohl ein richtiges Gespür für die literarische Einheit gehabt, wenn er den Abschnitt aus 2Kön 23 direkt an 1Kön 13 anschließt. Aber was soll diese Geschichte dann darstellen?

3. Damit, daß diese Geschichte Ereignisse unter Josia voraussetzt, ist wohl ein terminus post quem gegeben, aber nicht gesagt, ob sie in die Zeit Josias oder in eine spätere gehört. Ich hatte sie früher[4] einer nachdeuteronomistischen Schicht zugewiesen, unter Verweis auf 1Kön 13$_{2.32b.33}$; 2Kön 23$_{19.20}$. Nun hat *Noth* gerade die Verse 2bα (32b).33 als deuteronomistische Redaktionszusätze bezeichnet. Er könnte darin recht haben, daß sie tatsächlich Zusätze zu einem älteren Bericht sind. Ob nun von einem deuteronomistischen oder einem nachdeuteronomistischen Redaktor, ist damit freilich noch nicht entschieden. Gewiß kann diese Frage zuletzt nur im Zusammenhang mit der Gesamtre-

[4] *AJepsen,* Die Quellen des Königsbuches ([2]1956) 102.

daktionsgechichte der Königsbücher geklärt werden. Immerhin, wenn erst ein nachdeuteronomistischer Redaktor die Erzählung aufgenommen hat, stünde ein größerer Spielraum für die Entstehungszeit der Erzählung selbst zur Verfügung. Diese Zeit aber kann sich, wenn überhaupt, nur aus der Erzählung selbst ergeben.

4. Was ist nun von dieser Erzählung zu halten? Man hat bisweilen nach dem geschichtlichen Kern gefragt, so vor allem *Gray* in seinem Kommentar und, ihm grundsätzlich wohl zustimmend, *Klopfenstein.* Aber dabei ist doch zu unterscheiden zwischen dem geschichtlichen Rahmen und der Geschichtlichkeit der Erzählung. Damit, daß es einen israelitischen König, namens Jerobeam, und einen Altar in Bethel gegeben hat, so wie den König Josia, der u. a. auch diesen in irgend einer Weise entweiht hat, ist gar nichts über die Geschichtlichkeit des hier berichteten Geschehens, der unwiderruflichen Ankündigung eines Gottesmannes und seines Schicksals gesagt (so wenig, wie etwa *LUris* Roman »Exodus« Geschichte sein will, auch wenn der geschichtliche Hintergrund, der Kampf Israels um seine Selbständigkeit, ein Faktum ist). Was hier als »Geschichte« vorausgesetzt ist, war jedem Judäer in der Zeit des Josia bekannt. Darüber hinaus findet sich kein geschichtlicher Hinweis; Gottesmann und Nabi sind anonym, im Unterschied etwa zu den Elia- und Elisaerzählungen, die wenigstens an historische Gestalten anknüpfen wollen. Man kann auch fragen, ob sich wirklich die Tradition über ein Drohwort gegen Bethel aus der Zeit Jerobeams I über drei Jahrhunderte erhalten hat. Die Behauptung von einem geschichtlichen Kern des im geschichtlichen Rahmen Berichteten ist zum mindesten so vage, daß man besser auf sie verzichtet.

5. Daher ist wichtiger als die Frage nach einem geschichtlichen Kern die nach der geschichtlichen Einordnung. Für diese ist aber mit der oben vorgenommenen Abgrenzung schon eine Vorentscheidung gefallen: Die Erzählung kann frühestens in der Zeit Josias ihre gegenwärtige Gestalt empfangen haben. Natürlich kann man nach Vorstufen fragen, bzw. solche rekonstruieren. So gewinnt etwa *Noth* eine solche, indem er $13_{2b\alpha}$ streicht und 2Kön 23_{16-18} als spätere Ergänzung ansieht; dann fehlt jede Beziehung auf das Davidshaus und *Noth* kann die Geschichte aus nordisraelitischen Kreisen herleiten, die zwar die politische Trennung von Juda gut hießen, aber doch am Tempel in Jerusalem festhalten wollten. Doch abgesehen von der Frage, ob es solche Kreise in Israel wirklich gab (Elia und Elisa scheinen nicht dazu gehört zu haben, aber auch Hosea nicht), ist doch zu überlegen, wie weit man in der Ausscheidung von Zusätzen gehen darf, um einen ursprünglichen Text zu gewinnen. Wenn ich oben der Ausscheidung von $13_{2b\beta}$ (וזבח ... עליך). $_{32b.33}$ zugestimmt habe, so deshalb, weil sie zu einer auch sonst zu beobachtenden Redaktionsschicht zu gehören schei-

nen. Die Beziehung auf den Davidsohn in V. 2bα (שמו . . . הנה) (ob mit oder ohne Nennung des Namens Josia, ist nicht entscheidend) sowie die Erfüllung in 2Kön 23_{16-18} scheinen mir aber notwendiges Glied in der Erzählung zu sein. Der Unterschied zwischen der Streichung von $13_{2b\alpha}$; 2Kön 23_{16-18} und der von $13_{2b\beta.32.33}$ wird auch daran deutlich, daß die letztere Ausscheidung am Sinn des Ganzen nichts ändert, während die Streichung des Davidssprosses, bzw. der Erfüllung das Ganze in ein anderes Licht rückt, wie das bei *Noth* ja deutlich erkennbar ist. Daher ist es doch wohl richtiger, die Erzählung so zu interpretieren, wie sie in den Zusammenhang aufgenommen worden ist.

6. Wenn also die Erzählung in der uns überlieferten Gestalt frühestens in die Zeit Josias gehört, ist zu fragen, was der Erzähler eigentlich wollte, und warum ein Redaktor sie in die heilige Überlieferung mit aufgenommen hat. *Galling* (ZDPV 67, 1945, 30; nach ihm auch *Kraus*, Gottesdienst in Israel, ^{2}1962, 179) hat gemeint, 1Kön 13 solle das Recht Josias nachweisen, den Altar Bethels zu entweihen. Dann müßte die Geschichte in unmittelbarem Zusammenhang mit einem Handeln Josias in Bethel stehen. Aber mit welchem? 2Kön 23_{15}, ein Vers, der ziemlich allgemein zum »Reformbericht« gerechnet wird, ist wohl überarbeitet; nebeneinander werden die Bama, der Altar und die Aschera genannt. 1Kön 13 dagegen spricht nur vom Altar. Ist beide Male wirklich dasselbe gemeint? Die Erwähnungen des Altars in 2Kön 23_{15} könnten Zusätze des Redaktors sein, der die Verse 16–18 mit Hilfe von V. 19.20 in den Zusammenhang einfügte. Dann wären zunächst zwei Berichte zu trennen; ob sie das gleiche Ereignis im Auge haben, ist zu mindestens nicht sofort eindeutig festzustellen. Man umschreibt daher das Ziel von 1Kön 13 wohl besser so: Der Erzähler will darlegen, daß der Altar von Bethel keine legitime Jahwekultstätte mehr ist, da Josia ihn, entsprechend einem alten Jahwewort, entweiht hat.

7. Ein Grund für dieses Vorgehen wird nicht angegeben; weder das Gotteswort selbst begründet die Verwerfung des Altars, noch wird sie durch Josia gerechtfertigt. Deutlich ist nur, daß dieser Altar etwas so Verwerfliches ist, daß der Gottesmann weder mit dem König dieses Altars noch mit seinem Nabi irgend eine Gemeinschaft haben darf. Dreimal wird gesagt: »Ich (du) darf nicht . . ., denn Jahwe hat gesagt: Du darfst nicht . . .« Stärker kann die Ablehnung Bethels kaum betont werden. Denn gemeinsames Essen und Trinken, und sei es auch nur ein Weniges, bedeutet Frieden, Gemeinschaft, Heil.[5] Mit Bethel aber darf

[5] Zu der Bedeutung des gemeinsamen Essens vergl. den Abschnitt über Gastfreundschaft bei *Dalman*, AuS VI, 129 und die dort in Anm. 9 angegebene Literatur; auch etwa *Jaussen*, Coutumes, 82. Aus dem germanischen Bereich vgl. *Grönbech*,

es keine Gemeinschaft geben; und selbst der Gottesmann muß es mit dem Leben büßen, wenn er sich zum Essen verführen läßt.

Was hat zu diesem radikalen Urteil über Bethel geführt? Leider wissen wir nur wenig Konkretes über die spätere Geschichte von Bethel.[6] Daß Jerobeam I ein Stierbild in Bethel errichtet hat, dürfte stimmen. In der Zeit Jerobeams II war Bethel ein königliches Heiligtum. Es ist zu vermuten, daß das Heiligtum auch weiterhin seine Bedeutung behielt, wie die Nachricht in 2Kön 17$_{24ff}$ es ja auch angibt. Bethel behielt danach auch 722 seine Stellung als Haupttheiligtum der Provinz Samaria, und zwar als Jahwe-Heiligtum. Auch der Bethel gegenüber äußerst kritische Erzähler von 2Kön 17 muß zugeben, daß Jahwe es war, der eine Löwenplage ins Land sandte, und daß daher ein Jahwepriester zurückgeholt wurde, der die umgesiedelten Fremdvölker in der Verehrung des Landesgottes unterrichten sollte. Es war also nicht ein Fremdkult, der Bethel so verwerflich machte. Vielmehr zeigt wohl eben dieser Bericht, was den Priester und damit Bethel als Heiligtum so abscheulich erscheinen ließ: »Den Jahwe fürchteten sie und ihre Götter verehrten sie«; dh Jahwe war in eine Reihe mit den Fremdgöttern getreten. Dazu also hatte der Jahwepriester sich hergegeben, obgleich doch für Israel Jahwe der eine sein sollte, neben dem kein anderer zu fürchten und zu verehren war. Daher war es nicht die Erinnerung an den alten Gott »Bethel«, die den Altar von Bethel so verdächtig machte, sondern eben die Vermengung des Jahwekults mit dem anderer Götter.[7] Mit einem solchen Kultus ist keinerlei Gemeinschaft möglich; man kann nicht zugleich Gott und den Götzen dienen.

8. Diesem Kult also hat Josia ein Ende bereitet. Leider sind wir über die genauen historischen Vorgänge nur wenig orientiert. Schon die chronologische Einordnung ist umstritten. Ich hatte versucht,[8] die Sta-

Kultur und Religion der Germanen II, 77, der eine Szene zwischen König Chilperich und Gregor von Tours so umschreibt: »Könnte ich nur den Trotzkopf, den Pfaffen, dazu bringen, mit mir zu essen, würde ich schon wissen, mit ihm fertig zu werden« – das war so ungefähr der Gedanke, den der listige Merowinger Chilperich hatte, als er bei seiner Begegnung mit Gregor versuchte, ihm eine Erfrischung aufzunötigen. Aber in dieser Beziehung war Gregor so gut ein Germane wie der König und er wußte sich zu hüten: »Erst wollen wir das Verkehrte einrenken, dann können wir nachher unsere Übereinkunft festtrinken.«
Dazu noch eine literarische Erinnerung: In Dumas' bekanntem Roman weigert sich der Graf von Monte Christo, im Haus seines Feindes auch nur die geringste Kleinigkeit zu genießen und lehnt selbst die Angebote seiner früheren Braut strikt ab, denn er bleibt »unversöhnlich«. Dieses Verhalten wird dann ausdrücklich als »orientalisch« bezeichnet.

[6] Vgl. *Galling* in ZDPV 67 (1945); *Eißfeldt* in RGG[3] s. v. Bethel und die dort angegebene Literatur.

[7] So etwa auch *Klopfenstein*, aaO 656.

[8] In Festschrift Friedrich Baumgärtel (1959) 97ff

dien der Reform Josias festzustellen: Seit 628, dem 12. Jahre Josias, die Beseitigung der kanaanäischen und assyrischen Fremdkulte; seit 622 die Verunreinigung der Jahwehöhen in Juda; in der Folgezeit, im Zusammenhang mit der Ausdehnung der Herrschaft auf Südsamaria, auch die Zerstörung der Höhe Jerobeams in Bethel. Wenn dem gegenüber *HWWolff*[9] auch schon das Vorgehen gegen Bethel an den Anfang der Reform, zwischen 628 und 622, setzt, so lassen sich dafür kaum konkrete Gründe anführen. Die Stellung von V. 15 am Ende des Reformberichts dürfte nicht nur sachliche, sondern doch auch chronologische Gründe haben. Die Erwähnung von Bethel in V. 4 könnte ebensogut, wenn nicht besser dahin verstanden werden, daß der Staub der Aschera ins »Ausland« verbracht wurde. Der Chronikbericht aber ist anders zu deuten. So bleibt es mir doch wahrscheinlicher, die Zerstörung des Heiligtums in Bethel in die Zeit nach 622 zu verlegen.

Daß Josia die Bama in Bethel nicht bestehen ließ, als er das Gebiet um Bethel Juda einverleibte, ist verständlich, nachdem er die Höhenheiligtümer in Juda zerstört hatte; wieviel mehr die »Höhe«, die seit Jerobeams I Zeit Konkurrent für Jerusalem war? Aber über das weitere Schicksal des Betheler Heiligtums ist uns nichts überliefert. Ist es wirklich sicher, daß es in der Zeit nach Josia nicht wieder aufgelebt ist? Nach Josias Tode gingen seine Eroberungen in Samaria doch wohl wieder verloren. Selbst wenn die »Bama« in ihrer alten Größe nicht wieder errichtet wurde, sollte nicht wenigstens ein Altar von neuem in Benutzung genommen sein? Wenn *Albright*[10] mit seinen Beobachtungen im Recht ist, erlebte Bethel im 6. Jahrhundert eine neue Blütezeit. Sollte die Stadt dann nicht auch wieder einen Jahwealtar gehabt haben (etwa ähnlich, wie nach der Zerstörung des Tempels in Jerusalem dort ein Altar errichtet und ein Opferdienst weitergeführt wurde)?[11] Dann könnte die Erzählung von 1Kön 13 sich gerade gegen die Wiederaufnahme des Altardienstes, wie er etwa nach 609 zu vermuten ist, richten und daran erinnern wollen, daß doch der Altar auch schon von Josia, entsprechend einer alten Weissagung, entweiht worden sei. Damit würde sich auch erklären, warum die Geschichte so betont immer nur vom Altar spricht.

9. Die Geschichte spielt nach dem gegenwärtigen Zusammenhang zur Zeit König Jerobeams I. Man könnte überlegen, ob der Redaktor, welcher immer es gewesen sei, die Einordnung richtig vollzogen hat, ob nicht besser an den zweiten Jerobeam zu denken sei, oder ob der König

[9] In der Festschrift für Kurt Galling (1970) 291.

[10] Vgl. *FWAlbright,* Die Religion Israels im Lichte archäologischer Ausgrabungen (1956) 190.

[11] Vgl. die Ausführungen bei *Enno Janssen,* Juda in der Exilszeit (1956) 103.

nicht eben so namenlos war, wie der Gottesmann und der Prophet. Aber die Beziehung auf den ersten Jerobeam ist im Sinn der Erzählung wohl richtig; es geht um den König, der als erster nicht nur den politischen Abfall vom Davidshaus vollzogen, sondern auch den Jahwekult von Bethel in einer Weise bestimmt hat, die einem Abfall vom rechten Glauben gleichkam. Das ist das Jerobeambild der Spätzeit, wie es auch hier vorausgesetzt wird. Schon diesem König wurde, das soll der Hörer oder Leser dieser Erzählung wissen, das Schicksal des von ihm errichteten Jahwealtars angekündigt, und zwar in einer für den Leser überzeugenden Weise. Zu solcher Überzeugung genügte es nicht, das Unheilswort über den Altar wiederzugeben; dieses Wort muß in seiner ganzen Endgültigkeit dargestellt werden. Dazu wird die Geschichte vom Gottesmann und vom Nabi erzählt. Beide, Gottesmann und Nabi sind anonym; das ist vielleicht auch schon ein Hinweis darauf, daß eine bestimmte Tradition über das berichtete Geschehen nicht mehr vorliegt; jedenfalls wagt man keinen bestimmten Namen anzugeben.

Da kommt also ein »Gottesmann« aus Juda »auf Jahwes Geheiß« nach Bethel, während Jerobeam gerade am Altar steht, und spricht »auf Jahwes Geheiß« den Altar an: »Altar, Altar, so spricht Jahwe: Siehe ein Sohn wird dem Davidshaus geboren, Josia mit Namen; Menschengebein wird er auf dir verbrennen«.[12] Damit soll der Altar entweiht und für jeden Kult unbrauchbar werden. Eine Begründung wird nicht gegeben; es wird vorausgesetzt, daß der Leser weiß, warum dieser Altar ein solches Schicksal verdient.

Aber der Erzähler begnügt sich nun damit doch nicht. Zunächst muß gesichert sein, daß dieser Gottesmann wirklich Vollmacht hat, »auf Jahwes Geheiß« zu reden. Dem dient die erste Szene. Jerobeam streckt seine Hand aus, mit dem Befehl, diesen Mann da zu verhaften. Aber der ausgestreckte Arm bleibt steif; er kann ihn nicht zurückziehen. Jahwe steht zu seinem Boten und läßt ihm nichts geschehen. Dem König bleibt keine andere Möglichkeit, als den Gottesmann zu bitten, nun seinerseits Jahwe zu veranlassen, seinen Arm zu heilen. Und der Gottesmann läßt sich dazu herbei; der Arm des Königs wird wieder wie zuvor. Damit wird deutlich, daß Jahwe wirklich hinter dem Gottesmann steht, daß er ihn mit der Botschaft gegen den Altar gesandt hat, daß er ihn gegen den König schützen kann und daß er auf seine Bitte

[12] L. ישׂרף; vgl. 2Kön 23$_{16}$. V. 2bβ ist Ergänzung, s. o.; dagegen ist gegen 2bα, auch gegen die Namensnennung, nichts einzuwenden, wenn eben ein vaticinium ex eventu vorliegt. Daß wir ein solches als geschmacklos empfinden, ist kein Gegenargument. Die Streichung des Namens Josia ist nur dann gerechtfertigt, wenn die Erzählung älter sein *muß*. Dagegen dürfte *Noth* mit seinen Bedenken gegen V. 3. 5. im Recht sein. Diese Sätze lassen sich dem Bericht kaum sinnvoll einfügen.

für den König hört. Jahwe hat das Urteil über den Altar und damit über den an ihm geübten Kult gesprochen und dieses Urteil ist unwiderruflich.

Dem Nachweis dieser Unwiderruflichkeit dient die weitere Erzählung. Sie setzt voraus, daß gemeinsames Essen und Trinken irgendwie eine Gemeinsamkeit begründet (s. o. Anm. 5), mit Bethel aber kann es keine Gemeinsamkeit geben. So lehnt der Gottesmann das Angebot des Königs, der ihn speisen und beschenken will, strikt ab; nichts darf ihn verlocken und sei es »die Hälfte seines Hauses«,[13] um auch nur etwas zu essen und zu trinken. Die Verwerfung des Altars ist unwiderruflich.

Zur Bekräftigung wird nun ein alter Nabi eingeführt, der in Bethel wohnt und, das muß wohl vorausgesetzt werden, am Altar von Bethel irgendwelche Funktionen hat.[14] Als er von dem Drohwort hört, eilt er dem Gottesmann nach, um nun seinerseits zu versuchen, was dem König mißlungen war, den Gottesmann zur Annahme von Speise und Trank in Bethel zu überreden. Der Gottesmann bleibt aber auch ihm gegenüber fest. Erst als der Nabi sich auf ein ihm zuteil gewordenes Jahwewort beruft, willigt der Gottesmann ein, kehrt um und ißt und trinkt im Hause des Nabi. Aber das Ziel des Nabi ist damit nicht erreicht. Ja, er selbst muß als Jahwewort verkünden, daß der Gottesmann alsbald sterben und nicht im Grab seiner Väter bestattet wird, da er dem Mund Jahwes ungehorsam war. Und so geschieht es: Der Gottesmann wird von einem Löwen geschlagen und getötet, aber nicht gefressen. Der fast märchenhaft anmutende Zug, der Löwe habe ruhig neben dem Leichnam und dem Esel gestanden, hat im Zusammenhang seinen eindeutigen Sinn darin, daß damit deutlich werden soll, es habe sich hier wirklich nicht um einen Zufall gehandelt, sondern um ein Gericht Jahwes. Dieses Gericht ist aber notwendig, um zu zeigen, daß auch der anerkannte und von Jahwe geschützte Gottesmann mit Bethel keinerlei Gemeinschaft herstellen darf und kann. Gerade sein Tod zeigt die Unwiderruflichkeit des Urteils über den Altar von Bethel.

Das muß auch der alte Nabi anerkennen: Es war ein Gottesmann, dessen Drohwort wirklich von Jahwe kam, das auch auf keine Weise rückgängig gemacht werden konnte, wie der mißglückte Versuch des Nabi zeigte. Er bleibt auch im Tode der von Jahwe gesandte Bote. Daher verspricht sich der Nabi Ruhe auch im Grabe, wenn er sich neben dem Gottesmann bestatten läßt. Und so geschah es. Als Josia, der

[13] Hierzu wäre Est 5$_{3.6}$; 7$_{2}$; 9$_{12}$ zu vergleichen.

[14] Spekulationen darüber, wie er den Kult Jerobeams beurteilt oder zu welcher Prophetengruppe er gehört habe usw, setzen irgendwie eine Geschichtlichkeit der Erzählung voraus und sind daher kaum anzustellen.

Drohung des Gottesmanns gemäß, den Altar von Bethel entweihte, indem er die Gräber öffnen und die Gebeine auf dem Altar verbrennen ließ, da blieb das Grab des Gottesmanns unangetastet. Sein Wort hatte sich erfüllt, auch wenn er selbst seinen Ungehorsam mit dem Tode hatte büßen müssen. An dieser Erfüllung zeigt sich, daß der Altar von Bethel für alle Zeit verworfen ist.

10. »Gottesmann« und »Nabi« haben also nur eine ganz bestimmte Funktion innerhalb dieser Erzählung von der Verwerfung des Altars zu Bethel. Aber trotzdem darf man fragen, wie der Erzähler diese »Funktionäre« Jahwes sieht und beurteilt. Es ist doch wohl Absicht, wenn er die beiden Gestalten verschieden benennt, auch wenn er dann den Nabi sagen läßt: »Auch ich bin ein Nabi wie du«. Dh trotz einer Gemeinsamkeit sind sie doch unterschieden. »Gottesmann« scheint als Titel nur mit der Gestalt des Elisa schon früh in der Tradition verbunden zu sein; mit Elia nur in zwei Erzählungen einer jüngeren Schicht. Auf Mose und David wird diese Bezeichnung erst später angewandt, im übrigen aber meist für anonyme Propheten. Diese Anwendung des Worts scheint auf einen besonderen Auftrag hindeuten zu sollen, ohne daß eine konkrete Gestalt dahinter sichtbar werden müßte. So ist auch hier der Gottesmann der von Jahwe gesandte, dessen Wort sich erfüllt, dessen Fürbitte bei Gott Gehör findet, der sich standhaft weigert, dem Auftrag Gottes zuwider zu handeln, und der sich doch zuletzt verführen läßt. Auch ein Gottesmann ist der Versuchung zum Ungehorsam ausgesetzt und muß es büßen. Denn מרה ist eine Todsünde. Es fehlt im Deutschen ein ähnlich einfaches Verbum, das den Gegensatz zu שׁמע »hören und gehorchen« ausdrücken könnte; wir können nur umschreiben: »Ungehorsam, aufsässig, widerspenstig sein; widersprechen«. Aber der Gegensatz zu שׁמע ist oft genug deutlich ausgesprochen: Jes 1_{20}; 1Sam $12_{14.15}$; Dtn 9_{23}; Ex 23_{21}; Ez 20_{8} usf. Gern wird das Wort gebraucht, wo es um einen Widerspruch gegen den »Mund Jahwes«, seinen Befehl geht, : Dtn $1_{26.43}$; 9_{23}; Thr 1_{18}; Num 20_{24}; 27_{14}; so auch hier 1Kön $13_{21.26}$. Solches מרה aber verdient den Tod. So wird der בן סורר ומרה vom Volk gesteinigt Dtn $21_{18.20}$; wer dem Befehl Josuas widerspricht, wird getötet Jos 1_{18}; auch Aaron und Mose müssen vorzeitig sterben, weil sie dem Munde Jahwes widersprachen Num 20_{14}; 27_{14}. Gerade diese letzten Stellen, die zumeist P zugeschrieben werden, geben eine sachliche Parallele zu 1Kön 13: Wenn der Gottesmann, aus welchem Grunde immer, dem Befehl Gottes ungehorsam ist, wird Gott ihn dem Tode preisgeben, wie es selbst Aaron und Mose geschehen ist. Man darf diese Stelle also nicht isolieren und fragen, warum der im Grunde hintergangene Gottesmann so hart gestraft wird. Es geht um ein Gotteswort und zwar ein solches, das jede Verbindung mit Bethel untersagt. Ein Ungehorsam diesem Gotteswort

gegenüber, mag er auch verständlich sein, wird wie jeder »Ungehorsam« mit dem Tode geahndet. Dabei ist die Widergabe des מרה mit »Ungehorsam« wohl eigentlich zu schwach. Ein »auf Gottes Wort nicht hören« schließt ein Nicht-ernst-nehmen seines Auftrags ein. Darum haben schon Hosea (14₁) und Jesaja (1₂₀) solches מרה mit dem Schwerte bedroht; später, im deuteronomistischen und priesterlichen Sprachgebrauch ist מרה der Ausdruck für ein Übergehen Gottes und seines Wortes geworden. Dieses Übergehens hat sich der Gottesmann schuldig gemacht, nicht nur durch den Ungehorsam gegenüber dem gegebenen Befehl, sondern vielmehr dadurch, daß er mit Bethel Gemeinschaft herstellte. Man kann eben nicht Gott und den Götzen dienen; die Absage an Bethel gilt unwiderruflich; auch der Gottesmann kann ihr nicht widersprechen. Seine Gestalt hat daher die doppelte Aufgabe, einmal durch sein Wort das einstens kommende Gericht über den Altar in Bethel anzukündigen und dann durch sein Schicksal die Unwiderruflichkeit dieses Urteils zu bezeugen.[15]

Und der Nabi? Er erscheint in einem merkwürdig zwiespältigen Licht. Das ist sicher nicht nur darin begründet, daß er in Bethel wohnt. Denn auch er wird eines Jahwewortes gewürdigt; auch er muß bezeugen, daß der Gottesmann recht hat. Dabei ist er es, der den Gottesmann

[15] Die seit *Wellhausen* (Bleek[4], 244, wieder abgedruckt in Komposition[3], 277, da *Wellhausen* in den späteren Auflagen ja den Text von *Bleek* wiederhergestellt hat) oft geäußerte Vermutung (es bleibt eine Vermutung, auch wenn *Sellin* sie in seinem Kommentar zum Zwölfprophetenbuch als »zweifellos« ansah), es möge »eine Reminiszenz mituntergelaufen sein an Amos von Thekoa«, die zuletzt von *Eißfeldt* (Amos und Jona in volkstümlicher Überlieferung, Festschrift für Ernst Barnikol, 9–13) aufgenommen und von *HWWolff* diskutiert worden ist, trägt für das Verständnis von 1Kön 13 nichts aus. Denn neben einigen Berührungen zwischen dem Buch des Amos und der Erzählung vom Gottesmann sind ebenso viele Unterschiede nicht zu übersehen, vgl. *Wolff*, aaO 293. Wie schwierig schon die Fragestellung ist, zeigt der Satz bei *Wolff:* »Letzte Klarheit über die Frage, ob der Deuteronomist bei dem Gottesmann aus Juda an Amos dachte oder nicht, wird nicht mehr zu gewinnen sein.« Denn zweifelhaft ist schon, ob der Deuteronomist oder ein späterer Redaktor die Erzählung eingefügt hat. Zum anderen hätte er, wenn er wirklich an Amos gedacht hätte, die Erzählung nicht hier einfügen können. Die »schwierige Aufgabe«, vor die *Wolff* den Deuteronomisten gestellt sieht, nämlich die Geschichte aus der Zeit Jerobeams II in die Jerobeams I zu transponieren, beruht auf einer völlig unbewiesenen Voraussetzung, die über das von *Wellhausen* Gesagte weit hinaus führt, nämlich daß die Geschichte ursprünglich von Amos handelte. »Reminiszenz« kann allenfalls bedeuten, daß der Erzähler von einem Gottesmann aus Juda und seinem Auftreten in Bethel berichten konnte, weil so etwas Ähnliches auch sonst schon vorgekommen war. Irgendwelche historischen Schlüsse aus dieser Reminiszenz zu ziehen, wie etwa, Amos sei in Bethel gestorben und begraben, geht weit über das hinaus, was für uns erkennbar ist. Die Thesen aber, die *HWWolff* aus dem Amosbuch für das Geschehen in Bethel unter Josia gewinnt, sind unabhängig von der Frage, ob in 1Kön 13 eine Reminiszenz an Amos vorliegt.

verführt, ihn zum Ungehorsam verleitet, indem er ihm ein angebliches Jahwewort vorhält. Also auch das gibt es, daß ein Nabi, wirklich ein Nabi, ein Gotteswort fingiert, um damit ein bestimmtes Ziel zu erreichen. Es ist nun nicht entscheidend, ob כחש mit »lügen« oder mit *Klopfenstein*[16] wohl besser als »sich verstellen« zu verstehen ist. Jedenfalls ist deutlich, daß man sich auf diesen Nabi nicht verlassen kann. Wenn das hier so ganz schlicht erzählt wird, wird damit vorausgesetzt, daß nicht auf jeden Nabi Verlaß ist. Deutet sich darin schon so etwas wie Skepsis dem Nabitum gegenüber an? Das würde durchaus als möglich erscheinen, wenn die Geschichte in der Zeit Josias oder seiner Söhne formuliert wurde. Es ist die Zeit der Auseinandersetzung zwischen Jeremia und Chananja, die Zeit, in der die Frage nach dem Kriterium echter Prophetie gestellt wird, Dtn 18 (auch 1Kön 22 in seiner heutigen Gestalt scheint mir in diese Periode zu gehören), eine Zeit jedenfalls, die nicht mehr blindlings jedem Nabiwort traute. Und doch muß auch dieser Nabi die Zuverlässigkeit des von dem Gottesmann verkündeten Gotteswortes anerkennen. Es ist ein Zeichen dieser Anerkennung, wenn er den Gottesmann in seinem Grabe und sich an seiner Seite bestatten läßt.

So sind beide, Gottesmann und Nabi, Werkzeuge Jahwes; der Gottesmann, auch wenn er ungehorsam wird, der Nabi, auch wenn er sich verstellt. Gottes Wort über Bethel setzt sich durch und erweist sich als endgültig, trotz Ungehorsam und Verstellung seiner Boten.

11. Hat eine solche Erzählung nun auch einen »theologischen Sinn«? *KBarth* hat es gewagt, sie gerade in all ihrer Merkwürdigkeit als Beleg in seine Gotteslehre einzubauen. Was von der historischen Auslegung her dazu als Kritik zu sagen ist, hat *Klopfenstein* als dankbarer Schüler vorsichtig und *MNoth* in seinem Kommentar kurz, aber eindeutig ausgesprochen. Aber was ist dann der »theologische Sinn«? Muß überhaupt jede Geschichte einen »theologischen« Sinn haben? Jedenfalls nicht, wenn das bedeuten soll, sie habe noch einen anderen als den historischen Sinn, dh als den vom Erzähler, bzw. vom Redaktor im Zusammenhang gemeinten Sinn. Welches ist der aber?

GQuell behandelt das Kapitel im Zusammenhang seiner Untersuchung über wahre und falsche Propheten. So richtet sich sein Blick hier vor allem auf die beiden »Propheten« und sieht das Problem der Bewährung als das eigentliche an. Aber ist damit nicht nur ein Teilproblem herausgehoben? Gewiß wird das Versagen beider »Propheten« deutlich und insofern ist auch das Problem rechten Prophetentums anvisiert. Aber es steht doch im Dienst eines anderen, nämlich der Verwerfung des Altars zu Bethel durch Jahwe.

[16] Vgl. *Klopfenstein*, Die Lüge nach dem Alten Testament (1964) 280–282.

Auch *MNoth* in seinem Kommentar legt für die ursprüngliche Erzählung das Hauptgewicht auf die Gestalt des alten Nabi und sucht ihn zu verstehen als Vertreter nordisraelitischer Nabikreise, die dem Kult in Bethel ablehnend gegenüber standen. Aber hat es diese wirklich gegeben? Auch die Betonung von Gottes richterlicher Heiligkeit, die *Fichtner* in den Mittelpunkt stellt, wird dem Anliegen des ganzen Kapitels kaum gerecht, so sehr die Gehorsamsforderung für das Schicksal des Gottesmanns entscheidend ist.

Alle diese Motive stehen doch im Dienst des einen Anliegens, des eben bereits erwähnten. Daß es wirklich um Jahwes Willen geht, wird daran erkennbar, daß zwar nicht Jahwe selbst handelnd eingeführt wird, daß er aber zulezt der eigentlich Handelnde ist. Denn Er sendet den Gottesmann nach Bethel und läßt ihn das Gericht verkündigen; Er schützt ihn vor der Verhaftung durch den König; Er erhört seine Fürsprache für den König; Er läßt den Löwen zum Gericht über den Gottesmann kommen, und Er läßt die Drohung Wirklichkeit werden. All dieses Handeln Gottes hat aber nur das eine Ziel: Die Verwerfung Bethels und seines Kults als unwiderruflich darzustellen.

Mit anderen Worten: Es geht um die Frage, wie Jahwe recht verehrt werden soll. Jedenfalls nicht so, wie es in Bethel geschieht. Der Erzähler schloß sehr wahrscheinlich, obgleich er es nicht ausspricht: Vielmehr so, wie in Jerusalem. Warum? Man kann darauf hinweisen, daß zZ des Erzählers Jerusalem ebenso als von Jahwe »erwählt« galt wie das Davidshaus. Aber merkwürdig bleibt doch, daß diese »Position« Jerusalems gegenüber der »Negation« Bethels nicht ausdrücklich betont wird. Ist sie so selbstverständlich? Oder geht es eigentlich gar nicht um den Gegensatz Jerusalem – Bethel, als vielmehr um den von »Synkretismus« und »Monotheismus«? Das würde jedenfalls in der Zeit des Redaktors (sei es nun der »deuteronomistische« oder, wahrscheinlicher, ein nachdeuteronomistischer) durchaus verständlich; denn in der Exilszeit, und das ist die Zeit der Redaktoren, war die Frage der rechten Jahweverehrung die eigentlich entscheidende. Auf diese Frage aber antwortet der Redaktor mit der Aufnahme dieser Erzählung: In der Entweihung des Altars zu Bethel durch Josia, wie sie schon der Gottesmann verkündet und der alte Nabi bestätigt hatten, wird doch deutlich, daß Jahwe nicht so wie in Bethel, neben anderen Göttern, sondern allein verehrt werden will. Denn: Höre Israel, Jahwe (ist) unser Gott, Jahwe als einer allein! und: Ich, Jahwe, bin dein Gott; keinen andern Gott brauchst du neben mir! Dieser Eine bezeugt sich als der Herr; Er steht zu seinem Wort, auch wenn seine Boten mannigfach versagen.

So könnte auch diese seltsame Legende sich dem Bekenntnis der Jahwegemeinde einfügen.

JÖRG JEREMIAS

LADE UND ZION

Zur Entstehung der Ziontradition

In kritischen Würdigungen des viel beachteten Aufsatzes von *MNoth* »Jerusalem und die israelitische Tradition«[1] urteilen *HWildberger*[2] und *GvRad*[3] unabhängig voneinander, daß *Noth* die religiöse Bedeutung Jerusalems zu stark allein durch die Lade, zu wenig durch die Ziontradition geprägt sah. Damit ist ein Problemkreis berührt, der durch die reine Addition von Lade- und Ziontradition nicht zu lösen ist. Denn es ist kaum vorstellbar, daß in Jerusalem über längere Zeit hinweg mit der Lade verbundene Vorstellungen und die genuin jerusalemische Ziontradition nebeneinander bestanden haben sollten, ohne sich gegenseitig zu durchdringen. Ist eine solche wechselseitige Beeinflussung aber nachweisbar? Oder hat man statt an ein Nebeneinander an ein Nacheinander zu denken, so daß Jerusalem seinen Aufstieg zum Symbol aller Glaubenshoffnungen in der Spätzeit zunächst der Lade verdankt hätte und die Ziontradition diese Entwicklung fortgeführt und vollendet hätte? Aber hier erheben sich sofort neue Fragen. Entstand die Ziontradition in diesem Falle erst, als die Lade ihre zentrale Bedeutung für Israel schon eingebüßt hatte, oder war es gerade die immer stärker in den Vordergrund tretende Ziontradition, die den Bedeutungsverlust der Lade bewirkte? Wie aber kam es dann überhaupt zur Bildung einer israelitischen Ziontradition, wenn diese, wie zumeist angenommen, weithin schon vorisraelitische Überlieferungen aufgriff? Leistete die Lade mit ihrem Vorstellungsgut hier Vorschub? Angesichts dieser Fragen wird deutlich: Es ist nötig, das Verhältnis von Lade- und Ziontradition möglichst exakt zu bestimmen, wenn man erklären will, wie die ursprünglich kanaanäische Stadt Jerusalem eine für den Glauben Israels so bedeutsame Rolle spielen konnte.

[1] OTS 8 (1950) 28–46 = Ges. St. (ThB 6) 172–187.
[2] JSS 4 (1959) 167.
[3] TheolAT II (1960) 167, Anm. 15 (= ⁴1965, 163, Anm. 15).

I.

Die Einnahme des isolierten Stadtstaates Jerusalem durch David war zunächst nicht mehr als ein Akt politischer Klugheit. Als nach einigen Jahren der Königsherrschaft über Juda in Hebron auch die Nordstämme David die Königswürde antrugen, mußte er bei der Wahl einer neuen Hauptstadt darauf bedacht sein, das an ihn in Personalunion gebundene Groß-Israel nicht durch offensichtliche Bevorzugung eines der beiden Teile leichtfertig zu gefährden. Als Hauptstadt auf exterritorialem Gelände aber bot sich keine andere Stadt so sehr an wie eben Jerusalem, das zwar verkehrsgeographisch keineswegs günstig,[4] dafür aber auf der Grenze zwischen Nord- und Südstämmen lag (Jos 15₈; 18₁₆). David wußte, was er tat, als er Jerusalem nur mit ihm persönlich ergebenen Mannen eroberte (2Sam 5₆); Jerusalem wurde als sein Eigentum zur »Davidsstadt« (V. 7.9), er selbst, an frühere dortige Praxis anknüpfend, König und vielleicht auch Oberpriester in seiner Stadt. Israel hatte auf Jerusalem sowenig Anspruch wie auf Ziklag, das der Philisterfürst Achis von Gath David zu Lehen gegeben hatte.

Die Rolle, die Jerusalem in der Folgezeit *für Israel* spielen sollte, wird von diesen Maßnahmen Davids her nicht verständlich.[5] Israel wußte noch nach einigen Jahrhunderten, daß Jerusalem spät als ein Fremdling in seine Geschichte eingetreten und »nach Herkunft und Abstammung kanaanäisch« war (Ez 16₃). Seine eigentliche Bedeutung für Israel gewann Jerusalem erst durch den nachfolgenden, ungleich ungewöhnlicheren Akt Davids: die Überführung der Lade nach Jerusalem. Jetzt waren nicht mehr Davids Söldner ausführende Organe des königlichen Willens und hätten es im Sinne Davids auch gar nicht sein können, sondern »alle jungen Männer in Israel« (2Sam 6₁),[6] jetzt blieb Jerusalem nicht länger nur Regierungszentrum des Königs, sondern wurde religiöses Zentrum für Israel, und sollte David Oberpriester in seiner eigenen Stadt gewesen sein, so wurden er und seine Nachfolger jetzt, zumindest nominell, höchste Priester des Gottesvolkes (Ps 110₄).

Die Folgen dieses einschneidenden Aktes Davids für den Glauben Israels sind geradezu unüberschaubar. Ich möchte für die hiesige Fragestellung nur zwei der wichtigsten Aspekte dieser Folgen in aller Kürze herausgreifen:

1) Durch die Überführung des israelitischen Haupttheiligtums in eine rein kanaanäische Stadt wurden die Voraussetzungen dafür ge-

[4] *A Alt*, Jerusalems Aufstieg (1925), Kl. Schr. III 243ff.

[5] Vgl. *M Noth*, Die Gesetze im Pentateuch (1940), Ges. St. 9ff, bes. 44ff.

[6] Dieser Unterschied bleibt auch dann von Gewicht, wenn mit »Israel« primär die Nordstämme gemeint sein sollten (*A Alt*, Kl. Schr. II 46, Anm. 3).

schaffen, daß in Jerusalem israelitische und kanaanäische Glaubensvorstellungen einander nicht nur wie andernorts begegneten, um sich hier und dort zu durchdringen, sondern sich in einer sonst unbekannten Intensität miteinander vermischten. Jerusalem wurde zu *dem* Tor in Israel schlechthin, durch das genuin kanaanäische und andere fremdreligiöse Einflüsse auf den offiziellen Jahweglauben eindrangen. Zwei Beispiele, die sich beliebig vermehren ließen, mögen das erläutern. Der bald nach David entstandene Abschnitt Gen 14_{18-20}, die einzige Stelle im Pentateuch, die Jerusalem erwähnt, läßt Abraham dem Jerusalemer Priesterkönig Melchisedek den Zehnten darbringen (V. 20); damit soll (traditionsbewußten und strenggläubigen Bevölkerungskreisen Judas gegenüber) aufgewiesen werden, daß sich schon das im Patriarchen verkörperte Israel dem Vorläufer Davids und damit auch Jerusalem und seinem Kult verpflichtet wußte: »Eine so positive, tolerante Einschätzung eines außerisraelitischen, kanaanäischen Kultus ist im AT sonst ohne Beispiel.«[7] Von hier aus überrascht es nicht mehr, wenn Salomo wenige Jahrzehnte nach der Ladeüberführung vor dem neu erbauten Tempel einen Brandopferaltar in eben der Gestalt errichten läßt, die das altisraelitische Altargesetz expressis verbis untersagt hatte (Ex 20_{26a}): ein Zeichen dafür, wie früh mit dem älteren Jahweglauben konkurrierende »kanaanäisch-jebusitische Kulttraditionen von der Verehrung eines ›höchsten‹ Gottes aufgenommen und umgestaltet auf Jahwe übertragen« wurden.[8]

2) Die Bildung einer eigenständigen Davidtradition ist ohne die Lade undenkbar. Wenn David nach 2Sam 7_8 (vgl. 1Sam 13_{14}; 25_{30}; 2Sam 5_2; 6_{21}) im Nachhinein den Titel eines (charismatischen) Führers des Gottesvolkes erhält,[9] obwohl er selbst im wesentlichen Söldnerkriege führte und zudem auf israelitische Traditionen nachweislich kaum Rücksicht nahm,[10] so ist das am ehesten verständlich, wenn dieser gewichtige Ehrentitel ihm als Überführer und Besitzer der Lade zuteil wurde.[11] Vor allem aber hängt die Dynastieverheißung, die im Zentrum der Davidtradition steht, engstens mit der Überführung der

[7] *GvRad*, ATD 2/4 zSt.

[8] *DConrad*, Studien zum Altargesetz, Diss. Marburg (1968) 135.

[9] נָגִיד עַל־עַמִּי עַל־יִשְׂרָאֵל. Vgl. zu diesem Titel, der erstmals für Saul belegt ist (1Sam 9_{16}; 10_1), *AAlt*, Kl. Schr. II 22f; *HGese*, Der Davidsbund und die Zionserwählung, ZThK 61 (1964) 12, Anm. 7; *WRichter*, Die nāgīd-Formel, BZ 9 (1965) 71–84.

[10] Vgl. etwa seine Verwendung des נָגִיד-Titels in 1Kö 1_{35} und dazu *AAlt*, ebd. 62, Anm. 1.

[11] Vgl. *MNoth*, David und Israel in 2. Samuel 7 (1957), Ges. St. 334ff, bes. 338ff; *RSmend*, Jahwekrieg und Stämmebund (1963) 64; *Noth* weist u. a. darauf hin, daß David sein Gebet an Jahwe Zebaoth richtet, also vor der Lade spricht (V. 26f; vgl. u. S. 187f); auch in V. 8 wird Jahwe als Jahwe Zebaoth eingeführt!

Lade nach Jerusalem zusammen. Werden vergleichbare Verheißungen (in Ägypten und) im Zweistromland mehrfach dem jeweiligen König zugesprochen, weil sich im Bau eines Tempels seine Fürsorge für die Götter erwies,[12] so wird David der Tempelbau in Jerusalem von Jahwe gerade untersagt; bei ihm tritt die Überführung der Lade als Begründung für die Dynastieverheißung an die Stelle des Tempelbaus, wie insbesondere 2Sam 7$_{1ff}$ und Ps 132 beweisen[13] und wie außerdem die keinesfalls zufällige Abfolge von 2Sam 6 zu 7 nahelegt.

Hat man diese weitreichenden Auswirkungen der Ladeüberführung nach Jerusalem vor Augen, so muß es verwundern, daß die Lade zwar in den David und auch Salomo unmittelbar angehenden Ereignissen häufig erwähnt wird, in der Folgezeit aber weitgehend aus dem Gesichtskreis der israelitischen Literatur entschwindet. Im wesentlichen ist nur noch in einigen Psalmen wahrscheinlich von Ladeumzügen die Rede (Ps 24; 132; vgl. 68) und später im dtn-dtr Schrifttum von der Lade als Behälter für die Gesetzestafeln sowie im P-Schrifttum zusätzlich von der Lade als Ort der Begegnung Jahwes mit Mose. Aber Dt-Dtr und P bieten theologische Anschauungen einer späteren Zeit, die in ihren Deutungen der Lade nicht einfach »historisch« ausgewertet werden dürfen; vielmehr verbinden sie mit der Lade Vorstellungen, die ihr von Haus aus, zumindest in der für uns überschaubaren Zeit, fremd waren.

Eine wie geringe Rolle die Lade in der Theologie der spätvorexilischen Zeit (außerhalb der dtn Kreise) spielte, geht besonders deutlich aus Jer 3$_{16}$ hervor, wo die Entbehrlichkeit der Lade für die Exilsgemeinde betont hervorgehoben wird. Die Lade braucht nach ihrer Zerstörung nicht mehr wiederhergestellt zu werden, weil – und diese Begründung ist höchst gewichtig – nicht länger sie, sondern Jerusalem Thron Jahwes ist oder doch sein wird (V. 17). Hätte die Lade ihre Bedeutung, die sie zur Zeit Davids besaß, bis zur Zerstörung Jerusalems in vollem Ausmaß beibehalten, wäre eine solche Aussage schwer verständlich. Was in Jer 3$_{16f}$ verheißen wird – Jerusalem wird als ganzes die Stelle der Lade einnehmen –, muß sich in Israel längst zuvor angebahnt haben. So legt sich von hier aus die Annahme nahe, daß die lang »ersehnte Ruhe« (Ps 132$_{8.14}$), die schon David, besonders aber durch den Tempelbau Salomo der Lade verschaffte, ihr allmähliches Absinken zur Entbehrlichkeit, ihre »ehrenvolle Emeritierung«[14] ein-

[12] Belege bei *SHerrmann,* Die Königsnovelle in Ägypten und Israel, Festschr. AAlt, WZLeipzig Gesellsch. und sprachwiss. Reihe 3 (1953/54) 33–44; *EKutsch,* Die Dynastie von Gottes Gnaden, ZThK 58 (1961) 147f (137ff).

[13] Vgl. zu Ps 132 bes. *Gese,* aaO 13. 16ff, der den Psalm jedoch m. E. erheblich zu früh datiert.

[14] *OEißfeldt,* Kl. Schr. II 287.

leitete. Jetzt hatte sie keine Möglichkeit zu Aggressionen mehr: Kein Ussa, der sie mit der Hand berühren könnte, um tot zu Boden zu fallen, würde mehr in ihre Nähe treten, keinen Dagon würde sie von seinem Sockel stoßen können, keinen ihr gleichgültig gegenüberstehenden Beth-Schemeschiten mehr erschlagen können. Vom Tempel in Silo und vom Zelt in Jerusalem aus zog sie noch in den Krieg, vom Tempel Salomos aus nicht mehr. Ihre letzte bedeutsame Tat war die Legitimation Jerusalems, und an Jerusalem trat sie mit der Zeit ihre Rechte ab.

Sollte man exakter formulieren können: Die Ziontradition trat mit der Zeit an die Stelle der Lade? Bevor diese Frage geprüft werden kann, muß kurz der Versuch unternommen werden, die entscheidenden Vorstellungen herauszustellen, die sich für das Israel zur Zeit Davids mit der Lade verbanden. Ein solcher Versuch ist allerdings von vornherein dazu verurteilt, Stückwerk zu bleiben, da das alttestamentliche Material nicht einmal mit letzter Sicherheit zu entscheiden erlaubt, ob die Lade eine nomadische Vergangenheit hatte oder aber ein erst im Kulturland entstandenes Heiligtum war. Bei dieser Quellenlage müssen wir uns für unsere Fragestellung auf das beschränken, was sich über die Bedeutung der Lade in der Richterzeit mit einiger Sicherheit aussagen läßt. Hier nun stößt man auf einen seltsamen Dualismus: Auf der einen Seite können wir mit Gewißheit sagen, daß die Lade für längere Zeit im Tempel zu Silo stand[15] und dort – in Vorwegnahme ihres Geschickes in Jerusalem – so etwas wie ein »Zentralheiligtum« für die israelitischen Stämme, zumindest für die in Mittelpalästina ansässigen, gewesen sein muß. Zu dieser ihrer Stellung paßt die mit der Lade verbundene Prädikation Jahwes als des יֹשֵׁב הַכְּרֻבִים vorzüglich, die – höchstwahrscheinlich in Silo von den Kananäern übernommen[16] – die ruhende Gegenwart Jahwes als thronenden (Königs) auszudrücken scheint. Auf der anderen Seite aber ist zu etwa der gleichen Zeit zu beobachten, wie die Lade mehr und mehr bei gewichtigen Jahwekriegen mitgenommen wird, um durch die unmittelbare Gegenwart und Kampfesbereitschaft Jahwes diese Kriege zu entscheiden. Zu diesem

[15] Ungleich unsicherer ist, ob sie sich über einen längeren Zeitraum auch in Sichem, Bethel oder Gilgal befand; vgl. *GFohrer*, ThLZ 91 (1966) 809f und bes. *RSmend*, aaO 56ff.

[16] Vgl. *OEißfeldt*, Jahwe Zebaoth (1950), Kl. Schr. III 103ff, bes. 113ff; *WHSchmidt*, Königtum Gottes in Ugarit und Israel (²1966) 89f. Möglicherweise bezieht sich die in 2Sam 6₂ vorausgesetzte Neubenennung der Lade auf diesen Titel; ähnlich (allerdings unter Einbeziehung von צבאות) *OEißfeldt*, Silo und Jerusalem (1957), Kl. Schr. III 421f (417ff). Eine Entstehung des Titels in Jerusalem erscheint mir schon deshalb unwahrscheinlich, weil die Keruben im salomonischen Tempel andere, nämlich schützende Funktionen ausüben.

nicht weniger bedeutsamen Aspekt der Lade[17] fügt sich die Prädikation Jahwes als יהוה צְבָאוֹת ausgezeichnet, die ihrerseits spätestens seit Silo (1Sam 1₃.₁₁; 4₄; 2Sam 6₂) eng mit der Lade verknüpft ist. Wie immer man das hier gebrauchte צבאות begreift – ob als Kennzeichnung irdischer oder himmlischer Heerscharen oder gar als Abstraktplural (*Eißfeldt*) –: offensichtlich steht diese Prädikation in sachlichem Zusammenhang mit dem kriegerischen Aspekt der Lade; denn als Jahwe Zebaoth ist Jahwe der »machtvolle Held in der Schlacht« (Ps 24₇–₁₀), und die Lade ist »seine machtvolle Lade« (Ps 132₈).[18] Beiden so verschiedenartigen, in der späteren Richterzeit unausgeglichen nebeneinanderstehenden Funktionen der Lade in Krieg und Frieden ist eine Haupteigenschaft gemeinsam: Die Lade verbürgt wie kein anderer Kultgegenstand die Gegenwart Jahwes.[19]

II.

Läßt sich von diesem vorläufigen Ergebnis her die Ziontradition als Nachfolgerin und Fortführerin der Lade bestimmen? Diese Frage ist bei unserem gegenwärtigen Erkenntnisstand mit der zusätzlichen Schwierigkeit belastet, daß die Entstehungszeit der Ziontradition wieder fraglich geworden ist. *GWanke* hat in jüngster Zeit im Anschluß an ältere Exegeten erneut die Meinung vertreten, die Ziontradition sei erst in nachexilischer Zeit entstanden, als die legendenhafte Ausgestaltung der Ereignisse des Jahres 701 mit Gedanken Jeremias und Ezechiels vermischt worden sei und so zur Bildung des Motives vom Völkerkampf gegen Jerusalem geführt hätte.[20] Jedoch nennen die uns erhaltenen legendenhaften Schilderungen der Belagerung Jerusalems 701 für Sanheribs Abzug Gründe (2Kön 19₇.₈f.₃₅), die schwerlich zur Bildung einer Ziontradition führen konnten, und *Wanke*s These

[17] Belege und deren Auswertung bei *RSmend* aaO sowie bei *FJHelfmeyer*, Die Nachfolge Gottes im AT (1968) 186ff. In diesem Sinne wollen offensichtlich auch die Ladesprüche Num 10₃₅f verstanden sein; vgl. das Fliehen der Feinde in V. 35 und den Terminus אֶלֶף in V. 36.

[18] Gegen einen ursprünglichen Zusammenhang beider Titel Jahwes, wie ihn *OEißfeldt* aaO aufgrund von 1Sam 4₄; 2Sam 6₂ annimmt, spricht vor allem, daß ישב הכרבים und יהוה צבאות in den Psalmen und auch sonst (vgl. bes. 1Chr 13₆! Jes 37₁₆ erweitert sekundär 2Kö 19₁₅) nur je für sich begegnen; vgl. auch die Einwände *RSmends*, aaO 59f. Nach *JMaier*, Das altisraelitische Ladeheiligtum (1965) 50ff, stammen beide Titel erst aus der Königszeit; seine Gründe für diese Annahme sind jedoch keineswegs überzeugend.

[19] Vgl. *LRost*, Die Überlieferung von der Thronnachfolge Davids (1926), Das kleine Credo (1965) 152. 155ff; *GvRad*, Zelt und Lade (1931), Ges. St. 115. 127.

[20] Die Zionstheologie der Korachiten (1966) bes. 70ff.

basiert auch sonst auf einer Fülle von unwahrscheinlichen Voraussetzungen.[21] M. E. läßt sich auch an Einzelheiten zeigen, daß schon Jesaja die Ziontradition, wie sie in Ps 46; 48 und 76 belegt ist, voraussetzt.[22] Freilich hat *Wanke* darin sicher Recht, daß sich die Ziontradition nicht einfach als historisierter Chaoskampfmythos verstehen läßt[23] und auch kaum in ihrer Ganzheit ohne weiteres als schon jebusitische Überlieferung aufgefaßt werden darf.[24] Denn zu der Vorstellung von einem Kampf der Völker gegen den Gottesberg und ihrer Abwehr durch einen Gott findet sich in den Umweltreligionen Israels nicht nur keinerlei sachliche Parallele, sondern es muß nach Bekanntwerden der Texte von Ras Schamra auch ernsthaft gefragt werden, ob sie im Raum kanaanäischer Gottesvorstellungen überhaupt denkbar ist. Die Völkerwelt spielt hier eine so geringe Rolle, daß man der vorsichtigen Formulierung *WHSchmidt*s, die Abwehr anstürmender Völker setze »wohl einen gewissen ›Monotheismus‹ voraus, wie er im alten Orient nur in Israel begegnet«, wird zustimmen müssen.[25]

Wie aber ist dann die Ziontradition entstanden? Auszugehen ist von den Zionpsalmen 46; 48; 76 (und 87), denen gegenüber die Verwendung der Tradition im prophetischen Schrifttum, vor allem im nachjesajanischen (Mi 4$_{11-13}$; Ez 38f; Sach 12; 14 u. ö.), deutlich ein späteres Stadium der Überlieferung darstellt.[26] Für die Zionpsalmen nun ist m. E. die Beobachtung von großem Gewicht, daß sie nicht nur

[21] Vgl. im einzelnen *JJeremias,* BiOr 24 (1967) 365f, und *HMLutz,* Jahwe, Jerusalem und die Völker (1968) 213ff.

[22] Das kann im Rahmen dieses Aufsatzes nicht geschehen; vgl. aber schon die überzeugenden Argumente von *HMLutz,* ebd 171ff, die sich noch erheblich vermehren ließen.

[23] So *SMowinckel,* Ps. St. II 57ff; ähnlich schon *HGunkel,* Schöpfung und Chaos ([2]1921) 99f. Vgl. dazu u. S. 190, Anm. 29 und S. 194ff.

[24] So *ERohland,* Die Bedeutung der Erwählungstraditionen Israels für die Eschatologie der atl. Propheten (1956) 131. 136. 140f; *JSchreiner,* Sion-Jerusalem (1963) 226. 235; *HMLutz,* aaO 174ff; *JHHayes,* The Tradition of Zion's Inviolability, JBL 82 (1963) 419–426.

[25] Atl. Glaube und seine Umwelt (1968) 114. Der Versuch des gegenteiligen Nachweises durch *FStolz,* Strukturen und Figuren im Kult von Jerusalem, BZAW 118 (1970), ist m. E. nicht geglückt. Zwar werden in mesopotamischen Hymnen, besonders in Theophanieschilderungen, Götter häufig als Kämpfer auch gegen menschliche Feinde geschildert (*Stolz* [illegible], *JJeremias,* Theophanie, 1965, 73ff), aber diese Texte handeln sowenig wie der ugaritische Bericht über Anats Mordlust und Blutbad (*'nt* II) vom Ansturm der Völker gegen den Gottesberg. Nur unter Verzicht auf zwingend notwendige Differenzierungen (hier wie auch sonst zugunsten einer umfassenden religionspsychologischen Erklärung) kann *Stolz* in solchen Texten wie auch in einer bunten Mischung verschiedenartigster atl. Belege (S. 86ff) »das Völkerkampfmotiv« finden, um dieses dann »als jebusitisches Erbe anzusprechen« (S. 89).

[26] Vgl. neben *ERohland* aaO vor allem *HMLutz,* aaO 157ff.

sehr ähnlich aufgebaut sind, sondern darüber hinaus jeweils die gleichen drei syntaktischen Konstruktionen für die Hauptaussagen der Psalmen verwenden:

1) Betont und geradezu überschriftartig am Anfang stehen jeweils bekenntnisartige statische Aussagen, fast durchweg in Gestalt von *Nominalsätzen,* die Gott als Bewohner und Schützer des Zion bzw. Zion als von Gott prächtig ausgestattetes und geschütztes Bollwerk beschreiben.[27]

2) Diese statischen Aussagen werden sachlich begründet durch *perfektische Verbalsätze*: Herr und Schützer des Zion ist Jahwe, weil er den Völkeransturm abgewehrt hat.[28]

3) Jeweils zum Abschluß werden spezielle Folgen für die Hörer in *Imperativsätzen* genannt, denen in Ps 48 und 76 Jussive vorangehen und die zur Anerkennung Jahwes ($46_{9a.11}$), zur Festprozession (48_{12ff}) oder zur Tōdāh und Erfüllung der Gelübde (76_{11f}) auffordern.

Variabel sind demgegenüber die mittleren Glieder der Psalmen; sie stimmen jedoch darin überein, daß sie sämtlich allgemein und ständig gültige Folgen der Völkerabwehr durch Jahwe beschreiben wollen. Wird auf Israel geblickt, so wird in imperfektischen Verbalsätzen seine Furchtlosigkeit bei allen künftigen Gefahren herausgestellt (Ps 46_{3f}),[29] wird auf Jahwe geblickt, so bricht hymnischer Stil durch: Beschreibende Imperfecta weisen auf »substantielle Handlungen« Jahwes[30] (46_{6b}; $48_{8.9b}$; 76_{13}), oder der Lobpreis der Gemeinde wendet sich in der direkten Anrede an Jahwe (48_{10f}; $76_{5.8}$[31]).

[27] Ps 48_{2-4}; $76_{2(3)}$; in Ps 46 leiten die statischen Aussagen die ersten beiden Strophen ein (V. 2. 5f; dabei nimmt V. 6b V. 2b auf) und werden durch den Kehrvers 8. 12, der wohl auch nach V. 4 zu ergänzen ist, summierend zusammengefaßt. In Ps 87 sind gewichtige statische Aussagen der Tradition (V. 1b. 2b. 3b. 5b. 7b) in einen neuen Kontext gestellt worden.

[28] Ps 48_{5-7} (zur Satzstellung vgl. *DMichel,* Tempora und Satzstellung in den Psalmen, 1960, § 29c); $76_{4.6f.9f}$ (unterbrochen durch den kehrversartigen Satz über Jahwes furchterweckendes Handeln V. 5. 8. 13); $46_{7.9b.10}$ (V. 9b. 10 sind partizipial formuliert und begründen so die Imperative 9a. 11; wie Ps 76_4 beweist, gehören sie jedoch sachlich zur perfektischen Schilderung).

[29] Aus dieser syntaktischen Beobachtung geht deutlich hervor, daß für Ps 46 Chaoskampf (V. 3f) und Völkerkampf (V. 7) nicht auf gleicher Ebene liegen. Den Völkerkampf *hat* Jahwe abgewehrt und ist so zur Fluchtburg Israels geworden; auf das Chaos wird als ständig latente Gefahr geblickt (vgl. Hi 3_8; 7_{12} u. ö.), der gegenüber nun die Furchtlosigkeit Israels gilt, das sich auf Jahwe verlassen kann. Freilich wird der Völkerkampf mit Hilfe der Terminologie des Chaoskampfes geschildert; vgl. u. S. 194ff.

[30] *DMichel,* aaO § 15–16. 18.

[31] Von V. 5. 8 her drang die Anrede auch in V. 6f. 9f ein. Vgl. zu dieser Stilform bes. *FCrüsemann,* Studien zur Formgeschichte von Hymnus und Danklied in Israel (1969) 174ff.

Weisen diese Psalmen somit eine gleichartige syntaktische Struktur und ein gleichartiges formales sowie inhaltliches Gefälle auf, so sind sie daneben auch durch einen geprägten Vorstellungskreis verbunden. Das gilt im strengen Sinne allerdings nur für die ersten beiden der genannten Glieder. Die mittleren Verse sind nicht nur formal, sondern auch inhaltlich variabel; die Ähnlichkeit ihrer Motive hängt damit zusammen, daß sie alle von den fest umrissenen Aussagen der ersten Glieder herkommen: Jahwes furchterregendes Handeln gegen seine Feinde (Ps 76) ist zugleich seine Hilfe für Israel (Ps 46), in der seine Zuverlässigkeit und Gerechtigkeit zum Ausdruck kommen (Ps 48). Im Anklang an diesen letzten Gedanken kann Ps 76$_{9f}$ dann sogar – und zwar perfektisch! –, dem Kontext weniger angemessen, von Jahwes richterlichem Einschreiten speziell für die »Armen« reden.[32] Aber auch die imperativischen Aufrufe an die Hörer zum Abschluß der Psalmen sind sehr unterschiedlichen Inhalts – Ps 46$_{11}$ ist zudem als Jahwerede formuliert –, so daß es gut vorstellbar ist, daß die Psalmen von Haus aus verschiedenen Sitzen im Leben zugehört haben.[33] Der eigentlichen Ziontradition sind diese abschließenden Imperativsätze somit sowenig wie die mittleren Verse der Psalmen zuzurechnen; sie wollen beide nichts anderes, als die schon vorgegebene Ziontradition der Gemeinde explizieren.[34] Für die Frage nach der Entstehung der Ziontradition ist eine Konzentration auf die ersten beiden Glieder geboten.

Schon bei dem ersten Blick auf die statischen Aussagen der Nominalsätze muß auffallen, daß zwar alle drei Zionpsalmen mit Aussprüchen über Jahwe einsetzen, daß diese aber sogleich durch andere abgelöst werden, die vom Zion reden. Es geht diesen einleitenden Versen offensichtlich durchweg darum darzulegen, was es für Israel heißt, daß Jahwe auf dem Zion wohnt. Keine andere Aussage wird in gleichen und wechselnden Wendungen so nachdrücklich eingeschärft wie die, daß Jahwe in Zions Mitte (46$_6$), in Zions Palästen (48$_4$) ist, daß er auf Zion wohnt (46$_5$; 76$_3$; 87$_{1f}$), auf Zion (שָׁם bzw. שָׁמָּה 48$_7$; 76$_4$) und von Zion aus (76$_5$) handelt, Zion somit »Stadt Jahwes«,[35] »Stadt unseres Gottes« (48$_{2.9}$), »Stadt des Großkönigs« (48$_3$) ist. Alles Übrige ist letztlich Explikation dieses zentralen Gedankens: Als Herr und Bewohner des Zion (und als Sieger über den Völkeransturm) ist Jahwe »groß« (48$_2$; vgl. 76$_2$), »Burg« und »Bollwerk« (46$_{2.8.12}$; 48$_4$) und als solcher »bewährt« und »bekannt« (46$_2$; 48$_4$; vgl. 76$_2$) – einzig in Ps 76$_2$ könnte

[32] Auch geht – einzig hier in den Zionpsalmen – Jahwes Handeln vom Himmel als seinem Wohnort aus!

[33] So *ERohland*, aaO 124ff.

[34] Einzelne Aussagen der Tradition sind freilich in sie eingeflossen; vgl. 48$_{8.9\alpha\beta b}$. 11$_{\alpha\beta}$.

[35] So wird Ps 46$_5$ (auch 87$_3$?) vor der elohistischen Überarbeitung gelautet haben.

auf eine Zeit vor dieser Inbesitznahme geblickt sein[36] –, und nur weil Jahwe auf dem Zion wohnt, ist der Zion »heilige Wohnung« (46_5; vgl. 24_3), »heiliger Berg« (48_2; 87_1; vgl. 2_6; 15_1; 110_3 u. ö.) und damit unüberwindbar, ist er der Gottesberg Zaphon und als solcher Freude der ganzen Erde (48_3; vgl. 50_2; Thr 2_{15}), festgegründet für alle Zeiten (48_9; $87_{1.5}$) und Ort des Gottesstromes (46_5; vgl. 87_7; 65_{10}; Ez 47 u. ö.).[37]

Nun ist längst erkannt, daß die genannten Prädikationen des Zion ausnahmslos vorisraelitischen Ursprungs sind; Israel hat sie vermutlich in Jerusalem von den Jebusitern übernommen und zugleich den in Gen 14_{18-20}; Ps 46_5; 87_5 u. ö. genannten Stadtgott von Jerusalem, (El) Eljon, mit Jahwe identifiziert.[38]

Es genügt hier für die Wendungen הר קדש und משכן auf den Nachweis *WH Schmidts*,[39] für die Verben כון und יסד auf die einschlägigen Wörterbücher[40] und für die Gleichsetzung des Zion mit dem Thronsitz Baals, dem Berg Zaphon (= *ǧebel 'el-'akra'*)[41] – der in Ugarit ebenfalls »heilig« und »schön« (*qdš* bzw. *n'm* : *'nt* III 27f; 76 III 32) genannt wird –, auf *OEißfeldts* Ausführungen zu verweisen.[42] Dagegen dürfte die Vorstellung vom Gottesstrom schwerlich, wie früher oft angenommen, von Haus aus mit dem als Paradiesesgarten betrachteten Götterberg als solchen zusammenhängen – in Ez 28_{11-19} liegt spätere Traditionsmischung vor[43] –, sondern speziell mit dem Wohnsitz des Gottes El »an der Quelle der (zwei) Ströme« (*nhrm*), »inmitten des Schoßes der (zwei) Fluten« (*thmtm*; 51 IV 21f u. ö.), der zugleich auf einem Berg liegt, und zwar auf dem fernen Weltberg (*ḫršn*; *'nt* pl IX, II 23; III 22),

[36] וַיְהִי V. 3. Zwingend ist dieses Verständnis allerdings nicht; vgl. *ERohland*, aaO 138 mit Anm. 7. Zugleich fällt auf, daß in Ps 76_3 die kanaanäischen Termini der Tradition (s. u.) durch genuin hebräische ersetzt werden.

[37] Vgl. zu diesen Aussagen und ihren Parallelen im AT *GFohrer*, Zion-Jerusalem im AT, ThW VII 291ff = BZAW 115 (1969) bes. 222ff. 233ff.

[38] Vgl. *HSchmid*, Jahwe und die Kulttraditionen von Jerusalem, ZAW 67 (1955) 168ff; *ARJohnson*, Sacral Kingship in Ancient Israel (^{2}1967) 49ff mit Lit.; *RRendtorff*, El, Ba'al und Jahwe, ZAW 78 (1966) 277ff.

[39] Wo hat die Aussage: Jahwe »der Heilige« ihren Ursprung?, ZAW 74 (1962) 62ff, bes. 65; ders., מִשְׁכָּן als Ausdruck Jerusalemer Kultsprache, ZAW 75 (1963) 91f. Zu einem möglichen Beleg aus den Mari-Texten vgl. *JJeremias*, Kultprophetie und Gerichtsverkündigung (1970) 106, Anm. 1.

[40] Vgl. *JAistleitner*, Wörterbuch s. v. *kn* (dazu auch *WHSchmidt*, Königtum Gottes^2 23, Anm. 6), *mknt* und *jsd*; *CHGordon*, Ugaritic Textbook, Glossary s. v. *kwn*, *ysd* I (Textzählung im Folgenden nach Gordon) sowie *CFJean-JHoftijzer*, Dictionnaire s. v. כון II–III. Vgl. weiter *PHumbert*, Note sur *yāsad* et ses derivés, Festschr. WBaumgartner (1967) 135ff.

[41] In Jes 14_{13f} wird der Himmel als Wohnort Eljons mit dem Zaphon gleichgesetzt. Eine solche Mischung ganz verschiedener mythischer Vorstellungen wird jedoch schwerlich schon in vorisraelitischer Zeit eingesetzt haben; vgl. *WHSchmidt*, Königtum Gottes^2 35; anders jetzt *FStolz*, aaO 164f.

[42] Baal Zaphon, Zeus Kasios und der Durchzug der Israeliten durchs Meer (1932); vgl. *ALauha*, Zaphon (1943); *WFAlbright*, Baal-Zephon, Festschr. ABertholet (1950) 1–16; *WHSchmidt*, aaO 32ff. Auch Ps 48_8 ist aus dem Kult des Baal Zaphon übernommen worden; vgl. *ERohland*, aaO 135f.

[43] Vgl. *WHSchmidt*, ebd 35; *WZimmerli*, BK XIII zSt.

wo die Wasser der Ober- und Unterwelt sich mischen;[44] es sind demnach Ausläufer des kosmischen Ozeans, die in kanalisierter Gestalt am Zion hervortreten. Zum Ausdruck »Stadt Jahwes« bzw. »Gottesstadt« schließlich kann darauf verwiesen werden, daß in den Texten aus Ras Schamra die Stadt *Ablm* als Kultzentrum des Mondgottes »Stadt des Fürsten *Jrḫ*« (*qrt. zbl. jrḫ*; 1 *Aqht* 163f; 3 *Aqht* obv. 8; rev. 30f) heißt.[45]

Ist damit erwiesen, daß die statischen Aussagen ingesamt als Ausweitung und Interpretation einer schon vorgegebenen jebusitisch-kanaanäischen Tradition zu verstehen sind? Wohl kaum. Die Zion-Prädikationen hängen zwar durch ihre gemeinsame Herkunft zweifellos zusammen, doch nicht so, daß sie in sich einen festen Traditionskomplex bilden würden. Die Vorstellungen vom Gottesberg und Gottesstrom, zu denen sich das Motiv der Gottesstadt als ein eigenständiges Drittes hinzugesellt, haben je verschiedenen Ursprung; es ist daher eher unwahrscheinlich, daß sie schon in vorisraelitischer Zeit miteinander verknüpft wurden, zumal die beiden erstgenannten – abgesehen von dem späten Ps 87 – auch in den Zionpsalmen unverbunden in verschiedenen Psalmen begegnen. Sollte vom Wohnsitz des Stadtgottes von Jerusalem, (El) Eljon, all das ausgesagt worden sein, was in Ras Schamra entweder von El oder von Baal oder von dem Mondgott *Jrḫ* gilt? Angesichts der prinzipiellen Gleichartigkeit der kanaanäischen Religion in ihren verschiedenen Ausprägungen ist es kaum denkbar, daß der Stadthügel Jerusalems schon vor David nicht nur als »Stadt (El) Eljons«, sondern zugleich als Gottesberg Zaphon und dazu noch als kosmischer Weltberg verstanden wurde. Ungleich wahrscheinlicher ist, daß das junge Israel kanaanäische Wohnvorstellungen verschiedensten Ursprungs aufgriff und miteinander verband, um Jahwes Wohnung und Gegenwart »inmitten« Jerusalems adäquat zu umschreiben, als Jahwe sich im Tempel niedergelassen hatte (שׁכן 1Kön 8_{12}). Jahwes Gegenwart aber hing engstens an der Lade, insbesondere seit er in Silo der יֹשֵׁב הַכְּרֻבִים geworden war; deshalb stellt die Überführung der Lade in den Tempel Höhepunkt und Abschluß des Tempelbauberichtes dar, und deshalb findet Jahwe seine »Ruhe«, als die Lade ruht (Ps $132_{8.14}$). Die statischen Aussagen der Ziontradition wollen dann letztlich nichts anderes, als – weithin mit Hilfe kanaanäischen

[44] Vgl. zur Lokalisierung des Wohnsitzes Els bes. *OEißfeldt*, Kl. Schr. II 503. 506, *HSchmid*, aaO 181. 187f; *MPope*, El in the Ugaritic Texts (1955) 61ff; *OKaiser*, Die mythische Bedeutung des Meeres (1959) 47ff; *HJKraus*, BK XV 343f; *WH Schmidt*, aaO 7f. Vgl. dazu Jes 28_{16}, wo die Vorstellung vom Grundstein des Tempels vorliegt, der zugleich als Schlußstein des Weltgebäudes die Urflut abschließt, und dazu *JoachJeremias*, Der Eckstein, Aggelos 1 (1925) 65–70; ders., Golgotha (1926) 51ff. 77ff; *HSchmidt*, Der heilige Fels in Jerusalem (1933) 94ff.

[45] Zu vergleichen ist bes. Ps 48_3 קרית מלך רב (dagegen ist mit Mots »Stadt« und Residenz *hmrj* ein Ort der Unterwelt gemeint).

Vorstellungsgutes – explizieren und interpretieren, *was die Gegenwart des auf der Lade thronenden Jahwe für Israel* und speziell Jerusalem *bedeutet.* Mit der Überführung der Lade nach Jerusalem mußte es zur Begegnung und Vermischung älterer israelitischer Überlieferungen mit Jerusalemer Traditionen kommen, aber den Maßstab für die Art und den Grad der Verschmelzung setzten – soweit der offizielle Jahweglaube betroffen war – erstere, nicht letztere.

Von daher ist es natürlich auch nicht zufällig, daß in Ps $46_{8.12}$ (vgl. 48_{9} und im Zionpsalm 84 die Verse 2. 4. 9. 13) Jahwe bei der Summierung der statischen Aussagen mit dem Ladetitel יהוה צְבָאוֹת genannt wird. Kultische Plerophorie späterer Zeiten liegt hier gewiß nicht vor,[46] zumal dieser Titel auffallend selten (nur 15 mal gegenüber fast 300 mal im gesamten Alten Testament) im Psalter belegt ist und Jahwe auch in Jes 8_{18} יהוה צְבָאוֹת הַשֹּׁכֵן בְּהַר צִיּוֹן heißt (vgl. Jes 6_{3}). Diese Beobachtung bestätigt vielmehr die Vermutung, daß die statischen Aussagen der Ziontradition ursprünglich zur Deutung der Gegenwart Jahwes auf der Lade, dh seit Salomo: im Tempel und damit auf dem Zion, dienten.

Ein ganz ähnlicher Befund bietet sich bei den perfektischen Verbalsätzen der Zionpsalmen, die von Jahwes Sieg über die anstürmenden Völker handeln. Daß diese Vorstellung kaum als ganze vorisraelitischen Ursprungs ist, wurde schon gesagt. Wohl aber finden sich auch in ihr kanaanäische Motive. So werden bei der Darstellung des Völkeransturms ins Ps 46_{7a} (המה vgl. V. 4; מוט vgl. V. 3) und seiner Abwehr in Ps 76_{7} (גער) Termini des Chaoskampfmythos verwendet und in Ps 46_{7b}; 76_{9b} Theophanieschilderungen in Kurzform aufgegriffen, wie sie in der Ps 46_{7b} vorliegenden Gestalt ähnlich in Ras Schamra und im Zweistromland belegt sind.[47] Aber im Zentrum der perfektisch formulierten Verse stehen sie, zumindest in Ps 48 und 76, nicht. Ungleich betonter wird das lähmende Entsetzen der anstürmenden Völker bei ihrer Ankunft auf dem Zion in den Vordergrund gerückt und mit einer Fülle verschiedenartigster Verben und Bilder beschrieben, in Ps 76_{6} in beinahe grotesker Steigerung. Daneben ist in Ps 46_{10} und 76_{4} hervorgehoben vom Zerbrechen und Vernichten feindlicher Waffen die Rede. Woher diese Vorstellungen stammen, kann nicht zweifelhaft sein: Gottesschrecken und Bannung feindlichen Gutes, speziell feindlicher Waffen, sind Charakteristika des Jahwekrieges.[48] Vom Charak-

[46] Allenfalls ist der Titel in Ps 48_{9}; $84_{4.9}$ sekundär.

[47] Vgl. *jtn. ql* in 51 V 70f; VII 29ff und zu weiteren altorientalischen Parallelen *JJeremias,* Theophanie 73ff; zu גער vgl. ebd 33.

[48] Vgl. *GvRad,* Der Heilige Krieg im alten Israel (^{3}1958); zur Bannung feindlicher Waffen im Jahwekrieg vgl. bes. Jos $11_{6.9}$ (von hier aus sind auch Hos 1_{5}; 2_{20}; Jes 9_{4}; Nah 2_{14}; Jer 49_{35}; Ez 39_{9f} zu verstehen!).

ter des Jahwekrieges als eines Befreiungskrieges her erklärt sich auch, daß Jahwe anstürmende Völker abwehrt (vgl. Ri 5_{19a} u. ö.).[49] Als Parallele drängt sich Gen 14_{20} auf, wo neben genuin jebusitischen Traditionen vom Weltschöpfergott (El) Eljon typische Terminologie des Jahwekrieges begegnet: Ebendieser (El) Eljon hat Abrahams Feinde in dessen Hand ausgeliefert! Wie aber ist der Jahwekrieg mit dem Zion verbunden worden? M. E. ist nur eine Antwort möglich: Es war die Lade, die zusammen mit dem Titel יהוה צבאות auch die an ihr haftenden Vorstellungen vom Jahwekrieg mit nach Jerusalem einbrachte. So kann es auch hier nicht Zufall sein, daß in Ps 76_{10} im Anschluß an die Ladetradition vom »Aufstehen« (קום wie in dem Ladespruch Num 10_{35}; vgl. Ps 68_{2}; 132_{8} u. ö.) Jahwes die Rede ist. Entsprechend heißt es in Ps 46 nicht nur »Jahwe in seiner (Zions) Mitte« (V. 6), sondern wie in den alten Jahwekriegen auch »Jahwe« – und zwar Jahwe Zebaoth – »mit uns«.[50] Der Völkerkampf in den Zionpsalmen ist letztlich wiederum nichts anderes als eine Explikation dessen, *was das Handeln des mit der Lade verbundenen Kriegers Jahwe bedeutet.*[51]

Mit diesen Beobachtungen ist freilich die Entstehung der Vorstellung von einem Völkerkampf noch nicht hinreichend erklärt. Denn es sind eben Völker, Königreiche und Könige (Ps 46_{7}; 48_{5}), die gegen den Zion anstürmen wie nie in den Berichten von Jahwekriegen aus der Richterzeit, ja offensichtlich ist gemeint, daß *alle* Völker am Ansturm beteiligt sind (Ps 76_{13}; 48_{5} 𝔅, LXX-MSS). Dieser universalistische Aspekt ist auch sonst in den Zionpsalmen durchgehend wahrzunehmen: in der potentiellen Gefährdung der gesamten Erde durch das Chaos (46_{3f}), in der Freude, die der Zion für die ganze Erde darstellt (48_{3}), in Jahwes furchterregender Tat über die ganze Erde hin (46_{9f}; 76_{13}), die Hilfe für alle »Armen« der Erde bringt (76_{10}), so daß Jahwes Ruhm bis an die Enden der Erde dringt (48_{11}) und Jahwe sich als über die Völker und die Erde erhaben erweist (46_{11}). Zudem weist der Völkerkampf den Charakter eines weit zurückliegenden Ereignisses, ja nahezu eines Urgeschehens auf, denn er begründet die schon stets vorfindliche unüberwindliche Stellung des Zion (48_{5}). Nun ist längst erkannt, daß die Universalität göttlichen Anspruches ebenfalls kana-

[49] Vgl. *HPMüller*, Ursprünge und Strukturen atl. Eschatologie (1969) 40f.

[50] V. 8. 12; vgl. Num 14_{43f}; Jos 7_{12}; Ri $6_{13.16}$ u. ö. und dazu *HDPreuß*, ZAW 80 (1968) 154f.

[51] Wie schon oben an Hand von V. 9f und V. 2f aufgezeigt, erweist sich Ps 76 auch in der Aufnahme von Motiven der Exodustradition (V. 7b; vgl. Ex 15_{21}) jünger als Ps 46 und 48. Allerdings ist auch in Ex 15 das Schilfmeergeschehen als Jahwekrieg verstanden und führt auch dort zur Inbesitznahme des Zion durch Jahwe; vgl. u. S. 196f.

anäisches Erbe ist, allerdings in Gestalt einer universalen Herrschaft über die Erde, nicht über die Völker. Sie beruht wesentlich auf dem Sieg Baals über seine Feinde im Götterkampf,[52] und dieses Motiv klingt, wie wir sahen, in Reminiszenzen an den Chaoskampfmythos auch in den Zionpsalmen an. Der Gottesberg Baals, Zaphon, kann ebendeshalb »Berg des Sieges« heißen (*gbʿ.tlijt*; *ʿnt* III 28; 76 III 29.32; RS 24.245, obv. Z. 3). Aber wie in Israel aus Baals Königtum über die Erde (vgl. Ps 47$_{3.8a}$) Jahwes Königtum über die Völker (Ps 47$_{9a}$) wurde, so aus Baals Sieg im Götterkampf Jahwes Sieg im Völkerkampf.[53] Das aber war nur möglich, weil mit der Lade Vorstellungen und Terminologie des Jahwekrieges nach Jerusalem einflossen und den kanaanäischen Mythos entscheidend umprägten: Vor dem Kerubenthroner erzittern nun die Völker (Ps 99$_{1}$). Und wiederum gilt, wie schon bei den statischen Aussagen der Zionpsalmen: Bei der Begegnung und Verschmelzung der mit der Lade verbundenen Vorstellungen mit genuin jebusitisch-kanaanäischen waren es entscheidend erstere, die letztere umprägten, nicht umgekehrt. Der Völkerkampf Jahwes ist, wie die verwendeten Termini zeigen, wesenhaft ein universaler Jahwekrieg, nicht ein historisierter Götterkampf. Der »Gott Jakobs« (Ps 46$_{8.12}$; 76$_{7}$) hatte in der Traditionsbildung über »Eljon« (46$_{5}$; 87$_{5}$) gesiegt und die mit ihm verbundenen Vorstellungen sich dienstbar gemacht.

Die Konsequenz dieser Art von Traditionsbildung, die eine Tendenz zur Mythisierung israelitischer Geschichtstraditionen in sich birgt,[54] zeigt am deutlichsten Ex 15: Gottes Sieg über die Ägypter wird nicht nur wie im älteren Mirjamlied (V. 21) als Jahwekrieg verstanden, sondern auch als neuer Sieg über das Chaos, und er zielt nur in zweiter Linie auf die Landnahme Israels, primär aber auf die Gründung und Inbesitznahme des Heiligtums auf dem Zion durch Jahwe (V. 17f.; vgl. 11aβ. 13b). Wie dieses Ziel mit Termini beschrieben wird, die an die statischen Aussagen der Ziontradition erinnern,[55] so der Schrecken, der die Völker dabei ergreift, mit Termini aus der Schilderung des Völkerkampfes (V. 14–16). Hier ist die Erwählung des Zion zum Höhepunkt

[52] Vgl. bes. *WHSchmidt*, Königtum Gottes² 77. 91 mit Anm. 1; Atl. Glaube 130.

[53] Ähnlich schon *WHSchmidt*, Königtum Gottes² 92; Atl. Glaube 114. 130. Dem entspricht auch die Beobachtung von *HMLutz*, aaO 162 zu Ps 46: »Die terminologische Überfremdung des Völkersturmmotivs durch Elemente des Chaoskampfmythos weist darauf hin, daß die Vorstellung von einem Kampf Jahwes gegen das Meer die andere vom Aufstand der Könige interpretieren soll und somit wohl als die ... ältere Tradition anzusprechen ist.«

[54] Vgl. *HPMüller*, aaO 46.

[55] Auch die Bezeichnung des Zion als הר נחלה ist wörtlich in Ras Schamra belegt (*ʿnt* III 27; IV 64); נחלה in Parallele zu שבת findet sich wie in Ex 15$_{17}$ auch 51 VIII 13f; 67 II 16; *ʿnt* VI 15f; zu מכון ist *mknt* in *Krt* 11 zu vergleichen, zu מקדש *qdš* in *ʿnt* III 27 und 2*Aqht* I 27.45; II 16.

göttlicher Heilsgeschichte geworden, und als Ergebnis der Landgabe lagert ganz Israel um den Gottesberg Zion herum (ähnlich Ps 78$_{54.68f}$).

III.

Es sind somit entscheidend die Lade und die mit ihr verbundenen Vorstellungen gewesen, die zur Aufnahme wesentlicher kanaanäischer Überlieferungen und zur Bildung einer Ziontradition geführt haben, und zwar sowohl die statischen Vorstellungen vom thronenden Jahwe als auch die dynamischen von Jahwe als Krieger. Die gesamte Ziontradition ist in ihrer ältesten Gestalt für das damalige Israel nichts anderes gewesen als eine moderne, mit Hilfe kanaanäischer Motive vollzogene Exegese der Lade und ihrer Tradition; kanaanäisches Gedankengut aber war längst vor Jerusalem, spätestens in Silo, eine enge Verbindung mit der Lade eingegangen und hatte insbesondere zu der Prädikation Jahwes als Kerubenthroner geführt. Freilich muß sich in Jerusalem die Ziontradition bald verselbständigt haben, und der Gottesberg Zion muß damit an die Stelle der Lade getreten sein, die alles Wesentliche, was ihre Bedeutung ausmachte, an die Ziontradition abgegeben hatte. Insofern behält *MNoth* Recht, wenn er vom Zion sagt, daß erst allmählich »die Heiligkeit dieses Berges ... unabhängig von der Lade (wurde), die einst diese singuläre Heiligkeit für Israel diesem Berg ... erst übertragen hatte. ... Sie hatte ihre Funktion als eines kultischen Mittelpunktes offenbar längst an die heilige Stätte von Jerusalem als einen lokal festliegenden Kultort abgetreten.«[56]

In der Ziontradition also ging die Lade auf, aber sie ging nicht in ihr unter; sie wurde vielmehr frei für neue Deutungen. Die besondere Leistung der dtn-dtr Theologie war es, die Lade engstens mit dem Bundesgedanken zu verbinden; als Behälter der Bundesurkunde erhält sie eine völlig neue Funktion.[57] Entscheidendes Gewicht kommt ihr auch jetzt zu: In seiner programmatischen Tempelrede genügt es Dtr nicht, Salomo die Erwählung Davids und Jerusalems im Anschluß an 2Sam 7 hervorheben zu lassen (1Kö 8$_{16ff}$), sondern er läßt ihn abschließend bewußt auf die Lade als den gewichtigsten Kultgegenstand des Tempels blicken (V. 21), ohne den Jerusalems »Erwählung aus allen Stämmen« (V. 16), dh die Kultzentralisation in Jerusalem, auch für Dtr undenkbar wäre (vgl. Dtn 10$_5$). Die Priesterschrift schließlich greift die dtn-dtr

[56] Ges. St. 185f; vgl. *RdeVaux*, Jerusalem and the Prophets, in: Interpreting the Prophetic Tradition, ed. *HMOrlinsky* (1969) 288 (277ff).

[57] *LPerlitt*, Bundestheologie im AT (1969) 40ff. Dabei mag die dtn-dtr Theologie an ein älteres, für uns nicht mehr greifbares Verständnis der Lade als »Kasten« angeknüpft haben; vgl. *GvRad*, Ges. St. 118f.

Deutung der Lade auf, kombiniert sie aber mit der Zelttradition und mit der Vorstellung vom fallweisen Erscheinen Jahwes über der Lade-Deckplatte.[58] Hier wird die Lade zur zentralen Offenbarungsstätte Jahwes.

Ohne die Überführung der Lade nach Jerusalem hätte die gesamte Geschichte und Glaubensgeschichte Israels seit der Königszeit völlig anders verlaufen und an Jerusalem mehr oder weniger vorbeigehen müssen. Bei der Übertragung des Königstitels auf Jahwe,[59] der Bildung der Davidtradition und in besonderem Maße bei der Entstehung der Ziontradition war die Lade entscheidend beteiligt. Auf dem Umweg über die David- und die Ziontradition, die dtn-dtr Bewegung und die priesterschriftliche Theologie ist es letztlich die Lade gewesen, die Jerusalem zum Symbol der Hoffnung für die Exilierten werden ließ, die die spätere Theokratie in Jerusalem vorbereitete und die für die Apokalyptik und das Neue Testament im neuen Jerusalem die entscheidenden Hoffnungen des Glaubens zusammengefaßt sein ließ.

[58] *GvRad,* ebd 125f; *MGörg,* Das Zelt der Begegnung (1967) 59ff.
[59] *AAlt,* Kl. Schr. I 350f; *WHSchmidt,* Königtum Gottes² 89f.

EBERHARD JÜNGEL

GRENZEN DES MENSCHSEINS

0.1 Dem Menschen sind Grenzen gesetzt. Er ist als Mensch begrenzt.

0.2 Innerhalb seiner Grenzen ist der Mensch Herr seiner selbst. Die Grenzen seines Menschseins sind die Grenzen seiner Herrschaft.

0.3 Der Mensch setzt sich selber Grenzen. Die Grenzen, die sich der Mensch selber setzt, können die Grenzen, die ihm gesetzt sind, nicht überschreiten.

1. Grenzen entstehen nicht von selbst. Sie sind notwendige Formen sich vollziehender Verhältnisse. Als solche sind sie keine zu ertragenden Übel, sondern die der göttlichen *Wohltat* der Schöpfung entsprechende *Wohlordnung* des Seins.

1.1 Jedes Verhältnis setzt sich Grenzen, in denen es sich vollzieht, indem es sich vollzieht. Jedes Verhältnis vollzieht sich in Grenzen, die es sich setzt, indem es sich vollzieht.

2. Der sich zu sich selbst verhaltende Gott *verhält sich* zum Menschen und *läßt* den zum Gottesverhältnis bestimmten Menschen sich zu sich selbst verhalten.

2.1 Indem Gott sich zum Menschen verhält, *unterscheidet* er den Menschen von Gott und *läßt* ihn in dieser Unterschiedenheit sowohl auf Gott als auch auf den Mitmenschen bezogen sein.

2.2 Diese göttlichen Akte des Unterscheidens und Bezogensein-Lassens bringen den Menschen in seine Verhältnisse und damit in seine Grenzen und so in sein ihm gnädig entzogenes Sein.

2.3 Indem der Mensch sich zu sich selbst verhält, verhält er sich schon zum anderen Menschen und entspricht eben darin als Welt-Wesen dem Verhältnis Gottes zu ihm: imago dei.

2.31 Der Mensch kann sich nicht zu sich selbst und zum anderen Menschen verhalten, wenn nicht andere Menschen gleichursprünglich zu ihm sich verhalten.

3. Indem der sich zu sich selbst verhaltende Gott sich zum Menschen verhält, wird der Mensch *ewig* begrenzt.

3.1 Ewigkeit ist die notwendige göttliche Form des sich vollziehenden Verhältnisses Gottes zu sich selbst und zum Menschen.

3.11 Gott *ist* ewig. Er ist als Ewigkeit selber die Form seines Verhaltens.

3.2 Die ewige Begrenzung des Menschen durch Gott offenbart sich weltlich als Begrenzung des Menschen durch Gottes verheißendes und gebietendes *Wort*.

3.21 Die ewige Begrenzung des Menschen durch Gottes Wort konstituiert den Menschen als Sprach-Wesen.

4\. Indem Gott den Menschen sich zu sich selbst verhalten läßt, wird der Mensch *weltlich* begrenzt.

4.1 Welt ist die notwendige Form der göttlichen Gewährung des menschlichen Selbstverhältnisses und insofern die notwendige Form dieses Selbstverhältnisses selbst.

4.11 Welt ist die notwendige Form dieses göttlichen Gewährens, ohne das der Mensch sich nicht zu sich selbst verhielte, und *nur* insofern auch die notwendige Form des sich vollziehenden menschlichen Selbstverhältnisses.

4.12 Als notwendige Form göttlichen Gewährens ist die Welt jedoch von Gott selbst unterschieden. Gott unterscheidet von sich selbst den Menschen und seine Welt und ist nicht selber die Form menschlichen Verhaltens oder menschlicher Verhältnisse.

4.2 Die Begrenzung des Menschen durch seine Welt zeigt sich, indem der Mensch in seiner Welt existiert.

4.21 Die weltliche Begrenzung des Menschen konstituiert den Menschen als Welt-Wesen.

4.3 Die weltliche Begrenzung des Menschen ist ein Gleichnis seiner ewigen Begrenzung. Der Mensch ist als Welt-Wesen das durch Gottes Wort begrenzte Sprach-Wesen.

4.4 Der geschichtliche Ursprungsort der Identität der Begrenzung des Menschen durch Gottes Wort und der Begrenzung des Menschen durch seine Welt ist die Geschichte Israels.

4.41 In Israel ist der Mensch als Welt-Wesen das durch Gottes Wort begrenzte Sprach-Wesen.

4.42 In Israel wird offenbar, daß der Mensch die ihm gesetzten Grenzen nicht überschreiten kann, ohne dem Nichts zu verfallen.

4.43 In Israel wird offenbar, daß Gott den dem Nichts verfallenden Menschen vor dem Nichts bewahrt, indem er den weltlich begrenzten Menschen durch ein göttliches Wort aufs neue ewig begrenzt.

5\. Jesus Christus ist der Vollzug ewiger Begrenzung des Menschen *in* dessen weltlicher Begrenzung.

5.1 Jesus Christus ist derjenige *Mensch*, in dem *Gott* sich zu den sich zu sich selbst verhaltenden Menschen verhält.

5.2 Als Mensch ist Jesus sowohl ewig als auch weltlich begrenzt.

5.3 Als das Sein desjenigen Menschen, in dem Gott sich zu allen Menschen verhält, ist das Sein Jesu Christi der Vollzug ewiger Begrenzung des Menschen *in* der Welt des Menschen und insofern die eschatologische Relativierung (nicht Aufhebung!) der weltlichen Begrenzung des Menschen.

6. Der den Menschen ewig begrenzende Gott ist der Herr des Menschen.

7. Der den Menschen durch seine Welt begrenzende Gott *läßt* den Menschen Herr *innerhalb* dieser Welt sein.

7.1 Der Mensch ist Herr *in* seiner Welt, insofern er sich innerhalb seiner Welt Grenzen setzt.

8. Die Grenzen, die der Mensch sich innerhalb seiner Welt selber setzt, sind streng zu unterscheiden von der ewigen und von der weltlichen Begrenzung des Menschen.

8.1 Die ewige Begrenzung des Menschen ist dessen Begrenzung durch Gottes Gnade.

8.11 Insofern der Mensch durch Gottes Gnade ewig begrenzt ist, *ist* er ewig.

8.2 Die weltliche Begrenzung des Menschen ist dessen Begrenzung durch Zeit und Raum.

8.21 Insofern der Mensch durch Zeit und Raum weltlich begrenzt ist, *ist* er weltlich.

8.22 Die weltliche Begrenzung des Menschen durch Zeit und Raum ist die ontologische Bedingung der Möglichkeit für die weltliche Selbstbegrenzung des Menschen in Zeit und Raum.

8.3 Die weltlichen Grenzen, die sich der Mensch innerhalb seiner Welt selber setzt, sind die vernünftige Begrenzung des Menschen durch sich selbst.

8.31 Insofern der Mensch sich selber weltlich begrenzt, *existiert* er weltlich.

8.32 Die weltliche Existenz des Menschen ist die ontische Bedingung der Möglichkeit für weltlichen Fortschritt. Ohne Selbstbegrenzung kein Fortschritt (cf. 13.47–13.472).

9. Die ewige Begrenzung des Menschen ist die gnädige Form sich ereignender Liebe Gottes zum Menschen.

9.1 Damit Gottes Liebe *zum* Menschen sich *am* Menschen ereignen und vom Menschen menschlich erfahren werden kann, muß der Mensch sich zu sich selbst verhalten können und also weltlich begrenzt sein.

9.11 Gottes Liebe *zum* Menschen will sich vorbehaltlos *am* Menschen ereignen, *ohne* den Menschen zu *vergotten* oder zu *verzehren.*

9.2 Die weltliche Begrenzung des Menschen hat also ihren inneren Grund in der ewigen Begrenzung des Menschen – so wie die Natur des Menschen um der Gnade Gottes willen ist und wie der Mensch Mensch ist, weil Gott sein Herr ist.

9.3 Die ewige Begrenzung des Menschen durch Gott bringt die weltliche Begrenzung des Menschen durch Zeit und Raum mit sich, damit Gottes *Liebe zum* Menschen sich als *Geschichte* Gottes *mit* dem Menschen *ereignen* kann.

9.31 Die weltliche Begrenzung des Menschen ist die ontologische Voraussetzung für das Ereignis der Liebe Gottes *am Menschen.*

9.311 Um des *Ereignisses* der Liebe Gottes am Menschen willen ist der Mensch als Welt-Wesen durch (nicht: in) Zeit und Raum ontologisch begrenzt.

9.312 Um seines Sprach-Wesens willen ist der Mensch ein Welt-Wesen.

9.4 Zeit und Raum sind die den Menschen weltlich begrenzenden Grenzen, in denen sich Gottes Liebe Zeit und Raum für den Menschen einräumt.

9.5 Gottes Liebe ist als Verhältnis Gottes zu sich selbst die Einräumung von *Ewigkeit* als ununterscheidbarer *Einheit* von Zeit und Raum.

9.6 Gottes Liebe ist als Verhältnis Gottes zum Menschen Einräumung von Lebenszeit und Lebensraum *innerhalb* der wohl zu *unterscheidenden* Einheit von Zeit und Raum.

9.7 Zeit und Raum sind die Formen des dem Menschen von Gott gewährten Selbstverhältnisses.

9.8 Der Mensch verhält sich *zeitlich* zu sich selbst, indem er sich *räumlich* schon immer zu *anderen* Menschen und Dingen verhält.

9.81 Dem Menschen widerfährt *Zukunft,* indem er sich *vorweg* schon *bei* anderen Menschen und Dingen ist.

9.82 Der Mensch hat *Vergangenheit,* indem er sich *hinterdrein* noch *bei* anderen Menschen und Dingen ist.

9.821 Vergangenheit als *nur* Bei-sich-selbst-Sein eines Menschen gibt es nicht.

9.83 Der Mensch lebt in der Gegenwart, indem er sich selbst und anderen Menschen und Dingen *begegnet* und diese ihm *begegnen.*

9.831 Gegenwart ist als Begegnungsform der Welt der ontologische Zusammenhalt von Zeit und Raum.

9.832 Gegenwart hat als Begegnungsform der Welt eine Tendenz sowohl zur Zukunft als auch zur Vergangenheit.

10. Die *weltliche* Begrenzung des Menschen unterscheidet sich von der *ewigen* Begrenzung des Menschen dadurch, daß die Welt in Zeit und Raum *auseinandertritt,* ohne jedoch in einen zeitlosen Raum und eine raumlose Zeit auseinanderzufallen und damit als Welt zu zerfallen.

10.1 Daß die Welt trotz ihres Auseinandertretens in Raum und Zeit *nicht* in Zeit und Raum auseinanderfällt und damit als Welt zerfällt, macht die Welt zum verschwiegenen Gleichnis der Ewigkeit.

10.11 Was weltlich als Zeit und Raum auseinandertritt, geht als Ewigkeit ineinander über.

11. Die Welt tritt als *Zeit und Raum* auseinander, indem *die Zeit* in Gegenwart, Vergangenheit und Zukunft auseinandertritt und so dem ständig gegenwärtigen Raum als dessen *Bewegung* gegenübertritt.

11.1 Der Mensch ist weltlich durch Zeit und Raum begrenzt, insofern sein Leben in Gegenwart, Vergangenheit und Zukunft auseinandertritt und so seinem ständig gegenwärtigen *Leib* als dessen *Geschichte* gegenübertritt.

12. Die ontologische *Einheit* der als Zeit und Raum auseinandertretenden Welt ist die *Sprachlichkeit* der Welt.

12.1 Sie widerfährt dem Menschen ontisch, indem er geboren wird und so zur Welt kommt.

12.11 Die Geburt eines Menschen ist die anfängliche Begrenzung seiner Lebenszeit und seines Lebensraumes durch Zeit und Raum.

12.2 Der als Welt-Wesen durch Zeit und Raum begrenzte Mensch wahrt als Sprach-Wesen die Einheit seines in Gegenwart, Vergangenheit und Zukunft auseinandertretenden Lebens und so die Einheit seines ständig gegenwärtigen Leibes mit dessen Geschichte.

13. Wie die Welt durch *Gottes Wort* als wohl zu unterscheidende Einheit von Zeit und Raum *geschaffen* wurde, so wird die Welt als wohl zu unterscheidende Einheit von Zeit und Raum in der *Sprachlichkeit* menschlicher Existenz *verantwortet.*

13.1 Grundweisen der Sprachlichkeit menschlicher Existenz sind die auf das *Auseinandertreten* der Welt bezogenen Existenzweisen des *Mißtrauens* (räumliche Grundweise) und der *Angst* (zeitliche Grundweise) und die auf die *Einheit* der Welt bezogenen Existenzweisen des *Vertrauens* (räumliche Grundweise) und der *Hoffnung* (zeitliche Grundweise).

13.2 Verantwortung der Welt in sprachlicher Existenz geschieht,

13.21 indem der Mensch spricht,

13.22 indem der Mensch denkt,

13.23 indem der Mensch handelt.

13.3 Sprachliche Existenz vollzieht sich als Gegenwart

13.31 mit Tendenz zu allen Modi der Zeit, insofern der Mensch spricht,

13.32 mit besonderer Tendenz zur Zukunft, insofern der Mensch denkt,

13.33 mit besonderer Tendenz zur Vergangenheit, insofern der Mensch handelt.

13.4 Indem der Mensch spricht, denkt und handelt, setzt er sich selber Grenzen und verantwortet so ontisch die ihm ontologisch gesetzten Grenzen als Herr in seiner Welt.

13.41 Sich selber Grenzen setzen heißt: verantwortlich existieren.

13.42 Der Mensch kann sich nicht unendlich begrenzen. Er kann sich nur endliche Grenzen setzen.

13.43 Der Mensch *ist unendlich* begrenzt, insofern er ewig durch Gottes Gnade begrenzt ist.

13.44 Der Mensch *ist endlich* begrenzt, insofern er weltlich durch Zeit und Raum begrenzt ist.

13.441 Der Mensch kann Zeit und Raum nur als endliche Grenzen erfahren, weil und insofern er sie nur als *auseinandertretende* Einheit erfahren kann.

13.442 Insofern Zeit und Raum ineinander übergehen, sind sie die unendliche Einheit der Ewigkeit.

13.45 Der Mensch *begrenzt sich selber endlich*, insofern er in Zeit und Raum verantwortlich existiert.

13.46 Die dem Menschen gesetzten Grenzen sind unverschiebbar und unwiderrufbar.

13.461 Die dem Menschen *als* Welt gesetzten Grenzen sind dem Menschen ebenso *entzogen*, wie ihm sein Sein entzogen ist.

13.47 Die vom Menschen *in* der Welt gesetzten Grenzen sind verschiebbar und widerrufbar.

13.471 Die sich selber gesetzten Grenzen zu verschieben und zu widerrufen heißt ebenfalls: verantwortlich existieren.

13.472 Man kann keine Grenzen verschieben oder widerrufen, ohne sich damit aufs neue selber Grenzen zu setzen.

13.5 Die Illusion, ohne Grenzen existieren zu können, ist die mittelmäßige Illusion der (in säkularer Maßlosigkeit kaschierten) *Verhältnislosigkeit* des homo peccator.

13.6 Der Versuch, die endlichen Grenzen, die der Mensch sich selber setzt, für unendliche oder unantastbare und unwiderrufliche Grenzen auszugeben, die dem Menschen angeblich gesetzt seien, ist der maßlose Anspruch der (in säkularer Mittelmäßigkeit kaschierten) *Verhältnislosigkeit* des homo peccator.

13.7 Die dem Menschen als Zeit und Raum gesetzten endlichen Grenzen treten im *Tod* des Menschen für diesen so auseinander, daß die Geschichte dieses Menschen und sein Leib auseinanderfallen und damit dessen *Leib* zerfällt.

13.71 Der im Tod vergehende und zerfallende Mensch bleibt als vergangene Geschichte in den Grenzen der Zeit und als zerfallener Leib in den Grenzen des Raumes.

13.711 Der Tod ist als Lebensgrenze das Ende einer Lebenszeit und eines Lebensraumes, aber nicht das Ende von Zeit und Raum.

13.72 Der im Tod vergehende und zerfallende Mensch bleibt auch im Tod von dem sich zu ihm verhaltenden Gott *ewig* begrenzt.

13.73 Im Vertrauen auf die im Worte Gottes sich offenbarende ewige Begrenzung des Menschen durch Gott kann der weltlich begrenzte Mensch dem *Ende* seiner weltlichen Begrenzung im eigenen Tod getrost entgegenleben.

13.74 Im Vertrauen auf die im Worte Gottes sich offenbarende ewige Begrenzung des Menschen hofft der Mensch auf Gott. Denn:

13.741 »wenn die Sichel trifft,
wenn der Leib zerfällt,
ist es nur die Schrift,
die zusammen hält.«

ROLF KNIERIM

OFFENBARUNG IM ALTEN TESTAMENT

Einleitung. Eine Durchsicht der Veröffentlichungen, die sich direkt oder indirekt zum Thema »Offenbarung im Alten Testament« äußern, ergibt sowohl hinsichtlich der Problemstellungen wie auch der Ergebnisse das Bild einer sehr uneinheitlichen Forschungslage. Ganz allgemein sind drei Gründe für das Durcheinander festzustellen. Der erste liegt in einem bestimmten Vorverständnis, etwa religionsphänomenologischer, religionspsychologischer, religionsphilosophischer oder theologischer Art, unter dem die alttestamentlichen Texte gesichtet und gewertet werden.[1] Der zweite rührt von einem zentralen und durchgängigen Anliegen, das man aufgrund der Exegese im Alten Testament findet und von dem aus man dann die Gesamtheit der Texte einheitlich interpretieren kann.[2] Der dritte Grund kommt schließlich von einer

[1] Das ist zB der Fall bei *WPannenberg*, der sagt: »For philosophy of religion and systematic theology, the question is that of a self-manifestation of divine reality, one which was not only experienced as such by man of earlier cultures at some time or another, but one which is capable of being convincing for our present-day understanding of existence as the deity's selfconfirmation of his reality«, *WPannenberg*, Response to the discussion, in: New Frontiers in Theology, ed. by *JMRobinson* and *JBCobb*, Jr, III: Theology as History (1967) 231. Und obwohl *Pannenberg* von den verschiedenen Formen göttlicher Selbstmanifestation weiß, aaO 230f, schließt er diese aufgrund seines Kriteriums aus: »Other forms of selfmanifestation are not able to convince us today of the divinity of what appeared at a time in the past«. Es ist klar, daß *Pannenbergs* Ansatzpunkt von vornherein zu einer kritischen Scheidung zwischen für das Thema geeigneten und ungeeigneten Texten führt. Ein Vorverständnis wie etwa das von *MEliade* oder *PTillich* würde zu einem andersgearteten Herangehen an die Texte führen, wendete man es auf das Alte Testament an. *Eliade*: »The manifestation of the sacred ontologically founds the world«, und: »Revelation of a sacred space makes it possible to obtain a fixed point and hence to acquire orientation in the chaos of homogeneity, to ›found the world‹ and to live in a real sense«, in: The sacred and the profane, HB 144 (English 1959) 21.23. *Tillich*: »Für die Erscheinung des Heiligen ist maßgeblich das Verhältnis des unbedingten Sinnes zum bedingten Sinn«, in: Religionsphilosophie, Urban 63 (1962) 70. Zur Skala der Möglichkeiten vgl. Art. »Offenbarung« in [2 u. 3] RGG.

[2] Das trifft zB für *JMoltmann* zu, der sagt, es sei »notwendig, sich nicht nur Antworten, sondern auch die Fragestellungen nach Offenbarung aus dem Alten Testament selber geben zu lassen, bevor man systematische Konsequenzen zieht«, Theologie der Hoffnung ([2]1964) 85. Indem *Moltmann* bei der These von der Transmigrationsreligion der Erzväter einsetzt, wird er exegetisch zu einem im

ganz unterschiedlichen Verwendung exegetischer Methoden her.[3] Dabei ist es deutlich, daß die jeweiligen theologisch-hermeneutischen, systematisch-exegetischen und analytisch-exegetischen Entfaltungen des Gegenstandes nicht nur in sich selbst verschieden gehandhabt werden, sondern sich auch häufig überschneiden. Diese allgemeinen Verweise auf die Forschungslage müssen hier genügen; denn eine vollständige und detaillierte bibliographische und sachliche Darstellung würde eine dicke Monographie verlangen. Zu dem Gesagten kommt ja noch die Frage hinzu, ob das alttestamentliche Offenbarungsverständnis überhaupt ein einheitliches ist.

Alten Testament einheitlich vorherrschenden Verständnis von Offenbarung als Verheißung geführt, das sich dann systematisch theologisch als fruchtbar erweist. Ein Vergleich dieser Systematisierung des exegetischen Ansatzes mit jener, die sich in Sätzen von *JLindblom* zum Thema ausdrückt, zeigt jedoch einmal mehr, wie die Berufung auf die Exegese zu durchaus verschiedenen systematischen Ansätzen führen kann. *Lindblom:* »So können wir es als einen charakteristischen Zug der alttestamentlichen Frömmigkeit feststellen, daß der Mensch sozusagen sich immer und überall in einer Situation befand, in der er die Möglichkeit hatte, Gottes Willen, seine Gedanken und Absichten in verschiedenen Fällen kennenzulernen«, und: der fromme Israelit wußte, »daß Gott ihm im normalen Falle seinen Willen und seine Ratschläge kund tun würde«, in: Die Vorstellung vom Sprechen Jahwes zu den Menschen im Alten Testament, ZAW 75 (1963) 287. Daß diese historische Aussage für den Religionsgeschichtler *Lindblom* auch theologische Bedeutung hat, läßt er durchblicken, wenn er sagt: »›Theologisch‹, wie man heute zu sagen liebt – ich möchte lieber sagen: vom Gesichtspunkt der wesentlichen Eigenart der altisraelitischen Religion aus ...«, aaO 269. Das Problem liegt ja auch der Diskussion zwischen *RRendtorff* und *WZimmerli* um vorrangige Beurteilung entweder von Geschichte oder des Wortes Jahwes im (überlieferungsgeschichtlich bedingten) Verhältnis beider zueinander zugrunde, s. u.

[3] So ist man das Problem angegangen von der Seite der Begriffsuntersuchung, zB die Artikel in ThW: καλύπτω, φαίνω, δηλόω, σημαίνω, φανερόω, χρηματίζω; *FNötscher*, ›Das Angesicht Gottes schauen‹, (1924/1969); *CAKeller*, Das Wort OTH als Offenbarungszeichen Gottes (1946); *HHaag*, Offenbaren in der hebräischen Bibel, ThZ 16 (1960) 251ff; *JLindblom*, aaO 263ff; *FSchnutenhaus*, Das Kommen und Erscheinen Gottes im Alten Testament, ZAW 76 (1964) 1ff. Durch Untersuchung von formelhaften Wendungen und Gattungen, ihrer Sitze im Leben und ihrer Überlieferungsgeschichte hat man formgeschichtlich versucht, entweder den Sachverhalt als Ganzen oder jeweils einen Sektor davon zu erhellen, mit unterschiedlichen Ergebnissen. Zum ersteren vgl. vor allem *WZimmerli*, Ich bin Jahwe (1953); Erkenntnis Gottes nach dem Buche Ezechiel (1954); Das Wort des göttlichen Selbsterweises (Erweiswort) (1957); zusammengefaßt in: Gottes Offenbarung, ThB 19 (1963) 11ff. 41ff. 120ff; *RRendtorff*, Die Offenbarungsvorstellungen im Alten Israel, in: Offenbarung als Geschichte, hg. v. *WPannenberg* (1961) 21ff; Darstellung der Diskussion durch *JMRobinson* und Weiterführung in: Theology as History, aaO speziell 1–100; vgl. etwa auch *HWWolff*, ›Wissen um Gott‹ bei Hosea als Urform von Theologie (1952/53) in: Gesammelte Studien zum Alten Testament, ThB 22 (1964) 182ff; zum letzten vgl. u. a. *AWeiser*, Zur Frage nach den Beziehungen der Psalmen zum Kult: Die Darstellung der Theophanie in den Psalmen und im Festkult, Festschr. ABertholet (1950) 513ff; *CWe-*

Die skizzierte Forschungssituation enthält nun aber für jeden, der sich mit dem Problem befaßt, die Frage, wie er sachgemäß vorzugehen habe; denn zweifellos wird ein einseitiges methodisches Vorgehen dem Anliegen nicht gerecht. Man kann nicht nur mit Begriffen operieren und formgeschichtliche und thematische Gesichtspunkte beiseitelassen, oder umgekehrt. Hinzu kommt, daß eine Beschränkung auf bestimmte Wortformen oder Textgruppen ein höchst fragwürdiges Unterfangen ist. Ferner wird man bekanntermaßen auch damit rechnen müssen, daß Texte implizite mit dem Gegenstand zu tun haben, auch wenn dies begrifflich oder formgeschichtlich gar nicht erfaßbar ist. Schließlich ist nicht zu übersehen, daß das alttestamentliche Offenbarungsverständnis nicht nur etwas mit Theologie zu tun hat, sondern auch mit Kategorien, die wir als Ontologie, Kosmologie, Psychologie, Epistemologie bezeichnen. Die im Folgenden angestellten Erwägungen zum Thema werden sich daher für die soebengenannten Gesichtspunkte offenhalten müssen, um der Sache willen. Die dabei unvermeidlich selektive Materialverwendung sollte nichtsdestoweniger den Blick für das Weiterfragen im Gesamthorizont der Sache offenhalten.

I. 1. Zur Bedeutung der Semantik für das Problem. Die semantische Bestimmung des Grundbegriffes für »offenbaren« ist weithin geklärt. *HHaag*, der für alle sprechen mag, sagt,[4] daß der Ursinn von »offenbaren« am reinsten im Begriff גלה erhalten sei in der Grundbedeutung etwas »aufdecken«, »enthüllen«, »also etwas frei und sichtbar machen, was zugedeckt, verhüllt und somit verborgen ist«.[5] *Haag* sagt dann:

stermann, Das Loben Gottes in den Psalmen ([4]1968) 69ff; *JJeremias,* Theophanie, WMANT 10 (1965). Schließlich hat man den Gegenstand unter thematischen Gesichtspunkten behandelt. Vgl. hierzu *BSChilds,* Myth and Reality in the Old Testament, St. Bibl. Theol. 27 (1962), speziell 95ff; *JLMcKenzie,* S. J., Myths and Realities (1963), speziell das Kap. »God and nature in the Old Testament«, 85ff; *BALevine,* On the presence of God in Biblical Religion, in: Religions in Antiquity, Essays in memory of ERGoodenough, ed. by *JNeusner* (1968) 71ff; *MHaran,* The divine presence in the Israelite Cult and the Cultic Institutions, Bibl 50 (1969) 251ff, eine ausführliche Kritik des Buches von *REClements,* God and Temple (1965) über das gleiche Thema.

[4] aaO 251.

[5] Dieses Verständnis ist so häufig in Definitionen der Biblischen und Systematischen Theologie und der Religionsphilosophie anzutreffen. Vgl. *PTillich,* Systematische Theologie I ([2]1956) 114: »... die Offenbarung ist das Sichtbarwerden des Seinsgrundes für die menschliche Erkenntnis«; *HRNiebuhr,* The meaning of Revelation (1962) 138: »When we speak of revelation we mean that something has happened to us in our history which conditions all our thinking and that through this happening we are enabled to apprehend what we are, what we are suffering and doing and what our potentialities are. What is otherwise arbitrary and dumb fact, becomes related, intelligible and eloquent fact through the re-

»Alle Verben sind vom menschlichen Bereich her genommen und werden auf den Gott-menschlichen Bereich übertragen. Das entspricht der menschlichen und besonders der hebräischen Psychologie« (aaO 251). So kann er den theologischen Sinn definieren: »Offenbarung ist also ein den Menschen geschenktes Teilhaben oder Mitwissen an Gottes Geheimnissen« (253). Diese Aussagen scheinen zu implizieren, daß »Offenbarung« wesensgemäß eine theologische Kategorie ist, und daß von Offenbarung nur dort zu reden sei, wo das Wortfeld auf den Gott-

velatory event«; *HFries*, Die Offenbarung, in: Mysterium Salutis, hg. v. *JFeiner* und *MLöhrer*, I (1965) 163: »Revelare schließt eine ganz bestimmte Vorstellung ein. Es bedeutet: das Velum, die Hülle, den Schleier, die Decke wegnehmen. Es bedeutet: enthüllen, was verhüllt war, erschließen, was verborgen war, es kundtun, es offenbar machen, so daß es offen, geöffnet ist, so daß ... oben getragen wird, was bisher verdeckt und unsichtbar war« ..., es ist »vorausgesetzt, daß Gott ein *verborgener Gott* ist«, wenn es von Gott ausgesagt wird ... »und es ist damit gemeint, daß die Verborgenheit, die Unsichtbarkeit Gottes enthüllt und kund wird, daß der verborgene Gott aus seiner Verborgenheit heraustritt, den Schleier gleichsam zurückschlägt und sich kundtut ... Immer aber wird im Offenbaren etwas oder jemand kundgemacht« ... und 174: »Wenn es Offenbarung Gottes an die Menschheit gibt, dann muß sie vernommen werden können vom vernehmenden Geist des Menschen. Dann aber setzt sie Vernehmbarkeit voraus, Intelligibilität, Wahrheit im ontologischen Sinn«. Besonders ist hier hinzuweisen auf das Bemühen von *HOtt*, Wesen und Funktion der Theologie im Anschluß an die Philosophie des späteren *Heidegger*, so wie *Ott* sie versteht, zu bestimmen. Ich zitiere aus der übersichtlichen Darstellung der Diskussion durch *JMRobinson* in: Neuland in der Theologie, Hg. *JMRobinson* und *JBCobb*, Jr., I (1964), Der spätere Heidegger und die Theologie, 33: »*Heidegger* spricht ... von ›Lichtungsgeschichte‹, da das Sein von Zeit zu Zeit auf immer verschiedene Weise das Dickicht des Gedachten durchstößt und sich dem Denken neu lichtet. Besteht die Wahrheit des Seins in seiner jeweiligen Gelichtetheit für das Denken, so ist die Seinsgeschichte die Geschichte dieser Lichtungen« ... und dann die Verknüpfung von Ontologie und Theologie, 44: »›Erst aus der Wahrheit des Seins läßt sich das Wesen des Heiligen denken. Erst aus dem Wesen des Heiligen ist das Wesen von Gottheit zu denken‹«. Diese Sätze könnten auch in einem Buch über die altvorderorientalische Ontologie stehen! ... 45: »›Der theologische Charakter der Ontologie beruht ... in der Art, wie sich von früh an das Seiende als das Seiende entborgen hat‹« ... 51: »›Das Sein Gottes bedeutet ... ein Geschehen der Entbergung: daß Gott sich dem Denken entbirgt als der, der Er ist; daß Er selber als ein Geschick das Denken trifft und sich ihm als zu denkende Sache aufgibt ...‹« ... 52: »*Ott* begreift Gott also als ein Seiendes, dessen Sein in seiner Selbstoffenbarung besteht, vergleichbar mit dem Sein im Verständnis *Heideggers* als eines sich Lichtenden« ... und 62: »Die Welt, die der Dichter ruft, wird ihm also in Wahrheit von den Dingen aus diesem ihrem Sein heraus zugerufen. Der Dichter hört auf den lautlosen Anruf der Dinge, deren Sein sich lichtet; und seine Antwort übersetzt in vernehmbare Rede, was die Dinge selbst sagen, wann immer sie ihre Welt aussagen«. Vgl. die im genannten Band zusammengefaßte Diskussion über *Otts* Ansatz. Das in dieser Arbeit über das alttestamentliche Offenbarungsverständnis zu Sagende wird das mit dieser Position Gemeinsame, aber auch das davon Abweichende deutlich werden lassen.

menschlichen Bereich angewendet ist. Das wird noch deutlicher bei *RRendtorff*:[6] »Von den Verbalwurzeln, die hier in Betracht kommen, gibt die Septuaginta regelmäßig גלה durch ἀποκαλύπτειν wieder. Aber eine Prüfung der Belege zeigt sehr rasch, daß dabei nicht ein theologisches Verständnis von ἀποκαλύπτειν leitend gewesen ist, sondern seine Grundbedeutung ›aufdecken, enthüllen‹, wobei der profane Sprachgebrauch dominiert. Das entspricht dem Befund von גלה, bei dem auch der profane Sprachgebrauch überwiegt. Wo es als theologischer Terminus erscheint, liegt ihm keine einheitliche Vorstellung zugrunde, so daß es als Ausgangspunkt der Untersuchung denkbar ungeeignet ist«. Es ist jedoch zu fragen, ob diese Einengung des Offenbarungsbegriffes auf den theologischen Sektor sachlich richtig ist und ob man sich damit nicht von vornherein den Weg verbaut für eine exegetische Erfassung dessen, was für das alttestamentliche Offenbarungsverständnis primär wichtig ist, auch im theologischen Sinn. Geht es bei Offenbarung überhaupt primär um eine theologische Kategorie in dem oben angeführten, eingeengten Sinn? Ist es in der menschlichen oder hebräischen Psychologie begründet, daß die Begriffe vom menschlichen auf den Gott-menschlichen Bereich übertragbar sind?[7] Müßte man nicht fragen, warum Begriffe unschwer auf beide Bereiche anwendbar sind? Legt eine solche Frage nicht die Vermutung nahe, daß eine solche Möglichkeit in einem Vorverständnis begründet ist, für welches »theologisch« und »profan« eben keine prinzipiell getrennten Bereiche sind, sondern Teile oder Weisen einer ganzheitlichen Wirklichkeit? Dann aber wäre es unangemessen, von »Übertragung« von einem Bereich auf den anderen zu sprechen, und das aufgrund einer Psychologie, weil ein Begriff ursprünglich eben nicht *einem* Bereich gegen einen anderen angehörte, sondern der ganzheitlich gesehenen Wirklichkeit, und weil er in seiner scheinbar heterogenen Verwendung eben nicht die Verschiedenheit von Bereichen ausdrückte, sondern prinzipiell deren Zusammengehörigkeit in einer gemeinsamen Grundwirklichkeit. Wenn die Annahme richtig ist, daß menschliche Sprache jeweils aus einem Vorverständnis kommt und im-

[6] Die Offenbarungsvorstellungen . . ., aaO 23.

[7] Mit diesem Hinweis ließe sich auch *Rendtorffs* eigener Ansatz bei ראה neutralisieren, das ja nicht nur ein »theologischer« Begriff für Offenbarung ist, vor allem, wenn man sieht, daß auch גלה ganz zentral »theologisch« gebraucht wird; vgl. *Haag*, aaO 254, wonach 1Sam 3₇ »das Ziel aller Offenbarung« ausdrückt, »daß die Menschen Jahwe erkennen«. Ist es für das Erfassen des alttestamentlichen Offenbarungsverständnisses wirklich ratsam, einen – oder mehrere – Begriffe auszuklammern und dafür andere – oder gar einen einzigen – heranzuziehen, und dabei nur in einer begrenzten grammatischen Form? Sollte es nicht möglich sein, auf die Sache in einem weiten Umkreis der alttestamentlichen Sprache zu stoßen, gleich, bei welchem speziellen Begriff man einsetzt? Welche Vorentscheidungen sind da die sachgemäßeren?

mer im Blick auf dieses Vorverständnis funktioniert, dann sollte im Blick auf גלה zunächst mindestens einmal gefragt werden, ob sich ein solches Vorverständnis in ihm ausdrückt und ob seine durchgängige Verwendung davon bestimmt ist, oder: ob seine Verwendung in den verschiedenen Bereichen dieses Vorverständnis zur Geltung bringen will. Seine Verwendung in einem bestimmten Bereich würde dann bedeuten, daß das über den Bereich Auszusagende in den Kategorien des Begriffes auszudrücken ist, und nicht in dem Bereich entstammenden Sonderkategorien. Sie würde bedeuten, daß der Bereich nicht aus sich selbst verstanden werden kann, sondern nur aus der im Begriff sich ausdrückenden Voraussetzung. Demzufolge wäre zu sagen, daß das Interesse bei der Verwendung des Begriffes גלה primär darin besteht, das Sichtbarwerden von etwas Verborgenem auszudrücken, und daß dieses Interesse wie in anderen Bereichen so auch in seiner Anwendung auf Gott vorherrschend ist.[8] Der Begriff würde dann als solcher, wo immer er verwendet wird, auch in der Gott-Mensch Relation, eine epistemologische und ontologische Aussageintention ausdrücken. Sein Gebrauch in diesem Sektor wäre nicht vom Anliegen bestimmt, ob und wie *Gott* sich offenbart, sondern davon, ob und wie Gott im Umkreis der menschlichen Wirklichkeitserfahrung *enthüllt, sichtbar* wird. M. a. W., dem Begriff geht es nicht um die Gottesfrage, sondern um die Offenbarungsfrage. Die Gottesfrage ist allgemein in der alten Welt ja ohnedies keine Sonderfrage, sondern Teil des umfassenden Wirklichkeitsverständnisses. Darum bedarf es weder einer Übertragung des Begriffes auf einen vom profanen getrennten »theologischen« Bereich, noch eines »theologischen« Verständnisses von Offenbarung, weil der Begriff per se auch im Sektor der Gott-Mensch Beziehung kein theologisches, sondern ein ontologisches und epistemologisches Anliegen ausdrückt. Sein theologisches Anliegen innerhalb dieses Sektors wäre dann, auch die Gott-Mensch Beziehung in ihrem ontologisch-epistemologischen Charakter und als eine so geartete Kategorie auszudrücken. Es fragt sich, ob darin nicht schon eine Folgerung für das Ganze des alttestamentlichen Offenbarungsverständnisses impliziert ist, die sich dann an dem gesamten Textbefund bestätigen müßte, daß es nämlich bei Offenbarung primär nicht um Alternativen wie Gott oder Welt, Transzendenz oder Immanenz, indirekte oder direkte Offenbarung, Geschichte oder Wort oder Natur etc. geht, sondern um das Ereignis des Sichtbarwerdens von Ungesehenem, beziehe sich dies auf das Sein der

[8] Zur Anwendung auf Gott vgl. *HHaag,* aaO 252ff, und u. a. *AOepke,* καλύπτω, ThW III, bes. 565ff. Auch *Oepke* scheint mir allerdings das Problem vorschnell zu verkürzen, wenn er sagt, es gehe nicht an, sich »auf eine rein philologische Erörterung der einschlägigen Stellen zurückzuziehen. Denn dabei würde vermutlich gerade das zu kurz kommen, worum es theologisch geht«, 566, 13ff.

Welt, eine verborgene Wahrheit, oder Gott. Das muß in keiner Weise heißen, daß das Sein der Welt oder die Enthüllung von Wahrheit etwa im Denken von einem Bezug zu Gott gelöst werden und Gott zu einem Teilaspekt der Welt degradiert wird. Diese Frage scheint wiederum mehr mit der Gottes- als mit der Offenbarungsfrage zusammenzuhängen. Je nach der Art des Gottesverständnisses ginge es in Offenbarung um das *Sichtbar*werden Gottes in oder durch alle möglichen Arten menschlicher Wirklichkeitserfahrung, seien diese Geschichte, Sprache, Natur, Denken, oder was auch immer.[9] Enthüllung des Verhüllten, Sichtbarwerden des Ungesehenen, Erkennen und Verstehen des Unerkannten und Unverstandenen: wenn dies das Grundanliegen des alttestamentlichen Offenbarungsverständnisses ist, dann scheint sich darin das Uranliegen dessen auszudrücken, was wir heute Hermeneutik nennen. Schließlich wird schon hier deutlich, warum im Alten Testament das Korrelat für Offenbarung Gottes nicht das Glauben, sondern das Schauen ist.

2. Es ist nun deutlich, daß das Gesagte im weiten Horizont der altvorderorientalischen Ontologie und Epistemologie gesehen werden muß, zu der diejenige des Alten Testaments gehört.[10] Dieser Sachverhalt muß deshalb hier zunächst einmal umrissen werden, bevor wir uns der Behandlung speziell alttestamentlicher Probleme zuwenden. Religionsgeschichtlicher und -phänomenologen beschreiben die Grunderfahrung des Seins beim antiken Menschen als die der Distanz. Diese Grunderfahrung entsteht aus der Konfrontation des Menschen mit den Mächten des Kosmos und der weiten Räume der Erde. Darin ist es wohl begründet, daß Ontologie und Kosmologie im Ursprung zusammengehören. *Th Jacobsen*[11] beschreibt lebendig das »Gefühl der Distanz«, das sich bei den Mesopotamiern in der Konfrontation mit dem »weiten Himmelsraum« einstellt. *MEliade* sagt, daß »the religious experience of the nonhomogeneity of space is a primordial experience ... that precedes all reflection on the world«.[12] *GvdLeeuw* sagt vom Sa-

[9] Zur Frage des Verhältnisses von Offenbarung und »Gotteskonzeption« in Ägypten vgl. *SMorenz,* Ägyptische Religion, in: Die Religionen der Menschheit 8 (1960) 32–34.

[10] Die hier verwendeten Begriffe »Ontologie« und »Epistemologie« können natürlich nicht im Sinne einer expliziten Lehre vom Sein und Erkennen gepreßt werden, da es so etwas in unserem Sinne weithin nicht gegeben hat. Ihre Verwendung im Sinne von – implizitem – Seins- und Erkenntnisverständnis mag im Blick auf die Abwesenheit einer Lehre gerechtfertigt sein.

[11] *H* u. *HAFrankfort, JAWilson, ThJacobsen,* Frühlicht des Geistes, Urban 9 (1954) 151.

[12] aaO 20f.

krament, daß es »in zwei Welten« spiele.[13] Der nicht ganz glückliche Ausdruck von »zwei« Welten wird dann dahingehend erklärt, daß die Welt »›Zeichen‹ einer anderen Welt« wird. »Die ›Natur‹ ist ein Gleichnis« ... »Das Gleichnis beruht auf einer ursprünglichen oder unendlichen Identität beider Welten«.[14] Es gehört nun weiter zur Urerfahrung des antiken Menschen, daß sich ihm aus der Distanz heraus in deren Erscheinungen das einzig Reale, das Göttliche, die Götter offenbaren. Als »Zeichen« oder »Gleichnis«, so *van der Leeuw*. Und *Eliade*: »It is the break effected in space that allows the world to be constituted, because it reveals the fixed point ... When the sacred manifests itself in any hierophany, there is not only a break in the homogeneity of space; there is also revelation of an absolute reality ... the hierophany revails an absolute, fixed point, a center«.[15] »... the manifestation of the sacred in space has a cosmological valence; every spatial hierophany or consecration of a space is equivalent to a cosmogony«.[16] Und *Jacobsen* sagt: »Die Mesopotamier wurden sowohl des Charakters wie der Funktion einer solchen Macht inne, wenn sie den Erscheinungen unmittelbar gegenüberstanden, wenn diese sich ihnen ›offenbarten‹ und sie tief berührten«.[17] Dabei macht *Jacobsen* eine wichtige Unterscheidung, die uns noch beschäftigen wird, wenn er vom Sehen der Phänomene an sich und von ihrem Verstehen oder Begreifen spricht.[18]

Es ist genügend bekannt, wie sich dieses Vorverständnis in einzelnen Lebensbereichen oder -vorgängen ausdrückt oder auswirkt. Der theokratische Stadtstaat, wie er in der sumerischen Tempelstadt, zB in Uruk schon kurz nach 3000 vChr, erscheint, ist eine Epiphanie der universalen kosmisch-göttlichen Wirklichkeit. Für Altägypten gilt das Gleiche: Wie der Gott sich im König inkorporiert, so inkorporiert sich die Schöpfung in der Staatenbildung. Maat, die fundamentale Weltordnung, enthüllt sich dem Ägypter zuerst in kosmologischen Kategorien.[19] Aber dann: »Die Maat kam aus dem Himmel zu ihrer Zeit und gesellte

[13] *GvdLeeuw*, Sakramtentales Denken (1959) 113.

[14] aaO 113.

[15] aaO 21.

[16] aaO 63.

[17] aaO 151.

[18] [illegible] die zahlreichen und verschiedenartigen Phänomene rings um den Menschen, hieß also, die Persönlichkeiten in diesen Erscheinungen zu begreifen, ihre Wesenszüge, ihre Willensstrebungen und auch die Reichweite ihrer Kräfte erkennen. Diese Aufgabe unterschied sich nicht von der, andere Menschen zu verstehen, ihren Charakter, ihren Willen, die Ausdehnung ihrer Macht und ihres Einflusses zu begreifen«, aaO 146. Zur Personalisierung und Identifizierung der kosmischen Mächte kommt es, weil sie als »mächtige Willenswesen« erfahren werden (138), freilich nicht immer (143).

[19] *HHSchmid*, Gerechtigkeit als Weltordnung, BHTh 40 (1968) 48.

sich zu denen, die auf Erden lebten ...«[20] Sie enthüllt sich im Recht, in Weisheit, in der Natur, im Sieg über die Feinde, im Kult, vor allem im Königtum und im Tat-Ergehen-Zusammenhang.[21] In der Pyramide, dem Tempel, dem Emblem, dem hypostasierten Namen, dem Gestirn, der Zahl wird das Wirkliche oder das Göttliche epiphan. Und es fragt sich, ob es im Ritus der heiligen Hochzeit tatsächlich um die Deifizierung des Menschen, und nicht vielmehr um die Selbstrealisierung des Gottes, um seine Realpräsenz im menschlichen Bereich geht.

Dies im Ontologisch-Kosmologisch-Mythologischen verwurzelte Verständnis des altvorderen Orients vom Erscheinen und Erkanntwerden des Wirklichen, Göttlichen, der Götter in seinem weitesten Umfang ist der Raum, in dem das alttestamentliche Offenbarungsverständnis beheimatet ist. Daran ist grundsätzlich festzuhalten, trotz der natürlich starken Abwandlungen im Einzelnen. Da das Faktum weithin bekannt ist, können wir uns auch hier auf wenige Beispiele beschränken. Schon *FNötscher*[22] hat das Verwurzeltsein der vielerlei alttestamentlichen Wendungen vom Schauen des Angesichtes Gottes vor allem in der mesopotamischen Sprach- und Vorstellungswelt gezeigt – im Anschluß vor allem an eine Studie von *WWGraf Baudissin* aus dem Jahre 1914.[23] *FSchnutenhaus*[24] hat betont, daß die alttestamentlichen Verben für das Kommen und Erscheinen Jahwes a) durchgehend von Israels Umwelt abhängen, b) in ihrer Verschiedenheit, verschiedenen Gattungen und Sitzen angehörend, auf verschiedene Bereiche (Krieg, Natur, Sinai, Tempel) und Arten (hinausgehen, heraus-, herabkommen, marschieren, sich erheben, aufleuchten, scheinen, erscheinen, etc) hinweisen, und daß c) das Kommen Gottes immer ein Ziel hat, also den sehenden Menschen betrifft. Der gemeinorientalische Charakter der alttestamentlichen Sprache zeigt nicht nur, daß Israel – zumindest in dieser Hinsicht – keine spezielle Konzeption von Offenbarung hatte. Er nötigt zur Frage, ob die Erfahrung von »Offenbarung« auch für Israel nicht wesentlich in ontologisch-kosmologischen und empirischen Kategorien gesehen wur-

[20] zitiert aaO 56.

[21] Vgl. die Gesamtthese von *HHSchmid*, und hinsichtlich des Tat-Ergehen-Zusammenhangs die gute Diskussion S. 50f. Zum Problem der Offenbarung Gottes im König in Form von Identität, Inkarnation oder Inkorporation vgl. *SMorenz*, aaO 35. 43; vgl. ferner *KHBernhardt*, Das Problem der altorientalischen Königsideologie im Alten Testament, VTSuppl VIII (1961) bes. 67–90.

[22] aaO.

[23] *WWGrafBaudissin*, ›Gott schauen‹ in der alttestamentlichen Religion (1914), jetzt abgedruckt in *Nötscher*, 193ff.

[24] aaO. Dabei ist zu beachten, daß die Verben für »Kommen« und »Erscheinen« Aussageweisen ein und derselben Epiphaniesprache sind, einmal von der Perspektive des handelnden Gottes, das andere mal von der Perspektive des sehenden Menschen formuliert.

de, theologisch gesagt: ob es bei der Offenbarung Gottes nicht wesensgemäß um die Erfahrung von Gott im Horizont menschlicher Seinserfahrung und Erkenntnis geht. Dies würde erklären, warum auch eine spezielle »Offenbarung«, wie etwa diejenige von Jahwe, von Anbeginn an einer allgemein kommunizierenden Sprache bedurfte. »Offenbarung« wäre dann nicht nur Ausdruck für die legitime menschliche Erfahrung von Gott, es wäre auch die universale Evidenz einer speziellen Religion. Schließlich scheint es unumgänglich zu sein, daß man das Verankertsein der alttestamentlichen Sprache im Vorverständnis der Umwelt auch theologisch ernstnimmt, und zwar in ihrer ganzen Breite. Das bedeutet vor allem, daß jede einseitige Auffassung von Offenbarung Gottes der alttestamentlichen Sprache unangemessen ist, daß der Jahwismus sich nicht nur auf *eine* Art von Offenbarungserfahrung festgelegt, sondern sich offengehalten hat für die Fülle erfahrungsmäßiger Möglichkeiten. Den Anklang der Epiphanieschilderungen in den Psalmen an babylonische und ägyptische Psalmen hat schon *CWestermann*[25] betont. Auch bei *Westermanns* Unterscheidung zwischen Epiphanie und Theophanie gilt: Trotz aller, wie auch immer zu sehenden Unterschiede haben beide Traditionen mit dem Sichtbarwerden Jahwes zu tun (als er selbst oder in seinen Werken). Und die Texte erlauben nicht, daß man im Blick auf das alttestamentliche Offenbarungsverständnis eine Tradition gegenüber der anderen ausklammert, besonders wenn die Definitionen dieser Traditionen so uneinheitlich sind wie im vorliegenden Fall. In seiner Untersuchung einer speziellen, von ihm »Theophanie« genannten Gattung, hat *JJeremias*[26] ebenfalls die außer-israelitische Herkunft des zweiten Teils der Gattung, des Aufruhrs der Natur, betont, während der erste Teil: das Kommen Jahwes, nicht aus der Umwelt Israels stammen soll. Die Arbeit von *Jeremias* zeigt natürlich –von ihrer Intention einmal abgesehen – eines ganz klar: daß man mit einer Begrenzung auf eine solche Teilperspektive das alttestamentliche Offenbarungsverständnis in seiner Ganzheit noch lange nicht ins Blickfeld bekommen hat.

[25] aaO 69–76; dort auch die Kritik an *Weiser*, aaO 73f.

[26] aaO bes. 150ff. Was bei *Westermann* und *Schnutenhaus* »Epiphanie« genannt wird, nennt *Jeremias* »Theophanie«. *Jeremias*' These von der genuin jahwistischen Herkunft des ersten Teiles der Gattung, die *Westermann* und *Schnutenhaus* widerspricht, ist in der vorgetragenen Form kaum haltbar. Auch deckt sich seine Gattungsbestimmung, streng genommen, nur mit dem ersten Teil der Gesamtstruktur. Wichtiger aber ist die Frage, wie sich die zwei Teile zueinander verhalten: wie Anlaß (Kommen Jahwes) und Folge (Aufruhr der Natur) oder wie zwei Ausdrucksweisen für denselben Vorgang? Im ersten Falle wäre das »Kommen« die – u. U. gar nicht sichtbare – Erscheinung, und der »Aufruhr« – ein zweites Ereignis – das Ergebnis in der Natur. Im zweiten Falle wäre das »Kommen« sichtbar im »Aufruhr«. Die Frage wäre einer speziellen Untersuchung bedürftig.

II. Was nun die speziell alttestamentliche Erörterung unseres Themas betrifft, so stellen die direktesten Beiträge dazu die von 1953 bis 1962 veröffentlichten Arbeiten von *WZimmerli* und *RRendtorff* und ihre gemeinsame Diskussion hierüber dar.[27] Als die alttestamentlichen Offenbarungsweisen stehen Geschichte und/oder Wort zur Diskussion. Während beide Forscher in der Annahme der Zusammengehörigkeit der beiden Weisen letztlich übereinstimmen, ist die Diskussion einstweilen an dem Punkt ihrer Verhältnisbestimmung zum Stillstand gekommen, indem *Zimmerli* das die Geschichte hervorrufende und erhellende Wort Jahwes (besonders in der Selbstvorstellungsformel: ich bin Jahwe) als das Offenbarungsereignis betont, während dieses für *RRendtorff* in der das Wort begründenden und durch es bestätigten Geschichte besteht.[28] Bevor wir auf dieses Problem zurückkommen, müssen wir uns zunächst mit der alttestamentlichen Begrifflichkeit im Umkreis des Offenbarungsverständnisses beschäftigen. Das ist ja auch der Ansatzpunkt für die Arbeiten von *Rendtorff* und *Zimmerli*, indem letzterer bei einer bestimmten Verwendung von ידע, der Erkenntnisaussage,[29] ersterer bei einer bestimmten Verwendung von ראה im Nif., einem Ausdruck für Gotteserscheinungen,[30] einsetzt.

1. Zunächst sei darauf hingewiesen, daß beide Forscher sich mit ihrem Einsatz bei der empirisch-epistemologischen, auf das menschliche Sehen und Erkennen bezogenen Begrifflichkeit faktisch im Rahmen des altvorderorientalischen Vorverständnisses von Offenbarung bewegen, das oben umrissen wurde. Dieser Sachverhalt sollte im Blickfeld bleiben, auch wenn er in den Arbeiten beider Forscher nur eine untergeordnete Rolle spielt. Er weist auf das religionsgeschichtliche Verankertsein des Offenbarungsverständnisses hin. Demnach geht es bei den Begriffen »sehen« und »erkennen« im Zusammenhang von Offenbarung darum, daß der/ oder das Verhüllte im Ereignis der Enthüllung vom Menschen *gesehen* und *erkannt* wird. M. a. W, es geht bei Offenbarung um das Sehen und Erkennen des sich Offenbarenden durch den Menschen.

a) Zum Begriff ראה im Kontext von Offenbarung. Die Nif.-form נִרְאָה, auf die sich *Rendtorff* beschränkt, ist kult-ätiologischer Ausdruck für Gotteserscheinungen in vorjahwistischer Zeit. Sie wird aber nicht als Ausdruck für eine Theophanie Jahwes übernommen. Dagegen erscheint sie als Rahmen göttlicher Verheißungsrede. Das Gewicht ver-

[27] Vgl. zu den genannten Veröffentlichungen ferner: *WZimmerli*, »Offenbarung« im Alten Testament, EvTh 22 (1962) 15–31; *RRendtorff*, Geschichte und Wort im Alten Testament, EvTh 22 (1962) 621–650; vgl. auch: Theology as History, aaO bes. 42–62.

[28] vgl. *Robinsons* abschließende Aussage, aaO 62.

[29] Erkenntnis Gottes, aaO 41ff.

[30] Offenbarung als Geschichte, 23ff.

lagert sich von der sinnfälligen Erscheinung Jahwes auf die Ankündigung seines Handelns. Diese Entwicklung wird vollends deutlich an der Form נוֹדַע, nach der es zur Erkenntnis Jahwes in seinen machtvollen Heilstaten kommt.[31] *Rendtorffs* Argumentation gibt zu Fragen Anlaß. Zunächst: Ist das Faktum, daß Gott sich zeigt, soweit es durch ראה ausgedrückt ist, nur von der Nif.-form abhängig? Hat die alttestamentliche Sprache sich dafür nicht auch der Kal- und Hif.-formen bedient? Bedeuten diese Formen eine Negierung eines Theophanievorganges, oder bedeuten sie dessen Bezeugung lediglich unter einer verschiedenen Perspektive? Es scheint unerläßlich zu sein, das Gesamtfeld des Begriffes zu erfassen. Dann aber ergibt sich, daß das Alte Testament auch späterhin sehr wohl gerade an zentralen Punkten ראה für Offenbarung Jahwes als einer sinnfälligen Erscheinung verwendet hat.

Beispiele: Zunächst zur Nif. Impf.-form: Gen 12_{7}; 17_{1}; 18_{1}; $26_{2.24}$; 35_{9}. Diese bestätigen *Rendtorffs* Aussagen über das Nif. Pf. Dagegen sind Dtn 31_{5}; 1Kön 9_{2} par. 2Chr kultbezogen. Zum Kal: a) 1. Sg. Pf.: Gen 32_{31}; 1Kön 22_{19}; Am 9_{1}; b) 1. Pl. Pf.: Jes 6_{5}; c) 1. Sg. Impf.: Jes 6_{1}; Hes 1_{4} (vgl. dort auch Pt. Hif.: Hes 1_{28}). Vgl. die Verwendung von Hif. Pf. für eine Sache (Am $7_{1.4}$; 8_{1}) und für Jahwe (Am 7_{7}, was allerdings textlich und exegetisch problematisch ist) und von Kal. Pf. in Am 9_{1}. Verschiedene Formen und Perspektiven mit demselben Wort in demselben Kontext! Einige Belege für das kultische Erscheinen (Nif. Impf.) des כָּבוֹד: Lev 9_{23}; Num 16_{9}; 17_{7}; 20_{6}; Jes 60_{2}; Sach 9_{14}. Vgl. auch Ex 24_{10f} (ראה und חזה), Num 14_{14}. Vgl. die ausführliche Diskussion über die verschiedenen Zusammenhänge, in denen ראה verwendet wird, schon bei *Nötscher*, aaO 22–53; vgl. weiter die רָאָה Tradition im Alten Testament. Es scheint auch bemerkenswert, daß der Bericht von einer Ersterscheinung (mit נִרְאָה) eine spätere Kultpraxis legitimiert, während der prophetische Bericht von der Berufungsvision (ראה in Jes 6_{1}; 1Kön 22_{19}) die prophetische Botschaft legitimiert. Dabei hat die Erscheinung Jahwes, etwa bei Micha ben Jimla oder Jesaja, keineswegs nur die Funktion eines Rahmens zur dort empfangenen Wortoffenbarung. Sie ist der notwendige, objektive Aufweis in traditionellen Kategorien für die Wahrheit der umstrittenen prophetischen Gerichtsankündigung.

Zweitens: Was bedeutet im Erscheinungsbericht der inhaltliche Übergang von der Erscheinung zur Verheißungsrede? Fraglos wird später die Erscheinung durch die Ankündigung zurückgedrängt. Aber das bedeutet doch wohl, daß der Inhalt der Erscheinung nun nicht mehr die Erscheinung selbst, sondern die Ankündigung ist. Gott erscheint als der Sprechende (so auch *Zimmerli*, aaO 17), und die Offenbarung wird als *Verheißung* »gesehen«. Die Tatsache, daß die Verheißung etwas Inhaltliches aussagt, hat hier noch nichts mit Offenbarung Gottes in dem Eintreffen des Angekündigten, als Geschichte, zu tun. Dieses Verständnis wird durch die Beibehaltung der traditionellen Erscheinungsformel bestätigt. Das war aber nicht immer so im Alten Testament. Man könnte geradezu fragen, warum denn bei dieser Gewichtsverlage-

[31] ebd. 23ff; vgl. auch *Zimmerlis* Diskussion, EvTh (1962) 17ff.

rung die Erscheinungsformel überhaupt noch verwendet ist. *Rendtorff* sagt, daß die Formel nun »die *ganze* Erzählung als Gotteserscheinung« qualifiziere (24). Bedeutet das nicht, daß hier mit einem traditionellen Mittel die *Verheißung* als von Jahwe geoffenbart ausgewiesen wird, ihr *Inhalt* als Offenbarung angesehen werden soll? Dahinter mag ja die zweifelnde Frage stehen, ob diese Verheißungstradition etwas mit Jahwe zu tun hat. Dann wäre betont: Die Verheißung ist *geoffenbart*; was wiederum heißt: die Offenbarung geschieht als gesprochene Verheißung.

Diese Erwägungen über ראה besagen natürlich nicht, daß der Begriff überall im Alten Testament als Begriff für ein Offenbarungsereignis vorausgesetzt werden kann. Ob und wo dies der Fall ist, ergibt sich aus dem jeweiligen Kontext, in dem der Begriff sich auf das Sehen von sich Enthüllendem bezieht, das – oder der – als verhüllt vorausgesetzt ist.

b) Zum Verhältnis von ראה und ידע im Kontext von Offenbarung. Die Diskussion zwischen *Zimmerli* und *Rendtorff* um das »wie« der Offenbarung und damit der Erkenntnis Jahwes entzündete sich am Begriff ידע. *Zimmerli* war auf den Begriff gestoßen durch die Frage nach dem Verhältnis der Selbstvorstellungsformel (SF: ich bin Jahwe) zur Erkenntnisaussage (EA: sie werden erkennen). Sein Ergebnis: Die auf Jahwes Taten weisende Erkenntnisaussage ist abhängig von der vorgängigen Selbstvorstellung Jahwes als Person in der kultischen Rechtsproklamation oder seiner Verkündigung durch seine Zeugen.[32] *Rendtorff* stieß auf ידע in Ex 6₃, wo die sehr bewußte Gegenüberstellung von ראה und ידע zeigt, daß ראה als unangemessen empfunden wurde. Danach bezeichnet die Rede vom *Erscheinen* Jahwes eine vorläufige Stufe, die von der neuen, mosaischen Stufe, dem *Erkennen* des Namens Jahwe, abgelöst wurde. Erkenntnis Jahwes bedeutet dann zweierlei: Kenntnis des Namens und Selbsterweis Jahwes in seinen Taten, wobei nach *Rendtorff* die Kenntnis des Namens wesentlich in den Selbsterweis durch Taten hineingenommen ist.[33] Die Diskussion geht nun um die Frage: Worin wird Jahwe »gesehen« oder »erkannt«?[34] Es gibt vier Alternativen: a) in seinem die Taten verheißenden Anreden; b) in dem aus der Verheißung folgenden Handeln; c) nur im Handeln; d) in der überlieferungsgeschichtlichen Einheit von beidem. Beide Forscher stimmen darin überein, daß Möglichkeit c) ausscheidet. In der Verhältnisbestimmung von Verheißung und Taten neigt jedoch *Zimmerli* der Alternative a) zu, während *Rendtorff* die Alternative b) und vor allem d) betont.

[32] Ich bin Jahwe, und EvTh (1962) 24f.
[33] Offenbarung als Geschichte, 25ff.
[34] Zimmerli, aaO 17.

Im Blick auf *Rendtorffs* Auslegung von Ex 6_3, der *Zimmerli* zustimmt, ergibt sich allerdings eine Frage: Sieht P dort den Unterschied zwischen der Patriarchen- und der Mosezeit in dem Unterschied der beiden Offenbarungsweisen: Erscheinung (ראה Nif.) und Bekanntmachen (ידע Nif.)? Sind beide Weisen von Offenbarung also in zeitlichem Nacheinander gewertet? Oder sieht P den Unterschied in der Offenbarung zweier verschiedener Namen? Oder verbindet er die Offenbarung Jahwes als El šadday mit ראה Nif., während er diejenige von Jahwe als Jahwe mit ידע Nif. ausdrückt? *Rendtorff* meint offenbar das erstere, obwohl sein Satz nicht klar ist: »Das Erscheinen Jahwes wird einer vorläufigen Stufe zugewiesen; mit Moses beginnt etwas Neues: Jahwe gibt sich *als er selbst* zu erkennen«.[35] *Rendtorffs Betonung* zufolge müßte man »als er selbst« der »vorläufigen Stufe« gegenüberstellen, während »das Erscheinen Jahwes« zu »erkennen« gehört. *Rendtorff* jedoch scheint »erscheinen« und »als er selbst« gegenüberzustellen, was zu den obengenannten Fragen Anlaß gibt. Sagt וָאֵרָא ... בְּאֵל שַׁדָּי Ex 6_3 schon, daß der Name durch die Erscheinung als solche bekannt wurde? *Rendtorff* sagt, daß »das Verbum נראה « (!, ich würde vorschlagen, hier und andernorts von der Wort*form* נראה zu reden, um der Gefahr zu entgehen, als ob man es damit schon mit dem ganzen Begriff zu tun habe) »... in Gen 17_1 und 35_{11} mit der Formel אני אל שדי verbunden« sei. Das stimmt nicht genau. In beiden Stellen ist die Formel zunächst einmal mit dem unmittelbar vorangehenden וַיֹּאמֶר verbunden. Nun kann in 17_1 das »sagen« als »erscheinen« verstanden sein. Dies anzunehmen ist aber in 35_{9-12} schwieriger. Wahrscheinlicher handelt es sich für P in beiden Texten also um ein Sprachereignis innerhalb der Erscheinung, die als solche eben nicht mehr betont ist, von der oben dargestellten Funktion abgesehen. Es ist deshalb fraglich, ob für P der Unterschied zwischen der Offenbarung des Namens als *Erscheinung* und als *Bekanntmachung* liegt. So fragt es sich, ob וָאֵרָא in Ex 6_3 nicht streng zu beziehen ist auf den Namen אֵל שַׁדָּי. Schließlich sagt Gott (V. 2) nach P, daß er, der sich jetzt als Jahwe vorstellt, ehedem als אֵל שַׁדָּי erschienen ist. Könnte dies bedeuten, daß für P es gerade diese verhüllte Offenbarung Jahwes unter einem anderen Namen ist, für die die traditionelle Formel ראה Nif. gebraucht wird? Dann besagte Ex 6_3: Der Unterschied zwischen der Väter- und der Mosezeit ist nicht der zwischen Offenbarung eines Namens als *Erscheinung* und als *Bekanntmachung*, sondern der zwischen Offenbarung Jahwes (in beiden Fällen) als *uneigentliche* (ausgedrückt durch ראה Nif.) und als *eigentliche* (ausgedrückt durch ידע Nif.). Die Verwendung von ראה und ידע drückte dann auf ihre Art aus, was die Verschiedenheit der geoffenbarten Namen der Sache nach besagt: Die Väter haben Jahwe gesehen, aber er war für sie nicht als Jahwe identifiziert. Dieser Sprachgebrauch implizierte dann allerdings, und darin ist *Rendtorff* und *Zimmerli* zuzustimmen, daß für P דע Nif. jegliche Unklarheit über den wirklichen Namen Gottes ausschließt, während das bei ראה nicht der Fall ist. Aber das bedeutet, wie gesagt, noch nicht, daß es im vorliegenden Text primär um die Gegenüberstellung der beiden Offenbarungsweisen gehen muß, was sich ja im Blick auf den Gesamtgebrauch der Wurzel ראה im Alten Testament als unwahrscheinlich herausgestellt hatte. Es scheint, als ob P mit dieser Sprachregelung (Jahwe offenbar in der Väterzeit, aber unter anderem Namen) die Integrierung der Vätertraditionen in die Jahwegeschichte Israels theologisch legitimiert hat.

Das soeben vermutete Verhältnis von ראה und ידע im Sinne von uneigentlicher (unidentifizierter) und eigentlicher (identifizierter) Jahweoffenbarung ist ja nun auch andernorts zu beobachten. Die Erzählung Ri 13_{3-22} ist ein Mikrokosmos für das gesamte Problem. Die Sprache ist weithin genau gewählt: מלאך יהוה in V. 3. 13a. 15a. 16a+b. 17a. 18a. 20. 21a+b ist immer vom Standort des Erzählers gesagt;

[35] aaO 25.

מלאך האלהים in 6b vom Standort des Erzählers, in 9a von dem der Frau Manoahs. Das letztere gilt für איש האלהים in 6a. 8, oder האיש in 10. 11a+b, sowie für האלהים in 9 und 22b. Die Frage nach dem Namen, V. 6. 17. 18, wird nicht beantwortet, deutet aber an, daß die *Identifizierung* des Unbekannten ein entscheidendes Anliegen ist. Wichtig ist dafür nun das Verhältnis von ראה und ידע zueinander. Die zweimalige Erscheinung des Boten Jahwes wird von V. 3–21a immer wieder mit dem Begriff ראה beschrieben (V. 3. 6. 10. 19. 20. 21a, vgl. auch 22b. 23). Zu alledem stellt V. 16b ausdrücklich fest: »Manoah erkannte nicht, daß es der mal'ak Jahwe war«. Erst als dieser in der Altarflamme aufgestiegen war, »da erkannte (ידע) Manoah, daß es der mal'ak Jahwe war« (21b). Für diesen Schreiber sind ראה und ידע nicht zwei aufeinanderfolgende Offenbarungsepochen, sondern zwei verschiedene Weisen von Offenbarung in demselben Ereignis. Vom Ende der Geschichte aus wissen Manoah, seine Frau und der Schreiber, daß es eine Offenbarung des Boten Jahwes war. Manoah, der Jahweverehrer (!, V. 8. 19), konnte ihn im Augenblick des Auffahrens, dh im Zusammenhang mit dem Jahweopfer, identifizieren. Diese nachherige Identifizierung bedeutet jedoch für Manoah und für den Erzähler, daß auch die vorher unidentifizierte Erscheinung eine Jahweoffenbarung war. In ihrem Ereignis war sie eine Jahweoffenbarung in Gestalt einer sichtbaren, als göttlich verstandenen Erscheinung (die man »Bote Gottes« nennen konnte), gesehen (ראה), aber unidentifiziert (ידע). Diese Konzeption scheint daher auf einem Vorverständnis zu beruhen, wonach Jahwe auch für den Jahweverehrer sich auf verschiedene Weisen offenbaren kann. Diese Weisen können im Blick auf das sich offenbarende Subjekt als Einheit ausgesagt werden. Im Blick auf den die Offenbarung sehenden Menschen jedoch besteht die Möglichkeit des Mißverhältnisses zwischen dem Sehen der Erscheinung und dem identifizierenden Erkennen. Es fragt sich, ob solche Ausdrucksweise nicht zwei verschiedenen Anliegen gerecht zu werden versucht, die im alttestamentlichen Offenbarungsverständnis auftauchen: dem »objektiven« Faktum der Offenbarung Jahwes, auch wenn der Mensch sie verschieden erkennt – und dem »subjektiven« Problem des Menschen, die Offenbarung richtig zu erkennen.

Die Frage des Verhältnisses von ראה und ידע im Kontext von Offenbarung kann hier nicht weiter verfolgt werden. Sie verdient eine gesonderte Untersuchung auf breiter Basis. Auch für ידע gilt, was für ראה gesagt wurde. Man kann sich nicht nur auf *eine* Form des Begriffes beschränken, will man den Begriff im Kontext des Themas untersuchen. Hinsichtlich des Verhältnisses zu ידע sei lediglich noch auf Jes 69b hingewiesen: שִׁמְעוּ שָׁמוֹעַ וְאַל־תָּבִינוּ וּרְאוּ רָאוֹ וְאַל־תֵּדָעוּ. Hören/sehen und einsehen/erkennen sind parallel. Abgesehen davon, daß hier das Volk im unverstehenden Sehen festgenagelt wird, scheint auch hier das Vorverständnis zu sein, daß »sehen« wirklich das Sehen der Offenbarungsphänomene, strenger: das Sehen der Offenbarung meint, aber daß die gesehene Offenbarung nicht verstanden, nicht als Handeln Jahwes identifiziert wird. Der Begriff »sehen« ist im Kontext von Offenbarung nicht immer so verwendet, wie obengenannte und andere Belege zeigen. Er kann bedeuten: Jahwe als solchen erkennen. Dann entfällt die Notwendigkeit, von »erkennen« zu reden. In solchen Fällen ist der zu erkennende Jahwe aber im Kontext des Gesehenen vorgegeben. Wo aber »erkennen« und »sehen« unterschieden sind, deutet dies entweder auf ein Identifizierungsproblem oder aber auf eine Krise von Offenbarung insgesamt hin. Das letztere scheint in Hos 512–15 der Fall zu sein, wo zwar der Begriff ידע fehlt, aber die Sache der Erkenntnis Jahwes exakt behandelt wird: Ephraim sieht (13) seine Krankheit – aber sie stellen eine falsche Diagnose. Das Erkenntnisproblem besteht in der Verfehlung der Identität des Verursachers der Krankheit. Darum das leidenschaftliche »ich ... ich ... ich« (14f). Vgl. den zutreffenden Satz von *HWWolff* im Blick auf die Charakterisierung des Wissens um Gott bei Hosea: »Zur דעת gehört im Keim eine Unterscheidungslehre, die klärt, wer Jahwe und wer Baal ist ...«, aaO 195. Es ist jedenfalls nicht immer so, daß Jahwe aus seinen Geschichtstaten erkannt wird. Daß dies nicht zuletzt für Israel selbst zu Zeiten kein geringes Problem gewesen ist, darüber wird unten noch zu sprechen sein.

c) Jahwe und Gott. Ein weiterer Grund, warum man in der Diskussion über die oben genannten Positionen nicht wesentlich hinausgekommen ist, scheint mir darin zu liegen, daß der Unterschied zwischen אלהים und יהוה in der Diskussion zwar hie und da angedeutet, aber methodisch nicht konsequent herausgearbeitet ist. Dasselbe gilt auch für die notwendige Unterscheidung von Namens- und Tatoffenbarung. *Rendtorffs* oft variierter Satz: »das Sehen und Erkennen der Taten Jahwes wirkt Erkenntnis«,[36] ist für beides charakteristisch. Und auch der Satz: »... das Geschehen selbst kann und soll ja in dem, der es sieht und in seinem Zusammenhang als Handeln Jahwes versteht, Erkenntnis Jahwes wirken,«[37] erklärt ja nicht, wie es im Zusammenhang zur Erkenntnis Jahwes kommt, von welchem Zusammenhang da die Rede ist, und warum gerade Jahwe erkannt werden soll. *Zimmerli* hat zwar schon in »Ich bin Jahwe« das Heraustreten des Unbekannten in der SF betont und im Blick auf viele von *Rendtorff* beigebrachten Belege mit Recht geltend gemacht,[38] daß dort der Erkenntnis Jahwes aus den Taten das Bekanntmachen des Namens vorangeht. Aber dieser Einwand beweist nicht, daß dem immer so sein muß, noch vermag er das Verhältnis von Namens- und Tatoffenbarung auf einen grundsätzlichen Ansatzpunkt zurückzuführen; denn auch die SF muß ja erst befragt werden, ob sie je schon auf einen Geschehenszusammenhang zurückblickt oder aber ihm grundsätzlich – und nicht nur gelegentlich – vorausgeht.

Nun ist es bekannt, daß das altvorderorientalische Vorverständnis von den Manifestationen des Göttlichen in allen Bereichen menschlicher Erfahrung auch für das Alte Testament vorgegeben ist. Auch der alttestamentliche Mensch sieht in der Erscheinung des Himmels, der Fülle der Natur, im Völkergeschehen und in besonderen Menschen Erscheinungen und Taten Gottes. Diese Art von Offenbarungsverständnis ist vorjahwistisch. Sie hat aber mit Jahwismus vor allem darin etwas zu tun, daß auch der Jahwismus ohne es gar nicht hätte existieren können. Sie ist als ontologisch-kosmologisches Vorverständnis seine Grundlage, zu der das Wissen um das Göttliche dazugehört. Ein nābāl, der sagt »אין אלהים« (Ps 14_1; 53_2), leugnet Gott im ontologischen Sinn, rüttelt damit an der allgemeinen Ontologie und nimmt sich selbst die Lebensgrundlage. Wenn die Israeliten angesichts einer

[36] Offenbarung als Geschichte, 36.
[37] aaO 40.
[38] EvTh (1962) 24f.

Katastrophe zu Baal laufen, so zeigt das zwar eine Verwirrung in punkto Identität des handelnden Gottes, aber auch, daß man im Ereignis die Tat Gottes erkennt. Der Sachverhalt bedarf hier keiner weiteren Belege. Diesem Vorverständnis zufolge ist es vollkommen klar, daß Gott in seinen Taten manifest und erkannt wird. Und solange es intakt ist, bedarf es zur Erkenntnis Gottes weder eines ankündigenden Wortes noch auch unbedingt einer nachfolgenden Interpretation, so sehr beides der Fall sein kann. Dies gilt auch für die Erkenntnis der Taten Jahwes, sofern diese Erkenntnis sich auf die göttlichen Taten bezieht. An diesem – allgemein religionsgeschichtlichen – Punkt hat *Rendtorffs* Argumentation ihre grundsätzliche Berechtigung. Woher aber werden diese göttlichen Taten als Taten *Jahwes* erkennbar? Jahwe ist ja nicht einfach Gott oder das Göttliche. Er ist – wie im Neuen Testament ja auch Jesus Christus – eine spezielle Manifestation Gottes, zunächst einmal in einem Namen. Wie also kommt es zur Offenbarung und Kenntnis des Namens? So gewiß Offenbarung *Gottes* in seinen Taten möglich ist, so gewiß ist Offenbarung *Jahwes* in denselben Taten unmöglich, wenn nicht der sehende Mensch vorher oder von woandersher um diesen Namen weiß. Das Fragen nach dem Namen (Gen 32; Ri 13) ist hierfür mehr als nur situationsbedingtes Beispiel. Das Wissen um den Namen impliziert darum eine Offenbarung spezieller Natur, eben als des Namens. Nun kann es aber nicht zweifelhaft sein, daß das *Bekanntwerden* eines Namens (geschehe es in der Selbstvorstellung, durch Namengebung, durch Proklamation oder Akklamation) grundsätzlich immer ein *Wort*ereignis ist, gleich, ob es auf ein anderes Ereignis bezogen ist, ein solches vorgängig ankündigt oder nachfolgend interpretiert. Wenn der Name nicht genannt oder als genannter bekannt ist, bleibt die Identität des Handelnden verborgen. An diesem Punkt hat *Zimmerlis* Argumentation von der Vorrangigkeit des *Wort*ereignisses in der Selbsterschließung Gottes als *Jahwe* ihre grundsätzliche Berechtigung. Die Erkenntnis dieses Namens selbst ist der Erkenntnis dieses Namens in seinen Taten – als Voraussetzung oder als Bedingung – prinzipiell vorgeordnet. Das hat aber nichts mit der einem Ereignis jeweils vorangehenden ausdrücklichen Proklamation des Namens zu tun; der Name kann im Ereignis auch ohne solche Proklamation oder nachfolgende Interpretation »gesehen« werden, wenn er im Horizont des Vorverständnisses bekannt ist und diesen Horizont bestimmt. Es hat vielmehr damit zu tun, daß die Kenntnis des Namens auf einer Offenbarung sui generis beruht.

Hier wäre zunächst exegetisch im Kontext von שם יהוה weiterzufragen. Hinsichtlich des Gesagten zeigt zB Ex 6_3, daß den Erzvätern Erscheinungen als Offenbarungen *Jahwes* nicht sichtbar waren. Als solche werden sie erst jetzt Mose in der speziellen Selbstvorstellung Jahwes (so P), einem Wortereignis, offenbart. In Lev 18 wird Jahwe ja nicht an den Gesetzen als Jahwe offenbar; diese sind ja teilweise vor- und außerisraelitischer Herkunft. Er wird offenbar an der wiederholt gesprochenen Selbstidentifizierung in der SF. Man wird sagen müssen: Nicht die Gesetze machen Jahwe offenbar, sondern die Gesetze erhalten umgekehrt ihre Offenbarungsqualität durch den Kontext der Selbstoffenbarung Jahwes. Es wäre auch zu untersuchen, ob die Wurzel ידע (oder בין) in mehreren Belegen sich nicht auf die Erkenntnis der im Namen sich ausdrückenden *Identität* Gottes, und damit *dieser* Art von Offenbarung, bezieht, und ob Begriffe wie ראה und שמע in entsprechenden Kontexten göttlichen Manifestationen zugeordnet sind. Daß die Kenntnis des Namens auf einer Offenbarung sui generis beruht, zeigt sich aber vor allem daran, daß sie, anders als das ungeschichtliche Vorverständnis von göttlicher Manifestation, auf einem geschichtlichen Anfang beruht, so (P) oder anders (J), jedenfalls soweit sie geschichtlich bedeutsam geworden ist: in ihrer Verbindung mit Israel seit Moses. Dieser geschichtliche Anfang ist verstanden als ein Wortereignis. Und dieses Wortereignis bestimmt alle nachfolgende alttestamentliche Geschichte – nicht notwendigerweise immer als Wort-Ankündigungsgeschichte, aber als *Jahwe*geschichte, die ein für allemal auf dem Wortereignis der Namensoffenbarung beruht. Indem das – historisch bedingte und aus dem Wortereignis resultierende – Wissen um den Namen mit dem – ontologisch bedingten – Wissen um Gott zusammenfällt, wird es mit diesem zur Voraussetzung für die alttestamentliche Überlieferungsgeschichte, in welchen Sitzen, Gattungen und Beziehungen sich diese auch immer entfaltet: sei es in der sich wiederholenden kultrechtlichen Proklamation des Namens Jahwes, in der Verheißung von Ereignissen in diesem Namen, oder in der Erkenntnis Jahwes aus den Ereignissen.

Schließlich ein Wort zur Funktion des Namens: *Zimmerli* hat gegenüber *Rendtorff* geltend gemacht (aaO 21f), daß im אני יהוה oder אני הוא »die Sachaussage von dem alleinigen Heraustreten des ›Ich‹ verschlungen ist«, daß in ihr die »souveräne Freiheit« und das »Geheimnis des Ich«, das »Persongeheimnis« (Erkenntnis Gottes 104) ausgesagt sei, in der »das Ich in seinem Ich-Charakter sich erschließt«. Das war insofern schwierig zu beweisen, als die Ich-Aussagen zumeist mit einer Tataussage verbunden sind und somit scheinbar im Blick auf diese verstanden werden wollen. Angesichts der oben getroffenen Feststellungen löst sich aber diese Schwierigkeit, weil אני יהוה, unbeschadet seiner Verbindung mit einer Tataussage, die im Namen erscheinende Identität des in der Tat Handelnden betonen will. Dabei sollte man präzisieren: »Ich-Geheimnis« oder »Persongeheimnis« können ja nicht auf dem Umweg abermals als Sachaussage, nämlich über das Wesen Jahwes, verstanden werden. Es ist bekannt, wie sehr sich das Alte Testament gegen solche aus dem Namen gefolgerten Wesensbestimmungen Jahwes gewehrt hat. Das meint *Zimmerli* auch nicht. Es scheint, als müsse man das אני יהוה und damit die Namensoffenbarung im Sinne der Ausschließlichkeit und Unverwechselbarkeit Jahwes verstehen, und damit im Kontext des 1. und 2. Gebotes. Diese Konzentration auf die Identität Jahwes war nicht nur wichtig für Zeiten, in denen man Jahwes Taten aus der Geschichte erkennen konnte. Sie war auch wichtig für Zeiten und Situatio- [illegible]
in seinen Taten zu erkennen. Was dann aber immer noch blieb, war das Wissen um den Namen – als der manchmal einzige Grund zu Hoffnung und Gebet.

Man wird also anzunehmen haben, daß in der Offenbarung Jahwes als Jahwe zwei verschiedengeartete Offenbarungsvorgänge in eins zusammenfallen. In dieser Einheit spiegelt sich das Verhältnis von allgemeiner Religionsgeschichte und spezieller Jahwegeschichte als eines Teiles davon, und doch unverwechselbar identifiziert, wieder. Für die

Erkenntnis Gottes als Jahwe genügt die allgemeine Ontologie als Grundlage nicht. Diese Erkenntnis fordert die geschichtliche Voraussetzung des ausgerufenen Namens. Die Erkenntnis Jahwes als Gott dagegen geschieht, ist der Name einmal bekannt, im Zusammenhang und weithin in den Kategorien der zeitgenössischen Ontologie. Gerade darin scheint *eine* der Hauptvoraussetzungen für die Universalisierungsfähigkeit der Jahweoffenbarung zu liegen, aufgrund deren Jahwe auch Bereiche wie den der Schöpfung, der Natur, des Rechts, der Weisheit an sich ziehen konnte.

1Kön 18$_{21ff}$ ist ein Beispiel für das Ineinander von אלהים- und יהוה-offenbarung. Ausgangsfrage: Welcher der beiden namentlich Genannten ist אלהים? Es geht um den Beweis der *Gottheit*. Als Mittel dient in beiden Fällen die Feuerprobe. Das zeigt, daß die Offenbarung als *Gott* für Baalismus und Jahwismus in derselben Weise geschehen kann und unter demselben Vorverständnis erkennbar ist. Das Feuer als solches beweist jedoch nicht auch umgekehrt Gott als Jahwe oder Baal. Es beweist nur das beiden Gemeinsame, und damit gerade keinen in seiner vom anderen unterschiedenen Identität. Indem es als Ereignis *sowohl* Baal *als auch* Jahwe erweisen kann, scheidet es als Erkenntnismittel für die Offenbarung Jahwes als Jahwe oder Baals als Baal aus. I. a. W.: Die Erkenntnis auf der Basis des religionsgeschichtlich bedingten ontologischen Verstehens, oder: das »Sehen« des Phänomens allein verhilft keineswegs zur Erkenntnis der Identität des Gottes. Das ist der Grund, warum die Feueroffenbarung von אלהים zweimal in getrennten Akten geschehen muß, die durch die Identifizierung des Gottes in der jeweiligen Anrufung des Namens voneinander unterschieden sind. Gott oder Jahwe wird daher als *Jahwe* erkannt aus dem *Kontext* des Feuerereignisses, der Anrufung des Namens. Das Ineinander von Gottes- und Jahweoffenbarung kann deshalb so bestimmt werden: Jahwe offenbart sich als *Gott* im Ereignis des Feuers, und zwar im Kontext des Jahwegebetes, sofern es nämlich Jahwe ist, der sich als Gott offenbart. Und: Gott offenbart sich als *Jahwe* in der Anrufung des Namens, und zwar im Kontext des Feuers, sofern es nämlich Gott ist, der sich als Jahwe offenbart. Aber es zeigt sich auch: Nur in dieser Verbindung der beiden Offenbarungsweisen kann Jahwe als Gott und Gott als Jahwe offenbar werden. Im Blick auf das Gesagte wäre im Alten Testament durchweg zu prüfen, was die israelitischen Zeugen jeweils ausdrücken wollten, wenn sie einmal אלהים sagen und gewiß יהוה meinen, und wenn sie יהוה sagen im Kontext des Redens von אלהים.

d) Geschichte, Wort, Ereignis. Daß Offenbarung Jahwes nach dem Alten Testament weithin in geschichtlichen Ereignissen, allen voran in den Heilserweisungen von der Exodusgeschichte an, stattfindet, und auch daß sie als Geschichte stattfindet, bedarf hier keiner weiteren Diskussion. Das gilt insbesondere im Blick auf die unter dem Bekanntsein des Namens stehende heilvolle Jahwegeschichte Israels und im Blick auf das Aufeinanderbezogensein von Wort und Geschichte. Sieht man dabei, daß das Offenbarsein des Namens von dessen Offenbarwerden in kontingenten Wort- oder Tatereignissen unterschieden und diesen vorgegeben ist, dann wird die Frage nach der Vorordnung entweder von Wort oder von Tat im Verhältnis beider im Sinne einer grundsätzlichen Alternative gegenstandslos. Ist der Name bekannt, so kann sowohl ein Wort als auch ein Ereignis als Offenbarung erkannt werden. Welches dann der Fall ist, hängt von der jeweiligen Situation, aber nicht von einem bestimmten Offenbarungsschema ab.

Zu dem dem Ereignis – auf verschiedene Weise – vorangehenden Wort hat *Zimmerli* genug Material genannt. Vgl. zB auch Jos 21_{43-45} und 1Kön 2_4, wo nicht das Wort auf der Basis vorausgegangener Geschichte gesehen wird, sondern umgekehrt die Geschichte auf der Basis des vorausgegangenen Wortes. Andererseits hat auch *Rendtorff* genug Beispiele dafür, daß das Wort die in der Geschichte sichtbar werdende Offenbarung Jahwes interpretierend begleitet oder ihr folgt. 2Sam $5_{1.12}$ und 1Sam 16_{18} (!) zB zeigen, daß Jahwe in Ereignissen erkennbar war, auch ohne daß ein verheißendes Wort vorausging. In Am 9_7 kann man die Aussage über Israel, wenn man will, noch auf das das Geschehen auslösende Jahwewort beziehen. Dagegen ist die Aussage über die Philister und Syrer nichts als eine der Geschichte von Jahrhunderten folgende Interpretation vom Standpunkt des Jahweglaubens. In Ex 6_3 liegt, streng genommen, das Verhältnis von Wort und Geschichte wechselseitig vor. Von der Perspektive der *Jahwe*offenbarung aus gilt die Folge: Geschichte – interpretierendes Wort; dagegen gilt als Reihenfolge von der Perspektive der Väterreligion aus: Ankündigung – Geschichte. *Rendtorffs* Argument ist speziell berechtigt im Blick auf die vielfältige Art, wie das Alte Testament Jahwes Offenbarung in der Übernahme nichtjahwistischer Traditionen ausdrückt. Dabei kann man die *Abgrenzung* Jahwes gegen die Existenz der anderen Götter und schließlich die *Leugnung* ihrer Existenz vielleicht noch grundsätzlich auf Proklamationsvorgänge zurückführen. Die Verkündigung oder kultische *Repräsentation Jahwes in Formen* jedoch, die ursprünglich dem *Baalismus* angehörten, oder die Verkündigung der *Unterwerfung* der anderen Götter durch Jahwe ist weithin in ganz bestimmten Geschichtsprozessen begründet. Um die Variabilität des Verhältnisses von Wort und Ereignis zu sehen, ist es vor allem notwendig, die alttestamentlichen Texte in ihrer ganzen Breite im Auge zu behalten und seine Evidenz nicht nur aus *einer* Kategorie (geschichtliche oder prophetische Texte etwa) abzuleiten.

Nun bedeutet aber die These »Offenbarung als Geschichte«, und zwar im Sinne der überlieferungsgeschichtlichen Einheit von Wort und Ereignis, doch ein Problem. Die These wurde ja entwickelt, um die Alternative zwischen Offenbarung als Geschichte und Offenbarung als Wort zu überwinden. »Als« besagt, streng genommen, daß der Zusammenhang von Ereignissen oder von Ereignis und Wort als solcher der Modus von Offenbarung ist, und dazu noch der einzige. Das ist exegetisch ganz gewiß auch zu belegen, besonders wo die Texte ausdrücklich solchen Zusammenhang betonen, wo also die Gesamtgeschichte, speziell Israels, als Ganzheit und als Einheit als Manifestation Jahwes erkannt wird, vgl. zB Jes 1_{2f}; 5_{1-7}; 10_{17}; 40_{15}; Am 1_3–2_{11}; 9_7, Ps 47, usf. Es fragt sich aber, ob nicht der Modus von Offenbarung (das »wie«: *als* Geschichte) zu unterscheiden ist von ihrem Ort (dem »wann, wo«: *in* Geschichte) und vom Subjekt (wer: Gott als Jahwe/Jahwe als Gott); denn Offenbarung/Erkenntnis Jahwes in bestimmten geschichtlichen Ereignissen aufgrund des vorgegebenen Wissens um Jahwe bedeutet ja noch nicht, daß es um Offenbarung im Ereignis *und* seiner Voraussetzung und damit um Offenbarung *beider* geht. M. a. W.: Bei »als« Geschichte ist der Modus von Offenbarung Geschichte. Bei »in« Geschichte ist der Modus etwas anderes: ein Ereignis, eine Verheißung, eine Vision, ein Traum im Kontext von Geschichte. Es ist jedoch, wenigstens im Blick auf die exegetischen Sachverhalte, kaum legitim, alle anderen Modi von Offenbarung entweder für irrelevant zu erklären oder unter den einen Modus von Geschichte zu subsumieren. Dadurch geht das, worauf es bei den Modi gerade ankommt, verloren. Ferner scheint durch dieses Verfahren auch das beiseitegeschoben zu werden, worauf es bei Offenbarung *primär* ankommt, nämlich das sich offenbarende Subjekt, deutlicher: die Identität des sich offenbarenden Gottes.

So enthüllen gesamtgeschichtliche Zusammenhänge etwa den Sinn von Geschichte oder auch »Gott«, sofern »Gott« im Rahmen eines Vorverständnisses mit Sinn zu tun hat. Aber im Blick auf die Identität Gottes (Jahwe) kann man nicht sagen, die Gesamtgeschichte offenbare Jahwe via Gesamtgeschichte. Ex 6$_3$ zeigt, daß die gesamtgeschichtliche Struktur der Väterreligion zwar die Kontinuität mit der späteren Jahwereligion vorbereitete (*Maags* Führungsgott), daß aber diese Struktur deshalb noch nicht zur Offenbarung des Gottes als Jahwe bei den Vätern geführt hat. Und auch für P offenbart die angekündigte Geschichte ja noch nicht als solche den Namen, sondern Jahwe offenbart seinen Namen in einem Modus und Vorgang sui generis, wenn auch im Kontext der angekündigten Geschichte. Die gemeinsame Religionsstruktur offenbart also den Sinn von Gesamtgeschichte. Das macht die Rezeption der Vätergeschichte durch die mosaische Jahwegeschichte möglich. Aber auch die Einheit oder der Zusammenhang dieser Gesamtgeschichte offenbart nicht den Namen. Ist dieser jedoch in Verbindung mit einem Teil bekannt, dann offenbart er sich aufgrund der gemeinsamen Erfahrungsstruktur als der Gott des Ganzen.

Das Gesagte zeigt, daß die im Alten Testament immer vorausgesetzte Frage nach der Identität des sich offenbarenden Gottes eine andere ist als die Frage nach der Art seines Offenbarwerdens. Die Tatsache nun, daß der sich in seiner Identität als Jahwe offenbarende Gott immer derselbe ist, bedeutet deshalb noch nicht, daß auch die Art seines Offenbarwerdens immer und nur in ein und demselben Verstehenskontext oder derselben Wirklichkeitserfahrung erkannt wird. Der Verstehenskontext ist flexibel, Veränderungen unterworfen. Wenn darum das Alte Testament unsystematisiert von anderen Modi der Offenbarung Jahwes neben Geschichte, von verschiedenen Weisen innerhalb von Geschichte und von einem Ineinander und Beieinander von verschiedenen Weisen (vgl. viele Psalmen) redet, so ist dies theologisch bedeutsam, weil dadurch grundsätzlich das Offenbarwerden Gottes als Jahwe in jeder möglichen Art von Wirklichkeitserfahrung bezeugt wird. An diesem Punkt muß denn auch die Mannigfaltigkeit im Wortfeld, in den verschiedenen Gattungen und Sitzen im Leben theologisch ernstgenommen werden.

Hinsichtlich des *universalen* Verstehenshorizontes von Offenbarung wäre schließlich zu fragen, ob es sachgemäß ist, ontologisch, historisch oder kosmologisch einen bestimmten Horizont endgültig zu fixieren, oder aber die jeweils universale Perspektive einer bestimmten Generation im Wanderhorizont der Erkenntnis (*Gadamer*). Das erste führt bekanntlich zu einer theologischen Abwertung der Qualität von Offenbarung für die alttestamentlichen Generationen von außen, oder vieler ihrer Etappen von einem –hypothetischen – endgültigen Wirklichkeitshorizont innerhalb des Alten Testaments. Das zweite dagegen erlaubte uns, die alttestamentlichen Texte auch für das Alte Testament selbst als im intentionalen Sinne universal ernst zu nehmen, in dem Sinne nämlich, daß eine Generation oder auch ein Mensch in einer bestimmten Situation die Offenbarung Gottes als Jahwe oder

Jahwes als Gott im Horizont der ihr gemäßen und von ihr geforderten universalen Wirklichkeit erfährt. Die Bedeutung jener Offenbarung für uns Heutige in unserem Wirklichkeitshorizont könnte dann unter dem Stichwort »Horizontverschmelzung« im Dialog erfragt werden. Eine Stelle wie Ps 139 1–16 scheint grundsätzlich die Verschiedenartigkeit der möglichen Horizonte, und damit die Flexibilität der Offenbarungsgewißheit, aber nichtsdestoweniger auch die Universalität eines jeweiligen oder aller Horizonte zusammengenommen auszudrücken. »Gott« impliziert hier nicht eine ganz bestimmte (noch nicht einmal »Geschichte«), sondern jede mögliche Art von Universalität.

2. Es ist schon auf das Wortfeld, in dem in differenzierten Perspektiven von den Arten der Offenbarung Jahwes gesprochen wurde, und auf die religionsgeschichtlichen Kategorien, durch die Erkenntnis Jahwes geschieht, hingewiesen worden. Hier wäre nun auch wenigstens hinzuweisen auf die Fülle von Möglichkeiten, in denen Jahwe für Israel offenbar wurde: Seine Heilstaten, sein Bund, seine Treue, seine Tröstungen, Verheißungen, Mahnungen, sein Recht und Gesetz, seine Gebote, seine Boten, die mannigfachen gottesdienstlichen Institutionen. Offenbarung kann überraschend für den Menschen geschehen oder als Antwort auf das Suchen und Anrufen Gottes. Diese Offenbarungen müssen – obwohl sie alle gewiß im Kontext der vorgegebenen Jahwekenntnis erkennbar werden – je für sich ernstgenommen werden. Das Heilsorakel Elis an Hanna (1Sam 1) offenbart für Hanna den ganzen Jahwe im Gesamthorizont ihrer Situation.

Eine besondere Frage ist, ob zB eine Verheißung, also ein verheißendes Wortereignis, schon Jahwe offenbart, auch wenn die Erfüllung noch aussteht. Sie ist im Sinne von Offenbarung als Verheißung zu bejahen. Das heißt nicht, daß Jahwe in der Einheit von Verheißung und Erfüllung offenbar ist. Aber es heißt auch nicht, daß in der Verheißung allein Jahwe sich noch nicht zu erkennen gäbe. Das Aufleuchten von Hoffnung, das Aufbrechen von Menschen in unbekannte Zukunft aufgrund von Verheißung ist nichts Geringes. Ein großer Teil alttestamentlicher Geschichte ist überhaupt nur so erfahren worden – und man sollte sagen: ein großer Teil menschlicher Geschichte wird nur so erfahren – ohne das Erkennen der Erfüllung. Es ist der Grundzug des immerfort auf der Wanderschaft befindlichen Menschen. Und so sehr Hoffnung auf Erfüllung abzielt, so sehr bleibt doch die Frage – nun für den alttestamentlichen Menschen –, ob Verheißung Jahwe so sichtbar macht, daß er um Jahwe weiß und sich ganz auf Jahwe verlassen kann, und darum um den Sinn seines Lebens unter Verheißung, auch wenn und solange die Erfüllung nicht sichtbar ist. Vgl. das Verhältnis von Verheißung und »Glauben« in Gen 15 1ff. Die Art einer Offenbarung hat also einen bestimmten Stellenwert. Es geht nicht nur um Offenbarung in der schließlichen Einheit alles Erfahrbaren, sondern darum, ob Jahwe als Gott erscheint an Stellen, wo die universale Einheit als Erfahrung von Wirklichkeit (noch) nicht sichtbar ist. Dieser Stellenwert der Offenbarung gilt ja auch für die Vergangenheit; denn es gibt ja nicht nur auf Zukunft angelegte Gegenwart des Menschen, sondern auch von der Vergangenheit bestimmte. Hier geht es darum, ob Geschichtserfahrung Jahwe so sichtbar macht, daß man um ihn als Gott weiß, auch wenn diese Geschichte nicht unter einer direkten Verheißung stand.

JMoltmann (aaO 35ff) trifft entscheidende Punkte des alttestamentlichen Offenbarungsverständnisses, aber die Subsumierung des alttestamentlichen Welt- und Selbstverständnisses unter den »eschatologischen Horizont der Offenbarung als Verheißung der Wahrheit« (37) geht genau so an der Flexibilität der ontologischen Perspektiven im Gesamtbereich des Alten Testaments vorbei wie die Subsumierung unter die Kategorie »Geschichte«. Auch trifft es nicht zu, wie oben gezeigt, daß »der wesentliche Unterschied« ... »nicht zwischen den sog. Naturgöttern und einem Offenbarungsgott, sondern zwischen dem Gott der Verheißung und den Epiphaniegöttern«, also »in den verschiedenen Vorstellungen und Redeweisen vom Offenbaren und Sichzeigen der Gottheit« liege (36). Auch die Epiphaniegötter waren Verheißungsgötter. Und die Redeweisen vom Offenbaren und Sichzeigen der Gottheit sind nicht nur innerhalb des Alten Testaments im Blick auf Jahwe sehr verschieden, wobei man nur sehr relativ und gelegentlich von Abwertungen gewisser Weisen zugunsten anderer reden kann; sie sind, als alttestamentliche zusammengenommen, auch weithin von der Umwelt Israels abhängig. Hinsichtlich des Verhältnisses des »Kommens« Gottes zu seiner permanenten »Gegenwart« fehlt uns zwar immer noch die gründliche Untersuchung. Aber im Blick auf die Gesamtheit des alttestamentlichen Materials (und das meint nicht nur: im Blick auf die ἱερὸς λόγος-Traditionen!) ist es klar, daß die exklusive Gegenüberstellung von »Epiphaniefrömmigkeit« und »Verheißungsreligion« auch bei *Moltmann* (85ff) unhaltbar ist. Vgl. etwa den Artikel von *Schnutenhaus* (aaO) einerseits und die Artikel von *Haran* und *Levine* (aaO) andererseits. *Moltmanns* Konzeption, soweit sie das Alte Testament betrifft, könnte positiv und kritisch an sehr vielen Punkten diskutiert werden, was hier nicht weiter möglich ist.

Zuletzt muß darauf hingewiesen werden, daß Geschichte als solche, in welcher Weise sie auch konzipiert wird, für das Alte Testament in keiner Weise die einzige Kategorie von Wirklichkeitserfahrung war, auch nicht von universaler Wirklichkeitserfassung.[39] Die einseitige Betonung von Geschichte kann nur auf Kosten einer beachtlichen Portion des alttestamentlichen Materials geschehen.[40] Demgegenüber muß,

[39] Hier sei nur darauf hingewiesen, daß sich die Annahme, Israel habe zuerst die Kategorie von Geschichte im Zusammenhang seines Gottesglaubens entdeckt, wie in anderen Fällen auch, in dem Maße als falsch erweist, in dem die Umwelttexte auf diese Frage hin studiert werden; vgl. *BAlbrektson*, History and the Gods, Coniectanea Biblica, OT Series I (1967); Vgl. auch das von *CWestermann* über die Genealogien Gesagte, »einer Art von Geschichtsdarstellung in einer noch vorgeschichtlichen Daseinsform« im Sinne der Darstellung von »kontinuierlicher Geschehensfolge«, Genesis, BK I/1 (1966) 9ff.

[40] Dabei ist es wenigstens diskutabel, wenn man bewußt die Kategorien der »Natur« (problematischer Begriff!) oder die von menschlicher Existenz, etwa in der Weis-

ganz abgesehen von anderen Perspektiven, zB dem Offenbarwerden Jahwes im Tat-Ergehen-Zusammenhang im menschlichen Bereich, nun doch auf die »Natur« hingewiesen werden als auf einen der wichtigsten Modi des Offenbarwerdens Jahwes. Die Manifestation Jahwes in der Kontrolle der Schöpfung, etwa nach Gen 8$_{22f}$, in der Weisheit der Weltordnung (Ps 104$_{24}$), im Zyklus von Geburt und Tod (Ps 104$_{28-30}$), in der Benennung der Gestirne (Jes 45$_{12}$), im Schaffen von Morgen und Abend (Am 4$_{13}$), in der Fülle der Gaben der Erde (Ps 104$_{10ff}$), in natürlichen Phänomenen (Ps 29; 107$_{25-29}$; 18$_{8-16}$), in der Gabe der Fruchtbarkeit (Gen 27$_{28}$; 49$_{24-26}$; Dtn 7$_{13}$), all dies und vieles andere macht auch für den Jahweverehrer Jahwe als den Gott der Welt erkennbar, offenbar.[41] Der Jahweglaube hat sich der Offenbarung Gottes in der Natur eben nicht nur durch Historisierung bemächtigt, sondern auch durch Erkenntnis dieser Offenbarung Gottes als Jahwe in der Natur als solcher. Und man muß hinzufügen, daß nicht zuletzt dieser Horizont von Wirklichkeitserfahrung sich vorzüglich anbot zur Erkenntnis der Offenbarung Jahwes als universaler.

Eine Prüfung der Begriffe אַדִּיר/כָּבוֹד und הָאָרֶץ in Verbindung mit מלא, und aller untereinander, gibt hierzu interessante Aufschlüsse. Belege wie Jes 6$_{3}$; Ps 24$_{1a+b}$; Dtn 33$_{13-16}$; Ps 65$_{10-14}$; 104$_{21.31}$; 145; 8$_{2}$; 29$_{5-9}$; 85$_{11-13}$; 66$_{2-5}$; 96$_{3-13}$; 102$_{16f}$; 97$_{6}$; 72$_{19}$; 57$_{6.12}$; 108$_{6}$ u. a. zeigen aufs deutlichste das Erscheinen der majestas dei, der Machtauswirkung Jahwes, in der »Fülle« der Erde, und zwar in Natur, Völkergeschichte und Israels Heilsgeschichte. Wenn hier »Natur« und »Geschichte« nebeneinanderstehen, dann bedeutet dies nicht, daß das Alte Testament die Natur überall unter die Geschichte subsumiert. Wenn es schon einen universalen Ausdruck benützt, dann »Fülle der Erde«.[42]

Wenn man noch annehmen darf, daß Gen 1 eine Art – indirekter – Ätiologie der Existenz des exilischen Israel in der Gestalt seiner Siebentagesabbatwoche ist, dann konnte damit P keinen universaleren Horizont wählen, in dem die Offenbarung Elohims (!), des Gottes Israels,

heit, einem systematisch abgeleiteten Geschichtsbegriff unterordnet. Schlimmer ist es schon, wenn man diese Perspektiven schlicht übersieht, weil man einmal wieder von der Gewalt einer auch im Alten Testament gefundenen Konzeption fasziniert ist. Aber es ist untragbar, wenn *HHGuthrie*, jr., nachdem er den Glauben des Alten Testaments als einen historischen Glauben bestimmt hat (141), sagt: »The way in which the J Document undertakes to explain the meaning of the Davidic kingdom in terms of the history that created it makes J the strand of the Old Testament which is not only creative of the faith of Israel but of the idea of history so integral to western civilization« (143), und wenn er dann nach der Kanonisierung dieser Ansicht sagt: »... the wisdom literature ... could never become a positive servant of that point of view by which the main line of the biblical witness is characterized« (147), in: God and History in the Old Testament (1960). So also macht man unbequeme Zeugen – Jahwes! – stumm!

41 Vgl. das reichhaltige Material bei *JLMcKenzie*, S. J., Myths and Realities (1963) bes. 85–132.

42 Vgl. auch verwandte Begriffe wie פלא, מופת, טוטפת, מעשה etc.

in der täglichen Wirklichkeit Israels erkennbar wäre. Nach P bildet nun die Schöpfung zwar den Anfang der auf den Kultus Israels hinführenden Geschichte. Aber *offenbar* wird Gott deshalb nicht als oder durch Geschichte (was für eine Geschichte wäre dies!), sondern durch das Urbild der Schöpfung im Kontext des Abbildes der – ungeschichtlichen – Woche. Es ist beinahe eine Ironie: Israel, das durch Jahrhunderte das Offenbarsein Jahwes in seiner Geschichte bekannte, erkennt nun, nach dem Zusammenbruch dieser Offenbarungsmodi, das Offenbarsein Jahwes als des Schöpfers der Welt in jeder Woche neu.

3. Die Krise der Offenbarung. Die Enthüllung Jahwes bedeutet immer, daß Menschen als sehende und erkennende betroffen werden. Darum ist es unerläßlich, die Situation der jeweils Betroffenen als Kontext zu beachten, will man sachgemäß von Offenbarung reden. Für die so Betroffenen ist nun die Enthüllung Jahwes in der Regel inhaltlich erkenn- und verifizierbar. Das hängt damit zusammen, daß Sehen und Erkennen nur im Kontext eines wie auch immer gearteten Vor- oder Wirklichkeitsverständnisses möglich ist. Diese Verifizierbarkeit ist als solche keineswegs negativ zu beurteilen. Sie ist im Alten Testament nicht nur weithin unproblematisch vorausgesetzt, sondern sie hat auch ihr sachliches Recht, wenn Jahwe etwas mit der Realität, in der der alttestamentliche Mensch sich vorfindet, zu tun haben soll. Die Offenbarung tendiert deshalb immer auf solche Verifizierung hin. Auch das ist normal, daß der Verifizierungshorizont der Situation entsprechend ein universaler ist, was mit dem Wechselverhältnis von Jahwe und Gott zusammenhängt. Dabei kann die Universalität kosmologisch oder geschichtlich oder apokalyptisch (universalgeschichtlich) verstanden sein (wobei jeweils zu fragen wäre, warum das eine und nicht das andere der Fall ist). Aber gerade dieses inhaltliche Verstehen der Offenbarung ist der Grund dafür, daß es im Alten Testament immer wieder zur Krise des Offenbarseins Jahwes kommt. Sie bricht überall dort auf, wo das Vorverständnis zusammenbricht oder Wandlungen verfällt, sei es durch eine andere Sicht der Dinge oder durch den Umbruch der Realitäten. Beides bedeutet Bruch der Kontinuität. Ohne die Krise von Kontinuität gäbe es wahrscheinlich auch keine Krise von Offenbarung. Eines der Hauptprobleme, die uns das Alte Testament stellt, ist jedoch, daß es dort nicht nur Kontinuität, sondern auch, und zwar drastisch, Diskontinuität gibt. Der Ort der Offenbarungskrise ist demnach dort, wo Jahwe nicht mehr identifizierbar ist im Kontext des vorgegebenen Offenbarungshorizontes. Und ihr Wesen ist, daß die Vorverständnisstützen – welcher Art auch immer –, aufgrund deren Jahwe erkennbar wäre, zusammengebrochen sind, daß kein gemeinsamer Nenner (oder keine Horizontverschmelzung) für traditionelles Vorverständnis und

gegenwärtige Realität mehr existiert, aus dem Jahwe in der Gegenwart erkennbar wäre. So kann man auch sagen, daß die Offenbarungskrise aus der Krise des gemeinsamen Nenners, der Horizontverschmelzung, resultiert.

Diese Krise tritt auf ganz verschiedene Weise und immer wieder neu auf. Sie ist ein konstanter Weggenosse der Offenbarungsgeschichte. Einige Beispiele müssen hier genügen.

1) Die Tradition von der Rebellion in der Wüste – mit dem Zentralbegriff לון – bezeugt, wie Israel als Ganzes Jahwe und Moses als Verderbensbringer statt Heilsbringer angesehen und damit die Befreiungsgeschichte vollkommen mißverstanden hat; vgl. Ex 16₃ᵦ; 17₃ᵦ; Num 14₃f; 16₁₁ u. a.

2) Der Begriff אות im Alten Testament besagt, daß das so Bezeichnete nicht auf sich selbst, sondern immer auf etwas Anderes, das eigentlich Gemeinte oder zur Diskussion Stehende, hindeutet. Ein »Zeichen« funktioniert also in der Regel als Kontext einer bestimmten Sache. Vergleicht man die Funktion des »Zeichens« mit der – etwa durch גלה, ראה, ידע ausgedrückten – von »Enthüllung«, so ergibt sich: Enthüllung macht etwas sicht- und erkennbar, während »Zeichen« das Enthüllte bestätigt. אות hat eine verdeutlichende, unterstützende, bestätigende Funktion. Das aber zeigt, daß ein »Zeichen« in Situationen notwendig ist, wo etwas solcher bestätigenden Nachhilfe bedarf. Im Zusammenhang von »Enthüllung« deutet die Notwendigkeit eines »Zeichens« darum die Problematik, das Nicht-selbstverständliche des Enthülltseins, oder gar eine Krise an. Vgl. u. a. Gen 9₁₂; 17₁₁; Ex 3₁₂; 4₈; 10₁f; 31₁₃; Jos 4₆; 2Kön 19₂₉; Jes 8₁₆₋₂₀; 19₁₉₋₂₁. Hier wäre auch zu fragen, wie sich »Glauben« zu Offenbarung verhält. Von einem Offenbarungsglauben im Alten Testament zu sprechen, ist schon sprachlich abwegig. אמן Hif. scheint in den ältesten Belegen Ex 4₈; 14₃₁; Gen 15₆; Jes 7₉ zu implizieren ein sich Verlassen auf eine als verläßlich erkannte Offenbarung, auf etwas, was in seinem Offenbarsein als verläßlich erkannt ist, was man daher nicht bezweifeln, ignorieren oder ablehnen kann. Dabei sind auch hier die Modi von Offenbarung jeweils verschieden: In Jes 7₉ ist es die David/Zion/Jerusalem Tradition; in Gen 15₆ ist es die als verläßlich erkannte Verheißung; in Ex 14₃₁ ist es die »gesehene« Tat Jahwes und Moses'.

3) Der Verlust der Lade (1Sam 4), der Manifestation der Gegenwart Jahwes, führt für die betroffene Generation zu einem lange dauernden Ausscheiden der Lade aus Israels Gesichtskreis. Obwohl die – spätere – Erzählung verständlicherweise darüber nicht viel aussagt, wäre doch zu fragen, ob dieses Ausscheiden nicht mit einer Krise des Erkennens von Jahwes Gegenwart während jener Zeit zu tun hatte. Verschiedene Elemente in der Tradition deuten jedenfalls darauf hin. Erst nach der Zurückholung in den Tempel konnte jene Niederlage Jahwes (Jahwe in Proskynese vor Dagan!) als Sieg Jahwes gerade in seiner Niederlage gesehen werden. Aber das war Offenbarsein Jahwes für die spätere Generation, nicht für die von der Niederlage betroffene!

4) Was bedeutet es für das Erkennen Jahwes durch die Betroffenen, wenn Jahwe seine Lenkung der Ereignisse durch [illegible] der strategisch-rationalen Argumente offenbart, 2Sam 17₁₄? Gewiß weiß es der Erzähler besser. Er hat ja auch den überlegenen Standpunkt, von dem die Offenbarung leicht zu erkennen ist. Ist deshalb aber die Frage nach der Erkennbarkeit Jahwes für die Beteiligten irrelevant? Was für eine Art von Offenbarung ist das, die nur den Nachfahren erlaubte, die Gegenwart Gottes bei den Vorfahren aufgrund einer endlich gewonnenen, übergeordneten Erkenntnis zu erkennen, ohne jenen Vorfahren die Möglichkeit der Erkenntnis ihrer Situation selbst zu gewähren, worum es für sie doch geht? Für sie war jedenfalls die Offenbarung in der Krise.

5) Nach 1Kön 13 verhüllt sich Jahwe in einer Weise, daß er sein eigenes, einem treuen Propheten gebotenes Wort durch ein zweites, auch einem Jahwepropheten gegebenes Wort ausdrücklich als außerkraftgesetzt vorgibt und so – nur so! – dessen Verirrung verursacht. Und in 1Kön 22 verhüllt er sich, indem er die rechte Erkenntnis unmöglich macht. In diesen Formen der Offenbarungskrise drückt sich etwas davon aus, daß Israel, wenn es wirklich ein Problem an seinen Händen gehabt hat, dann mit der Frage sich auseinandersetzen mußte, was das bedeutete, wenn es »Jahwe« sagte, der zu seinem Schicksal geworden war.

6) Die bitteren Auseinandersetzungen *innerhalb* des Jahwismus um das Verständnis der Gegenwart und des Handelns Jahwes von Ex 32 an sprechen eine deutliche Sprache zur immer wieder ausbrechenden Krise der Offenbarung. Von Hos 5_{12} war schon die Rede. In den Ankündigungen Hananjas und Jeremias sind Jahwewort gegen Jahwewort offenbar. Die Lösung des Widerspruchs muß vertagt werden. Gewiß macht die Geschichte es offenbar – aber was? doch dies, daß eines der beiden Jahweworte wirklich von Jahwe geoffenbart war und man danach hätte handeln können. Aber welches die richtige Offenbarung im Wort ist, das wird in der betreffenden Situation durch nichts deutlich.[43] Das Versiegeln und Verwahren der תְּעוּדָה durch Jesaja (8_{16}; 30_{8}) dient ja ebenfalls dazu, beim Kommen der Ereignisse nicht nur Jahwe als deren Verursacher zu zeigen, sondern auch, daß dieses Kommen vorher geoffenbart worden und daß also das prophetische Wort wirklich Offenbarung Jahwes war. So hat die Tradition ja dann auch die Propheten akzeptiert. Das ganze Problem muß wahrscheinlich in viel weiterem Zusammenhang gesehen werden: Die Verwerfung der prophetischen Botschaft durch deren Hörer und ihre Rechtfertigung durch die Berufungsberichte der Propheten, die rivalisierenden Jahweinterpretationen durch Rekabiter, Levitenkreise, Priesterkreise im Nord- und Südreich, durch Propheten und Prophetenkreise, einander möglicherweise konkurrierende Theologien wie die Hesekiels, Deuterojesajas und der P, einander außerkraftsetzende Jahwegesetzgebungen wie Dtn 12 und Lev 17 – um nur einige Aspekte zu nennen – weisen ja nicht nur auf eine enorme Virulenz des Jahweglaubens hin, sondern auf die dauernd hart umkämpfte Frage, wie denn nun die Offenbarung Jahwes recht zu verstehen sei. Die in diesen Konfrontationen erscheinenden oft exklusiven Dissensus können nicht neutralisiert werden durch die Klammer einer wie auch immer gearteten Gesamtgeschichte oder Überlieferungsgeschichte. Wenn das so wäre, dann sollte es doch auch für unsere gegenwärtige theologische Situation etwas leichter sein, die Schritte Gottes in unserer eigenen Gegenwart zu erkennen. Gesamtgeschichte als Modus von Offenbarung hat eben auch nur einen Stellenwert, nämlich jeweils für die Situation der Nachfahren, die das Gesamte nicht nur überblicken können (wenn das so ist), sondern für deren Situationserhellung dieses Ganze tatsächlich unerläßlich ist. Gerade dies aber nötigt zur Frage, wie es um Erkenntnis von Offenbarung für die in actu Betroffenen bestellt ist. Dort aber ist Offenbarung sehr oft in der Krise.

7) Auch im Bereich der Weisheit ist das weithin als problemlos vorausgesetzte Erkennen Jahwes (man beachte die Statistik von אלהים und יהוה im Buch der Sprüche und die jahwistische Verklammerung der Einheiten dieses Buches) im Kontext weisheitlichen Vorverständnisses gelegentlich grundsätzlich in die Krise geraten: im Prediger und im Buche Hiob. *OLoretz* hat wohl mit Recht gesagt, daß Qohelet der traditionellen Überschätzung der Weisheit begegne.[44] Dann: »Gottes Handeln wird nicht in Abrede gestellt, wohl aber die menschliche Formulierung« davon ... Qohelet »gehört zu jenen Rebellen gegen ein altes System, die um der Wahrheit willen den

[43] Vgl. zum Gesamtproblem schon *GQuell*, Wahre und falsche Propheten (1952).
[44] *OLoretz*, Qohelet und der alte Orient (1964) 274f.

Mut haben, alte Grundsätze und Anschauungen abzulehnen« ..., »denn nur dort, wo ein dem menschlichen Begreifen entzogener Gott tätig ist, bleibt die Möglichkeit bestehen, Gott selbst von neuem zu begegnen in einem seiner unvorhergesehenen, neuen Werke«. Für Hiob bringt kein traditionelles Verstehen von Gott Offenbarung in seine Situation. Nur wo er sagen kann: »nun aber hat mein Auge Dich geschaut« – und das ist doch nun wieder ganz die alte Theophaniesprache! – kommt er zur Ruhe.

Die Krise der Offenbarungsgewißheit zeigt, daß die inhaltliche Verifizierung der Jahweoffenbarung im Kontext menschlichen Vorverständnisses nur solange gewährleistet ist, wie sie die Identität und Gottheit Jahwes unter dem Eigengewicht der Inhalte nicht erdrückt und pervertiert. Wo solche Pervertierung geschieht, decken sich die Inhalte nicht mehr mit »Jahwe«. Es gibt im Alten Testament denn auch Belege, die aussagen oder andeuten, daß »Jahwe« mehr und noch etwas Anderes ist als das, was sich mit menschlicher Wirklichkeitserfahrung deckt. Hiob 42_{1-6} ist einer; Ps 73_{25f} ein anderer. Vor allem ist hier aber auf das erste und zweite Gebot hinzuweisen; denn im Anspruch der Ausschließlichkeit und Unverwechselbarkeit[45] – vgl. das umfassende »im Himmel droben – auf der Erde drunten – und im Waser unter der Erde«, Ex 20_4 – ist die Identifizierung Jahwes mit allem, was es in dieser Welt geben mag, grundsätzlich abgelehnt und nur mit ihm selber, wie er sich im Namen enthüllt, ja schon ausgesagt. Damit aber ist die Krise jedes Offenbarungsverständnisses potentiell schon provoziert. Hier scheint sich der eigentliche Grund auszudrücken, warum das Alte Testament zwischen dem Namen »Jahwe« und aller übrigen Realität so streng unterscheidet, und warum es andererseits in seinen Verstehenshorizonten so flexibel sein und auch die Traditionsbrüche überwinden konnte; denn im tiefsten Dunkel blieb eines in Israel bekannt: der Name, der in seiner Mitte ausgerufen war. Allerdings gilt auch hierfür, daß das Verständnis des Namens im Kontext des ersten und zweiten Gebotes in keiner Weise eine Verselbständigung des Namens gegenüber Jahwe erlaubte. Gewisse Tendenzen in der Hypostasierungstradition deuten diese Gefahr ja immerhin an. In dem genannten Kontext konnte das Offenbarsein des Namens nur hinweisen auf die im Namen bekannte *Person* (wie soll man das anders ausdrücken?), mit der Israel letztlich konfrontiert ist. M. a. W.: Der Name erweist nicht sich selbst. Er erweist Jahwe. Darin mag es begründet sein, daß das Jahwevolk auch in der Gottesfinsternis überlebt. Es muß darum gefragt werden, ob nicht das Offenbarsein des Namens im Kontext

[45] Vgl. hierzu bes. *GvonRad*, Theologie des Alten Testaments I (^{4}1962) 216–232. Es gibt kaum eine in diesem Aufsatz berührte Frage, die *Gvon Rad* nicht in entscheidender Weise durch seine Arbeiten befruchtet hätte. Ihm ist der Aufsatz zur Vollendung des siebzigsten Lebensjahres in herzlicher Dankbarkeit und Verehrung und mit den besten Wünschen gewidmet.

der Ausschließlichkeits- und Unverwechselbarkeitsforderung der beiden ersten Gebote der eigentlich traditionsbildende Faktor für Israels Existenz war. Das hat nichts mit einem grundsätzlichen Offenbarungsformalismus zu tun, aber sehr viel mit der grundsätzlichen Unterscheidung zwischen Jahwe als Gott im strengen Sinne und seinem Offenbarsein im Horizont menschlichen Verstehens. Dieser Unterschied bedeutet, daß Gott auch in seinem Offenbarsein radikal verstanden wird, daß er darin nie zu einem verfügbaren Stück unserer Welt wird, sondern den Menschen als Gott für den Menschen begegnet. Hier wird dann schließlich auch ein Hiob zufrieden.

Die Möglichkeit des Offenbarungsformalismus taucht hier in der Tat auf. Aber schon die Tatsache, daß Jahwe in der Regel und legitimerweise im Kontext des Verstehenshorizontes und Wirklichkeitshorizontes erfahren wird, verneint einen solchen grundsätzlichen Formalismus. Und auch die Krise der Offenbarung und das Konfrontiertsein mit Jahwe allein, also die Radikalisierung des Offenbarungsverständnisses, bedeutet ja nicht, daß es nicht von hier aus wiederum zu ganz neuen inhaltlichen Vergewisserungen Gottes im jeweiligen Daseinshorizont kommen würde. Dies ist in der Tat immer der Fall. Der Schluß des Hiobbuches macht dies fast enttäuschend penetrant als Rückkehr zu den ursprünglichen Zuständen deutlich.

Allerdings erhebt sich hier die Frage, worin denn die Berechtigung zu solch neuer Vergewisserung gegeben ist, und auch *wie* sie berechtigterweise auszusehen hat. Diese Fragen sind exegetisch deshalb so schwierig zu beantworten, weil die Texte sie explizit nicht behandeln. Aber vermutungsweise läßt sich etwas andeuten. Es ist nämlich zu fragen, ob nicht schon in der Offenbarung des Namens sich für den Menschen etwas enthüllt, das mehr ist als nur das personhafte Gegenüber Jahwes im formalen Sinn. Die Frage nach dem Namen mag ja für den antiken Menschen mehr implizieren als nur dessen Interesse, die Gottheit zum Zwecke ihrer Verehrung identifiziert zu haben. Schon das Interesse an der Verehrung deutet ja auf einen Grund dafür hin, der mit der Bedeutung des im Namen zu enthüllenden Gottes für den Menschen zu tun hat. Man mag darum vermuten, daß die Offenbarung des Namens den Menschen nicht nur betrifft (*Schnutenhaus*), sondern dem betroffenen Menschen schon als solche zu erkennen gibt, daß dieser Gott *für diesen Menschen persönlich da ist.* Das Offenbarsein des Namens bedeutet dann das heilvolle Gegenwärtigsein dieses Gottes in der Gegenwart des Betroffenen. Es würde als solches schon beinhalten, was dann der Zuspruch »Ich bin mit dir« immer wieder und in allen möglichen Situationen explizit aussagt. Sofern diese Gegenwart des Betroffenen aber immer eine bestimmte, eine jeweilige ist, wird Gottes Gegenwärtigsein unvermeidlich im Horizont dieser Jeweiligkeit erkannt, auch wenn der Horizont neu ist. Darin könnte in der Tat nicht nur die Berechtigung, sondern auch die Notwendigkeit zu immer neuen inhaltlichen Vergewisserungen begründet sein. Auch die Frage, wie Gottes Gegenwart legitimerweise *inhaltlich* neu vergewissert werden kann, läßt sich wenigstens grundsätzlich so beantworten: indem die Gegenwart im Kontext des gegenwärtigen Heils erkannt wird. Daß es dabei jedoch oft zur streitvollen Spannung zwischen der Berechtigung der Vergewisserung und ihrer inhaltlichen Richtigkeit kommt, deutet auf die Natur der verhandelten Sache hin: daß Offenbarung nicht in der Gewißheit des Menschen, sondern die Gewißheit für immer in der Offenbarung begründet ist und deshalb immer ihrem kritischen Zugriff ausgesetzt. In diesem Sinn kann sogar der Streit um die Richtigkeit der Offenbarungserkenntnis Gott als den enthüllen, der seine Ehre keinem anderen - auch nicht seinem besten Interpreten – geben will.

Es ist kaum zu übersehen, daß die hier dargelegte Sicht der Dinge ein ganzes Spektrum theologischer Aussagemöglichkeiten, die nicht selten einander hart widersprochen haben, in ihrer Beziehung zueinander erkennen läßt. Die schon fast vergessene Debatte zwischen *FBaumgärtels* These von der formalen Verheißung »Ich bin der Herr dein Gott« (אֲנִי יהוה אֱלֹהֶיךָ!) und *GvRads* Bemühung, die Evidenz des Zusammenhangs zwischen Altem und Neuem Testament in Kategorien (überlieferungs)geschichtlicher Realität aufzuweisen, erscheint nicht mehr im Sinne der ursprünglich einander gegenüberstehenden Positionen. *GvRads* eigene Betonung der unaufhörlichen Neuinterpretationen der Taten Jahwes im Horizont neuer Erfahrung erweist aufs neue ihre Berechtigung, wenn auch nicht nur im Blick auf Jahwes Geschichtstaten. Der Interpretationshorizont war wohl noch flexibler. Es wäre schließlich zu fragen, was das Gesagte für so alte und spannungsgeladene Verhältnisprobleme wie das von »natürlicher« und »spezieller«, von Gottes- und Namensoffenbarung, von Erkennen Gottes in geschichtlichen und ontologischen Kategorien, von Gott im Wort und Gott in der Tat, von Gewißheit und Glauben austrägt. Was hier zur Sprache zu kommen hätte, geht gewiß weit über die Zielsetzung dieser alttestamentlichen Erwägungen hinaus.

KLAUS KOCH

DIE ENTSTEHUNG DER SOZIALEN KRITIK BEI DEN PROFETEN

Hatte die protestantische Theologie in den letzten Jahrhunderten Gestalt und Lauf der Welt meist den Ökonomen und Politikern überlassen, werden heute Stimmen laut, welche die einzige Chance der Kirche für die Zukunft darin erblicken, politisch aktiv zu werden und die Welt revolutionär zu ändern. Die harten Urteile, welche sich bei vorexilischen Profeten über die sozialen, politischen und wirtschaftlichen Zustände ihrer Zeit finden, kommen dafür sehr gelegen. Wieweit aber beruft sich eine politische Theologie zurecht auf die Profeten? Welchen Stellenwert nehmen inbesondere die sozialen Urteile im ganzen der profetischen Verkündigung ein und in welchen Voraussetzungen gründen sie?

Die Gedanken der vorexilischen Schriftprofeten lassen sich mit einer Ellipse vergleichen. Sie kreisen unablässig um zwei Brennpunkte, um die unhaltbaren Zustände im Staat Israel oder Juda einerseits, um die von außen in naher Zukunft einbrechende Katastrofe andererseits. Gewiß werden darüber hinaus andere Sachverhalte angesprochen, persönliche Visionserfahrungen beispielsweise, welche die Tätigkeit des Profeten legitimieren sollen, oder die bisherige Volksgeschichte, welche die verrotteten Zustände der Gegenwart allererst hervorgebracht hat, womöglich auch Ausblicke auf einen wunderhaften Wiederaufbau nach der alles zerstörenden Katastrofe. Aber solche Äußerungen spielen nur beiher, dienen nur dazu, die beiden zentralen Themenkreise zu verdeutlichen.

Die elliptische Art der Gedankenbildung zeigt sich schon in den sprachlichen Strukturen, besonders in der bevorzugten Gattung der Profezeiung. Bekanntlich steht bei den Profeten des 8. Jh.s in der Regel ein längerer Abschnitt voran, der die gegenwärtige Lage schildert, und zwar so sehr unter Hervorkehrung der negativen Züge, der völligen Brüchigkeit alles Bestehenden, daß für dieses Eingangselement des Lagehinweises sich in der alttestamentlichen Forschung die (nicht ganz zutreffende) Bezeichnung »Scheltrede« eingebürgert hat. Der nachfolgende, durch eine neue Einleitungsformel – meist: »So hat Jahwä gesprochen« – ausgegrenzte Abschnitt verhandelt nur zukünftige Ereignisse, bringt also die Unheilsweissagung, welche nicht nur die Katastrofe allgemein ansagen bzw. bewirken will, sondern auch deren Einzelzüge ausmalt.[1] Das dritte und letzte Element innerhalb einer streng gebauten Profezeiung, die abschließende Charakteristik, fehlt häufig (bei Amos nur 5_{12}?) und ist, wo sie erscheint, in der Regel knapp gehalten. Daß diese Erweiterung, obwohl sie in der profetischen Sprache schon althergebracht ist[2] kaum je auftaucht, zeigt, wie sehr die Profeten sich auf die beiden Brennpunkte beschränken.

Die elliptische Sprachstruktur und Denkweise wird von den Exegeten meist verdeckt durch die Behauptung, der *Gerichtsgedanke* sei das Zentrum der Unheilsprofetie, woraus sich ohne weiteres die Zerlegung des Profetenspruches in eine »Anklage« des richtenden Gottes und eine Urteilsverkündung von selbst ergebe. So heißt es – ein Beispiel unter vielen – bei *Weiser*: »Im Mittelpunkt der Amosprofetie steht ohne Zweifel der Gerichtsgedanke«.[3] Die Voraussetzung einer leitenden Gerichtsidee erlaubt den Kommentatoren nicht nur, eine systematische Einheit profetischer Gedanken vorauszusetzen, sie erleichtert außerdem den Übergang von alttestamentlichen Aussagen zur christlichen Dogmatik, zu loci wie Gesetz und Evangelium, Rechtfertigung u. ä. Sie hat nur einen Schönheitsfehler. Sie muß voraussetzen, die Profeten hätten bei ihren Zuhörern eben diese Gerichtsvorstellung für so selbstverständlich gehalten, daß sie fast durchweg darauf verzichten, sie ausdrücklich werden zu lassen. Wie selten wird die Gattung »Gerichtsrede« durch einen Profeten aufgenommen (Jes 1_{2f}; Jer 24_{ff} zB)! Die entscheidende Vokabel »Strafe« fehlt im gesamten profetischen Schrifttum. Wichtiger noch ist, daß in der gängigen Gattung der Profezeiung beim Übergang von der Gegenwartskritik (Lagehinweis) zur Voraussagung der Katastrofe (Unheilsweissagung) es zwar öfter lautet »so suche ich (nunmehr) heim« (Hos 4_{9} u. ö.) oder »siehe, ich plane Böses« (Mich 2_{3}), nirgendwo aber steht »so fälle ich nun das Urteil« oder »siehe, ich rufe den Henker« oder irgendein anderer Hinweis auf eine Prozeßsituation. Es ist deshalb ratsam, den Gerichtsbegriff zunächst einmal auszuklammern. Dann ergibt sich von selbst, daß Gegenwartskritik und Zukunftserwartung je für sich zu untersuchen sind. Nach der logischen Verbindung zwischen beiden zu suchen, ist hier nicht mehr unsere Aufgabe.

Was die Profeten über die Zukunft künden, also die Weissagungen im eigentlichen Sinne, standen in den letzten Jahrzehnten im Vordergrund der Profetenforschung. Die Verbindung der Zukunftserwartung (Eschatologie) mit bestimmten alten, meist kultischen Motiven und Überlieferungen wie Theofanie, Heiliger Krieg, Zionstradition, ist herausgestellt und in der letzten großen Gesamtdarstellung der Profetie in *GvRad's* Theologie des Alten Testaments eindrucksvoll zusammengestellt worden. Die profetische Zeitkritik, obgleich in ihrer Bedeutung nicht geleugnet, hat nicht die gleiche Aufmerksamkeit gefunden, hat jedenfalls weit weniger zu Deutungen geführt, die größeren Anklang gefunden haben.

[1] Zur Unangemessenheit der herkömmlichen Bezeichnung »Drohspruch« und der neu aufgekommenen »Gerichtsansage« s. mein: Was ist Formgeschichte? ([2]1967) § 15 E.

[2] ZB 2Kön $1_{4.6}$; vgl. Was ist Formgeschichte? 260.

[3] Die Profetie des Amos, BZAW 53 (1929) 307.

I. Was Amos, Hosea, Micha, Jesaja kritisieren, greift die führende Schicht in Volk und Staat, also die Repräsentanten der Gesellschaft an (um der Kürze halber einen modernen, wenn auch nicht völlig angemessenen Begriff zu benutzen). Nun hat es in Israel profetische Stellungnahmen gegen Unrecht und Frevel bei den Herrschenden schon lange gegeben, verbunden von Anfang an mit bewundernswürdigem persönlichen Mut. Es genügt, an die Bathseba-Affäre mit der Nathan-Parabel oder an Elias Opposition zum König Ahab zu erinnern. Doch zeigt sich bei den scheltenden und verdammenden Äußerungen der Schriftprofeten des 8. Jh.s etwas grundlegend Neues, insofern nicht mehr Einzeltaten und Einzelpersonen angeprangert werden, sondern das gesamte »System«. Für Elisa und seinen Kreis im 9. Jh. war eine Besserung der Verhältnisse bei aller Polemik noch nicht ausgeschlossen, zwar nicht mehr auf friedlichem Wege, aber auf dem einer Revolution (2Kön 9f), die das herrschende Königsgeschlecht durch ein anderes ersetzte. Ein solcher Austausch war möglich. Für Amos und seinesgleichen im 8. Jh. ist derartiges undenkbar. Die zeitgenössische Gesellschaft gilt ihnen als so verderbt und verrottet, daß es vertane Liebesmüh wäre, nach Reformen oder auch Revolutionen Ausschau zu halten. Der Feind von außen – ob militärisch gedacht oder mythologisch – braucht nur anzurücken und Heer, Staat, Kult und Wirtschaft brechen zusammen wie ein Kartenhaus. Die totale Skepsis gegen Erneuerungsversuche geht Hand in Hand mit einer Kritik, die nicht mehr moralische oder kultische Einzelverfehlungen rügt, sondern alles Bestehende bis in die tragenden rechtlichen, politischen und kultischen Institutionen hinein restlos in Frage stellt. Dergleichen hat es vor und neben den Schriftprofeten im gesamten Altertum nicht gegeben. Die profetische Attacke auf die »Gesellschaft« aber hat eine Schleuse eröffnet, die später etwa in der spätisraelitischen und urchristlichen Apokalyptik, aber auch in manchen Epochen der Kirchengeschichte wieder benutzt worden ist und bis in unsere Gegenwart hinein im theologischen wie außertheologischen Raum ihre Nachwirkung zeitigt.

Über die Entstehung dieser *radikalen Protesthaltung* sind die Alttestamentler uneins. Das Problem spitzt sich besonders für die Ursachen der sozialen Kritik zu, wie sie vornehmlich bei Amos und Micha auftaucht. Für Jesajas außenpolitische Polemik oder Hoseas Angriff auf einen baalisierten Jahwäkult läßt sich an akute Mißstände denken, die in der damaligen Zeit neu aufgekommen sind. Bei einer sozialen Kritik am Wohlleben der Reichen, wie Amos 6_{1-6}, fragt man sich dagegen, ob es solche Zustände nicht schon in früheren Zeiten und weiterhin in allen Ländern und Völkern gegeben hat. Warum plötzlich im 8. Jh. ein Verdammungsurteil, wie es vorher und nachher die Vertreter der Jahwäreligion nicht ausgesprochen haben?

1. Eine jahrhundertelang von Christen und Juden für selbstverständlich erachtete Erklärung sieht in den Profeten *Prediger des göttlichen Gesetzes*, die nach Jahrhunderten religiöser und moralischer Lässigkeit die göttlichen Gebote wieder beim Wort nehmen.[4] Diese Sicht findet noch heute ihre Vertreter. So hat *Zimmerli* noch 1963 in seinem Büchlein »Das Gesetz und die Propheten« hervorgehoben, daß bei den Profeten nichts charismatisch Neues zutage tritt, sondern »einfach das volle Heraustreten der verborgenen Wirklichkeit, die schon im älteren Gebot verkündet war« (99). Er kann sich dabei auf ins Einzelne gehende Nachweise der Beziehung zwischen der Sprache der Profeten und derjenigen sakraler Gebote stützen, wie sie für Amos *Würthwein*[5] und *Bach*,[6] für Micha *Beyerlin*[7] geliefert haben.

Der Bezug zur Sprache der Gebote bleibt jedoch indirekt. »Am meisten überrascht, daß die Anklageworte niemals Jahweworte zitieren, die aus dem alten Gottesrecht ... stammen«.[8] Auch sind die zu Profetenstellen herangezogenen apodiktischen Verbote bisweilen so allgemein, daß sie sich auf alles und jedes beziehen lassen, etwa der Satz »Du sollst nicht ausbeuten«.[9] Darüber hinaus gibt es profetische Polemiken, für die überhaupt kein gesetzlicher Bezug sichtbar wird. »Es gab kein Gebot, das dem Liegen auf kunstvollen Betten oder dem Salben mit kostbarem Öl wehrte«.[10]

2. Da die Profeten nirgends einen Begriff »Gesetz«, häufig dagegen den der »Gerechtigkeit« (*ṣ^{e}daqā*) gebrauchen, hat seit *Wellhausen* eine andere Erklärung Platz gegriffen. Die Profeten sind danach Entdecker und Künder der *sittlichen Weltordnung*, die keine Paragrafen braucht, weil sie jedem Menschen ins Gewissen geschrieben ist. Sie ist nicht primär eine individualethische, sondern eine sozialethische Angelegenheit. »Sie fordern nicht sowohl ein reines Herz als gerechte Institutionen, sie haben weniger den Einzelnen als die Gesellschaft im Auge; sie zeigen dabei eine be-

[4] »So sind daher die Propheten nichts anderes als Handhaber und Zeugen des Mose und seines Amts, daß sie durchs Gesetz jedermann zu Christus bringen«. *Luther* nach *WZimmerli*, Das Gesetz und die Propheten, Kl. Vandenhoek-Reihe 166–168 (1963) 18. – Vgl. a. *HJKraus*, Die prophetische Botschaft gegen das soziale Unrecht Israels, EvTh 15 (1955) 295–307.

[5] Amos Studien, ZAW 62 (1950) 10–51 = Wort und Existenz (1970) 68–110.

[6] Gottes Recht und weltliches Recht in der Verkündigung des Propheten Amos, Festschrift GDehn (1957) 23–34.

[7] Die Kulttraditionen Israels in der Verkündigung des Propheten Micha, FRLANT 72 (1959) 42–64. – Auch *HGraf Reventlow*, Das Amt des Propheten bei Amos, FRLANT 80 (1962) verweist auf das Bundesrecht, insbesondere dessen Fluch- und Segensrituale, betrachtet jedoch die Kritik der Schriftprofeten als etwas Normales für den Israeliten, nicht als abrupten Neuanfang.

[8] *HWWolff*, BK XIV/2, Amos 123. *Beyerlin* (aaO 50f) meinte, in Micha 6$_{8}$ für diesen Profeten ein ausdrückliches Zitat aus dem Gottesrecht nachweisen zu können (»es ist dir gesagt, Mensch, was gut ist und was der Herr von dir fordert, nämlich ...«). Aber die Stelle greift auf eine Tempeleinlaßliturgie, nicht auf eine apodiktische Verbotsreihe zurück, s. *KKoch*, Tempeleinlaßliturgien und Dekaloge, in: Studien zur Theologie der alttestamentlichen Überlieferungen, Festschrift GvRad (1961) 45–60.

[9] לא תעשק Lev 19$_{13}$; Dtn 24$_{14}$; bei *Würthwein* 44 zur Erklärung von Amos 3$_{9}$; 4$_{1}$; bei *Bach* 26 zu Amos 5$_{11f}$; bei *Beyerlin* 57 zu Micha 2$_{2}$ herangezogen. Ist aber das entsprechende Verbot, dessen Übersetzung übrigens nicht eindeutig ist (ausbeuten, bedrücken, vergewaltigen?) dem 8. Jh. schon geläufig gewesen?

[10] *GvRad*, Theologie des Alten Testaments, Bd. II (^{1}1960) 147 = (^{4}1965) 143.

merkenswerte Sympathie für die niederen und rechtlosen Stände«.[11] Der israelitischen Religion geschieht dadurch eine tiefgreifende Umwälzung, indem Jahwä jetzt zuerst Gott der Gerechtigkeit wird und nur in zweiter Linie der Gott Israels bleibt. Auch diese Sicht hält sich durch bis in unsere Tage. *Fohrer* hat in seiner Geschichte der israelitischen Religion (1969) die Profeten als Hüter allgemeiner Menschenrechte dargestellt, die zu positiven Gesetzen in Spannung stehen. Die Profeten fordern, den wahren Willen Jahwäs »in Auseinandersetzung mit der geltenden Rechtsordnung in persönlicher Entscheidung und Verantwortung« zu suchen (284). Für Amos hat *VMaag* die Sicht durch Einzelexegese zu erhärten gesucht.[12] Auch *Smends* Untersuchung von 1963 neigt dieser Lösung zu.[13]

Doch bleibt bei diesen Darstellungen zu ungeklärt, was ein Ausdruck wie *ṣᵉdaqā* bei den Profeten eigentlich meint. Sind die Anklänge an philosophische Naturrechtsvorstellungen tatsächlich in den Texten gegeben, sind sie nicht aus moderner Sicht eingetragen?

3. Die *theozentrische Erfahrung und die Unheilsahnung*, die daraus resultiert, ist von *Weiser* (1929)[14] als der entscheidende Grund auch für die nachträglich auf dem Wege der Reflektion entstandene soziale Kritik der Profeten behauptet worden. Vor der in Visionen überragend erlebten Gotteswirklichkeit sinkt alles Menschliche ins Nichts. »Die Gewißheit des Endes steht dem Profeten fest, *ehe* er die Begründung in den einzelnen Mißständen des Lebens seiner Zeitgenossen findet« (310f). Die nachträglich gewonnenen ethischen Begründungen sind so disparat, daß sie nur beweisen, wie wenig eine einheitlich konzipierte Gesellschaftskritik angestrebt wurde (315f). – Vom Primat der visionären Erfahrung geht auch *vRad* aus. »Amos ist in einem Volk umhergegangen, dessen Todesurteil gesprochen war. Von daher sah seine Umgebung mit einem Male anders aus und Mißstände begannen erst jetzt durchdringend zu klagen«.[15] Bei *vRad* erscheinen die Begründungen, die zB Amos gibt, freilich nicht so »behelfsmäßig« herangezogen. Sie verweisen in erster Linie auf die Undankbarkeit gegenüber einer großen göttlichen Geschichte (411), benutzen noch die alten Gesetze, aber in charismatischer Neuinterpretation, woraus sich gelegentliche Widersprüche erklären (414).

Diese Auffassung kann sich darauf berufen, daß Amos dort, wo er seine Verkündigung rechtfertigen muß, bisweilen einzig auf sein Visionserlebnis verweist (3_8; 7_{15f}) oder Micha sein Buch mit einer Theofanie beginnen läßt. Geben jedoch die so deutlich von den Zukunftsaussagen abgehobenen profetischen Lagehinweise, die den Zuhörer offenbar von der Richtigkeit der profetischen Aussage überführen wollen, nicht doch ein in sich geschlossenes Bild? Gibt es nicht Streitgespräche, in denen die Profeten nicht auf ein Inspirationserlebnis, sondern auf *mišpaṭ* sich berufen (Amos 6_{12}; Micha 6_8)?

4. Gehen die Profeten von einer festen *gottgewollten Verfassung* ihres Volkes aus, von einem klar umrissenen *Gesellschaftsideal*? *ETroeltsch* war wohl der erste, der

[11] *JWellhausen*, Israelitische und jüdische Geschichte (⁹1958) 109, vgl. 104–110; ähnlich *BDuhm*, Israels Propheten (²1922) 95.

[12] Text, Wortschatz und Begriffswelt des Buches Amos (1951) zB 225. Ebenso *AS Kapelrud*, Central Ideas in Amos, SNVAO II (1956) No. 4, bes. 62.

[13] Das Nein des Amos, EvTh 23 (1963) 404ff. »Bekommen von daher das Gewissen, die moralische Existenz, die Sittlichkeit und was dergleichen suspekte Ausdrücke mehr sind, nicht doch ein Recht?« 408.

[14] s. o. Anm. 3.

[15] Theologie II ¹142 = ⁴138f. Ähnlich schreibt *Wolff*, BK XIV/2, 121 von der »sachlichen Vorrangstellung der konkreten Strafansage als des eigentlichen Jahwewortes« aus der profetischen Inspiration.

auf eine ausgeprägte Brüderlichkeitsethik aufmerksam gemacht hat, die letzten Endes aus dem Übergang Israels vom Nomadentum zur Seßhaftigkeit stammte und die bei den Profeten zu einer reinen Utopie weitergebildet wird, bei der – indifferent gegen die Gegebenheiten von Welt und Kultur – alle Volksgenossen samt den Sklaven gemeinsam auf den höchsten Gott bezogen werden und eine entsprechende alltägliche Praxis daraus abgeleitet wird.[16] Kein geringerer als *AAlt* hat diese Auffassung erneuert: »Ein Tatbestand aus der Vorzeit aber ist den Propheten bei ihren Scheltworten über die sozialen Dinge immer bewußt, auch wenn sie ihn nicht jedes Mal mit Namen nennen. Das ist die althergebrachte Gesellschafts- und Wirtschaftsordnung ihres Volkes, die früher in allgemeiner Geltung gestanden hat, jetzt aber durch das Überhandnehmen von Bestrebungen ganz anderer Art bedroht und wohl zum Teil schon außer Kraft gesetzt ist. Was diese Ordnung wollte, läßt sich am kürzesten mit den Stichworten sagen, in die man sie bei Micha einmal zusammengefaßt findet: ‚ein Mann – ein Haus – ein Erbanteil an Grund und Boden' (2₂); jeder freie Mann in diesem ganz auf Agrarwirtschaft eingestellten Volke sollte genug Ackerland zur Verfügung haben, um sich und seine Familie davon zu ernähren«.[17] Schon für die Frühzeit ist zu bezweifeln, daß der praktische Vollzug völlig »dem Ideal entsprochen hätte« (350), in der Königszeit scheinen höfische Kreise versucht zu haben, das israelitische Bodenrecht durch ein kanaanäisches mit frei veräußerbarem Grundbesitz zu ersetzen. Jedenfalls wird es der »zentrale Vorwurf« der Profeten, daß die herrschenden Schichten mehr und mehr wirtschaftlich schwache Bauern zur Schuldknechtschaft zwingen, so daß sie ihres ererbten Bodens verlustig gehen und zur »Handelsware« wie kriegsgefangene Sklaven werden.

Bedenkt man, wie bei Amos und Micha vom »Erbanteil« (חלק) als Grundlage der Existenz geredet wird, wird man *Alt's* These nicht einfach beiseite schieben. Aber ein Bestreben in der Königszeit, die altisraelitische Bodenordnung de jure außer Kraft zu setzen – ist das denkbar?

5. Neuerdings ist ein neuer Vorschlag hinzugekommen, zumindest die Kritik des Amos – aber sicher auch diejenige Jesajas – aus einer besonderen Schulung abzuleiten, die der Profet durch die *Weisheit* erfahren hatte. *HWWolff* hat nachgewiesen, wie stark die Sprache des Amos von weisheitlichem Gut durchsetzt ist. Diese Weisheit will er aus der Erziehung der israelitischen Sippen herleiten und aus der Sorge der Sippe für die Armen den Einsatz des Profeten für die Geringen erklären,[18] wie auch sein Pochen auf *mišpaṭ* und *ṣ*ᵉ*daqā*.[19] Doch bleibt abzuwarten, ob es *Wolff* in dem Kommentar zu Micha, den er vorbereitet, gelingen wird, auch die Heimat dieses Profeten in der Weisheit nachzuweisen. Eine andere Herkunft der so gleichartigen sozialen Kritik des Micha als diejenige seines Zeit- und Stammesgenossen Amos wäre wenig wahrscheinlich.

Fünf völlig differierende Ableitungen profetischer Sozialkritik[20] – und jede davon beeindruckt, nimmt man sie für sich! Wer hier weiterkommen will, muß ein-

[16] Glaube und Ethos bei den hebräischen Propheten (1916) = Ges. Schriften IV (1925) 34–65. Ähnliche Gedanken hat *Max Weber* geäußert (Religionssoziologie III, 1920, 281ff).

[17] Der Anteil des Königtums an der sozialen Entwicklung in den Reichen Israels und Juda, Kl. Schr. III (348ff) 348f = Grundfragen der Geschichte des Volkes Israel (1970) 367f (ff). Vgl. auch den Aufsatz über Micha 2₁₋₅, Kl. Schr. III, 373–381 und *HDonner*, Die soziale Botschaft der Propheten im Lichte der Gesellschaftsordnung in Israel, OrAntiq II (1963) 229–245.

[18] Amos' geistige Heimat, WMANT 18 (1964) 48–52.

[19] Ebd. 40–46.

[20] Eine 6., ebenfalls bedenkenswerte Deutung hat für Micha *EHammershaimb* vorgeschlagen (Einige Hauptgedanken in der Schrift des Propheten Micha, StTh 15,

gehender die Texte exegesieren als es bisher geschehen ist, muß vor allem bestrebt sein, sich stärker vom Bann der jahrhundertealten »Übersetzungsexegese« freizumachen, für die von vornherein *mišpaṭ* »Recht« heißt und *ṣᵉdaqā* »Gerechtigkeit«, und die Profeten schon deshalb als Gerichtsboten gelten. Mit fremdartigen, unserem Denken schwer zugänglichen Vorstellungen ist von vornherein zu rechnen.

Glücklicherweise läßt sich von einigen gesicherten formgeschichtlichen Ergebnissen ausgehen, vor allem von der überwiegenden Zweigliedrigkeit des normalen Profetenspruchs im 8. Jh. mit Lagehinweis und Unheilsweissagung. Unsere Untersuchung hat von dem Element *Lagehinweis* auszugehen, denn dort steht für den Profeten die Gegenwart zur Debatte. Danach ist dann nach jenen Einheiten zu fragen, in denen sich die Profeten diskutierend oder mahnend mit gegnerischen Einwänden auseinandersetzen. Es wird sich zeigen, daß hier sonst unausgesprochener »begrifflicher« Hintergrund deutlicher zutage tritt.

II. Vor allem bei *Amos* liegt das Problem deutlich zutage. Die Erbitterung des Profeten und seines Gottes entzündet sich an der Behandlung einer bestimmten Gruppe von »Armen«. Die Gattung der Profezeiung scheint im Amosbuch neunmal vollständig erhalten zu sein.[21] Abgesehen von den Fällen, wo das Einleitungselement durch eine entlehnte (Glied-)Gattung ausgestaltet ist,[22] ist stets die Kritik der Verhältnisse konkret und eindeutig. Nichts anderes als die wahrhaft himmelschreiende Benachteiligung einer bestimmten Schicht der Bevölkerung läßt die israelitische Gesellschaft als in sich brüchig und dem Untergang geweiht erkennen. Amos greift nicht Einzelpersonen an (abgesehen vom Sonderfall Amazja, wo eine direkte Herausforderung vorliegt 7$_{16f}$), und nie empört er sich über Unrecht, das an einzelnen Personen geschieht, sondern stets ist von einer Gruppe die Rede, deren Mitglied fünfmal als *äbjon* »Bedürftiger« (2$_6$; 4$_1$; 5$_{12}$; 8$_{4.6}$),[23] viermal als *dal* »gering Begüteter« (2$_7$; 4$_1$; 5$_{11}$; 8$_6$),[24] zweimal *ʿanaw* »demütig

1961, 11–34; ähnlich: On the ethics of the OT prophets, VTS 7, 1960, 75–101, bes. 92f). Demnach vertreten die Profeten in ihrer Ethik eine *aus der kanaanäischen Religion stammendes Ideal,* das lange in Israel vergessen worden war. Sie betonen mit *mišpaṭ* und *ṣädäq* – als Einsatz für die Unterdrückten – Motive des ursprünglich kanaanäischen, dann israelitischen Königskultes, vgl. Ps 72; 101. – Auch diese Lösung will nicht völlig überzeugen. Warum greifen zB die Profeten dann nicht unmittelbarer die Könige selbst an?

21 2$_{6-13}$; 3$_{9-11}$; 4$_{1-3}$; 5$_{2f}$?; 5$_{11f}$; 5$_{21-27}$; 6$_{12-14}$; 8$_{4-6}$; 9$_{7f}$. Die Abgrenzung ist in einzelnen Fällen nicht sicher.

22 Streitgespräch 6$_{12f}$; 9$_7$; Kultbescheid 5$_{21-25}$; Leichenlied 5$_2$. Ob das letzte Stück freilich von Amos stammt, ist zu bezweifeln, da die Vorstellung von der »Jungfrau Israel« nicht zu seiner sonstigen Redeweise paßt. Nachahmung von 8$_{13f}$?

23 »Der sich um ein Almosen Bemühende; der Bettler« (ThWNT VI, 889) paßt nicht zu 2$_6$: einen Bettler verkauft man nicht! Zur Übersetzungsproblematik KBL³ s. v.

24 KBL³ s. v. schlägt fünf verschiedene Bedeutungen vor und zeigt damit, wie schwierig eine genaue Bestimmung ist.

Frommer« (2_{7}; 8_{4}K)[25] und schließlich einmal als *ʿaschuq* (3_{9}; vgl. 4_{1}) »Ausgebeuteter« bezeichnet wird. Leider ist es noch bei keiner dieser Vokabeln geglückt, den präzisen Sinn zu erheben.[26] Der Mangel rührt weithin daher, daß bei den bisherigen Untersuchungen die verschiedenen Jahrhunderte und verschiedenen Landschaften nicht sorgfältig genug differenziert worden sind.

Bei Amos läßt sich einiges erheben, vorausgesetzt, daß wir die angeführten Wörter als Bezeichnung der gleichen Gruppe nehmen dürfen. Von den »Bedrückten« in der Hauptstadt Samaria werden »Schätze«, dh Natural- oder Geldabgaben erpreßt. Demnach stellen sie keine besitzlose Klasse dar. Der *ʿanaw* ist in der Lage, Getreide zu kaufen (8_{4f}), ist also nicht völlig mittellos.[27] Vom *dal* werden Getreideabgaben eingetrieben (5_{11}), also ist er Landwirt. Bei denen, die *dal* und *äbjon* sind, läßt sich Wein holen (4_{1} vgl. 2_{8}), also bewirtschaften sie Weinberge. Da einer, der *äbjon* ist, im Tor »gebeugt« wird (5_{13}), also in der Thingstätte der Ortsgemeinde, gehört er zu den rechtsfähigen Personen, die allein zur Torversammlung zugelassen sind; nach allem, was wir wissen, setzt das voraus, daß sie angestammten Ackerboden (נחלה) besitzen und also Vollbürger sind. »Vollbürger sind diejenigen Männer, welche auf eigener Scholle sitzen, keiner Vormundschaft mehr unterstehen und die vier großen Rechte zur Ehe, zum Kult, zum Krieg und zur Rechtspflege besitzen«.[28] Daß Amos an eine klar abgegrenzte Schicht von Kleinbauern denkt, wird auch daraus ersichtlich, daß er grundbesitzlose Gruppen wie גֵּר, תּוֹשָׁב, שָׂכִיר, אִכָּר[29] sowie Witwen und Waisen nie unter den Beteiligten nennt.

In die gleiche Richtung dürfte der Titel *ṣaddîq* weisen, der für die Mitglieder dieser Schicht 2_{6}; 5_{12} gebraucht wird. Das Wort bedeutet sicher mehr als der »rechtlich Schuldlose«,[30] denn einmal meint die Intensivbildung der Form *qattîl*[31] gewiß nicht bloß die Abwesenheit einer Eigenschaft, sondern irgendeine positive Leistung, zum andern aber

[25] »Bedrückter«, so *Wolff*, BK XIV/2, 126, im Anschluß an eine These von *Delekat* (VT 14, 46), daß ענו und עני identisch seien. Dagegen spricht aber der Befund bei *vdPloeg*, Les pauvres d'Israel et leur piété, OTS (1950) 236–270, bes. 263.

[26] Vgl. die Übersicht über die vielfältigen Meinungen bei *vdPloeg*.

[27] »Das Getreide öffnen« und das Verb שבר hi. 8_{5} werden gemeinhin als Getreide *verkaufen* (nach anderen alttestamentlichen Parallelen) verstanden. Sollte es sich vielleicht hier um »Getreide eintreiben (im staatlichen Auftrag)« handeln? V. 6 würde sich dann besser anschließen.

[28] *LKoehler*, Die hebräische Rechtsgemeinde (1931) = Der hebräische Mensch (1953) 147.

[29] Dazu *Gese*, VT 12 (1962) 432f.

[30] *Wolff*, BK XIV/2, 200. Ähnlich *vdPloeg*: Der Gerechte ist relativ im Blick auf den Unterdrücker (245).

[31] Bauer-Leander 479.

sind die Betreffenden nach geltendem Recht aller Wahrscheinlichkeit nach gar nicht schuldlos, sondern schulden durchaus eine Fülle von Abgaben an die von Amos angegriffenen Führer Nordisraels (verletzt wird Recht natürlich dann, wenn falsche Maße und Gewichte verwendet werden [8_5], was aber vermutlich ein profetischer Vorwurf ist, der sich juristisch kaum verifizieren läßt und den Benachteiligten nicht »zum Schuldlosen« gemacht hätte). Was aber kann *ṣaddîq* im Munde eines Amos sonst bedeuten? Aus den vorexilischen Profetenbüchern ist das nicht sicher zu entnehmen. Es bleibt nur übrig, die häufige Verwendung von *ṣaddîq* in den Psalmen heranzuziehen, die, wie Amos selbst, aus dem judäischen Süden und weitgehend aus der Königszeit stammen. Dort bezeichnet *ṣaddîq* den freien Volks- und Kultgenossen, dessen gemeinschaftsgemäßes Verhalten als selbstverständlich gilt und der deshalb unbeschränkt kult-, rechts- und wehrfähig ist.[32] Nicht, daß der Arme in besonderer Weise für Amos *ṣaddîq* ist, er ist vielmehr für den Profeten *auch* ein *ṣaddîq* wie die andern. Daß Amos in den Bahnen der kultischen Begrifflichkeit denkt, die wohl zugleich auch die allgemeine war, zeigt weiter das Wort *ʿanaw*, das wie kein anderes ein Ausdruck der Psalmensprache ist und dort die demütige Haltung der Kultgenossen, die von ihrem Gott alles erwarten, intendiert.[33]

Was Amos geißelt, ist demnach nicht Mangel an sozialer Rücksicht allgemein, sondern präzis die schmachvolle Behandlung der unteren Schicht der grundbesitzenden Bauern, die später im Südreich דַּלַּת עַם־הָאָרֶץ heißt.[34] Nicht nur humanes Mitgefühl treibt den Profeten. Vielmehr sieht er Gefahr für das gesamte Volk, wenn diese Schicht ausfällt. Das aber wird in Nordisrael angestrebt. Wegen einer lächerlichen Schuld geraten viele dieser Menschen in Schuldsklaverei (2_6; 8_6) und verlieren damit ihre Stellung als freie, rechts- und kultfähige Bürger. Sie werden »zertreten« (4_1; vgl. 2_7; 8_4), zu »Ende gebracht« (8_4), »nieder gestreckt« (נטה hi. 2_7; 5_{12}). Nach den Zusammenhängen ist keineswegs an Ermordung gedacht,[35] vielmehr an wirtschaftliche Erledigung, wodurch sie in einen Zustand überführt werden, der sie nicht mehr zum Volk Israel im

[32] Der *ṣaddîq* besitzt (Acker-)Land, Ps 37_{29}; 112_6; 125_3; er ist zur Kultfreude (שׂמח) zugelassen 58_{11}; 64_{11}; 68_4; vgl. 118_{20}; 140_{14}.

[33] Ps 22_{27}; 34_3. עניי־ארץ 8_4 wie Ps 76_{10}. Vgl. *vdPloeg*, 263: Die *ʿanawim* sind »un groupe des pieux, voues au service de Dieu«.

[34] 2Kön 24_{14}; 25_{12} LXX^L, Targ. Dieser Stand wurde bald nach 587 unbekannt; Jer 39_{10} werden daraus Leute, »die überhaupt nichts zu eigen« haben.

[35] Nur 5_{12} לקחי כפר könnte auf Mordabsichten gedeutet werden. Die übliche Übersetzung »Bestechungsgeld nehmen« ist ganz falsch und erklärt sich nur aus der Juridomanie der Alttestamentler, die hinter allem und jedem bei den Profeten einen Prozeß wittern. כֹּפֶר ist aber in vorexilischer Zeit stets Lösegeld für ein verwirktes Leben (Ex 21_{30}; 1Sam 12_3; Ps 49_8; Prov 13_8; 21_8; vgl. Num 35_{31}).

Sinne des עם zählen läßt. Mit der Kult-, Rechts- und Wehrfähigkeit gehen sie des unmittelbaren Gottesbezuges verlustig, denn Jahwä als Gott Israels ist der Gott seiner freien Männer. An der schleichenden und stetigen Verminderung der Volks- und Kultgemeinschaft muß der עם selbst eines Tages zerbrechen.[36]

Wie aber haben wir uns die Vorgänge im einzelnen vorzustellen, die Amos so erbittern? Nach der herkömmlichen Amosauslegung geschieht das durchs Gerichtsverfahren im Tor der Ortsgemeinde, deren ungerechter Spruch allzuoft Enteignung verfügt,[37] bei parteiisch, zugunsten der Großgrundbesitzer geführten Prozessen. Prüft man das nach, gibt Amos dies an keiner Stelle deutlich zu erkennen.[38] Die einzige Stelle, an der die Praxis im Tor näher erläutert wird, sieht so aus (51f):

> Es verhält sich so, daß ihr ›Getreidepacht einzieht‹ (?) vom *dal* und Getreidesteuern von ihm erhebt.
>
> Quaderhäuser habt ihr gebaut – und nicht werdet ihr darin wohnen.
>
> Ertragreiche Weingärten habt ihr gepflanzt – und nicht werdet ihr ihren Wein trinken.
>
> Denn ich kenne eure vielen Auflehnungen und eure gewaltigen Sünden,
>
> Die ihr einen *ṣaddîq* einschnürt, Wergeld nehmt und die *äbjonîm* im Tor niederstreckt.[39]

Die Niederstreckung der Armen geschieht, wenn der Text richtig ausgewertet werden kann, durch Naturalabgaben, die anscheinend im Tor eingetrieben werden. Vermutlich ist das so vorzustellen, daß staatliche Steuern global für jeden Ort durch die königliche Verwaltung (oder besondere Steuerherrn) festgesetzt werden, und die Versammlung der Bürger im Tor die Summe auf die einzelnen Haushalte umlegt. Dabei verstehen es kapitalkräftige Bürger, den Satz für leistungsschwache Bauernwirtschaften so hoch anzusetzen, daß die Betroffenen leihen müssen, sich verschulden und eines Tages Haus und Boden, ja sich selbst zu veräußern gezwungen sind. Eine Institution wie die Torgemeinde trat gewiß nicht nur zu Rechtsprozessen zusammen, sondern zur Entscheidung aller kommunalen Angelegenheiten, wozu wohl die Einteilung zum Fron- und Wehrdienst, die Wallfahrt zum Kultort u. a. gehört, natürlich auch die Frage von Steuern und Abgaben. Bei all

[36] שבר 66. Die übliche Übersetzung »Schaden (Josefs)« ist viel zu schwach.

[37] Vgl. zuletzt *Wolff*, BK XIV/2, 126.

[38] Höchstens 510: »Sie hassen im Tor den מוכיח« wäre anzuführen, wenn nicht mit dem letzten Titel ein richterliches Amt gemeint sein sollte. Doch 510 ist ein versprengter Satz, dessen Authentizität nicht sicher ist (redaktioneller Übergang von V. 9 zum (יען) neu eingeleiteten V. 11?).

[39] Die Profezeiung schließt hier mit einer abschließenden Charakteristik, vgl. »Was ist Formgeschichte?« 236f, 260. כִּי als Anfang eines eigenen Spruches anzusetzen (*Wolff*, BK XIV/2, 270, Anm. 12a), ist gewagt, da Amos sonst keine Profezeiung mit seinen persönlichen Empfindungen beginnt.

solchen Anlässen konnte der *dal* benachteiligt werden. Der Schlußakt, der Eintritt eines bislang freien Kleinbauern in die Schuldsklaverei wird in vielen Fällen gar keinen Spruch der Ortsgemeinde erfordert haben, zumal die Gläubiger, die Amos angreift, nicht in den Dörfern, sondern in den Hauptstädten sitzen und vermutlich die Torgemeinde gar nicht als Gerichtsort anerkannt hätten. Wo das Kaufen und Verkaufen der Kleinbauern und damit ihr »Endzustand« gerügt wird, ist vom »Tor« nicht mehr die Rede (26; 86).

Bei *Micha* ist die wirtschaftliche Lage schwerer zu erkennen, die er voraussetzt. In den Eingangsabschnitten der sechs Unheilsprofezeiungen[40] sind die Vorwürfe breiter gestreut; sie heben neben den Volkshäuptern, die bestechlich regieren und Jerusalem mit Blut bauen, eigens die Priester und die Profeten hervor, die beide bestechlich sind (39–12). Nirgends wird die Schicht der Unterdrückten mit einem besonderen Namen genannt. Nichtsdestoweniger hat auch bei Micha die soziale Problematik im Lagehinweis die Oberhand. Dabei zeigen sich geringe Abweichungen von Amos, doch bleibt auch hier das Geschick der Bauern thematisch. Nur daß Micha nicht vom Verkauf in Schuldknechtschaft redet, sondern von der Notwendigkeit, die ererbte נַחֲלָה zu veräußern, *Haus und Feld* abzugeben (22–4). Diese sind aber für die Betroffenen nicht nur die »Ruhe« im Sinne des freien Lebensraumes (מְנוּחָה), sondern auch die Art, wie Jahwäs Pracht (הָדָר) den einzelnen Israeliten zukommt (29f). Micha verweist nicht auf eine besondere Schicht der armen Bauern, die sich von den übrigen Bürgern der Ortschaften abhebt. Es scheint, als ob er die *Bauernschaft allgemein* bedroht sieht. Deshalb tadelt er wohl auch nicht Vergehen im Tor, also in der Ortsgemeinde, sondern richtet seine Attacke einzig auf die städtische Oberschicht, wie sie vor allem im *qaṣin*, dem militärischen[41] und zivilen[42] Königsbeamten des Südreichs, sich im Land breitmacht (Micha 31.9).[43] Die große Garnison Lachisch ist deshalb Hauptsitz des Übels (113). Die Häupter und Anführer, die רֶשַׁע in ihren Häusern speichern (610), reißen mit ihrer Enteignungspolitik den Betroffenen die Haut vom Leibe, ja zerstückeln und kochen wie Kannibalen ihre Gebeine (31–3). Selbst in den Unheilsweissagungen zeigt sich bei Micha noch, wie sehr es um Haus und Boden geht, wenn er zB das Kommen eines neuen Eigentümers (115cj) oder die Neuverlosung des Landes (24) ankündigt.

[40] 110–16; 21–4; 31–4.5–7.9–12; 69–16.

[41] Jes 223; vgl. Jos 1024.

[42] Jes 36f; Prov 67; 2515.

[43] Unklar ist, was unter den »Häuptern Jakobs« 31.9 zu verstehen ist. Wären es Sippenvorsteher, würde man »Häupter Judas« erwarten.

Auch auf *Jesaja* braucht nur kurz eingegangen zu werden. Die soziale Kritik ist bei ihm Nebenthema, der zentralen Predigt von der Überheblichkeit und eingebildeten Autarkie des Menschen untergeordnet. Die soziale Anklage ist besonders sprechend im Wehelied 10$_{1f}$:

> Wehe denen, die אָוֶן-Satzungen einrichten, die diktieren, um Bedrückung zu fixieren,
> Um niederzustrecken aus der Rechtsgemeinschaft (דִּין) die *dallim* und wegzureißen den *mišpaṭ* der Armen (עֲנִיֵּי) meines Volkes,
> Damit die Witwen zu ihrer Beute werden und die Waisen geplündert.

Im damaligen Jerusalem werden also Verordnungen verfaßt, welche die kleinen Bauern benachteiligen. Wenn Jesaja – anders als Micha – auch im Südreich die Schicht des *dal* eigens hervorhebt und verteidigt, wird er von Amos beeinflußt sein.[44] Was der Profet tadelt, wird wohl das Festsetzen von Steuern und Abgaben, vielleicht auch Bestimmungen für Leih- und Schuldverkehr sein. Die Folge ist jedenfalls, daß die Armen Haus und Feld verlieren (5$_{8}$; 3$_{14f}$). Damit scheiden sie aus der Kult- und Rechtsgemeinschaft aus. Was sie verlieren, nennt Jesaja hier *mišpaṭ*, was so etwas wie »selbständige Existenz« heißen dürfte. Es ist aber bezeichnend, daß Jesaja seine Gegenwartskritik nicht auf das Schicksal der kleinen Bauern beschränkt, sondern die grundbesitzlosen Witwen und Waisen mit einbezieht (auch 1$_{17.23}$). Jesajas Kritik ist also allgemeiner, zielt nicht mehr bloß auf die Benachteiligung einer bestimmten soziologischen Gruppe wie bei Amos und Micha.

Wie konnte eine solche soziale Kritik plötzlich entstehen, bei drei Profeten ungefähr gleichzeitig? Schon der knappe Überblick ergibt, daß die Schriftprofeten des 8. Jh.s gezielt konkrete Mißstände als untragbar angreifen und nicht bloß einen allgemeinen Mangel an menschlicher Solidarität. Das macht wenig wahrscheinlich, daß die Profeten den einen Brennpunkt ihrer Verkündigung, die Gegenwartskritik, nur notgedrungen und nachträglich aus dem vorherrschenden zweiten, der Unheilsgewißheit, entwickelt haben. Zielen auch Amos, Micha und Jesaja in ihrer sozialen Kritik auf die gleichen Übelstände, ist ihre Sprache doch verschieden. Das erschwert es, eine bestimmte Wurzel dieser sozialen Kritik durch einfache Ableitung aus uns bekannten Lebens- und Sprachbereichen des alten Israel zu erheben. Die *apodiktische Verbotsreihe* des sogenannten Richterspiegels Ex 23$_{1-9}$ bringt Sätze, die erstaunlich nahe an Amos heranreichen, vor allem V. 6: »Du sollst nicht niederstrecken den *mišpaṭ* deines *äbjon* bei seinem Rechtsstreit«. Doch dicht daneben steht: »Einen *dal* sollst du nicht bevorzugen bei seinem Rechtsstreit« (V. 3, vgl. Lev 19$_{15}$)! Das alte »Gottesrecht« nimmt also eine zwiespältige Haltung zu den Armen ein. Sie sollen geschützt werden, aber nicht über

[44] *RFey*, Amos und Jesaja, WMANT 12 (1963) 101.

das Maß. Sollte Amos oder Micha von solchen Geboten ausgegangen sein, dann doch so, daß sie die Aussagen radikal vereinseitigen, gegen den Willen des Gesetzes.

Liegt die *Weisheit* als Mutterboden der sozialkritischen Äußerungen eher nahe? Wolff hat auf Prov 22$_{22}$ hingewiesen.

Beraube nicht den *dal*, denn er ist *dal* / und zermalme nicht den *'anî* im Tor.

»Unverkennbar hat Amos bei seinem Schuldaufweis solch ein Warnwort des Sippenethos im Gehör«.[45] Aber Prov 22$_{22}$ ist Übersetzung aus dem ägyptischen Amenemope; es ist bei dieser verhältnismäßig späten ägyptischen Schrift nicht sicher, ob die Übersetzung zur Zeit des Amos schon vorliegen konnte; ganz abgesehen von dem Problem, wie ein solcher Satz in das Sippenethos eines judäischen Dorfes geraten konnte. Zwar ist im Proverbienbuch auch sonst häufig von Armen die Rede, und Wohltätigkeit ihnen gegenüber wird empfohlen. Doch ist die Haltung auch hier doppelseitig. Wer arm ist, hat nichts anderes verdient (zB Prov 10$_{4}$).[45a] Mag Amos einige Formulierungen der Weisheit entnommen haben, er hat sie in einen ganz anderen Kontext hineingestellt und wiederum nur eine Seite der Gedankenführung aufgenommen.

Mit ebensoviel Recht könnte man an die Sprache des (jerusalemischen) *Kultes* denken, wo ausweislich der Psalmen Jahwäs Schutz über den Armen eine große Rolle spielt, die Armen mit den Rechtschaffenen gleichgesetzt (vgl. Amos!) und – diese Medaille keine Kehrseite hat, nirgends eine Distanzierung vom Armen sichtbar wird, ein Hinweis auf seinen selbstverschuldeten Zustand u. ä.! Doch bleibt ungewiß, inwiefern die betreffenden Psalmen älter sind als Amos.

Bedenkt man die bisherigen Lösungsvorschläge für die Entstehung der sozialen Kritik der Profeten, so wird die Deutung von *AAlt* noch am ehesten dem Befund gerecht. Zumindest Amos und Micha geht es in der Tat um ein bestimmtes Bild von der *notwendigen Verfassung Israels* als Gottesvolk, wobei die Bodenordnung im Mittelpunkt steht, weil auf sie allein die Kult-, Rechts- und Wehrfähigkeit der Israeliten sich gründet. Nur schießt *Alt* insofern über das Ziel hinaus, als nirgendwo erkennbar wird, daß die führende Schicht bestrebt ist, das alte israelitische Bodenrecht offiziell durch ein anderes, kanaanäisches zu ersetzen. Die Machenschaften der Gegner bleiben im Rahmen dessen, was nach damals geltendem israelitischen Recht legal war. Höchstens, daß eine Tendenz laut wurde, eine verarmte überschuldete Schicht von Kleinbauern zu Proletariern oder zu hörigen Landarbeitern auf den Latifundien zu machen. Vielleicht versprach man sich höheren Orts dadurch eine rationellere Verteilung der zur Verfügung stehenden Le-

[45] Amos' geistige Heimat 49.
[45a] *GvRad*, Weisheit in Israel (1970) 105.

bensmittel, weil zahllose Zwergbetriebe unwirtschaftlich waren? Aber das ist Spekulation. Immerhin möchte man irgendeine gezielte Aktion annehmen, die im Nordreich des 8. Jh.s um sich gegriffen hat. Nur so läßt sich erklären, daß Amos, der selbst Landwirt war, seine judäische Heimat verläßt und nicht dort das – sicher auch nicht beneidenswerte – Geschick der kleinen Bauern beklagt, sondern allein im Norden; und daß Micha umgekehrt im Süden nie auf die *armen* Bauern besonders zu sprechen kommt.

Wenn aber die Profeten derart an einer Bodenordnung festhalten, die möglichst viele freie Bauern auf eigenem Ackerland und mit eigenem Haus fordert, tun sie das aus sozialreformerischer Absicht, aus Interessen des eigenen Standes oder aus rückwärts gewandter Romantik? Gibt es noch andere Impulse, die zu bedenken sind? Eine Erklärung ist nicht zureichend, solange nicht die Stellen berücksichtigt werden, in denen die Profeten nicht konkrete Übelstände tadeln, sondern grundsätzlich von *mišpaṭ* und *ṣ^e^daqā* handeln.

III. Die beiden zentralen, in der Forschung sehr verschieden gedeuteten Begriffe gehören nicht zur normalen Unheilsprofezeiung, es sei denn, diese erhält einen besonderen Vorspruch durch einen Appell zur Aufmerksamkeit (Micha 3₁.₉). Die Profeten sind keine Theologen, sie schlagen ihren Zuhörern keine Begriffe um die Ohren. Wo es aber zur Debatte und Auseinandersetzung kommt, werden grundsätzliche Aussagen fällig, so, wenn mit einem Streitgespräch begonnen wird (Amos 6₁₂), oder wenn priesterliche Sprechweise mit »negativem Vorzeichen« gebraucht wird,[46] wenn ein Liebeslied (Jes 5₇) oder eine Leichenklage benutzt wird (Jes 1₂₁–₂₆). An solchen Stellen breiten die Profeten keine neuen Überzeugungen aus, sondern argumentieren auf einem Grunde, der auch den Zuhörern als selbstverständlich gilt. Ihre Rede von *mišpaṭ* und *ṣ^e^daqā* gründet also in fest geprägten Überlieferungen. Wo stammen sie her?

Die abendländische Auslegungstradition versteht im Anschluß an die Septuaginta *mišpaṭ* als »Recht« und *ṣ^e^daqā* als »Gerechtigkeit«. Gegenwärtig haben die meisten Ausleger das Gefühl, daß die juristischen Begriffe als Wiedergabe des Hebräischen nicht zureichend sind und der alttestamentliche Gebrauch in Richtung auf »Ordnung« überhaupt tendiert, daß aber der juridische Sinn immer noch einen zentralen Kern der Sache trifft.[47] Diese Einstellung führt besonders im Amosbuch dazu, daß die entsprechenden Sätze aus ihrem textlichen

[46] Amos 5₇.₂₅; Micha 6₈; Jes 1₁₇.

[47] So noch die letzte Monografie zum Thema: *HHSchmid*, Gerechtigkeit als Weltordnung, BHTh 40 (1968), vgl. die Amosdeutung, 111–113.

Zusammenhang herausgerissen und isoliert betrachtet werden. Hält man sich an den Kontext, verändert sich der Befund erheblich.

Beginnen wir mit Amos 6_{12-14}:

12 Laufen auch Rosse über den Fels? / Oder pflügt man ›mit dem Rind das Meer‹? Doch ihr verkehrt in Gift den *mišpaṭ* / Und das Produkt der *ṣ^{e}daqā* in Wermut,

13 Die ihr euch freut über Lodebar / Die ihr sprecht: haben wir nicht mit unserer Kraft uns Qarnaim eingenommen?

14 Doch siehe, ich lasse aufstehen gegen euch, Haus Israel, ʾ ʿ ein Volk. Und sie werden euch bedrängen von Lebo-Hamat bis zum Araba-Bach.

Die Kommentare pflegen aus »inhaltlichen Gründen« V. 12 vom folgenden abzusondern, obwohl mit den Partizipien in V. 13 keine eigene Einheit beginnen kann und V. 12–14 dem Muster eines zweigeteilten Profetenspruchs aufs beste entsprechen. Auch inhaltlich fügen sich die Sätze aneinander. Das Freuen (שׂמח) ist an anderen Stellen Zeichen des *ṣ^{e}daqā*-Besitzes.[48] Das Wortpaar *mišpaṭ* und *ṣ^{e}daqā* in der Verbindung mit einem erfolgreichen Feldzug ist nicht außergewöhnlich.[49]

Wie im Vergleich Pferde und Rinder als Nutztiere für den Menschen, sind anscheinend *mišpaṭ* und *ṣ^{e}daqā* vorgegebene Größen, Potenzen, mit denen die angegriffene israelitische Führerschicht vernünftig arbeiten und etwas Nützliches für Volk und Staat produzieren könnte.[50] Amos sieht aber in den beiden gewonnenen Schlachten ein nutzloses Vertun des *mišpaṭ*- und *ṣ^{e}daqā*-Potentials. Er setzt sich damit in Gegensatz zu Behauptungen seiner Hörer, die ihre Siege wohl auf ihre *ṣ^{e}daqā* und die entsprechende schicksalwirkende Tatsfäre zurückgeführt haben.[51] Amos aber brandmarkt das durch das (fiktive) Zitat von »der *eigenen* Kraft« als Überheblichkeit und Fehlverhalten. Leider kennen wir den historischen Hintergrund nicht genau. Haben die Siege im Ostjordanland große Verluste in der israelitischen Mannschaft gefordert? War die Volksmiliz, der Heerbann, bei diesem Kriegszug beteiligt worden und damit die wirtschaftlich gefährdeten Kleinbauern der Arbeit im eigenen Betrieb entzogen worden? (Denkbar ist auch, daß der Krieg mit einem Vertragsbruch gegen die Aramäer begonnen hatte und dergestalt das »Recht« verletzt wurde. Aber der sonstige Gebrauch von *mišpaṭ* und *ṣ^{e}daqā* läßt an innenpolitisch un-

[48] Ps 97_{11f}; 32_{11} u. o. Anm. 32.

[49] 2Sam 8_{15}, vgl. Dtn 33_{21}; Jes 59_{15-20}.

[50] Eine gewisse Differenz beider Worte wird wieder sichtbar. *mišpaṭ* läßt sich in sein Gegenteil, in Gift verwandeln, *ṣ^{e}daqā* dagegen nicht, nur ihre Frucht kann entarten, freilich nicht so, daß sie giftig wird, sondern nur ungenießbar. – Ist לענה zu Recht mit »Wermut« übersetzt (vgl. KBL 484a)?

[51] *KKoch,* Gibt es ein Vergeltungsdogma im AT?, ZThK 52 (1955) 1–42.

heilbare Schäden denken.) Ist aber der *mišpaṭ* derart verkehrt worden, sind die Freiheit und Selbständigkeit Israels untergraben. Das eigene Land gerät unter die Herrschaft eines fremden Volkes. *mišpaṭ* hängt also mit dem Bestand Israels und seiner Kraft, sich zu verteidigen, zusammen, die im Rahmen der schicksalswirkenden Tatsfäre begriffen wird.

Bei der *Mahnrede* 54–7 ist zwar die Herkunft von Amos nicht sicher, da bei ihm sonst nicht von einer Möglichkeit, der Katastrofe zu entrinnen, die Rede ist. Doch folgen die Aussagen über *mišpaṭ* und *ṣedaqā* durchaus seinen Gedanken:

> 4 (Denn so hat Jahwä gesprochen zum Haus Israels:) Sucht mich (?)[52] und lebt /
> 5 Sucht nicht Beth-el! Nach Gilgal wallfahrtet nicht / Und nach Beerseba pilgert nicht!
> Denn Gilgal wird völlig entblößt (?) und Beth-el wird zum אָוֶן werden.
> 6 Sucht Jahwä und lebt! / Damit er nicht wie Feuer wirkt / 'Im' Haus Josefs[53] und es frißt / Und keiner löscht für Beth-el,
> 7 Die da verkehren in Wermut *mišpaṭ* / Und *ṣedaqā* zur Erde stoßen.[54]

Wiederum geht es um die Verkehrung (הפך) von *mišpaṭ*, diesmal zum ungenießbaren Bitterstoff. *ṣedaqā* wird dagegen nicht verwandelt, sondern zu Boden gestoßen, dh als eine die Gemeinschaft umhüllende Sfäre zum Verschwinden gebracht.[55] Subjekte des widersinnigen Handelns sind das Haus Josef und Beth-el. Beide stehen vermutlich nebeneinander, weil nach älteren Erzählungen die Landnahme Josefs in Beth-el ihr Ziel fand (Ri 122), und die offizielle Theorie des Nordreiches Beth-el als Ziel der Herausführung aus Ägypten proklamiert hatte

[52] Der Anfang דרשוני וחיו ist innerhalb des Rhythmus zu kurz. Auch paßt die Botenformel »So hat Jahwe gesprochen« nicht vor eine kultische Tora. Mit *Marti* (KHC) ist anzunehmen, daß 4a redaktionelle Klammer ist, um dem Todeslied V. 1–3 die Lebensmöglichkeit V. 4–6 zu konfrontieren; demnach lautete V. 4b ursprünglich wie 6: »Sucht Jahwe und lebt«.

[53] בית יוסף gehört zur letzten Zeile nach dem Rhythmus. Vermutlich ist entweder mit Targ. ein בְּ einzuflechten oder es ist ואכלה voranzustellen.

[54] V. 7 wird hier als Abschluß der Tora aufgefaßt, weil Amos die nominalen und partizipialen Rügen an seine Adressaten (mit nachgestelltem Verb als Wechselglied) gern an das Ende eines Abschnittes rückt (310b.12b; 41; 512; 613; 814; die Wehelieder 518; 61 bilden einen Fall für sich und können hier nicht herangezogen werden). Außerdem umfassen erst durch Hinzunahme von V. 7 die beiden Strofen V. 4f und V. 6f gleichmäßig 3 Bicola. – Die Kommentare lieben freilich, V. 7 vom vorhergehenden abzutrennen und mit V. 10 zu verbinden (zB *Marti, Greßmann, Wolff*). Aber warum hat dann der Redaktor, der in V. 8f eine Gerichtsdoxologie einfügte, diesen angeblich so geschlossenen Gedankengang zerhackt? »Abschreibeversehen« (*Wolff*, BK, 273) (?).

[55] Ähnliches geschieht den Kleinbauern 27. – Der Gegensatz von הניח ist das »Bereitstellen« von *mišpaṭ* im Tor 516 (הציג »von festen ... Stoffen gebraucht« KBL s. v.).

(1Kön 12 26ff; vgl. Ps 81 6). Daneben erscheint Gilgal, das nach Jos 4; 14 6ff für Landnahme und Landverteilung ein wichtiger Haftpunkt gewesen war. *mišpaṭ* und *ṣ*^{e}*daqā* scheinen demnach mit der Landnahme Israels, wie sie in Beth-el gefeiert worden ist, im Zusammenhang zu stehen. Wird Beth-el vernichtet, weil es einst Ursprungsort beider Wirkungsgrößen war, inzwischen aber zur »Unheilsfabrik« (אָוֶן) entartet ist? Eine Abwendung wäre möglich, wenn Jahwä alsbald gesucht würde, denn Jahwä suchen und *ṣ*^{e}*daqā* suchen, ist gleichbedeutend.[56] Woran Amos positiv denkt, bleibt leider ungewiß.

Besonders aufschlußreich ist, wenn Amos auf das Wortpaar im Rahmen des Kultbescheids 5 21–25 zu sprechen kommt:[57]

21 Ich hasse es, ich verwerfe eure Feiern / Und nicht mehr werde ich eure Feste riechen.
22 Statt dessen bringt mir Brandopfer dar ...
Eure Speisopfer aber werden mir nicht wohlgefallen / Und das Heilsopfer eurer Mastochsen werde ich nicht ansehen.
23 Entferne (Impt.) den Lärm deiner Lieder von mir / Und das Spiel der Leier, das ich nicht mehr höre!
24 Dann wälzt sich (Impf.) wie Wasserflut *mišpaṭ* dahin / Und *ṣ*^{e}*daqā* wie ein immerwährender Fluß.
25 Dagegen Schlachtopfer (und Speisebeigabe?) – habt ihr mir das darbringen müssen / in der Wüste, während der 40 Jahre, Haus Israel 'Raunt Jahwä'.[58]

Das Einherfluten von *mišpaṭ* und *ṣ*^{e}*daqā* ist wohl im Hinblick auf das Volk gedacht: über Israel sollen diese Kräfte strömen. Die übliche Auslegung übersetzt V. 24 als einschneidende Antithese zu V. 23: »Aber es ströme wie Wasser das Recht« (Zürcher Bibel). Dabei wird das Impf. cop. V. 24 als Fortsetzung des Imper. von V. 23 im antithetischen Sinne gefaßt. Diese Folge schließt aber sonst im Hebräischen[59] eine Zweckangabe in sich, für einen *antithetischen* Sinn fehlt jede Parallele. Zudem werden im Amosbuch Antithesen anders zum Ausdruck gebracht, in der Regel durch Inversion des Nomens (2 9 zB); zu erwarten wäre also in diesem Falle כַּמַּיִם יִגַּל מִשְׁפָּט. Auch inhaltlich ergeben sich Bedenken. Gegen die Deutung auf menschliche Anständigkeit und juridisches Wohlverhalten hat schon Weiser[60] eingewandt, daß dafür das Bild der Flut viel zu stark ist. Auch schließt eine so allgemein gehaltene Moral sich an die vorher genannten, sehr speziellen kultischen Handlungen übel an. Außerdem kehrt V. 25 zum Thema Schlacht-

[56] Hos 10 12 (Zeph 2 3 mit בקשׁ).

[57] *EWürthwein*, Kultpolemik oder Kultbescheid? in: Wort und Existenz, Studien zum AT (1970) 144–160 (= Festschrift f. AWeiser, 1963, 115–131).

[58] Mit LXX^{AQ}.

[59] Amos 4 1 u. ö.; s. die Stellen bei *JPHyatt*, The Translation and Meaning of Amos 5 23–24, ZAW 68 (1956) 17–24.

[60] Profetie 223.

opfer zurück. Wie ist die dazwischenstehende Abschweifung auf das Rechtsgebiet zu erklären?[61]

Als Alternative bleibt möglich, an den *mišpaṭ Jahwäs* zu denken und eine *strafende* Gerechtigkeit, V. 24 also als Anfang der Unheilsdrohung zu nehmen (*Sellin*; *Weiser*; *Würthwein*). Aber auch hier streikt die Grammatik. Zumindest ein *waw*-Perfekt erwartet man als Übergang zum Zukunftswort.[62] Auch ist bei Amos Jahwä nie Subjekt von *mišpaṭ* und *ṣ^{e}daqā*; und im gesamten Alten Testament ist *ṣ^{e}daqā* im Sinn von Strafgerechtigkeit nicht sicher zu belegen.

Bedenkt man, daß *mišpaṭ* und *ṣ^{e}daqā* 5_{7}; 6_{12} dem Volke vorgegeben und von diesem nachträglich erst verkehrt worden sind, dann könnte hier von dem Ursprung dieser Vorgegebenheit die Rede sein, der dann nach dem Kontext mit kultischen Begehungen in Beziehung stünde. Auch 5_{7} hatten beide Wirkungsgrößen einen engen Bezug zum Heiligtum von Beth-el. Damit sind wir bei der dritten Möglichkeit, wie sie von *Cazelles*[63] vertreten worden ist. Schon *Weiser*[64] hatte darauf aufmerksam gemacht, daß die Ströme des Wassers an den in Palästina so nötigen Regen erinnern und an entsprechende Fruchtbarkeitsriten. In der Tat ist die Verbindung zwischen *ṣ^{e}daqā* und dem Wasserstrom auch sonst zu belegen (Jes 10_{22}; 45_{8}; 48_{18f}; vgl. Joel 2_{23}). Gemeint ist also: wenn ihr die bisher geübten Kultformen verlaßt, gerade dann wird Jahwä euch *Heilsgaben* geben, die ihr von eben diesem Kult erwartet.

Gerade die Fülle der Speis- und Schlachtopfer verhindert nach Amos das Strömen der Heilskräfte *mišpaṭ* und *ṣ^{e}daqā*. Das ist paradox. Anscheinend gestalten die Zuhörer des Amos ihre Opfermale deshalb so üppig aus, damit *mišpaṭ* und *ṣ^{e}daqā* um so reichlicher fließen. Damit wird eine Tradition angesprochen, die sonst im Alten Testament von »Schlachtopfern, die heilskräftige Gemeinschaftstreue vermitteln« (זִבְחֵי צֶדֶק), redet.[66] Die Israel vorgegebenen Wirkungsgrößen hätten demnach gleich dem Regen einen göttlichen Ursprung, sie sind vom Himmel auf die Erde herabgekommen, und zwar zu bestimmten Kultorten, um dort das mit Jahwä verbundene Volk beim Opfer zu umhüllen und damit ihm die Fähigkeit zum sittlichen Leben nach der Gemeinschaftstreue, aber auch zum materiellen Gedeihen zu

[61] Zum Problem vor allem *HCazelles*, A propos de quelques textes difficiles relatifs à la Justice de Dieu dans l'AT, RB 58 (1951) 174 (169–188).

[62] *Wolff*, BK XIV/2, 309.

[63] s. Anm. 61. – Ebenso *Hyatt*, aaO, und *HGese*, ZThK *55* (1958) 144, Anm. 4.

[64] ATD zSt, vgl. *Hyatt*.

[65] Dazu *Cazelles*, aaO 176–181.

[66] Dtn 33_{19}; Ps 4_{5f}; 51_{21}; s. *KKoch*, Wesen und Ursprung der ›Gemeinschaftstreue‹ im Israel der Königszeit, ZEE (1961) 83–87.

vermitteln. Der Profet freilich korrigiert diese Meinung. Wie er sich Übermittlung von *ṣedaqā* und *mišpaṭ* im einzelnen vorstellt, ist leider nicht deutlich. Klar ist aber, daß *mišpaṭ* und *ṣedaqā* für ihn vielschichtige Größen sind, die einerseits einen göttlich-kultischen Ursprung haben – insofern ist er mit seinen Gegnern einig –, andererseits aber im alltäglichen Sozialverhalten ständig aufrechtzuerhalten sind. *mišpaṭ* ist demnach so etwas wie der auf Gemeinschaftstreue gegründete und durch gemeinschaftsgemäßes Verhalten (*ṣedaqā*) täglich neu zu bewährende *Bestand* des Volkes, seine kultische, politische und wirtschaftliche Existenz schlechthin.

Noch eines läßt sich vermuten. In V. 25 ist davon die Rede, daß in der Wüstenzeit keine Schlachtopfer dargebracht wurden. Nach dem vorangehenden V. 24 kann das nur den Sinn haben, daß trotz des Mangels an Tieren und deshalb an זֶבַח damals *mišpaṭ* und *ṣedaqā* vorhanden waren bzw. durch das Verhalten des Volkes während der Wüstenzeit die Gabe von *mišpaṭ* und *ṣedaqā* bei der eigentlichen Entstehung des Volkes, dh nach der Landnahme ermöglicht worden ist.[67]

mišpaṭ und *ṣedaqā* als *Endergebnis der göttlichen Heilsgeschichte*, als Gabe aller Gaben Jahwäs, die Israel durch sein Tun zu bewahren hat – das ist die Überzeugung vor allem des *Micha*. Das Wort *ṣedaqā* kommt nur 6 5 vor, hat dort Jahwä zum Subjekt und ist bezogen auf die Endstationen der Wüstenwanderung (bis Gilgal)[68], um deren Verständnis (דַּעַת) sich Israel kümmern sollte, was praktisch bedeutet, im täglichen Leben *mišpaṭ* neu zu schaffen und Bundestreue (חֶסֶד 6 8). Sich auf den *mišpaṭ* zu verstehen (ידע), dh unablässig ein Auge auf den durch Gemeinschaftstreue gegründeten Bestand Israels zu haben, ist die besondere Aufgabe der Volksführer (3 1.9). Das aber geschieht dadurch, daß der bei der Landnahme durch heiliges Los festgelegte Besitzstand der Sippen und damit die Freiheit der einzelnen Bauern nicht angetastet wird (3 2f.9ff). *mišpaṭ* und נַחֲלָה gehören als eng zusammen. Doch die herrschenden Schichten zerstören den *mišpaṭ* der einzelnen Volks- und Kultgenossen und machen damit den *Volksmišpaṭ* »abscheulich« (3 9). Der Profet fühlt sich deshalb bei seinem Angriff auf diese Männer persönlich erfüllt mit רוּחַ יהוה, mit *mišpaṭ* und kriegerischer Stärke. *mišpaṭ* meint damit auch die einzelne Tat, den öffent-

[67] Der Gegenbegriff zu *mišpaṭ* und damit Zusammenfassung aller Kritik an den Führern des Nordreichs heißt bei Amos פֶּשַׁע 3 14; 4 4; 5 12, also die »Auflehnung« (KBL s. v.) gegen den rechtmäßigen und schützenden Oberherrn, oder die »Eigentumsverletzung« (*RKnierim*, Die Hauptbegriffe für Sünde im AT, 1965, bes. 176).

[68] Die entsprechende eschatologische Wiederkehr von *mišpaṭ* und *ṣedaqā* kündet 7 9 (sekundär).

lichen Einsatz für den auf Gemeinschaftstreue gegründeten Bestand Israels (3 8).[69]

Bezeichnendes Licht auf das Thema werfen Aussagen *Hoseas*, die deshalb besonders aufschlußreich sind, weil dieser Profet keine eigenständige soziale Kritik entwickelt. Nach 12 5.7 hat der Erzvater Jakob, am Ziel seiner Wanderung in Beth-el angekommen, den Befehl vernommen, hinfort »Bundestreue (חֶסֶד) und *mišpaṭ* zu bewahren.« Hosea zitiert hier einen alten Spruch[70] und beweist damit, daß in den Überlieferungen des Heiligtums von Beth-el die *Landnahme* Jakobs damit *endete*, daß hinfort dem israelitischen Kultgenossen das Bewahren von *mišpaṭ* auferlegt wurde. Einen ähnlichen Hintergrund läßt sich aus der eschatologischen Weissagung 2(16ff)21–25 erschließen, wo nach erneuter Einwanderung in das gelobte Land Jahwä bei der Neuverlobung Israel *ṣädäq* und *mišpaṭ* zusammen mit ähnlichen Wirkungsgrößen als Brautgeschenk übermittelt, dem eine neue Fruchtbarkeit der Erde folgt. Wird das Land Efraims durch äußere Feinde dezimiert, wird sein *mišpaṭ* zerbrochen (5 11). Wie Amos kann Hosea erklären, daß Israels *mišpat* zum Giftkraut geworden ist, was nicht nur mit den Furchen der Äcker, sondern auch mit dem Kalb von Beth-el zusammenhängt (10 4).

Die enge Verbindung zwischen dem Ende der heilsgeschichtlichen Urzeit und der Stiftung von *mišpaṭ* und *ṣᵉdaqā* für die weitere Existenz des Volkes auf dem ihm von Gott geschenkten Boden findet sich auch bei *Jesaja*. Das Weinbergslied 5 1–8 schildert im Bilde Gottes geschichtliches Wirken. Als es so weit gediehen war, daß Israel »eingepflanzt« war, wartete Jahwä auf *mišpaṭ* und *ṣᵉdaqā* als Frucht, doch das Gegenteil trat ein, eine unglaubliche Bedrückung der armen Volksschichten.[71] Für den Jerusalemer Profeten endet die heilvolle Jahwäzeit mit der Erwählung des *Zions* zum zentralen Heiligtum und *Davids* zum sakralen König. An diesen beiden Größen hangen deshalb *mišpaṭ* und *ṣᵉdaqā*. Mit dem Eckstein auf dem Zion ist *mišpaṭ* und *ṣᵉdaqā* gesetzt worden (28 17).[72] Die gesamte Stadt Jerusalem war in der Anfangszeit deshalb »angefüllt« von *mišpaṭ*, und die heilskräftige Gemeinschaftstreue nächtigte in ihr. Das ist jetzt durch das Verschulden des Volkes vorbei, wird aber im Eschaton neu Wirklichkeit werden (1 21–26). Der eigentliche Garant dafür, daß Israel seinen Bestand durch

[69] Der Gegenbegriff zu *mišpaṭ* ist auch bei Micha פֶּשַׁע 1 5.13; 3 8. – Überraschenderweise redet Micha, wo er auf diese Zusammenhänge zu sprechen kommt, seine judäischen Zuhörer mit »Jakob« an 3 1.8.9; verbirgt sich dahinter eine nordisraelitische Tradition?

[70] *Wolff*, BK XIV/1, Hosea 276f.

[71] Zur Verbindung vnn *mišpaṭ* und *ṣᵉdaqā* mit dem gelobten Land vgl. 32 15–18.

[72] Dazu *Cazelles*, aaO 182f; anders *HHSchmid*, aaO 114.

Gemeinschaftstreue bewahrt, ist der König, dessen Thron durch diese beiden Wirkungsgrößen gestützt werden muß (9$_6$, vgl. 16$_5$), ja den *ṣädäq* bei allen offiziellen Aktionen, bei denen der Herrscher »umgürtet« erscheint, selbstverständlich umgibt, was selbst die Natur tiefgreifend beeinflußt (11$_{4-8}$, vgl. 32$_1$). Bei Jesaja ist die Rede von *mišpaṭ* und *ṣ^{e}daqā* nicht nur auf das Kollektiv des Volkes bezogen, sondern stärker als bei seinen Vorgängern individualisiert. Jedem einzelnen freien Bauern eignet mit Haus und Boden ein *mišpaṭ* 10$_2$, jeder israelitische *ṣaddîq* hat eine Wirkungssfäre von *ṣ^{e}daqā* um sich, die ihm durch Mißbrauch staatlicher Gewalt genommen werden kann (5$_{23}$).

Die soziale Kritik der Profeten hat also Wurzeln, die tiefer hinabreichen, als es dort erkennbar ist, wo der Lagehinweis als »Scheltrede« ergeht. Der Ursprung liegt nicht in einem fortschrittlichen oder reaktionären Verfassungsideal, das für sich betrachtet werden könnte; sondern die Aufrechterhaltung der besonderen Verfassung Israels und die Bereitschaft, unter allen Umständen die *Freiheit der einzelnen Bauernfamilien* zu erhalten, ist untrennbar verbunden mit der *Treue zur geschichtlichen Führung* durch den Gott Israels. Sein urzeitliches Walten hat Israel einst nicht nur das Erbland zu eigen gegeben, das unter die Sippen verteilt ist, sondern darüber hinaus die göttlichen Wirkungsgrößen geschenkt, die Fähigkeit zu gemeinschaftsgemäßem Verhalten und die auf Rechtschaffenheit gegründete Existenz vor allen anderen. Nur wenn *ṣ^{e}daqā* und *mišpaṭ* zur נַחֲלָה hinzukommen, hat die Heilsgeschichte ihr Ziel erreicht; allein unter dieser Voraussetzung wird die Kritik der Profeten des 8. Jh.s schlüssig. Natur und Kultur, aber auch Kultur und Kultus fügen sich unter dem Blickwinkel der geschichtlich bestimmten Religion nahtlos ineinander.[73]

Die Profeten reden nicht allzu häufig thematisch von der Geschichte, dennoch haben sie eine bestimmte Auffassung der urzeitlichen Heilsgeschichte ihres Volkes ständig vor Augen und setzen selbstverständlich voraus, daß auch ihre Zuhörer von diesem Hintergrund her denken. Nur von daher wird ihre unerbittliche soziale Kritik begreiflich. Niemand hat diesen Zusammenhang so klar herausgestellt wie *Gerhard von Rad.* Im Schlußabschnitt seiner Theologie verweist er auf die »wichtige Frage«, woran Israel nach Meinung der Profeten versagt habe. Die Antwort ist »immer die gleiche: Versagt hat Israel an dem Heilswalten Jahwes. Darin bestand Israels Sünde, daß es die Führun-

[73] *OHSteck*, Prophetische Kritik der Gesellschaft (Christentum und Gesellschaft, hg. WLohff-BLohse, 1969, 46–62) ist zuzustimmen, daß die profetische Kritik in einer Ontologie wurzelt, die Jahwä als den »Grund allen öffentlichen Lebens« erfaßt (51). Doch scheint es mir noch ein weiter Weg zu sein, bis wir die profetische Auffassung von *Gott* wirklich verstehn.

gen und Gaben seines Gottes mißachtet hat«.[74] Diese Antwort liegt nicht auf den ersten Blick bei der Lektüre der Profetensprüche zutage. Aber je mehr man in die Sprache der Profeten eindringt, desto mehr erweist es sich als die eigentliche Erklärung auch und gerade für die so vehemente soziale Kritik.

Unsere Überlegungen hatten begonnen mit dem Problem der Aktualität profetischer Gesellschaftskritik. Das Ergebnis scheint weit davon abzuführen. Das kleinbäuerliche Verfassungsideal der Profeten des 8. Jh.s kann nicht mehr das unsere werden. Aber vielleicht steht uns noch bevor, daß wir uns mit den Profeten auf einer grundsätzlicheren Ebene treffen. Es könnte sein, daß die sozialrevolutionäre Romantik unserer Tage erst dann klare Umrisse und den Weg zur heißersehnten Praxis findet, wenn sie Mitmenschen und Gesellschaft auf dem Hintergrund des die Geschichte – gewiß auch unsere Geschichte – durchwaltenden Gottes ansichtig wird.

[74] II^1 411 = II^4 423.

HANS-JOACHIM KRAUS

GESCHICHTE ALS ERZIEHUNG

Biblisch-theologische Perspektiven

Zwei Aufgaben stellt sich diese Untersuchung. Sie will zunächst einige profilierte und bedeutsame Entwürfe zum Thema »Geschichte als Erziehung« in der Theologiegeschichte aufsuchen und sie in ihrem wesentlichen Aussagegehalt erfassen und umreißen. Die auf diese Weise gewonnenen Konzeptionsmodelle werden die Folie sein, auf der die biblisch-theologischen Studien des zweiten Teiles zu entwickeln sind. Im kritischen Rückbezug, aber auch in der Entgegennahme von Fragestellungen und Gesichtspunkten würde somit der theologiegeschichtliche Part auch in den biblisch-theologischen Ausführungen ständig präsent sein. Die Untersuchungen laufen auf die Zielfrage hinaus, ob überhaupt oder in welchem Sinn die Deutung der biblischen Geschichte als »Erziehung« theologisch möglich und relevant ist.

I.

In der alten Kirche liegen die Anfänge und die ersten Entwürfe der Idee »Geschichte als Erziehung« – bei *Clemens von Alexandrien* und bei *Augustinus.* Die Konzeptionen beider Theologen stimmen überein in der spekulativen Tendenz, das Ganze »weltgeschichtlicher Entwicklung« zu erfassen; sie divergieren in den Prinzipien und in der Ausführungsweise. Während bei *Clemens* die eklektizistischen Entdeckungen und Erhellungen der vergangenen Geschichte unter dem Leitmotiv der Pädagogie des Logos stehen und in individual-ethisch ausgerichteten, erzieherischen Aspekten ausmünden, dehnt *Augustin* die in der biblischen Heilsgeschichte gewonnenen Perspektiven auf die vergangene, gegenwärtige und zukünftige Weltgeschichte aus. Da ein traditionsgeschichtlicher Zusammenhang zwischen den beiden Entwürfen ausscheidet, kann lediglich die Feststellung getroffen werden, daß die spekulative Übertragung des Erziehungsbegriffs aus dem Einzelleben auf die Geschichte der Menschheit stoischen Impulsen entsprungen ist.[1]

[1] *HScholz*, Glaube und Unglaube in der Weltgeschichte (1911) 146. – Bei *Clemens* sind die stoischen Deszendenzen seiner Erziehungsvorstellungen schon seit langem herausgearbeitet worden (s. u.).

Man wird tatsächlich nur von »Impulsen« sprechen können, denn die bei *Clemens* und *Augustin* ans *Licht* tretende Idee »Geschichte als Erziehung« setzt zweierlei voraus: 1. Den Glauben an den Einen Gott, der als »Erzieher des Menschengeschlechts« waltet, und 2. einen einheitlichen Begriff von »Menschheit«, wie er durch die biblische Schöpfungslehre und Eschatologie geprägt ist.[2] – Da nun aber die Stoa eine deutliche Tendenz im Sinn dieser Voraussetzungen erkennen läßt und sowohl eine gewisse Einheitlichkeit des Gottesbildes wie auch eine Universalisierung der Menschheitsidee erstrebte, vermochte sie die besagten Impulse zu geben und die umfassenden Spekulationen zu eröffnen.

In der Trilogie des *Clemens* (Protreptikos, Paidagogos, Stromateis) erklärt erst der Eingang des Werkes »Paidagogos« die Absicht des Ganzen. Hat der Logos das sittliche Streben eines Menschen gewonnen (Protreptikos), dann tritt er als Erzieher an ihn heran, um beratend und tröstend seine Seele zur Vollkommenheit zu bilden. Christus ist der Paidagogos, der Erzieher, der zur Erreichung der ethischen Ziele den Glauben zur Gnosis erhebt, zum »Bewußtwerden des neuen Lichts«.[3] Im Werk des *Clemens* ist also die Pädagogie in erster Linie als christliche Sittenlehre zu verstehen, als individuell-ethische Anweisung zur Vollendung des Christenstandes durch Einführung in die vollkommene Erkenntnis. – Nun ist in der Forschung mehrfach darauf aufmerksam gemacht worden, wie tiefgreifend sich der Schüler des christlichen Stoikers *Pantaenus* auf *Musonius* und *Epiktet* bezieht.[4] Der stoische Einfluß ist unverkennbar; er stellt sich streckenweise in wörtlichen Rezeptionen dar. Doch ist in der Konzeption des *Clemens* sogleich ein neuer Aspekt zu beachten: Die individual-ethische Funktion christlicher Sittenlehre wird apologetisch, vor allem aber ökonomisch-systematisch unterbaut durch geschichtliche Spekulationen, die durch alle Werke der Trilogie hindurchlaufen. Der Logos als Offenbarungsmittler betätigte sich als »Erzieher des Menschengeschlechts«.[5] Durch die Philosophie hat er die Griechen, durch das Gesetz die Juden

[2] Wenn *HLotze* schreibt »Die Erziehung im menschlichen Bereich setzt ein identisches Objekt voraus – während die Menschheit nur als eine Summe flukturierender Individuen gegeben ist« (Mikrokosmos III, [2]1872, 22), so wird zu erklären sein, daß *Clemens* und *Augustin* – auf der Grundlage biblischen Schöpfungsglaubens und biblischer Eschatologie – die Menschheit eben als »identisches Objekt« und nicht als eine »Summe flukturierender Individuen« betrachteten.

[3] *HLietzmann*, Geschichte der Alten Kirche Bd 2 (1936) 292. – Vgl. *Clemens*, Paidagogos I 25–31.

[4] Zuerst: *PWendland*, Quaestiones Musonianae. De Musonio stoico Clementis Alex. aliorumque auctore (1886).

[5] Zu dieser Formulierung vgl. *AvHarnack*, Dogmengeschichte ([7]1931) 141. –*FLoofs*/*KAland*, Leitfaden zum Studium der Dogmengeschichte ([2]1968) 130.

vorbereitet. *Clemens* war bestrebt, überall in der Geschichte die durch den präexistenten Logos gewirkten pädagogischen Hinführungen zu Christus zu finden und sie in ihrer erzieherischen Kraft aufzuweisen. Doch überragt die Offenbarung des Logos durch das Gesetz und die Propheten weit die durch die Philosophie erfolgte.[6] Stets aber ist es ein und derselbe Gott, der von den Griechen ἐθνικῶς, von den Israeliten Ἰουδαϊκῶς und von den Christen πνευματικῶς erkannt worden ist. Daher kann unter der Idee der »Erziehung des Menschengeschlechts« durch den Logos der Philosophie eine zwar untergeordnete, aber bedeutende Stellung in der göttlichen »Erkenntnis- und Sittlichkeitsökonomie« zugewiesen werden. Zusammenfassend wäre zu erklären: Für *Clemens* ist das Christentum, im Paidagogos Christus zum Ziel und zur Wirksamkeit gelangt, *höchste Erkenntnis- und Sittenlehre,* die zuvor als »Erziehung des Menschengeschlechts« durch den in Philosophie und Gesetz waltenden Logos zu ihrer Vollendung geführt worden ist.[7] – Man fragt sich angesichts dieser in Kürze umrissenen Lehre natürlich sogleich: Welcher Begriff von »Erziehung« und welches Verständnis von »Geschichte« bestimmen diese Konzeption? Fraglos ist es das ethizistisch-gesetzliche Movens der Christologie des *Clemens* (Christus als Erzieher), das, die rückwärtsgewandte Logos-Spekulation in Lauf setzend, den Erziehungsbegriff tiefreichend bestimmt hat. Dabei sind die gnostischen Intentionen insofern den gesetzlichen integriert, als die Pädagogie auf die ethische Vollendung des Christenstandes *durch* Einführung in die vollkommene Erkenntnis ausgerichtet ist. »Geschichte« aber ist nur dort aufweisbar, wo der Logos wirksam war: Bei den Griechen und bei den Juden, auf deren Weg die göttliche Erziehung erkennbar wurde. Griechen und Juden sind »die Menschheit«; jedenfalls sind es diejenigen Menschen, die sinnvoll und zielbestimmt vom Logos geführt wurden. Die Geschichtstheologie des *Clemens* bleibt also begrenzt. Ihre Leitlinie ist die Geschichte der Logos-Erziehung durch das Gesetz des Alten Testaments; hinzutritt, der Tradition der Apologeten folgend, die Philosophiegeschichte der Griechen – in der rudimentären Rezeptionsweise, deren die alte Kirche fähig war.

Clemens von Alexandrien hatte als erster christlicher Theologe eine unter der Idee »Geschichte als Erziehung« entwickelte Geschichtstheo-

[6] Bekanntlich war *Clemens* der Auffassung, daß auch *Pythagoras* und *Platon* der mosaischen Offenbarung die wichtigsten Erkenntnisse zu verdanken haben, weil sie aus dem älteren Alten Testament schöpfen konnten (vgl. Stromateis I 165; V 89ff; VI 39 u. ö.). – Zum »Gesetz als Erzieher« vgl. *HSeesemann*, Das Paulusverständnis des Clemens v. Alex., ThStKr 107 (1936) 312ff.

[7] Vgl. *FQuatember*, Die christliche Lebenshaltung des Klemens v. Alex. nach seinem Paedagogos (1946). – *WVölker*, Die Vollkommenheitslehre des Clemens Alex. in ihrem geschichtlichen Zusammenhang, ThZ 3 (1947) 15ff.

logie vorgetragen. Unter ganz neuen Prinzipien und in völlig andersartiger Ausführungsweise ging *Augustin* vor, obwohl auch bei ihm, wie schon angedeutet wurde, die gleiche spekulative Tendenz bestimmend ist und der stoische Impuls nachwirkt.[8] *Augustin* versteht in »De civitate Dei« Geschichte (von Gott aus gesehen) als Theodizee. Vom Standpunkt des Menschen betrachtet ist sie als Pädagogie aufzunehmen. Der Vergleich zwischen der Erziehung des einzelnen Menschen und der Menschheit wird konsequent durchgeführt und am Modell der »Weltenwoche« bzw. der Weltalterlehre expliziert.[9] Die sechs Epochen des Gottesreiches[10] sind in der Schöpfungswoche vorgezeichnet. Neben diese Einteilung tritt, nach den sechs Altersstufen des Menschen gegliedert, die geschichtspädagogische Konzeption, die ebenfalls in der Schöpfungswoche präfiguriert ist. Beide epochalen Systeme entsprechen und deuten einander. Die erste *aetas* (*infantia*) bestand ohne den Schutz des Gottesbundes; sie gleicht der dem Vergessen anheimgegebenen frühsten Kindheit.[11] Die zweite *aetas* (*pueritia*) fand im noachitischen Bund ihre Ausprägung. In der dritten *aetas* (*adolescentia*) geschah die Aussonderung des *populus Dei*. Die vierte *aetas* (*iuventus*) umfaßt die Epoche des theokratischen Königtums Davids und der Davididen. Die Niedergangszeit des jüdischen Volkes wird dann als *senioris aetas* bezeichnet. Die sechste, nachchristliche *aetas* der *ecclesia* schließlich überwindet den populus Dei und bringt das Judentum zur *senectus*.[12] Überschaut man diese *aetas*-Lehre, so wird zu erklären sein: »wie die richtige Erziehung des einzelnen Menschen, so schritt auch die Menschheit, soweit sie zum Volke Gottes gehört, in gewissen Zeitabschnitten nach Altersstufen voran, vom Zeitlichen zum Verständnis des Ewigen und vom Sichtbaren zur Erfassung des Unsichtbaren.«[13] Man wird dieses an den Epochen der *aetates* orientierte Erziehungsdenken zunächst für sich betrachten müssen. Es ist gekennzeichnet: 1. Durch ein *vergangenes Geschehen deutendes Prinzip* (die Geschichte des *populus Dei war* göttliche *Pädagogie*); 2. durch ein

[8] Noch einmal sei auf *HScholz*, Glaube und Unglaube in der Weltgeschichte (1911) 146 hingewiesen. Den Deutungen von *Scholz* (vgl. den Abschnitt »Die Geschichte als Pädagogie« 144ff) werden wir weitgehend folgen, dann aber vor allem *KHSchwarte*, Die Vorgeschichte der Augustinischen Weltalterlehre (1966) zur [illegible]

[9] Vgl. vor allem: De civitate Dei X, 14.1, 424.

[10] 1. Von Adam bis zur Sintflut, 2. von Noah bis Abraham, 3. von Abraham bis David, 4. von David bis zum babylonischen Exil, 5. vom Exil bis zur Geburt Christi, 6. vom ersten Erscheinen Christi bis zu seiner Parusie.

[11] Vgl. *KHSchwarte*, aaO 52.

[12] Dieser Aspekt des »*mundus senescens*« wirkt nach in *Hegels* Rede vom »Greisenalter des Geistes«.

[13] *HScholz*, aaO 144f.

Zeitverständnis, das den Progreß der Geschichte auf den *einen* Leib des in sich identischen, vom Kind zum Greis wachsenden Gottesvolkes bezieht; 3. durch ein Reden von Gott, in dem Gericht und Gnade dem Oberbegriff der zweckhaften und zielgerichteten Erziehung unterstellt sind. Doch wird man in alledem die platonische Komponente nicht übersehen dürfen: Die Pädagogie führt vom Sichtbaren zum Unsichtbaren, vom Zeitlichen zum Ewigen. Alles aber, was zu dem das *vergangene* Erziehungsgeschehen deutenden Prinzip zu sagen ist, hat *gegenwärtige* Relevanz, da es gilt, daß der erziehende Gott in der seine geschehene Pädagogie kennzeichnenden Verhaltens- und Führungsweise in der *civitas Dei* und in der *civitas terrena* bis zum Ende der Zeiten tätig ist. Hauptsächlich durch Leiden erzieht dieser Gott in der Geschichte.[14] Auch die Häretiker gehören zu den erziehenden Mächten, die er einsetzt.[15] Gewiß kann man von *Augustin* »kein besonderes Interesse für die weltliche Geschichte erwarten«,[16] aber es bleibt unter dem herrschenden Gesichtspunkt der *paedagogia Dei* nicht aus, daß auch die *causae latentiores* in der Weltgeschichte zur Sprache kommen. So könnte – nach *Augustins* Auffassung – auch die Begünstigung Roms auf einen geheimen göttlichen Erziehungsplan zurückzuführen sein.[17] Auf jeden Fall aber ist die Geschichte der Gottesoffenbarung als geschehene Pädagogie und der Weg der *civitas Dei* als geschehende erzieherische Führung die hohe Schule des gesamten Menschengeschlechts.

Die Aufgabe unserer Studie kann es nicht sein, die Nachwirkungen des augustinischen Geschichtsverständnisses im Mittelalter aufzuzeigen.[18] Kommt es nur darauf an, bezeichnende Typen der zum Thema »Geschichte als Erziehung« vorgelegten Entwürfe zu umreißen, so wird jetzt ein beachtenswerter Versuch kritischer Rezeption der Gedanken *Augustins* im Zeitalter der Reformation zu bedenken sein. *Calvin* hat in seiner »Institutio« ohne Frage den Begriff und die grundlegenden Vorstellungen der *paedagogia Dei* von *Augustin* übernommen. Aber er hat eine einschneidende Eliminierung des gesamten mit der Weltalterlehre verbundenen spekulativen Gedankengutes vollzogen. Die *aetas*-Lehre wird reduziert auf zwei »Epochen«: Die *aetas puerilis* (des alten Bundes) und die *aetas virilis* (des neuen Bundes).[19]

[14] Vgl. *KLöwith*, Weltgeschichte und Heilsgeschehen ([3]1953) 157. – Ob man darum die Erziehung Gottes in der Sicht Augustins einen »tragischen Prozeß« (*HScholz*, aaO 145) nennen kann, dürfte zu überprüfen sein.

[15] De civitate Dei XVI, 2.2, 122. – Vgl. *HScholz*, aaO 145.

[16] So *KLöwith*, aaO 158.

[17] Zu diesem Gedanken vgl. *HScholz*, aaO 145.

[18] Vgl. dazu vor allem das Buch von *KLöwith*.

[19] Die Rede *Calvins* von der »aetas virilis« (Inst. II, 11, 5) bezieht sich fraglos auf

Im Brennpunkt der zahlreichen Äußerungen *Calvins* zu diesen *aetates* steht die *biblische Begründung*, die im Hinweis auf Gal 3$_{24}$ und 4$_{1}$ gegeben wird. Aufschluß gibt der Abschnitt Inst. II, 11, 5. Dort wird erklärt, die Juden hätten »wegen ihrer Jugend« noch unter der Hut des »Zuchtmeisters« stehen müssen. *Calvin* fährt dann fort: »Der Herr hat ihnen eben das Licht seines Wortes *so* zugemessen, daß sie es noch recht dunkel und bloß von ferne erschauten. Diese dürftige Erkenntnis nennt nun Paulus ›Kindheit‹: Gott wollte die Gläubigen in diesem Zustande in den Anfangsgründen dieser Welt und im Halten *äußerlicher* Vorschriften, also gewissermaßen nach der Art des Neulingsunterrichts, üben, bis Christus in seinem Glanze hervorstrahlte, durch ihn sollte die Erkenntnis der Gläubigen zum Mannesalter heranwachsen.«[20] Obwohl es unverkennbar ist, daß *Calvin* mit solchen Erklärungen von *Augustin* abrückt und eine biblische Fundierung der Rede von der *paedogogia Dei* sucht, bleibt er doch in dem platonisierenden Schema des Kirchenvaters haften. Das Moment der Erkenntnissteigerung, der Progreß vom Zeitlichen zum Ewigen und vom Sichtbaren zum Unsichtbaren kommt vor allem dort zur Geltung, wo die *rudimenta*[21] und *elementa*[22] der *aetas puerilis* der *lux*, *intelligentia* und *cognitio* des neuen Bundes schroff gegenübergestellt werden. Zudem folgt *Calvin* auch darin *Augustin*, daß er die Erziehung Gottes für einen *geschehenen* Vorgang hält, der die Geschichte des Alten Testaments erklärt und das Überholte, das Abrogierte als *aetas*-bedingt zu kennzeichnen vermag. So gehört das gesamte Zeremonialgesetz in den Bereich der »Erziehung der Juden«.[23] Auch Gebilde wie zB die Cherubim sind der Erziehung unter dem Gesetz zuzuweisen; sie gehören zu den *rudimenta* eines *saeculum puerile*, das vergangen ist (*praeteriit*).[24] Nur scheinbar aktuell wird die *paedagogia Dei* im Zusammenhang des *triplex usus legis*. Den Satz des Paulus, das Gesetz sei ein »Zuchtmeister auf Christus« (Gal 3$_{24}$), bezieht *Calvin* auf den *usus elenchticus* und auf den *usus politicus legis*,[25] doch fällt auf, wie auch in diesem Zusammenhang das Tempus in die Vergangenheit und der

die Wendung εἰς ἄνδρα τέλειον in Eph 4$_{13}$. Wie die Formulierung »aetas puerilis« biblisch begründet wird, wird noch zu zeigen sein.

20 Inst. II, 11, 5 (übers. nach OWeber). Vgl. OS III, 428. – Zu den Problemen: *HHWolf*, Die Einheit des Bundes. Das Verhältnis von Altem und Neuem Testament bei Calvin (²1958).

21 Inst. I, 11, 3.

22 Inst. II, 11, 5.

23 Inst. IV, 20, 15.

24 Inst. I, 11, 3.

25 Inst. I, 7, 11: »Ad utrunque vero accomodari potest quod alibi dicit, legem fuisse Iudaeis paedagogem ad Christum« (OS III, 336f).

Scopus auf die Juden weist. Gleichwohl kann man doch nicht behaupten, *Calvin* habe die genannten *usus legis* als überholt und abgetan ausschließlich der *aetas puerilis* zugewiesen. Deutlich ist gerade an dieser Stelle zu erkennen, wie die Möglichkeit, das Erziehungsdenken konsequent durchzusetzen, zerbricht. Letztlich bleibt die *paedagogia Dei* bei *Calvin* ein *kritisches Prinzip*, das die heilsgeschichtliche Außerkraftsetzung des in der früheren *aetas* »Sinnvollen«, weil erzieherisch Notwendigen, zu apostrophieren und zu erklären imstande ist. In diesem Zusammenhang ist es bemerkenswert, daß der Gedanke der Erziehung im dritten *usus legis* (*usus in renatis*) nirgendwo auftritt, auch keine ekklesiologische Bedeutung bekommt und schließlich – soweit ich sehe – nie das weltgeschichtliche Walten Gottes beschreibt.[26] Ist aber die *paedagogia Dei* bei *Calvin* (als ein von Gal 3$_{24}$ eröffneter Geschichtsaspekt) nur ein kritisches Prinzip, dann wird man hier nicht im allgemeinen Sinn von »Geschichte als Erziehung« sprechen können, auch nicht in einem konkreteren, thematisierenden Verständnis im Blick auf die Geschichte des alten Bundes. Denn *Calvin* läßt sich von einer Vielzahl biblischer Eröffnungen und Perspektiven leiten, unter denen die »Geschichte des Gottesbundes« die entscheidende ist.[27]

Eine Ausweitung der humanistischen *eruditio*-Idee auf die Universalgeschichte vollzog *Gotthold Ephraim Lessing* in seinem Entwurf »Die Erziehung des Menschengeschlechts«. Im Zeitalter der Aufklärung lag diese Idee »in der Luft«. Der zur Mündigkeit und zum Mannesalter der Erkenntnis gereifte Mensch vermochte vergangene, frühe Geschichte nur als »kindliches Zeitalter« zu verstehen. »Offenbarung« wurde als pädagogisches Wirken Gottes in den weltgeschichtlichen Epochen aufgefaßt. So setzt *Lessing* mit der Erklärung ein: »Was die Erziehung bei den einzelnen Menschen ist, ist die Offenbarung bei dem ganzen Menschengeschlechte, Erziehung ist Offenbarung, die dem einzelnen Menschen geschieht: und Offenbarung ist Erziehung, die dem Menschengeschlechte geschehen ist und noch geschieht.«[28] Auch das Alte Testament hat in diesem Erziehungswalten Gottes seinen Platz: »Während daß Gott sein erwähltes Volk durch alle Staffeln einer kindlichen Erziehung führte, waren die anderen Völker des Erdbodens bei dem Lichte der Vernunft ihren Weg fortgegangen. Die meisten derselben waren ihm zuvorgekommen. Und auch das geschieht bei Kindern, die man für sich aufwachsen läßt, viele bleiben ganz roh, einige bilden

[26] Was die Welt- und Völkergeschichte betrifft, so hat *Calvin* in diesen Bereichen konsequent den Begriff der providentia Dei durchgesetzt. Vgl. *JBohatec*, Gott und die Geschichte nach Calvin, Philos. Ref. 1 (1936) 129ff. – *HBerger*, Calvins Geschichtsauffassung (1955).

[27] Vgl. *GSchrenk*, Gottesreich und Bund im älteren Protestantismus (1923) 36ff.

[28] Die Erziehung des Menschengeschlechts § 1.

sich zum Erstaunen selbst.«[29] Die Schriften des Alten Testaments gelten als »Elementarbücher für das rohe und im Denken ungeübte israelitische Volk«. Doch auf dem Weg zu der großen religiösen Wahrheit, der höchsten Stufe der Aufklärung und Reinigung des Menschengeschlechts, waren *alle Völker* unterwegs. Ihnen war die Vernunft die weise Erzieherin. Man erinnert sich sogleich an die Logos-Spekulationen des *Clemens*; doch unterscheidet sich *Lessings* Anschauung wesentlich von der des Alexandriners. Die »Erziehung des Menschengeschlechts« vollzieht sich nicht nur in universaler Weite, sie erstreckt sich geschichtswirksam auch auf die Gegenwart und auf die Zukunft der zu höherer Erkenntnis geführten Menschheit. Dabei ist die Geschichte Israels keineswegs die bestimmende Leitlinie des Progressus; sie ist im universalen Prozeß ein integriertes religiöses Agens, das auch hinsichtlich der Christuserfüllung über sich hinausweist. Christus, der »beßre Pädagog«, der dem Kind »das erschöpfte Elementarbuch« aus den Händen reißt, ist nicht »der Letzte«: »Sie wird gewiß kommen, die Zeit eines *neuen, ewigen Evangeliums*, die uns selbst in den Elementarbüchern des Neuen Testaments versprochen wird.«[30] Die kommende Zeit wird demnach auch die Schriften des Neuen Testaments als »Elementarbücher« abrogieren. Biblische Geschichte ist nur ein »Vehiculum« des universalen Erziehungsprozesses, der dem Eschaton der Erkenntnis »ewiger Vernunftwahrheit« entgegengeht. Deutlich zeigt diese Konzeption, daß die Idee »Geschichte als Erziehung«, konsequent und humanistisch-universal in Ansatz und zur Ausführung gebracht, eine spekulative Verallgemeinerung aus sich heraussetzt, die der Lebens- und Weltanschauung des Zeitalters der Aufklärung entspricht. Tritt als Objekt der Erziehung »das Menschengeschlecht« als verabsolutierte Größe makro-humanistischer Ideologie ins Bild, wird jeder heilsgeschichtliche Progreß als »Einschränkung« abgewiesen und die biblische Eschatologie im Sinn der im kommenden Äon zur Reife gelangenden ewigen Vernunftwahrheiten beerbt, dann muß dem allem auch eine weise, hypostasierte Vernunftmacht als »Gott« korrespondieren – eine Gottheit, die als Pädagoge die Ziele einer immer stärker geläuterten *ratio* und einer immer heller werdenden rationalen Religiosität verfolgt.[31]

Die Gedanken *Lessings* haben eine starke Nachwirkung gehabt; sie an dieser Stelle zu verfolgen, ist nicht möglich. Zuletzt soll vielmehr ein theologisches Werk Beachtung finden, das in der neueren Theologiegeschichte die Idee »Geschichte als Erziehung« am umfassendsten und deutlichsten eingeführt und durchgesetzt hat. Es handelt sich um

[29] AaO § 20.
[30] AaO § 86.
[31] Vgl. *HJKraus*, Die Biblische Theologie – ihre Geschichte und Problematik (1970) 199ff.

Martin Kählers »Die Wissenschaft der christlichen Lehre« (³1905).[32] In den Darstellungen der Theologie *Kählers* ist viel zu wenig beachtet worden, welche Bedeutung dem Erziehungsgedanken zukommt und mit welcher Konsequenz diese Idee zur Ausführung gelangt.[33] Nach *Kähler* vollzieht sich die biblische Geschichte unter dem stets wachen Bewußtsein derer, die sie erleben, als Selbstbekundung Gottes. Der Stufengang Verheißung-Erfüllung, in dem diese Geschichte voranschreitet, tritt für die Betrachtung als »der planmäßige Zusammenhang einer Erziehung zur vollen Empfänglichkeit für die erneuernde Gemeinschaft mit Gott heraus.«[34] Diese »erkennbar zweckmäßige Führung« entnimmt die bedeutsamen Ereignisse der Offenbarungs- und Verkündigungsgeschichte der Bibel dem undurchsichtigen Spiel der die Geschichte bedingenden Kräfte. Doch der redende und handelnde Gott ist in seiner Selbstbekundung nie »Selbstzweck«. Der Begriff der Erziehung erinnert an die Erkenntnis, daß der Gang der Offenbarung durch eine soteriologische Zweck- und Zielbestimmtheit gekennzeichnet ist.[35] »Gott verwirklicht seinen heiligenden Willen oder seinen Heilsrat in einem erziehenden Stufengang.«[36] Gesetz und Propheten sind Mittler der »erziehenden Gerechtigkeit«,[37] die ebenso die Unwandelbarkeit der Gnade Gottes wie die Unausbleiblichkeit seines Zieles bezeugen. Das ganze Alte Testament hat pädagogischen Charakter als »planvolle Vorbereitung des Heilandswerks Jesu« und als Schule des Glaubens und der Führung.[38] Diese Erziehung aber wurde nicht nur den Juden zuteil. »Vielmehr bleibt es ja fort und fort die Aufgabe der geschichtlichen Offenbarung, die Menschheit zu erziehen, wie sie Israel erzogen hat; und unter diese Erziehung treten immer neue Völker, Geschlechter und Individuen, welche geborene und meistens auch erzogene Heiden, dh Gott fremde Menschen sind. Die Weisheit Gottes setzt das Wunderwerk fort, Menschen, die er erzieht, zu Werkzeugen der Erziehungsarbeit zu machen.[39] Die Bibel ist aus dieser erziehenden Geschichte hervorgegangen; sie betreibt recht eigentlich das göttliche Erziehungswerk – »als Bildungsbuch für alle Völker und als Erzie-

[32] Über dieses dogmatische Hauptwerk *Kählers* hinaus werden natürlich auch die Aufsätze in den Bänden »Dogmatische Zeitfragen« (I ²1907; II 1898; III 1913) zu beachten sein.

[33] Wenn ich recht sehe, hat *Kähler* die Idee »Geschichte als Erziehung« von *RRothe* (Dogmatik II, 1, 1870) übernommen, sie aber in einer umfassenden Weise zur Geltung gebracht. Vgl. *HJKraus,* Die Biblische Theologie (1970) 234f.

[34] *MKähler,* Die Wissenschaft der christlichen Lehre (³1905/1966) 195.

[35] AaO 196.

[36] AaO 500.

[37] AaO 312.

[38] *MKähler,* Jesus und das Alte Testament, Dogm. Zeitfragen I, 138ff.

[39] Die Wissenschaft der christl. Lehre, 212.

hungsbuch für die Christenheit.«[40] Somit ist also keinen Augenblick daran Zweifel gelassen, daß die biblische Geschichte – und um sie handelt es sich allein! – eine in Verkündigung und Schrift gegenwärtige und lebendige Pädagogie Gottes ist. Die erzieherischen Wirkungen in der Menschheit gehen ausschließlich von dieser biblischen Geschichte aus.

II.

Die zunächst dem Alten Testament zugewandten Nachfragen werden festzustellen haben, unter welchen Voraussetzungen und in welchen Zusammenhängen jene Texte zu erklären und zu verstehen sind, die vom Erziehungswirken Jahwes an seinem Volk Israel handeln.[41] Da die in diesem Themenkreis in Betracht kommenden Begriffe und Vorstellungen ausnahmslos auf das Geschehen der Sohneserziehung verweisen, wird, vor allem in den Traditionen alttestamentlicher Weisheit, eine erste Orientierung hinsichtlich des Verständnisses von Pädagogie zu suchen sein. Und schon jetzt wird erklärt werden müssen, daß die Übertragung aus dem Einzelleben auf die geschichtliche Gemeinschaft – sieht man von Ps 94$_{10}$ ab – sich *nur auf Israel* erstreckt. Eine »Erziehung des Menschengeschlechts« ist weder im Alten noch im Neuen Testament zu finden.[42]

Das Verbum יסר bezeichnet vornehmlich die *Erziehung in der Familie*. Der Vater belehrt und unterweist den Sohn (Dt 8$_{5}$; Prv 31$_{1}$). Wenn er abirrt oder sich vergeht, warnt ihn der Vater (יסר ni); er fordert ihn auf, Zurechtweisungen anzunehmen und nicht zu verwerfen (Prv 19$_{27}$); er ruft ihn auf zu neuem Gehorsam (Dt 21$_{18}$; Prv 4$_{1}$). Strafe und Züchtigung sind die wirksamen pädagogischen Methoden (Prv 15$_{10}$; 23$_{13}$). מוסר רע trifft den, der vom Pfad abweicht; wer die Züchtigung haßt, geht zugrunde (Prv 15$_{10}$; 23$_{13}$). Hart ist die deuteronomische Verordnung über das Verfahren gegen einen widerspenstigen Sohn in Dt 21$_{18ff}$.[43] »Das Oberhaupt der Familie hat keine eigene

[40] AaO 207.

[41] Daher wird schon jetzt zu beachten sein, daß von einem über Israel hinausgehenden geschichtlichen Erziehungswirken Jahwes nur an einer einzigen Stelle die Rede ist, in Ps 94$_{10}$: »Der die Völker züchtigt, sollte der nicht strafen? Der die Menschen lehrt, sollte der ohne Erkenntnis sein?« Im Kontext der Psalmen und in der Topik der Psalmensprache ist das »Züchtigen« und »Strafen« der Völker fraglos vom universalen Richten des שׁופט Jahwe her zu verstehen (Ps 9$_{5}$; 7$_{9}$; 96$_{10}$ u. ö.). Vgl. *HJKraus*, Psalmen, BK XV (^{3}1966) 58f.

[42] So ist also die Idee der »Erziehung des Menschengeschlechts« nicht biblischen, sondern *stoischen* Ursprungs.

[43] *GvRad* macht darauf aufmerksam, daß diese Verordnung gegenüber dem einzigen rechtsgeschichtlichen Vergleichsmaterial (Gen 38$_{24}$) »eine viel jüngere Phase der Entwicklung« repräsentiert (Das fünfte Buch Mose, ATD 8, 1964, 99).

Jurisdiktion über die erwachsenen Glieder seiner Familie; er muß den Fall der Ortsgerichtsbarkeit, also den Ältesten der Stadt übergeben.«[44] Sie steinigen ihn zu Tode. – Grundsätzlich aber gilt: Züchtigung und Zucht sind ein »Weg des Lebens« (דרך חיים Prv 6$_{23}$); doch wer Züchtigung haßt, muß sterben (ימות Prv 15$_{10}$). Der Erzieher ist gehalten, angesichts dieses letzten Ernstes streng und unnachgiebig zu strafen und zu züchtigen.

Die Psalmen, und insbesondere die individuellen Klagelieder, geben zu erkennen, daß der leidende und von mancherlei Not geschlagene Gottesknecht sich der *Strafe und Züchtigung Jahwes* ausgesetzt sieht. Er weiß sich um seiner Schuld willen gestraft (Ps 39$_{12}$). Ihn trifft der Zorn Jahwes (Ps 6$_{2}$). Wird er aber vom drohenden Tod und Verderben errettet, dann ruft er aus:

> »Gezüchtigt hat mich Jahwe,
> dem Tod aber übergab er mich nicht« (Ps 118$_{18}$).

Ziel der Züchtigung ist also das Leben. Doch das Thema »Jahwe als Erzieher des Menschen« hat in der alttestamentlichen Weisheitsdichtung vielfältige und im einzelnen hier nicht darstellbare Dimensionen. So weiß sich der צדיק erzogen und unterwiesen von Jahwe »aus der Tora«.[45] Und in der Schule der Weisheit wird der Schüler ermahnt:

> »Mein Sohn, verwirf nicht die Zurechtweisung Jahwes
> und sei nicht unmutig über seine Züchtigung!« (Prv 3$_{11}$).

Eliphas kann sogar den Mann glücklich preisen, der von Jahwe gezüchtigt wird (Hi 5$_{17}$). Denn – so sagt es Prv 3$_{12}$ –, wen Jahwe liebt, den züchtigt er, wie ein Vater den Sohn, dessen Gutes er will. Elihu weitet diesen Aspekt aus. Er spricht vom pädagogischen Handeln Jahwes am sündigen Menschen, das unter Leiden und Schmerzen zur Besinnung und zur Einsicht führen kann (Hi 33$_{12ff}$). »Aber aufs Ganze gesehen muß es doch auffallen, wie schwer es Israel gefallen ist, das Leiden, das es zumeist für etwas absolut Lebensfeindliches gehalten hat, derart zu relativieren, und wie zögernd es zu einer rationalisierenden Betrachtung der Leiden als einer dem Glauben begreiflichen göttlichen Pädagogie hingefunden hat.«[46] Darum sind es letztlich sehr verschiedene Akte, ob ein Mensch in der danksagenden *confessio* die Züchtigung Jahwes erkennt (Ps 118$_{18}$), oder ob er in einer lehrhaften Theorie sein erzieherisches Handeln durchdringt und deutet (Hi 33$_{12ff}$).

[44] *GvRad*, aaO 99.
[45] Zum Spruch Ps 94$_{12}$ vgl. *HJKraus*, Psalmen, zSt.
[46] *GvRad*, Theologie des Alten Testaments I ([4]1962) 415. – Vgl. auch *JASanders*, Suffering as Divine Disciplin in the Old Testament and Post-Biblical Judaism, Colgate Rochester Divinity School Bulletin 28 (1955).

Das Hiob-Buch als Ganzes ist ein Zeugnis für das Scheitern der lehrhaften Theorie.[47]

Daß Jahwe sein Volk Israel erzieht – diese Vorstellung begegnet im Alten Testament zuerst in der *Prophetie des Hosea.*[48] In Hos 5$_{2}$ stellt Jahwe sich selbst als מיסר vor.[49] Er erscheint als der »Erzieher Israels«, der seinen משפט durchsetzen will (Hos 6$_{5}$). יסר wird zu einem »Kennwort hoseanischer Theologie« (Hos 7$_{12.15}$; 10$_{10}$).[50] In zweifacher Weise wirkt das Erziehungshandeln Jahwes sich aus: In der Stärkung »ihrer Arme« (Hos 7$_{15}$), und dh in der Zurüstung und Stärkung der geschichtlichen Lebenskraft Israels. Doch da das Volk Böses gegen seinen Gott plante (Hos 7$_{15}$), wandte sich die Guttat in Gericht und Züchtigung, in Widerstand gegen den Lauf und Höhenflug der Abtrünnigen (Hos 7$_{12}$). Jahwe selbst kommt, sie zu züchtigen; Völker scharen sich gegen Israel zusammen (Hos 10$_{10}$). Doch der Erziehungsgedanke greift bei Hosea tiefer: »Jahwes Handeln an Israel hat bei ihm gelegentlich etwas von einer pädagogischen Planmäßigkeit, die vor allem durch Entzug und Eingrenzung die Verirrten wieder zurechtbringen möchte.«[51] Damit ist so etwas wie ein »rationaler Ausgleich zwischen dem Gerichts- und Heilshandeln Gottes erreicht.«[52] Besser spräche man hinsichtlich dieser »Erziehung Jahwes« von einem »Oberbegriff«, der nicht rational im menschlichen Gleichnis, sondern in der souveränen Gottheit Gottes begründet ist (Hos 11$_{9}$). Das aber will besagen: Keineswegs wird man das Erziehungswirken Jahwes an einem pädagogischen Gemeinbegriff messen dürfen; es ist das Erziehungswirken *Jahwes,* das von den göttlichen Taten des Heils, des Gerichts und der Führung her bestimmt ist. Zwar wirken die Aspekte der Erziehung des Einzelnen, wie sie insbesondere in der Weisheitsliteratur des Alten Testaments gewonnen werden können, in die prophetischen Vorstellungen hinein,[53] doch werden diese metaphorisch eingesetzten Momente von dem besonderen Walten Jahwes geprägt. Diese Tatsache ist in den

[47] Nur am Rande sei bemerkt, daß die Zurechtweisung und Züchtigung Jahwes in besonderer Weise den König (2Sam 7$_{14}$) und den Propheten (Jes 8$_{11}$) trifft. Sie werden mit harten Zugriffen dahin geleitet, nicht »auf dem Weg dieses Volkes« (Jes 8$_{11}$) zu wandeln.

[48] Doch wird man fragen können, ob diese Vorstellung nicht auf ältere Traditionen zurückgeht, die in der Verkündigungsüberlieferung des Deuteronomiums an den Tag kommen (vgl. Dt 8$_{3ff}$; 11$_{2}$). Zu den traditionsgeschichtlichen Problemen vgl. *HWWolff,* Hoseas geistige Heimat, GesStud (1964) 232f, insbesondere 248ff.

[49] Zum Text und seiner Erklärung vgl. *HWWolff,* Dodekapropheton I, Hosea, BK XIV/1 (^{2}1965) 119f. 125.

[50] *HWWolff,* aaO 125.

[51] *GvRad,* Theologie des Alten Testaments II (^{4}1965) 151. – Vgl. Hos 2$_{11ff}$; 3$_{3-5}$; 11$_{1ff}$.

[52] *GvRad,* aaO 152.

[53] Vgl. *HWWolffs* Erklärungen auf S. 125 seines Kommentars.

im I. Teil vorgeführten theologiegeschichtlichen Entwürfen kaum – rudimentär allenfalls von *Calvin* und *Kähler* – bedacht worden. Zudem stehen alle diese Entwürfe im Zeichen einer von stoisch-humanistischen Voraussetzungen bestimmten *eruditio*-Idee, der schon in den Prämissen des Verstehens die Härte, Schärfe und Eigenart der altorientalischen und altisraelitischen Pädagogie fremd ist.[54]

In der *Prophetie des Jesaja* sind es nur zwei Stellen, an denen vom Erziehungswirken Jahwes an seinem Volk die Rede ist: Jes 1_{2ff} und – indirekt – Jes 28_{13ff}. Das Jahwe-Wort in Jes 1_{2} deutet die Mühsal der Erziehung an. Es ist als Klage eines Vaters stilisiert, der – vgl. Dt 21_{18ff} – zum Äußersten schreitet und den rebellischen Sohn der Justiz zu übergeben im Begriff steht.[55] Aber der Hinweis auf die Guttaten Jahwes ist nicht zu übersehen. Wie in Hos 7_{15} wird die Erstarkung, die »Erhöhung« (רומם) des Gottesvolkes apostrophiert. Die Geschichte Israels wird als ein Großziehen der Söhne durch Jahwe verstanden. Aber sie haben sich aufgelehnt (פשעו). Darum wurden sie von scharfen Züchtigungen getroffen, die freilich nicht zu der erhofften Erkenntnis und Einsicht führten (Jes 1_{3}). Doch das Bild von der Erziehung geht in Jes 1_{2-9} nicht auf. Mag immerhin die Klage des Vaters in ihrer Stilisierung – wie *vRad* (wohl unter Herausstellung der kleineren Texteinheit V. 2 u. 3) meint – dem Verfahren in Dt 21_{18ff} nahekommen, für Jesaja ist eine zwar betrübliche und äußerst dürftige Tatsache, aber eine heilsträchtige Hoffnung der Scopus der Rede: Die »Tochter Zion«, übriggeblieben wie eine Hütte im Weinberg, ist als »Rest« von Jahwe aufbewahrt worden (Jes 1_{8f}). Der »Rest«-Gedanke löst die Erziehungsvorstellung ab; sie wird nicht bis zum Zielpunkt der Rede durchgezogen.[56] – Auch der Maschal in Jes 28_{23ff} darf hinichtlich der »*Erziehung* Jahwes in der Geschichte« nicht überschätzt werden. Zwar wird der Landmann im Gleichnis »unterwiesen«, zur rechten Zeit das Rechte zu tun (Jes 28_{26}), doch die Unterweisung über das Geschichtswalten Jahwes, der zur rechten Zeit das Rechte tut, ist letztlich doch keineswegs so einsichtig und unübersehbar wie das unter Jahwes Anleitung stehende, folgerichtige und planvoll abgemessene Schaffen des Landmannes: »Wunderbar ist sein Rat und groß ist seine Weisheit« (Jes 28_{29}). Das tertium comparationis wird über die Vergleichung hoch hinausgehoben.[57] Hier liegt die un-

[54] Zur altorientalischen und alttestamentlichen Pädagogie vgl. *LDürr*, Das Erziehungswesen im Alten Testament und im Antiken Orient (1932).

[55] Vgl. *GvRad*, Theologie des Alten Testaments II, 158.

[56] Zur Texteinheit (V. 1–9) vgl. *OProcksch*, Jesaja I (1930) 27ff.

[57] Das Schlüsselwort des Maschal ist zweifellos משפט (V. 26). Das Gleichnis tritt der Auffassung entgegen, Jahwe handle in der Geschichte willkürlich. Demgegenüber weist der Prophet darauf hin, daß Jahwes Geschichtswalten »in Ordnung«

übersteigbare Grenze jeder Konzeption, die Gottes Erziehungswirken in der Geschichte einsichtig, folgerichtig und überschaubar aufweisen und darstellen möchte.

Im *Buch Jeremia* sind die Erziehungsvorstellungen von großer innerer Geschlossenheit. Unheil und Abkehr Israels sollen – das sind die frühen Rufe des Propheten – als Züchtigung erkannt werden und zur Einsicht führen (Jer 2₁₉). Aber der Ruf ist hoffnungslos, das Gericht der Strafen ohne Wirkung: Umsonst ist Israel geschlagen worden, es nahm die Züchtigung nicht an.[58] Keine Spur eines »planvollen Erziehungswirkens« ist wahrzunehmen.[59] מוסר ist härtestes Gericht. Mit »Feindesschlag« (מכת אויב) hat Jahwe sein Volk geschlagen, »grausame Züchtigung« (אכזרי מוסר) war seine Reaktion auf die übergroße Schuld (Jer 30₁₄). Nur in Jer 31₁₈ vernimmt man – in der Gattung eines Klageliedes – die Stimme der Erkenntnis und Einsicht. Ephraim klagt, es sei wie ein junges, unbelehrbares Rind gezüchtigt worden.[60] Ephraim bittet um Umkehr und Heimkehr. So tritt die Erziehungsvorstellung ganz unter die übergeordnete Thematik »Gericht und Umkehr«. Das Buch Jeremia zeigt am deutlichsten, daß eine mögliche Rede von Gottes erzieherischem Wirken aus diesem entscheidenden Kontext nicht gelöst werden kann. Würde eine solche Loslösung erfolgen, dann bedeutete diese ein Ausbrechen in geschichtstranszendente Spekulationen.

Zu beachten ist alsdann die *Strafandrohung in Lev 26*[61]. In V. 18 heißt es: »Und wenn ihr mir auch dann noch nicht gehorcht, so werde ich euch noch weiter züchtigen«. Der erste Satzteil nimmt auf geschehene Züchtigungen Bezug, der zweite kündigt neue Strafen an: Zerbrechen des Wohlstandes, Verschließen des Himmels, Ertraglosigkeit der Arbeit, Einbrechen wilder Tiere, Dezimierung des Volkes und Verödung der Wohnstätten.[62] Israel ist zum Gehorsam gegen seinen Gott berufen und bestimmt. Die Züchtigung und Strafe[63] trifft die Unge-

geschieht (*BDuhm,* Das Buch Jesaja, ⁴1922, 204); aber der Begriff משפט wird zuletzt überhöht und ersetzt durch עצה (V. 29). Jahwes Wirken geschieht nach *seinem* »Plan«, und dh es ist »wunderbar« und unergründlich in seiner Weisheit.

58 Jer 2₃₀; 5₃; 7₂₈; 17₂₃; 32₃₃ u. ö.

59 Allenfalls in der Formulierung »züchtigen will ich dich nach Maß« (למשפט) könnte man Andeutungen einer disponierenden Erziehung sehen (Jer 30₁₁; 48₂₈). Doch werden diese Ansätze nicht ausgeführt. Wichtig ist jedoch, daß die genannten Stellen zeigen: Jahwe will in seinen Züchtigungen das Leben, nicht den Tod seines Volkes.

60 Zu diesem Geschehen vgl. Jes 26₁₆.

61 Zur Literarkritik und zur Einordnung vgl. *KElliger,* Leviticus, HAT 4 (1966) 375.

62 Vgl. auch den Neueinsatz in V. 23ff und die verschärfte Strafankündigung, die auf die Warnung folgt. Auch wird Am 4₆ff in diesem Zusammenhang zu beachten sein.

63 יסר pi findet sich in der Priesterschrift nur: Lev 26₁₈.₂₃.₂₈.

horsamen, sie hat den neuen Gehorsam zum Ziel.[64] So wird also auch dies beachtet werden müssen: Die Erziehung Gottes steht im Zeichen der Thematik »Gericht und neuer Gehorsam«.

Die Untersuchungen zum Erziehungsbegriff des Alten Testaments hielten sich eng an die entsprechenden hebräischen Termini und suchten die wesentlichen Aussagefelder auf. Eine solche Nachfrage mußte durchgeführt werden, obwohl die Problematik des Vorgehens offenkundig ist. Nicht selten nämlich überlagern sich verschiedene Vorstellungskreise, die das Gerichts- und Führungswirken Jahwes in seinem Volk eröffnen. So ist zB das Bild von der Läuterung Israels eine ganz andersartige Metapher, die aber in vielen Fällen den Scopus trifft, den auch die Erziehungsaussagen intendieren.[65] – Abschließend können folgende Beobachtungen und Feststellungen zusammengefaßt werden: 1. Im Alten Testament ist Jahwes erzieherisches Wirken in erster Linie auf sein Volk bezogen; diese Gott-Volk-Relation bestimmt die Perspektiven. 2. Die Vorstellungsformen sind dem erzieherischen Wirken in der Familie – nach Maßgabe der entsprechenden alttestamentlichen Traditionen (Weisheitsdichtung) –, aber auch den Erfahrungen einzelner, unter Jahwes Walten stehender Gottesknechte entnommen. 3. Die Inhalte derjenigen Texte, die vom erzieherischen Wirken Jahwes an seinem Volk sprechen, können nur im jeweiligen engeren und weiteren Kontext erhoben werden, dh sie verweigern sich einer generalisierenden Betrachtungsweise, die spekulativ über die Intentionen der Aussagen hinausgreift.[66] 4. Zu beachten ist die Einbeziehung der Erziehungsvorstellungen in die Themen »Gericht und Umkehr« bzw. »Gericht und neuer Gehorsam«. 5. In allen erörterten Texten zeigt es sich, daß Jahwes »Erziehung« auf das Leben und auf die Zukunft des Gottesvolkes abzielt. – Diese Beobachtungen und Feststellungen führen zu dem Ergebnis, daß die spekulativen Konzeptionen des *Clemens von Alexandrien*, *Augustins* und *Lessings* keine biblisch-theologischen Grundlagen haben und auch dogmatisch als höchst bedenkliche Konstruktionen erscheinen.[67]

[64] Vgl. auch Dt 4_{36}; 6_{5f}; 21_{18}; Prv 4_{1f}; 19_{18}.

[65] Vgl. Ps 66_{10}; Jes 48_{10}; Sach 13_{9} u. ö.

[66] So ist es zB recht fragwürdig, wenn das Verhältnis der Vätergötter zu Jahwe mit den Worten erklärt wird: »die Götter der Väter waren die παιδαγωγοί auf den größeren Gott, der später ganz an ihre Stelle trat« (*AAlt*, Der Gott der Väter, KlSchr I, 1953, 63). Diese spekulative Erklärung überspringt phänomenologisierend die Aufgabe, aus dem Verhältnis »Verheißung und Erfüllung« den faktischen Zusammenhang bis in die Einzelheiten hinein zu erarbeiten.

[67] *Lessings* Entwurf enthebt sich selbst der biblisch-theologischen Grundlage und der dogmatischen Kritik. Was aber *Clemens* und *Augustin* angeht, so bedürfte die dogmatische Befragung – über die vorgetragenen kritischen Äußerungen hin-

Calvin und *Kähler* berufen sich auf Gal 3$_{24}$. Damit ist Anlaß gegeben, auch diesen neutestamentlichen Text in die biblisch-theologische Untersuchung einzubeziehen. Doch können im Rahmen der Studie lediglich in Kürze die neueren Forschungen der neutestamentlichen Wissenschaft aufgenommen werden. So erklärt *Rudolf Bultmann* zu Gal 3$_{24}$: »Ist, bzw. war, der Sinn des νόμος der, παιδαγωγὸς εἰς Χριστόν zu sein, so ist er damit nicht im griechischen oder modernen Sinne als Erzieher verstanden, der den Menschen zu einer höheren Stufe des geistigen und insbesondere sittlichen Lebens emporbilden soll. Die der göttlichen χάρις sich öffnende πίστις ist ja nicht das Ergebnis der Erziehung; sie wird ja überhaupt erst auf Grund der in Christus wirkenden χάρις möglich. Die ›Erziehung‹ durch das Gesetz führt vielmehr in die Sünde und ›erzieht‹ insofern freilich indirekt zur πίστις, als der Sünder, wenn ihm die χάρις begegnet, das Entweder-Oder: Gesetzes Werke oder Glaube, verstehen kann.«[68] *Bultmann* und *Conzelmann* stimmen darin überein: 1. Der παιδαγωγός ist nicht (im griechischen oder modernen Sinn) »Erzieher«; er ist »Zuchtmeister«, der den Menschen bei der Forderung Gottes festhält. 2. Der νόμος ist nicht im Sinne einer heilsgeschichtlichen Pädagogik zu verstehen. – Diese beiden Feststellungen bestätigen insofern die im Alten Testament gewonnenen Beobachtungen, als in der Prophetie das *Gerichts*verständnis der Züchtigung dominiert und heilsgeschichtlich-spekulative Aufrisse ausscheiden.[69] Der Ansatz der Betrachtungsweise *Calvins* wird damit tiefreichend in Frage gestellt, zumal der Reformator sich von einem griechisch-humanistischen *eruditio*-Begriff hat leiten lassen, wenn er das Verhältnis von νόμος und χάρις im Sinn einer pädagogischen Hinaufführung und Emporbildung auf eine höhere Stufe der Heilserkenntnis verstanden hat.[70] Allenfalls könnte man dogmatisch die kritische

aus – einer umfassenden Darstellung, die von einer genauen Analyse der Ansätze, und dh des Erziehungs- und Geschichtsverständnisses ausgehen müßte.

68 *RBultmann*, Theologie des Neuen Testaments (^{5}1965) 267. – Noch schärfer *HConzelmann*: »Das Gesetz wurde unser παιδαγωγὸς εἰς Χριστόν, ἵνα ἐκ πίστεως δικαιωθῶμεν. Damit ist keineswegs eine heilsgeschichtliche Pädagogik (›Erziehung des Menschengeschlechts‹) postuliert. Der ›Pädagoge‹ ist nicht Erzieher, sondern der Zuchtmeister, der den Menschen bei der Forderung Gottes festhält bis zum Kommen Christi. εἰς Χριστόν heißt nicht ›auf Christus hin‹, sondern objektiv ›bis zu seinem Kommen‹«. Grundriß der Theologie des Neuen Testaments (1967) 250. – Wenn *Conzelmann* diese Erklärung gegen die »Barthianer« richtet, die Röm 10$_4$ in dem Sinn verstehen »Christus ist das Ziel des Gesetzes«, so trifft diese Polemik *KBarth* jedenfalls nicht (vgl. KD II, 2, 655).

69 Es werden jedoch die Erklärungen *Bultmanns* und *Conzelmanns* noch zu präzisieren sein, denn es ist ja doch von »*unserem* Zuchtmeister« und im Nachsatz vom *»wir«* die Rede. Vgl. *ULuz*, Das Geschichtsverständnis des Paulus (1968) 155. Doch scheidet auch *Luz* ein »rein geschichtliches Verständnis« aus.

70 Vollends problematisch ist die von *Calvin* unternommene Verkoppelung der Päd-

Funktion des Erziehungsgedankens in der Auslegung des Alten Testaments positiv werten und die Zurückhaltung hinsichtlich irgendwelcher heilsgeschichtlichen Spekulationen mit Hilfe der Pädagogie-Vorstellung als biblisch sachgemäß bezeichnen. Zu *Kählers* Konzeption aber müßte jetzt eigentlich eine neue Untersuchung geschrieben werden, denn seine Erziehungsaspekte gehen weit über Gal 3$_{24}$ hinaus. Nur andeutend kann hier erklärt werden: 1. Fraglos ist es die Intention des dogmatischen Entwurfs *Kählers,* die biblische Verkündigungsgeschichte in ihrer fortwirkenden existentiellen, ekklesiologischen und universalen Relevanz zu kennzeichnen, wobei der Begriff der »Erziehung« als der angemessene, Geschichte und Verkündigung gleichermaßen aktualisierende Gesichtspunkt erscheint. 2. Das »Zentralgeschehen« erziehender Gerechtigkeit unter dem Gesetz, in Rechtfertigung und Heiligung wird immer wieder auf den *einen* Nenner der »Erziehung« gebracht und als Leitmotiv in die erziehende Verkündigungsgeschichte eingelegt. 3. In den Intentionen sind diese Aspekte nicht nur verständlich, sondern in ihrem dogmatischen Kontext auch zu würdigen; doch sind sie biblisch-theologisch nicht zu begründen, vielmehr schließen sie die Gefahr in sich, daß ein Übermaß an Fragen der planvollen und unmittelbaren Zweckhaftigkeit des Heilsgeschehens zugewandt wird.

So wird abschließend noch einmal zu unterstreichen sein, daß die Vorstellung »Geschichte als Erziehung« bzw. »Gott als Erzieher« eine Kontext-gebundene, metaphorische Funktion hat, die zu weltgeschichtlich-pädagogischen Spekulationen keinen Anlaß gibt, vielmehr im jeweiligen Aussagezusammenhang erklärt und verstanden werden will.

agogie mit den im alten Bund aufgezeigten *rudimenta* und *elementa* (s. o.). Offensichtlich liegt dieser Auffassungsweise eine problematische Deutung der στοιχεῖα τοῦ κόσμου zugrunde. Zu den στοιχεῖα vgl. *GBornkamm,* Das Ende des Gesetzes, Ges. Aufs. I (^{4}1963) 140. 147.

NORBERT LOHFINK

BEOBACHTUNGEN ZUR GESCHICHTE DES AUSDRUCKS עם יהוה

Gerhard von Rad hat seine Publikationen 1929 mit einem Buch über »Das Gottesvolk im Deuteronomium« begonnen.[1] Das Thema »Gottesvolk« hat dann von den dreißiger Jahren bis heute die Theologie in ökumenischer Breite immer wieder beschäftigt.[2] *Gerhard von Rads* Buch war keine lexikalische Studie. Er wollte die theologische Sache definieren, um die es im Deuteronomium geht. Vielleicht wird er es trotzdem nicht verschmähen, wenn ihm zu seinem 70. Geburtstag einige eher in den Bereich lexikalischer Untersuchung gehörende Beobachtungen zu dem von ihm als Leitwort der Deuteronomiumsdeutung aufgegriffenen biblischen Ausdruck als Zeichen des Dankes gewidmet werden. Auf ihre Weise führen ja auch solche Untersuchungen wieder zur Sache hin.

Genau genommen stünde hinter dem deutschen Wort »Gottesvolk« der hebräische Ausdruck עם (ה)אלהים. Doch er ist in der hebräischen

[1] BWANT 47.

[2] Vgl. die bibliographischen Hinweise bei *MSchmaus,* Katholische Dogmatik III,1 ($^{3-5}$1958) 856; *UValeske,* Votum Ecclesiae (1962) 201–209. 237–250; *YCongar,* L'Église comme peuple de Dieu, Concilium 1 (1965) 15–32; *RSchnackenburg* - *JDupont,* L'Église, Peuple de Dieu, ebd. 91–100. Die wichtigsten Veröffentlichungen zur Sache Gottesvolk für den Bereich Altes Testament nach 1929: *NWPorteous,* Volk und Gottesvolk im Alten Testament, Theologische Aufsätze Karl Barth zum 50. Geburtstag (1936) 146–163; *NADahl,* Das Volk Gottes (1941, ^{2}1963); *OEißfeldt,* Volk und »Kirche« im Alten Testament, Geschichtliches und Übergeschichtliches im Alten Testament, ThStKr 109,2 (1947) 9–23; *HWHertzberg,* Werdende Kirche im Alten Testament, ThEx NF 20 (1950); *FMaaß,* Wandlungen der Gemeindeauffassung in Israel und Juda, ThViat 2 (1950) 16–32; *AOepke,* Das neue Gottesvolk in Schrifttum, Schauspiel, bildender Kunst und Weltgestaltung (1950) [illegible]; *OProcksch,* Theologie des Alten Testaments (1950) 503–512 (»Die Gottesfamilie«); *GADanell,* The Idea of God's People in the Bible, in: *AFriedrichsen* ua, The Root of the Vine (1953) 23–36; *JDWWatts,* The People of God, ET 67 (1956) 232–237; *JMShaw,* The Concept of »The People of God« in Recent Biblical Research, Diss. Princeton Theological Seminary 1958 (ungedruckt, vgl. Catalogue of Doctoral Dissertations, Princeton Theological Seminary 1944–1960, 1962, 84f); *JScharbert,* Volk (Gottes), *JB Bauer* (Hg), Bibeltheologisches Wörterbuch II (^{3}1967) 1428–1439. Diese Arbeiten enthalten auch wichtige Einzelhinweise für die Thematik dieser Untersuchung.

Bibel nur zweimal belegt.[3] Etwas häufiger steht der Ausdruck עם יהוה.[4] Außerdem wird er häufig durch עם mit auf Jahwe bezogenem Suffix (עמי,[5] עמך,[6] עמו[7]) vertreten.[8] Ferner wird er in der einen Hälfte der sogenannten »Bundesformel« vorausgesetzt.[9] Das ergibt insgesamt 359 Stellen der hebräischen Bibel, die bei einer Untersuchung des Ausdrucks עם יהוה zu beachten sind.

Eine monographische Studie zu Bedeutung und Gebrauch von עם יהוה

[3] Ri 20$_{2}$ עם האלהים; 2Sam 14$_{13}$ עם אלהים. Zu vergleichen wäre noch Ps 47$_{10}$ עם אלהי אברהם (*MDahood,* Psalms I 1–50, Anchor Bible, 1966, 112 und 286, versteht allerdings עם an dieser Stelle als Gottesepithet »The Strong One«).

[4] Num 11$_{29}$; 17$_{6}$; Ri 5$_{11.13}$; 1Sam 2$_{24}$; 2Sam 1$_{12}$; 6$_{21}$; 2Kön 9$_{6}$; Ez 36$_{20}$; Zeph 2$_{10}$ (Gesamtzahl: 10). Zu vergleichen wären noch: Dtn 7$_{6}$; 14$_{2.21}$; 26$_{19}$ עם קדש ליהוה אלהיך; Jes 62$_{12}$ עם הקדש גאולי יהוה; Ps 33$_{12}$ הגוי אשר יהוה אלהיו (גוי in Parallelismus zu עם); Ps 144$_{15}$ העם שיהוה אלהיו (Gesamtzahl: 7).

[5] Ex 3$_{7.10}$; 5$_{1}$; 7$_{4.16.26}$; 8$_{16.17.18.19}$; 9$_{1.13.17}$; 10$_{3.4}$; 22$_{24}$; 1Sam 2$_{29}$ (textkritisch nicht sicher); 9$_{16}$ (3 mal). $_{17}$; 2Sam 3$_{18}$; 5$_{2}$; 7$_{7.8.10.11}$; 1Kön 6$_{13}$; 8$_{16}$ (2 mal); 14$_{7}$; 16$_{2}$ (2 mal); 2 Kön 20$_{5}$; Jes 1$_{3}$; 3$_{12}$ (Bezug auf Jahwe nicht sicher; 2 mal). $_{15}$; 5$_{13}$; 10$_{2}$ (Bezug auf Jahwe nicht sicher). $_{24}$; 19$_{25}$; 40$_{1}$ (*HJvanDijk,* Consolamini, consolamini, popule meus?, VD 45, 1967, 342–346, übersetzt hier und in 52$_{9}$ »Stadt«, doch ohne überzeugende Begründung); 43$_{20}$; 47$_{6}$; 51$_{4.16}$; 52$_{4.5.6}$; 53$_{8}$ (Bezug auf Jahwe nicht sicher); 57$_{14}$; 58$_{1}$; 63$_{8}$; 65$_{10.19.22}$; Jer 2$_{11.13.31.32}$; 4$_{22}$; 5$_{26}$; 6$_{14.27}$; 7$_{12}$; 8$_{7.11}$; 9$_{6}$; 12$_{14.16}$ (3 mal); 14$_{17}$; 15$_{7}$; 18$_{15}$; 23$_{2.13.22.27.32}$; 29$_{32}$; 30$_{3}$; 31$_{14}$; 33$_{24}$; 50$_{6}$; 51$_{45}$; Ez 13$_{9.10.18.19}$ (2 mal). $_{21.23}$; 14$_{8.9}$; 21$_{17}$ (2 mal); 25$_{14}$; 33$_{31}$; 34$_{30}$; 36$_{8.12}$; 37$_{12}$ (textkritisch fragwürdig). $_{13}$; 38$_{14.16}$; 39$_{7}$; 44$_{23}$; 45$_{8.9}$; 46$_{18}$; Hos 1$_{9}$ (2 mal); 2$_{1.3.25}$ (2 mal); 4$_{6.8.12}$; 6$_{11}$; 11$_{7}$; Jo 2$_{26.27}$; 4$_{2.3}$; Am 7$_{8.15}$; 8$_{2}$; 9$_{10.14}$; Ob 13; Mi 6$_{3.5.16}$ (textkritisch unsicher); Zeph 2$_{8.9}$; Sach 8$_{7}$; 13$_{9}$; Ps 14$_{4}$; 50$_{7}$; 53$_{5}$; 81$_{9.12.14}$; 1Chr 11$_{2}$ (2 mal); 17$_{6.7.9.10}$; 2Chr 1$_{11}$; 6$_{5}$ (2 mal). $_{6}$; 7$_{13.14}$ (Gesamtzahl: 158. Davon in den Prophetenbüchern: 106).

[6] Ex 5$_{23}$; 15$_{16}$; 32$_{11.12}$; 33$_{13.16}$ (2 mal); Dtn 9$_{26.29}$; 21$_{8}$ (2 mal); 26$_{15}$; 2Sam 7$_{23}$ (2 mal).$_{24}$; 1Kön 3$_{8.9}$ (2 mal); 8$_{30.33.34.36}$ (2 mal).$_{38.41.43.44.50.51.52}$; Jes 2$_{6}$; 63$_{14}$; 64$_{8}$; Jer 32$_{21}$; Jo 2$_{17}$; Mi 7$_{14}$; Hab 3$_{13}$; Ps 3$_{9}$; 28$_{9}$; 44$_{13}$; 60$_{5}$; 68$_{8}$; 72$_{2}$; 77$_{16.21}$; 79$_{13}$; 80$_{5}$; 83$_{4}$; 85$_{3.7}$; 94$_{5}$; 106$_{4}$; Dan 9$_{15.16.19}$; Neh 1$_{10}$; 9$_{32}$; 1Chr 17$_{21}$ (2 mal). $_{22}$; 29$_{17.18}$; 2Chr 1$_{10}$; 6$_{21.24.25.27}$ (2 mal).$_{29.32.33.34.39}$; 20$_{7}$ (Gesamtzahl: 74).

[7] Ex 18$_{1}$(vgl. unten Anm. 23); 32$_{14}$; Dtn 32$_{9.36.43}$ (2 mal); Ri 11$_{23}$; 1Sam 12$_{22}$; 13$_{14}$; 15$_{1}$; 2Sam 5$_{12}$; 1Kön 8$_{56.59.66}$; Jes 3$_{13}$ (Konjektur, vgl. LXX, Syr).$_{14}$; 5$_{25}$; 11$_{11.16}$; 14$_{32}$; 25$_{8}$; 28$_{5}$; 30$_{26}$; 49$_{13}$; 51$_{22}$; 52$_{9}$ (vgl. oben Anm. 5 zu Jes 40$_{1}$); 56$_{3}$; 63$_{11}$ (textkritisch problematisch); Jo 2$_{18.19}$; 4$_{16}$; Mi 6$_{2}$; Sach 9$_{16}$; Ps 14$_{7}$; 28$_{8}$ (emendierter Text).$_{11}$ (2 mal); 50$_{4}$; 53$_{7}$; 68$_{36}$ (emendierter Text); 78$_{20.52.62.71}$; 85$_{9}$; 94$_{14}$; 100$_{3}$; 105$_{24.25.43}$; 106$_{40}$; 111$_{6.9}$; 116$_{14.18}$; 125$_{2}$; 135$_{12.14}$; 136$_{16}$; 148$_{14}$; 149$_{4}$; Ruth 1$_{6}$; Esr 1$_{3}$; 1Chr 14$_{2}$; 21$_{3}$; 22$_{18}$; 23$_{25}$; 2Chr 2$_{10}$; 7$_{10}$; 31$_{8.10}$; 32$_{17}$; 35$_{3}$; 36$_{15.16.23}$ (Gesamtzahl: 76).

[8] Die in Anm. 5–7 genannten Stellen ergeben zusammen 308 Belege, davon 34 im Pentateuch, 45 in Jos-2Kön (plus Ruth), 135 in den Prophetenbüchern (plus Dan), 49 in Ps, 45 in Chr (plus Neh).

[9] Ex 6$_{7}$; Lev 26$_{12}$; Dtn 4$_{20}$; 7$_{6}$; 14$_{2}$; 26$_{18}$; 27$_{9}$; 28$_{9}$; 29$_{12}$; 1Sam 12$_{22}$; 2Sam 7$_{23}$(?).$_{24}$; 2Kön 11$_{17}$; Jer 7$_{23}$; 11$_{4}$; 13$_{11}$; 24$_{7}$; 30$_{22}$; 31$_{1.33}$; 32$_{38}$; Ez 11$_{20}$; 14$_{11}$; 36$_{28}$; 37$_{23.27}$; Sach 2$_{15}$; 8$_{8}$; 1Chr 17$_{22}$; 2Chr 23$_{16}$. Dazu noch die lockeren Abwandlungen in Ex 19$_{5.6}$; Lev 20$_{26}$; Ps 33$_{12}$ (Gesamtzahl: 34. Davon 12 im Pentateuch, 4 in Jos-2Kön, 15 in den Prophetenbüchern, 1 in Ps, 2 in Chr).

gibt es nicht.[10] Es scheint ja auch auf der Hand zu liegen, daß עם mit »Volk« zu übersetzen ist.[11] Es scheint selbstverständlich zu sein, daß עם יהוה und seine Substitutionen sich auf Israel beziehen. Die relativ hohe Zahl der Belege dürfte ferner die allgemeine Überzeugung hervorgebracht haben, der Ausdruck sei von den Anfängen Israels an gebraucht worden und in allen Lebenslagen und Sprechsituationen verwendbar gewesen. Unter diesen Voraussetzungen erübrigte es sich natürlich, nach dem »Sitz im Leben« und nach der Geschichte der Verwendung des Ausdrucks zu fragen.[12] Tatsächlich sind aber alle diese Annahmen gar nicht so sicher. Das Wort עַם war ursprünglich ein Verwandtschaftsterminus. Es ist auch im biblischen Hebräisch noch für die Bedeutung »Familie, Sippe, Verwandtschaft« belegbar. Selbst wenn es mit »Volk« zu übersetzen ist, hat es nach einigen Autoren noch von seiner ursprünglichen Bedeutung her eine besondere Nuance.[13] Außerdem gibt es die These von *LRost*, עם meine unter Ausschluß von Frauen und Kindern fast überall nur die rechts-, kriegs- und kultfähigen Männer des Sippen- oder Volksverbands.[14] Wie sich zeigen wird, ist der Ausdruck עם יהוה auch keineswegs immer auf die Größe »Israel« bezogen. Ferner bezieht das Wort »Israel« sich nicht immer auf die

[10] Am genauesten erwies sich der oben, Anm. 2, zitierte Abschnitt bei *OProcksch*. Soweit ich sehe, ist die Frage nach der Geschichte der Bedeutung und des Gebrauchs von עם יהוה nur in einer Arbeit gestellt: *RSmend* jun., Die Bundesformel, ThSt(B) 68 (1963), 11–13.15f.19.21–31. Diesen Seiten verdanke ich entscheidende Anregungen.

[11] Vgl. die Klage von *EASpeiser*, »People« and »Nation« (vgl. unten Anm. 13) 158, über die Wörterbücher.

[12] Das ThW zum Beispiel hat unter ἔθνος (II 362–370, *GBertram* und *KLSchmidt*) und λαός (IV 29–57, *HStrathmann* und *RMeyer*) keine volle Untersuchung des Befunds für עם und עם יהוה im hebräischen Alten Testament.

[13] Untersuchungen zu עם: *MKrenkel*, Das Verwandtschaftswort עם, ZAW 8 (1888) 280–284; *ENestle*, Miszellen, ZAW 16 (1896) 321–327 (Moab und Ammon. Gen. 19, 36, 322f); *ThWJuynboll*, Über die Bedeutung des Wortes *ʿamm*, Orientalische Studien Th. Nöldeke ... gewidmet (1906) 353–356; *MNoth*, Die israelitischen Personennamen im Rahmen der gemeinsemitischen Namengebung, BWANT 46 (1928) 77ff; *LRost*, Die Bezeichnungen für Land und Volk im Alten Testament, Festschr. Otto Procksch (1934) 125–148 = Das kleine Credo und andere Studien zum Alten Testament (1965) 76–101 (vor allem 141–147; Diskussion mit *MNoth*: 144, Anm. 1); *EASpeiser*, »People« and »Nation« of Israel, JBL 79 (1960) 157–163 = *JJFinkelstein* – *MGreenberg* (Hg), Oriental and Biblical Studies (1967) 160–170; *OBächli*, Israel und die Völker, AThANT 41 (1962) 114–128; *ACody*, When is the Chosen People Called a Gôy?, VT 14 (1964) 1–6; *CMVogt*, Studie zur nachexilischen Gemeinde in Esra-Nehemia (1966) 76–89.

[14] *LRost*, Bezeichnungen (vgl. vorige Anm.) 144. Kritik bei *OBächli* (vgl. vorige Anm.) 115f und *Vogt* (vgl. vorige Anm.) 79f. Man wird *Rosts* These allerdings nur für einen kleinen Teil der Belege akzeptieren können.

gleiche Gruppe.[15] *RSmend* jun. hat darauf hingewiesen, daß wir vor der Samuelszeit nur im Deboralied einen Beleg für עם יהוה haben (und dort meint der Ausdruck nicht »Israel«, sondern die zum Kampf ausrückende Mannschaft).[16] Schließlich wird sich auch zeigen, daß עם יהוה keineswegs in jeder Sprechsituation frei zur Verfügung stand.

Der folgende Beitrag ist keine systematische und den Gegenstand erschöpfende Behandlung des Themas.[17] Er beruht jedoch auf einer Durchsicht aller in Frage kommenden biblischen Texte und möchte die wichtigsten Beobachtungen und Hypothesen vorlegen, die sich ergaben. Da fragmentarisch, ist die Studie auch provisorisch. Das sei betont. Eine vollständigere Untersuchung könnte zu Korrekturen zwingen.

1. Der eingegrenzte Gebrauch des Ausdrucks

Die Belege für עם יהוה sind folgendermaßen über die biblischen Bücher verteilt (vgl. Anm. 3–9):

Pentateuch	52	Psalmen	52
Jos-2Kön (plus Ruth)	56	Weisheit usw.	—
Propheten (plus Dan)	152	Chr (plus Esr und Neh)	47

[15] Studien zum Namen »Israel«: *OSeesemann*, Israel und Juda bei Amos und Hosea nebst einem Kommentar über Hosea 1–3 (1898); *ESachße*, Die Bedeutung des Namens Israel I (1910), II (1922); *LRost*, Israel bei den Propheten, BWANT 71 (1937); *Gvon Rad*, Israel, Juda, Hebräer in AT., ThW III (1938) 357–359; *GADanell*, Studies in the Name Israel in the Old Testament (1946); *AGelin*, Le sens du mot »Israël« en Jérémie XXX–XXXI, Memorial J. Chaine, Bibliotheque de la Faculté Catholique de Théologie de Lyon 5 (1950) 161–168; *WEichrodt*, Israel in der Weissagung des Alten Testaments (1951); *ARHulst*, Der Name »Israel« im Deuteronomium, OTS 9 (1951) 65–106; *HWHertzberg*, Jeremia und das Nordreich Israel , ThLZ 77 (1962) 595–602 = Beiträge zur Traditionsgeschichte und Theologie des Alten Testaments (1962) 91–100; *WZimmerli*, Israel im Buche Ezechiel, VT 8 (1958) 75–90; *ABesters*, »Israël« et »Fils d'Israël« dans les livres historiques, RB 74 (1967) 5–23.321–355. Weitere Literatur bei *GADanell* 323–334.

[16] Bundesformel (vgl. oben Anm. 10) 11f.

[17] Die nachdavidische Geschichte des Ausdrucks ist nur teilweise erfaßt. Ferner wäre das Verhältnis des Ausdrucks zu Nachbarausdrücken zu klären, etwa zu (ה)עם allein, zu העם הזה (dazu vgl. *JBoehmer*, »Dieses Volk«, JBL 45, 1926, 134–148), zu ישראל (dazu vgl. die oben, Anm. 15, genannte Literatur), zu קהל und עדה (dazu vgl. *LRost*, Die Vorstufen von Kirche und Synagoge im Alten Testament, BWANT 76, 1938; *JDWKrinzinger*, Qehal Jahwe, Wat dit is en wie daaraan mag behoort, 1957; *Vogt*, Studie, (vgl. oben Anm. 15, 90–99) und zu עם קדוש (dazu vgl. *HJKraus*, Das heilige Volk, Freude am Evangelium, Alfred de Quervain zum 70. Geburtstag am 28. September 1966, BEvTh 44, 1966, 50–61). Eine soeben erschienene Teiluntersuchung für Mi ist: *JTWillis*, Micah 2:6–8 and the »People of God« in Micah, BZ 14 (1970) 72–87.

Am auffälligsten ist der hohe Anteil der prophetischen Schriften. Zieht man noch die Doppelbelege in Ps und Chr ab und berücksichtigt, daß auch im Pentateuch und den andern erzählenden Büchern eine Reihe von Belegen Wiedergabe oder Spiegelung prophetischer Sprache sind, dann zeigt sich: Mehr als die Hälfte aller Belege für עם יהוה bezeugen prophetische Sprache. Die Zahlen, mit denen wir bei עם יהוה arbeiten, sind hoch genug, um den Zufall auszuschließen. Also gehört der Ausdruck עם יהוה in Israel vor allem zur Sprache der Propheten.

In den weisheitlichen Schriften fehlt jeglicher Beleg. Da die Weisen Israels – wer immer sie waren – sich nicht scheuten, den Jahwenamen zu verwenden, hätten sie auch bei sich bietender Gelegenheit vom עם יהוה sprechen können. Da sie es nicht taten, stand dieser Ausdruck innerhalb der ihnen eigenen Sprache offenbar nicht zur Verfügung. Erst die deuterokanonische Weisheit verwendet ihn, und in ihr läßt sich erkennen, daß er erst zusammen mit der heilsgeschichtlichen Tradition Israels in ihren Sprachbestand aufgenommen worden ist, vor allem in Weish.[18] Das Fehlen des Ausdrucks in der älteren Weisheit ist also relevant: Ein Weiser in Israel gebrauchte ihn nicht.[19]

In den priesterlichen Gesetzen fehlt עם יהוה ganz.[20] Im Bundesbuch steht der Ausdruck zwar in Ex 22$_{24}$, aber an dieser unten noch genauer zu besprechende Stelle hat sich die Ichrede Jahwes durchgesetzt: Es liegt eher Paränese als Gesetz vor. In den Gesetzen des Deuteronomiums findet sich in Dtn 14$_{2.21}$ in paränetischen Begründungen eine aufgelöste Form des Ausdrucks – עם קדוש ליהוה –, einmal noch durch die »Bundesformel« erweitert.[21] Außerdem steht der genaue Ausdruck zweimal in Gebetsformeln, die das deuteronomische Gesetz vorschreibt und dabei wörtlich zitiert (21$_{8}$ und 26$_{15}$). עם יהוה gehört also

[18] Dort finden sich 9 Belege, meist verbunden mit der Bezeichnung der Israeliten als Jahwes Söhne und Töchter.

[19] Man könnte darauf kommen, 2Sam 14$_{13}$ als Gegeninstanz anzuführen. Daß die Frau aus Theoka nicht vom עם יהוה, sondern vom עם אלהים spricht, kann nämlich vernachlässigt werden (vgl. unten Anm. 66). Aber wir müssen die hier gespiegelte Redetechnik beim höfischen Plädoyer von der Sprache der Weisen, wenn sie unter sich waren, unterscheiden. Diese spiegelt sich in den Sprichwörtern und den lehrhaften Ausführungen der biblischen Weisheitsliteratur. Die Frau aus Theoka dagegen mußte bei ihrem Gespräch mit David auf Motive ausgreifen, die den König ansprechen konnten.

[20] In den folgenden Abschnitten werden die Listen der Anm. 3–9 vorausgesetzt. – Im Bereich der priesterlichen Gesetze darf Lev 20$_{26}$ als lockere Anspielung auf die »Bundesformel«, dazu noch in einem völlig paränetischen Vers, außer Betracht bleiben.

[21] Es handelt sich um eine Abwandlung des Motivs אנשי קדש von Ex 22$_{30}$, in wörtlicher Übereinstimmung mit Dtn 7$_{6}$ (paränetischer Teil des Dtn). Vgl. auch Dtn 26$_{19}$.

auch nicht in die Gesetzessprache, doch ist der Ausdruck den Verfassern von Gesetzen als Element der Gebetssprache bekannt, und er kann auf dem Umweg über paränetische Erweiterungen sekundär in Gesetze eindringen.

In den erzählenden Büchern finden sich insgesamt 155 Belege für עם יהוה. Doch 142 aus ihnen stehen in angeführten Reden, Gebeten, Gesprächen, Gesetzen usw. Nur 13 Belege (wegen Chronikdoppelungen auf 10 reduzierbar) kommen aus dem Mund der Erzähler selbst.[22] Auch bei ihnen liegt in mehreren Fällen noch die Vermutung nahe, daß die Erzähler auf bestimmte Texte oder Redeweisen aus anderen Gattungen anspielen.[23] Man wird also mindestens sagen können, daß Erzähler im Erzähltext selbst nicht so selbstverständlich vom עם יהוה sprechen konnten, wie sie vom עם allein, von »Israel« oder von den »Söhnen Israels« erzählten. Aber sie kannten den Ausdruck, denn sie legten ihn bei bestimmten Gelegenheiten bestimmten Personen in den Mund.

Einen weiteren Hinweis auf die Zusammenhänge, in denen עם יהוה gebraucht wurde, gibt die statistische Verteilung der Suffixausdrücke. Denn עמי als Vertretung für עם יהוה ist nur möglich in Jahwerede oder menschlicher Rede im Namen Jahwes, עמך als Vertretung für עם יהוה ist nur möglich in Gebetsanrede. Nun fallen von den 359 Belegen 158 auf עמי und 74 auf עמך. Die Summe 232 ist sogar noch zu erhöhen, da in Jahweworten und Gebeten oft auch in dritter Person von Jahwe gesprochen wird. So kann man sagen: Mehr als zwei Drittel aller Belege für עם יהוה stehen in Jahwerede, Rede im Namen Jahwes oder Gebetsanrede an Jahwe. Der Ausdruck gehört hauptsächlich in die Sprechsituation des Dialogs zwischen Jahwe und Israel, weniger in die Situation des objektiven Sprechens über Israel.

[22] Ex 18_{1}; Ri 20_{2}; 2Sam 1_{12}; 5_{12}; (= 1Chr 14_{2}); 1Kön 8_{66} (= 2Chr 7_{10}); 2Kön 11_{17} (= 2Chr 23_{16}); Ruth 1_{6}; 2Chr 31_{8}; $36_{15.16}$.

[23] Ex 18_{1} (E?) – falls hier nicht sogar vom עם משה die Rede ist – spielt auf die Herausführungserzählungen an, in denen der Ausdruck seit J zu Hause ist (vgl. unten Abschnitt 3). Ri 20_{2} scheint den offiziellen Namen der Versammlung zu nennen: קהל עם האלהים. 2Sam 1_{12} scheint auf ein Klagelied anzuspielen (vgl. unten Abschnitt 2). 2Kön 11_{17} greift offenbar ein Stichwort des ברית-Textes auf. 2Chr 31_{8} lehnt sich an späte Hymnensprache, 2Chr 36_{15f} an prophetische Sprache an. Daß der Chronist das so leicht konnte, mag allerdings aus der späten Entstehungszeit der Chr erklärt werden: Die beiden Texte haben keine Parallele in den Königsbüchern. Schwieriger läßt sich der Befund in 2Sam 5_{12} und 1Kön 8_{66} erklären. Vielleicht spielt es eine Rolle, daß beide Texte in Abschlußposition sind: 2Sam 5_{12} beschloß ursprünglich die Erzählung vom Aufstieg Davids (*Noth*, ÜSt 63 Anm. 5), 1Kön 8_{66} beendet die dtr Darstellung der Tempelweihe. Im Psalter steht עם יהוה nämlich häufig in Schlußposition: Ps 3_{9}; 14_{7}; 28_{9}; 29_{11}; 47_{10}; 53_{7}; 68_{36}; 77_{21}; 78_{71}; 79_{13}; 144_{15}; 148_{14}. Ruth 1_{6} kann ich nur so erklären, daß die hier behandelte Gattungsgesetzlichkeit vom Verfasser dieses Buches nicht mehr empfunden wurde. Das wäre ein weiteres kleines Argument für den Spätansatz von Ruth.

Mehr Auskünfte sind von einer diachronisch undifferenzierten statistischen Betrachtung nicht zu fordern. Da man damit rechnen muß, daß die Verwendung eines ursprünglich nur in genau eingegrenzten Situationen erlaubten Ausdrucks sich langsam ausdehnte und daß in Spätzeiten das Gefühl für den urprünglichen Ort schwand, ist es überhaupt erstaunlich, daß die reine Statistik schon ein so deutliches Bild ergibt. Denn sie hat mindestens gezeigt, daß עם יהוה nicht ein dem Israeliten in jeder Sprechsituation frei verfügbarer Ausdruck war. Ferner hat sie den Rahmen angedeutet, innerhalb dessen sich die Suche nach dem ursprünglichen Ort des Ausdrucks lohnt. Es sind vor allem Situationen, in denen Jahwe zu Israel oder Israel zu Jahwe spricht.

Auch hat sich ein Fingerzeig für den einzuschlagenden Weg ergeben. Da die biblischen Erzähler selbst den Ausdruck עם יהוה kaum gebrauchen, ist anzunehmen, daß dann, wenn sie ihn in bestimmten Situationen bestimmten Personen in den Mund legen, der Ausdruck tatsächlich in solchen Situationen von derartigen Personen gebraucht wurde. Es gilt also, die erzählende biblische Literatur auszuwerten. Dabei muß diachronisch differenziert werden.

Ein brauchbarer synchronischer Querschnitt durch die verschiedenen Weisen des Gebrauchs von עם יהוה ist angesichts der Quellenlage für eine Periode vor David nicht möglich. Er soll deshalb im folgenden Abschnitt für die Davidszeit versucht werden.[24] In den weiteren Abschnitten können dann in Auswahl einzelne Entwicklungen im Gebrauch des Ausdrucks diachronisch verfolgt werden.

2. *Die Verwendung von* עם יהוה *in der Davidszeit*

a. Der älteste sichere Beleg für עם יהוה steht im Deboralied: Ri 5_{13}.[25] Dort meint der Ausdruck offenbar das Heer, das zum Kampf oder – bei anderer Interpretation – zur Siegesfeier zieht. עם יהוה ist hier nicht

[24] Der Terminus »Davidszeit« muß im folgenden relativ locker verstanden werden. Ferner muß in einigen Fällen aus späteren oder zeitlich unsicheren Belegen auf den Gebrauch zur Davidszeit zurückgeschlossen werden, um Lücken der auch für diese Periode noch spärlichen Information zu schließen. Natürlich müssen diese Rückschlüsse begründet werden.

[25] עם יהוה steht auch in 5_{11}. Doch die Zugehörigkeit von 5_{11b} zum ursprünglichen Deboralied ist nicht sicher. Letzte ausführliche Untersuchung des Lieds: *WRichter*, Traditionsgeschichtliche Untersuchungen zum Richterbuch, BBB 18 (1963) 65–105 (Literatur!). Nach *WRichter* ergibt sich in 9b durch Streichung von ברכו ein weiterer Beleg für עם יהוה, der Beleg in 11b ist zu streichen, und in 13a ist als Parallelismuswort zu עם יהוה mit vielen älteren Autoren ישראל einzusetzen. Gegen die letzte Operation: *RSmend* jun., Jahwekrieg und Stämmebund, FRLANT 84 (1963) 10f; ders., Bundesformel (vgl. oben Anm. 10) 11–13. Daher wird man auch gegenüber der Streichung von ברכו in 9b Vorsicht walten lassen.

mit der Größe »Israel« identisch. Es handelt sich nur um Männer, nicht auch um Frauen und Kinder. Außerdem hat nur ein Teil der Stämme, die »Israel« bilden, an der Schlacht teilgenommen.

Die Bedeutung »Heer Jahwes« läßt sich mit einiger Sicherheit erst wieder in Ex 7$_4$ P^g nachweisen.[26] Dieser Text ist exilisch oder nachexilisch.

Aus dem sehr frühen und dem sehr späten Beleg läßt sich schließen, daß עם יהוה auch in der Zwischenzeit im Sinne von »Heer Jahwes« verstanden werden konnte.

Setzt man das voraus, dann läßt sich vielleicht ein Text der Davidszeit selbst, der aus sich allein nicht deutlich genug wäre, ebenfalls in diesem Sinn verstehen: 2Sam 1$_{12}$. Auf die Nachricht von der Gilboaschlacht hin trauert David über Saul, über dessen Sohn Jonathan, über den עם יהוהund über das Haus Israel.[27] Die Paarung der Angaben und die ungewöhnlichen Formulierungen lassen vermuten, daß der Erzähler hier auf ein ihm (und vielleicht auch seinen Lesern) bekanntes Lied zurückgreift.[28] Aus 1Sam 31$_7$ geht hervor, daß die auf jeden Fall zum »Haus Israel« zu rechnenden Stämme in Galiläa und im Ostjordanland an der Schlacht von Gilboa nicht beteiligt waren, daß sie aber von ihren Folgen betroffen wurden. Daher könnte eine Steigerung vorliegen. Dann ist עם יהוה hier das Heer unter Saul und Jonathan, das bei Gilboa geschlagen wurde, »Haus Israel« dagegen meint alle Stämme Israels.

Die spärlichen und teilweise nicht sehr sicheren Belege für עם יהוה in der Bedeutung »Heer Jahwes« stammen bis in die Davidszeit aus der Lyrik. Da, wie sich zeigen wird, in anderen Gattungsbereichen, in denen עם יהוה vorkommt, andere Bedeutungen vorliegen, können wir mit der gebotenen Vorsicht eine Koppelung von Kriegslyrik (Sieges- und Heldengesänge) und עם יהוה im Sinne von »Heer Jahwes« annehmen. P^g – mehrere Jahrhunderte später – hätte sich dann nicht mehr an diese Gattungsregel gehalten, mußte die beabsichtigte Aussage deshalb aber auch durch eine Parallelformulierung sichern. Ri 20$_2$ scheint den Ausdruck zu bezeugen, der für die gleiche Sache außerhalb der

[26] Dort steht parallel את צבאתי und in Apposition בני ישראל. Unter Umständen könnte man noch Ri 11$_{23}$ für die Bedeutung »Heer Jahwes« beanspruchen, doch scheint mir das zweifelhaft. Der Zeitansatz wäre nach *WRichter*, Die Überlieferungen um Jephtah Ri 10,17–12,6, Bibl 47 (1966) 485–556, nach E (535 Anm. 2), vor Dtr (538), in der Nähe Jeremias (546). Vgl. noch Dtn 33$_{29}$.

[27] LXX setzt die Lesart עם יהודה voraus. Doch sie dürfte eine durch ישראל hervorgerufene Korruption sein. Gegen *JWellhausen*, Der Text der Bücher Samuelis (1871) 151, ist keineswegs vorauszusetzen, daß der Umfang von עם יהוה und von בית ישראל der gleiche wäre.

[28] Es kann nicht identisch sein mit dem in 2Sam 1$_{19-27}$ zitierten Lied. Aber eine Schlacht wie die von Gilboa kann mehrere Lieder inspiriert haben.

Kriegslyrik gebraucht wurde – vielleicht ist er auch der ältere. Die Versammlung der Anführer des Heeres der israelitischen Stämme, welche den Krieg gegen Benjamin beschließt,[29] heißt hier nämlich: קהל עם האלהים »Die Versammlung des Gottesheeres«.[30]

b. עם יהוה gehört zur Titulatur des נגיד. Zu ihr gibt es eine gründliche Untersuchung von *WRichter*.[31] Nach *WRichter* bezeichnet der Titel nicht, wie man früher oft annahm, den designierten König. Er meint ein selbständiges, vorkönigliches, »an Jahwe gebundenes, für die Errettung Israels mittels Propheten gesetztes Amt«.[32] Saul wird noch נגיד, bevor er König wird. Erst David hat den Titel bei sich und seinem Sohn Salomo für den König usurpiert. Nach der Reichstrennung war der Titel nur noch in prophetischen Kreisen interessant. Sie gebrauchten ihn für die Könige des Nordreichs.[33]

Mit Sicherheit enthielt der ursprüngliche Titel die Wortgruppe נגיד על עם יהוה.[34] Es könnte eine Parallelformulierung נגיד על נחלת יהוה gegeben haben.[35] Oder – wahrscheinlicher – es gab nur eine, doppelt angelegte Formel: נגיד על עם יהוה ועל נחלתו. Für eine solche kombinierte Formel spricht folgende Überlegung: Die Verbindung von עם יהוה mit נחלת יהוה ist ziemlich oft belegt.[36] Es scheint in der Königszeit eine fest-

[29] פנות כל העם כל שִׁבטי ישׂראל. Vgl. zu פנות 1Sam 14_{38}. Zur Möglichkeit von Determination innerhalb einer Genitivkette vgl. *MDahood*, Punic הככבם אל and Isa 14_{3}, Or 34 (1965) 170–172 (bes. 172), und die Beispiele bei *Gesenius-Kautzsch*[28] § 127f–h, die dort allerdings anders erklärt werden.

[30] Zum Alter von קהל an dieser Stelle: *MNoth*, Das System der zwölf Stämme Israels, BWANT 52 (1930) 102 Anm. 2.

[31] Die *nāgīd*-Formel, BZ 9 (1965) 71–84 (Literatur!). Vgl. ferner: *JASoggin*, Das Königtum in Israel, BZAW 104 (1967).

[32] *WRichter* (vgl. vorige Anmerkung) 83. Ähnlich *RSmend*, Bundesformel (vgl. oben Anm. 10) 19: »alter Titel des Anführers im Kriege Jahwes«. Wenn im folgenden in Anlehnung an *Richter* die Nagidtitulatur von Anfang an mit den »Propheten« verbunden wird, so ist das eine Vereinfachung. Es ist dabei an das zum späteren Prophetentum kontinuierliche Element in Gestalten wie Samuel gedacht, ohne daß im einzelnen zur Frühgeschichte des Prophetentums und zu den Problemen seiner einzelnen Entwicklungsphasen Stellung genommen werden könnte.

[33] Die von *WRichter* untersuchten Stellen sind: 1Sam 9_{16}; 10_{1}; 13_{14}; 25_{30}; 2Sam 5_{2}; 6_{21}; 7_{8}; 1Kön 1_{35}; 14_{7}; 16_{2}; 2Kön 20_{5}. עם יהוה steht in 1Sam 9_{16}; 13_{14}; 2Sam 6_{21}; 7_{8}; 1Kön 14_{7}; 16_{2}; 2Kön 20_{5}, an den restlichen Stellen stehen andere Bezeichnungen. Für die Zwecke dieser Untersuchung sind hinzuzufügen: 1Sam 15_{1} und 2Kön 9_{6} (Imitation des Titels für den König). Das Alter der Formel und ihr Bekanntsein auch zur Davidszeit stehen außer Zweifel.

[34] So vorausgesetzt in 1Sam 13_{14}.

[35] So vorausgesetzt in 1Sam 10_{1} MT. Die Existenz zweier Parallelformulierungen vertritt *WRichter*, *nāgīd*-Formel (vgl. oben Anm. 31) 77. Dort auch die Gründe dafür, daß ישׂראל in dem Titel nicht ursprünglich ist.

[36] Dtn $9_{26.29}$; 32_{9}; 2Sam 14_{13+16} (vgl. unten Anm. 66); 1Kön $8_{51.52f}$; Jes 19_{25}; 47_{6}; Jo 2_{17}; 4_{2}; Mi 7_{14}; Ps 28_{9}; $78_{62.71}$; $94_{5.14}$; $106_{4f.40}$. Dazu sekundäre Zusammen-

liegende Wortpaarung zu sein. Zwei der Belege aus dem Psalter handeln vom davidischen König und scheinen sich an die Nagidtitulatur anzulehnen.[37] In 1Sam 9_{1}–10_{16} steht der Nagidtitel zweimal, nämlich in 9_{16} mit עם und in 10_{1} mit נחלה.[38] Die beiden Stellen sind als Auftrag und Ausführung parallel. Daher liegt die Annahme nahe, daß der Erzähler hier die beliebte Technik angewendet hat, einen Doppelausdruck aufzuspalten und auf parallele Texte zu verteilen.[39]

Aber ob Doppelformel oder zwei parallele Formeln – auf jeden Fall ist hier der Ausdruck עם יהוה in fester Nachbarschaft zum Ausdruck נחלת יהוה, und in den beiden Ausdrücken haben עם und נחלה die gleiche Funktion. Nimmt man noch hinzu, daß mindestens seit David der עם יהוה mit der – selber wechselnden – Größe »Israel« identifiziert wird, dann hat man die Ausgangsdaten zusammen, um die richtige Übersetzung von עם יהוה in der Nagidtitulatur zu bestimmen.

RSmend nimmt auch hier die Bedeutung »Heer Jahwes« an.[40] *W Richter* denkt ähnlich an die »freien, waffenfähigen, besitzenden Männer« eines Stammes.[41] Doch die Gleichsetzung von עם יהוה und »Israel« macht diese Deutung fragwürdig, selbst wenn Kriegführung die wichtigste oder sogar einzige Aufgabe eines Nagid war. Denn »Israel« meint kaum nur das Heeresaufgebot der Stämme. Dazu kommt der Parallelismus von עם und נחלה. Im Ausdruck נחלת יהוה wird das *Volk* eines Stammes, mehrerer Stämme oder aller Stämme Israels als Jahwes »erblicher Grundbesitz« betrachtet.[42] Das ist ein Bild. Daher dürfte

ziehungen und Abwandlungen in Dtn 4_{20}; Jes 63_{17}; Ps 33_{12}; 74_{2}. Zu נחלה als personaler Bezeichnung vgl. *FHorst*, Zwei Begriffe für Eigentum (Besitz), Verbannung u. Heimkehr, WRudolph z. 70. Geburtstage (1961) 135–156 (bes. 142f).

[37] Ps 28_{9} (vgl. $_{8}$ משיחו) und 78_{71} (vgl. $_{70}$).

[38] LXX hat in 10_{1} einen volleren Text mit Parallelen zu $9_{16.17}$. Für spätere Auffüllung spricht, daß Saul nicht mehr von den Philistern, sondern von allen Feinden retten soll. Aber der MT wirkt verstümmelt, was für den längeren Text spräche. Ich folge dem für unsere Frage schwierigeren MT. Hat die LXX den ursprünglichen Text, dann ist der Parallelismus עם//נחלה innerhalb von 10_{1} gegeben.

[39] Vgl. *EZMelamed*, Break-up of Stereotype Phrases as an Artistic Device in Biblical Poetry, Scripta Hierosolymitana 8 (1961) 115–153; *STalmon*, Synonymous Readings in the Textual Traditions of the Old Testament, ebd. 335–383. Weitere Beispiele: *MDahood*, Psalms I (vgl. oben Anm. 3) und II (1968) im »Subject Index« unter »Breakup«; *GBraulik*, Aufbrechen von geprägten Wortverbindungen und Zusammenfassen von stereotypen Ausdrücken in der alttestamentlichen Kunstprosa, Semitics 1 (1970) 7–11.

[40] Bundesformel (vgl. oben Anm. 10) 19.

[41] *nāgīd*-Formel (vgl. oben Anm. 31) 77. Er deutet נחלה als »das einem Stamm vom Amphiktyonieverband zugebilligte Erbland«. Die Schwierigkeit dieser Deutung liegt darin, daß נחלה in der Formel nicht auf einen Stamm, sondern auf Jahwe bezogen ist: Es geht um eine נחלה Jahwes!

[42] Die Belege für den Doppelausdruck (vgl. oben Anm. 36) weisen alle in die gleiche Richtung: נחלה meint in ihm Menschen, nicht Land.

das parallele Wort עם auch schon ein Bild sein, das dann durch נחלה nur erweitert und ergänzt wird. Nun bedeutet עם ja ursprünglich wohl den Onkel väterlicherseits, und in der Bibel bedeutet es auf jeden Fall oft die Sippe, die Verwandtschaft, die Angehörigen. Daneben steht zwar auch von Anfang an die nochmals erweiterte Bedeutung »Volk«, und sie hat die Mehrzahl der Belege. Aber bis in die Spätzeit bleibt – am Kontext erkennbar – auch die Bedeutung »Verwandtschaft« bestehen. Sie dürfte auch hier – wohlgemerkt: als Bild – vorliegen. Dann ist Israel in der Gesamttitulatur durch ein doppeltes Bild bezeichnet. Es ist »Jahwes Verwandtschaft und Grundbesitz«. Der von Jahwe eingesetzte Nagid ist über Jahwes Eigenstes gesetzt, über Menschen, die Jahwe in einem Bild als seine Sippe und seinen Grundbesitz bezeichnen kann.

Dieses Verständnis der Nagidtitulatur würde auch erklären, warum עם יהוה später oft mit einer Aussage über die Vater-Sohn-Beziehung zwischen Jahwe und Israel verbunden wird.[43] Als indirekter Beweis für das hohe Alter dieser Motivkombination kann Num 21_{29} angeführt werden. In Num 21_{27b-30} wird ein wohl aus vorköniglicher Zeit stammendes Siegeslied über die Amoriter von Hesbon zitiert.[44] In ihm heißt es über eine Niederlage der Moabiter:

> Wehe über dich, Moab,
> du bist zugrundegegangen, עם des Kemosch!
> Er hat seine Söhne zu Flüchtlingen gemacht,
> seine Töchter sind Kriegsgefangene . . . (21_{29}).

Was Israel von sich selbst denkt, hat es also hier auf ein anderes Volk übertragen. Eines Gottes עם meint: seine Söhne und Töchter.[45]

[43] Dtn 14_2 (vgl. $_1$); $32_{6.9.36.43}$ (vgl. $_{5.6.19.20}$); 2Sam 7_{24} (parallel zu $_{14}$); Jes 1_3 (vgl. $_{2.4}$); $63_{8.14}$ (vgl. $_{16}$); Jer 4_{22}; 31_1 (vgl. $_9$); Hos 1_9; $2_{1.3.25}$; 1Chr 17_{22} (parallel zu 17_{13}). Dazu eine Reihe von Belegen aus Weish. Die »Bundesformel« steht von ihrer Form her in Zusammenhang mit der Form des Sprechens über Heirat und Adoption: vgl. *NLohfink*, Dt 26, 17–19 und die »Bundesformel«, ZKTh 91 (1969) 517–553 (bes. 518–520). Zur Benutzung des Vater-Sohn-Verhältnisses zur Umschreibung der Beziehung Jahwes zu Israel vgl. *GFohrer*, ThW VIII 352–354.

[44] Zu Struktur und Alter des Spruchs: *MNoth*, Num. 21 als Glied der »Hexateuch«-Erzählung, ZAW 58 (1940/41) 161–189 (bes. 167–170); ders., Das vierte Buch Mose Numeri, ATD 7 (1966) 111.

[45] Erst wieder in Jer 48_{46} (fehlt in LXX; späte Nachahmung von Num 21_{28f}); 49_1 (statt *malkām* ist mit LXX, Syr, Vulg *milkōm* zu lesen); 2Chr $32_{14.15.17}$ (eine Assyrern in den Mund gelegte Auffassung; noch nicht in 2Kön 18) werden andere Völker als der עם ihres Gottes bezeichnet. Vielleicht enthält Mi 4_5 eine theoretische Äußerung dazu. Dieser Befund empfiehlt nicht die Annahme, Israel habe schon in der Frühzeit jedes Volk als den עם des betreffenden Hauptgottes betrachtet. Eher ist in Num 21_{29} die für Israel vorhandene Vorstellung einmalig auf ein anderes Volk und seinen Gott übertragen worden. Oder es wäre denkbar, daß neben Israel auch Moab und Ammon die gleiche Vorstellung besaßen und

Eine andere Frage ist, ob sich der Bildcharakter des Ausdrucks עם יהוה auf die Dauer durchgehalten hat. Zu einem bestimmten Zeitpunkt war die bezeichnete Sache normalerweise nicht mehr eine kleinere oder größere Gruppe innerhalb Israels, sondern einfach »Israel«, und Israel war ein Volk. Die häufigste Bedeutung des Wortes עם war auch damals schon »Volk«, und so liegt die Vermutung nahe, daß das Bild der Sippe von der bezeichnenden Sache her langsam verblaßte.

Seit David wird עם יהוה auch mit dem Bild der Herde verbunden.[46] Im ganzen alten Orient wurde die Herde als Bild für eine Bevölkerung gebraucht. Das Bild ist auch nicht nur bei viehzüchtender Bevölkerung üblich. Hier stellt sich die gleiche Frage wie bei עם: Wie lange stand die Aussage von der Herde Jahwes noch als Bild im Bewußtsein? Wann wurde »Herde« zu einem klischeehaften Wechselausdruck für »Volk«? Die Frage ist kaum zu beantworten.

Soweit zu עם יהוה in der Nagidtitulatur. Doch der Ausdruck ist nicht auf sie beschränkt. Er steht in der gesamten prophetischen Rede, in der uns der Nagidtitel entgegentritt.

Ihr Typ ist zum erstenmal greifbar in dem Salbungsauftrag, den Samuel in 1Sam 9_{16} erhält. 1Sam 9_{1}–10_{16}, später in die Erzählung von Sauls Aufstieg und Ende aufgenommen und mit dieser dann ins dtr Geschichtswerk integriert, ist eine volkstümliche Sage, deren Entstehungszeit nicht allzuweit von den Ereignissen selbst angesetzt werden kann.[47] Sie ist erzählerisch organisiert in Anlehnung an ein altes Berufungsschema und enthält im Zusammenhang damit gerade in 9_{16}

daß man das in Israel wußte und anerkannte. Dann gälte dies jedoch nicht für die Territorialstaaten Syrien-Palästinas, und insofern wäre mindestens eine generelle Theorie, wie sie hinter 2Chr 32 steht, eine spätere Entwicklung .Vgl. hierzu *GBuccellati*, Cities and Nations of Ancient Syria, Studi Semitici 26 (1967) 104f.

[46] 2Sam 5_{2} (= 1Chr 11_{2}); 2Sam 7_{7f} (= 1Chr 17_{6f}). An der zweiten Stelle ist das Hirtenbild allerdings nicht direkt auf David, sondern auf die Richter bezogen, während es für David nur in der Anspielung auf seinen Hirtenberuf anklingt (vgl. zu 2Sam 7_{7} auch unten Anm. 55). Die Verbindung der Motive עם יהוה, König und Herde klingt weiter in Ps 78_{71f}; Jer 23_{2} (vgl. $_{4.5}$); Ez 34_{23} (vgl. $_{30f}$); 37_{24} (vgl. $_{23.27}$). Ohne daß der König hervortritt, ist עם יהוה vor allem in den Psalmen mit dem Herdenmotiv verbunden: Ps 28_{9}; 77_{21}; 78_{52}; 79_{13}; 80_{2} (vgl. $_{5}$); 95_{7}; 100_{3}. Vgl. ferner: Jer 31_{10} (vgl. $_{14}$); Mi 7_{14}; Sach 9_{16}; 13_{9} (vgl. $_{7}$). Belege zum Herdenbild im Alten Orient sind gesammelt bei *GJBotterweck*, Hirt und Herde im Alten Testament und im Alten Orient, Die Kirche und ihre Ämter und Stände, Festgabe Joseph Kardinal Frings (1960) 339–352.

[47] Gattung: »volkstümliche Sage mit Märchen- und Wundermotiven« (*GFohrer*, Einleitung in das Alte Testament, [11]1969, 238). Entstehungszeit: Daß sie »nicht allzuweit von den behandelten Ereignissen entfernt war, ist nach den Gesetzen der Sagenbildung mit großer Wahrscheinlichkeit zu vermuten« (*AAlt*, Die Staatenbildung der Israeliten in Palästina, 1930, 19 = KlSchr II 14). Literatur zu 1Sam 9_{1}–10_{16}: *ASoggin*, Königtum (vgl. oben Anm. 31) 29, Anm. 1, und 39, Anm. 26.

altes formelhaftes Sprachgut.[48] Hier wird nun folgende Ereigniskette sichtbar: Das Schreien der von den Philistern Bedrängten ist zu Jahwe gedrungen – Jahwe sieht das Elend[49] seines עם – er setzt deshalb einen נגיד über seinen עם ein – dieser soll seinen עם aus der Gewalt der Philister retten (ישע hi.). Der ganze Vorgang, durch den es zur Rettung der in Not Befindlichen kommt,[50] vollzieht sich offenbar, weil die in Not Befindlichen von Jahwe als sein עם betrachtet werden.

Ein Echo des Gebrauchs von עם יהוה in der Prophetenrede, durch die ein נגיד bestellt wurde, findet sich in der Erzählung von Davids Aufstieg, die noch am davidischen oder wenigstens am salomonischen Hof zur Legitimation des keineswegs auf traditionelle Weise zur Macht gekommenen Königs verfaßt sein dürfte.[51] Die entscheidende Rolle bei Davids Legitimierung aus alter Tradition spielt dabei ein Jahwewort, das an David ergangen und durch das er zum נגיד über Jahwes עם bestellt worden sein soll. Es wird in jeweils verschiedener Weise erwähnt in 1Sam 25_{30}; 2Sam $3_{10.18}$; 5_2, und im Schlußsatz der ganzen Erzählung 2Sam 5_{12} könnte man ein Echo auf das Wort nachklingen hören.[52] In der Fassung von 2Sam 3_{18} lautet das Jahwewort: »Durch

[48] *WRichter*, Traditionsgeschichtliche Untersuchungen (vgl. oben Anm. 25) 149–151 (Exkurs »Die Retterformel«); ders., *nāgīd*-Formel (vgl. oben Anm. 31) 78–82.

[49] Man ergänze עני mit LXX, Targ.

[50] עמי im folgenden Vers gehört noch in den gleichen Zusammenhang. Leider ist die Bedeutung des Verbs nicht durchsichtig, so daß es keinen Sinn hat, den Vers heranzuziehen. 10_1 würde die an 9_{16} gemachte Analyse unterstreichen, falls der LXX-Text ursprünglich ist.

[51] »Mit Recht hat man hervorgehoben, daß der Verfasser wirklichkeitsnah beobachtet, einen Sinn für die geschichtlichen und religiösen Zusammenhänge hat, mit den erzählten Ereignissen vertraut und schriftstellerisch befähigt ist ... Er dürfte zu dem gebildeten Kreise am davidisch-salomonischen Hofe gehört haben« – so *GFohrer*, Einleitung (vgl. oben Anm. 47) 239. Nach *AAlt*, Staatenbildung (vgl. oben Anm. 47) 42 = 34, steht der Verfasser den Ereignissen »zeitlich ganz nahe«. In diesem Artikel von *AAlt* wurde auch die Tendenz der Erzählung zum erstenmal deutlich herausgestellt.

[52] *AAlt*, Staatenbildung (vgl. oben Anm. 47) 46f=38. Historisch fällt es schwer, das Jahwewort unterzubringen. Nach 1Chr 11_3 hat Samuel es gesprochen. Chr hat wohl an die Salbungslegende 1Sam 16_{1-13} gedacht. Doch sie formuliert schon aus späterer, stark verwischter Perspektive im Sinne von Königs-, nicht von Nagidstellung. Das läuft der Tendenz der Aufstiegserzählung entgegen, und deshalb dürfte sie auch – gegen *AWeiser*, Die Legitimation des Königs David, VT 16 (1966) 325–354 – nicht zu ihr gehört haben. Falls sie eine historische Basis hat, könnte die Theorie der Chr trotzdem zutreffen. Aber erweisen läßt sich nichts. *KBudde*, Die Bücher Samuel, KHC 8 (1902) 212, denkt an das Orakel des Priesters Achimelek in Nob, das 1Sam $22_{10.13}$ erwähnt wird, und *ASoggin*, Königtum (vgl. oben Anm. 31) 65, an das in Ziklag eingeholte Jahweorakel von 2Sam 2_1. Aber die Formulierungen des Gottesworts sprechen nicht für ein priesterliches Orakel. Auch kennen wir das Orakel von 2Sam 2_1 aus dem biblischen Text. Nach *Noth*, GI (^{2}1954) 172, »mag die Stimme eines uns unbekannten Pro-

meines Knechtes Davids Hand rette (ישע hi.) ich meinen עם[53] Israel aus der Hand der Philister und aus der Hand aller seiner Feinde.« Das klingt wie ein lockeres Zitat der Fortführung der Fassung von 2Sam 5_{2}, die das Wort als Einsetzung zum Hirten und נגיד über den עם יהוה bietet. Der Verfasser der Aufstiegserzählung kannte also den in 1Sam 9_{16} belegten prophetischen Sprachgebrauch und hielt ihn für entscheidend zur Legitimierung Davids aus der kanonischen Vergangenheit.

Ein noch etwas entfernteres Echo dieses prophetischen Sprachgebrauchs findet sich in den Versen 8–10 der davidischen »Königsnovelle«[54] 2Sam 7, die vielleicht schon aus salomonischer Zeit stammen könnten.[55] Sie geben sich als Wort des Propheten Nathan und sind geschicht-

pheten dies alles ausgesprochen haben«. Nach *AAlt* (vgl. oben) 47f=38f handelt es sich um eine Fiktion. Sowohl bei *Noths* als auch bei *Alts* Annahme – beide scheinen mir vertretbar zu sein – ist gesichert, daß auch in 2Sam 3_{18} formelhafter prophetischer Redestil aus vorköniglicher Zeit aufklingt, der in der Zeit Davids noch gut bekannt war, wenn nicht sogar weiterhin gebraucht wurde.

[53] In der LXX fehlt allerdings eine Entsprechung zu את עמי.

[54] Zum Terminus: *SHerrmann*, Die Königsnovelle in Ägypten und in Israel, WZ Leipzig 3 (1953/54) 33–44.

[55] Die in der uferlosen Literatur zu 2Sam 7 geäußerten Meinungen sind rettungslos geteilt. Lange Zeit führte *Wellhausens* dtr Ansatz, dann folgten viele Autoren *LRosts* Schichtenaufteilung (Die Überlieferung von der Thronnachfolge Davids, BWANT 3,6, 1926, 47–74) seit *SHerrmann* (vgl. vorige Anmerkung) neigt man oft zu einer relativen Einheit des Textes, wobei jedoch ein früher oder später Zeitansatz zur Debatte steht. *MNoth*, David und Israel in 2. Samuel 7, Mélanges Bibliques rédigés en l'honneur de André Robert, Travaux de l'Institut Catholique de Paris 4 (o. J. = 1957) 122–130, ist bis in die Zeit Davids selbst zurückgegangen, hat aber kaum Gefolgschaft gefunden. Doch neigen heute viele Autoren zu einer Abfassung unter Salomo oder kurz darauf. Literatur: vgl. *GFohrer*, Einleitung (vgl. oben Anm. 47) 240 Anm. 7. Dazu kommen aus den letzten Jahren: *PJCalderone*, Dynastic Oracle and Suzerainty Treaty: 2Sam 7, 8–16, Logos 1 (o. J. = 1966); *DJMcCarthy*, 2Sam 7 and the Structure of the Deuteronomic History, JBL 84 (1965) 131–138; *NPoulssen*, König und Tempel im Glaubenszeugnis des Alten Testamentes, Stuttgarter Biblische Monographien 3 (1967) 43–55; *KSeybold*, Das davidische Königtum im Zeugnis der Propheten, Diss. Kiel 1967 (ungedruckt); *AWeiser*, Die Tempelbaukrise unter David, ZAW 77 (1965) 153–168; ders., Legitimation (vgl. oben Anm. 52). – Außer in den hier behandelten Versen 8–10 steht עם יהוה noch in $7_{7.11a.23.24}$. Doch scheinen mir alle diese Belege für die Davidszeit auszuscheiden. Für 23f bestehen nach einer noch unveröffentlichten Studie von *GBraulik* ernsthafte Gründe, eine sekundär-deuteronomistische Hand der ausgehenden Exilszeit anzunehmen. Vorher hatte wohl schon eine eigentlich deuteronomistische Bearbeitung stattgefunden, der in Vers 7 die Wörter אשר צויתי לרעות את עמי את ישראל und in Vers 11 die erste Vershälfte zuzurechnen sind. In Vers 7 dürfte ursprünglich שִׁבְטֵי gestanden haben; das wurde bei der dtr Bearbeitung in שֹׁפְטֵי abgewandelt und so von Chr übernommen; die ursprüngliche Lesart kam aber über eine nichtdtr Texttradition wieder in unsere Texttradition von 2Sam hinein. Durch die Erweiterungen in 7_{7} und $_{11}$ wurde dem geschichtlichen Rückblick Nathans die dtr Geschichtsperspektive gegeben. Eine vordeuteronomistische Richterauffassung kann in den

licher Rückblick.[56] Sie beginnen mit der Berufung Davids durch Jahwe zum נגיד über Jahwes עם Israel, sprechen dann von Jahwes Beistand gegen alle Feinde Davids und stellen fest, daß Jahwe ihm einen großen Namen bereitet hat. Dann in Vers 10 weitet sich der Blick auf ganz Israel, den עם יהוה. Was Jahwe durch David für Israel getan hat, ist praktisch die Beendigung von Zittern und Unterdrückung. So ist hier die ganze Davidsgeschichte stilisiert als Geschichte der Rettung von Jahwes עם.

Zusammenfassend läßt sich sagen: In der Davidszeit wurde der Ausdruck עם יהוה durch Propheten gebraucht, wenn sie im Zusammenhang mit der Einsetzung eines נגיד eine Rettungszusage machten oder wenn sie in anderem Zusammenhang über Jahwes Rettunghandeln durch einen נגיד sprachen. Der Sprachgebrauch ist älter und wird in der Davidszeit schon literarisch aufgegriffen, um Traditionsentsprechung zu manifestieren. Die Nagidtitulatur ist gewissermaßen der Kristallisationskern. Mindestens in einer älteren Phase, als die Rettungszusage noch nicht notwendig auf ein Volk bezogen war, dürfte עם יהוה dann auch nicht nur in der Nagidtitulatur, sondern im ganzen Zusammenhang als »Sippe Jahwes« oder »Verwandtschaft Jahwes« verstanden worden sein. Wenn Jahwe den Notschrei einer Gruppe seiner Verehrer hörte und sich zur Rettung entschloß, dann deshalb, weil er diese notleidende Menschengruppe als seine eigene Sippe betrachtete. Die grundlegende Sprechsituation ist dialogisch. Jahwe selbst oder in seinem Namen ein Prophet spricht zu den Menschen, die vorher geklagt haben und nun gerettet werden sollen. Sekundär kann dann auch im Reden über das Rettungshandeln Jahwes die gleiche Terminologie gebraucht werden.

Es dürfte möglich sein, die meisten späteren Verwendungen von עם יהוה direkt oder indirekt von diesem Gebrauch herzuleiten. In zwei Fällen legt sich dabei nahe, daß es diese erst später sicher bezeugten Verwendungen schon in der Davidszeit gab. Diese beiden Fälle seien kurz erörtert.

Im Psalter wird עם יהוה sehr vielfältig gebraucht. Viele Belege scheinen spät zu sein und eine Entwicklungsstufe zu bezeugen, in der עם יהוה mindestens innerhalb der Gebetssprache schon frei verwendbar war. Eine ursprüngliche Verbindung mit einer bestimmten Gattung ist wohl nur beim Volksklagelied feststellbar.[57] Nun ist die prophetische Ret-

hier als zugefügt betrachteten Textstücken nicht vorliegen, weil die Richter im jetzigen Text von 7₈–10 aus in Parallele zum Nagid und als Rettergestalten (mindestens der Aufgabe nach) gesehen werden müssen.

[56] Oder Rückblick und Vorblick, falls man die Verben von 9b ab entsprechend auffaßt.

[57] Folgende Belege stehen in Volksklageliedern und scheinen dort natürlich in den

tungsankündigung allem Anschein nach so etwas wie eine Antwort auf die Volksklage (vgl. 1Sam 9$_{16}$).[58] Die geringe Zahl der Zeugnisse und die Datierungsprobleme erlauben es nicht, mit einiger Sicherheit zu klären, ob wir in der vorköniglichen und der beginnenden königlichen Zeit schon mit der aus dem Psalter bekannten Gattung des Volksklagelieds rechnen dürfen. Doch kann man annehmen, daß auch eine eventuelle Vorläufergattung schon das Motiv des עם יהוה enthielt. Man möchte auch fast daran zweifeln, daß die Volksklage und die prophetische Rettungsankündigung mit Nagideinsetzung rituell zusammengehörten, in diesem Sinne also einen einzigen »Sitz im Leben« hatten. Aber es genügt, wenn die prophetische Rettungsankündigung sich ausdrücklich auf die Klage des Volkes bezog, wenn also ein Sachzusammenhang zwischen dem »Sitz im Leben« der Klage und dem prophetischen Auftreten im Bewußtsein stand. Allerdings läßt sich ein engerer Zusammenhang auch wieder nicht ausschließen. Auf jeden Fall dürfte man sich auch bei der gemeinsamen Bitte um Rettung schon des Motivs bedient haben, das Jahwe dann in der Rettungsankündigung durch Propheten als Motiv seines Einschreitens anzugeben pflegte: daß die in Not befindlichen Menchen doch seine Angehörigen seien.

Außerhalb des Psalters begegnet עם יהוה etwa 40 mal in Fürbitt-

Textzusammenhang zu gehören: Ps 44$_{13}$; 60$_{5}$; 79$_{13}$; 80$_{5}$; 83$_{4}$; 85$_{3.7.9}$ (Gattungsbestimmung schwierig); 94$_{5.14}$ (dasselbe); 106$_{4}$ (Bußlied). Zu dem Motiv in Volksklageliedern vgl. *HGunkel - JBegrich,* Einleitung in die Psalmen (1933) 129. Bei mehreren Klageliedern von Einzelnen steht עם יהוה gerade in jenen Zusätzen, die den Liedern sekundär eine kollektive Interpretation geben: Ps 3$_{9}$; 28$_{8.9}$; 144$_{15}$. Die restlichen Belege von עם יהוה im Psalter lassen sich dagegen schwer als ursprüngliche Motive bestimmter Gattungen betrachten. Psalterfremder Gattungseinfluß liegt vor, wo die Nagidtitulatur anklingt: Ps 72$_{2}$; 78$_{71}$. Ebenso bei Belegen in prophetischen Liturgien (Ps 50$_{4.7}$; 81$_{9.12.14}$; 95$_{7}$) und bei in Psalmen aufgenommenen Heilsgeschichtsmotiven (Ps 68$_{8}$; 77$_{16.21}$; 78$_{20.52.62}$; 105$_{24.25.43}$; 106$_{40}$; 111$_{6.9}$; 135$_{12}$; 136$_{16}$). Später und gelockerter Gebrauch von עם יהוה dürfte vorliegen in Ps 14$_{4.7}$; 29$_{11}$; 33$_{12}$; 47$_{10}$; 53$_{5.7}$; 68$_{36}$; 100$_{3}$; 116$_{14.18}$; 125$_{2}$; 135$_{14}$; 148$_{14}$; 149$_{4}$. Zur Verwendung von עם יהוה in Abschlußposition vgl. oben Anm. 23.

[58] Zur Klage- und Bußliturgie vgl. *ELipinski,* La liturgie pénitentielle dans la Bible, Lectio Divina 52 (1969). *CWestermann,* Das Heilswort bei Deuterojesaja, EvTh 24 (1964) 355–373, unterscheidet zwischen »Heilszusage« (= Heilsorakel) und »Heilsankündigung«. Sie entsprechen der Klage des Einzelnen und der Volksklage. Dann folgert er, »daß die Gottesantwort auf die Klage eines Einzelnen in Israel auf eine andere Weise gegeben wurde als die Gottesantwort auf eine Klage des Volkes. Der Heilszusage in ihrer allgemeinen Sprache entspricht eine priesterliche Vermittlung. Sie ist in ihrem Kern Zusage der Erhörung Gottes; diese entspricht einer Entscheidungsfrage, die der Priester auch durch ein kulttechnisches Mittel erwirken kann. Dagegen gibt die Heilsankündigung eine geschichtliche Konkretisierung; es wird Bestimmtes angekündigt, was geschehen wird. Dem entspricht eine prophetische Vermittlung. Die Ankündigung ist keine priesterliche, sondern eine prophetische Funktion« (372).

gebeten.[59] In den teilweise späten Belegen werden diese Gebete von verschiedenen Personen, nicht nur von Propheten, gesprochen. Ob in der vorköniglichen und beginnenden königlichen Zeit Fürbitte eine prophetische Aufgabe war, läßt sich schwer ausmachen, doch ist es nicht ausgeschlossen.[60] Daher könnte das Motiv des עם יהוה in den später formulierten Fürbittgebeten ein aus der prophetischen Fürbitte der älteren Zeit geerbter Topos sein. Dann wäre es so gewesen, daß der Prophet versuchte, Jahwe mit den Motiven zum rettenden Einschreiten zu bewegen, die vorher schon die gemeinsam klagende Gemeinde vorgebracht hatte und die Jahwe dann, wenn er die Rettung einleiten würde, in seiner Rettungsankündigung als seine eigenen Motive angeben würde. Falls es damals keine prophetische Fürbitte gab, wohl aber etwa Fürbitte durch Priester und falls dabei das Motiv des עם יהוה gebraucht wurde, besteht mindestens ein ähnlicher Sachbezug zur prophetischen Rettungsankündigung wie bei der Volksklage.

Man könnte noch fragen, ob עם יהוה zur Davidszeit nur im Fürbitte-Rettungs-Zusammenhang von den Propheten gebraucht wurde oder ob der Ausdruck nicht vielleicht in einem generelleren Sinn zur prophetischen Sprache gehört habe. In den Belegen aus späteren Epochen erscheint er mehr in Straf- als in Rettungsankündigungen der Propheten. Doch wir haben keinen positiven Grund, auf einen entsprechenden Gebrauch in der Davidszeit zurückzuschließen. So liegt es näher, mit einer Umfunktionierung des Ausdrucks auch für Droh- und Strafzusammenhänge in dem Augenblick, in dem das Schwergewicht des prophetischen Auftretens sich auf die Gerichtsandrohung verlagerte, zu rechnen.

c. Vielleicht gab es in der Davidszeit noch eine dritte Verwendung von עם יהוה. Sie ist aber schwer zu fassen und läßt sich auch kaum einer bestimmten Gattung oder einer bestimmten Menschengruppe zuteilen.

Das Gesetz über das Zinsverbot beginnt im Bundesbuch so: »Wenn du meinem עם, dem Armen bei dir, Geld leihst ...« (Ex 22$_{24}$). Es liegt

[59] Ex 5$_{23}$; 32$_{11.12.14}$; 33$_{13.16}$; Dtn 9$_{26.29}$; 21$_{8}$; 1Sam 12$_{22}$ (vgl. $_{23}$); 1Kön 8$_{30.33.34.36.38.41.43.44.50.51.52}$; Jes (63$_{17}$); 64$_{8}$; Jer 32$_{21}$; Jo 2$_{17}$ (vgl. $_{18.19.26.27}$; 4$_{2.3.16}$: Rückbezug auf das Motiv bei der Erhörung), Mi 7$_{14}$ (!), Dan 9$_{15}$ (auch als Geschichtsmotiv erklärbar). $_{16.19}$; Neh 1$_{10}$; 9$_{32}$; 2Chr 6$_{21.24.25.27.29.32.33.34.39}$. Der Zusammenhang mit der Klage-Errettungs-Situation wird noch unterstrichen dadurch, daß in Dtn 9$_{26.29}$; 1Kön 8$_{51.52}$ (vgl. $_{53}$); (Jes 63$_{17}$;) Jo 2$_{17}$ (vgl. 4$_{2}$); Mi 7$_{15}$ parallel נחלת יהוה steht.

[60] Vgl. *PAHdeBoer,* De Voorbede in het Oude Testament: OTS 3 (1943) 156–170; *FHesse,* Die Fürbitte im Alten Testament, Diss. Erlangen 1951, 23f; *JScharbert,* Heilsmittler im Alten Testament und im Alten Orient, Quaestiones Disputatae 23/24 (1964) 288f.

nah, auch in diesem alten Text[61] עם mit »Sippe, Verwandtschaft«, wenn nicht sogar singularisch mit »Verwandter, Angehöriger« zu übersetzen.[62] Es würde dann vorausgesetzt, daß Jahwe einen verarmten Israeliten in besonderer Weise als seinen Verwandten betrachtet und ihn deshalb durch das Zinsverbot schützt.

Nach 1Sam 2_{24}[63] wies Heli seine Söhne zurecht, weil er aus dem עם יהוה hören mußte, daß sie das Opferfleisch der Leute nicht recht behandelten. Soll man folgern: die von den sündigen Priestern Geschädigten als der עם יהוה?[64]

In 2Sam 14_{13}[65] warnt die weise Frau aus Thekoa David davor, Schlechtes gegen den עם אלהים zu sinnen. David will seinen verstoßenen Sohn nicht begnadigen. Wer sich gegen seinen Sohn vergeht – so scheint sie zu sagen –, der vergeht sich gegen die Gottessippe. Daß an dieser Stelle nicht der Gottesname Jahwe steht, sondern אלהים, soll wohl den weisheitlichen Bildungshintergrund der Frau anzeigen.[66]

[61] Die Umgebung dieses Verses ist paränetisch. Die paränetischen Elemente sind vordeuteronomisch. *WBeyerlein,* Die Paränese im Bundesbuch und ihre Herkunft, Gottes Wort und Gottes Land (1965) 9–29, führt diese Paränesen auf ein Fest aus der Anfangszeit des Jahweglaubens zurück.

[62] So LXX (ἀδελφός) und *HCazelles,* Études sur le Code de l'Alliance (1946) 79.

[63] Die Datierung der Tradition von 1Sam $2_{12-17.22-25}$ ist schwierig. Ich folge der Argumentation von *MNoth,* Samuel und Silo, VT 13 (1963) 390–400 (hier: 394): Nicht zu spät nach dem Tempelbau in Jerusalem. Zu 2_{27-36} und zur Literatur: vgl. *ACody,* A History of Old Testament Priesthood, AnBibl 35 (1969) 66–69.

[64] Theoretisch wäre auch denkbar, daß Heli mit dem עם יהוה eine offizielle Volksversammlung meint, die mißbilligende Vorstellungen beim Familienvater gemacht hätte. Aber für eine solche Bedeutung von עם יהוה gäbe es keine Parallelen.

[65] Der Zusammenhang gehört zur Erzählung von der Thronnachfolge Davids. Vgl. vor allem *LRost,* Thronnachfolge (vgl. oben Anm. 55). Eine andere Auffassung bei *RACarlson,* David the Chosen King (1964), doch schwerlich überzeugend. Nach *GFohrer,* Einleitung (vgl. oben Anm. 47) 241, dürfte der Verfasser der Thronfolgeerzählung ein Angehöriger des Königshofs in Jerusalem gewesen sein und sein Werk vielleicht zwischen dem dritten und dem vierten Regierungsjahr Salomos verfaßt haben.

[66] Die Frau gebraucht אלהים in $14_{13.14.16.17.20}$, יהוה dagegen nur in 14_{11}, wo sie einen Schwur Davids bei seinem Gott fordert, und in 14_{17} im Parallelismus zu אלהים. Ihr normaler Ausdruck ist also אלהים. Den Gottesnamen kennt sie auch, gebraucht ihn aber nur in Sonderfällen. Vermutlich wollte der Erzähler durch diesen Sprachgebrauch die Frau als »weise« Frau kennzeichnen. עם אלהים ist also Äquivalent zu normalem עם יהוה. Das läßt sich durch eine weitere Beobachtung erhärten. Bekanntlich steht neben עם יהוה häufig נחלת יהוה. So finden wir hier nicht allzuweit von עם אלהים in 14_{16} נחלת אלהים. Zwar steht נחלת אלהים hier innerhalb der fingierten Familiengeschichte der Frau, nicht direkt auf die Familie Davids bezogen, wie עם אלהים in 14_{13}. Aber die beiden Familiengeschichten entsprechen einander. So dürfte der Zusammenhang von עם אלהים in 2Sam 14_{13} mit עם יהוה anders zu beurteilen sein als der von עם האלהים in Ri 20_{2} und – vielleicht – der von עם אלהי אברהם in Ps 47_{10}.

An allen drei Stellen gibt es den Gegensatz zwischen den Gutgestellten, denen, die Macht und Amt innehaben, einerseits, und den Armen, Geschädigten und Verstoßenen andererseits. Es geht hier nicht um einen Gegensatz zu äußeren Feinden Israels, sondern um Spannungen innerhalb Israels. Auch sind nirgends Propheten im Spiel. Diejenigen, welche für die unterlegenen Personen eintreten – Jahwe als Gesetzgeber, der Chef des Priestergeschlechts, die weise Frau im Auftrag des Generals – werben für das Recht der Unterlegenen, indem sie für diese eine besondere Jahwebeziehung beanspruchen. Also die sozial Schwachen innerhalb Israels als die »Verwandten Jahwes«.

Ein bestimmter »Sitz im Leben« ist nicht zu erkennen. Sollte hier vielleicht der gleiche Gebrauch von עם יהוה vorliegen wie in Volksklage, Fürbitte und prophetischer Rettungsankündigung, nur in einer ersten Sprengung des Gattungsrahmens und Übertragung auf einen analogen, aber doch anderen Zusammenhang? Einige Jahrhunderte später sind vor allem die Propheten die Verteidiger der Übervorteilten und Ausgebeuteten in Israel. In diesem Zusammenhang gebrauchen sie auch den Ausdruck עם יהוה, und mit ähnlichen Untertönen.[67] Als sie begannen, nicht nur für das geschundene Israel, sondern auch für die Geschundenen in Israel einzutreten, haben sie vielleicht den einmal von ihnen weggesprungenen Ausdruck wieder zu sich zurückgeholt. Aber das sind Vermutungen.

d. Damit sind die für die Davidszeit auswertbaren Belege erschöpft. Eine Durchsicht aller Belege für עם יהוה ergab, daß sich vermutlich alle übrigen in späteren Perioden noch belegbaren Verwendungen des Ausdrucks auf diesem oder jenem Weg auf die hier für die Davidszeit festgestellten drei Verwendungen zurückführen lassen, vor allem auf die zweite. Das spricht dafür, daß es in der Davidszeit *nur* diese drei Verwendungen von עם יהוה gab.

Am Ende der synchronischen Bestandsaufnahme ist man versucht, nach der Vorgeschichte zu fragen. Es ist kaum anzuraten, deshalb, weil unser ältester Beleg zufällig der Lyrik angehört, genetisch den prophetischen Gebrauch vom lyrischen, die Bedeutung »Sippe Jahwes« von der Bedeutung »Heer Jahwes« abzuleiten. Die umgekehrte Ableitung ist genau so riskant. Da die semantische Differenzierung von עם (Onkel, Familie, Sippe, Volk, Kriegsvolk) wohl schon längere Zeit vor dem Jahr 1000 stattgefunden hat, könnte man vielleicht an zwei verschiedene Geburten des gleichen Ausdrucks in zwei deutlich unterschiedenen Zusammenhängen auf der Basis von zwei verschiedenen Bedeu-

[67] Vgl. Hos 4_{4-11}; Jes 3_{12-15}; 10_{1f}; Jer 5_{26-31}; 6_{14}; $23_{1-4.9-32}$; 50_{6}; Ez 13_{1-23}; 45_{7-12}; 46_{16-18}.

tungen des Wortes עם denken. Dagegen könnte sich die dritte Verwendung von עם יהוה – wie oben schon angedeutet – aus der zweiten entwickelt haben.

Die semantische Koexistenz eines עם יהוה I »Heer Jahwes« und eines עם יהוה II »Sippe Jahwes« blieb unproblematisch, solange die beiden homonymen Ausdrücke zwei sauber unterscheidbaren sprachlichen Feldern angehörten. Dagegen mußten Schwierigkeiten entstehen, als עם יהוה II die Grenzen der ursprünglichen Situationen und Gattungen sprengte und in immer neuen Zusammenhängen Heimatrecht erwarb – ein Prozeß, der etwa von der Davidszeit an einsetzte, wenn auch niemals ein Stadium erreicht wurde, in dem עם יהוה II unterschiedslos in jeder Sprechsituation hätte gebraucht werden können. Die Lösung, die sich einstellte, war die in solchen Fällen zu erwartende: Obwohl עם allein in vom Kontext her eindeutigen Aussagen weiterhin mit der Bedeutung »Kriegsvolk« gebraucht wurde, verschwand עם יהוה I vom Markte. Daß P^g in Ex 7_4 noch einmal mit der Nachhilfe einer synonymen Apposition die alte Bedeutung von עם יהוה I erzwingt, ist wahrscheinlich als bewußt archaisierender Sondergebrauch dieses Schriftstellers zu bewerten.[68]

So ist vor allem das עם יהוה II der Davidszeit zukunftsträchtig. Die drei folgenden, diachronisch ausgreifenden Teile werden es nur mit der weiteren Geschichte von עם יהוה II zu tun haben.

3. Der Jahwist: עם יהוה *tritt in die Geschichtsdarstellung ein*

Im ursprünglichen jahwistischen Werk nimmt der Erzähler selbst עם יהוה niemals in den Mund. Aber auch seine Figuren gebrauchen den Ausdruck nur in einem einzigen Erzählungszusammenhang: dort, wo im Buch Exodus die Herausführung aus Ägypten erzählt wird.[69] Und hier erinnert alles an die Rettungszusagen der Davidszeit.

[68] Zu archaisierenden Prozeduren in P^g vgl. *NLohfink*, Die priesterschriftliche Abwertung der Tradition von der Offenbarung des Jahwenamens an Mose, Bibl 49 (1968) 1–8 (hier: 4 Anm. 2).

[69] Die Belege bei J werden im folgenden Absatz vollständig aufgezählt. Bei den Belegen für עם יהוה in Ex $32_{11.12.14}$; 33_{13-16} ist die Schichtenzuteilung schwer. Doch handelt es sich mit Sicherheit nicht um Bestandteile der ursprünglichen Pentateuchquellen. Num 11_{29} gehört zu einem Zusatz zu J (*Noth*) oder E (*Baentsch*). E hat עם יהוה nur in Ex 3_{10} (Jahwe zu Mose) und 18_1 (Rückverweis auf die Herausführungserzählung, vgl. oben Anm. 23). Auch P^g hat עם יהוה nur im Exoduszusammenhang (Ex 6_7; 7_4; P^s: Lev 26_{12}; Num 17_6). Also haben auch die anderen Pentateuchquellen den von J geschaffenen Rahmen des Gebrauchs nicht gesprengt. Im Siegeslied Ex 15 dagegen ist עם יהוה im Zusammenhang mit dem Einzug in das Land Kanaan gebraucht: Ex 15_{16}.

In Ex 3_{7} sagt Jahwe zu Mose, er habe das Elend seines עם gesehen und habe ihr Schreien gehört. Man vergleiche 1Sam 9_{16}. In Ex 5_{1} bittet Mose den Pharao, Jahwes עם zu einer Festfeier ziehen zu lassen. In 5_{23}, nach einem ersten Mißerfolg, wendet sich Mose in einem Fürbittgebet an Jahwe und beklagt sich, daß Jahwe seinen עם nicht gerettet hat (נצל hi.). Vor der ersten bis fünften Plage erhält Mose jeweils den Befehl Jahwes, den Pharao aufzufordern, er solle Jahwes עם ziehen lassen, damit er Jahwe dienen könne ($7_{16.26}$; $8_{16.17.18.19}$; $9_{1.13.17}$). Vor der sechsten jahwistischen Plage wird nicht Jahwes Befehl erzählt, sondern wie Mose dem Pharao Jahwes Auftrag ausrichtet, er solle Jahwes עם ziehen lassen ($10_{3.4}$). Bei der siebten und letzten Plage, der Tötung der Erstgeburt, werden keine Botschaften mehr übermittelt.[70] Jahwe beginnt schon damit, die seinem עם zugesagte Rettung durchzuführen. Der Jahwist deutet also die alte Erzähltradition von der Herausführung aus Ägypten mit Hilfe des Ausdrucks עם יהוה.

Diese Deutung ist seine eigene Leistung. Wenn *MNoths* Analyse von Ex 5_{3-19} richtig ist,[71] ist uns dort noch ein Stück vorjahwistischer Auszugserzählung erhalten, vom Jahwisten in sein Werk eingesetzt. In diesem älteren Text verhandelt nicht Mose mit dem Pharao, sondern die שֹׁטרים der Israeliten. Hier fehlt der Ausdruck עם יהוה völlig, obwohl $5_{3.8.17}$ mit seiner Hilfe formuliert sein könnten. In 5_{16} scheinen sich die Israeliten sogar, um vom Pharao eine Erleichterung zu erhandeln, als der עם des Pharao zu bezeichnen.[72] Es ist schwer denkbar, daß der Jahwist selbst so formuliert hätte. Bei ihm stehen der עם יהוה und der עם פרעה einander als zwei entgegengesetzte Gruppen gegenüber (vgl. 8_{19}).

Der Jahwist lebte vermutlich in der Zeit Salomos. Der Gebrauch von עם יהוה bei prophetischen Rettungsankündigungen konnte ihm bekannt sein. Indem er den Ausdruck עם יהוה in die Auszugserzählung einführte, deutete er den Auszug aus Ägypten theologisch als Rettungshandeln Jahwes.[73]

[70] 11_{1-6} sind nicht an den Pharao gerichtet. $11_{7.8}$ sind als späterer Zusatz zu betrachten. Vgl. *MNoth*, Das zweite Buch Mose Exodus, ATD 5 (^{2}1961) 72.

[71] Vgl. *MNoth*, Exodus (vgl. vorige Anmerkung) 34–41. Dagegen: *GFohrer*, Überlieferung und Geschichte des Exodus, BZAW 91 (1964) 55f, aber wohl doch nicht mit durchschlagenden Gründen. Die Berufung auf *RSmend*, Jahwekrieg (vgl. oben Anm. 25) 90–92, ist nicht ganz berechtigt, da *Smend* nicht *Noths* literarkritischer Analyse, sondern dessen Folgerungen für den historischen Mose widerspricht.

[72] Ich lese וְחָטָאת עַמֶּךָ, vgl. LXX und Syr (zu חטא + Akk. vgl. Spr 20_{2}).

[73] Die hier gemachten Beobachtungen und ihre Konsequenzen sind in einer Reihe von Punkten im Einklang mit der von *WLMoran* stammenden, von *JPlastaras*, The God of Exodus (1966), breiter entfalteten These, »that the redactional frame-

Der Jahwist hat עם יהוה wohl schon eher als »Volk Jahwes« verstanden und den ursprünglichen Gedanken der Familienzugehörigkeit zu Jahwe nicht herausgestellt.[74] Dies haben jedoch spätere Generationen in den Exoduserzählungen nachgeholt. In Ex 4$_{22f}$, wohl einem Zusatz zu JE,[75] wird Israel Jahwes erstgeborener Sohn genannt. P^g sieht Jahwe nach Ex 6$_6$ in der Funktion eines גאל – ein Bild, das ja auch ein Verwandtschaftsverhältnis impliziert.[76]

Außerhalb der eigentlichen Pentateuchquellen werden später auch andere Phasen der Anfangsgeschichte Israels, etwa die Wüstenwanderung und die Hereinführung in das Land Kanaan, als Taten Jahwes an seinem עם bezeichnet. In diesen Fällen dürfte die Intention, aus der heraus der Ausdruck ursprünglich in die Exoduserzählungen eingeführt wurde, schon vergessen sein. Aber diese Ausweitung des Gebrauchs ist seltener, als man vor einer Überprüfung der Belege spontan annehmen würde.[77]

4. Jerusalem: die »Bundesformel« wird geschaffen

Der Ausdruck עם יהוה erscheint mit 34 Belegen in der sogenannten »Bundesformel«,[78] und zwar transformiert innerhalb eines Verbal-

work of Ex 2–15 is based upon the structure and form of Israel's lamentation liturgy«.

[74] Hauptgrund für diese Aussage ist die Gegenüberstellung von עם יהוה und עם פרעה beim Jahwisten.

[75] So *MNoth*, Exodus (vgl. oben Anm. 70) 33f; *HSeebaß*, Mose und Aaron, Sinai und Gottesberg (1962) 12; *BBaentsch*, Exodus-Leviticus-Numeri, HKAT I,2 (1903) 34 (R^d). Anders *OEißfeldt*, Hexateuchsynopse (1922) 115* (L); *GBeer*, Exodus, HAT I,3 (1939) 36 (J^1 – doch vgl. 37: »gehört zu den jüngeren Texten«); *GFohrer*, Exodus (vgl. oben Anm. 71) 38 (E).

[76] Ähnlich Ex 15$_{13}$ und Ps 77$_{16}$. Zum Begriff vgl. *DDaube*, The Exodus Pattern in the Bible, All Souls Studies 2 (1963) 27–29.

[77] Ex 15$_{16}$; Ps 68$_8$; 78$_{20.52}$; 105$_{24f.43f}$; 106$_{40}$; 135$_{12}$; 136$_{16}$; 1Chr 17$_{21}$.

[78] Die für עם יהוה relevanten Belege der »Bundesformel« sind oben Anm. 9 aufgezählt. Die übrigen Belege der »Bundesformel« sind: Gen 17$_{7.8}$; Ex 29$_{45}$; Lev 11$_{45}$; 22$_{33}$; 25$_{38}$; 26$_{45}$; Num 15$_{41}$; Dtn 26$_{17}$; Ex 11$_{16}$ (?); 34$_{24}$. Folgende Belege enthalten die volle »Bundesformel« mit ihren beiden Teilen: Ex 6$_7$; Lev 26$_{12}$; Dtn 26$_{17-19}$; 29$_{12}$; 2Sam 7$_{24}$; Jer 7$_{23}$; 11$_4$; 24$_7$; 30$_{22}$; 31$_{1.33}$; 32$_{38}$; Ez 11$_{20}$; 14$_{11}$; 36$_{28}$; 37$_{23.27}$; Sach 8$_8$; 1Chr 17$_{22}$; Ps 33$_{12}$. In 12 dieser 20 Belege steht die עם יהוה-Aussage, in 8 Belegen die אלהי ישראל-Aussage an erster Stelle. Bei einer Einzelanalyse gewinnt man den Eindruck, daß die Anfangsstellung der עם יהוה-Aussage Normalfall, die Anfangstellung der אלהי ישראל-Aussage meist kontextbedingte Umstellung ist. Das spräche dafür, daß die עם יהוה-Aussage die Urzelle der Formel darstellt und einige ältere Belege mit der עם יהוה-Aussage allein vielleicht gar nicht als defiziente Verwendungen der Formel, sondern als Zeugnisse von deren Frühform betrachtet werden könnten. Doch läßt sich hierfür keine Sicherheit erreichen.

komplexes, der aussagt, daß der mit עם יהוה bezeichnete Sachverhalt eintrat, eintritt oder eintreten wird. Der willkürlich herausgegriffene Beleg der »Bundesformel« Jer 11 4 והייתם לי לעם ואנכי אהיה לכם לאלהים ist zum Beispiel zu übersetzen: »dann sollt ihr mein עם werden, und ich will euer Gott werden«.[79] In den Belegen für עם יהוה aus der Davidszeit waren die syntaktischen Zusammenhänge stets so, daß der mit עם יהוה bezeichnete Sachverhalt als schlechthin gegeben, nicht aber als eintretend oder werdend erschien. Das Moment des Eintretens oder

[79] Gewöhnlich wird mit »sein« übersetzt, so auch noch bei *NLohfink*, Dt 26, 17–19 (vgl. oben Anm. 43). Aber mit dieser Übersetzung kommt die besondere Nuance der verbalen »Bundesformel« gegenüber entsprechenden Nominalsatzformulierungen (Dtn 9 29; Jos 24 18; 1Kön 8 51; Jes 41 10; 43 3; 48 17; 51 16; Jer 3 22; 31 18; Ez 34 30.31; 36 20; Hos 2 1.3.25; Sach 13 9; Ps 79 13; 95 7; 100 3; 105 7; 144 15; 1Chr 16 14; 2Chr 13 10; 14 10) oder innerhalb gemischter Konstruktionen (Jes 63 8; Hos 1 9; Ps 33 12) nicht zum Ausdruck. Worin sie besteht, läßt sich vielleicht am einfachsten durch Vergleich mit dem Sprechen über die Ehe verdeutlichen. 1. Das schon bestehende Eheverhältnis wird durch Nominalsatz festgestellt: vgl. Gen 12 12.18; 26 9; 39 9 usw. Für die Negation eines bestehenden Eheverhältnisses vgl. Hos 2 4. Diesem Gebrauch entsprechen die meisten soeben aufgezählten Nominalsatzparallelen zur »Bundesformel«. In ihnen wird also ein als bestehend vorausgesetztes Verhältnis Israel-Jahwe ausgesagt. 2. Bei der Eheschließung selbst scheinen Nominalsätze als *verba solemnia* gebraucht worden zu sein: vgl. *ACowley*, Aramaic Papyri of the Fifth Century B. C. (1923) Nr. 15,4: הי אנתתי ואנה בעלה; *EGKraeling*, The Brooklin Museum Aramaic Papyri (1953) Nr. 2,3f; 7,4. Sie haben also performativen Sinn: »*Hiermit* ist sie meine Frau, und ich bin ihr Mann«. Aus den oben aufgezählten Nominalsatzparallelen zur »Bundesformel« könnten vielleicht Hos 2 25 und Sach 13 9 verglichen werden. 3. Bei der Werbung und in anderen Situationen, wo über einen bevorstehenden oder zurückliegenden Eheschluß gesprochen wird, gebraucht man Verbalsätze. Die Konstruktion ist gewöhnlich mit doppeltem Lamed. Das Verbum ist נתן, wenn die Eheschließung von den Brauteltern oder anderen Verfügungsrecht über die Braut besitzenden Personen her (Gen 16 3; 29 28; 30 4.9; 34 8.12; 38 14; 41 45 usw.), לקח, wenn sie vom Bräutigam oder dessen Eltern her (Gen 12 19; 25 20; 28 9; 34 4.21 usw.), היה, wenn sie von der Braut her (Gen 20 12; 24 67 usw.) ins Auge gefaßt wird. Die »Bundesformel« entspricht diesem dritten Bereich des Sprechens über die Ehe. Normalerweise wird der Vorgang bei der ersten Hälfte (עם יהוה) von Israel, bei der zweiten Hälfte (אלהי ישׂראל) von Jahwe her ins Auge gefaßt. Daher steht gewöhnlich היה. Doch kann in Sonderfällen das עם יהוה-Werden Israels vom Partner Jahwe aus ins Auge gefaßt werden. Dann steht in Ex 6 7 das zu erwartende לקח, an weiteren Stellen äquivalente Verben (Dtn 28 9; 29 12 קום hi.; 1Sam 12 22 עשה; 2Sam 7 24 כון pol.; Ps 33 12 בחר; 1Chr 17 22 sogar נתן im Sinne von »rechtskräftig bestimmen«). Eine Entsprechung zu der Sicht des Eheschlusses aus der Perspektive der Brauteltern gibt es naturgemäß nicht. Von dieser zweifellos relevanten Analogie her ist היה in der »Bundesformel« ingressiv-fientisch zu übersetzen, falls dies vom Kontext aller Belege her nicht ausgeschlossen wird. Eine Überprüfung hat ergeben: An einigen Stellen ist die ingressiv-fientische Übersetzung schon vom Kontext her geboten, zB in Dtn 27 9; Jer 7 23; Sach 2 15; an allen anderen Stellen ist sie vom Kontext her entweder naheliegend oder mindestens nicht ausschließbar.

Werdens ist das entscheidend Neue, das die »Bundesformel« zur Geschichte des Gebrauchs von עם יהוה beiträgt.

Ferner tritt עם יהוה durch die »Bundesformel« erstmalig in Zusammenhang mit dem Gesetzesgehorsam und mit dem Wort ברית. Denn sie kommen so häufig zusammen mit der »Bundesformel« vor, daß man von einem festen Motivkomplex sprechen kann.[80]

Die meisten Belege der »Bundesformel« stammen aus exilischer und frühnachexilischer Zeit. Offenbar wurde die Formel erst damals literarisch produktiv. Sie scheint aber schon aus der Königszeit zu stammen. *RSmend* hat vor kurzem die These vertreten, daß sie 621 für die Bundeserneuerung Josias geschaffen wurde.[81] Er betrachtet Dtn 26$_{17-19}$ als ihren ursprünglichsten Beleg. Doch sprechen eine Reihe von Beobachtungen gegen diese Ableitung, wie ich an anderer Stelle gezeigt zu haben glaube.[82] Wie ich dort breiter begründet habe,[83] empfehlen sich für die Frühgeschichte der »Bundesformel« am ehesten folgende Annahmen:

1. Sie stammt aus Jerusalem.
2. Sie wurde im vorexilischen Jerusalem als ein von Jahwe beim Auszug aus Ägypten gesprochenes Wort betrachtet.
3. Sie wurde in der Königszeit entweder einmal oder zu wiederholten Malen innerhalb einer Zeremonie, in der man sich durch Eid (ברית) zur Gesetzesbeobachtung verpflichtete, im Namen Jahwes ausgesprochen.
4. Es scheint sich um eine wiederholbare Selbstverpflichtung zu handeln, und zwar liegt es weniger nahe, an eine in fester Periodizität wiederkehrende liturgiche Bundeserneuerung zu denken als an einen Verpflichtungsakt, der zu den Zeremonien beim Regierungsantritt eines Jerusalemer Königs gehörte. Dies ergibt sich aus dem ältesten und für die Königszeit einzigen datierbaren Beleg der »Bundesformel« in 2Kön 11$_{17}$.
5. Wann dieser Verpflichtungsakt bei Regierungsantritt in das Königsritual eingeführt wurde, ob im Jahre 836 bei der in 2Kön 11 ge-

[80] Einzelnachweise bei *NLohfink*, Dt 26,17–19 (vgl. oben Anm. 43) 521f.

[81] *RSmend*, Bundesformel (vgl. oben Anm. 10).

[82] *NLohfink*, Dt 26,17–19 (vgl. oben Anm. 43).

[83] Ebd. 548–553. An den dortigen Ausführungen würde ich inzwischen folgende, die Hauptthesen jedoch nicht abändernde Korrekturen anbringen: 1. 2Sam 7$_{24}$ scheidet als Zeugnis für die Frühgeschichte der Formel aus. Es dürfte sich um einen sekundärdeuteronomistischen Zusatz handeln (vgl. oben Anm. 55). 2. Die Notwendigkeit, auf die Nominalsatzparallelen zur »Bundesformel« bei Hosea Rücksicht zu nehmen, scheint mir jetzt noch geringer als bei der Abfassung der damaligen Arbeit. Hoseas Aussagen haben ihre eigene Figuration und gehören in eine andere Entwicklungslinie von עם יהוה (vgl. dazu unten, Abschnitt 5).

schilderten Machtergreifung von Joas oder schon bei einem seiner Vorgänger, muß offen bleiben.

Es sei betont, daß dies zwar die sich am ehesten empfehlenden Annahmen sind, daß aber auch an ihnen infolge unserer Quellenlage hohe Unsicherheitsmomente haften.

Warum wurde in das Jerusalemer Inthronisationsritual eine Verpflichtungszeremonie eingebaut, durch die עם יהוה entsteht? Die Frage läßt sich präzisieren. Gemäß 2Kön 11_{17}[84] vermittelte Jojada nämlich zwei Bundesschlüsse. Der erste war die ברית zwischen Jahwe, dem König und dem Volk, להיות לעם ליהוה (»durch die sie Jahwes עם wurden«), der zweite war die ברית zwischen König und Volk allein. Im zweiten Fall handelt es sich um einen Vertrag zwischen König und Volk, wie ihn David nach 2Sam 5_{3} einst mit den Nordstämmen und vorher wohl auch schon mit Großjuda[85] geschlossen hatte. Warum also wurde diesem Vertrag zwischen König und Volk ein erster Vertrag vorausgeschickt, durch den עם יהוה entstand?

Ist man der Auffassung, עם יהוה sei ein überall frei verfügbarer Ausdruck gewesen, dann fällt eine eindeutige Antwort schwer. Anders dagegen, wenn man nur mit den wenigen bisher untersuchten Verwendungen des Ausdrucks rechnet. Denn dann legt sich ein Zusammenhang mit dem alten Nagidtitel nahe.

Nach allem, was wir wissen, gab es im 9. Jahrhundert in Jerusalem keine prophetischen Nagideinsetzungen mehr. Falls der Sprachgebrauch der Chronik alte Wurzeln hat, war das Wort נגיד vielleicht sogar schon der Name für Ämter unter dem König geworden.[86] Der alte Nagidtitel war durch den Königstitel abgelöst. Deshalb könnte das Bedürfnis entstanden sein, wie früher das Nagidamt so jetzt das Königsamt auf die Realität עם יהוה zu beziehen. Die Einführung einer ברית zwischen Jahwe, König und Volk in den Inthronisationsritus, bei der die Realität עם יהוה neu deklariert wurde, wäre dann der Weg gewesen, dieses Bedürfnis zu befriedigen. Wenn ein neuer Herrscher so in der Jahwe-Israel-Struktur seinen Platz gefunden hatte, konnte anschließend auch die zwischenmenschliche Rechtssetzung eines Königsvertrags vorgenommen werden.

Das von uns soeben erschlossene Prinzip, daß vor dem Abschluß eines Königsvertrags die Zuordnung des Königs zum עם יהוה stehen mußte, ist in der Tat für das Denken am davidisch-salomonischen Hof

[84] Zu Textkritik, Quellencharakter und historischer Zeugniskraft von 2Kön 11_{17} vgl. *NLohfink,* Dt 26,17–19 (vgl. oben Anm. 43) 526.

[85] Vgl. *GFohrer,* Der Vertrag zwischen König und Volk in Israel, ZAW 71 (1959) 1–22 (hier: 3f). Dieser Aufsatz ist auch für die Deutung von 2Kön 11_{17} unentbehrlich.

[86] Belege bei *WRichter, nāgīd*-Formel (vgl. oben Anm. 31) 82f.

positiv erhebbar, und zwar aus der Erzählung vom Aufstieg Davids.[87] Nach 2Sam 5₁f fühlten sich die Ältesten Israels aus folgenden Gründen zum Abschluß eines Königsvertrags mit David gedrängt: 1. Blutbande (das ist eher eine Voraussetzung als ein Grund, David zum König zu wählen); 2. David hat schon unter Saul als Feldherr seine Führungsqualitäten gezeigt (das sind menschliche Gründe); 3. Jahwe hat David schon zum Hirten und Nagid über seinen עם Israel eingesetzt. Dieses dritte Element ist im Sinne der Erzählung von Davids Aufstieg entscheidend. Es ist das Leitmotiv der Erzählung. Hierdurch wird der nun folgende Abschluß des Königsvertrags legitimiert. Die Hofkreise, die hinter dieser Erzählung standen, mußten in der Folgezeit, wenn es weitere Davididen in die Herrschaft einzuführen galt, die nicht persönlich von einem Propheten vorher zum Nagid gesalbt worden waren, notwendig darauf sinnen, einen neuen Weg zu finden, um vor dem Abschluß des Königsvertrags den neuen König in die Gott-Israel-Beziehung hineinzustellen. Der Weg, den sie – sofort oder auch erst nach einigem Tasten – fanden, war die ברית zwischen Jahwe, König und Volk, bei der – wohl durch eine im Namen Jahwes durch einen Priester abgegebene Erklärung – der עם יהוה jeweils wieder neu ins Dasein trat.

Es dürfte auch schon in vorköniglicher Zeit Gebote und Gesetze Jahwes gegeben haben. Vielleicht gab es auch schon mit Eidleistung (ברית) verbundene Riten der Verpflichtung auf diese Gebote und Gesetze. Doch wir verfügen über kein positives Zeugnis, das uns zu der Annahme veranlaßt, auch schon vor der Königszeit sei im Zusammenhang eines solchen Verpflichtungsritus eine Erklärung im Namen Jahwes abgegeben worden, hiermit mache er die Sichverpflichtenden zu seinem עם. Daher ist es zwar nicht schlechthin ausschließbar, daß eine schon mit einer älteren ברית-Zeremonie verbundene »Bundesformel« sekundär mit dieser Zeremonie zusammen ins Königsritual eingesetzt wurde. Doch naheliegender ist, daß sie gerade bei der Einfügung eines vielleicht schon älteren ברית-Ritus in das Königsritual geschaffen wurde, damit dieser ברית-Ritus die prophetische Nagideinsetzung voll ersetzen konnte.

5. Die Verwendung von עם יהוה *zur Periodisierung der Geschichte*

Im Zusammenhang der Klage-, Fürbitte- und Rettungssituation motivierte עם יהוה zwar ein Geschehen, nämlich Jahwes Rettungstat, meinte aber selbst nicht eine geschichtlich erst werdende Wirklichkeit.

[87] Vgl. oben Anm. 51 und 52.

Das gilt auch vom Jahwisten. Bei ihm wird nicht etwa durch den Auszug aus Ägypten Israel zu Jahwes Volk, sondern Jahwe befreit Israel aus Ägypten, weil es sein Volk ist. Das gilt schließlich auch für die Mehrzahl der Belege aus späteren Epochen. Die mit עם יהוה bezeichnete Wirklichkeit ist nicht so, daß sie für eine bestimmte Periode der Geschichte ausgesagt, für eine andere negiert werden müßte. Sie ist vorgegeben. Es liegt auf dieser Linie, wenn עם יהוה in Dtn 32_{9}; Jes 51_{16} und Ps 33_{12} im Zusammenhang mit Schöpfungsaussagen auftritt.

Doch gibt es einige wenige, deshalb aber umso interessantere Ausnahmen.

a. Der Prophet Hosea erlebt Israels Abfall von Jahwe so erschrekkend, daß er Jahwe nicht mehr עמי sagen läßt, sondern לא עמי.[88] Doch spricht er dann auch die Hoffnung aus, es werde eine Zeit kommen, in der Jahwe wieder wie früher sagen kann: עמי־אתה.[89] Der Kontext dieser Aussagen sowie ihre Form legen nahe, daß Hosea hier die Gestalt von Eheschluß- und Ehescheidungs-, vielleicht auch von Adoptionsformeln imitiert.[90] Jedenfalls unterscheidet er durch Geltung und Nichtgeltung von עם יהוה drei Perioden im Schicksal Israels.

Diese Technik der Geschichtsgliederung ist von keinem anderen Propheten aufgenommen worden. Man hatte ähnliche Gerichtsbotschaften, aber man benutzte den Ausdruck עם יהוה auch für das von Jahwe verurteilte und bestrafte Volk.[91] Selbst in der nun zu besprechenden Gruppe von Texten, nach denen die aus dem Exil Heimkehrenden auf neue Weise zum עם יהוה werden, scheint nicht vorausgesetzt zu sein, daß Israel vorher – also im Exil – nicht der עם יהוה gewesen sei.

b. Es handelt sich um Jer 24_{7}; 30_{22}; $31_{1.33}$; 32_{38}; Ez 11_{20}; 36_{28}; $37_{23.27}$; Sach 8_{8}.[92] An allen diesen Stellen steht die »Bundesformel«. In

[88] Hos 1_{9}.

[89] Hos 2_{25}, vgl. $2_{1.3}$.

[90] Allerdings ist diese Aussagenfiguration selbst bei Hosea auf die Kapitel 1–3 eingeschränkt. Nachher findet sich der übliche prophetische Gebrauch von עם יהוה. Zu den Eheschlußformeln vgl. oben Anm. 79, zu dieser ganzen Formelwelt auch *NLohfink*, Dt 26,17–19 (vgl. oben Anm. 43) 519.

[91] Jes $5_{13.25}$; $11_{11.16}$; 40_{1} und öfter. Besonders auffallend ist, daß in Jer 3; Ez 16; 23, wo das Motiv der untreuen und verstoßenen Ehefrau aus Hos 1–3 aufgenommen wird, der Ausdruck לא־עמי fehlt. Eventuell könnte man Stellen wie Jes 1_{10} (עם עמרה) und Jer 13_{10} (העם הזה הרע) als lockere Annäherungen an die Sprache Hoseas anführen. Sach 13_{9}, wo Hos 2_{25} nachgeahmt wird, hat nur die positive, nicht eine vorangehende negative Aussage über עם יהוה. Falls das Wortpaar באמת ובצדקה in Sach 8_{8} eine Anspielung auf Hos 2_{21} ist (so *FHorst*, HAT 14, 1954, 243) und deshalb auch die »Bundesformel« hier als Bezugnahme auf Hos 2_{25} betrachtet werden muß, ist der vorangehende Vers Sach 8_{7} um so beachtenswerter, weil in ihm עם יהוה schon für die vorausliegende Zeit steht.

[92] Vielleicht auch Sach 2_{15} (falls von Israeliten). In Sach 13_{9} wird עם יהוה für eine noch fernere Zukunft gebraucht. Vgl. zu den meisten dieser Stellen *PBuis*, La

Jer 24_{7}; 32_{38}; Ez 11_{20}; 36_{28}; $37_{23.27}$; Sach 8_{8} geht eine Aussage über die Heimkehr aus dem Exil voran. Für Jer 30_{22}; $31_{1.33}$ ist vom Trostbuch Jer 30f her, zu dem diese Texte jetzt gehören, der Zusammenhang mit der Heimkehr der Nordstämme gegeben. Die für den Augenblick der Heimkehr gemachte Hauptaussage ist eine neue Hingabe der Israeliten an Jahwe: Die verwendeten Motive sind Reinigung (Ez 36_{28}; 37_{23}), neues und anderes Herz (Jer 24_{7}; 32_{38}; Ez 11_{20}; 36_{28}), Gesetz im Herzen (Jer 31_{33}), neuer Geist (Ez 11_{20}; 36_{28}), Bekehrung (Jer 24_{7}), Jahweerkenntnis (Jer 24_{7}; 31_{33}), Beobachtung der Gesetze (Ez 11_{20}; 36_{28}; 37_{27}), Sündenvergebung (Jer 31_{33}), Furcht Jahwes (32_{38}).[93] An diese Hauptaussage schließt sich dann die »Bundesformel« an. Dem neuen, im übrigen von Jahwe selbst geschenkten Verhalten Israels entspricht auch wieder neu das von Jahwe gesetzte Verhältnis. Bei der Heimkehr aus dem Exil wird also die Wirklichkeit עם יהוה neu gesetzt.

Doch wäre es wahrscheinlich vorschnell, daraus zu folgern, im Sinne dieser Texte seien die Exilierten nicht mehr der עם יהוה gewesen. Mindestens wird das niemals ausdrücklich gesagt. Ez 36_{28} ist sogar die Gegenaussage zu der Spottaussage der Völker über die Exilierten in 36_{20}: »Diese sind der עם יהוה, und aus seinem Land haben sie hinausgehen müssen«.[94] Vermutlich muß man alle diese Texte so verstehen, wie es Sach 8_{7f} ausdrücklich ausspricht: Die Heimführung aus dem Exil ist schon Jahwes Rettungstat an seinem עם, und wenn sie dann heimgekehrt sind, werden sie neu Jahwes עם.

Eine sachgemäße Erklärung dieses Befunds dürfte vom rituellen Ursprung der »Bundesformel« aus möglich sein, der auch oben in anderem Zusammenhang schon angenommen wurde. Durch einen ברית-Ritus, innerhalb dessen die »Bundesformel« gesprochen wurde, wurde Israel im Sinne kultischer Erneuerung, im Sinne eines jeweiligen kultischen »Heute« immer wieder neu zum עם יהוה. Das immer Geltende wurde nur neu in die Gegenwart gestellt. Damit war nie ausgeschlossen, daß Israel auch schon vorher עם יהוה war. Ein dazu analoges Neudasein der mit עם יהוה gemeinten Wirklichkeit, ja vielleicht sogar auch einen dem alten analogen ברית-Ritus wollen unsere Texte für den Augenblick der Heimkehr aus dem Exil ankündigen.[95] Die Heimkehr aus

Nouvelle Alliance, VT 18 (1968) 1–15. Man könnte auch noch Ez 34_{30} hinzuziehen, wo in einer erweiterten Erkenntnisvoraussage eine Nominalsatzformulierung steht.

[93] Keine derartigen Motive sind verbunden mit Jer 30_{22}; 31_{1} – spät zugefügten Zusätzen, die sich aber wohl an die hier behandelten Texte anlehnen – und mit Sach 8_{8} – einer Kurzimitation der hier behandelten Texte.

[94] Zur schichtmäßigen Zusammengehörigkeit vgl. *W. Zimmerli*, Ezechiel, BK XIII/2 (1969) 872–874.

[95] Vgl. das Wort ברית in Jer 31_{31-33} und – in anderer Verwendung – in Jer 32_{40}

dem Exil ist also in diesen Texten mithilfe des Ausdrucks עם יהוה als ein Neuanfang in der Heilsgeschichte gekennzeichnet, doch läßt sich diese neue Epoche der Heilsgeschichte nicht einfach dadurch schon von vorangehenden unterscheiden.

In ähnlicher Weise ist es wohl zu beurteilen, wenn das Eintreten der mit עם יהוה gemeinten Wirklichkeit in Ex 19$_{3-8}$ am Sinai, in Lev 26$_{12}$ in der Richterzeit,[96] in Jer 13$_{11}$ in der Königszeit und in Ez 14$_{11}$ in der Exilszeit angesetzt wird.

Ja, man wird auch das Deuteronomistische Geschichtswerk ähnlich verstehen müssen, wenn es den Augenblick der Verkündigung des deuteronomischen Gesetzes durch Mose, kurz vor seinem Tod im Lande Moab, als den Zeitpunkt anzunehmen scheint, in dem Israel zum עם יהוה wurde.[97] Nirgends wird gesagt, Israel sei vorher noch nicht עם יהוה gewesen. In der deuteronomistischer Hand zuzuschreibenden Zusammenfassung des Nathanorakels in 1Kön 8$_{16}$[98] heißt es sogar: מן־היום אשר הוצאתי את־עמי את־ישׂראל ממצרים. Das spiegelt die Sicht des Jahwisten, nach der Israel schon vor der Herausführung aus Ägypten Jahwes Volk war. In den anschließenden deuteronomistischen Texten von 1Kön 8 ist עם יהוה eine Art Leitmotiv. Der Ausdruck wird aber genau in der Weise verwendet wie auch sonst in der Gebetssprache. So wird man den Eindruck, der im Buch Deuteronomium entsteht, anders erklären müssen. Der »Deuteronomist« wollte offenbar die Jerusalemer Gesetzes- und ברית -Texte der ausgehenden Königszeit ätiologisch-historisierend an geeigneter Stelle im Leben Moses unterbringen. Wurden diese Texte in Jerusalem normalerweise bei der Einführung eines neuen Königs in sein Amt gebraucht, dann war es sinnvoll, sie innerhalb des Geschichtswerks im Augenblick des Übergangs der Führung Israels von Mose auf Josua unterzubringen. Tatsächlich sind die dtn Kerntexte deuteronomistisch durch die Thematik der Amtsübergabe umklammert: Dtn 1$_{38}$;

und Ez 37$_{26}$. Zu den beiden unterschiedlichen Verwendungen von ברית im Zusammenhang mit der »Bundesformel« vgl. *NLohfink*, Dt 26,17–19 (vgl. oben Anm. 43) 521f.

[96] Dies unter der Voraussetzung, daß Lev 26$_{12a}$ והתהלכתי בתוככם eine Bezugnahme auf die kultische Kennzeichnung der Richterzeit in 2Sam 7$_{6f}$ sein soll. In diesem Fall geben – mindestens im Sinne einer bestimmten Redaktionsschicht – Lev 26$_{3-13}$ einen Vorblick auf die Richterzeit, Lev 26$_{14-39}$ auf Königszeit und Exil, Lev 26$_{40-45}$ auf die Beendigung des Exils. Sollte diese Deutung nicht richtig sein, dann ist Lev 26$_{12}$ auf die gesamte Zeit zwischen Landnahme und Exil zu beziehen.

[97] Dtn 26$_{17-19}$ und 27$_{9f}$ sind von 4$_{44-49}$ her, 29$_{9-14}$ von 28$_{69}$ her in Moab kurz vor Moses Tod lokalisiert. Die lokalisierenden Angaben sind wohl deuteronomistischer Redaktionsarbeit zuzuschreiben. 1Sam 12$_{22}$, ein wohl von deuteronomistischer Hand geschaffener Vers, blickt auf ein früheres Ereignis zurück.

[98] Zur Zuteilung vgl. *MNoth*, Könige I, BK IX/1 (1968) 182.

3_{23-28}; $31_{1-8.14f.23}$; Jos 1_{1-18}.[99] Mit den Jerusalemer ברית-Texten kam auch die »Bundesformel« in die Moabsituation, ohne daß damit gemeint war, vorher sei Israel noch nicht der עם יהוה gewesen.

c. Eine echte Geschichtsperiodisierung mithilfe von עם יהוה scheint dagegen in einigen Texten vorzuliegen, nach denen Jahwe Israel durch die Herausführung aus Ägypten zu seinem עם gemacht hat. Da wird offenbar mithilfe des Ausdrucks עם יהוה die Zeit seit dem Auszug aus Ägypten abgehoben von der vorangehenden Zeit.

Während bei J und E Jahwe Israel aus Ägypten herausführt, weil Israel sein עם ist, nimmt Jahwe Israel nach Ex 6_{7} P^{g} in der Herausführung aus Ägypten bzw. durch sie zu seinem Volk an.[100]

Ähnlich ist es nach einer Spätbearbeitung des Deuteronomistischen Geschichtswerks, zu der Dtn 4_{1-40} und einige Zusätze an anderen Stellen des Werks gehören.[101] Dtn 4_{20} und 2Sam 7_{23} sagen, Jahwe habe Israel aus Ägypten geführt, um es zu seinem Volk zu machen.[102] Hierhin gehört auch der Sache nach 1Kön 8_{53}, wo nicht עם, sondern נחלה steht.

Es dürfte eine Historisierung der Überzeugung vorliegen, die sich offenbar im ursprünglichen Ritual mit der »Bundesformel« verband: daß diese Formel zum erstenmal beim Auszug aus Ägypten gesprochen worden sei.[103] Im Ritual war das wohl nicht im Sinne einer Unterscheidung von Epochen der Heilsgeschichte gemeint gewesen. Die Zeit, in der Israel aus Ägypten zog, war vielmehr »Urzeit« im Sinne kultischen Denkens, und die Frage nach einem Vorher stellte sich dann nicht.[104] Bei

[99] Vgl. *NLohfink*, Die deuteronomistische Darstellung des Übergangs der Führung Israels von Moses auf Josue, Schol 37 (1962) 32–44.

[100] Daß Ex 6_{7} nicht einen auf die Handlungen von 6_{6} folgenden, sondern einen damit identischen Vorgang meint, ergibt sich aus 7_{4}. Nach diesem Text wird Israel nämlich bereits als Jahwes עם (hier mit archaisierend-militärischer Nuance, vgl. oben) aus Ägypten geführt.

[101] Zu Dtn 4_{1-40}; 2Sam 7_{22-24} und 1Kön $8_{52-53.59-60}$ sind Untersuchungen von *GBraulik* in Arbeit, auf deren Ergebnisse ich hier vorgreife.

[102] Zu dem textkritisch schwierigen Vers 2Sam 7_{23} vgl. auch die Chronikparallele 1Chr 17_{21f}.

[103] Der für diese Annahme wichtigste Beleg ist Dtn 4_{45}, das dann in 4_{46} von dtr Hand sekundär auf die Moabsituation umgedeutet wurde. Spätere Belege, die diese Jerusalemer Ansetzung des Urereignisses reflektieren: Ex 6_{7}; 19_{5f}; 29_{45}; Lev 11_{45}; 22_{33}; 25_{38}; $26_{12.45}$; Num 15_{41}; Dtn 4_{20}; 7_{6}; 2Sam 7_{24} (= 1Chr 17_{22}); Jer 7_{23}; 11_{4}; 31_{33}; vgl. auch Ps $81_{9.12.14}$. Ausführliche Diskussion der Verbindung zwischen »Bundesformel« und Auszug aus Ägypten bei *NLohfink*, Dt 26,17–19 (vgl. oben Anm. 43) 517f. 542 und 549f.

[104] Schwierigkeiten bereitet allerdings der Rückverweis auf einen Schwur Jahwes an die Patriarchen, die »Bundesformel« zu realisieren, in Dtn 29_{12}, falls man hier – wie ich es tun möchte – einen vom Deuteronomistischen Geschichtswerk aufgenommenen Text aus dem Jerusalemer ברית-Ritual vermutet. Sollte 29_{12b} ein Zusatz zu dem ursprünglichen Text sein? Auch sonst zeigen sich in Dtn 29_{1-20} einige deuteronomistische Überarbeitungsspuren.

P^g dagegen gehen in der Geschichtserzählung andere Perioden voran, und die Annahme der Israeliten als עם יהוה muß als neue, die heilsgeschichtliche Situation verändernde Setzung verstanden werden. Einmal geschehene Heilssetzungen Jahwes sind nach dem Verständnis der Priesterschrift unaufhebbar. Einzelne Menschen und ganze Generationen können sündigen und werden dann vom Heil ausgeschlossen. Aber nachher wirkt die alte Setzung weiter. Darin liegt Israels Hoffnung im Exil.[105] Ähnlich dürfte Dtn 4_{1-40} denken.[106]

[105] Zu diesen Grundansätzen der Theologie von P^g vgl. vor allem: *WZimmerli*, Sinaibund und Abrahamsbund, ThZ 16 (1960) 268–280; *RKilian*, Die Hoffnung auf Heimkehr in der Priesterschrift, Bibel und Leben 7 (1966) 39–51; *NLohfink*, Die Ursünden in der priesterlichen Geschichtserzählung, Die Zeit Jesu, Festschr. HSchlier (1970) 38–57. H und P^s haben dies wieder rückgängig gemacht und die Realisierung von Jahwes Zusagen wieder an die Gesetzesbeobachtung gebunden. Für עם יהוה insbesondere geschieht dies im Segenstext von H (Lev 26_{3-13}).

[106] Auch 4_{29-31} rechnet mit neuem Erbarmen Jahwes nach dem Exil. Als das Hauptmotiv Jahwes wird die ברית, die er den Vätern geschworen hat, angegeben. Das ist auch die grundlegende Heilssetzung bei P^g, zu der dann die Annahme Israels als עם יהוה hinzukommt: vgl. Ex 6_{4-8}. – Das Manuskript wurde am 1. 6. 1970 abgeschlossen. Spätere Literatur konnte nicht mehr berücksichtigt werden.

GEORG CHRISTIAN MACHOLZ

JEREMIA IN DER KONTINUITÄT DER PROPHETIE

»Jeremja, der letzte grosse Prophet, der Abendstern des sinkenden Tags der Weissagung«, steht »auf der Scheide zweier Zeiten und schliesst ohne es zu wollen die ganze reinprophetische Art und Weise«. So hieß es bei *HEwald.*[1] Aber was ist das: »die ganze reinprophetische Art und Weise«? Diese Frage stellen nicht erst wir, von außen und im Nachhinein; diese Frage stellte schon, von innen, Jeremia selbst. Daß er sie stellte, daß ihm »das prophetische Amt selbst ein Gegenstand der Reflexion geworden« war,[2] eben das zeigt wohl, daß »Jeremia zweifellos als ein Spätling in der Reihe der Propheten gelten« muß.[3]

Die Reflexion über »das prophetische Amt« ist freilich bei Jeremia nicht auf den Begriff gebracht; aber sie äußert sich mittelbar, und zwar in dreierlei Richtung: im Blick auf Jahwe selbst; im Blick auf die Propheten neben Jeremia; im Blick auf die Propheten vor ihm.

Im Blick auf Jahwe selbst: nämlich in den »Konfessionen« Jeremias.[4] Die Konfessionen zeigen ja nicht, daß Jeremia »durch den Miserfolg seiner Prophetie über die Prophetie hinausgeführt« wurde, etwa in Richtung »zu einem inneren Verkehr mit der Gottheit«.[5] Nicht »ein religiöses Privatverhältnis zwischen seiner Person und Jahve«[6] eröffnet sich hier, sondern in den Konfessionen »redet Jeremia ja ... mitten aus seinem Prophetenamt heraus«.[7] Dies aber nicht in dem Sinne, daß »das Ich, das dort in Erscheinung tritt, ganz in das Wir hineingenommen« wäre, »nichts anderes als Repräsentanz und Verkörperung der Gemeinschaft« wäre.[8] Sondern was hier zur Sprache kommt, »ist doch Leiden, Enttäuschung, Verzagen *am Prophetenberuf*«.[9]

1 *HEwald*, Die Propheten des Alten Bundes II (1841) 11.

2 *GvRad*, Theologie des Alten Testaments II (^{4}1965) 283.

3 *vRad*, ThAT II 213.

4 Jer 11_{18-23}; 12_{1-6}; $15_{10-12.15-21}$; 17_{12-18}; 18_{18-23}; $20_{7-13.14-18}$.

5 *JWellhausen*, Israelitische und jüdische Geschichte (^{6}1907) 146.

6 Ebd.

7 *vRad*, Die Konfessionen Jeremias, EvTh 3 (1936) 265–276; Zitat 273.

8 So *HGraf Reventlows* These (Liturgie und prophetisches Ich bei Jeremia, 1963; Zitat 259). Zur Kritik an ihr vgl. neuerdings *John Bright*, Jeremiah's

Im Blick auf die Propheten neben Jeremia äußert sich die Reflexion über das prophetische Amt: Hier sind all die Stellen zu nennen, wo »die Propheten« allgemein bescholten werden[10] oder wo das von Jeremia ausgerichtete Jahwewort dem von anderen, zT namentlich genannten, Propheten im Namen Jahwes ausgerichteten Wort widerstreitet [11] und wo sich damit die Frage nach den Kriterien der Prophetie und nach der Vollmacht des Propheten stellt. Etwa in der Auseinandersetzung mit Hananja (Jer 28) wird das Problem der Kriterien der Prophetie geradezu zum Thema.

Bei all diesen Aussagen des Jeremiabuches wird gegen die anderen Propheten oft der Vorwurf der Lüge, des שֶׁקֶר erhoben (das ist geradezu ein Haupt-Wort bei Jeremia[12]). Dieser Vorwurf bezieht sich aber nicht nur auf die Verkündigung der Propheten, sondern auch auf ihr Leben, wie denn überhaupt die Angriffe gegen das »Wort« der Propheten mit solchen gegen ihren »Wandel« wechseln, manchmal sogar nebeneinander erhoben werden.[13] Auch hier zeigt sich eine Auffassung vom Propheten, nach der das Prophetsein sich nicht nur auf die Wortverkündigung erstreckt, sondern die ganze Existenz des Propheten umgreift.

Schließlich äußert sich die Reflexion über das prophetische Amt im Jeremiabuch *im Blick auf die Propheten vor Jeremia:* Hier ist zunächst jene Gruppe von Texten zu nennen, in denen – fast immer in Jahwerede – auf »(alle) meine Knechte, die Propheten« verwiesen wird.[14] Damit ist offenbar die Prophetie insgesamt in ihrer geschichtlichen Erstreckung gemeint, bis hin zu Jeremia und diesen stillschweigend einbeschließend. Hierher gehört auch jene Stelle in der Auseinandersetzung zwischen Jeremia und Hananja, wo Jeremia redet von »den Propheten, die vor mir und vor dir wirkten von der Anfangszeit an«.[15] Endlich gehört, wenn auch mittelbar, hierher der Hinweis auf Micha von Morešet und seine »Prophezeiung« – ein Hinweis, der durch

Complaints – Liturgy or Expression of Personal Distress?, in Proclamation and Presence (Festschr. GHenton Davies, hg. v. *JIDurham* und *JRPorter,* 1970) 189–214.

EGerstenberger hat zu zeigen versucht, daß Jer 15_{10-21} nicht »jeremianisch«, sondern »deuteronomistisch« sei; er fragt daraufhin »Can the other individual complaints in Jer ... be shown to be later insertions ..?« (Jeremiah's Complaints. Observations on Jer 15_{10-21}, JBL 82, 1963, 393–408; Zitat 408). These und Frage *Gerstenbergers* können hier nicht untersucht werden; träfen sie das Richtige, so würde doch sinngemäß gelten, was unten S. 308f zur »dtr Prophetenaussage« im Jeremiabuch gesagt ist, vgl. Anm 19.

9 *vRad,* Konfessionen 274; Sperrung auch dort.

10 zB Jer (6_{13}); 8_{10f}; (13_{13}); 14_{13ff}; 23_{9-15}.

11 Vgl. Jer 23_{16ff}; 27_{14ff}; 28; $29_{8ff.21ff}$.

12 Nach *Lisowskys* Konkordanz 37 Vorkommen in Jer – ca. 1/3 aller Vorkommen im AT!

13 Vgl. בשקר הם נבאים Jer 29_9 – הלוך בשקר 23_{14}. u. 29_{21ff}.

14 Jer 7_{25}; (25_4); 26_5; 29_{19}; 35_{15}; 44_4.

15 Jer 28_8: הנביאים אשר היו לפני ולפניך מן־העולם

»Männer von den Ältesten des Landes« im Prozeß wegen Jeremias Tempelrede als Praecedens zugunsten Jeremias angeführt wird (Jer 26 17ff).

Bei der Zusammenstellung dieser Texte, die sich auf »die Propheten vor Jeremia« beziehen, mag die Hinzunahme der ersten Gruppe bedenklich erscheinen. Es kann ja als gesichert gelten, daß all jene Stellen, die allgemein von »den Jahweknechten, den Propheten« sprechen, weder zu den ursprünglichen Jeremiasprüchen noch zu den »Fremdberichten« über Jeremia gehören, sondern einer späteren »literarischen Schicht« bzw. Bearbeitung angehören. In ihnen zeigt sich ein generalisierendes und systematisierendes Nachdenken über die Prophetie, das wohl mit deuteronomistischen Kreisen in Verbindung zu sehen ist.[16]

Aber die literarische Absonderung dieser deuteronomistischen Partien von den älteren Stücken des Jeremiabuches darf doch nicht zu einer überlieferungsgeschichtlichen Trennung zwischen beiden führen, etwa als hätten Gruppen ganz anderer Art und Herkunft hier »die prophetische Predigt der Erhaltung der religiösen Eigenart der Exilsgemeinde dienstbar« gemacht.[17] Vielmehr wird man einen überlieferungsgeschichtlichen Zusammenhang zwischen Jeremia und den hinter »Jeremia C« stehenden Traditionskreisen anzunehmen haben. Es ist ja kaum von ungefähr, daß diese Kreise in die Überlieferung keines anderen Schriftpropheten so weitgehend eingegriffen haben wie in die Jeremia-Überlieferung.

Der überlieferungsgeschichtliche Zusammenhang zwischen »Jeremia selbst« und »Jeremia C« darf natürlich nicht einlinig-direkt gesehen werden; er bedarf auch noch behutsamer und differenzierender Untersuchung. Aber *daß* dieser Zusammenhang da ist – und zwar enger als so, daß man für Jeremia hier, Dtr und »Jeremia C« dort lediglich eine beiden gemeinsame Tradition annimmt – das wird man jedenfalls feststellen können. Dieser Zusammenhang zeigt sich gerade an den genannten Texten, in denen eine Beschäftigung mit der Geschichte der Prophetie deutlich wird: Die systematisierenden Aussagen von »Jeremia C« sind doch wohl nicht nur eine »Weiterbildung der deuteronomistischen Prophetenaussage«, wie sie sich in 2Kön 17 13f zeigt,[18] sondern beide zusammen haben ihren Anhalt an jenem Nachdenken über die Geschichte der Prophetie, das sich bei Jeremia selbst zeigt. So sind diese Prophetenaussagen von »Jeremia C« als *indirekte* Belege mit aufzuführen, wenn es um einen Überblick über die jeremianischen Texte geht, in denen sich zeigt, *daß* Jeremia sich im Zusammenhang mit den »Propheten vor ihm« sieht.[19]

[16] Die Stellen gehören, in *Mowinckels Chiffren* (Zur Komposition des Buches Jeremia, 1914) zu »Jeremia C«; im literarischen Zusammenhang von Stücken dieser »Quelle« bzw. Traditionsschicht stehen 7 25; 35 15; wohl auch 44 4; die anderen Stellen sind Einzelzusätze zu anderen Zusammenhängen. Vgl. *WRudolph*, Jeremia, HAT (³1968) zum literarischen Problem insgesamt XVIff, zu den Einzelzusätzen die Bemerkungen zum Text der betr. Stelle.

Zu diesen Stücken miteinander s. *OHSteck*, Israel und das gewaltsame Geschick der Propheten, WMANT 23 (1967) 72ff mit Anmerkungen. Die Arbeit von *WThiel*, Die deuteronomistische Redaktion des Buches Jeremia (Diss. theol. Humboldt-Universität Berlin 1970) ist mir noch nicht zugänglich. Vgl. das Kurzreferat in ZAW 83 (1971) 149f.

[17] *Rudolph*, HAT XVIIf.

[18] So *Steck*, aaO 72.

[19] Dasselbe würde von den »Konfessionen« gelten, falls *EGerstenberger* mit seiner These bzw. Vermutung Recht hat, daß sie teilweise oder ganz deuteronomistische Erweiterungen seien (s. o. Anm. 8).

Fragt man aber, *wie* das geschieht, dann wird solche Untersuchung zunächst auf Grund von Aussagen der älteren Jeremia-Überlieferung zu führen sein, und die »Jeremia C«-Texte sind nicht mit heranzuziehen.

All diese zu drei Gruppen geordneten verschiedenartigen Belege zeigen, daß die Frage nach »der ganzen reinprophetischen Art und Weise« in der Jeremiaüberlieferung selbst unter verschiedenen Aspekten gestellt ist. Man kann geradezu sagen: Die Frage nach dem Selbstverständnis Jeremias ist hier verknüpft mit der Frage nach dem »Wesen« der Prophetie überhaupt.

Der letzte der drei oben genannten Aspekte zeigt, daß Jeremia sein eigenes »Amt«, und das heißt bei ihm: sich selbst, im Zusammenhang mit den »Propheten vor ihm« versteht. Insofern kann man sagen: Die Frage nach dem Selbstverständnis Jeremias stellt sich als Frage nach der Geschichte der Prophetie.

Dieser Frage soll hier ein Stück weit nachgegangen werden. Und zwar soll untersucht werden, an welchen Stellen der Jeremiaüberlieferung das Tun Jeremias in ausdrücklichem Zusammenhang mit den früheren »Propheten« und ihrem Tun gesehen wird, und es soll so genau wie möglich bestimmt werden, welches dieses Tun ist. Ist das – in dieser Beschränkung und sozusagen ›von innen her fragend‹ – geschehen, so wird man auch ›von außen‹ etwas über die historischen und überlieferungsgeschichtlichen Zusammenhänge sagen können, in denen Jeremia steht.[20]

I.

Fragt man also, wo die Jeremia-Überlieferung etwas vom Tun der früheren Propheten sagt und von dem Zusammenhang, in dem Jeremia damit steht, so ist zunächst die oben schon erwähnte, vielverhandelte

[20] Diese Untersuchung hat in der Intention der Fragestellung manches gemeinsam mit zwei Aufsätzen von *WLHolladay*, The Background of Jeremiah's Self-Understanding. Moses, Samuel and Psalm 22, JBL 83 (1964) 153–164 und Jeremiah and Moses: Further Observations, JBL 85 (1966) 17–27. Die These *Holladays* ist, »that it was in the light of the figure of Moses that Jeremiah lived out his own ministry, and that the figure of Samuel and the words of Psalm 22 also played a part in his self-understanding« (JBL 83, 153; vgl. auch 85, 17). Er will diese These belegen durch »parallels of word-association, phraseology, and idea-association in earlier biblical material likely to have been known by Jeremiah« (JBL 83, 154). Er findet »Parallelen« in Ex 2; 4; Dtn 18_{18}; Ps 22; 1Sam 1–3 und (im zweiten Aufsatz) in Dtn 32. Ich kann schlechterdings nicht einsehen, daß diese »Parallelen« zum Beleg von *H.*s These etwas austrügen. Doch auch wenn die Durchführung von *H.*s Untersuchungen überzeugender wäre, so wären gegen ihren methodischen Ansatz erhebliche Bedenken anzumelden.

Stelle aus der Auseinandersetzung Jeremias mit Hananja *Jer 28*8f heranzuziehen:

> (8) Die Propheten, die vor mir und vor dir gewirkt haben von der Urzeit an, die prophezeiten (וַיִּנָּבְאוּ) über viele Länder und über große Königreiche Krieg, Unheil und Pest. (9) Was den Propheten anlangt, der Unheil prophezeite – am Eintreffen des Wortes des Propheten erwies sich der Prophet als einer, den Jahwe wirklich (בֶּאֱמֶת) gesandt hat.

Hier ist die Geschichte der Prophetie überwiegend »im Sinne einer Kontinuität der Unheilsprophetie verstanden«[21] – überwiegend, aber nicht ausschließlich. Vielmehr hat es hiernach in der Geschichte Israels Heils- *und* Unheilsprophetie gegeben, zwar nicht in gleichem Maße, aber in gleicher Weise. Für die Heils- wie die Unheilspropheten ist ein und dasselbe Tun charakteristisch: sie »prophezeien«. Was mit dieser allgemeinen Bestimmung gemeint ist, zeigen die Objekte: »Prophezeien« bedeutet Zukunft ansagen. Der Prophet tut das mit dem Anspruch, von Jahwe »gesandt« zu sein. (Um die Frage nach der Legitimität und den Kriterien dieses Anspruchs geht es im Text, aber nicht in unserer Untersuchung.) Diese Zukunftsansage betrifft – das wird ausdrücklich allerdings nur von den »Unheilspropheten« gesagt – »viele Länder und große Königreiche«, also nicht Einzelne, sondern Gesamtheiten; und sie betrifft nicht Israel allein, ja Israel wird gar nicht ausdrücklich erwähnt, sondern in die Mehrzahl der »Länder und Königreiche« anscheinend eingeordnet. –

Etwas weiter und in etwas andere Richtung führt die ebenfalls oben schon erwähnte Stelle aus dem Bericht über Jeremias Tempelrede und den ihr folgenden Prozeß *Jer 26*17ff:[22]

[21] *RRendtorff*, Erwägungen zur Frühgeschichte des Prophetentums in Israel, ZThK 59 (1962) 148 (f).

[22] Hier sprechen freilich »Männer von den Ältesten des Landes«; so darf die dahinterstehende Vorstellung vom Propheten, seinem Tun und den Konsequenzen dieses Tuns nicht ohne weiteres für die Jeremiaüberlieferung in Anspruch genommen werden. Der Abschnitt zeigt zunächst, daß und wie die Prophetie als Gesamterscheinung von geschichtlicher Erstreckung in nichtprophetischen Kreisen bedacht wurde. Aber man wird darüberhinaus doch sagen müssen, daß Jer 26 von dem, was die »Ältesten« anführen, durchaus im Einverständnis berichtet; die in V. 17–19 begegnende Vorstellung vom Propheten korrespondiert, wie gleich zu zeigen, der des Kontexts.

Möglicherweise ist das ganze Kapitel ein bedachtsam komponiertes »Beispiel erbaulicher Literatur«, und »die Nachstellung von V. 17–19« ist »Merkmal der bewußten Kompositionstechnik« (*HGraf Reventlow*, Gattung und Überlieferung in der »Tempelrede Jeremias«, Jer 7 und 26, ZAW 81, 1969, 315ff; Zitate 351 und 350). Aber das heißt doch keineswegs, daß V. 17–19 vom Erzähler des Ganzen frei formuliert sei (wie es bei *R.* anscheinend unterstellt ist). Es handelt sich m.E. vielmehr um ein vom Erzähler eingearbeitetes Überlieferungsstück, das freilich seinen Absichten durchaus entsprach. Jedenfalls wird man das

(17) Es standen Männer von den Ältesten des Landes auf und sagten zur ganzen Volksversammlung:

(18) Micha von Morešet hat prophezeit (הָיָה נִבָּא) in den Tagen Hiskias, des Königs von Juda; er sagte zum ganzen Volk von Juda: So sagt Jahwe Zebaoth: Zion wird zum Acker gepflügt und Jerusalem wird zu Trümmern werden und der Tempelberg zu Waldeshöhen.

(19) Haben ihn etwa getötet Hiskia, der König von Juda, und ganz Juda? Hat er nicht Jahwe gefürchtet und Jahwes Antlitz erweicht, und Jahwe hat sich des Unheils gereuen lassen, das er über sie gesprochen hatte? Wir bringen großes Unheil über uns!

Auch hier bezeichnet »prophezeien« eine Zukunftsansage; das zeigt das Michazitat. Und wenn man dies Zitat mit Mi 3_{12} vergleicht, so fällt auf, daß in Jer 26_{18} als »Prophezeiung« – mit »So spricht Jahwe« eingeleitet – nur die unpersönlich formulierte, Unheil besagende Zukunftsankündigung genannt wird; eine Begründung und eine applicatio ad homines, wie sie im Michabuch überliefert ist, erscheint hier nicht.

Auf diese Unheil bedeutende Zukunftsansage hin, so erinnern die Ältesten, habe Hiskia »Jahwes Antlitz erweicht«, und daraufhin habe Jahwe sich das angesagte Unheil »gereuen lassen«. Von der »Reue« ist auch schon in Jahwes Anweisung an Jeremia die Rede (Jer 26_{3}):

Vielleicht hören sie und kehren um, jeder von seinem Unheilsweg,
und ich lasse mich das Unheil gereuen, das ich ihnen zu tun plane.

Die Judäer sollen jetzt »umkehren von ihrem Unheilsweg«, wie damals Hiskia »Jahwes Angesicht erweicht« hat: Darin äußert sich das »Hören« – das heißt ja hier (wie oft) nicht »Gesprochenes zur Kenntnis nehmen«, sondern es heißt: das Gesprochene wahrnehmen. Der Hörende hört, indem er dem im Wort sich äußernden Willen des Sprechenden entspricht. Und Jer 26 zeigt, daß jene Ältesten nicht nur das von Jeremia ausgerichtete Jahwewort, sondern das von den Propheten überhaupt ausgerichtete Jahwewort so gehört haben, wie Jahwe selbst nach Auffassung des Textes es meint:

Die Propheten sagen Zukünftiges an, das von Jahwe »geplant« ist. Aber zwischen der Ansage und dem Eintreffen des Angesagten ist wie selbstverständlich unterschieden. Die Ankündigung *zukünftigen* Unheils soll sozusagen rechtzeitig darauf aufmerksam machen, in welcher Richtung sich die Adressaten der Ankündigung *gegenwärtig* bewegen. Damit zielt die Ankündigung, und zwar ohne daß es in ihr selber ausgedrückt würde, auf eine Richtungsänderung bei den Adressaten, auf ihre »Umkehr«, sagen wir chiffrenhaft: auf ihre Buße. Tun sie Buße, so steht zu erhoffen, ja dann steht zu erwarten, daß Jahwe

von den Ältesten Gesagte für die Frage nach dem Prophetenverständnis der Jeremiaüberlieferung selbst heranziehen können.

das Unheil nicht eintreten läßt. Tun sie nicht Buße, manifestieren sie vielmehr gar ihre Unbußfertigkeit, indem sie den Propheten töten, so ziehen sie das angekündigte Unheil wirklich auf sich, und zwar *selber* auf sich. Aber eben damit »hören« sie *nicht* auf die Ankündigung des Unheils: Denn diese Ankündigung geschieht dazu, daß die Angeredeten die »Umkehr« als notwendig begreifen und die Chance der Buße wahrnehmen, *damit Jahwe das Unheil nicht eintreten zu lassen braucht.*

Die Ankündigung zukünftiger Ereignisse in *diesem* Sinn erscheint nach Jer 26 als Aufgabe Jeremias wie vor ihm des Micha und wohl der Propheten überhaupt.[23] –

Mit Jer 26_{18f} und 28_{8f} sind schon die Stellen genannt, wo in der Jeremiaüberlieferung (abgesehen von den »Jeremia C«-Stücken) ausdrücklich von früheren *Propheten* und ihrem *Prophezeien* im Zusammenhang mit Jeremia und seiner *Prophetie* gesprochen wird. In Jer 26_{18f} ist genaugenommen ja nur von *einem* früheren Propheten die Rede, dem namentlich genannten Micha von Morešet. Aber die Weise, in der er erwähnt wird, impliziert eine Gesamtvorstellung von der Prophetie als einer notwendig öfter, und nicht nur in Micha und Jeremia vereinzelt, auftretenden Erscheinung.

Dasselbe gilt wohl von einem weiteren Text, in dem – wie in Jer 26_{18f} – konkrete Namen genannt werden: Jer 15_{1f}, wo von Mose und Samuel die Rede ist.[24] Zwar werden sie nicht als »Propheten« bezeichnet, noch heißt das, was sie tun, »prophezeien« – aber sie werden im Zusammenhang mit Jeremia genannt und sein Tun im Zusammenhang mit dem ihren.

Jer 15_{1f}, ein Jahwewort, steht im Rahmen der großen zweiteiligen »Dürreliturgie« Jer 14_1–$15_{3(4)}$; es entspricht innerhalb dieses Rahmens dem Jahwewort 14_{11f}. Die beiden Jahweworte ergehen jeweils auf eine »Volksklage« mit der Bitte um Jahwes Hilfe hin; sie entsprechen sich nach ihrem Ort in der Gattung und in ihren Formulierungen; sie müssen miteinander interpretiert werden. Die Verse lauten:

(14_{11}) Da sagte Jahwe zu mir: Tue nicht Fürbitte für dieses Volk zum Guten. (12) Wenn sie fasten – ich höre nicht auf ihr Geschrei; und wenn sie *'ola* und *mincha* aufsteigen lassen – ich habe kein Wohlgefallen an ihnen. Denn durch das Schwert und durch den Hunger und durch die Pest vernichte ich sie.

(15_1) Da sagte Jahwe zu mir: Wenn Mose und Samuel vor meinem Antlitz stünden

[23] In *diesem* Sinne wird in V. 19 das »gewaltsame Geschick der Propheten« bedacht – anders als in V. 15, wonach die Tötung Jeremias als eigene Blutschuld Unheil wirken würde, vgl. *KKoch,* VT 12 (1962) 406, und *Steck,* WMANT 23, 79 Anm. 1. Auf Jer 26_{18f} geht *Steck* in seiner Untersuchung nicht ein.

[24] Zum Folgenden vgl. meine »Untersuchungen zur Geschichte der Samuel-Überlieferungen« (Diss. Heidelberg 1966) 38–58, wo die hier behandelten Texte breiter analysiert werden.

– meine Seele ist nicht zu diesem Volke (gewandt). Fortschicken[25] von meinem Antlitz weg! Sie sollen gehen!

(2) Und wenn sie zu dir sagen: wohin sollen wir gehen? – dann sage du ihnen: Wer dem Tod (gehört) – zum Tode; wer dem Schwert – zum Schwerte; wer dem Hunger – zum Hunger; wer der Verbannung – zur Verbannung.[26]

Hier untersagt Jahwe dem Jeremia das התפלל »für dieses Volk zum Guten«; ja selbst wenn Mose und Samuel »vor ihm stünden« (יעמד ... לפני), würde das nichts nützen. Der Zusammenhang Jeremias mit Mose und Samuel ist also der eines Tuns, das einmal als התפלל, das andere Mal als עמד לפני יהוה bezeichnet wird, und offenbar ist beide Male ein und dasselbe Tun gemeint. Da nun »vor Jahwe stehen« wie sonst im Jeremiabuch so auch in 15_{1} ein formaler Ausdruck ist, dessen spezifische Bedeutung erst aus den Näherbestimmungen im Kontext hervorgeht,[27] wird man im Folgenden Jer 14_{11f} als Kontext von 15_{1f} heranzuziehen haben und das עמד לפני יהוה hier durch התפלל zu interpretieren haben.

Nun bezeichnet התפלל nach einhelliger Auffassung, der auch die obige Übersetzung folgte, das »Fürbitte tun (für jemand)«.[28] Mose und Samuel wären demnach in 15_{1} als »die größten Fürbitter«[29] genannt, und Jeremia stünde mit ihnen im Zusammenhang des Fürbittetuns.

Doch in der Jeremiaüberlieferung heißt התפלל nicht »Fürbitte tun«. Das geht deutlich aus denjenigen Texten hervor, in denen das התפלל nicht untersagt wird (wie außer in 14_{11f}; 15_{1f} noch 7_{16} und 11_{14}), sondern wo positiv von התפלל gesprochen wird. Wenn man Jer 14_{11f}; 15_{1f} von diesen Texten und nicht von einem allgemeinen Begriff der »Fürbitte« her interpretiert,[30] ergeben sich vielleicht neue Aspekte für die Diskussion des vielverhandelten Themas »Fürbitte und Propheten-›Amt‹«,[30a] auf das unsere Frage nach Jeremia in der Kontinuität der Prophetie hier stößt:

[25] In 𝔐 ist kein Objekt ausgefallen; die Zufügung in 𝔊, 𝔙, 𝔖 ist Erleichterung; gegen BHK[3] und *Rudolph* zSt.

[26] Zu diesem letzten Satz vgl. aber *Rudolph* 103.

[27] Vgl. Jer 7_{10} (Subjekt das Volk; ähnlich 28_{5}); 35_{19} (Subjekt der jeweilige zukünftige Rekabit). Jeremia und die Propheten als Subjekt: Jer 15_{19} (vgl. $23_{18.22}$); 18_{20b}. Die letzte Stelle ist Jer 15_{1} am nächsten.

[28] So schon LXX, die (בעד) התפלל durchweg mit (προσ)εὔχεσθαι übersetzt.

[29] So *Rudolph*, HAT 102.

[30] In der Lit. wird durchweg ganz allgemein von »der Fürbitte« gesprochen; der Terminologie wird nicht oder nur nachträglich nachgegangen (vgl. auch den Aufriß bei *Hesse*, Die Fürbitte im AT, 1951). Auch die in der nächsten Anm. zu nennenden Arbeiten setzen einen Generalbegriff der »Fürbitte« voraus, wenn auch in verschiedener Weise. Das ist m.E. methodisch bedenklich.

[30a] Vgl. die Zusammenfassung bei *JJeremias*, Kultprophetie und Gerichtsverkündung in der späten Königszeit, WMANT 35 (1970) 5f (mit Lit.) Die Meinung, daß die »Fürbitte« mit dem prophetischen Auftrag Jeremias nichts zu tun habe, son-

II.

Es sind zunächst zwei Texte zu nennen, in denen berichtet wird, Jeremia sei um das *hitpallel* gebeten worden: Jer 37₃ff und 42₁ff.

Der »Fremdbericht« *Jer 37₃ff* bezieht sich auf Ereignisse von 589/8 v. Chr.: Als Zedekia das Vasallitätsverhältnis gegenüber den Babyloniern zu lösen versucht hatte, waren diese nach Juda gerückt, hatten fast das ganze Land eingenommen und belagerten Jerusalem. Der Pharao Apries (»Hophra« Jer 44₃₀), der 588 an die Regierung gekommen war, hatte offenbar ein Expeditionskorps gegen die Babylonier nach Palästina entsandt.[31]

> Der König Zedekia schickte ›Jukal‹ ben-Šelemja und den Priester Zephanja ben-Maaseja zu dem Propheten Jeremia und ließ sagen הִתְפַּלֶּל־נָא בַּעֲדֵנוּ אֶל־יהוה אֱלֹהֵינוּ ... (5) Das Heer des Pharao war aus Ägypten ausgezogen; die Jerusalem belagernden Chaldäer hatten die Nachricht gehört und waren von Jerusalem abgezogen.
>
> (6) Da geschah das Jahwewort zu dem Propheten Jeremia: (7) So spricht Jahwe, der Gott Israels: »So sagt dem König von Juda, der euch zu mir geschickt hat, um mich zu befragen (לִדְרֹשֵׁנִי): Siehe, das Heer des Pharao, das ausgezogen ist euch zur Hilfe, kehrt wieder in sein Land, nach Ägypten. (8) Und die Chaldäer kehren wieder und kämpfen gegen diese Stadt, nehmen sie ein und verbrennen sie.« (9) So spricht Jahwe: Täuscht euch nicht selbst mit der Meinung »Bestimmt ziehen die Chaldäer von uns ab« – denn sie ziehen nicht ab.

Hier ist die von Jeremia erbetene »Fürbitte« formal mit der »Befragung« Jahwes (V. 6), also mit der Orakeleinholung[32] parallelisiert. Das folgende Jahwewort ist inhaltlich kein Bescheid auf eine *»Fürbitte«*, sondern Antwort auf eine *Frage*. Man muß hier den Inhalt des erbetenen *hitpallel* vom Inhalt der Jahweantwort her bestimmen – und nicht umgekehrt. Zedekia läßt den Jeremia nicht »um Fürbitte und um ein Orakel« bitten,[33] es wird auch nicht »die Bitte um die Erteilung

dern sozusagen »Privatsache« des homo religiosus Jeremia sei, vertritt bes. *Rudolph*, HAT 99, vgl. auch 55, etwas anders *Hertzberg* (Sind die Propheten Fürbitter?, Tradition u. Situation, Festschr. AWeiser 1963, 63ff, bes. 72f). Sonst wird aber ziemlich allgemein angenommen, daß ein Zusammenhang zwischen prophetischem Auftrag und »Fürbitte« besteht – eine Meinung, die zuerst *vRad* vertreten hat (Die falschen Propheten, ZAW 51, 1933, 109–120, bes. 114ff). Hier ist dann aber die Frage, ob solch ein »Fürbittamt« für »beamtete« Propheten, nicht aber für die »Schriftprophetie« anzunehmen sei (so *vRad* aaO; etwas anders neuerdings in ThAT II 59ff), oder ob auch diese ein »Fürbittamt des Propheten« in kultischem Rahmen wahrgenommen haben (so bes. *Reventlow*, Liturgie ... passim, thematisch 140ff. – Bei unseren folgenden Erörterungen müßten wir so oft in Zustimmung und Widerspruch auf diese Arbeit *Reventlows* verweisen, daß wir es besser stattdessen mit diesem einen General-Hinweis bewenden lassen).

[31] Zur geschichtlichen Situation vgl. *Noth*, GI 256ff.

[32] Vgl. dazu *Westermann*, Die Begriffe für Fragen und Suchen im AT, KuD 6 (1960) 2–30, hier 16ff.

[33] So *Rudolph* 237; ähnlich *Westermann* 20: »Es geht dabei nicht nur um eine Auskunft, die man von Jahwe haben will, sondern um die Wende einer Not: dasselbe, was Jr 37,7 genannt wird ›mich zu befragen‹, heißt vorher: ›Flehe doch für uns zu Jahwe, unserem Gott‹«.

eines Jahwewortes in die Form einer Bitte um Fürbitte gekleidet«;[34] nein, Zedekia läßt Jeremia eindeutig darum bitten, »einen Spruch Jahwes ›zur Lage‹« einzuholen.[35] Aus dem Jahwewort geht nicht nur hervor, *daß* es auf eine gestellte Frage antwortet, sondern auch, auf *welche* Frage es antwortet: Besonders in V. 9 Ende (»Sie ziehen nicht ab«) zeigt sich, daß die Frage etwa gelautet hat: »Ziehen die Babylonier (endgültig) ab oder nicht?« Das will man durch den Propheten von Jahwe erfahren. Vorausgesetzt ist hier wie fast durchweg im Alten Testament, daß Gott es bewirkt, was geschieht und geschehen wird. So *kann* durch den Repräsentanten des Volkes, hier den König, bei Jahwe erfragt werden, welche Richtung das gegenwärtig anhebende Geschehen zukünftig nehmen wird; und Jahwe *muß* danach befragt werden, damit man mit seinem eigenen Planen und Tun im Bereich des Tuns Jahwes bleiben kann – denn menschliches Tun, das dem Gefälle von Jahwes Tun zuwiderläuft, wäre notwendig zum unheilvollen Scheitern verurteilt.

Nach diesem Text würde man vermuten, daß *hitpallel* etwa heißt »ein Orakel einholen«, »einen Jahweentscheid einholen« (dabei versteht sich von selbst, daß *erhofft* wurde, dies Orakel werde Gutes besagen). Daß *hitpallel* hier keinesfalls »Fürbitte tun« heißen kann, ist deutlich.

Der zweite Text, in dem berichtet wird, daß Jeremia um das *hitpallel* gebeten worden sei, ist *Jer 42*1ff.

Der Text ist ebenfalls ein »Fremdbericht«. Die vorausgesetzte Situation wird in Jer 41 geschildert: Gedalja war in Mizpa durch Ismael ben-Natanja ermordet worden. Dieser wollte die in Mizpa befindlichen Judäer zu den Ammonitern verschleppen. Doch bei Gibeon wurde er von Jochanan ben-Kareach und dessen Leuten gestellt, und die gefangenen Judäer kamen frei. Jetzt befinden sie sich mit Jochanan bei Bethlehem. Sie planen, nach Ägypten zu ziehen, um einer befürchteten Vergeltungsaktion der Babylonier zu entgehen. Die Anführer der versammelten Judäer kommen nun

> (V. 2) und sprachen zu dem Propheten Jeremia: Es falle unsere תְּחִנָּה vor dir nieder. והתפלל בעדנו zu Jahwe deinem Gott, und für diesen ganzen Rest ... (3) Jahwe unser Gott möge uns kundtun den Weg, auf dem wir gehen sollen, und den דבר, den wir tun sollen.
>
> (4) Der Prophet Jeremia sagte zu ihnen: Ich habe gehört. הִנְנִי מִתְפַּלֵּל אל־יהוה אלהיכם entsprechend euren Worten. Das ganze Wort, das Jahwe euch antwortet, werde ich euch kundtun; ich werde euch kein Wort vorenthalten. (5) Sie sagten zu Jeremia: Jahwe sei zwischen uns als wahrer und wahrhaftiger Zeuge, wenn wir nicht entsprechend dem ganzen Wort, (mit dem) Jahwe dein Gott dich zu uns schickt, tun werden.

Die Antwort Jahwes ergeht nach zehn Tagen (V. 7).[36] Sie besagt, daß

[34] So *Reventlow* 143f.

[35] So *Hesse* 51 – aber nicht, wie *Hesse* meint, weil »man in seiner Zielsetzung wesentlich bescheidener geworden« wäre und um eine ›richtige‹ Fürbitte zu bitten sich nicht traute!

[36] Vgl. dazu *vRad*, ThAT II 68. 78.

die Fragenden ruhig und ohne Furcht im Lande bleiben sollten; dafür sagt Jahwe seine Hilfe zu (V. 9–12). Für den Fall, daß sie nach Ägypten ziehen werden, sagt Jahwe Unheil an (V. 13ff).

Wie in Jer 37, so wird auch hier das Ersuchen um *hitpallel* von den Repräsentanten des Volks gestellt (hier freilich nicht vom König). Anders als in Jer 37 scheint hier das Ersuchen und das *hitpallel* Jeremias im Rahmen einer kultischen Versammlung geschehen zu sein. Und anders als dort, anders auch als hier erwartet, ergeht die Jahweantwort nicht sofort, sondern erst nach zehn Tagen. Für unseren Zusammenhang ist besonders wichtig, daß hier ausdrücklich gesagt wird, was aus Jer 37 nur (wenn auch m. E. mit Sicherheit) erschlossen werden kann: Die Bitte um das *hitpallel* ist die Bitte um eine »Auskunft« Jahwes: »Jahwe ... möge uns kundtun den Weg, auf dem wir gehen, und das Wort, das wir tun sollen«. Der erfragte »Weg« ist natürlich nicht die beste Route nach Ägypten o. dgl., sondern die »Richtung«, die das Volk einschlagen muß, weil sie dem Gefälle der von Jahwe jetzt und zukünftig gewirkten Geschichte entspricht. Aus dem ausladenden Jahwebescheid geht hervor, daß die Bitte um »Wegweisung« konkret darauf zielt, ob man nach Ägypten gehen oder im Lande bleiben solle. Schließlich ist noch auf V. 5 hinzuweisen, wo von dem »Wort« die Rede ist, »mit dem Jahwe dein Gott dich zu uns sendet (יִשְׁלָחֲךָ)«: Das Wort, mit dem der Prophet »gesandt« wird, ist hier *erbetene Jahwe-Antwort auf eine vorhergehende Frage des Volkes.*

Kurzum: Auch in Jer 42 ist ganz deutlich, daß *hitpallel* nicht »Fürbitte tun« bedeuten kann;[37] auch hier bezeichnet es die Einholung eines Jahwebescheids, eines Orakels. –

Im Zusammenhang der Geschichte vom Kauf des Ackers in Anatot, *Jer 32,*[38] ist ebenfalls vom *hitpallel* Jeremias die Rede; doch hier geschieht es nicht auf vorherige Aufforderung durch andere und für andere.

Das Gebet Jeremias in 32_{17ff} wird eingeleitet durch ein Stück »prophetischen Selbstberichts« in V. 16; hier heißt es וָאֶתְפַּלֵּל אֶל־יהוה. Das folgende Gebet ist von V. 17 bis 24 eine ausgeführte »Gerichts-

[37] Freilich meint *Rudolph* auch hier wieder, Jeremia werde »um seine Fürbitte und um ein Orakel ... angegangen« (255).

[38] In Jer 32 ist die Zueinanderordnung des eigentlichen Berichts vom Ackerkauf (V. 6–15), des in V. 16 eingeleiteten Gebetes Jeremias (17–25) und der darauf ergehenden Jahweantwort (26–44) problematisch. Denn 16–44 bilden sachlich die Voraussetzung für den Bericht vom Ackerkauf, mindestens für die Deutung des Ackerkaufs in V. 13–15. (So schon *Duhm, Cornill* und *HSchmidt,* auf die *Weiser,* ATD zSt hinweist; doch sie wollen das Problem dadurch lösen, daß sie das Gebet eliminieren – kaum zu Recht. Sekundäre Erweiterungen in V. 16–44, besonders im Jahwespruch V. 26ff, sind allerdings wohl anzunehmen [ob so wie *Rudolph* zSt, ist freilich nicht ausgemacht.])

doxologie«; sie endet mit der Anerkenntnis, daß die Drohungen Jahwes eingetroffen seien (24 Ende). Dann heißt es in V. 25:

Und du sagst zu mir, Herr Jahwe: »Kaufe dir das Feld für Geld und bestelle Zeugen« – und die Stadt ist in die Hand der Chaldäer gegeben.

Nach dem Gefälle des Gebets wäre hier eine Bitte um Hilfe zu erwarten, wie sie im Klagelied nach der Preisung Jahwes und dem Bekenntnis der Volkssünde ihren Ort hat. Aber dieser Aussagesatz in V. 25 bedeutet eine Frage, nämlich welchen Sinn der Befehl zum Ackerkauf haben soll zu einem Zeitpunkt, wo »die Stadt« schon verloren ist.

Auf dies Gebet hin »erging das Wort Jahwes«, in V. 26–44 sehr breit ausgeführt und mehrfach durch Einleitungsformeln unterbrochen. Am Schluß, in V. 42ff, wird der Sinn des Ackerkaufs genannt – das entspricht als Antwort genau der in V. 25 implizierten Frage.

Der Satz Jer 32_{26} ואתפלל אל־יהוה leitet ein Gebet ein; das spricht anscheinend dafür, daß *hitpallel* hier »beten« bedeutet. Aber wir haben gesehen, daß einerseits das weit ausgreifende Gebet auf eine Anfrage an Jahwe hinausläuft und daß danach das ebenso ausladende Jahwewort auf eine Beantwortung eben dieser Frage hinausläuft. So zeigt sich auch hier, daß *hitpallel* offenbar primär nicht das Gebet, sondern die Einholung eines Jahwewortes bezeichnet; freilich umfaßt es das Gebet mit, insofern dieses ein Bestandteil der »Orakeleinholung« ist. –

Außer diesen Texten, die davon reden, daß Jeremia selbst das *hitpallel* übt, ist noch ein Text zu nennen, wo Jeremia seinerseits andere zum *hitpallel* auffordert; das ist der »Brief Jeremias« an die exilierten Judäer in Babylonien, *Jer 29*. Hier heißt es in V. 7:

Sucht den *šalom* der Stadt, in die ich euch habe ins Exil gehen lassen, והתפללו בעדה zu Jahwe, denn in ihrem *šalom* wird auch euch *šalom*.

Diese Aufforderung besagt nicht »Mühet euch um das Wohl ›des Landes‹ ... und betet für es zu Jahwe«[39] – als ob das Ganze eine jeremianische Version des Ora et labora wäre. Vielmehr stehen דרש und התפלל so nebeneinander wie in Jer 37(3.7); als Objekt des דרש ist hier nicht der Befragte, Jahwe, genannt, sondern das Erfragte, שלום העיר – aber דרש bezieht sich auch hier auf die Jahwebefragung, und parallel dazu bezeichnet *hitpallel* die Einholung des Jahweorakels.

Die Exilierten werden aufgefordert, die Frage nach dem *šalom*-Zustand des Gemeinwesens, wie sie im kultischen Rahmen in und für Jerusalem gestellt und beantwortet worden war,[40] auch im Exil, im »unreinen Lande« (Am 7_{17}) zu stellen. Es heißt »Sucht den *šalom* der

[39] *Rudolph* 184; die auch von ihm, wie meist, nach LXX vorgenommene Änderung von »Stadt« in »Land« verfehlt die Pointe, s. gleich.

[40] Vgl. Jer 6_{14}; 8_{11}; auch Jer 7!

Stadt«; damit ist gewiß nicht nur Babylon gemeint. Aber wenn die Septuaginta hier »Land« für »Stadt« übersetzen, so ist damit die Pointe verfehlt: Die »Stadt« des Exils wird hier ja in Parallele zu Jerusalem, der Heiligen Stadt, gesetzt![41] Jahwe kann im Exil »befragt« werden, wie er im Kultus am Jerusalemer Tempel befragt worden war. –

Im selben »Brief Jeremias« wird in V. 10ff ein weiteres Jahwewort zitiert, an dessen Ende es in V. 12ff heißt:

> Wenn ihr zu mir ruft '' והתפללתם אלי, so höre ich auf euch; (13) wenn ihr mich sucht, so findet ihr; wenn ihr mich befragt von ganzem Herzen, (14) ›antworte‹[42] ich euch – Spruch Jahwes ....

Das ist ein ganzer Katalog von Begriffen, die mit der Klage und der Orakel-Einholung und -Erteilung zusammenhängen; sie stehen hier in Paaren, die jeweils das Tun der Menschen und das Tun Jahwes bezeichnen.[43] Es wird offenbar auf einen Ritus Bezug genommen, wie er auch – im Fall von Notlagen – im Fastengottesdienst geübt wurde; es ist derselbe liturgische Zusammenhang wie in Jer 14$_{1}$–15$_{4}$. Aber wurde dort dem Propheten das *hitpallel* untersagt mit der Begründung, daß Jahwe *nicht* »hört«, so sagt Jahwe hier zu, *daß* er »hört«, *daß* man ihn »finden« kann, *daß* er »antwortet«: Der Jahwespruch wird nun, im Exil, ergehen; das für die Zukunft verheißene Heil (vgl. V. 10) beginnt jetzt schon damit, daß Jahwe überhaupt wieder erreichbar ist.

III.

Wir kehren von diesem Exkurs über die Bedeutung von *hitpallel* im Jeremiabuch[44] zurück zu Jer 14$_{11f}$; 15$_{1f}$: Hier erscheint *hitpallel* als

[41] Vgl. Anm. 39.

[42] MT ונמצאתי – aber in V. 13 heißt es schon einmal ומצאתם. *Rudolph* konjiziert mit vielen anderen ונראתי nach dem ἐπιφανουμαι der LXX. Ich möchte eher ועניתי vorschlagen – vgl. Ps 34$_{5}$ und die von *Zimmerli*, Ezechiel, BK zu Hes 14$_{4.7}$ angegebenen Stellen.

[43] קרא/התפלל und שמע; בקש und מצא; דרש und נמצא bzw. ענה (s. vor. Anm.)

[44] התפלל heißt in Jer offensichtlich »ein Orakel, einen Bescheid, einen Entscheid einholen«. Wie verhält sich das zum sonstigen Gebrauch des Verbs im Alten Testament, wo das traditionelle Verständnis – »Fürbitte tun« oder allgemein »beten« – keine Schwierigkeiten macht oder sogar allein möglich ist?

»Einen Orakelbescheid (für jmd.) einholen« und »(für jmd.) beten, bitten« sind wohl nur für unser Verständnis verschiedene Dinge. Im alten Israel aber war das Bittgebet immer darauf aus, von Jahwe etwas zu erreichen, etwas zugesagt zu bekommen, und d.h. zumindest für die ältere Zeit: etwas im Rahmen des Kultes zugesagt zu bekommen. Das Gebet des Einzelnen wie der Gemeinschaft geschah in geordneten kultischen Formen. Da ist das Bittgebet mit der Einholung des Jahwebescheides geradezu identisch. Daß im Lauf der Zeit die spezifische, »technische« Bedeutung von התפלל verblaßte und der Sprachgebrauch sich erweiterte, so daß ein für Jeremia spezifisches Tun, in dessen Ausübung er in einer Reihe mit Mose und Samuel steht. Den eben besprochenen anderen Jeremiastellen zufolge bezeichnet *hitpallel* hier nicht, wie meist angenommen, die »Fürbitte«, sondern die Einholung des Jahweorakels.

Demnach ist es m. E. ganz ausgeschlossen, das (als »Fürbitte« verstandene) *hitpallel,* das dem Jeremia in 14$_{11f}$ (wie in 7$_{16}$; 11$_{14}$) verboten wird, für seine »Privatsache« zu halten, die mit seinem prophetischen Auftrag nichts zu tun hätte, ja sogar im Widerspruch zu ihm stünde.[45] Einmal geht es aus dem Kontext der betreffenden Texte deutlich hervor, zum anderen ist es von der Natur der so bezeichneten Sache her allein denkbar, daß dies *hitpallel* von Jeremia *als Propheten* geübt wird; entsprechend berührt auch das Verbot des *hitpallel* seinen prophetischen Auftrag.

Prophetischer »Auftrag« heißt freilich nicht ohne weiteres prophetisches »Amt«, sofern man hierunter eine feste, sich durchhaltende Institution des alttestamentlichen Israel versteht. Ob das *hitpallel* in diesem Sinne eine »amtliche« Funktion gewesen sei, ist nun zu fragen.

Dabei ist von vornherein festzustellen, daß diese Frage zwar historisch belangreich ist, aber für das Selbstverständnis Jeremias wie für das Jeremiaverständnis der nachjeremianischen Überlieferung im Jeremiabuch ohne Bedeutung ist: Jeremia weiß sich von Jahwe mit einem Auftrag an Israel betraut, und diese Begründung seines Tuns in dem Auftrag Jahwes ist entscheidend, nicht seine amtliche Verankerung in den geprägten Institutionen des Volkes. Und wenn Jeremia sich im Zusammenhang mit

das Verb etwa auch zur Bezeichnung des Dankgebets verwandt werden konnte (1Sam 2$_{2}$), ist ja ohne weiteres vorstellbar. –

Nach dem bisher Gesagten erscheint die vielfach vorgenommene lexikographische Trennung zweier verschiedener Wurzeln פלל unnötig (vgl. GB und KBL je s.v.). Vielmehr: von der einen Wurzel פלל bedeutet das pi. »urteilen = einen Entscheid fällen«, das hitp. »eine Entscheidung einholen« oder, in der reflexiven Bedeutung des hitp., »sich als Urteilender usw betätigen« (so 1Sam 3$_{25}$). Von der überwiegenden Verwendung des hitp. im Sinn von »eine Entscheidung, einen Bescheid *Jahwes* einholen« her konnte התפלל in diesem Sinn auch absolut, ohne ausdrückliche Nennung Jahwes, gebraucht werden und dann den allgemeinen Sinn »beten« bekommen.

Nachträglich erst sehe ich, daß auch *JLPalache* die Auffassung vertritt, *hitpallel* heiße ursprünglich »eine Entscheidung erbitten« (Semantic Notes on the Hebrew Lexicon, 1959, 59f; zitiert bei *Seeligmann* in VTS XVI 278).
(Eine ähnliche Auffassung schon bei *Goldziher,* Abhandlungen zur arab. Philologie 1, 36, zit. bei GB s. v. פלל II: פלל hitp. hieße ursprünglich »Gott als Richter anrufen«.)

Die schon in LXX zu findende Auffassung, auch פלל pi. hieße »bitten, beten«, ist vom später absolut vorherrschenden Gebrauch des hitp. in diesem Sinne her verständlich, aber falsch. *EASpeiser* versucht die Rückführung aller Ableitungen von פלל auf eine Wurzelbedeutung »to assess, reckon« (The Stem *PLL* in Hebrew, JBL 82, 1963, 301–306). Das ist m. E. unrealistisch abstrakt; der von etlichen Präjudizien gehemmte Beweisgang von *Speiser* ist m. E. nicht überzeugend.

[45] So *Rudolph* (und *Hertzberg*); s. o. Anm. 30a.

den »Propheten vor ihm« sieht, oder in diesem Zusammenhang gesehen wird, dann ist das wesentlich eine Kontinuität des Auftrages Jahwes. Wie weit dem die Kontinuität einer Institution entspricht, ist nur soweit von Bedeutung, als es darauf ankommt, daß die Institution und die Art, wie sie wahrgenommen wird, wirklich dem Willen Jahwes *entspricht*.

Es ist nicht ohne weiteres gesagt, daß der Prophet, bei dem man Orakel einholt, als Inhaber eines geordneten Amtes verstanden sei. Daß Zedekia bei der Aufhebung der Belagerung Jerusalems den Jeremia um sein *hitpallel* ersucht (Jer 37), ist in keinem erkennbaren festen Rahmen geschehen. Man könnte es mit Orakeleinholungen bei »vorklassischen« Propheten vergleichen, etwa der Anfrage, die Jerobeam I. an Ahia von Silo richten läßt (1Kön 14). Immerhin wäre auch das schon wichtig festzustellen, daß die Vorstellung vom Propheten als »Orakelgeber« keine in der »klassischen Prophetie« überwundene Sache ist, die allenfalls in der Volksmeinung lebendig geblieben wäre – nein, Jeremia selber läßt sich durchaus als »Orakelgeber« in Anspruch nehmen. Aber bei ihm wird das *hitpallel für das Volk* erbeten; das spricht wohl gegen diesen Vergleich und dafür, daß sowohl der Fragesteller wie der Befragte nicht als Privatperson bzw. als »ungebundener Charismatiker« agieren, sondern in bestimmten »offiziellen« Funktionen. Von einem offiziellen Rahmen, in dem das geschehen wäre, ist in Jer 37 nichts erkennbar. Aber die *hitpallel*-Bitte der Judäer, die nach Ägypten ziehen wollen (Jer 42), ist anscheinend, wie wir sahen, im Rahmen einer kultischen Versammlung gesprochen worden – ohne daß freilich deren Art deutlich würde. Schließlich war in Jer 29$_{12ff}$ zwar nicht von einer kultischen Veranstaltung die Rede, doch wiesen die dort gebrauchten Begriffe auf den Zusammenhang des Fastengottesdienstes, des *ṣom*.

Damit ist von der inhaltlichen Bestimmung von *hitpallel* die Brücke zurückgeschlagen zu den Texten, um die es hier geht, zu den Verboten des *hitpallel* in Jer 14$_{11f}$ und 15$_{1f}$: Denn diese Verbote ergehen im Zusammenhang der Liturgie des Fastengottesdienstes; sie stehen nach ausgeführten Volksklagen an eben der Stelle, an der »normalerweise« die Heilszusage, das Heilsorakel Jahwes ergeht. Gewiß ist es nicht selbstverständlich, daß das von Jahwe erbetene Orakel ein *Heils*orakel ist, in dem – beim Fastengottesdienst – Ende und Wende der Not zugesagt wird. Selbstverständlich ist es nicht – aber es ist doch, auch wenn das neuerdings energisch bestritten wird,[46] etwas mit Recht Erwartetes. Man kann hier nicht allgemein argumentieren »im Prinzip des Orakels liegt grundsätzlich die Doppelseitigkeit: es kann sowohl eine günstige wie eine ungünstige Antwort der Gottheit erfolgen«.[47] Vielmehr geht es hier um das Orakel als Teil des Fastengottesdienstes.

[46] *Rewentlow*, Liturgie . . ., bes. 129ff.
[47] Ebd. 132.

Der wird einberufen, *weil* eine Unheilssituation *besteht*, die nach dem Verständnis Israels darauf beruht, daß Jahwe straft, weil das Volk gesündigt hat. Er wird gefeiert, *damit* die Sünde entfernt und das gestörte Gottesverhältnis wieder hergestellt wird. Dafür ist nach dem Verständnis des Alten Testaments die »Gerichtsdoxologie«, in der das Volk seine »Ungerechtigkeit« bekennt und Jahwes »Gerechtigkeit« rühmt, der gebotene und dem Willen Jahwes gemäße Weg. Im Fastengottesdienst wird nicht überhaupt ein Orakel erbeten, sondern ein Heilsorakel. »Im Prinzip *des* Orakels«, das auf die Volksklage hin ergeht, »liegt grundsätzlich«, daß es ein *Heils*orakel ist. Und *deshalb*, so scheint es, wird in Jer 14_{11}; 15_{1} verboten, überhaupt ein Orakel einzuholen: Ein Heilsorakel wird nicht erteilt werden; das heißt hier: die Orakeleinholung wird überhaupt untersagt. Damit wird der ganze Ritus des Fastengottesdienstes von Jahwe für nunmehr unwirksam erklärt. –

IV.

Ehe wir nun nach dem Bilde von Mose und Samuel fragen, das hinter ihrer Nennung in Jer 15_{1} steht, ist noch kurz auf die Eigenart der prophetischen Orakelerteilung näher einzugehen, die in den »positiven *hitpallel*-Stellen« der Jeremiaüberlieferung offensichtlich vorausgesetzt wird:

Bei der Bitte um Orakeleinholung, die Zedekia an Jeremia richten läßt (Jer 37_{3ff}), ließ sich aus der Jahweantwort erkennen, daß eine bestimmte Frage gestellt worden war; sie hatte – so rekonstruierten wir auf Grund von 37_{9b} – ungefähr gelautet »Ziehen die Babylonier (endgültig) ab oder nicht?«

Und in Jer 42, wo der bei Bethlehem versammelte »Rest« der Judäer darum bat, »Jahwe möge uns kundtun den Weg, auf dem wir gehen, und den *dabar*, den wir tun sollen« (V. 3), da beantwortet der breit ausladende Jahwebescheid offenbar ebenfalls eine bestimmte Frage, nämlich ob man nach Ägypten ziehen oder im Lande bleiben solle.

Die über den Propheten an Jahwe gerichteten Orakelfragen sind also anscheinend als Alternativfragen gestellt; jedenfalls sind die Jahweantworten als Entscheidungen zwischen zwei Möglichkeiten formuliert.

Diese Formeigentümlichkeiten sind auffällig; denn es gibt für sie in der durch den Propheten vermittelten Jahwebefragung keinen zureichenden Grund. Die gestellten Fragen könnten doch sprachlich offener formuliert werden, die gegebenen Antworten könnten doch sprachlich differenzierter erteilt werden als in solchen Alternativen, in denen durch Beschränkung der Frage auf zwei Aspekte auch die Antwortmöglichkeiten eingeengt werden.

Einen zureichenden Grund für diese Reduktion der Sprache auf Alternativformulierungen gibt es aber bei einer anderen Weise der Erkundung des Jahwewillens – nämlich beim Losorakel.[48] Über die »Konstruktion« des Losorakels können wir nur Vermutungen anstellen;[49] sein »Funktionieren« aber kann eindeutig rekonstruiert werden: Das Losorakel »spricht« nur auf Befragen, und es hat seine eigene »Sprache«. Es arbeitet nach einem Binärsystem, und die ihm vorgelegten Fragen müssen daraufhin »programmiert« werden: sie müssen auf eine Alternativfrage reduziert oder in eine Reihe von sukzessiven Alternativfragen aufgelöst werden.

Das Losorakel »arbeitet« in der Tat wie ein Computer! – Die Auflösung eines Problems in eine Reihe von Alternativfragen zeigt sich sehr schön in 1Sam 14_{38ff}: Die Frage ist, »durch wen heute diese Sünde geschehen ist« (V. 38); sie wird in zwei aufeinanderfolgende Alternativfragen aufgelöst (die LXX stellt diese »Programmierung« in ihrem Plus in V. 41 noch ausdrücklich fest): »Volk – oder Saul und Jonathan«, dann »Saul – oder Jonathan«. Hier wird unter zwei Gruppen nach »A oder B« gelost. Wäre die Antwort auf die erste Frage »Volk« gewesen, dann wäre es wohl weitergegangen wie bei dem Verfahren zur Aufklärung von »Achans Diebstahl« (Jos 7_{14ff}): Hier wird bei jeweils einer einzelnen Gruppe nach »Ja oder Nein« gelost: Zunächst wird ein Stamm »herausgelost«, dann aus dem Stamm eine Sippe, aus der Sippe ein »Haus«, endlich aus dem Haus das schuldige Individuum.

Es ließe sich m.E. weiter zeigen, daß einige »Jahwesprüche« Ergebnisse ähnlicher Reihen von Alternativfragen ans Losorakel sind (vgl. Ri 20_{18}; 2Sam 2_{1b}; 5_{22f}, vielleicht auch 2Sam 21_1. Die Prophetenworte 1Kön 20_{14} sind nach demselben Schema erfragt und formuliert).

Wie Einzelfragen ans Losorakel gestellt und von ihm beantwortet werden, geht u. a. aus einer Reihe von Stellen aus der Geschichte vom Aufstieg Davids hervor: 1Sam $23_{1f.4}$; 23_{9ff}; 30_{7ff}; 2Sam 2_{1a}.

Wir stoßen also in der Jeremiaüberlieferung auf Spuren eines Zusammenhangs zwischen Prophetie und Losorakel-Praxis – nur auf Spuren, aber auf deutliche Spuren. Auf ähnliche Zusammenhänge in der »vorklassischen« Prophetie hat schon *RRendtorff* hingewiesen: Er hat festgestellt, »daß gerade bei den Prophetenworten bei kriegerischen Anlässen deutliche Beziehungen zur Befragung des Losorakels bestehen: Die Orakelbefragung in I Sam 30_{7f}. II Sam 2_1 $5_{19.23f}$. und die

[48] Dazu seien nur genannt die Artikel »Los« von *Lanczkowski*, RGG^3 IV 451 und »Urim und Tummim« von *Galling*, RGG^3 VI 1193f sowie *IFriedrich*, Ephod und Choschen im Lichte des Alten Orients, Wiener Beiträge zur Theologie 20 (1968). Auf die verschiedenen Bezeichnungen und die damit zusammenhängenden Probleme können wir hier nicht eingehen.

[49] Der Sache nach bis heute noch nicht überholt ist die Übersicht bei *Kautzsch* im Art. Urim und Tummim, RE^3 XX 328ff. Am wahrscheinlichsten scheint mir, daß das Losorakel aus zwei verschiedenfarbigen Steinen in einem Behältnis bestanden hat (so auch *Galling*).

Befragung der Propheten in I Reg 20_{14} $22_{5f.}$ unterscheiden sich kaum voneinander, und auch das Wort Gads in I Sam 22_{5} liegt ganz auf derselben Ebene. Zweifellos laufen auch von dort Linien zum frühen Prophetenwort«.[50] Diese Linien laufen, wie sich zeigte, sogar bis zum späten Prophetenwort Jeremias.

Sie kommen übrigens m.E. nicht erst von der Losorakelpraxis der frühen Königszeit her, sondern reichen in die vorstaatliche Zeit zurück: Die »Siegeszusagen« des Heiligen Krieges, von denen das Alte Testament aus jener Zeit berichtet, scheinen mir, wenigstens zum Teil, ganz deutlich auf Grund der Befragung des Losorakels als »Jahweworte« gesprochen zu sein. Die Prophetie knüpft in dieser Beziehung nicht wieder an Traditionen des Heiligen Krieges an, die zu Beginn der Königszeit durch die Praxis des Losorakels unterbrochen worden wären, sondern es besteht ein kontinuierlicher Zusammenhang von vorstaatlicher und frühstaatlicher Losorakelpraxis und Prophetie. Er läßt sich bis zu Jeremia hin verfolgen – allerdings nicht ununterbrochen; aber eine Durchmusterung der vorjeremianischen »Schriftprophetie« unter dieser Fragestellung und mit formgeschichtlichen Kriterien würde vermutlich etliche »Verbindungsglieder« finden.

V.

Daß ein Zusammenhang zwischen der Losorakelpraxis und der Prophetie bis hin zu Jeremia besteht,[51] heißt nun freilich gewiß nicht, daß die Propheten die Technik des Losorakels unverändert geübt hätten; Jeremia hat sicher nicht den Losbehälter geschüttelt und in seinem Wort den herausfallenden Stein oder Stab interpretiert. Es kann durchaus sein, daß die Formulierung von Jahweworten als Losorakel-Bescheiden, auf die wir bei Jeremia stießen, nicht mehr besagt, als daß sich ein bestimmter »Formzwang« vom Losarakel bis zu Jeremia durchgehalten hat, ohne daß für die »Technik« des Orakels Ähnliches gilt. Auch das wäre ja befremdlich genug für uns, die wir geneigt sind, die Sprachhaftigkeit der Prophetie, zumal der Prophetie Jeremias, durch Welten von der »primitiv-magischen Technik« des Losorakels getrennt zu sehen. Für Israel aber hat die Sprache der Prophetie und die »Geräte-Sprache« des Losorakels die gleiche Dignität; in beiden spricht Jahwe.

Es ist ferner klar, daß die Prophetie keineswegs nur von der Losorakelpraxis herkommt; diese ist vielmehr nur einer der Überliefe-

[50] *RRendtorff,* Botenformel und Botenspruch, ZAW 74 (1962) 165ff, Zitat 173.

[51] Der Zusammenhang von Losorakel und Prophetie ist anscheinend der späteren Tradition noch bewußt gewesen. »Nachdem die früheren Propheten gestorben waren, hörten Urim und Tummim auf« (Ṣota IX 12). Unter den *nebiim harišonim* werden überwiegend die »Schriftpropheten« außer Hag, Sach, Mal verstanden (vgl. Die Mischna, Ṣota ed. *Bietenhard,* 1956, 161; so schon *Kautzsch,* RE^{3} XX 333 und *Schlesinger* in Mischnajoth ed. Baneth III 348).

rungsstränge, die in der Prophetie zu einem neuen Ganzen verflochten sind, das mehr ist als die Summe seiner Teile. Sie ist wohl nicht einmal ein Hauptstrang.

Das alles vorausgeschickt, wird man aber doch *erstens* zu fragen haben, ob nicht der prophetische »Wortempfang« – und die »Wortausrichtung« – angesichts dieser Zusammenhänge mit dem Losorakel in Manchem »technischer« vorzustellen ist als wir denken. Für genauere Vorstellungen hiervon fehlt es uns freilich an hinreichenden Unterlagen.

Zweitens wird man angesichts dieser Zusammenhänge sich weitere Gedanken über »die Freiheit des Propheten«[52] machen müssen: Gilt nicht auch für den Propheten dasselbe wie für den Spezialisten des Losorakels: daß nämlich seine eigene Person eine ganz entscheidende Rolle spielt, viel entscheidender als zB die Person des Priesters bei der Opferdarbringung? Die »Technik« des Losorakels ist ja wesentlich ein Auslegungsgeschehen, das schon mit der Formulierung der an das Orakel zu stellenden Fragen beginnt, ja darin zur Hauptsache besteht. Wer das Losorakel bedient (darum geht es nach alttestamentlichem Verständnis, nicht darum, sich des Losorakels zu bedienen) –, muß zunächst einmal die Sprache der Frage finden, die dem Losorakel entspricht. Dazu bedarf es einer Auslegung der Wirklichkeit und des Fragers selbst auf die Zukunft hin, die sich zur angemessenen Frage oder Fragenfolge kristallisiert – einer Auslegung, welche die Antwort des Orakels offenhält und nicht vorwegnimmt. Wer das Losorakel bedient, muß dann die Antwort des Orakels zur Sprache bringen, im strengen Sinn des Ausdrucks: er muß das Ergebnis des Losentscheides in Sprache umsetzen, muß das »negativ oder positiv«, »schwarz oder weiß« sprachlich entfalten. Es ist also auch für *diese »Praxis* das *hermeneutische Prinzip* . . . ein merkwürdig einfaches: *der sittliche Ernst des Auslegers.* Nur dieses Prinzip nimmt nichts vorweg und gibt uns den *Vorgang* des Verstehens frei«.[53]

Beim Losorakel hängt ja Entscheidendes an der Formulierung der Frage, und diese kann in hohem Maße manipuliert werden. So hat nach *1Sam 23*2 David einmal »bei Jahwe gefragt«: »Soll ich gehen und diese Philister schlagen?« Das ist nun eine geradezu gerissene Frage. Denn *gefragt* wird nur danach, ob er »gehen« soll – und dabei wird das Orakel gleichzeitig auf »Sieg« festgelegt. Das Orakel antwortet positiv (»Geh, schlage die Philister, rette Kegila« – aber das ist nichts anderes als die sprachliche Formulierung von »weißer Stein – oder was auch immer – ist herausgekommen«). Damit hat Jahwe Ja zu etwas gesagt, was er gar nicht gefragt worden war, sondern was ihm mit der eigentlichen Frage untergeschoben worden ist. – Die von diesem Orakel wohl erwartete Wirkung auf den Kampfgeist der Truppe bleibt aber

[52] Vgl. den so überschriebenen Abschnitt bei *vRad*, ThAT II 79ff.

[53] *EFuchs*, Hermeneutik (³1963) 147 (original kursiv). Vgl. auch den Kontext bei *Fuchs*!

aus (V. 3); Davids Leute wittern anscheinend, daß da mit einem Trick gearbeitet worden ist. Daraufhin wird das Orakel noch einmal, diesmal »korrekt«, befragt – und jetzt erhält David eine ausdrückliche »Siegeszusage« (V. 4). Nun zieht er mit seinen Leuten nach Kegila und schlägt auch wirklich die Philister.

Wir wissen nicht, mit was für »Techniken« die Propheten gearbeitet haben; aber irgendwelche »Techniken« haben sie doch wohl gehabt. Und wenn es darum ging, »den *šalom*-Zustand der Stadt zu erfragen«, was ja wohl zu den Aufgaben der Propheten gehörte, so ist es vorstellbar, daß die »falschen« Propheten durch ähnliche Manipulationen der *Frage*stellung es dazu brachten, daß die Antwort in jedem Falle als *»šalom, šalom«* interpretiert werden konnte, bzw. daß eine etwa negative Antwort so ausgelegt werden konnte, daß sie den *šalom*-Zustand der Gemeinschaft nicht in Frage stellte. Möglicherweise besagen Jeremias »moralische« Vorwürfe gegen andere Propheten, daß er ihnen (um noch einmal die Formulierung von *Fuchs* zu gebrauchen) den »sittlichen Ernst« abspricht.

Hierher gehört ein *Drittes,* welches nun unmittelbar das Verbot des *hitpallel* in Jer (7_{16}; 11_{14}) 14_{11} und die Entsprechung in 15_{1} betrifft. Jahwe verbietet dem Propheten das *hitpallel*; auch wenn Mose und Samuel (als מתפללים) »vor ihm stünden«, würde er sich nicht zu »diesem Volke« kehren. Danach folgt dann die Ankündigung der oft bei Jer begegnenden Reihe »Schwert und Hunger und Pest« (14_{12}), bzw. »Tod, Schwert, Hunger, Verbannung« (15_{2}). Es ist möglich, daß die Unheilsankündigung nicht ein »Unheilsorakel« statt des erbetenen und erwarteten »Heilsorakels« ist, sondern viel unmittelbarer mit dem Verbot des *hitpallel* zusammengehört, und daß beide im Lichte des Zusammenhanges zwischen Losorakelwesen und Prophetie zu sehen sind:

Es gibt ja bei der Befragung des Losorakels außer den beiden Möglichkeiten der Orakelantwort noch das Dritte, daß das Orakel – und das heißt für Israel: daß Jahwe selbst »nicht antwortet«.[54]

Wenn das geschieht, dann ist für Israel klar: Es muß Sünde im Volk geschehen sein. Durch sie ist die Verbindung mit Jahwe unterbrochen, und das bedeutet Unheil. Wenn das Orakel auf die Frage nach der Zukunft nicht antwortet, dann geht Israel »gottverlassen« seinen Weg, ohne die einzuschlagende Richtung zu kennen, in der man im heilvollen Bereich Jahwes bleibt. Im Grunde handelt es sich bei schon gegenwärtigem Unglück Israels um dieselbe Sache, nur ist das dort für die Zukunft befürchtete Unheil hier schon in der Gegenwart wirksam. Wenn Unheil geschieht, dann weiß Israel, daß es gottverlassen *ist,* daß es außerhalb von Jahwes heilvollem Bereich ist; und zwar muß das ebenfalls daran liegen, daß Sünde im Volk geschehen und nicht bereinigt ist. In beiden Fällen gilt es, die geschehene Sünde aufzudecken, den Schuldigen zu ermitteln und ihn entweder aus dem Volksganzen auszustoßen oder, was wohl auch möglich ist, Jahwes Vergebung für ihn zu erwirken. Durch alles wird jedenfalls die unterbrochene Verbindung des Volkes mit Jahwe wieder hergestellt. Im zweiten Falle, wenn das Unheil schon im Gange ist, geschieht das im Rahmen des Fastengottesdienstes, bei dem wir freilich nur die »offene Schuld« der Gesamtheit kennen, die in

[54] 1Sam 14_{37}; vgl. auch 1Sam 28_{6}. Wie das »technisch« vorzustellen ist, kann offenbleiben – möglicherweise »kamen dann beide Lose zugleich heraus«, wie *Galling* vermutet (RGG³ VI 1194).

der Gerichtsdoxologie bekannt wird. Aber auch im ersten Fall, wenn die Zeichen erst für die Zukunft auf Unheil stehen, ist die Aufdeckung und Bereinigung der Sünde möglicherweise im Rahmen eines Fastens geschehen.[55]

Nun ist Jer 14₁–15₃ ja eine »Fastenliturgie«, wie deutlich ist. Das Verbot des *hitpallel* ergeht an der Stelle, an der nach der Gerichtsdoxologie des Volkes das Heilsorakel einzuholen wäre – das Heilsorakel, in dem Jahwe nun wieder spricht und deklariert, daß das Volk nun wieder in seinem Heilsbereich ist und bleiben kann. Wenn stattdessen das Verbot des *hitpallel* ergeht, so ist das wohl *die sprachliche Artikulation des Schweigens Jahwes*, seines Nicht-Antwortens, das sich beim Losorakel nicht sprachförmig äußert, vielmehr: das sich dort in der »Gerätesprache« des Losorakels äußert. Dann hieße also das Verbot des *hitpallel*: Jahwe verharrt im Schweigen; das Volk muß in der Gottverlassenheit verharren, die zu beenden es das Fasten feiert. Und wenn dann »Schwert, Hunger und Pest« bzw. »Tod, Schwert, Hunger und Verbannung« angekündigt werden, dann sind diese Ankündigungen *Interpretation des Schweigens Jahwes*, das im Verbot des *hitpallel* formuliert ist. Diese Interpretation sagt an, wohin der Weg des vom Wort Gottes verlassenen Volkes nun unentrinnbar führen wird: »Wenn sie fragen: Wohin sollen wir gehen?«, dann verweigert Jahwe ihnen die Weisung des Weges, der in seinem Heilsbereich bleibt bzw. wieder in seinen Heilsbereich führt, und das bedeutet: sie *müssen* gehen »wer dem Tode gehört – zum Tod, wer dem Schwerte – zum Schwert, wer dem Hunger – zum Hunger, wer der Verbannung – zur Verbannung«.

Wir meinen also, daß hier in diesen Unheilsankündigungen der Prophet (!) das Schweigen Jahwes auslegt, jenes Schweigen, das sich als Verbot des *hitpallel* ausspricht.

Diese auf Grund dieses Textes angestellte Erwägung gilt kaum nur für diesen einen Fall. Vielmehr wird man wohl damit rechnen müssen, daß das prophetische »Gerichtswort an das Volk« nach verschiedenen »Sitzen im Leben« zu differenzieren ist. Und ein Teil der prophetischen Unheilsverkündigungen ist mE nicht in dem Sinne »Jahwewort«, daß der Prophet damit Jahwes an ihn ergangenes *Wort weitersagt*, sondern ist *vom Propheten selber gesagt*, der damit Jahwes *Schweigen auslegt*.

VI.

Jeremia hatte kein »Fürbitt-Amt« inne. Er hatte die Aufgabe, die Weisung Jahwes, den Bescheid oder Entscheid Jahwes einzuholen und

[55] So auf Grund einer m. W. bisher unbeachtet gebliebenen interessanten Vermutung von *FBuhl* (im Art. »Fasten im AT«, RE³ V 768–770): »Vielleicht läßt sich die Erzählung 1Kg 21₉ff auf diese Weise erklären, so daß das allgemeine Fasten, das in Jizreel einberufen wird, eine begangene Sünde aufdecken soll, als deren Urheber dann Nabot fälschlich verklagt wird« (769).

weiterzusagen. Er wird von den Repräsentanten des Volks auf diese Aufgabe hin angesprochen und läßt sich auf sie hin ansprechen. Und da das offensichtlich mit einer Art von Selbstverständlichkeit geschieht, wird man doch annehmen müssen, daß die Wahrnehmung dieser Aufgabe im Rahmen eines geordneten »Amtes« geschah. Wenn man die bisher gemachten Beobachtungen verallgemeinern kann, so wäre zu sagen: Der Gegensatz zwischen Jeremia und den »Heils«-Propheten ist nicht der zwischen »freiem« und »beamtetem« Prophetentum, sondern ist ein Gegensatz innerhalb eines »Amtes«, das ihm und ihnen gemeinsam ist. Zugespitzt gesagt wäre gerade Jeremia als der wirklich »beamtete« Prophet zu bezeichnen, die »Heilspropheten« wären die nicht-beamteten Propheten: Jeremia nimmt das Propheten-»Amt« wahr, und er wirft seinen Gegnern vor, daß sie dies Amt eben nicht wirklich *wahr*nehmen.

Die Nennung von Mose und Samuel in Jer 15_1 zeigt, daß der Zusammenhang zwischen Jeremia und ihnen als Zusammenhang der Wahrnehmung ein und derselben Aufgabe verstanden wird. Für die Jeremiaüberlieferung sind also »auch Mose und Samuel unter den Propheten«. Die Jeremiaüberlieferung teilt in Bezug auf Mose die Vorstellung der elohistischen Tradition, Hoseas und der deuteronomisch-deuteronomistischen Überlieferung, und in Bezug auf Samuel die Vorstellung der älteren prophetischen Tradition, welche in der dtr Überlieferung aufgenommen und ausgestaltet ist; in diesen Überlieferungen werden ja bekanntlich Mose und Samuel als »Propheten« bezeichnet oder gezeichnet. So ist die Nennung Moses und Samuels in Jer 15_1 ein weiterer Beleg für den ohnehin bekannten Zusammenhang, der zwischen Jeremia und den genannten Traditionen besteht.

Die Feststellung, Mose und Samuel seien hier als »Propheten« verstanden, ist freilich allzu allgemein. Denn sie faßt spezifische Vorstellungen unter einen Generalbegriff, der zudem an diesen Jeremiastellen gar nicht gebraucht wird – weder Jeremia noch Mose und Samuel werden hier ja als »Propheten« bezeichnet. Wir setzen die »Engführung« der bisherigen Untersuchung von Jer 14_{11f} und 15_{1f} fort und stellen auch die überlieferungsgeschichtliche Frage so, daß wir prüfen, wo und wie sonst im AT von Moses und Samuels *hitpallel* die Rede ist.[56]

[56] Wenigstens anmerkungsweise muß noch der eine Text genannt werden, wo Mose und Samuel wie in Jer 15_1 zusammen genannt werden: Ps 99_6 »Mose und Aaron unter seinen Priestern, Samuel unter den Anrufern seines Namens; sie riefen zu Jahwe, und er antwortete ihnen« (Hier ist Aaron, den $\mathfrak{A}$ in Jer 15_1 für Samuel substituiert, als der Dritte im Bunde genannt). Daß sie zu Jahwe gerufen, er ihnen geantwortet habe, zeigt vielleicht, daß Mose und Samuel es auch hiernach mit der Einholung und Ausrichtung des Jahwebescheides zu tun haben wie in Jer 15_1. Aber in Ps 99_6 sind sie ausdrücklich als »Priester« be-

Vom *hitpallel* des Mose wird dreimal berichtet. Die beiden ersten Texte sind die Tafera-Ätiologie *Num* 11_{1-3} und die Geschichte von der ehernen Schlange *Num* 21_{4ff}. Sie bestätigen i. W. die auf Grund der Jeremia-Überlieferung angestellten Überlegungen: Die Situation, in der das *hitpallel* Moses erbeten wird und geschieht, ist die gleiche wie in Jer 14f, nämlich eine Notlage, die als Strafe Jahwes verstanden, ja in diesen Texten bezeichnet ist. Das *hitpallel* des Mose soll das Ende der Not bewirken und tut das auch. Während aus den knappen Sätzen in Num 11 über die »Prozedur« des *hitpallel* nichts zu entnehmen ist, geht die Schilderung in Num 21_{4ff} (»E«) mehr ins Detail: Das Volk spricht ein Sündenbekenntnis und sagt, was das *hitpallel* bezwecken soll; dann wird eine Antwort Jahwes berichtet, die den Weg zur Beendigung der Schlangenplage mitteilt. Auch hier ist offenbar *hitpallel* als Einholung des Jahwebescheides verstanden.

Der dritte Text ist die deuteronomische Version der Geschichte vom Goldenen Kalb, *Dtn* 9_{7ff}, die hier im Dtn geradezu als paradigmatische Fürbitt-Geschichte erscheint. Aber in ihr ist vom *hitpallel* des Mose eigentlich gar nicht die Rede – denn der Begriff begegnet in V. 20 und 26, und beide Stellen gehören offensichtlich zu einer sekundären Schicht, einer Bearbeitung des Textes auf Grund von Ex 32.[57]

Dtn 9_{7ff} ist aber für das Verständnis von Jer 15_1 unter einem anderen als dem terminologischen Aspekt wichtig: Hier tritt sehr deutlich die Vorstellung von einer besonderen »Macht« hervor, die Mose sogar über Jahwe selbst hat – eine Vorstellung, die doch wohl auch in Jer 15_1 zugrundeliegt: In Dtn 9_{14} sagt Jahwe zu Mose »Laß von mir ab (הֶרֶף מִמֶּנִּי), ich vernichte sie . . .«. Das heißt doch anscheinend, daß Jahwe das Volk, wenn er gleich will, nicht vernichten *kann*, wenn Mose sich ins Mittel legt. Wenn eine ähnliche Vorstellung auch in Jer 14_{11}; 15_1 zugrundeliegt, dann wäre anzunehmen, daß das an Jeremia ergehende Verbot des *hitpallel* auf der Voraussetzung beruht, daß Jahwe eine Heilszusage erteilen *müßte*, wenn der Prophet sie bei ihm einholt.[58]

zeichnet! Wie ist es mit der Kompetenzabgrenzung zwischen Priestern und Propheten?

[57] In V. 20 wird Aaron genannt, und zwar ganz unvermittelt – er spielt in der dtn Geschichte vom Goldenen Kalb gar keine Rolle, da nur das Volk insgesamt und Mose einander gegenüberstehen. Vgl. aber die wesentliche Rolle Aarons nach Ex 32! – Das Mosegebet Dtn 9_{26-29} entspricht völlig Ex 32_{11ff}; seine Einleitung in V. 25f nimmt Dtn 9_{18} auf. Im ganzen erscheinen die VV. 25–29 als angehängte Variante zu V. 18. 19a.

[58] Das braucht dem oben S. 324f Gesagten nicht zu widersprechen. Daß ein Überlieferungszusammenhang der prophetischen Einholung des Jahwebescheids mit der Losorakelpraxis bestand, schließt ja keineswegs die Vorstellung vom Propheten als »machtbegabtem« Charismatiker aus. Daß Institution, Amt, regel-rechte Technik usw. geist-los seien und der Geist wehe, wo er will, ausgenommen im Bereich

In Dtn 9$_{7ff}$ ist die Überlieferung vom Goldenen Kalb zu einer Darstellung von grundsätzlicher Bedeutung verarbeitet, in der vom Goldenen Kalb selber nur peripher gesprochen wird: Am Horeb hat Jahwe in der Gebotsmitteilung dem Volk Israel den »Weg« gewiesen, und eben dort setzt schon der Ungehorsam Israels ein:

»Schnell sind sie gewichen von dem Wege, den ich ihnen gewiesen habe; sie haben sich ein Gußbild gemacht« (V. 12b, vgl. V. 16).

Und nur um Moses willen, der für das Volk vor Jahwe »niederfällt« (V. 18), endet die Geschichte Israels nicht gleich in der Katastrophe, ehe sie eigentlich überhaupt begonnen hat.

Was das Deuteronomium in 9$_{7ff}$ den Mose erzählen läßt, das meint nicht eine einzelne Geschichte vom Anfang, sondern die ganze Geschichte Israels von Anfang an; und was von Mose gesagt wird, das meint nicht nur den einen Mann Mose, sondern die Reihe von Männern »wie Mose« durch die Geschichte Israels hin.

Hinter allen drei eben genannten Texten steht die Vorstellung einer *Entsprechung* zwischen Mose und der Prophetie; doch nur Dtn 9 impliziert die Vorstellung einer *Kontinuität* zwischen Mose und »den Propheten«. –

Von *Samuels hitpallel* ist ausschließlich in deuteronomistisch formulierten Stücken der Samuelüberlieferung die Rede.

Der erste Text (*1Sam 7*$_5$) zeigt wieder den Zusammenhang des *hitpallel* mit den »Fasten«:

Samuel sagte: Versammelt ganz Israel nach Mizpa, ואתפלל בעדכם אל־יהוה. (6) Da versammelten sie sich nach Mizpa ... und sie fasteten an jenem Tage, und sie sagten dort »Wir haben gesündigt gegen Jahwe ...«

Der zweite Text (*1Sam* 8$_6$) zeigt wieder, daß *hitpallel* die Einholung eines Jahweentscheides bezeichnete: Die Ältesten verlangen von Samuel die Einsetzung eines Königs,

und die Sache erschien schlimm in den Augen Samuels ... ויתפלל שמואל אל־יהוה. (7) Jahwe sagte zu Samuel: Höre auf die Stimme des Volkes in allem, was sie zu dir sagen ...

Auch hier entscheidet die Jahwe-Antwort eine vorauszusetzende Alternativfrage, ob nämlich Samuel dem Verlangen des Volkes stattgeben soll oder nicht.

Das dritte Mal und das letzte Mal ist von Samuels *hitpallel* die Rede in 1Sam 12$_{19}$ und $_{23}$ im Zusammenhang der dtr Abschiedsrede Samuels.

In 1Sam 12$_{19}$ wird Samuel vom Volk um sein *hitpallel* gebeten, als Jahwe es hatte »donnern und regnen lassen« (V. 17f). Den darin

der Ordnungen, des Geregelten – das ist eine in Deutschland, aber wohl kaum im alten Israel verbreitete Auffassung.

sich zeigenden Strafzorn Jahwes wegen des Königsbegehrens soll Samuels *hitpallel* wenden, und das Volk spricht ein Sündenbekenntnis (V. 19b).

Daraufhin spricht Samuel ein Mahnwort (V. 20f) und eine Heilszusage (V. 22), und schließlich sagt er (1Sam 12₂₃):

Auch was mich betrifft – ferne sei es von mir, mich gegen Jahwe zu verfehlen, indem ich aufhörte, להתפלל בעדכם; sondern ich weise euch auf den guten und geraden Weg.

Dieser Vers, der am Ende der dtr Darstellung der Wende von der »Richterzeit« zur Königszeit steht, zeigt m. E. das dtr Verständnis von der Aufgabe der Propheten in geradezu grundsätzlicher Formulierung. Samuel hatte nach dtr Darstellung dem Volke Israel den »Weg« bisher nicht nur »gewiesen«, sondern es auch auf diesem Wege geführt. Nunmehr ist die Führung auf den König übergegangen. Für Samuel aber bleibt die Aufgabe der »Weisung«; er weist das Volk auf den »guten und geraden Weg«, auf den Weg Jahwes, den er durch sein *hitpallel* erkundet. *hitpallel* und »Weisung des Wegs« sind zwei Seiten der einen Aufgabe – einmal in Richtung auf Jahwe, das andere Mal in Richtung auf das Volk. Diese Aufgabe, dies »Amt« entspricht dem Willen Jahwes; nimmt Samuel es nicht wahr, so verfehlt er sich gegen Jahwe. Es ist nach dtr Auffassung nicht an die Person des Samuel gebunden, sondern *beginnt* mit Samuel zur Zeit der Einführung des Königtums. Es ist *das Amt der Prophetie*, die von nun an dem von den Königen geführten *Volk den Weg weist, auf dem es dem Willen Jahwes entspricht.*

Diese deuteronomistische Vorstellung vom *hitpallel*-»Amt« Samuels und damit der Propheten seit Samuel entspricht nun völlig der Vorstellung vom »Amt« Jeremias, die hinter den Aussagen von seinem *hitpallel* steht. Sie ist in der Jeremiaüberlieferung fallweise erkennbar; dann, in der dtr Darstellung, wird sie geradezu auf den Begriff gebracht.

So kann die dtr Vorstellung vom »prophetischen« *hitpallel* ein Stück weit gleichsam die »Probe« sein für die jetzt folgende Zusammenfassung der Ergebnisse, welche sich aus der Untersuchung verschiedener Einzeltexte der Jeremiaüberlieferung ergeben haben.

VII.

Diese Untersuchung war von der Feststellung ausgegangen, daß bei Jeremia »das prophetische Amt selbst ein Gegenstand der Reflexion geworden« ist.[59] Sie war einem der drei Hauptaspekte nachgegangen, un-

[59] *vRad,* ThAT II 283.

ter denen man dieser Reflexion begegnet, nämlich dem Blick auf die Propheten vor Jeremia. Die Jeremiaüberlieferung sieht den Propheten Jeremia im Zusammenhang mit »Propheten vor ihm« stehen – mit »den Propheten« generell (Jer 28 8f), mit einem namentlich genannten Propheten, Micha von Morešet (26 17ff), endlich sogar mit Mose und Samuel, die zwar nicht als Propheten bezeichnet werden, deren Funktion aber die gleiche ist wie die Jeremias (15 1 mit 14 11).

Die Beziehung zwischen Jeremia und den »Propheten« vor ihm ist nicht als eine phänomenologische Entsprechung verschiedener Gestalten verstanden, die je für sich aufgetreten wären, sondern als ein kontinuierlicher Zusammenhang, der sich über die ganze Geschichte Israels hin erstreckt. Die Vorstellung von einer kontinuierlichen Reihe der Propheten ist ihrerseits nicht das Ergebnis einer Zusammenhänge konstruierenden geschichtlichen Rückschau, sondern sie hängt zusammen mit der Auffassung Jeremias vom *Wesen des prophetischen »Amtes« selber*: es ist das Amt, das dem Volk Jahwes in seiner Geschichte den Weg Jahwes weist; die Geschichte Israels ist also ohne die Prophetie überhaupt nicht denkbar, sondern Israel bedarf des ständigen Geleits durch die Propheten, um geschichtlich existieren zu können. Dies Amt der Wegweisung geschieht, indem die Propheten das Wort Jahwes an das Volk Jahwes ausrichten. Dies aber nicht so, daß dies Wort je und je einmalig, ungefragt und unerwartet, jäh von oben her erginge, als das »ganz Andere« alle religiöse Sicherheit zerschlagend, die sich im kultischen Betrieb manifestiert.

Derlei – zugebenermaßen sehr grob gezeichnete – Auffassungen beruhen ja im Grunde doch wohl auf einer bestimmten systematischen Position und ihrer Theologie des Wortes Gottes, die sich einerseits durch die alttestamentliche Wissenschaft und ihr historisch-kritisch gewonnenes Bild der israelitischen Propheten exegetisch gestützt sah, umgekehrt aber auch ihrerseits die Exegese des Alten Testaments beeinflußte. Es war wohl eine auch von solcher systematischen Position her bestimmte, nicht nur rein vergleichend-religionsgeschichtlich gewonnene Auffassung, die das unableitbar und unvergleichlich »Besondere der alttestamentlichen Prophetie im formalen Typus des ungefragt redenden Oppositionspropheten« sah.[60] Und diese Auffassung schien von theologischer Tragweite zu sein. Als nun aus den Mari-Briefen hervorging, daß auch dies vermeintlich »Besondere der alttestamentlichen Prophetie« nicht ohne außer- und vorisraelitische Parallelen ist, da stellte sich mit dieser historischen Einsicht auch ein systematisch-theologisches Problem.[61] Denn damit war jene theologische Position der historischen Ummauerung beraubt, [illegible] vermeintlicher Parallel-losigkeit der israelitischen Prophetie verstanden hatte (was ja in sich schon theologisch fragwürdig gewesen sein dürfte). Aber auch wenn man nun aus der historischen Not eine theologische Tugend macht und das prophetische Wort als »ungesichertes

[60] *HWWolff*, Hauptprobleme alttestamentlicher Prophetie (1955), GesSt (1964) 206–231, 209.

[61] Vgl. *Wolff*, aaO 207ff und *Westermann*, Die Mari-Briefe und die Prophetie in Israel (1964), Forschung am AT 171ff.

Wort« interpretiert, »das seine Legitimation allein in dem Anspruch hat, in Gottes Auftrag gesprochen zu sein«,[62] so setzt das immer noch jene Auffassung von dem ›wahren‹ Propheten voraus, nach der »seine Botschaft ihn ungewollt überkommt« und er sie ausrichtet, »ohne gefragt oder aufgefordert zu sein«.[63]

Aber diese Auffassung sieht die Dinge in einer Alternative, die am Prophetenverständnis zumindest der Jeremiaüberlieferung keinen Anhalt hat, ebensowenig wie die Alternative »institutionell gebundene oder nicht derart gebundene Prophetie«.

Das alles heißt gewiß nicht, daß nach der Jeremiaüberlieferung das Propheten-»Amt« etwa nicht wesentlich ein »Wort-Amt« sei. Das ist es gewiß. Aber es ist, wie gesagt, das Amt der Mitteilung des Wortes Jahwes an das Volk Jahwes und um dieses Volkes willen – an das Volk, welches dieses Wortes bedarf und bedürfen soll, das dies Wort auch von sich aus erfragen kann und soll, und zwar auch im geordneten kultischen Rahmen danach fragen kann und soll. Denn dies Wort weist dem Volk Jahwes den Weg Jahwes. Es ergeht freilich nicht nur, wenn das Volk es erfragt – aber eben auch nicht nur ungefragt.

Das Wort, der Bescheid Jahwes kann erfragt werden, um nachzuprüfen, ob das Volk auf dem »rechten Wege«, im Heilsbereich Jahwes *ist*, ob *šalom* herrscht; und diese Frage dürfte im Rahmen regelmäßig wiederkehrender Kultveranstaltungen gestellt worden sein, so daß auch die vom Propheten ausgerichtete Antwort Jahwes »den Charakter des in der Reihe ... wiederkehrenden Kultwortes« hatte.[64]

Dies Wort kann erfragt werden, wenn das Volk in Not ist und dadurch von Jahwe selbst dessen innegemacht wird, daß es sich gegen Jahwe verfehlt hat und so dem Unheilshandeln Jahwes verfallen ist; dann »kehrt es um« (und dafür gab es nachweislich besondere Gottesdienste, wenn auch keine regelmäßig wiederkehrenden), und es erbittet durch den Propheten die Heilszusage Jahwes, die es in den Heilsbereich Jahwes wieder *einweist*.[65]

Dies Wort kann ungefragt ergehen, wenn das Volk auf einem Wege ist, der aus dem Heilsbereich Jahwes herausführen wird; dann wird es durch die prophetische Unheilsankündigung gewarnt, damit es rechtzeitig zur »richtigen Richtung« *zurückkehrt* und damit das Unheil nicht einzutreten braucht.[66]

Dies Wort kann schließlich erfragt werden in kritischen Entscheidungssituationen, sozusagen an Wegegabelungen, wenn es gilt, zukünftiges Geschehen, das ja als Jahwes Werk verstanden ist, zu erfahren,

[62] *Westermann*, aaO 187.
[63] *Wolff*, aaO 207f.
[64] Gegen *Westermann*, aaO 187.
[65] S. o. S. 318ff zu Jer 14f.
[66] S. o .S. 310f zu Jer 26.

um sich danach richten zu können,[67] oder (doch das ist im Grunde dasselbe) wenn man erfahren will, welches der Weg sei, auf dem man in der Zukunft im heilvollen Bereich Jahwes *bleibt*.[68]

(Außerdem kann der Prophet für sich selbst den Bescheid Jahwes einholen, um Jahwes Willen zu erfahren oder um Jahwes Auftrag richtig zu verstehen.[69])

Bei all dem geht es um das Wort, das dem Volk – mit der dtr Formulierung von 1Sam 12_{23} – »den guten und geraden Weg weist«. Und dies Wort ergeht durch den Propheten. Ihn braucht das Volk, weil er den Ratschluß Jahwes kennt, weil er Jahwes Willen ermitteln und vermitteln kann. Aber auch Jahwe braucht den Propheten, um durch ihn seinen Willen seinem Volk mitteilen zu lassen. Er »sendet« den Propheten mit seinem Wort – und zwar nicht nur mit dem unerfragten, sondern auch mit dem vom Volk erfragten Wort.[70]

Die Ausrichtung des Jahwewortes in diesem Sinne ist als das »Amt« Jeremias verstanden, jedenfalls als ein zentraler Teil dieses Amtes. Bei diesem Verständnis des Amtes Jeremias muß die Jeremiaüberlieferung in Jeremia einen in einer kontinuierlichen Kette von Inhabern des gleichen Amtes sehen. Das könnte man deduzieren, auch wenn nirgends ausdrücklich von den »Propheten vor Jeremia« die Rede wäre.

Wenn man sieht, daß nach der Jeremiaüberlieferung das prophetische Amt, insofern es Ermittlung und Auslegung des Jahwewillens ist, mit der Losorakelpraxis zusammenhängt, dann wird man die Vorstellung, daß es durch die *ganze* Geschichte Israels hin, von Anfang an »Propheten« gegeben habe, in gewissem Sinn als »historisch zutreffend« bezeichnen müssen. (Auch die dtr Prophetenvorstellung, die traditionsgeschichtlich mit der Jeremiaüberlieferung zusammengehört, deren Prophetenvorstellung systematisch ausarbeitet und dann wiederum in die Nachgeschichte der Jeremiaüberlieferung einbringt, kann man nicht einfach als geschichtstheologische Konstruktion auffassen.)

Jeremia steht in der Kontinuität der Prophetie, da er in seinem Sprechen das Wort Jahwes dem Volk weitersagen kann. Das prophetische Amt, auch Jeremia in seinem Amt, vermittelt Wort und Antwort zwischen Jahwe und seinem Volk; es ist davon getragen, daß im Grunde »Einverständnis« zwischen Jahwe und Israel besteht und bestehen soll und deshalb, ist es gestört, wieder hergestellt werden kann. Aber dies Einverständnis ist nun unheilbar zerbrochen. Die Antwort Israels hat dem Wort Jahwes nicht entsprochen; nun ergeht auf das Wort

[67] S. o. S. 314f zu Jer 37.
[68] S. o. S. 315f zu Jer 42.
[69] S. o. S. 316f zu Jer 32; vgl. auch S. 329 zu 1Sam 8_{6}.
[70] S. o. S. 316 zu Jer 42_{5}.

Israels die Antwort Jahwes nicht mehr, sondern Jahwe schweigt. Dies Schweigen, das Jeremia aussprechen muß, zerbricht Israel; an diesem Schweigen zerbricht Jeremia in seinem Amt. So steht »Jeremja, der letzte grosse Prophet, der Abendstern des sinkenden Tags der Weissagung, auf der Scheide zweier Zeiten und schliesst ohne es zu wollen die ganze reinprophetische Art und Weise«.

EBERHARD OTTO

DER MENSCH ALS GESCHÖPF UND BILD GOTTES IN ÄGYPTEN

In den Schöpfungserzählungen der Genesis nimmt die Erschaffung des Menschen eine hervorragende Stelle ein. Beim Jahwisten steht die Bildung des Menschen aus Erde und seine Beseelung durch den Atem Gottes von vornherein im Zentrum. In der Priesterschrift endet das Schöpfungswerk am 6. Tage mit der Erschaffung des ersten Menschenpaares, das nach dem Bilde Gottes geschaffen und zum Herrn über die andere Kreatur bestimmt wird. In jedem Fall bedeutet die Erschaffung des oder der Menschen die Krönung der Schöpfung und es ist sehr akzentuiert von einem ersten Menschen(paar) die Rede. Einzelne Elemente der Berichte – Gottesebenbildlichkeit, Herrschaftsauftrag, Bildung aus Erde und Beseelung durch Gott – haben für das christliche Menschenbild konstitutive Bedeutung erlangt.

Ich möchte versuchen, einige Gedanken der Ägypter[1] zur Erschaffung des Menschen herauszustellen, wobei einerseits allgemeine Ähnlichkeiten das Material vergleichbar erscheinen lassen, andererseits grundsätzliche Verschiedenheiten die beiderseitige Unabhängigkeit verdeutlichen können.

Befragt man das ägyptische Material nach der Erschaffung des Menschen, nach seinem Verhältnis zu Gott und speziell nach seiner Gottesebenbildlichkeit, so müssen Antworten auf solche Fragen notwendig anders als die Darstellungen der biblischen Berichte ausfallen, schon deshalb, weil es einen einheitlichen oder vereinheitlichten kanonischen Schöpfungsmythos nicht gibt. Theologische Spekulation, Ethik und das Glaubensdenken haben deshalb derlei Fragen immer neu stellen und neue Antworten finden können.

Zunächst kann man mit einer gewissen Allgemeingültigkeit sagen, daß der Erschaffung des Menschen innerhalb der verschiedenen Schöpfungslehren und -vorstellungen kein besonderes Gewicht zukommt und daß der Begriff eines ersten Menschen oder ersten Menschenpaares im

[1] Material zur Weltschöpfung überhaupt bei *SSauneron* und *JYoyotte,* La Naissance du Monde selon l'Egypte Ancienne (1959); über die Menschenschöpfung in Mesopotamien: *GPettinato,* Das altorientalische Menschenbild und die sumerisch-akkadischen Schöpfungsmythen, im Druck.

biblischen Sinne nicht existiert. Man kennt zwar in Ägypten die Formulierung »erste Generation« (wörtlich: Körperschaft *h.t tp.t*). Aber damit sind zunächst die ersterschaffenen Götter gemeint (zB Pyr. 1462d). Sodann kommt der Ausdruck auch in der Tat für die erste Menschengeneration vor, zB in den Admonitions 12,2, wo der Schöpfergott angeklagt wird: »Hätte er doch ihren Charakter im ersten Geschlecht erkannt«; oder in der Lehre des Chachepereseneb: »Ich sage das gemäß dem, was ich sehe, beginnend von der ersten Generation bis zu denen, die darnach kommen«. In beiden Fällen ist sicher die erste Menschengeneration gemeint, wie sie aus der Abfolge der Generationen logischerweise einmal dagewesen sein muß. Beide Texte gehören zur weltanschaulichen Traktatliteratur, nicht zum mythologischen Schrifttum.

Wenn hier also tatsächlich eine erste Menschengeneration (kein Paar) genannt ist, so besagen die Stellen doch nichts über einen besonderen Schöpfungsakt, dem sie ihre Existenz verdankt. In den späteren, meist summarischen Aussagen über die Schöpfung begnügt man sich im allgemeinen mit einer Aufzählung der geschaffenen Wesen, wie etwa im großen Papyrus Harris I 44,4 (Zeit Ramses IV.) von Ptah gesagt wird: »... der die Menschen baute (*ḳd*) und die Götter machte, der das Werden (dh das Gestaltwerden) begann in der ersten Urzeit«[2] oder von Amonre auf dem Berliner Denkstein 6910: »... der die Götter schuf (*ḳm*ʾ) und die Menschen machte«. Häufig sind solche Wendungen bis in die Spätzeit hinab. Amun wird angeredet: »Du bist der, der die Menschen und Götter baute (*ḳd*) und alle Dinge erzeugte«.[3] Von einem Heh-Gott wird in Edfu gesagt: »... der die Menschen erzeugte (*wtṯ*) und die Götter bildete (oder gebar, *mśj*) und den Wind machte«[4] oder von Chnum »... der die *p*ʿ*.t*-Menschen bildete (*nb*) und die *ḥnmm.t*-Menschen baute (*ḫws*), der die Menschen baute (*ḳd*) und die Tiere und die Herden«[5] und an anderer Stelle vom selben Gott: »... der die Menschen baute (*ḳd*), die Götter bildete (*mśj*), das Getier, die Herden, die Vögel, das Gewürm und die Fische auf der Töpferscheibe bildete (*nḥp*)«[6] und – um nur noch ein Beispiel zu nennen – von Horus heißt es »... der die Götter machte und die Menschen bildete (*mśj*) ... der die Götter, Menschen, Getier, Herden und alles Gewürm mit seinem

[2] Merkwürdigerweise ist in der Schöpfungslehre des »Denkmals memphitischer Theologie« wohl von der Erschaffung der Götter durch Ptah und die Einrichtung der Staatsordnung, auch von der Belebung der Kreatur die Rede, nicht aber von einer Erschaffung der Menschen.

[3] *EChassinat*, Mammisi d'Edfou (1939) 171.

[4] *EChassinat*, Edfou III (1928) 145.

[5] *EChassinat*, Edfou IV (1929) 146/7.

[6] *MdeRochemonteix*, Edfou I (1892) 147.

Bedarf füllt«.[7] Die Übersetzung der Verbalformen als Imperfekt ist durchaus nicht sicher. Alle zitierten Stellen können auch präsentisch übersetzt werden. Dann würden sie über einen einmaligen, sozusagen »historischen« Schöpfungsakt noch weniger aussagen, vielmehr eine dauernde Tätigkeit der Götter an der Weiterführung der Schöpfung bezeichnen; ich möchte meinen, daß dieses Verständnis besonders für die ägyptische Spätzeit wohl zuträfe. Die Beispiele lassen sich fast beliebig vermehren und zeigen allesamt die Beiläufigkeit, mit der die Menschen unter den Geschöpfen genannt werden.

Wesentlich sind die hier enthaltenen Aussagen über die Begriffe »Schöpfung« und »Schöpfer«. Zu den Geschöpfen gehören in der Regel auch die Götter, ja diese können durchaus an zweiter Stelle hinter den Menschen genannt werden, beide aber immer vor den Tieren. Von den Göttern deutlich abgehoben steht der Schöpfergott allein, »der einzige, der sich zu Millionen macht«, wie es oft von ihm heißt. Wie schon die wenigen oben gegebenen Beispiele zeigen, ist der Begriff des Schöpfers nicht an einen bestimmten Gottesnamen gebunden, so daß man ihm eigentlich eine besondere Bezeichnung beilegen sollte (sozusagen ein Vor- oder Übergott). Man möchte eher von einem schöpferischen Prinzip sprechen, das über und (zeitlich) vor den Göttern steht, an dem sie aber insofern Anteil haben, als dieses Prinzip in mehreren von ihnen fallweise evident und effektiv werden kann. Das Schöpferische ist ein Aspekt des Göttlichen, das nicht an einen bestimmten Namen oder eine bestimmte mythologische Gestalt gebunden ist. Das ist im Grunde schon so in der früheren Zeit, als offenbar über die Schöpfung und die Welt nach dem Zusammenbruch des Alten Reiches erneut nachgedacht wurde. Im oben genannten Passus der Admonitions wie in der »Lehre für Merikare«, von der noch öfter zu sprechen sein wird, bleibt der Schöpfer meist anonym, deutlich abgehoben von den Göttern; er kann auch als »Allherr« bezeichnet werden, und wenn er mit einem mythologischen Gott gleichgesetzt werden soll, dann ist das zu dieser Zeit meist Atum, der Urgott von Heliopolis.

Die Termini, mit denen der Vorgang der Erschaffung bezeichnet wird, entstammen im wesentlichen zwei Vorstellungskreisen. Auf der einen Seite stehen Verben, die von der natürlichen Zeugung und Geburt herrühren: *mśj* eigentlich »gebären«, dann auch »bilden«; *irj* »machen«, dann auch vom Manne »erzeugen«; *wtṯ* »erzeugen«. Mit Sicherheit wird man sagen können, daß der Ägypter in diesem Falle nicht mehr die natürlichen Vorgänge in diesen Verben sah, die sie eigentlich bezeichneten, sondern sie übertragen gebrauchte. Denn es

[7] ebd 377; übrigens kann auch Osiris *ḳd rmṯw* »der die Menschen baute« heißen, zB *CdeWit*, Temple d'Opet (1958) 270.

ist ja eben das Besondere an der Schöpfertätigkeit gegenüber aller natürlich-kreatürlichen Fortpflanzung, daß sie von dem immer einzigen Schöpfergott nicht auf natürliche Weise erfolgen kann; daher die alten mythischen Bilder vom Aushusten und Ausspeien der ersten Götter oder von der Selbstbefruchtung des Atum u. a. m. Man wird also im Gebrauch dieser Wortgruppe keinen Hinweis auf die genaue Art des Erschaffens sehen dürfen. Die andere Gruppe stammt aus dem Bereich des Handwerklichen: *ḳd* »bauen«, *ḫws* »bauen«, *nb* »(als Goldschmied) bilden«, *nḥp* »auf der Töpferscheibe bilden«. Man wird wohl auch diese handwerklichen Bezeichnungen nicht allzu buchstäblich nehmen dürfen.[8] *ḳd* ist offenbar das älteste Wort hier und kommt schon Pyr. 450a vor, wo gesagt wird, daß Ptah den König nach seinem Tode »baue« und am Leben erhalte.[9] In den Admonitions 2,4 wird es auch von der Schöpfertätigkeit des Chnum gebraucht. Das Wort begegnet dann auch nicht selten bei der Erschaffung des Einzelmenschen (s. u. S. 6). Nicht so früh ist die Wortverbindung »auf der Töpferscheibe bilden« (*ḳd ḥr nḥp*) belegt, offensichtlich erst seit dem Neuen Reich; und noch später wird von dem Wort *nḥp* »Töpferscheibe« ein Verbum *nḥp* abgeleitet. Bekanntlich wird dieser Vorgang auch bildlich wiedergegeben; zu der Bilderreihe zum Mythus von der Geburt des Gottkönigs gehört auch die Darstellung von Chnum, der den Körper des Kindes und den seines Ka auf der Töpferscheibe formt.[10] Daß man auch dieses Bild, so einprägsam es sein mag, nur als die Verbildlichung eines nicht begreiflichen Vorganges auffassen darf und nicht als eine echte alte naive Vorstellung, zeigt der übertragene Gebrauch des Wortbildes wie bei *ḳd* »bauen«.

Von dieser Schöpfungsterminologie abgesehen gibt es noch einen weiteren Ausdruck, der weniger eine Erschaffung als eine Entstehung der Menschen bezeichnet. Es heißt nämlich auch, die Menschen seien aus den Tränen des Auges des Schöpfergottes gekommen. Der Ausdruck ist relativ alt.[11] Die Wendung kehrt dann mit leichten Varianten auch in den großen Hymnenkompositionen des Neuen Reiches wieder[12] und

[8] In bildhaftem Sinn sind auch die bekannten Worte in der Lehre des Amenemope 24, 13/14 zu verstehen: »Der Mensch ist Lehm und Stroh und Gott ist sein Baumeister (*ḳd*); er zerstört und erbaut täglich«, vgl. *SMorenz*, ZÄS 84 (1959) 79 mit Parallelen aus dem Alten Testament.

[9] Ebenfalls im jenseitig-magischen Sinn begegnet das Wort *AdeBuck*, Eg. Coffin Texts IV (1951) 119, wo der Tote in einem »Spruch, sich in die Nilflut zu verwandeln«, sagt, Re habe ihn als Arbeit auf dem Deich »gebaut«.

[10] *HBrunner*, Die Geburt des Gottkönigs (1964) Taf. 6.

[11] M. W. das erste Zeugnis *AdeBuck*, Coffin Texts VII (1961) 465 a, Spruch 1130, also frühes Mittleres Reich.

[12] zB Kairiner Amonhymnus, übers. *AErman*, Literatur der Ägypter (1923) 355; im selben Hymnus heißt es dann etwas später aber auch, er habe die Menschen

später in den Aussagen über die Schöpfung in den Tempelinschriften der griechisch-römischen Zeit.[13] Meist lautet die Formel dann, sie seien aus den Augen des Gottes »hervorgekommen« oder »geworden«. Diese seltsame Vorstellung beruht auf dem Wortspiel zwischen *rmṯw* »Menschen« und *rmjt* »Träne«.[14] Bezüglich des Gottes, dessen Auge gemeint ist, gilt das oben über das Schöpfungsprinzip Gesagte: Es eignet weniger einer bestimmten Gottesgestalt als der göttlichen Schöpfungsmacht. Im einzelnen lassen sich namhaft machen: Der Allherr, Amonre, Harachte, Sonnengott, Harsomtus, Horus, Month-Re, Re, Stier von Medamud, freilich alles Götter, die zu ihrer Zeit auch den Aspekt eines Himmels- oder Sonnengottes hatten. Das hat seinen Grund darin, daß das gemeinte Gottesauge das Tagesgestirn ist (bzw. die beiden Augen = Sonne und Mond). Das Merkwürdige an dieser Vorstellung ist es, daß sie sozusagen ohne Weiterungen blieb, oder anders ausgedrückt: Es scheint sich mehr um eine Wortprägung zu handeln als um eine echte Vorstellung, jedenfalls sicher nicht, wie *Erman*[15] sagt, um eine »Sage«. Eine noch so kurze mythologische Erzählung oder eine doch naheliegende ätiologische Mythe hierzu gibt es m. W. nicht.

Nicht häufig sind, soweit ich sehe, Berichte über eine Beseelung oder Belebung der erschaffenen Kreatur. Alt ist die Vorstellung, der Schöpfergott habe seine beiden Arme um seine Geschöpfe gelegt. Diese Geste stellt zugleich das Schriftzeichen für den »Ka« dar; der Ausdruck besagt also wohl, mit der symbolischen Übertragung der Ka-Kraft gewinnt das Geschöpf Lebendigkeit. Auch dies betrifft zunächst das ersterschaffene Götterpaar, Schu und Tefnut[16] und wird erst später auf alle Geschöpfe übertragen: An zwei Stellen der Sargtexte, die auf Schöpfungslehren in zeitgenössischen Traktaten zurückgehen, ist von den »Millionen Ka« des Schöpfers die Rede, die um (wörtlich: »hinter«) seine Geschöpfe gegeben sind.[17] In beiden Fällen handelt es sich

»gemacht«; ferner im Amonhymnus auf dem Papyrus der Neschons, den *EMeyer*, Gottesstaat, Militärherrschaft und Ständewesen, SAB phil. hist. Kl. (1928) 28, 503ff als das »Credo der Amonreligion« bezeichnete. In einem anderen Hymnus auf den Sonnengott aus dem Neuen Reich werden auch einmal die beiden Schöpfungsarten – »bauen« und Entstehung aus dem Auge – zusammengeworfen; es heißt da: »Er baut(e) die Menschen aus (mit) den Tränen seines Auges«, *AErman*, ZÄS 38 (1900) 23/24.

13 [illegible] Tempelinschriften, AAH phil. hist. Kl. (1964, 1) 58, 122; dort Beispiele aus Edfu, Dendara, Medamud; hinzuzufügen wäre noch *SSauneron*, Temple d'Esna II (1963) Nr. 163, 17 und *HJunker* und *EWinter*, Geburtshaus des Tempels in Philae (1965) 39, 21.

14 Es wird übrigens auch seltener für die Entstehung der Fische gebraucht, da das Wort für »Fische« *rmw* lautet.

15 Literatur der Ägypter (1923) 355 Anm. 2.

16 *KSethe*, Die altägyptischen Pyramidentexte (1910) Spr. 600.

17 *AdeBuck*, Coffin Texts I (1935) 376 c, III (1947) 383 e.

um einen Akt der Schöpfungstätigkeit. Kann man diese Schilderung als eine Beseelung der Geschöpfe bezeichnen, so betrifft eine andere, die vom frühen Mittleren Reich bis in die Spätzeit häufig belegt ist, eher die physische Belebung. Das von Gott gegebene Medium, das das Leben im weitesten Sinne ermöglicht, ist die Luft oder der Lebenshauch. Auch hier dürfte ein in den Sargtexten erhaltenes Zitat der älteste Beleg sein. Der Schöpfer nennt da als erste seiner Schöpfungstaten: »Ich habe die vier Winde gemacht, daß jedermann zu seiner Zeit atmen kann«.[18] Von da an ist dann häufig vom »Lebenshauch« die Rede, den Gott gibt.[19] Aufs ganze gesehen verhält es sich bei der Beseelung oder Belebung der Kreatur freilich auch wieder so, daß das Tun des Schöpfers aller Kreatur, nicht allein den Menschen, zugute kommt.

Daß bei den eben genannten Zitaten aus den Sargtexten wenigstens eine gewisse Hervorhebung des Menschen bemerkbar war, wird kein Zufall sein. Denn aus dieser Zeit (frühes Mittleres Reich) stammt nun eine gewichtige Aussage, die in dieser dezidierten Form einmalig ist: Der Schöpfungsbericht in der Lehre für Merikare.[20] Es kann kein Zweifel bestehen, daß auch dieser Schöpfungsbericht aus einem weltanschaulichen Traktat stammt und mit anderen Traditionen zusammen in das uns vorliegende literarische Werk hineingearbeitet ist.[21] Er berührt sich eng mit Teilen der Admonitions und den im Sargtext Spruch 1130 gesammelten und überarbeiteten Schöpfungsberichten. Die entscheidenden Feststellungen des Berichtes im Merikare sind die, daß Gott Himmel und Erde um der Menschen willen erschaffen habe. Er selbst leuchtet als Sonne am Himmel für sie. Die Kräuter der Erde, ebenso die Tiere und Fische, hat er zu ihrer Nahrung geschaffen. Dieses anthropozentrische Verständnis der Weltschöpfung hebt sich in der Tat erstaunlich von allen anderen Aussagen ab und findet sich – soweit ich sehe – in dieser absoluten Form nicht wieder. Auch der Atonhymnus von Amarna preist den Schöpfer wieder als Lebenspender für alle Kreatur. Von den Menschen selbst heißt es bei Merikare: »Sie sind seine Abbilder (*snn*), die aus seinem Leibe kommen.« Auch diese Aussage ist in dieser Form einmalig. Über die Ebenbildlichkeit wird später noch zu sprechen sein. Hier gilt es mit Nachdruck hervorzuheben, daß die

[18] *AdeBuck*, aaO VII (1961) 462/63.

[19] *EOtto*, aaO (Anm. 13) 50ff. Im Neuen Reich wird das Geben des Lebenshauches auch von Gefangenen vom König erbeten, dh wohl als Bitte, ihnen das Leben zu schenken.

[20] *AVolten*, Zwei altägyptische politische Schriften (1945) 73ff.

[21] Eine analytische Betrachtung ägyptischer Literaturwerke kommt nur sehr zögernd in Gang; Ansätze hierzu *SHerrmann*, Untersuchungen zur Überlieferungsgestalt mittelägyptischer Literaturwerke. Dtsch. Ak. Wiss. Berlin, Institut für Orientforschung Nr. 33 (1957), über Merikare dort 54ff.

Schöpfungslehre im Merikare wie auch das Weltverständnis der verwandten Traktatliteratur der Zeit in der Entwicklung des ägyptischen Denkens einen einmaligen extremen Fall weltanschaulichen Neuformens darstellt; unter dem Druck der restaurativen Tendenzen des Mittleren Reiches ist hier offenbar ein sich anbahnender Weg abgeschnitten worden.[22]

Der Mensch als Geschöpf Gottes kann auch von einer ganz anderen Seite her verstanden werden; es kann auch gefragt werden, inwiefern der Einzelmensch ein Geschöpf Gottes sei. Für den Ägypter war das eine durchaus konkrete Vorstellung, wenn freilich Aussagen hierzu seltener und in anderen Literaturgattungen anzutreffen sind. Denn dieser Gedanke gehört in Ägypten in den Bereich des persönlichen Glaubens, von dem Biographien, Gebete und Lehren am ehesten Zeugnis ablegen, wobei zu berücksichtigen ist, daß auch in diesen Gattungen persönliche Äußerungen erst relativ spät – im allgemeinen erst seit dem Neuen Reich – auftauchen. Eine Quellengruppe für religiöse Anschauungen außerhalb der theologischen Literatur stellen zudem theophore Personennamen dar. Und sie enthalten in der Tat seit alters, in zunehmendem Maße seit dem Neuen Reich und in der Spätzeit das Bekenntnis des Einzelnen, ein von (einem) Gott geschaffenes Wesen zu sein.[23] Solche Namensformen lauten etwa: »Den-Ptah-gemacht-hat«, (Altes Reich) später: »Göttin-X-ist-es-die-sie-gemacht-hat«, »Amun (Mut, Chons)-ist-es-der(die)-ihn(sie)-gegeben-hat«, »Den(die)-Gott (Göttin)-X-gegeben-hat«. Seit dem späten Alten Reich, häufig dann in der Spätzeit sind Namen, die den Träger als »Sohn« oder »Tochter« eines Gottes oder einer Göttin bezeichnen. Doch scheint die Anrede oder Bezeichnung eines Gottes (bzw. einer Göttin) als »Vater« (bzw. »Mutter«) von seiten eines Menschen (anders beim König) nicht üblich zu sein.[24] Daß sich die Zeugnisse für die unmittelbare Erschaffung des Einzelnen durch Gott mit fortschreitender Zeit mehren, dh in der Spätzeit am häufigsten sind, wird nicht von der Zufälligkeit des erhaltenen Materials abhängen und auch nicht mit einer in der Zeit wachsenden Frömmigkeit zu tun haben, sondern hängt offenbar damit

[22] Eine grundlegende Behandlung der hierher gehörigen Zeugnisse fehlt; Versuch, [illegible] der Erscheinung zu erfassen. EOtto, Der Vorwurf an Gott (Vorträge der orientalistischen Tagung Marburg 1951). Daß Amun Pflanzen und Tiere für die Menschen geschaffen habe, wird noch einmal im Kairiner Amonhymnus 6,3/4 gesagt.

[23] *HRanke,* Die ägyptischen Personennamen II (o. J.) 220ff.

[24] Ich habe in meinem Buch Biographische Inschriften der ägypt. Spätzeit (1954) 21 die Bezeichnung »unsere Väter und Mütter« auf der Statue Kairo Cat. Gén. 42210 auf die Götter bezogen; tatsächlich bezieht sie sich aber wohl auf die irdischen Vorfahren des Sprechers, bzw. deren Statuen im Tempel.

zusammen, daß persönliches Denken und Glauben[25] erst in der Mitte des 2. Jahrtausends, dh seit dem Neuen Reich selbständigen Ausdruck finden.

Außerdem wird bisweilen in Inschriften verschiedener Art ausgesagt, daß ein Gott den betreffenden Menschen geschaffen habe. Von dieser Aussage bezüglich des Königs[26] können wir hier absehen, da das Verhältnis des Königs zu Gott einen eigenen Charakter hat. Aber in der Lehre des Papyrus Chester Beatty IV[27] heißt es: »Wenn du stark bist und Macht hast, indem dein Gott dich ›gebaut‹ hat, dann vernachlässige nicht (oder: stelle dich nicht unwissend gegenüber) einen Mann, den du kennst«; »Ein Mann, den sein Gott ›gebaut‹ hat, sollte viele am Leben erhalten«. Hier ist das alte handwerkliche »bauen« abgewandelt nicht nur in ein allgemeines »erschaffen«, sondern in ein »vortrefflich, überragend erschaffen«. So kann dann auch das »Formen auf der Töpferscheibe« in diesem Sinn verwendet werden. Der Amunprophet Djed-Chons-ef-anch[28] sagt in seiner Biographie: »Chnum hat mich auf der Töpferscheibe gebildet als einen Wohlgesinnten«.[29]

Mögen die Zeugnisse für den Glauben des Einzelnen, ein Geschöpf (seines) Gottes zu sein, zahlenmäßig weniger sein als jene für die Erschaffung der Menschen durch Gott allgemein, so sind sie doch in sich eher vielfältiger und vor allem zeigen sie deutlich, daß dieser Glaube nicht aus der Welt der Mythe stammt, sondern aus dem Verständnis des Menschen als eines moralisch-verantwortlichen Wesens.

Die oben zitierte Stelle aus dem Schöpfungsbericht in der Lehre für Merikare trat aus dem Rahmen des Üblichen heraus, wenn sie feststellte, daß die Schöpfung um der Menschen willen erfolgt sei und daß diese selbst aus dem Leibe Gottes entstanden seien. Sie tut dies ebenso mit der Feststellung, sie, die Menschen, seien Gottes »Abbilder« (*snn*). Denn die Vorstellung von der Gottesebenbildlichkeit des nicht königlichen Menschen in Ägypten läßt sich kaum belegen.[30] Die sehr verstreuten und spärlichen Aussagen über die Gottesähnlichkeit des Men-

[25] Auch auf anderen Lebensgebieten, vgl. *AHermann*, Altägypt. Liebesdichtung (1959).

[26] nämlich daß Gott ihn »gebaut« habe, *Sethe*, Urkunden der 18. Dynastie IV (1930) 161; *GDavies*, Rock tombs of El Amarna VI (1908) Taf. 15, 3.

[27] Rs. 2, 1 und 2, 3/4, *AGardiner*, Papyri of the British Museum III (1935) Taf. 18.

[28] Der Name selbst gehört in den Kreis dieser Überlegungen; er bedeutet: »Chons-hat-gesagt-daß-er-leben-solle«. Auch dieses Schema ist in der Namensbildung der Spätzeit häufig.

[29] Kairo Cat. Gén. 559, vgl. *EOtto*, aaO (Anm. 24) 20ff mit weiteren Beispielen.

[30] Neuerdings hat *EHornung* dieser Frage eine anregende Untersuchung gewidmet: Der Mensch als ›Bild Gottes‹ in Ägypten, in: *OLoretz*, Die Gottesebenbildlichkeit des Menschen (o. J.). Darin gibt er auch eine sehr interessante Diskussion der im Ägyptischen belegten Termini für »Bild, Abbild«.

schen gehören zwei Aspekten des Wesens Mensch an, nämlich dem rituell handelnden Menschen, dh dem Priester, und zum anderen dem Menschen als moralisch handelndem Wesen.

Rituelles Handeln hebt den Menschen nicht nur in eine kultisch göttliche Sphäre, sondern erhebt damit auch sein Wesen über das alltäglich Irdische hinaus. Er spielt eine Rolle in einer anderen Welt. So kommt es, daß wir Bezeichnungen treffen, die fallweise sowohl einen Gott wie einen Priester betreffen können (zB Iunmutef, Ihi), abgesehen von den Fällen, die aber natürlich innerlich verwandt sind, wo Priester in Kultfestspielen direkt die Rollen von Göttern spielen. Hierher gehören die wenigen Beispiele, daß Menschen sich als »gleichartig« (*mjtj*) oder »Zweiter« (*śnnw*) eines Gottes bezeichnen.[31] Die durch das Handeln erreichte Gottesnähe und Gottesähnlichkeit tritt besonders in der Spätzeit zutage. Wir erfahren es schon aus den großen Ritualen des Neuen Reiches[32] und aus den Ritualtexten der Spätzeittempel,[33] wo es zur rituellen Aussage und Rechtfertigung eines Priesters gehört, sich als Gott X zu bezeichnen. Auch in Priesterbiographien findet sich derartiges. So sagt ein spätptolemäischer Gaustratege und Amunprophet in Tanis von sich: »Ich bin dein (Gottes) Abbild (*ssn*), das aus dir entstand, dein großer Sohn, der tut, was du liebst«.[34] Das klingt wie ein Zitat aus der Lehre für Merikare. Und doch konstituieren alle diese Aussagen nicht das, was man als Gottesebenbildlichkeit des Menschen bezeichnen könnte.

Ähnlich sieht das Ergebnis aus, wenn man das Gottesverhältnis des Menschen als moralisch handelndes Wesen überprüft. Auch hier wird man nicht über die Feststellung hinauskommen, daß etwas Göttliches im rechten Handeln des Menschen sich ausdrücken kann, so daß man etwas Gottesähnliches in ihm wirkend vermutet. Hierher gehört in erster Linie der Komplex, der mit dem Stichwort »der Gott im Menschen« angedeutet wird.[35] Der Gedanke ist vielschichtig; er hat ebenso mythische wie magische und moralische Aspekte und reicht – nach unseren Begriffen – von der ›Besessenheit‹ bis zum ›Gewissen‹. In jedem Fall ist es ein innerliches Ergriffen- oder Bewohntsein. So wichtig dieser Gedanke für das Gottesverständnis des ägyptischen Menschen ist, so wenig bedient er sich zu seiner Konkretisierung der Vorstellung von der

[31] *EHornung*, aaO (Anm. 30) 130 Anm. 12 nach *JJanssen*, De traditioneele Egyptische Autobiografie (1946) s. v. *mjtj, śnnw*.

[32] etwa im täglichen Tempelritual, *AMoret*, Le rituel du culte divin journalier (1902) I 6, III 4, IX 1–2 u. ö.

[33] *EChassinat*, Edfou III (1928) 83, VI (1931) 240; *deMorgan*, Kom Ombos I (1895) Nr. 36/37, 210 u. ö.

[34] Kairo Cat. Gén. 700, *PMontet*, Kêmi 7 (1938) 141ff.

[35] *HBonnet*, RÄRG 225f.

Gottesebenbildlichkeit; er berührt sie immerhin in dem einen Punkt, nämlich daß nach der Kategorisierung des Traumbuches[36] die Menschen, deren Gott Seth ist, sich auch äußerlich auszeichnen. Auch die von *Hornung* herangezogene Stelle aus der Lehre des Anii,[37] daß die Menschen bezüglich ihres zwischenmenschlichen Verhaltens (hier exemplifiziert daran, daß sie gehalten sind, »einen Mann mit seiner Antwort anzuhören«) »gottähnlich« (wörtlich: »Zweite« Gottes) seien, gehört natürlich in diesen Zusammenhang. Anders liegen die Dinge in den nicht zu allen Zeiten belegten Fällen, in denen ein Mensch von sich direkt behauptet »Ich bin der Gott X«. Auf einer Stele des frühen Mittleren Reiches sagt ein Gaufürst Mentuhotep von sich: »Ich war ein Sohn des Neper (Korngott), Gatte der Tait (Webgöttin), dem viele Sechat-Hot (Kuhgöttin, dh hier viel Vieh) entstanden, Herr von Kostbarkeiten aller Art, Meschenet (Geburtsgöttin) und Chnum, der die Menschen bildet«.[38] Derartige Aussagen finden sich häufig in Königshymnen und -eulogien und kehren in den Inschriften der Spätzeit wieder.[39] Einen Hinweis auf das rechte Verständnis solcher Selbstbezeichnungen gibt die sogenannte poetische Stele Thutmosis III. aus Karnak.[40] In einer langen Strophenfolge sagt Amun vom König, er zeige ihn ihnen (den Völkern) als Sieger, und zwar setzt er ihn in jeder Strophe einem Gott oder einer göttlichen Macht gleich; das geschieht manchmal durch die Identitätspartikel *m* »als«, manchmal durch die Vergleichspartikel *mj* »wie«. Von einer wirklichen Gleichsetzung mit Gott oder Göttern ist also im Grunde gar nicht die Rede. Sondern es liegt eine besondere Form des Vergleichs vor: Der Betreffende ist bezüglich einer Seite seines Wesens oder einer Art seines Handelns oder Form seines sozialen Status so ausgezeichnet, daß er in dieser Hinsicht dem oder jenem Gott gleichkommt.

Anders liegen die Dinge beim König. Sein besonderes Verhältnis zu Gott hat im Verlauf der langen Entwicklung immer wieder neue Deutungen und Auslegungen erfahren. Das seit der 4. Dynastie entwickelte Dogma von seiner Gottessohnschaft stellte ihn nach dem, was oben über die Schöpfung und insbesondere von der Erschaffung der Menschen gesagt war, von vornherein außerhalb der allgemein gültigen Schöpfungsvorgänge. Auch dieses Dogma war noch weiträumig genug, um unterschiedliche Interpretationen zuzulassen; es kann ebenso die in der »Ge-

[36] Pap. Chester Beatty III, vgl. *AGardiner*, aaO (Anm. 27) 9.

[37] X 8/9, *AVolten*, Studien zum Weisheitsbuch des Anii, Kgl. Danske, Vidensk. Selskab 23, 3 (1937) 161ff.

[38] *HGoedicke*, JEA 48 (1962) 25ff.

[39] Material *EOtto*, aaO (Anm. 24) 34ff.

[40] Übersetzung *AErman*, aaO (Anm. 12) 320ff; *KLange* und *MHirmer*, Ägypten ([4]1967) 87.

burtslegende«[41] dargestellte und postulierte direkte Zeugung des Königs durch Gott meinen wie eine allgemeine Prädestination des noch Ungeborenen zum späteren Königtum.

Eine nicht ursprüngliche Weiterung dieser Gottessohnschaft dürfte nun die Gottesebenbildlichkeit des Königs darstellen, die Bezeichnung des Königs als Abbild oder Ebenbild Gottes. Sie scheint erst in der zweiten Zwischenzeit formuliert worden zu sein. Von König Rahotep[42] wird gesagt: »Re hat dich als sein Bild (*ẖntj*) eingesetzt«.[43] Die Terminologie für diese Bildhaftigkeit ist in der Folgezeit ziemlich vielseitig; das hat *EHornung* in seinem mehrfach genannten Aufsatz sehr deutlich gemacht. Die hierbei verwendeten Ausdrücke können mehr die in Wesen und Charakter des Königs begründete Gottesähnlichkeit bezeichnen, wie auch die konkrete Bildhaftigkeit. Letztere Auffassung ist dabei zweifellos sowohl nach dem Quellenbefund wie nach den Lehren über das Verhältnis Gott-König die jüngere. Ob sie tatsächlich »eine erneute Rangminderung des Königs ausspricht«, wie *SMorenz*[44] meint, kann man vielleicht bezweifeln. Gewiß bedeutet sie eine Gleichsetzung des Königs mit den Kultbildern der Götter und damit eine Verdinglichung seines göttlichen Wesens. Es lag offenbar im Bedürfnis der Zeit – dafür lassen sich auch andere Zeugnisse beibringen –, das geheimnisvolle Verhältnis Gott-König vergleichsweise rational und konkret neu zu verstehen.

Denn es wird kein Zufall sein, daß gerade das Wort *ẖntj* hier bevorzugt gebraucht wird. Ursprünglich bezeichnet es eine Statue, und zwar sowohl von Privatpersonen wie von Königen und von Göttern, speziell die in der Prozession getragene Statue. Es besagt also zunächst, daß der König die öffentliche, sichtbare Erscheinungsform Gottes sei, die er auf Erden gegeben hat. Das Wort *ẖntj* wird in dieser Verwendung auch gern mit dem Attribut »lebend« versehen. So heißt Hatschepsut auf ihrem nördlichen Obelisken in Karnak »Sein lebendes Bild, König von Ober- und Unterägypten, Makare, das Gold der Könige«[45]; in Deir el Bahari nennt Amun sie: »Mein lebendes Abbild auf Erden«[46] und gibt späterhin Amenophis II. die gleiche Bezeichnung.[47]

[41] *HBrunner*, aaO (Anm. 10).

[42] Zur Einordnung dieses Königs in die 17. Dynastie vgl. *JvonBeckerath*, Untersuchungen zur politischen Geschichte (1964) 167.

[43] *FlPetrie*, Koptos (1896) Taf. 12, 3.

[44] Die Heraufkunft des transzendenten Gottes, Sb. Sächs. Ak. d. Wiss. phil. hist. Kl. 109, 1 (1964) 38.

[45] *KSethe*, Urkunden der 18. Dynastie IV (1906) 362.

[46] *KSethe*, aaO (Anm. 45) 279.

[47] *WHelck*, Urkunden der 18. Dynastie (1955) 1287; vgl. auch *WHelck*, Chronique d'Egypte 38 (1963) 38: Sethos I. als Abbild des Imenrenef; *WHelck*, Urkunden der

Der in dieser Formulierung »sein lebendes Abbild (auf Erden)« umschriebene Charakter des Königs hat zweimal eine besondere und eigentümliche kultische Verwirklichung erfahren; dieser Punkt sei hier etwas ausführlicher behandelt.

Gegenüber den im Mutterland weniger extrem hervortretenden Formen des Königskultes im Neuen Reich hat er im nubischen Kolonialland eine auffällige Blüte erlebt.[48] Nicht nur der später als Begründer der Kolonie vergöttlichte König Sesostris III. der 12. Dynastie tritt hier als Gott auf, sondern auch zahlreiche Könige der 18./19. Dynastie taten das, und zwar zu Lebzeiten in den von ihnen selbst errichteten Tempeln. Man mag als an einen Anlaß hierzu daran denken, daß die Präsenz des Herrschers in einer handgreiflichen Form notwendig erschien, daß die räumliche Ferne und der kulturelle Abstand zum Mutterland die Göttlichkeit des Königs in besonders erhabenem Lichte erscheinen ließ; auch daran darf man denken, daß das ausgeprägte Persönlichkeitsbewußtsein der Herrscher dieser Generationen in einer persönlichen Vergöttlichung dort leichter sich ausdrücken konnte als im Mutterland mit traditionsgebundenen Kult- und Verehrungsformen. Es wird zum Entstehen einer solchen Erscheinung eine Vielzahl von Gründen beigetragen haben.

Zwei Könige sind es, die dieser Qualität ihres Gottkönigtums eigene Kultstätten gestiftet haben, Amenophis III. den Tempel von Soleb und Ramses II. den von Akscha. In einer Widmungsinschrift in Soleb[49] heißt es: »Er (der König) machte es als sein Denkmal für sein lebendes Abbild auf Erden, Neb-Maat-Re«, und er wird mehrfach dargestellt, wie er vor dieser seiner vergöttlichten Form opfert, die dabei als »großer Gott« oder wieder als »sein lebendes Abbild auf Erden« bezeichnet wird.[50] Ähnlich steht es in Akscha. Der König opfert auch hier vor seiner eigenen Erscheinungsform, die die Attribute »großer Gott, Herr des Nubierlandes«,[51] »Herr des Nubierlandes«[52] oder eben auch wieder »sein lebendes Abbild auf Nubiens Boden«[53] erhält. Wohl als eine weitere Differenzierung dieser besonderen göttlichen Form von der königlichen Person ist es anzusehen, daß der Königsname dann meist (nicht

18. Dynastie 1676: Amenophis III. als Abbild des Amonre und ebenda 2119: Haremheb als Abbild des Harachte.

[48] Zusammenfassend: *TSäve-Söderbergh,* Ägypten und Nubien (1941) 202ff. Für Ramses II.: *LHabachi,* Features of the Deification of Ramesses II, Abh. Dtsch. Archäol. Inst. Kairo, Ägyptolog. Reihe 5 (1969).

[49] *RLepsius,* Denkmäler ... III (o. J.) 87 a.

[50] *RLepsius,* aaO III 85 a. 87 b/c.

[51] *RLepsius,* aaO III 191 n.

[52] *JVercoutter,* Kusch 10 (1962) Taf. 34 d.

[53] Abgewandelt nach der üblichen Bezeichnung »auf Erden«, *AHSayce,* Rec. de travaux 17 (1895) 163.

immer) ohne Kartusche geschrieben wird, wenn sein göttliches Wesen gemeint ist.[54] Von anderen Königen ist mir eine solche Art der Vergöttlichung einer besonderen Wesensart nicht bekannt. Man kann von einer kultisch fixierten Spaltung zwischen König als Person und König als Gottesbild sprechen. Auch in anderer Weise zeichnen sich ja diese beiden Könige des Neuen Reiches durch ein besonderes Pathos in ihrem Selbstbewußtsein und in der Betonung ihrer Göttlichkeit aus, und so mögen sie in der Tat die einzigen gewesen sein, die dem zeitgenössischen Verständnis des Königsdogmas, eben in der Form der Gottesebenbildlichkeit, einen eigenen Kult gestiftet haben.[55] Diese Gottesebenbildlichkeit des Königs hat weitergelebt bis in die Ptolemäerzeit. In den Tempeln dieser Zeit gehört die Bezeichnung des Königs als »Bild« oder »lebendes Bild« eines Gottes (und zwar sehr verschiedener Götter) zu den häufigsten Aussagen; allerdings tritt das Wort *ḫntj* dabei ganz zurück hinter anderen Wörtern, besonders *twt* und *sšp ʿnḫ*.

Zahlreich und bisweilen widersprüchlich sind die Aussagen, die sich zu den Begriffen »Geschöpf« und »Bild« Gottes in Ägypten zusammenstellen lassen. Es wäre sicher falsch, jede einmal belegbare Äußerung nun für alle folgenden Zeiten als gültig verallgemeinernd hinzustellen. Vielmehr ist es doch so, daß um ein Verständnis des sehr vielschichtigen und geheimnisvollen Verhältnisses zwischen Gott und Mensch immer neu gerungen wurde, daß jede Zeit aus ihrem besonderen Denken heraus eine vorläufige Antwort zu finden glaubte und daß die Lebendigkeit des Denkens, das nie befriedigte Fragen nach dem

[54] Das kommt auch für den vergöttlichten Ramses II. in Abu Simbel vor, *LHabachi*, aaO (Anm. 48) fig. 5 und 7.

[55] Natürlich wird als Kultgegenstand in den Tempeln eine Statue des Königs gestanden haben, wie das auch in anderen nubischen Tempeln der Fall war. Doch zeigen die Darstellungen, daß die Handlungen des lebenden Königs nicht vor einer Statue, sondern vor einem Gott ausgeführt werden wie grundsätzlich bei allen Ritualdarstellungen. Jedoch scheint es mir nicht richtig zu sein, in der Formulierung »sein lebendes Abbild« das Possessivum »sein« auf den König zu beziehen, so daß sie also einfach bedeuten würde »seine (des Königs) lebende Statue«. Dieser Auffassung schließt sich unter Berufung auf *Eduard Meyer TSäve-Söderbergh*, Einige ägyptische Denkmäler in Schweden (1945) 30 Anm. 2 an. Mir scheint hingegen nach den [illegible] Beispielen die Formel »lebendes Abbild + Possessivsuffix« auf einen Gott bezogen ein fester Terminus der Zeit zu sein, um eben diese neu gefundene Sicht des göttlichen Königtums zu umschreiben. Auch bedürfte bei einer abweichenden Auffassung der Zusatz »lebend« einer besonderen Erklärung. Daß daneben *ḫntj* als reine Sachbezeichnung bis in die Spätzeit vorkam, zeigt die Erwähnung von Statuen (*ḫntj*) des Montemhet in seinen Inschriften, vgl. *JLeclant*, Montouemhat (1961) 34, nach Kairo Cat. Gén. 42237, und von Königsstatuen auf der Rosettana R 6 und R 7, wo das Wort griechisch mit εἰκών wiedergegeben wird, vgl. *FDaumas*, Moyens d'expression du Grec et de L'Egyptien (1952) 176.

rechten Verständnis jeder Zeit neue Antworten abnötigte. Indem wir dieses Fragen und Antworten behutsam zu deuten uns bemühen, gewinnen wir selbst neue Einsichten in ein Geheimnis, das mit dem Wesen des Menschen überhaupt gegeben ist.

WOLFHART PANNENBERG

WELTGESCHICHTE UND HEILSGESCHICHTE

Als einen der wichtigsten Grundzüge der neueren Welt hat *Ernst Troeltsch* neben der im Gefolge der modernen Naturwissenschaft entstandenen neuen Auffassung der Natur die durchgreifende Historisierung des Bewußtseins bezeichnet, »die Ausbildung einer restlos historischen Anschauung der menschlichen Dinge«,[1] wie sie seit dem Ende des 18. Jahrhunderts voll zum Durchbruch gekommen ist. Diese restlos historische Anschauung bedeutet, daß alle Werte, Ordnungen und Erkenntnisse relativ sind auf die geschichtliche Situation ihrer Entstehung, so daß nichts absolut und unveränderlich ist. Die Geschichte selbst erscheint damit als der letzte Bezugsrahmen der menschlichen Erfahrung, und da das Ganze der Geschichte den Individuen, die in ihrem noch unabgeschlossenen Prozeß ihr Leben treiben, unüberschaubar bleibt,[2] so verfangen sie sich in den Aporien des Relativismus. Daher ist der auf den durch die Namen von *Troeltsch* und *Dilthey* bezeichneten Höhepunkt des Historismus folgende Versuch verständlich, den Problemen der Geschichte den Rücken zu kehren. Als ein später Wortführer dieser Tendenz hat *Karl Löwith* von einer »Verabsolutierung der Geschichte«[3] durch das moderne Bewußtsein gesprochen, von der es sich abzuwenden gelte, um zu einem natürlichen Weltbegriff zurückzukehren. Ohne sich der Mühe einer so intensiven Kritik des geschichtlichen Denkens zu unterziehen, wie sie von *Löwith* unter-

[1] *ETroeltsch,* Die Absolutheit des Christentums und die Religionsgeschichte (1902; ²1912) 1, vgl. auch Der Historismus und seine Probleme (Ges. Schriften III) 104ff, sowie Ges. Schriften II, 743f.

[2] Die Unabgeschlossenheit und damit Unzugänglichkeit des Ganzen der Geschichte hat *Dilthey* gesehen, meinte jedoch das Ganze sei für uns da, »sofern es aus den Teilen verständlich wird« (Ges. Schriften VII, 233). *Troeltsch* bestritt sogar rundweg, daß »jeder Wertmaßstab ausgeschlossen und ein nihilistischer Skeptizismus das Endergebnis sein müsse«. Vielmehr bedeute die historische Relativität, »daß jeder Moment und jedes Gebilde nur im Zusammenhang mit anderen und schließlich mit dem Ganzen gedacht werden kann ... Diese Relativierung und der Blick auf das Ganze gehören zusammen« (Ges. Schriften II, 737). Er meinte, daß der historische Relativismus »nur bei atheistischer oder religiös-skeptischer Stellung die Folge der historischen Methode ist« (ebd 747).

[3] *KLöwith,* Ges. Abhandlungen: Zur Kritik der geschichtlichen Existenz (1960) 159. Vgl. dazu *JHabermas,* Karl Löwiths stoischer Rückzug vom historischen Bewußtsein, in: Theorie und Praxis (1963) 352–70.

nommen wurde, haben in unserem Jahrhundert der logische Positivismus und die analytische Philosophie die Abwendung von der Geschichte vollzogen, um sich an der vermeintlichen Unmittelbarkeit der Sinneserfahrung oder der Umgangssprache zu orientieren. Und auch die neueste philosophische Mode, der Strukturalismus, ist durch eine Abkehr vom historischen Denken gekennzeichnet. Auch er gewinnt seine Erkenntnisse durch Abstraktion von den historischen Besonderheiten seines Materials. Kritik an solcher Abkehr von der Geschichte hat vor allem die vom Marxismus beeinflußte Philosophie geübt. So hat *JHabermas* die angebliche Geschichtslosigkeit der modernen, technischen Gesellschaftsstrukturen als ideologisch gekennzeichnet: »Die objektive Gewalt dieses Scheins, der vom positivistischen Selbstverständnis aller Wissenschaften noch einmal befestigt wird, verdeckt ... nur den Interessenzusammenhang, der unreflektiert die Richtung des technischen Fortschritts bestimmt. Die Meinung, daß sich die technischen Sachzwänge verselbständigt hätten, ist ideologisch«. Vielmehr sei Geschichte »die Totalität ..., aus der wir auch noch eine scheinbar aus der Geschichte heraustretende Zivilisation begreifen müssen«.[4] Dieser Satz ließe sich auch auf die strukturalistische Abstraktion von der Geschichte[5] anwenden. Die Abstraktion von der Geschichte gelangt zur Behauptung von zeitunabhängig gültigen Wahrheiten, die ihre Allgemeinheit jedoch nur dem Wegblicken von den historischen Bedingungen ihrer Formulierung verdanken. Umgekehrt bringt die Erkenntnis der Geschichtlichkeit vermeintlich zeitunabhängiger Strukturen auch ihre Veränderbarkeit zum Bewußtsein, die durch die Abstraktion von der Geschichte ideologisch verdeckt wird.

In dem geistigen Ringen unserer Zeit zwischen geschichtlichen und ungeschichtlichen Denkweisen findet sich die christliche Theologie an die Seite des Marxismus gewiesen, dessen Verteidigung der Geschichtlichkeit des Denkens in der heutigen Öffentlichkeit die größte Resonanz findet. Der Ausgangspunkt für das Interesse an der Geschichte ist freilich für die christliche Theologie ein anderer. Die christliche Religion lebt im Unterschied zu anderen Glaubensweisen von der Beziehung zu einer historischen Gestalt und ihrer besonderen Geschichte, und sie hat ihr Wahrheitsbewußtsein von früh an in der Weise ausgesprochen, daß sie die Bedeutung der Gestalt Jesu im Zusammenhang der Ge-

[4] *JHabermas*, Zur Logik der Sozialwissenschaften, Beih. 5 der Philos. Rundschau (1967) 24.

[5] So hält auch *LSebag* in seiner durchaus wohlwollenden Diskussion der strukturalistischen Thesen eine wechselseitige Ergänzung von Geschichtsschreibung und Strukturanalyse für nötig (Marxismus und Strukturalismus, 1967, 202).

[6] *RBultmann*, Geschichte und Eschatologie (1958) 164ff, vgl. *AHeuss*, Zur Theorie der Weltgeschichte (1968) 3.

schichte der Menschheit formulierte, – im Zusammenhang einer Geschichte, die mit der Sünde des ersten Menschen beginnt und in der Verwirklichung der menschlichen Bestimmung ihr Ziel erreichen wird.

Findet sich so die christliche Theologie in der großen Auseinandersetzung zwischen geschichtlichen und ungeschichtlichen Denkweisen in einer gemeinsamen Front mit dem Marxismus, so verliert dadurch allerdings der große Unterschied nichts von seiner Tiefe, daß für den Marxisten der Mensch und die Menschheit nicht nur das *Thema*, sondern auch das schaffende *Subjekt* der Geschichte sind, während für den jüdischen Glauben in allem geschichtlichen Handeln der Menschen doch Gott letztlich der Herr der Geschichte ist. Dieser Gegensatz im Geschichtsverhältnis bestimmt nicht nur das Verhältnis der christlichen Theologie zum Marxismus, sondern auch ihr Verhältnis zu dem in der profanen Geschichtswissenschaft herrschenden Selbstverständnis: Auch hier gilt der Mensch als das Subjekt der Geschichte,[6] und allein die Einheit der Menschheit soll die Möglichkeit einer Weltgeschichte begründen.[7] Der Gegensatz zwischen einer theozentrischen und einer anthropozentrischen Geschichtsauffassung kehrt sogar innerhalb der Theologie selbst wieder. Er äußert sich in der Kluft zwischen der biblischen, an den großen Taten Gottes orientierten Geschichtstheologie und der historischen Methode, deren Instrumentarium heute für das Verständnis der biblischen Schriften unentbehrlich geworden ist und die zu einem ganz anderen, rein menschlichen Bild von der Geschichte Israels und des Urchristentums zu führen scheint.[8]

Ist nun dieser Gegensatz zwischen theozentrischer und anthropozentrischer Geschichtsauffassung unüberbrückbar? Das ist in erster Linie eine Frage an das Selbstverständnis der Theologie. Würde die Theologie das Handeln Gottes und das der Menschen in der Geschichte als einander ausschließend verstehen, dann freilich wäre jedes anthropozentrisch begründete Geschichtsverständnis einer theologischen Betrachtungsweise völlig entgegengesetzt. Aber schon die alttestamentliche Geschichtsschreibung hat die Vorstellung eines unvermittelten Eingreifens Gottes selbst in den Geschichtslauf zurücktreten lassen und Gottes Ta-

[7] Unter diesem Gesichtspunkt ist die Abhandlung von *CWFBreyer*, Über den Begriff der Universalgeschichte (Landshut 1805) interessant, der 16ff die Bedeutung der Menschheitsidee für die Geschichtsauffassungen seiner Zeit behandelt und dann als erste Voraussetzung einer Universalgeschichte formuliert: »Die Menschheit, d. i. die Allheit der Menschenindividuen ist nicht ein bloßes Aggregat von Individuen, sondern ist eine Totalität, ein reales Ganzes, *ein* Menschengeschlecht« (24).

[8] Das Unbefriedigende dieses Dualismus ist besonders von *GvRad*, Theologie des Alten Testaments I (1957) 111ff bes. 114 hervorgehoben worden. In seinem »Rückblick und Ausblick« zur 4. Aufl. 1965 hat *vRad* (II, 442ff) seine Überzeugung von »einer letzten Verbundenheit, ja Einheit beider Aspekte« (444) ausgesprochen.

ten in der Geschichte unbefangen im Handeln von Menschen erkannt, die Jahwe zum Werkzeug seiner Pläne machte. Vollends im Christentum müßte die Einheit von Gott und Mensch, die Inkarnation, ausgerechnet für das Verständnis der Geschichte folgenlos bleiben, wenn es bei dem Gegensatz zwischen theozentrischer und anthropozentrischer Geschichtsauffassung seine Bewendung haben sollte. Es kann schon nachdenklich stimmen, daß gerade die Menschheitsidee und ihre Bedeutung für das Geschichtsverständnis als Wirkung des christlichen Heilsuniversalismus ausgegeben werden konnte.[9] In der Tat steht zumindest seit Paulus der Mensch im Zentrum des christlichen Geschichtsverständnisses, und umgekehrt hat das christliche – jedenfalls das patristische – Denken den *Menschen* nicht im Sinne einer überall identischen Wesensnatur aufgefaßt, sondern als Geschichte vom ersten Adam hin zum zweiten Adam, der in Jesus erschienen ist und dessen Bild die ganze Menschheit tragen wird. Dennoch hat diese christliche Anthropozentrik offensichtlich einen anderen Charakter als die des modernen Historismus, dem die menschliche Gattung als Subjekt der Geschichte gilt.

1.

Alfred Heuss hat in seinem Buch »Zur Theorie der Weltgeschichte« (1968) betont, das Wort Weltgeschichte habe nur Sinn, wenn es sich dabei um »die Geschichte eines universalen Subjekts« handle, und dieses Subjekt könne nur der Mensch sein: »Der Mensch ist ihr Subjekt, und nichts anderes«; denn: »Weltgeschichte ist Menschengeschichte«.[10] *Heuss* selbst hat allerdings auch die Schwierigkeiten genannt, die sich jeder Auffassung entgegenstellen, die das Menschengeschlecht als Subjekt der Geschichte in Ansatz bringt. Erstens scheint der Begriff der Menschheit als Gattung ungeeignet, die Geschichte der Menschen zu beschreiben. Der Begriff der Gattung ist ein biologischer. Er bezeichnet zwar die Naturgrundlage der menschlichen Geschichte, aber nicht das bewegende Prinzip ihrer Prozesse. Wir können des Begriffs der Menschheit als Gattung »nur in seinen naturalen Qualitäten habhaft werden und müssen dessen Träger deshalb dann verlassen, sobald wir in die Geschichte im engeren Sinn eintreten. Dem geschichtlichen Sein des Menschen läßt sich das »Menschengeschlecht« nicht substituieren. Subjekt sind da immer nur konkrete Menschen«.[11] Damit ist die zweite Schwierigkeit schon genannt, daß faktisch nur Individuen als han-

[9] *CWFBreyer*, aaO 13f.
[10] *AHeuss*, Zur Theorie der Weltgeschichte (1968) 3.
[11] ebd 35.

delnde Subjekte in der Geschichte auftreten, die Menschheit als Subjekt der Geschichte also nicht nachweisbar ist. *Heuss* gesteht selbst, daß es sich dabei um eine »fiktive Größe« handle, die nur den Sinn habe, empirische Daten zu ordnen und zur Einheit eines »Weltbestandes«, zu einer »Gesamtheit aller historischen Erscheinungen« zusammenzufassen. »Einem solchen genus humanum, das nur zum Zwecke der Veranschaulichung vorgestellt wird, kann man historische Phänomene nur so zuordnen, *als ob* sie seine Geschöpfe wären«. Worin besteht dann noch der Realitätssinn der These, daß der Begriff der Weltgeschichte ein universales Subjekt voraussetze und daß der Mensch dieses Subjekt sei »und nichts anderes«? Nun, *Heuss* selbst räumt später mit aller wünschenswerten Deutlichkeit ein, daß die Konstruktion der Menschheit als Subjekt der Geschichte »in bezug auf ihren Realitätsgehalt gewiß (!) unzulässig« sei: »das betreffende Subjekt gibt es ja nicht und kann auch nicht als wirklich vorgestellt werden«[12] In der Tat ist die Annahme der Menschheit als eines handelnden Subjektes nicht nur unbeweisbar; sie ist auch, wie *Heuss* ausdrücklich zugibt, unvorstellbar, undenkbar; denn der Gattungsbegriff der Menschheit erfüllt nicht die Bedingungen, die es erlauben, von einem handelnden Subjekt zu sprechen. Unter solchen Umständen wird man die Bezeichnung der Menschheit als Subjekt der Geschichte jedoch als unbefriedigend beurteilen müssen. Ihr pragmatischer Wert kann die Formel nicht retten, wenn sie, wie bei *Heuss* deutlich wird, innerlich unmöglich ist. Ihre Funktion zur Ordnung der empirischen Daten ließe sich zurückhaltender wahrnehmen, indem man sich mit der Feststellung begnügt, daß die Menschheit zwar nicht Subjekt, wohl aber Thema aller Geschichte ist. Es bleibt ja bestehen: Weltgeschichte ist in der Tat Menschengeschichte. Damit ist zunächst nur gesagt, daß handelnde und leidende Menschen den Inhalt dieser Geschichte ausmachen. Insofern es aber den Menschen in ihrem Handeln und Leiden um sich selbst geht und zwar um sich selbst nicht nur als Individuen, sondern als Menschen und so immer auch schon um die Menschheit im ganzen – insofern läßt sich behaupten, daß in der Gesamtheit ihrer handelnden Individuen die Menschheit sich Thema ihrer Geschichte ist. Das dürfte für die Ordnung der empirischen Daten genügen. Die weitergehende Auffassung vom Menschen als Subjekt der Geschichte ist keineswegs aus pragmatischen Gründen entstanden, etwa als fiktive Idee zum Zwecke der Ordnung der historischen Phänomene, wie *Heuss* glauben machen könnte. Vielmehr ist sie ein Surrogat für den in der Geschichte handelnden Gott. Aber das Bild von der im Prozeß ihrer Geschichte sich selbst befreienden Menschheit, das das Pathos der marxistischen Geschichtsauffassung

[12] ebd.

und noch das der »kritischen Theorie« aus der Frankfurter Schule unserer Tage ausmacht,[13] ist, wie die von *Heuss* eingeräumten Argumente zeigen, theoretisch unhaltbar, weil die Menschheit nicht im Ernst als Subjekt ihrer Geschichte gedacht werden kann. Wenn der Begriff der Weltgeschichte eines einheitgebenden Subjektes bedarf, dann kann weder das handelnde Individuum, noch die menschliche Gattung dieser Funktion genügen, sondern dann dürfte eher die Vermutung von *MTheunissen* sich bestätigen, »daß Geschichtsphilosophie nicht nur aus der Theologie hervorgegangen, sondern nach wie vor nur als solche möglich ist«.[14]

Der handelnde Mensch also ist nicht das schöpferische Subjekt der Geschichte im ganzen. Doch er ist auch nicht lediglich Stoff der Geschichte, sofern Weltgeschichte immer Menschengeschichte ist. Vielmehr ist der Mensch zumindest sich selbst immer auch Thema seiner Geschichte. In diesem Sinne ist alle Geschichte Heilsgeschichte; denn in allem geschichtlichen Handeln und Erleiden geht es den handelnden und leidenden Menschen um sich selbst, und das heißt – wenn es auch für gewöhnlich unausdrücklich bleiben mag: – es geht ihnen um das *Ganze* ihres Daseins, um das Heil,[15] das nie schon endgültig errungen, oft nur als entbehrtes bewußt wird und bestenfalls fragmentarisch in Erscheinung tritt für den flüchtigen Augenblick des Glücks, in dem das eigene Leben und die Welt sich rundet zum Ganzen, zum Heil, das doch schon im nächsten Augenblick dem ernüchterten Sinn als bloßer Vorschein jenes Ganzen sich erweist, zu dem jeder einzelne immer noch unterwegs ist.

2.

Das Wort »Heil« ist heute aus dem alltäglichen Sprachgebrauch fast verschwunden. Das dürfte die Folge eines weltflüchtigen Heilsverständnisses sein, dem es beim Heil nicht mehr um die Ganzheit des gegenwärtigen Lebens ging, sondern um das sogenannte Seelenheil. Ein leibfeindliches und jenseitssüchtiges Erlösungsstreben prägte dieses Heilsverständnis, das die christliche Frömmigkeit seit dem Urchristentum und weit über die Spätantike hinaus so nachhaltig beeinflußt hat. Es ist die Folge der Abkehr der modernen Welt von dieser Frömmigkeitsform – und damit indirekt doch auch eine Wirkung dieser Frömmigkeit selbst –,

[13] Zur »kritischen Theorie« vgl. die Auseinandersetzung bei *MTheunissen,* Gesellschaft und Geschichte. Zur Kritik der kritischen Theorie (1969) bes. 23ff.

[14] ebd 39f.

[15] *ADarlap,* Fundamentale Theologie der Heilsgeschichte, in: Mysterium Salutis I (1965) 3–156, bes. 34.

daß das Wort Heil in der heutigen Sprache fast ausgestorben ist. Nur mit Mühe vergegenwärtigen wir uns den ursprünglichen Sinn von Heil als Ganzheit, Unversehrtheit des Lebens in dem, was seinen wesentlichen Inhalt ausmacht. Dabei gehört dieses Thema der Ganzheit und – eng damit verbunden – der Identität des Menschen mit sich selbst zu den beherrschenden Themen heutiger Philosophie und Anthropologie.[16] Die Erinnerung an diesen verschütteten Sinn von Heil wird das Wort in unserer Alltagssprache kaum so bald wiederbeleben können. Aber sie vermittelt wenigstens der Reflexion ein Verständnis davon, worum es eigentlich bei diesem Stichwort der theologischen Überlieferung – und also auch beim Begriff der Heilsgeschichte – geht.

Gegenüber den tendenziellen Verengungen des Heilsgedankens in der traditionellen christlichen Frömmigkeit gilt es nicht nur, die Leiblichkeit des Menschen und die Dimensionen der irdischen Lebensgeschichte des einzelnen wieder in das als Ganzheit des Daseins zu gewinnende Heilsverständnis einzubeziehen – der Gedanke eines bloßen Seelenheils gibt demgegenüber die Ganzheit und damit das Heil des Menschen gerade preis –, sondern darüberhinaus muß auch die gesellschaftliche Dimension für das christliche Heilsverständnis wiedergewonnen werden. Der alttestamentliche Begriff des Friedens (*schalōm*) ist hier wegweisend, weil er den gesellschaftlichen Friedenszustand in dem vollen Sinne des Wortes, der auch die Gerechtigkeit mit einschließt, als Inhalt des Heils bezeichnet.[17] Der »innere Friede« des einzelnen mit sich selbst und seiner Umwelt ist dabei gewiß nicht ausgeschlossen, wenn auch dieser Gedanke im Alten Testament noch nicht hervortritt, weil ihm die Vereinzelung des Menschen auf sich selbst gerade in seiner Heilssehnsucht noch fern liegt. In der Tat ist die Ganzheit und Unversehrtheit des Menschen nicht nur ein Thema der Daseinsproblematik des isolierten Individuums. Daß der Heilsgedanke sich so oft einseitig auf den individuellen Aspekt konzentrierte, könnte mit der theologischen Gerichtsvorstellung zusammenhängen, die den Frommen in seinem Gewissen allein vor Gott stellte, ihn so vereinzelte, und oft auch mit dem individuellen Tode verknüpft wurde. Dem ist in diesem Zusammenhang nicht weiter nachzugehen. Es genügt zu sehen, daß die Unversehrtheit des Heils in der ganzen Weite des alttestamentlichen *schalom* gedacht werden muß. Der einzelne kann seinen Frieden, seine Ganzheit nicht gewinnen ohne den gesellschaftlichen Frieden, den die

[16] Man denke nur an die Daseinsanalytik *Heideggers* und die hinter seinem Existenzial eines Ganzseinkönnens stehende Hermeneutik *Diltheys* und des Historismus auf der anderen Seite. Vgl. auch *DRössler*, Der »ganze« Mensch, Das Menschenbild der neueren Seelsorgelehre und des modernen medizinischen Denkens im Zusammenhang der allgemeinen Anthropologie (1962).

[17] Das hat *GvRad* im Theologischen Wörterbuch zum NT (1935) 400–405 gezeigt.

jeweils objektiv mögliche soziale Gerechtigkeit schafft, und nicht ohne den wenigstens äußerlichen Friedenszustand zwischen den Völkern der Menschheit. Spätestens an dieser Stelle wird deutlich, daß es beim Heil auch immer um die Einheit, um das Einvernehmen der Menschheit geht und daß Heilsgeschichte in diesem Sinne nicht etwas zur Weltgeschichte noch Hinzukommendes sein kann. Die zentrale Thematik in den Kämpfen der Weltgeschichte ist ja eben das Ringen um Frieden und Recht, oder was jeweils die eine oder andere Seite darunter versteht.

Angesichts der Kämpfe und Leiden der Weltgeschichte muß schließlich das Selbstverständliche und doch gar nicht Selbstverständliche gesagt werden, daß Ganzheit des Daseins, Glück und Frieden überwiegend als abwesend erfahren worden sind, jedenfalls dann, wenn man sich nicht mit dem äußerlichen Sinn dieser Worte begnügt. Sowohl in Zeiten des Elends als in satten Tagen entgeht den Menschen die Ganzheit ihres Daseins. Das schließt nicht aus, sondern ein, daß das Ganze, um das es im Leben geht, auch immer wieder – nicht nur den Satten, sondern eher noch den Elenden – beglückend gegenwärtig werden kann. Das Leben gibt unter fast allen Bedingungen Anlaß genug zum Danken. Aber auch im beglückenden Augenblick wird das, worum es im Menschenleben geht, nur andeutend gegenwärtig, nicht in der Fülle seiner endgültigen Wirklichkeit, – oder besser gesagt, diese Fülle selbst wird uns gegenwärtig, auch in der Erfahrung des Glücks, nur in der Weise der Andeutung und Verheißung, die freilich selbst schon Erfüllung bedeuten kann. Darum ist es auf der anderen Seite immer leicht, der vorhandenen Welt und dem gegenwärtigen Leben jeden Anteil an wahrer Humanität zu bestreiten. Die Gegenwart des Glücks kann nur dort erfahren werden, wo Menschen sich nicht allein an das halten, was vor Augen liegt, sondern es als Andeutung einer größeren Erfüllung, die eben in solcher Andeutung gegenwärtig wird, erleben. So sind auch die Augenblicke des Glücks noch Beleg dafür, daß der Mensch die Ganzheit seines Lebens nie einfach im Besitz hat. Das ist schon durch die Zeitlichkeit unseres Lebens verwehrt, derzufolge die Sorglosigkeit des Kindes, die Kraft der Jugend und die Weisheit des Alters auf verschiedene Phasen des Lebenslaufes verteilt sind. Wir werden der Ganzheit unseres Daseins nur inne in jener Offenheit über den gegenwärtigen Moment und alles in ihm Vorhandene hinaus, die das Nichtvorhandene in den gegenwärtigen Augenblick mit einbezieht und die wir als Moment einer Freiheit erfahren, die wir wiederum nicht aus uns selbst haben können.

Solche Erfahrung des Heils ist immer auch Erhebung über das Endliche überhaupt und damit zugleich ein Hineinziehen der Unendlichkeit in die Erfahrung des Endlichen, Gegenwart Gottes. Menschliches

Leben bleibt auch im günstigsten Falle Fragment, und es ist als Fragment eines ungegebenen, allein in diesem Fragment sich bekundenden Ganzen nur erkennbar in einem Akt, der alles Vorhandene überschreitet, nicht um es zu verlassen, sondern um den Horizont zu gewinnen, in dem das, was ist, allererst Bedeutsamkeit erlangt. Die Erhebung zu der unter den Bedingungen der Endlichkeit höchstens fragmentarisch realisierten Ganzheit des Lebens hat immer schon religiösen Sinn. Da die Menschen der Ganzheit ihres Lebens nicht mächtig sind, sondern ihrer vielmehr stets bedürftig sind, hat die Erfahrung der Gegenwart des Ganzen im Fragment unseres Lebens immer den Charakter der Gabe, in deren Zufälligkeit sich die göttliche Wirklichkeit bekundet, aus der die Ganzheit unseres Lebens wie der Friede der Welt überhaupt und die Einheit des Universums hervorgeht, soweit das alles an der endlichen Realität, mit der wir umgehen, in Erscheinung zu treten vermag. Daß der Mensch in seiner Frage nach sich selbst, nach seinem Heil, als die Frage nach Gott existiert, von dem allein ihm sein Heil zukommen kann, das ist freilich nicht schon aus einer allgemeinen Anthropologie hinreichend zu begründen, sondern geht erst hervor aus der geschichtlichen Erfahrung, die die Menschen mit der Frage nach sich selbst, nach ihrem Heil und Frieden, und mit der darin sich bekundenden göttlichen Wirklichkeit gemacht haben.[18] Denn die Selbsttrans-

[18] An diesem Punkt unterscheidet sich der hier vorgetragene Gedankengang von der anthropologischen Argumentation *Karl Rahners* in seinem Buch »Hörer des Wortes« (1941, ²1963). *Rahner* entwickelt dort die Gottesbeziehung des Menschen aus der Fragestruktur des menschlichen Daseinsvollzuges. Dabei führt der Argumentationsgang zunächst zur Kontingenz des Daseins (wie im obigen Gedankengang zur Kontingenz des *Heils*, des In-Erscheinung-Tretens der *Ganzheit* des Daseins): »Insofern er *fragen* muß, bejaht er diese seine eigene Kontingenz *notwendig*. Und indem er sie notwendig bejaht, bejaht er sein Dasein in und trotz seiner Kontingenz als absolut« (108). Das führt zu dem Ergebnis, daß die »notwendige Selbstsetzung eines Zufälligen« nur als Nachvollzug eines vorgängigen *Gesetztseins* zu verstehen ist (111). Bis hierhin kann ich *Rahner* folgen, aber sein nächster Schritt, daß es sich dabei um den Nachvollzug der Setzung des menschlichen Daseins durch das »absolute Sein«, durch Gott handle, und zwar durch Gott als freie Person (112f), erscheint vielmehr als ein Sprung. Die Erfahrung eines vorgängigen Gesetztseins hat ihre konkrete Gestalt in der ganzen Mannigfaltigkeit religiöser Erfahrung, sie tritt nicht sofort in der besonderen geschichtlichen Ausprägung des Glaubens an nur einen Gott und an diesen als freie Person auf. Mit diesem Sprung überspringt *Rahners* »transzendentale« Anthropologie die konkrete Geschichte des Menschen, um unmittelbar das Resultat dieser Geschichte als Bestandteil einer zeitlos allgemein zu denkenden Struktur des Menschseins zu verankern. Umgekehrt wäre jedoch schon die Fragestruktur des Daseins selbst und seine Kontingenz als erst durch die Geschichte menschlicher Erfahrung und Selbsterfahrung herausgebildet zu begreifen, entsprechend der Fragestellung des Buches von *John Cobb*, The Structure of Christian Existence (Philadelphia 1967). Unmittelbar ist die Struktur der Fraglichkeit des Daseins immer schon durch erfahrene »Antworten« verdeckt. Erst nachdem die mythische Struktur der Sinngewißheit des

zendenz des Menschen, ohne die ihm gar keine Ganzheit seines Lebens in den Blick kommen könnte, vollzieht sich konkret nur im Prozeß einer Geschichte. Abgesehen von diesem Prozeß der Geschichte bleibt sie ein abstraktes Strukturmoment ohne konkreten Inhalt. Weil die Ganzheit des Daseins, das Heil, immer übersteigt, was schon ist, – auch wo es sich kundtut in den Fragmenten gegenwärtiger Erfahrung, – darum sind die Menschen überall noch auf dem Wege einer Geschichte, in der es um wahre Freiheit, um Glück und Frieden geht.

3.

Wie der Begriff des Heils, so muß auch der der Heilsgeschichte von den Verengungen befreit werden, die ihn obsolet gemacht haben. Dazu gehört in erster Linie die Auffassung, daß es sich bei der Heilsgeschichte um eine Sondergeschichte innerhalb der allgemeinen Geschichte der Menschheit handelt, entsprechend der Auffassung des Heils als einer religiösen Sonderthematik und im Gegensatz zum weltlichen Leben. So hat noch in jüngster Zeit *OCullmann* behauptet, daß sich »die neutestamentliche Heilsgeschichte von aller Geschichte radikal unterscheidet«, und er hat der älteren heilsgeschichtlichen Theologie sogar den Vorwurf gemacht, sie habe diesen Unterschied zu wenig beachtet.[19] Auch in der katholischen Theologie wird die Heilsgeschichte von der allgemeinen Geschichte unterschieden. So werden bei *Karl Rahner* die beiden Begriffe wie Natur und Gnade einander zugeordnet.[20] Doch hat die Unterscheidung bei *Cullmann* und *Rahner* nicht denselben Sinn.

Cullmann geht beim Gebrauch des Wortes Heilsgeschichte nicht vom Begriff des Heils aus, sondern denkt dabei an eine durch die biblischen Schriften bezeugte »göttliche Ereignisfolge«, die »in Ermangelung eines besseren Ausdrucks« als Heilsgeschichte bezeichnet wird.[21] Zu ihr

menschlichen Daseins im Prozeß der geschichtlichen Erfahrung aufgelöst worden ist, konnte sich seine offene Fraglichkeit und das Bewußtsein seiner Kontingenz herausbilden.

[19] *OCullmann*, Heil als Geschichte (1965) 58f, vgl. 134f. *Cullmanns* Betonung der Differenz der Heilsgeschichte von sonstiger Geschichte hängt offensichtlich damit zusammen, daß er sich zur Wehr setzen muß gegen den von *KGSteck* (Die Idee der Heilsgeschichte, 1959) erhobenen Einwand, die Anwendung supranaturalistischer Prinzipien in der Geschichtsdeutung wie der Kategorie des Prophetischen durch die Heilsgeschichtler sei ungeschichtlich (vgl. 59 Anm. 2).

[20] *KRahner*, Weltgeschichte und Heilsgeschichte (in: Schriften zur Theologie V, 1964) 134. Ähnlich in diesem Punkt auch *MSchmaus*, Katholische Dogmatik Bd. 2 (1949) 206f, 214f, dessen Auffassung sonst mehr derjenigen *Cullmanns* verwandt ist.

[21] Heil als Geschichte (1965) 3. Obwohl *Cullmann* an späterer Stelle den Terminus

gehören wir nicht auf Grund unserer Geburt, wie zur Geschichte unserer Familie oder unseres Volkes, sondern wir reihen uns in sie ein auf Grund der Glaubensentscheidung (ebd). Die Abgrenzung der Heilsgeschichte von der allgemeinen Geschichte ist nach *Cullmann* in der vom historischen Standpunkt aus gesehen willkürlichen Auswahl der Ereignisse begründet, die in die Heilsgeschichte eingehen (135). »... nach neutestamentlichem Glauben wählt Gott nur bestimmte einzelne Ereignisse aus, die durch einen sich entwickelnden Heilszusammenhang miteinander verbunden sind, und er offenbart diesen Heilszusammenhang den Propheten und Aposteln durch einen selbst zur Heilsgeschichte gehörigen Akt« (146). Die Heilsgeschichte bildet in dieser Sicht nur eine »ganz schmale Linie« (ebd) innerhalb der allgemeinen Geschichte, eine »vom historischen Standpunkt aus sinnlose Verbindung bestimmter weniger Ereignisse« (58), die dem »Gesetz der Kontinuität« der Geschichte widerspricht (59, vgl. 135). Dagegen läßt sich einwenden, daß jede historische Darstellung diejenigen Begebenheiten auswählt, die für ihr besonderes Thema bedeutsam sind. Daß eine Geschichte des Heils die für das Heil der Menschen relevanten Ereignisse auswählt und im übrigen mancherlei »Lücken« aufweist, kann also ihren grundsätzlichen Unterschied von aller sonstigen Geschichte noch nicht überzeugend begründen. Indessen leuchtet ein, daß nicht alle Ereignisse der Geschichte gleichermaßen für die Heilsfrage, für die Ganzheit des menschlichen Lebens relevant sind. Hier dürfte das Wahrheitsmoment der Auffassung liegen, daß die Heilsgeschichte durch eine besondere »Linie« von Ereignissen innerhalb der allgemeinen Geschichte charakterisiert ist. Problematisch bleibt jedoch *Cullmanns* Behauptung eines radikalen Unterschiedes dieser Linie vom sonstigen Geschehen der Geschichte. Wirkt Gott denn nur in diesen, nicht auch in den übrigen Ereignissen der Geschichte? Und ist nicht alles Handeln des Gottes, der die Liebe ist, auf die eine oder andere Weise auf das Heil der Menschen bezogen? Und ist schließlich nicht auch im Zusammenhang der menschlichen Geschichtserfahrung alles Geschehen, alles Handeln der Menschen auf die Frage des Menschen nach sich selbst, nach der Ganzheit seines Daseins, bezogen und also Heilsgeschichte?[22] Dabei braucht nicht

Heilsgeschichte dem einer Offenbarungsgeschichte vorzieht (39), wird doch auch bei dieser Gelegenheit nicht auf den Inhalt des Begriffs Heil reflektiert, um etwa von da aus den Sinn des Begriffs Heilsgeschichte zu bestimmen. (Die folgenden Seitenverweise im Text beziehen sich auf das zitierte Werk).

[22] *Cullmann* berührt die Frage der Verbundenheit von Heilsgeschichte und Geschichte aaO und stimmt der Formel *Rahners* von einer »Heilsgeschichte im weiteren Sinne« zu. Er hebt an dieser Stelle den Bezug der Heilsgeschichte auf das »Heil der ganzen Menschheit« hervor und erwartet ein »Einmünden aller Geschichte in diese Linie«, ein »Aufgehen der Profangeschichte in die Heilsgeschichte« (146, vgl. 143). Es tritt dieser Gesichtspunkt in *Cullmanns* Darlegungen

bestritten zu werden, daß, wie *Cullmann* betont, der Zusammenhang der Heilsgeschichte »auf der stummen Voraussetzung« beruht, »daß die Auswahl der Ereignisse von Gott getroffen wurde und daß sie in ihrem Zusammenhang auf einen Plan Gottes zurückgeht« (135). Doch wenn die Heilsfrage des Menschen ein Motiv alles geschichtlichen Geschehens ist und wenn sie mit der Gottesfrage auf das engste verbunden ist, dann wird man erwarten, daß aus den Ereignissen selbst ihre besondere heilsgeschichtliche Bedeutung und ihr Zusammenhang in einem »Plan« Gottes hervorgeht. In der Tat beschreibt *Cullmann* die heilsgeschichtliche Erfahrung als ein »Überwältigtwerden durch die Ereignisse und durch die Einsicht in ihren Zusammenhang« (104). Dennoch betont er, daß dieser Zusammenhang »nicht nach immanenten historischen, auch nicht nach geschichtsphilosophischen Gesichtspunkten zu bestimmen« sei (135). Das überrascht um so mehr als *Cullmann* die wechselseitige Bedingtheit von geschichtlicher Erfahrung (»Ereignissen«) und Geschichtsverstehen (»Deutung«) anerkennt (70ff), ja sogar von einem »Primat des Ereignisses ... in der Entwicklung aller biblischen Heilsgeschichte« spricht (117) und dementsprechend die heilsgeschichtliche Deutung des Geschehens als eine im hermeneutischen Prozeß geschichtlicher Erfahrung sich entwickelnde auffassen will: »Jedesmal, wenn ein neues Ereignis hinzukommt, ändert sich gleichzeitig in seinem Licht die ganze Perspektive und auch das Verhältnis zu dem noch ausstehenden Endgeschehen« (104). Dennoch bleibt die »Auswahl« der Ereignisse, die in solcher Weise heilsgeschichtlich relevant werden, für *Cullmann* Sache einer »Entscheidung des Glaubens« (102), die einer göttlichen Offenbarung korrespondiert, die »für den Glaubenden« im Ereignis selbst geschieht (133, bes. Anm. 1). Wie vereinbart sich dieser Gesichtspunkt der »Auswahl« mit dem von *Cullmann* behaupteten »Überwältigtwerden durch die Ereignisse und durch die Einsicht in ihren Zusammenhang«? Die beiden Gesichtspunkte ließen sich nur dann zur Übereinstimmung bringen, wenn die Auswahl der heilsgeschichtlich relevanten Ereignisse noch einmal aus der Besonderheit der diesen in ihrem geschichtlichen Zusammenhang eigentümlichen Bedeutung begründet würde. Dann aber müßte solche Auswahl auch allgemein historisch und geschichtsphilosophisch einleuchten können. Da *Cullmann* dies ablehnt, scheint bei ihm die Offenbarungsbedeutung der Ereignisse nun doch die Glaubensentscheidung wie eine Vorbedingung vorauszusetzen, so daß die Offenbarung wie die Deutung entgegen der

eigentümlich spät auf. Der hier ausdrücklich anerkannte Zusammenhang von Heilsgeschichte und Geschichte wirkt sich in *Cullmanns* Ausführungen zu jener »schmalen Linie« von Ereignissen, die die Heilsgeschichte im eigentlichen Sinne ausmachen, nicht aus. Diese wird vielmehr durch Ausgrenzung aus dem menschheitsgeschichtlichen Geschehenszusammenhang gewonnen.

Intention *Cullmanns* den Charakter von äußerlich zum Geschehen der Geschichte hinzutretenden Instanzen gewinnen. Die These von der radikalen Andersartigkeit der Heilsgeschichte muß so in den Verdacht geraten, daß hier bestimmte geschichtliche Überlieferungen, nämlich die biblischen, durch die Subjektivität der Glaubensentscheidung, die ihrerseits der Behauptung einer vernünftigen Einsicht sich entziehenden Offenbarungsautorität schon zugrunde liegt, geschützt werden sollen gegen die Anwendung der allgemeinen Prinzipien historischer Kritik. Dieser Verdacht wird bestärkt durch *Cullmanns* Hinweis, daß auch mythisches »Geschehen« (!) »außerhalb des historischen Rahmens und der historischen Zeit« (123) zur Heilsgeschichte gehöre. Es entsteht dadurch der Eindruck, als ob im Rahmen der Heilsgeschichte Mythisches als Geschehen irgendwie vergleichbar wäre mit historischen Ereignissen und mit ihnen eine homogene Reihe von Geschehnissen bilden könnte. Sollte also ein Urteil historischer Kritik, das auf Irrealität bestimmter von der Tradition behaupteter Geschehnisse erkennt, hier von vornherein ausgeschlossen sein? Die Einrichtung einer derartigen sturmfreien Zone für den Inhalt der biblischen Überlieferungen kann den Gedanken einer besonderen heilsgeschichtlichen Linie im Prozeß der Weltgeschichte nur diskreditieren. Das Wahrheitsmoment dieses Gedankens muß daher gegen einige Züge seiner Durchführung bei *Cullmann* selbst in Schutz genommen werden.

Anders als *Cullmann* bestimmt *Karl Rahner* die Besonderheit der Heilsgeschichte nicht als Auswahl einer begrenzten Reihe von Ereignissen, sondern im Hinblick auf die Besonderheit der Deutung, die allererst den heilsgeschichtlichen Sinn aller Geschichte zutage treten lasse. Er betont: »Der eine Mensch, der als einer und ganzer vor der Heilsentscheidung in seinem geschichtlichen Dasein steht, hat letztlich nur eine Geschichte, so daß es darin keine so abgegrenzten Regionen gibt, daß sie in keiner Weise von der Gnaden- und Glaubensgeschichte in seinem Dasein mitbestimmt wären (oder umgekehrt).«[23] Damit kommt für die Geschichtsproblematik zur Geltung, daß es beim Heil um die Ganzheit des Menschen geht, nicht um eine davon ablösbare Sonderthematik. Dieser auch *Cullmann* nicht fremde Gesichtspunkt wird bei *Rahner* konstitutiv für den Begriff der Heilsgeschichte, und diese wird daher als alle Geschichte umgreifend gedacht. Worin besteht dann aber noch der Unterschied zwischen Heils- und Profangeschichte? Er scheint letztlich nur darin zu liegen, daß bei der Heilsgeschichte eine sonst nicht erreichbare Deutung zu den Begebenheiten hinzutritt, die den Bezug auf Heil und Unheil im Geschehen der Geschichte erkennbar macht: »Die Profangeschichte gestattet von ihr selbst aus im ganzen und all-

[23] Schriften zur Theologie V, 118.

gemeinen keine sichere Interpretation auf Heil oder Unheil«.[24] Warum nicht? Weil erstens der Mensch sich in seiner Freiheitstat nie voll durchschaut und weil zweitens das Heil von Gottes Geben abhängt, also Gnade ist, die »notwendig auch als Veränderung der Bewußtseinsstruktur« gedacht werden muß, und zwar in erster Linie als Veränderung des apriorischen, unthematischen Horizontes, innerhalb dessen das geistige Leben der Menschen sich bewegt.[25] Die Geschichte des Heils in diesem Sinne erscheint als eine verborgene Dimension aller Geschichte, ist insofern der Profangeschichte »koextensiv«.[26] Sie wird jedoch erkennbar nur innerhalb einer besonderen Heilsgeschichte, die *Rahner* die »amtliche« nennt[27] und die durch das »deutende und offenbar machende Wort Gottes« konstituiert ist, das eben nicht überall ergeht, sondern nur in Israel und in der durch Jesus Christus begründeten Geschichte der Kirche. Dabei ist im Alten Testament nach *Rahner* die Grenze zur Profangeschichte »noch sehr fließend«, weil »noch keine institutionelle Instanz gegeben war, die mit einer absoluten Unterscheidung der Geister immer zwischen echten Propheten und legitimer religiöser Erneuerung und Kritik einerseits und falschen Propheten und religiös pervertierenden Entwicklungen anderseits hätte unterscheiden können«.[28] Das sei erst durch die »absolute und unlösliche Einheit zwischen Göttlichem und Menschlichem« in Jesus Christus möglich geworden.[29] Das unterscheidende Merkmal der »amtlichen« Heilsgeschichte ist also die Existenz einer autoritativen Deutungs- und Lehrinstanz.[30]

An dieser Unterscheidung zwischen einer Heilsgeschichte im weiteren und einer solchen im engeren Sinne leuchtet der Grundgedanke ein, daß der Heilssinn der Geschichte nicht überall in gleicher Weise explizit wird. Obwohl es in aller Geschichte um den Menschen selbst, um sein Ganzseinkönnen geht und also um sein Heil, tritt der Heils- oder Unheilssinn des Geschehens doch nicht überall als der eigentliche Gegen-

[24] ebd 121.
[25] ebd 119ff.
[26] ebd 121.
[27] zB 127.
[28] ebd 128.
[29] ebd 129.
[30] Besonders zugespitzt drückt *ADarlapp* das aus, wenn er als das Besondere des Alten Testaments im Zusammenhang der sonstigen Religionsgeschichte einzig und allein die »autorisierte prophetische Interpretation« nennt: »Das, *was* interpretiert wird, ist das, was es grundsätzlich auch sonst in der allgemeinen Religionsgeschichte gibt« (Mysterium Salutis I, 49). Im Hinblick auf Jesus kann die volle Konsequenz dieser Betrachtungsweise sich nicht auswirken, da der Seinssinn des Dogmas der hypostatischen Union dem entgegensteht. Aber geschichtliche, in die Mitmenschlichkeit eingehende Bedeutung hat auch dieses Geschehen nach *Darlapp* nur durch die worthafte Selbstinterpretation Jesu (60). Vgl. *Rahner,* aaO 129.

stand und Inhalt geschichtlicher Erfahrung ins Bewußtsein. Es dürfte vielmehr die Besonderheit des religiösen Lebens und der Religionsgeschichte sein, daß hier das Ganze der Wirklichkeit und damit auch das Ganze des menschlichen Daseins, sein Verfehlen oder Gelingen, dem Selbstbewußtsein der Menschen zum Thema wird. Religiöse Ausdrücklichkeit des Heils- oder Unheilssinnes der Geschichte braucht aber nicht auf unfehlbarer Deutung zu beruhen. Sonst würde die Geschichte der Veränderungen des religiösen Bewußtseins selbst unverständlich. Auch im Alten Testament und im Urchristentum hat ein solcher Prozeß geschichtlicher Veränderung der Deutungen erfahrener Geschichte stattgefunden unter dem Einfluß des Fortgangs geschichtlicher Erfahrung,[31] und dieser Prozeß hat sich auch in der christlichen Kirche als Geschichte der Theologie und des Dogmas fortgesetzt. Die Ausdrücklichkeit des Heilssinns der Geschichte läßt sich also nicht vorweg und prinzipiell durch eine übernatürliche Offenbarungsautorität auf Israel und das Christentum eingrenzen. Die Ausdrücklichkeit der Heilsthematik ist vielmehr spezifisch für die Religionen überhaupt und für die Geschichte religiöser Veränderungen.[32]

Allerdings ist keineswegs in allen Religionen zu Bewußtsein gekommen, daß die Ganzheit des Menschen in einer Geschichte zu realisieren ist, in der der Mensch seinem Heil als seiner künftigen Bestimmung entgegengeht, die er freilich eben als künftige auch verfehlen kann. Für die den Bildern einer mythischen Urzeit zugewandten Religionen war das Heil des Menschen in der urzeitlichen Ordnung der Dinge begründet, aus der die Menschen herausgefallen sind und mit der sie durch den Kult wieder in Verbindung treten. Die Geschichte, die immer von der Urzeit abführt schon durch den bloßen Umstand, daß sie Veränderung bedeutet, sollte durch den Kult überwunden werden. Erst für den nomadischen Führungsglauben, der im alten Israel zum Ausgangspunkt einer Hochreligion geworden ist, wurde die Geschichte zum Ort der Selbstbekundung seines Gottes. Im Gegensatz zur mythischen Faszination der Urzeit ließ der Gott der geschichtlichen Führung, der Gott des Exodus, ein Bewußtsein davon entstehen, daß der Mensch noch nicht fertig ist, daß seine Ganzheit und sein Heil noch in der Zukunft liegt.

[31] Das hat *Cullmann*, aaO 70ff mit Recht betont.

[32] Daß die Frage der Heilsgeschichte auf die der Religionsgeschichte führt, hat auch *Cullmann* gesehen. Wenn er jedoch dabei »im Prinzip« an eine Religionsgeschichte denkt, »die wirklich vom Zentrum der ganzen biblischen Offenbarung aus zu schreiben wäre« (144), so entsteht wiederum der Eindruck, als solle die biblische Offenbarung hier schon vorausgesetzt werden als Grundlage und Ausgangspunkt einer solchen Darstellung. Damit würde diese allerdings von vornherein jeden Anspruch auf Allgemeingültigkeit verlieren. Ist nicht vielmehr umgekehrt nur im Zusammenhang der Religionsgeschichte auszumachen, was wohl die Besonderheit »biblischer Offenbarung« sein möchte?

Dieses Bewußtsein fand dann im Christentum seinen prägnanten Ausdruck im Bilde der antitypischen Spannung zwischen dem ersten und dem zweiten Adam, der in Christus schon erschienen, aber die noch unvollendete Zukunft der übrigen Menschheit ist.

In einer solchen Betrachtungsweise wird die Absonderung einer Heilsgeschichte vom Ganzen der Menschheitsgeschichte vermieden, und doch kommt dabei der Gesichtspunkt zu seinem Recht, daß die Ganzheit des Menschen, die das verborgene Thema in aller menschlichen Geschichte ist, nicht überall auch ausdrücklich thematisch wird. Das aber geschieht nicht erst durch eine äußerlich in die Geschichte eintretende Offenbarungsautorität, sondern bereits in allem religiösen Leben. Die Linie besonderer Ereignisse, denen man mit *Cullmann* heilsgeschichtliche Qualität im engeren Sinne zuerkennen kann, ist identisch mit der Reihenfolge von religiös relevanten Ereignissen, von denen her das religiöse Wissen der Menschen um die Heilsthematik ihres Lebens eine jeweils neue Perspektive gewinnt. Die Besonderheit Israels und des Christentums tritt dabei nicht irgendwie »senkrecht von oben«, sondern als geschichtliche Besonderung des religiösen Lebens auf, eine Besonderung, die ihre Eigentümlichkeit darin hat, daß sie die Geschichtlichkeit der Heilsthematik selbst allererst ausdrücklich werden ließ.

Dabei geht keineswegs der »übernatürliche« Sinn des Christentums unter in der bloß »natürlichen« Geschichte der Menschen. Vielmehr bedeutet Geschichte immer schon den Überschritt über jede vorgegebene Wesensnatur hinaus. Mit Recht erschienen darum die heilsgeschichtlich begründeten Inhalte christlicher Überlieferung der Theologie des Mittelalters im Vergleich zu einer aristotelisch und also geschichtsindifferent verstandenen Natur des Menschen als übernatürlich. Doch genauer betrachtet ist das Wesen des Menschen selbst schon als geschichtlich zu verstehen, und zwar nicht nur im Sinne abstrakter Geschichtlichkeit, sondern als Verfaßtheit in konkreter Geschichte, die vom ersten Adam zum zweiten Adam verläuft.

Damit legt sich der entgegengesetzte Einwand nahe, ob in solcher Betrachtungsweise nicht der Mensch und seine Geschichte ganz unter einen »übernatürlichen« Blickpunkt gerückt, aus der Perspektive religiöser Entfremdung gedeutet sind. Diesen Einwand muß eine Theologie der Heilsgeschichte in der Tat viel mehr fürchten als den Vorwurf einer Einebnung des Übernatürlichen in das allgemein Menschliche der Geschichte. Jede Religion denkt das Heil des Menschen als Gabe der Gottheit. Wenn in Israel und im Christentum das Heil als die noch nicht realisierte Zukunft der menschlichen Bestimmung gedacht wurde, gilt es doch nicht etwa als vom Menschen durch sein eigenes Handeln zu erreichendes Ziel, sondern als Heilstat Gottes am Menschen, die mit der Zukunft seines Reiches kommt. Ist so der Mensch nur passiv im Verhältnis zu seiner Bestimmung? Ist die menschliche Geschichte, – ob sie nun auf den neuen Menschen, auf den zweiten Adam hinführt oder nicht – ist sie nicht jedenfalls Geschichte menschlichen Handelns, und das heißt immer auch: Geschichte menschlicher Selbstverwirklichung? Wie verhält sich die theologische Eschatologie zur Ethik menschlicher Selbstverwirklichung?

Wenn es beim Heil im vollen Sinn der Ganzheit des Menschen nicht um ein religiöses Sonderthema geht, sondern um das Ganze des Menschseins, also um das, was die platonische Philosophie als das Gute für den Menschen, als Quelle seiner Glückseligkeit erfragte, dann ist das Heil auch immer schon Thema menschlichen Verhaltens und so auch Gegenstand der Reflexion philosophischer Ethik. Dabei brauchen religiöser und ethischer Aspekt der Heilsthematik nicht in Konflikt zu geraten, wenn die Heilszukunft nicht in erster Linie hinsichtlich einer definitiven Realisierbarkeit durch menschliches Handeln, sondern als allem Handeln vorausgehende Inspiration des Guten gedacht wird, so wie die Tat der göttlichen Liebe in der Sendung Jesu den Glaubenden zur Teilnahme an dieser den Menschen zugewandten Liebe Gottes inspiriert. Hat nicht die Evidenz eines jeden Zieles, das um seiner selbst willen zu faszinieren vermag, den Charakter von Inspiration? So gesehen ist der Schein einer Konkurrenz zwischen göttlichem und menschlichem Handeln in der Geschichte behebbar. Wenn die biblische Überlieferung das Heil des Menschen der Zukunft Gottes vorbehält, die als Gottes Tat allem menschlichen Handeln vorhergeht, indem sie alles menschliche Handeln immer schon überholt hat, dann heißt das nicht, daß den Menschen der tätige Einsatz für das Heil der Menschheit versagt bliebe. Vielmehr soll der Handelnde der Inspiration des Guten folgen ohne den Anspruch, durch sein eigenes Tun das Gute schon definitiv zu realisieren. Er soll es dem Fortgang der Geschichte, genauer er soll es Gott und seiner weiterwirkenden Inspiration des Guten in der Geschichte überlassen, welche Bedeutung seinem eigenen Einsatz für die Geschichte der menschlichen Freiheit zuwächst. Diesen Sinn hat die christliche Demut, die nach allem eigenen Einsatz das Heil des Menschen als Prärogative Gottes in seine Hände zurückgibt, um es aufs Neue von seiner Zukunft zu erwarten. Wer solche Demut verweigert, der tritt der Zukunft der Menschheit in den Weg, die nun einmal auch über das verdienstvollste Werk des Individuums hinausgehen muß. Erst die Demut des Handelnden, die das Heil der Menschen, das in die eigene Tat eingegangen war, der Zukunft Gottes zurückgibt, öffnet den Raum für die uns mögliche Erfahrung einer Gegenwart des Heils. So hat das Tun Gottes in der Geschichte auf seiner höchsten Stufe die Form der Inspiration menschlichen Handelns durch die Vision der Bestimmung des Menschen und durch den Geist der Liebe, der das Glück der Vollendung schon in der Gegenwart anbrechen läßt. Darin hat Heilsgeschichte ihre gegenwärtige Aktualität. Nicht als Programm einer endgültigen, durch Menschen zu realisierenden Weltordnung. Derartige Programme rechnen nicht mit der von den Menschen selbst immer wieder ausgehenden Daseinsverfehlung. Aber der christliche Realismus, der mit *Augustin* in Selbstsucht und Hochmut die in der Weltgeschichte herrschenden Mächte erkennt, schreibt die Welt deswegen nicht ab. Die Geschichte der Welt ist ihm nicht nur das Feld der Sünde, sondern das Feld des Kampfes zwischen Gottes Zukunft und der vielgestaltigen Macht des Bösen. In ihr kommt nicht nur das Böse zur Erscheinung, sondern auch das von der Kirche verkündete, wenn auch keineswegs immer durch sie am glücklichsten verkörperte Heil Gottes, das in dem Menschen Jesus erschienen ist und in der Welt gerade durch Menschen und durch menschliches Handeln in Erscheinung treten soll als die Kraft Gottes, die solches Handeln inspiriert, das Frieden und Gerechtigkeit unter Menschen schafft und so einen Abglanz der Ganzheit des Menschen und darin diese selbst schon Gegenwart werden läßt.

LOTHAR PERLITT

DIE VERBORGENHEIT GOTTES

Daß kein Gott sei (אֵין אֱלֹהִים), galt schon im alten Israel nur wenigen als beglückende Vorstellung: den Narren (Ps 14$_{1}$), den Hochnäsigen (Ps 10$_{4}$), den Gewalttätigen (Ps 14$_{1.4}$; 10$_{7-10}$). Sie fragten nicht nach Gott (Ps 14$_{2}$), um ungestört zu bleiben in ihrer Selbstbehauptung. So gediehen sie in der Hoffnung, daß er nichts sehe, nichts ahnde, nichts wirke, eben – nicht ›sei‹ (Ps 10$_{4.11.13}$). Der abgewandte, verborgene Gott (Ps 10$_{11}$) war ihr blindes Glück.

Ebendies Abgewandtsein Gottes ist überall sonst im Alten Testament und im alten Orient die Ursache äußersten Unglücks oder dieses Unglück selbst. Daß (der) Gott den Menschen sehe und ansehe, also wirke und darum ›sei‹, ist Grund und Inhalt des Gebets überhaupt. Nicht die (theoretische) Nichtexistenz Gottes, sondern die (praktische) Unwirksamkeit Gottes war die Anfechtung, die den Menschen zerriß.

Die Erfahrung des Gottesschweigens teilt der einzelne Beter in Israel mit dem Beter im Zweistromland (I.). Allein in Israel wurde sie auf den genauen Begriff der ›Verborgenheit‹ Gottes gebracht (II.). Das gemeinorientalische Phänomen eines individuell oder kultisch erfahrenen Gottesschweigens wird aber da überboten, wo der Begriff seine Anwendung auf Jahwes Geschichtshandeln mit Israel findet. Diese Erfahrung der Verborgenheit Jahwes ist das eigentliche, schmerzliche Proprium Israels (III.).

I.

Daß (der) Gott schweigt, nicht erhört, sich abwendet, ist eine religiöse Primärerfahrung, in die auch in Mesopotamien der Beter hineingebeugt wird. Aus der reichen Überlieferung akkadischer Gebetsliteratur genügt zur Verdeutlichung der Hinweis auf eine in spätbabylonischer Abschrift vollständig erhaltene Gebetsbeschwörung Ischtars, die gegen Ende des 2. Jahrtausends entstanden sein mag.[1] Der ungewöhnlich

[1] Text: *LWKing*, The seven Tablets of Creation, Bd. II, Taf. LXXV–LXXXIV, Z. 1–105. – Bearbeitung: *PJensen*, Texte zur assyrisch-babylonischen Religion (1915) 124–135; Z. 1–105 (= KB VI 2). – Übersetzung: *AFalkenstein-WvSoden*, Sumerische und akkadische Hymnen und Gebete (1953) 328–333.

breite hymnische Eingangsteil schließt mit dem Preis der Unergründlichkeit, vor allem aber der Menschenfreundlichkeit Ischtars:

(39) Göttin . . , deren Ratschluß niemand ergründet
(*ša la i-lam-ma-du mi-lik-šu ma-am-man*):
(40) Wo du hinblickst, wird der Tote lebendig, . . .,
(41) kommt, der nicht in Ordnung ist, zurecht,
wenn er dein Anlitz sieht (*a-mi-ru pa-ni-ki*).

In der nun folgenden Klage und Bitte um Abwendung des unglücklichen Geschicks konzentriert sich die Gebetsbeschwörung immer wieder auf das eine Motiv: Sieh mich doch gnädig an!

(43) Sie mich doch an, meine Herrin, / nimm an mein Flehen;
(44) getreulich blicke auf mich, / höre mein Gebet an!
(53) Deine guten Augen / mögen über mir sein,
(54) mit deinem glänzenden Antlitz / blicke getreulich auf mich!

Dieses Flehen um Zuwendung entspricht strikt der verunsichernden Erfahrung der Abwendung der Göttin, worin der Beter die tiefste Ursache seiner Not erblickt:

(70) Über mich gebracht sind Schrecknisse,
Abwendung des Antlitzes (*suḫ-ḫur pa-ni*) und rasender Zorn,
(71) Aufgebrachtheit, Grimm (und) zornige Abwendung
seitens der Götter und der Menschen.
(93) Wie lange noch zürnst du, meine Herrin,
und ist dein Angesicht abgewandt (*suḫ-ḫu-ru pa-nu-ki*)?
(95) Wende deinen Nacken zurück, den du gleichgültig gegen mich hieltest, / (und) geh auf ein gutes Wort (für mich) aus (*[ana] a-mat dameḳtim pa-ni-ki šuk-ni!*)!

Die Abwendung der Göttin[2] bedingt oder verschärft das Unglück des Beters; zwar spricht er auch – wenngleich auffallend knapp – von seiner Schuld (Z. 81f), aber das »Wie lange noch«[3] der Klage belastet doch die Göttin und zögert so hinaus, was angemessen wäre: die Doxologie am Schluß des Gebets (Z. 102ff). Ohnmacht, Angewiesensein und Zutrauen des Beters einerseits, ›Zuständigkeit‹ und ›Handlungsfähigkeit‹ der Göttin andererseits sind hier die Voraussetzungen und Bestandteile eines Gebets von außergewöhnlicher Schönheit und Innerlichkeit. Das Leiden des Beters unter der Abwendung der Gottheit steht der entsprechenden Erfahrung in Israel um nichts nach. Der gnä-

[2] Z. 77 (*ili-ī ana a-šar ša-nim-ma suḫ-ḫu-ru pa-nu-šu*) meint offenbar, auch der persönliche Schutzgott des Beters habe sein Angesicht ›anderswohin‹ abgewandt (vgl. Z. 85f). Auch dies kann der Ischtar geklagt werden, denn sie ist *be-lit be-le-e-ti i-lat i-la-a-ti* (Z. 1). Vgl. dazu im ganzen das Gebet an den (jeweils einsetzbaren) persönlichen Schutzgott bei *Falkenstein-vSoden,* aaO 352f, wo sich (Z. 14 und 25) gleichfalls das Motiv der Abwendung des Angesichts findet.

[3] Vgl. *a-di ma-ti* in Z. 56; 59; 93; 94.

dige Blick der Gottheit bedeutet hier wie da das Leben,[4] sein Ausbleiben hier wie da das tiefste Elend.

Im Alten Testament ist nun diese Erfahrung, deren Universalität an dem Ischtar-Gebet nur vor Augen geführt werden sollte, in großer Breite bezeugt. Da kann ›Verborgenheit‹ Gottes auch auf sozusagen ›babylonische‹ Weise beklagt werden, nämlich mit einer ganzen Reihe verschiedener verbaler Wendungen, die den eigentlichen Ausdruck zunächst umschreiben. Um bei der Rahmengattung des Ischtar-Gebets zu bleiben, mag das an einigen Begriffspaaren des Psalters belegt werden.

Daß Jahwe denen, die ihn aufrichtig anrufen, nahe ist (קָרוֹב יְהוָה), führt den Beter zu Dank (Ps 34_{19}) und Lob (145_{18}). Das ist die Gewißheit des Glaubens und schafft das Ruhen in Gott. Wenn aber dem Beter das Wasser bis an die Kehle geht (69_{2b}), wenn das Herausschreien der Klage ihn erschöpft hat (V. 4), dann ist Gottesnähe nicht mehr ein Haben, sondern ein Bedürfen: קָרְבָה אֶל־נַפְשִׁי (V. 19a). Die flehentliche Bitte um seine befreiende Nähe lautet dementsprechend, und zwar vornehmlich in der individuellen Klage: אַל־תִּרְחַק מִמֶּנִּי ($22_{12a.20a}$; 35_{22b}; 38_{22b}; 71_{12a})! In 10_{1a} steht an Stelle dieser Bitte sogar der Vorwurf: »Warum, Jahwe, stehst du בְּרָחוֹק (LXX: מֵרָחוֹק)?« Der ferne Gott ist also der dem Beter verborgene Gott.

Im Begriffspaar vom hörenden, erhörenden oder aber schweigenden Gott kommt dieselbe Not zur Sprache. Daß Jahwe hört (שׁמע), wenn ein Armer ruft (34_{7a}; vgl. 34_{18a}; 145_{19b}), daß er erhört (ענה), wenn ein Bedrängter ihn sucht (34_{5}), ist Grundgewißheit des israelitischen Frommen. Sie ist aufgehoben und der Beter in die Gottverlassenheit gestürzt, wenn Gott jegliche Antwort versagt: »Ich rufe bei Tage, aber du antwortest nicht . . .« (22_{3a}). Um so atemloser ergeht daher inmitten der Nöte die Bitte: מַהֵר עֲנֵנִי (69_{18b}; 102_{3b}; 143_{7a}). Wie vorher negiertes רחק neben קרב stand, kann auch diese Bitte mit negiertem חרשׁ II noch spezifischer ausgedrückt werden: אַל־תֶּחֱרַשׁ (מִמֶּנִּי) (28_{1a}; 33_{22a}; 39_{13a}; 83_{2b}; 109_{1b}) ist der Notschrei dessen, der mit der Gottestaubheit oder dem Gottesschweigen,[5] also wiederum mit einer Form seiner Verborgenheit leben muß. Wieweit dieses Schweigen kultisch aufzubrechen, also durch einen Orakelspruch aufzuheben war, bleibe dahingestellt; die Terminologie der Klagen und Bitten spricht nicht eben für eine gleichsam ›regulär‹ erfolgende Antwort des ertaubten Gottes.

[4] Vgl. die Ausbreitung des entsprechenden babylonischen Materials bei *FNötscher,* »Das Angesicht Gottes schauen« nach biblischer und babylonischer Auffassung (²1969) 119–124.

[5] Die Bitte von Ps 28_{1a} wird ihrerseits zur Ursache einer weiteren befürchteten Wirkung: פֶּן־תֶּחֱשֶׁה מִמֶּנִּי (V. 1b). Taubheit und Stummheit sind gleichermaßen Merkmale des sich entziehenden Gottes.

Wie der Mensch sein Wesen und seine Ehre darin hat, daß Jahwe seiner gedenkt (8_{5a}), wie Israel seinen Bestand darin hat, daß Jahwe seiner auch in der Erniedrigung gedenkt (115_{12}; 136_{23}), so lebt auch der einzelne Beter in Israel allein von Jahwes Gedenken: »Gedenke deiner Barmherzigkeit« (25_{6a}); »nach dem Maß deiner Treue gedenke meiner« (25_{7b}). Dieser Bitte um ›Erinnerung‹ entspricht wiederum eine synonyme Formulierung mit Hilfe der Wurzel שׁכח: »Erhebe dich, Jahwe, ... vergiß nicht die Elenden« (10_{12}). Daß dies nicht geschehe, wird auch in der Volksklage erbeten: »Vergiß nicht für immer das Leben deiner Elenden« (74_{19b}). Heftiger aber wird er in der Klage des einzelnen mit den Fragen עַד־אָנָה und לָמָּה bestürmt und der Vergeßlichkeit geziehen (13_{2}; 42_{10}). Was den Frevler beflügelt (10_{11a}: אָמַר בְּלִבּוֹ שָׁכַח אֵל), macht sein Opfer hilflos: »Wie lange, Jahwe, willst du mich vergessen« (13_{2a})?

In alledem beschreibt das Gebet zu Jahwe ebenso wie das zu Ischtar[6] eine elementare Erfahrung aller menschlichen Hinwendung zu Gott: Er ist unverfügbar, schweigt, wendet sich ab, entfernt sich, entzieht sich – in die Verborgenheit.

II.

Im Kontext der bisher angeführten Ausdrücke für das Sichentziehen Gottes findet sich nun eine Wendung der alttestamentlichen Gebetssprache, die mit ihnen entweder bedeutungsgleich ist oder aber sie doch durch begriffliche Genauigkeit überbietet: סתר hi. mit Gott als Subjekt und dem Angesicht Gottes als Objekt. Diese durch die Anzahl der Belege als feste Formel ausgewiesene Redeweise stellt zugleich die eigentliche Sachparallele zu den zahllosen Bezeugungen der Zuwendung oder Abwendung der Gottheit in den akkadischen Gebeten dar.[7] Insofern wird im folgenden der Bereich dieser (vorwiegend individuellen) religiösen Erfahrung nicht verlassen, vielmehr durch den term. techn. schärfer abgegrenzt.

[6] In Gebeten zu den anderen großen Göttern des mesopotamischen Pantheons ist diese Erfahrung nicht minder deutlich. So wird dem Marduk geklagt:
»Anrufen und nicht gehört werden / hat mich schlaflos gemacht,
rufen und keine Antwort
hat mich in schwere Bedrängnis gebracht ...« (*Falkenstein-vSoden,* aaO 299).
In einer Beschwörung Nergals heißt es:
»... zornige Abwendung des Gottes und der Göttin
ist mein Teil geworden, / so daß ... / ...
Anrufen und nicht gehört werden / mich schlaflos machte« (ebd 314).

[7] Vgl. nur *FNötscher,* aaO 53ff.

Daß Gott hört, erhört, spricht, antwortet, also auf diese oder jene Weise – nämlich in regulären kultischen wie in irregulären außerkultischen Situationen – sich kundtut, ist ohne Zweifel jene Primärerfahrung, die den Gottesglauben überall und so auch in Israel konstituiert; an ihr hatte der einzelne Beter über die Zeiten hin teil. Und doch war von den ältesten bis zu den jüngsten Zeiten das Wissen lebendig, daß sich auch der Gott Israels nicht allezeit und überall den Seinen unverhüllt, sondern ›ubi et quando‹, also in Kontingenz eröffnet. So wird auch das Widerfahrnis der Verborgenheit Gottes bei den Psalmbetern nicht von vornherein und ausschließlich dem Kult entstammen, wohl aber mit einiger Wahrscheinlichkeit in ihn hineingetragen und in diesem Schutzraum dann auch innerlich ausgetragen worden sein.

›Gottes Angesicht schauen‹ hieß in Israel aber doch auch etwas anderes als in seiner Umwelt: Dazwischen steht das Bilderverbot! Wenn also der Gott Israels sein Angesicht verbirgt, dann bedeutet das – selbst wenn man den vielleicht ursprünglich kultischen Hintergrund des in Frage stehenden Ausdrucks bedenkt – unter den Bedingungen der Religion Israels grundsätzlich: Es gibt nicht einmal mehr einen Anhalt für das Offenbarsein Gottes! Aus dieser totalen Verhülltheit lebt ja gerade der Übermut des רָשָׁע, dem auch die ›kultische‹ Gegenwart Gottes nicht mehr gefährlich erscheint, so daß er triumphieren kann: הִסְתִּיר פָּנָיו בַּל־רָאָה לָנֶצַח (Ps 10$_{11b}$). Dem hält der Beter von Ps 10 zwar sein »vergiß nicht« entgegen,[8] aber doch gleichfalls in der Gewißheit, daß Jahwe sein Angesicht tatsächlich verborgen hat – dem einen zum Nutzen, dem anderen zum Kummer (vgl. auch Ps 51$_{11a}$). Beide Erfahrungen sind im Kern identisch und können ihre eigentliche Auswirkung nur außerhalb des Kults haben, da der Frevler den Beter nicht an heiligem, sondern an profanem Ort tyrannisiert. Dort also wird die Verborgenheit Gottes vital erfahren. Von dort wird diese Erfahrung in den Gottesdienst eingebracht und dominiert so im Psalter. Sie gehört zwar ins Ritual, aber sie verdankt sich ihm nicht: Daß Gott sein Angesicht verborgen habe, ist keine Lehraussage, sondern eine Gebetsaussage – mit Sprengkraft im Blick auf das Ritual. Die Belege zeigen, daß es für das Individuum in Israel eine Verhüllung Gottes gab, die auch durch Priestermund nicht einfach und schon gar nicht ›routinemäßig‹ aufzuheben war.

In der ungeduldigen Frage des Beters »Wie lange verbirgst du dein Angesicht vor mir?« (Ps 13$_{2b}$) steckt am ehesten noch die Gewißheit, es handle sich nur um ein vorübergehendes, ›pädagogisches‹ Verbergen und Vergessen Jahwes. So ›erinnert‹ der Beter Jahwe daran, sein Vertrauen

[8] Keinen anderen Sinn hat עלם hitp. c. מִן in Ps 55$_{2b}$: »Verbirg dich nicht vor meinem Flehen!«

zu rechtfertigen: וַאֲנִי בְּחַסְדְּךָ בָטַחְתִּי (V. 6). Am genauesten läßt sich dieses Gebetsringen um das Offenbarsein Jahwes an den Klage-Elementen in Ps 27 aufweisen. Da verschafft der Beter seiner Bitte die religiöse Legitimation durch das Zitat der Gottesforderung בַּקְּשׁוּ פָנָי (V. 8a) und durch den Hinweis (V. 8b), ebendieser Forderung entspräche jetzt seine drängende Bitte: »Verbirg doch dein Angesicht nicht vor mir« (V. 9a). Sie beruft sich also auf vorausgehende Erweise der Vertrauenswürdigkeit des Angerufenen. In den individuellen Klageliedern ist sie immer zugleich Ausdruck persönlicher Verzweiflung und Überforderung des Gottvertrauens; aber sie hebt den Jahweglauben nirgends auf. Typisch erscheint die Bitte in Ps 69_{18}: »Verbirg nicht dein Angesicht vor deinem Knechte, denn mir ist bange; erhöre mich schnell!« Hier wie auch in Ps 102_{3}; 143_{7} ist das אל־תסתר פניך mit dem Hinweis auf die äußerste Dringlichkeit und Eile verknüpft. Es geht also in diesen Klagen nirgends um prinzipielle Nichterkennbarkeit Jahwes, sondern um die existentielle Not, die aus seiner temporären Verborgenheit erwächst. Ebendarum vertragen sich diese Bitten mit den Vertrauensaussagen derselben Psalmen aufs beste: Mit der Bitte um Enthüllung seines Angesichts wird Jahwe auf sein eigentliches, in Israel bezeugtes Wesen angesprochen. Tieferes Glück als die Erfüllung dieser Bitte kennt der Beter nicht, und im Danklied des Erretteten[9] wird das der Wende des Geschicks vorausgehende Erzittern noch einmal beschworen: »Wenn du dein Angesicht verbargst, war ich tief erschrocken« (Ps 30_{8b}).

Nun hat sich der hier beobachtete Ausdruck aber auch mit der Warumfrage verbunden, und dabei lassen einige Belege ein für den Jahweglauben bedrohliches Ausmaß an spirituellem Elend und Gottesenttäuschung erkennen. Die mehrfach anhebende Klage des Beters von Ps 88 bleibt gänzlich ohne Antwort. Zwar ergeht sie noch zu Jahwe hin, aber der Beter ist »von Jugend auf« (V. 16a) so »gesättigt mit Leiden« und »dem Totenreich nahe« (V. 4), daß die Warumfrage im Munde dieses Verstoßenen (V. 15a) zu einer Anfrage an die Stimmigkeit des in Israel bezeugten Gottes überhaupt wird (V. 15). In dieser Vertiefung[10] ist der Vorwurf dann auch in den Hiob-Dialog (13_{24}) eingegangen.

Es gibt schließlich einen Beleg für das göttliche הסתיר פניו, bei dem der Betroffene nicht nur ein Individuum (aber auch nicht Israel: vgl.

[9] Vgl. in Ps 22 das auf die Klage der Gottverlassenheit (V. 2–22) folgende Danklied (V. 23–32). Grund und Mitte des Dankes ist auch hier die Erhörung des Notschreis, zu deren Beschreibung der Satz gehört: »Er hat sein Angesicht nicht verborgen vor ihm« (V. 25a).

[10] Vgl. auch in Ps 10_{1} die zugespitzte, vorwurfsvolle Frage, warum Jahwe in Notzeiten fernstehe und sich verhülle; hier ist also עלם hi. mit הסתיר פניו (V. 11b) bedeutungsgleich.

III.), sondern Gottes Schöpfung in ihrer Gesamtheit ist. Ob sie besteht oder vergeht, hängt dann einzig daran, ob Jahwe sein Angesicht verbirgt oder nicht: תַּסְתִּיר פָּנֶיךָ יִבָּהֵלוּן (Ps 104_{29a}; vgl. בהל ni. in 30_{8b}). Im Sonnenhymnus des Echnaton steht ein bedeutungsgleicher Satz: »Gehst du auf, so leben sie, gehst du unter, so sterben sie«.[11] In Ps 104 wird in der universalen Dimension bestätigt, was der einzelne Beter in Israel auf sich selbst bezog: Wo Jahwe sein Angesicht verbirgt, ist das Leben reduziert und von seinem Grunde abgeschnitten.

Nun gibt es freilich – das sei hier anhangsweise und im sachlichen Übergang zu III. vermerkt – auch die andere Möglichkeit: nämlich daß der Mensch selber sich vor Gott verbirgt! Zwar erweist sich diese ›Möglichkeit‹ als Unmöglichkeit, da niemand und nichts vor Jahwe verborgen bleibt,[12] aber der entsprechende Versuch hat seinen kennzeichnenden Grund: Wo sich der Mensch vor Gott verbirgt, ist Schuld und Wissen um Schuld das Motiv. So verbargen sich Adam und Eva vor dem Angesicht Jahwes (Gen 3_8: חבא hitp.; 3_{10} חבא ni.), so verbarg sich Kain vor Jahwes Angesicht (Gen 4_{14}: סתר ni.). Aber sie können sich ihm so wenig entziehen wie die Israeliten, die sich vor Jahwe auf dem Gipfel des Karmel verstecken (Am 9_{3a}: חבא ni.) oder auf dem Meeresgrunde verbergen (Am 9_{3b}: סתר ni.) wollen. Das in alledem bindende Gotteswort heißt: אִם־יִסָּתֵר אִישׁ בַּמִּסְתָּרִים וַאֲנִי לֹא־אֶרְאֶנּוּ (Jer 23_{24a}; vgl. Hi 34_{22}).

Im Zusammenklang mit den zahlreichen Gebetsklagen über das Verborgensein Gottes ermöglichen nun die zuletzt angeführten Kontrastbelege für das vergebliche Versteckspiel des (schuldigen) Menschen eine prinzipielle theologische und anthropologische Aussage: Der menschlichen Unmöglichkeit, sich vor Gott zu verbergen, entspricht die göttliche Möglichkeit, sich vor dem Menschen zu verbergen. Die Verborgenheit Gottes ist eine Möglichkeit seiner Freiheit. Im daraus resultierenden Schmerz des Menschen wird sein Angewiesensein ebenso offenbar wie die Hoheit Gottes. Seine Verborgenheit ist die andere Seite seines Gottseins, die zwar nicht in der dogmatischen Aussage verabsolutiert, wohl aber in der existentiellen Erfahrung als lebensbedrohend bezeugt wird. Der Beter kann in der Not nicht auf ein von seinem Geschick unberührtes, immerseiendes Absolutum zurückgreifen – und das ist zugleich sein Glück. Diese Freiheit des lebendigen Gottes zur Verborgenheit trifft den Menschen in Israel also in seiner gesamten Existenz, nicht allein in seinem Erkennen.[13] Ebendarum wird der Ver-

[11] AOT² 18.

[12] Weder das Seufzen (Ps 38_{10b}: סתר ni.) noch die Verfehlungen (Ps 69_{6b}: כחד ni.) des einzelnen Beters bleiben verborgen. Daß dies nicht minder für Geschick und Schuld ganz Israels gilt, liegt in der Natur der Sache (vgl. III.).

[13] In der späteren Weisheitsliteratur finden sich freilich auch Belege für eine wesenhafte Verborgenheit Gottes, die geradezu im Modus philosophischer Allgemein-

borgene im Gebet weiter angeredet: Seine Verborgenheit führt nicht in die theoretische Bestreitung, sondern in die religiöse Anfechtung. Daß Gott nicht wesenhaft verborgen ist, bleibt diesen Betern eine Gewißheit, weil sie den Stachel des bezeugten Gottesglaubens in sich tragen. So erfahren sie die Verborgenheit Gottes als hoheitliche Distanz und die Gottesabwesenheit als Gottesanwesenheit in Verhüllung. Darum lassen sie nicht davon ab, zu dem zu reden, der zuzeiten nicht hören mag.

Israel brachte also die Schmerzerfahrung der Verborgenheit Gottes durch eine Reihe von Verben, unter denen die Formen von סתר hervorragen, auf einen spezifischen Ausdruck; die ›Sache‹ selbst war und ist kein Proprium Israels. Und doch ist auch diese Erfahrung in einzigartiger Weise zum Proprium Israels geworden: da nämlich, wo sie das Individuelle übersteigt und zur grundstürzenden Anfrage an den in der Geschichte handelnden und sich enthüllenden Gott *Israels* wird. Daß sich Jahwe gegenüber dem einzelnen Beter in eine »undurchdring-

gültigkeit konstatiert werden kann. Unter der Voraussetzung, daß Gott גֹּבַהּ שָׁמַיִם sei (Hi 22_{12a}), wagt Eliphas den Spruch: עָבִים סֵתֶר־לוֹ וְלֹא יִרְאֶה (Hi 22_{14a}). Da wird mehr behauptet, als Hiob selbst an anderer Stelle seinen ›Freunden‹ zu entgegnen weiß: כִּי־לִבָּם צָפַנְתָּ מִשָּׂכֶל (Hi 17_{4a}); denn schon von der Weisheit gilt doch, daß sie den Augen alles Lebendigen verhüllt (עלם ni.) und den Vögeln des Himmels verborgen (סתר ni.) ist (Hi 28_{21}). Von Gott selbst heißt es in Hi 36_{26a}; 37_{5b} knapp und apodiktisch: לֹא נֵדָע (vgl. 37_{23a}).

Bei Kohelet wird schließlich die gänzliche Unerkennbarkeit Gottes zur Lehraussage: Zwar hat Gott alles aufs schönste erschaffen, den Menschen sogar die Ahnung der Ewigkeit ins Herz gesenkt – nur kann der Mensch eben dies Gotteswerk nicht fassen (לֹא־יִמְצָא), und zwar »von Anfang bis Ende«, also ganz und gar nicht (Koh 3_{11}; vgl. 8_{17}; 11_5). Da bleibt nur das Fazit: »Fern ist der Grund der Dinge und tief, sehr tief; wer kann ihn finden« (Koh 7_{24})?

In alledem spricht Israel nicht proprie, wie auch nur ein Blick in die Weisheitsdichtung *Ludlul bēl nēmeqi* lehrt, die ja doch jedenfalls um ein Jahrtausend älter ist als Kohelet:

(36) Who knows the will of the gods in heaven?
(37) Who understands the plans of the underworld gods?
(38) Where have mortals learnt the way of god?

(*WGLambert*, Babylonian Wisdom Literature, 1960, 41: Ludlul II 36–38; in Z. 36 und 38 hat akk. *lamādu* präzise den Sinn von hebr. מצא in Hi 37_{23} oder hebr. ידע in Hi 37_5). Aber auch in der sog. babylonischen Theodizee (Text und Übersetzung nach *Lambert*, aaO 70–91) finden sich schlagende Parallelen für dieses durchgängige Motiv:

(256) The divine mind (*[l] i-ib-bi ili*), like the centre of the heavens, is remote;
(257) Knowledge of it is difficult; the masses do no not know it (*la lam-da*)

(*Lambert*, aaO 87: XXIV 256f; zu *né-si-ma* in Z. 256 vgl. auch VI 58: *ni-si mi-lik i-lim* = but the plan of the gods is remote). Das Motiv findet sich außer in weisheitlicher Dichtung aber auch in der sumerischen und akkadischen Gebetsliteratur; vgl. nur *Falkenstein-vSoden*, aaO 109; 129; 255f; 299; 330.

liche und unerträgliche Verborgenheit« zurückziehen kann,[14] sprengt dennoch nicht die Gotteserfahrung Israels; daß sich aber Jahwe seinem Volk im ganzen verbirgt, ist eine hoheitliche Möglichkeit, die das Credo ›Jahwe, der Gott Israels‹ aufzuheben scheint. Diese Zurücknahme des Lebensgrundes Israels provoziert weitere Überlegungen.

III.

Vor Israel verbarg sich Jahwe nicht mutwillig, sondern unwillig, nicht von Anfang an, sondern im Gang der Geschichte. Hier ist seine Verborgenheit die Reaktion des von seinem schuldig gewordenen Volk verschmähten Gottes und darum im ganz spezifischen Sinne die Verborgenheit *Jahwes*. Sie ist – anders als in den Klagen des einzelnen Kranken oder Unschuldigen – im genauesten Sinne überhaupt nur Reaktion auf Schuld. In bestürzender Deutlichkeit wurde diese Schuld zuerst von den Propheten des 8. Jahrhunderts eingeklagt, und hier – bei Jesaja nämlich – fällt auch erstmalig der deutende Ausdruck: Das heraufziehende Unheil kommt nicht von ungefähr, sondern die richterliche Reaktion folgt der sündigen Aktion. Zu der besonderen Reaktion des Verborgenseins kann man mit wenigen Sätzen hinführen.

Für Hosea ist das Israel zugemutete Wissen (4_{6a}) wesenhaft Wissen um Gott (4_{1b}; 6_{6b}); daß es Israel nicht vorenthalten, sondern durchaus eröffnet war, ist Voraussetzung seiner Anklage. Israel hat die Gotteserkenntnis nicht entbehren müssen, sondern schuldhaft vergessen (13_{6}; vgl. 2_{15}; 4_{6}; 8_{14}). Israel kennt (ידע) keinen Gott neben Jahwe und keinen Helfer außer ihm (13_{4}); aber gerade auf die Wohltaten hin, mit denen sich Jahwe für Israel enthüllte, reagierten die Beschenkten mit unbegreiflicher Abwendung vom Wohltäter: עַל־כֵּן שְׁכֵחוּנִי (13_{6b}). Mit diesem Vergessen hat sich Israel selber um den in seiner Güte offenbaren Gott gebracht und begegnet hinfort nur noch dem im Zorn verborgenen: »Mit ihrem Kleinvieh und ihrem Großvieh werden sie ziehen, um Jahwe zu suchen; aber sie werden ihn nicht finden, er hat sich ihnen entzogen (חָלַץ מֵהֶם)« (5_{6}).

Schärfer, grundsätzlicher, theologisch noch stärker reflektiert und terminologisch kennzeichnend begegnet dieser Gedankengang bei Jesaja. In 1_{3f} ist seine Anklage zusammengefaßt: יִשְׂרָאֵל לֹא יָדַע עַמִּי לֹא הִתְבּוֹנָן, denn es hat seinen Gott verlassen und verworfen. Aber schon in Jesajas Frühzeit fallen die entscheidenden Worte: Das Volk hat keine Einsicht

[14] *GvRad*, Theologie des Alten Testaments, Bd. I (²1958) 396; vgl. Bd. II (1960) 391: »Daß Gott sich auch vor dem so tief verbarg, der sich in seiner Hilflosigkeit ihm bedingungslos in die Arme warf, das war wohl etwas vom Härtesten, das Israel zu tragen aufgegeben war.«

(5_{13a}: מִבְּלִי־דָעַת), auf Jahwes Werk blickt es nicht, das Tun seiner Hände achtet es nicht (5_{12b}). Hier ist also noch vorausgesetzt, daß es nur der offenen Augen bedürfe, um Jahwes Offenbarsein wahrzunehmen. Später hat Jesaja den Übergang vom Offenbarsein zum Verschlossensein nunmehr auch Jahwes genauer markiert und motiviert: Dieses Volk nähert sich (נִגַּשׁ) Gott mit dem Munde, mit dem Herzen aber hält es sich fern (רִחַק) von ihm (29_{13}; vgl. Jer 12_2). Jahwes Reaktion ist ›wundersam‹ (פלא), dh undurchschaubar und unbegreiflich:[15] »Zunichte wird die Weisheit seiner Weisen, und die Einsicht seiner Einsichtigen wird verborgen« (29_{14}; סתר hitp.).

Hier fällt also das Stichwort von der Verborgenheit, das Jesaja als erster in Israel mit verschiedenen Verben und in verschiedenen Aussageformen und -kombinationen gebraucht hat. Wo sich die Einsicht der (normalerweise) Einsichtigen verstecken muß, gerät auch das Gottesverhältnis unter das Verdikt ›rien ne vas plus‹. Weisheit und Verstand, zu Instrumenten der Gotteserkenntnis bestimmt, sind durch Heuchelei und Eigensinn korrumpiert. Lebensplanung gedeiht unter diesen Voraussetzungen nur noch als Versteckspiel vor Jahwe (29_{15a}: הַמַּעֲמִיקִים מֵיְהוָה לַסְתִּר עֵצָה) und in der Hoffnung, er durchschaute das nicht ($29_{15b\beta}$). Während sich Jahwe unbegreiflich entzieht, hat Israel also seinerseits keine Chance, sich gleichermaßen vor ihm zu verbergen.[16]

Das Volk, das in Verblendung selbst erbeten hatte: »Laßt uns in Ruhe mit dem Heiligen Israels« (30_{11b}), das jedes hilfreiche Wort verachtet hatte ($30_{12a\beta}$), solange noch ein solches erging, bekommt seinen Wunsch nun grauenhaft exakt erfüllt: »Einen Geist des Tiefschlafs hat Jahwe über euch ausgegossen, eure Augen verschlossen und eure Häupter umhüllt« (29_{10}; vgl. Hi 12_{24f}). Diese Ankündigung ist eine direkte Konsequenz der quälenden Sendung von 6_{9f}, deren das Volk charakterisierende Spitze heißt: »Höret wohl – aber seht nicht(s) ein; sehet genau – aber versteht nicht(s)« (6_{9b})! Dieser gewöhnlich als Verstockungsauftrag begriffene Zusammenhang ist nun keineswegs eine Randerscheinung der jesajanischen Botschaft, sondern in gewisser Weise deren Mitte, insofern damit das Gericht Jahwes über ›dieses Volk‹ seine tiefste Begründung erfährt: Jahwe scheiterte an Israel; nun scheitert Israel an Jahwe. Diesen Befund muß Jesaja wider Willen ›vermitteln‹. Unfähigkeit zum הבין und ידע im Blick auf Jahwe heißt eben gar nichts anderes als: Er verbirgt sich vor diesem Volk, weil es mit Bosheit und Unverständigkeit seine Güte erstickt. So steht es dann wörtlich in 1_{15a}

[15] Vgl. *WReiss*, »Gott nicht kennen« im Alten Testament, ZAW 58 (1940/41) 95f.

[16] Vgl. neben Jes 29_{15} auch Hos $5_{3a\beta}$ (וְיִשְׂרָאֵל לֹא־נִכְחַד מִמֶּנִּי), Am 9_3 (וְאִם־יֵחָבְאוּ und וְאִם־יִסָּתְרוּ) und Jer 23_{24a} (אִם־יִסָּתֵר אִישׁ בַּמִּסְתָּרִים).

vom Beten derer, an deren Händen Blut klebt und die Jahwe nur mit ihren Lippen ehren:

> »Und wenn ihr eure Hände ausbreitet – אַעְלִים עֵינַי מִכֶּם
> auch wenn ihr noch so viel betet – אֵינֶנִּי שֹׁמֵעַ

Dieses עלם hi., das in Thr 356 und Ps 101 im gleichen Sinne nachklingt, bestätigt gerade als der seltenere und bei Jesaja gewiß originelle term. techn., daß der Prophet die Verborgenheit Jahwes in sensu stricto gedacht hat, denn im Kontext der ›Verstockung‹ hat der Ausdruck von 115 eine mehr als beiläufige Bedeutung.

Vollends gewiß wird diese Sicht durch die ›Versiegelung‹ der mit 61 beginnenden Botschaft in 816–18, denn hier bedient sich Jesaja nun, 115 kommentierend, in origineller und spezifischer Weise der später in den Psalmen so geläufigen Wendung vom Gott, der sein Angesicht verbirgt. Die Botschaft ist für das Volk zum מוֹקֵשׁ (814b) und damit zu einem σκάνδαλον für den Jahweglauben überhaupt geworden.[17] Sie wurde nicht ›gehört‹ – in des Wortes flachster wie tiefster Bedeutung. Jetzt wird sie in den (wenigen) Schülern versiegelt (816), indes der gescheiterte und vorerst »entamtete« Prophet[18] auf Jahwe harrt und hofft (817: וְחִכֵּיתִי . . . וְקִוֵּיתִי), nämlich darauf, daß er die Gerichtsankündigung seinerseits durch die richterliche Tat besiegle.[19] Jesaja treibt hier den Glauben in eine Paradoxie hinein, die die Verhüllung des Christus geradezu präfiguriert; und ebendiese Paradoxie umschreibt er mit dem Satz vom Harren auf den Gott, der sich verbirgt: וְחִכֵּיתִי לַיהוָה הַמַּסְתִּיר פָּנָיו מִבֵּית יַעֲקֹב (817a). Nur hier findet sich das Part. hi. von סתר mit Jahwe als Subjekt und charakterisiert in sprachlich herausgehobener Weise das göttliche Subjekt aufgrund dieses seines (andauernden!) Handelns. Hier erlaubt der Ausdruck vollends keinerlei Bezug auf den Kult, also auf Regelmäßigkeit und Wiederholbarkeit. In seiner Anwendung auf die Geschichte Israels hat er vielmehr heilsgeschichtlichen – genauer: unheilsgeschichtlichen – Rang. Daß Jahwe sein Angesicht verbirgt vor dem Hause Jakobs, bedeutet darum eine ›Entbergung‹ der anderen, der Nachtseite seines Wesens. Sie wird einem Volke zuteil, das nie in den Blick bekam, was Jahwe מֵרָחוֹק bereitete (2211b) und wie er selbst zum Schutz der Seinen מִמֶּרְחָק herankam (3027a). Sogar die Babylonier mußten derlei schon im Blick auf Nanna lernen:

[17] Vgl. zur Fortführung dieses theologisch so folgenreichen jesajanischen Anstoßes im Neuen Testament die systematische Reflexion bei *HBintz,* Das Skandalon als Grundlagenproblem der Dogmatik (1969) 36ff.

[18] *GvRad,* Theologie des Alten Testaments, Bd. II (1960) 53.

[19] Insofern ist der Satz, daß Jahwe selber die Verstockung bewirke, zumindest bei Jesaja nicht eine »Grenzaussage« (*FHesse,* Das Verstockungsproblem im Alten Testament, BZAW 74, 1955, 72), sondern eine Zentralaussage, die das Dunkle und Abgründige Jahwes gerade im Kontext seines Offenbarseins festhält.

»Dein Wort schafft Recht und Gerechtigkeit . . .
dein Wort ist ferne im Himmel, ist in der Erde verborgen . . .«.[20]

Daß der Gott Israels sich in solche Verborgenheit zurückziehen könnte, daß er wirklich – nun aber ganz unmythisch – Finsternis zu seinem סֵתֶר machen würde (Ps 18$_{12a}$), daß menschliche Schuld Jahwe so erschrekkend zur Zurücknahme des Heils treiben könnte, das alles hat vor Jesaja niemand in Israel gesagt.[21]

Wenn Jahwe sich vor Israel geschichtlich verbirgt, dann ist das etwas qualitativ anderes als die vom einzelnen Beter erfahrene Verborgenheit (des) Gottes in Israel oder Babylon. Diese Verborgenheit in der Geschichte bewirkt geradezu deren Stillstand, und zwar in jenem äußersten Sinne, daß eine Schuldgeschichte durch ein richterliches Urteil abgeschlossen wird. Die innergeschichtliche Kontinuität, soweit sie in Israel als Jahwes Werk verstanden wurde, wird hierdurch aufgehoben. Erst in diesem Zusammenhang werden die Parenthesen von Jes 28$_{21b}$ beängstigend deutlich: זָר מַעֲשֵׂהוּ · · · נָכְרִיָּה עֲבֹדָתוֹ. Jahwe ist also gerade nicht verborgen, weil sein Wille »dämonisch undefiniert«[22] wäre, sondern umgekehrt ist seine Verborgenheit bei Jesaja die Antwort auf die Verachtung seines definitiven Willens; dann aber ist Jahwe ein Gott, der, wenn man so will, »am Schuldigen sein Heil sub contrario wahrnimmt«.[23]

Ein Jahrhundert später hat Jeremia über seiner Anfechtung sowohl durch die falschen Propheten (die die Selbstverhüllung Jahwes nicht begreifen mochten) als auch durch Jahwes Wort selbst (vor dem sich Jeremia zu verstecken trachtete) noch einmal verstanden, daß hier nicht ein Gott מִקָּרֹב, sondern מֵרָחֹק redete und wirkte (Jer 23$_{23}$). ›Aus der Ferne‹ aber wirkte nunmehr der richtende Gott, vor dem sich niemand בַּמִּסְתָּרִים verbergen (סתר ni.) kann (Jer 23$_{24a}$), der vielmehr die Seinen von Fischern fischen und von Jägern jagen läßt (Jer 16$_{16}$): »Denn meine Augen sind über allen ihren Wegen; sie können sich vor mir nicht verstecken (סתר ni.), und ihre Schuld bleibt vor mir nicht verborgen (צפן ni.)« (Jer 16$_{17}$). Jesajas tiefe Deutung des Gerichts an den Schuldigen als Verhüllung des Gottes Israels muß sich so in das Bewußtsein – zwar weniger, aber maßgeblicher Köpfe – eingegraben haben, daß, als die angesagte Katastrophe dann herbeigekommen war, die Kategorien für deren Deutung bereitlagen; in Spuren

[20] ›Handerhebungs-Gebet‹ für Nanna, *Falkenstein-vSoden*, aaO 224.

[21] Vgl. als Wort des 8. Jahrhunderts auch (und sonst nur) Mi 3$_{4b}$: »Er wird sein Angesicht vor ihnen verbergen . . ., weil ihre Taten schlimm waren.«

[22] *CHRatschow*, Der angefochtene Glaube. Anfangs- und Grundprobleme der Dogmatik ([2]1960) 85.

[23] Ebd. 86.

sind sie verfolgbar in der deuteronomistischen Theologie und in der exilischen Volksklage, breit und thematisch bei Deuterojesaja.

Als dann über den erlittenen Schlägen tatsächlich die Tage gekommen waren, in denen der Hunger nach Jahweworten im Lande herrschte, da wankten sie von Meer zu Meer, um Jahwes Wort zu suchen; sie fanden es nur nicht mehr (Am 8_{11f}).[24] Aber die deuteronomische Schule hat das jesajanische Motiv in seiner vollen theologischen Tragweite nicht aufgenommen – und konnte es wohl auch nicht, da in den forensischen Kategorien ihrer Geschichtstheologie alles viel zu ›klar‹ und darum wenig Raum war für die Abscondität Jahwes. Daß er sein Angesicht vor Israel verbirgt, ist auch hier[25] eindeutig der Lohn für Israels Götzendienst (Dtn 31_{16-18}; vgl. 32_{20}), aber diese Terminologie ist im deuteronomischen Bereich singulär und nicht beheimatet, vielmehr am ehesten eine Kombination aus hoseanischer Theologie und zeitgenössischer Gebetserfahrung. Die deuteronomistische Entschuldigung Jahwes bedurfte der ein wenig vordergründigeren Sicht des quasi mechanisch reagierenden Richters. Die späten Prediger dieser Schule hatten gewiß ein Gespür für die Unauflöslichkeit des Zusammenhangs von Schuld und Dunkel der Geschichte; aber da liegt das Verborgene nicht in,[26] sondern bei Jahwe – als Geheimnis, das sich einst lichten wird: הַנִּסְתָּרֹת לַיהוָה אֱלֹהֵינוּ (Dtn 29_{28a}).

Die (spärliche) Übernahme der hier thematischen Terminologie aus der Einzelklage, wo sie vorherrscht, in die exilische Volksklage ist mit Händen zu greifen. Dabei ist auch der Zusammenhang mit den für den Topos im ganzen kennzeichnenden Verben gewahrt. Ps 44_{25} deutet das zur Genüge an: לָמָּה־פָנֶיךָ תַסְתִּיר תִּשְׁכַּח עָנְיֵנוּ וְלַחֲצֵנוּ. Freilich schreitet hier die Klage gelegentlich zur Anklage des Gottes voran, der es sich im Gericht zu leicht gemacht hat (Ps 44_{13}) und im Rückzug von den Seinen zugleich die Zeugen seiner Ehre und Gnade verkommen läßt (Ps $44_{5ff.23f.27}$). Hier wird also in dürftigster Zeit über das Verschlossensein Jahwes Klage geführt und um sein Offenbarsein wirklich gerungen (vgl. auch Ps 74). Mit Ungestüm wird Jahwe in Ps 89_{39-47} beim Wort seiner Verheißung (für die davidische Dynastie) genommen: נֵאַרְתָּה בְּרִית עַבְדֶּךָ (V. 40a). Dann folgt auf eine Reihe von anklagenden Verben die verzweifelte Frage: עַד־מָה יְהוָה תִּסָּתֵר (V. 47a)? Daß er sich in der

[24] Dabei ist mit *HWWolff* (Amos, BK XIV/2, 374f) vorausgesetzt, daß diese ›Ankündigung‹ bereits die (deuteronomistischen) Merkmale der traurigen Erfüllung aufweist.

[25] Die genannten Belege sind für הסתיר פניו die einzigen im Pentateuch überhaupt.

[26] Die stolze spätdeuteronomistische Beschwörung des seinem Volke so »nahen Gottes« (Dtn 4_{7}) gründet sich bereits ganz auf die Klarheit, Schönheit und Vollgenugsamkeit des (deuteronomischen) Gesetzes, das hier wie eine Brücke wieder zu Jahwe hinführt.

Schmach des Gesalbten, in der Verwerfung des Erwählten am rätselhaftesten verbergen mußte, wurde zu einer Erfahrung, die über das Alte Testament hinausreicht. Innerhalb des Alten Testaments aber haben nächst dem ersten Jesaja der zweite und der dritte[27] Jesaja leidenschaftlicher und behutsamer als alle übrigen Zeugen Israels die Verborgenheit des Gottes Israels erlitten, durchdacht und – vollmächtig bestritten!

Im Exil gedieh die Warumfrage. Anders als bei den Deuteronomisten, anders auch als in den Klageliedern wurde bei Deuterojesaja die Antwort des befragten Gottes selbst nicht nur sehnsüchtig erwartet, sondern durch Prophetenmund (und nicht selten dialogisch) wieder vermittelt. Dabei kommt die ›Rechtmäßigkeit‹ der Verborgenheit Jahwes im Gericht unverkürzt zur Sprache: »Um eurer Verschuldungen willen seid ihr verkauft worden« (Jes $50_{1b\alpha}$); und der verratene Gott erinnert die »Verkauften« eindringlich an die beschämende Umkehrung von Rufen und Schweigen, solange er selber noch der (vergeblich) Rufende war: »Warum war niemand da, als ich kam, gab keiner Antwort, als ich rief« (Jes 50_{2a}).[28] Noch in der späten Gerichtsrede Jes 57_{3ff} findet sich eine treffende Interpretation der Vorgeschichte des Gottesschweigens: וְאוֹתִי לֹא זָכַרְתְּ (V. 11aβ); הֲלֹא אֲנִי מַחְשֶׁה וּמֵעֹלָם[29] וְאוֹתִי לֹא תִּירָאִי (V. 11b). Weil Jahwe in Langmut ›ein Auge zudrückte‹, fühlte sich Israel ermuntert dazu, sich seiner strafenden Enthüllung nicht einmal mehr zu erinnern. Aber auch bei Deuterojesaja ruft Jahwe selbst ins Gedächtnis, daß sich auf sein ›Verborgensein‹ niemand berufen durfte: לֹא בַסֵּתֶר דִּבַּרְתִּי (45_{19a}; 48_{16a}). Im Wort seiner Boten war sein Wille und darin der Weg zum Leben allezeit offenbar; sein Zurücktreten in die Verborgenheit war also ein ›aufgezwungenes‹, nämlich die Reaktion eines in seiner Liebe Verletzten: בְּשֶׁצֶף קֶצֶף הִסְתַּרְתִּי פָנַי רֶגַע מִמֵּךְ ($54_{8a\alpha}$; vgl. 57_{17a}; 64_6). Unter dem Gewicht der bangen Frage, ob Jahwes Hand zum Helfen nicht zu kurz und sein Ohr zum Hören nicht zu taub geworden seien (59_1), finden sich bei Tritojesaja noch schärfere und belastendere Distinktionen über den Zusammenhang von Volksschuld und Gottesverborgenheit: Verschuldungen trennen von

[27] Die schwierige Frage nach der Eigenständigkeit und Einheitlichkeit eines Tritojesaja kann hier nicht beantwortet werden. Immerhin zeigen sich gerade in der hier behandelten Thematik erstaunliche Anlehnungen, die zumindest starken Einfluß Deuterojesajas auf den (die) Verfasser von Jes 56ff beweisen und hier zT eine Zusammenschau erlauben. Vgl. zur neueren Kontroverse nur *DMichel*, Zur Eigenart Tritojesajas, Theol. Viat. 10 (1966) 213–230 und dagegen *FMaass*, »Tritojesaja«?, BZAW 105 (1967) 153–163.

[28] Vgl. die Aufnahme der Antithesen bei Tritojesaja: Jes $65_{1f.12a\beta}$. Ganz in Verheißung verwandelt erscheint das Begriffspaar in Jes 58_{9a}: »Wenn du dann rufst, wird Jahwe antworten; wenn du schreist, wird er sagen: ›Hier bin ich (schon)‹.«

[29] So mit LXX 'A Σ gegen MT.

Jahwe (59_{2a}), וַחַטֹּאותֵיכֶם הִסְתִּירוּ פָּנָיו[30] מִכֶּם מִשְּׁמוֹעַ (59_{2b}). In dieser singulären Wendung kommt eine schier unerträgliche Automatik zum Ausdruck: Übersteigt die Schuld ein gewisses, durch Jahwes Geduld gesetztes Maß, dann bedarf es für seine Verhüllung keiner Ankündigung und keiner weiteren Motivation[31] mehr; der Unfähigkeit des Volkes, ihn zu hören, korrespondiert dann die Unfähigkeit Jahwes, das Volk zu (er-)hören gleichsam mechanisch. Wer den Raum der lebensgewährenden Weisung des offenbaren Gottes verläßt, begegnet ipso facto nur noch dem lebensbedrohenden, nämlich verborgenen Gott.

Die Gesprächspartner Deuterojesajas waren eingeschüchterte Menschen, denn Israel ist nach dem Fall von 587 v. Chr. im Grunde nie mehr ganz mit seiner Geschichte coram Deo zurechtgekommen. Weil ihre Augen für Jahwe verschlossen waren, folgerten sie, auch er habe keinen Zugang mehr zu ihrem Geschick: נִסְתְּרָה דַרְכִּי מֵיְהוָה (Jes 40_{27b}). Aus der Offenheit Jahwes und der für Jahwe war eine totale Verschlossenheit geworden – in beiden Blickrichtungen. Gegen dieses reduzierte Credo der Ermüdeten mußte der Prophet mit der neuen Botschaft von einem wieder zugewandten Gott regelrecht ankämpfen: לֹא יִיעַף וְלֹא יִיגָע (Jes $40_{28a\gamma}$). Ein solches Heraustreten Jahwes aus seiner Verborgenheit ist in dieser Stunde das schlechthin Unkalkulierbare, weshalb Deuterojesaja die Heilsbotschaft nur in seltsamer Umkehrung der Dinge mit dem Satz begründen kann: אֵין חֵקֶר לִתְבוּנָתוֹ (Jes 40_{28b}). Das ist in diesem dialogischen Zusammenhang wiederum alles andere als eine Lehraussage über die allgemeine Unerforschlichkeit der Jahwegedanken, sondern die ebenso befremdende wie befreiende Botschaft: Auch in seiner Güte ist er der unberechenbar und hoheitlich sich Enthüllende.[32]

Nähert man sich von diesem Disput her nun dem so dunkel und schwer deutbar scheinenden Ausruf des Propheten in Jes 45_{15}, dann tritt selbst er ins helle Licht der deuterojesajanischen Verkündigung

[30] So mit LXX Syr Targ gegen MT (פָּנִים).

[31] Klassisch kommt diese (mit anderen Begriffen sonst auf die deuteronomistische Theologie konzentierte) Motivation in einem Rückblick auf die ezechielische Gesamtverkündigung zur Sprache (Ez 39_{23-29}). Das Gericht des Exils kam über das Haus Israel um seiner Treulosigkeit willen: וָאַסְתִּר פָּנַי מֵהֶם ($39_{23a\beta\,.24b}$). Umgekehrt gipfelt die [illegible]ankündigung in dem Satz: וְלֹא־אַסְתִּיר עוֹד פָּנַי מֵהֶם(39_{29a}). Hier wird in exilischer Zeit die Strafe wie deren Aufhebung gleich dreimal mit dieser Wendung beschrieben, die sonst bei Ezechiel nicht belegt ist. Der Ausdruck bindet geradezu die Schuldbegründung (39_{23f}) mit der neuen Zusage (39_{25ff}) zusammen. Auch hier hat das Erbarmen das letzte Wort: Vor einem Israel, über das Jahwe seinen Geist ausgegossen hat (39_{29b}), wird er sein Angesicht nicht mehr verbergen.

[32] Der Gedankengang von Jes 55_{6-11} ist in dieser Hinsicht ganz vergleichbar.

des Erbarmens. Daß Jahwe ein אֵל מִסְתַּתֵּר, ein sich verbergender[33] Gott sei, ist ja hier nicht zufällig in der Form der Anbetung (אָכֵן אַתָּה) gesagt: Der Prophet hat Jahwe wiedergefunden als den Gott Israels, der über Gericht und Erbarmen, Verhüllung und Enthüllung frei verfügt – nach dem Grundmaß seines Wesens: מוֹשִׁיעַ! *BDuhm* hat dieses Niedersinken des ergriffenen Boten schrecklich mißverstanden, wenn er dekretiert, V. 15 sei »nicht vom Propheten gesprochen, weil der nicht sagen kann, daß Jahwe ein verborgener Gott ist«.[34] Ganz im Gegenteil hat der zweite Jesaja hier die Erkenntnis des ersten durchgehalten und in dunkelster Zeit diese so bitter wirkende Prädizierung Jahwes formuliert. Damit hebt er eben die gegenwärtige Erfahrung seines Volkes aus der Kreatürlichkeit des bloßen Erleidens heraus und münzt sie um in eine unverzichtbare Weise der Gotteserfahrung überhaupt: Der sich verbergende Gott ist der Retter! Darum und insofern führt das Erleiden und Verstehen der Verborgenheit Gottes bei Jesaja und Deuterojesaja nicht zu einem Satz der Erkenntnistheorie, sondern zu einem Satz des Glaubens. Mit dem Untergang aller Stützen des Glaubens tritt Jahwe den Seinen im Exil neu entgegen: Rettung ist nur bei dem Gott, der sich verborgen hat.

»De Deo loquimur, quid mirum, si non comprehendis? Si enim comprehendis, non est Deus«.[35] Daß Gott auch und gerade im Glauben, und sogar nach der Seite seiner Gnade, der schlechterdings entzogene und verborgene bleibt, enthüllt die Gestalt des Gottesknechtes – und zwar des alttestamentlichen ebenso wie des neutestamentlichen! Hier wie dort begegnet er als der Deus in passionibus oder in cruce absconditus; nicht losgelöst von dieser Verhüllung, sondern mitten in ihr ist er der Deus revelatus. Darum beginnt alle »echte Gotteserkenntnis ... mit der Erkenntnis der Verborgenheit Gottes«.[36]

[33] In סתר hitp. ist die Intensivbedeutung (GesK § 54e: »sich zu dem machen, was der Stammbegriff aussagt«) zu beachten; vgl. zum profanen Gebrauch 1Sam 23_{19}; 26_{1}.

[34] Das Buch Jesaja, HK III 1 (^{2}1902) 311.

[35] *Augustin,* Sermo 117,3,5.

[36] *GvRad,* Theologie des Alten Testaments, Bd. II (1960) 391; der Satz beruft sich auf den entsprechenden größeren Zusammenhang über die Verborgenheit Gottes bei *KBarth,* KD II/1, § 27 (200–229).

GEORG PICHT

DIE IRONIE DES SOKRATES

»Wisset wohl: keiner von euch kennt diesen Mann. Aber ich werde ihn enthüllen, nachdem ich einmal damit begonnen habe. Ihr seht ja: Sokrates ist von Liebe ergriffen für die schönen Knaben und hält sich immer in ihrem Umkreis auf und ist außer sich. Außerdem erkennt er nichts und weiß er von nichts. Das ist seine Attitüde. Ist sie nicht silenenartig? Sehr sogar! Sie hat nun dieser Mann von außen wie eine Hülle um sich gelegt, so wie der geschnitzte Silen. Von innen aber, wenn er einmal geöffnet ist – ahnt ihr, wieviel Besonnenheit, ihr Trinkgenossen, ihn erfüllt? Wisset wohl: ob einer schön ist, macht ihm überhaupt nichts aus, sondern er verachtet es in solchem Maße, wie kein Mensch es für möglich halten sollte. Auch nicht, ob einer reich ist oder sonst eine jener Auszeichnungen besitzt, die von der Masse hoch gepriesen werden. Nein, er hält alle diese Besitztümer für wertlos und uns für nichts. Ich sage euch: in Verstellung (εἰρωνευόμενος) und im Spiel verbringt er den Menschen gegenüber sein ganzes Leben. Wenn es ihm aber ernst ist, und er aufgeschlossen wird – ich weiß nicht, ob schon jemand die Götterbilder in seinem Inneren erblickt hat; aber ich habe sie schon einmal erblickt, und sie schienen mir so göttlich und golden zu sein und vollkommen schön und staunenswert, daß man kurzerhand alles tun müsse, was Sokrates fordern würde«. Mit diesen Sätzen eröffnet Alkibiades in *Platons* »Symposion« den ersten Hauptteil seiner berühmten Rede (216C–217A). An ihnen orientierten sich, wie wir sehen werden, bis hin zu *Kierkegaard* die meisten späteren Deutungen der viel berufenen, aber selten verstandenen »sokratischen Ironie«.

Wenn man diese Sätze gründlich interpretieren wollte, müßte man durch eine Analyse der literarischen Form des »Symposion« zeigen, daß sie in einer Konstellation der Personen, der Situationen und der Gedanken gesprochen werden, die selbst schon durch ihre Brechungen, Spiegelungen und Widerspiegelungen das Phänomen der »Ironie« in vielfachen Aspekten erscheinen läßt. Die Rede des Alkibiades ist ein Gegenstück zur Diotima-Rede. Die Seherin aus Mantinea hatte, in »ironischer« Umkehrung der gewohnten Situation, Sokrates selbst seines Nichtwissens überführt und ihn in das Mysterium des wahren Eros eingeweiht. Aber das Bild des *Eros*, das sie enthüllt, trägt unverkennbar die Züge des *Sokrates.*[1] Jetzt entwirft Alkibiades sein Bild vom dämonischen Wesen des *Sokrates*. Aber was dabei ans Licht tritt, ist das wahre Wesen jenes *Eros*, den Diotima dargestellt hatte. Die anderen Teilnehmer des Symposion (und wir, die Leser) können das entdecken, denn sie haben die Diotima-Rede gehört. Aber dem Alkibiades selbst muß es verborgen bleiben, – ist er doch erst nach Abschluß der Diotima-Rede, wie der Satyrn-Chor nach Abschluß der tragischen Trilogie (222 D), trunken und lärmend in das Gastmahl eingebrochen. Er sagt die Wahrheit, ohne zu wissen, was er enthüllt. Er behauptet in den Sätzen, die wir betrachten, Sokrates sei ein Verächter des Eros, und ahnt nicht, daß der Beweis, den er zu führen sich anschickt – die Geschichte, wie Sokrates seine Hingabe verschmäht hat – den Hörern der Diotima-Rede das Gegenteil zeigen wird, nämlich daß Sokrates ein wahrer Diener des Eros ist.

Die Gegenüberstellung von Diotima-Rede und Alkibiades-Rede muß aber gedanklich wie literarisch in einem größeren Zusammenhang betrachtet werden. Zu Beginn des Gastmahls (176 A ff) war der Trinkzwang aufgehoben worden. Bis zum Einbruch des Alkibiades, der in der Maske des Dionysos auftritt, bleiben die Gefährten nüchtern (213E). Auf sein Geheiß wird die bisherige Regel umgestürzt. Er erhebt sich selbst zum Symposiarchen, und nun beginnt ein gewaltiges Gelage (213E). So gliedert sich das Werk in einen nüchternen und einen trunkenen Teil. Nur Sokrates erscheint unter den Nüchternen als der Entrückte (175 C–E), unter den Trunkenen aber, soviel er auch trinken mag, stets nüchtern (217A). Zum Schluß des Gastmahles wird er klar und wach wie immer die berauschten und vom Schlaf übermannten Zechgenossen verlassen und in das aufsteigende Morgenlicht hinaustreten, um den neuen Tag so zu verbringen, wie er es gewohnt war (223 D). In ihm gewinnt – was hier nicht ausführlicher begründet werden kann – die *apollinische* Form des ἐνθουσιασμός, dessen Geheimnisse die Diotima-Rede enthüllt hatte, Gestalt. Dadurch wird der ἐνθουσιασμός, von dem Alkibiades ergriffen ist, in ein »ironisches« Licht gerückt.

Aber auch Alkibiades selbst wählt – auf seiner Stufe – für die Lobrede auf Sokrates eine bewußt »ironische« literarische Form. Zu den anspruchsvollen Gesellschaftsspielen, die bei den attischen Symposien üblich waren, gehörte auch die Sitte, daß der Reihe nach jeder den anderen durch einen möglichst komischen Vergleich charakterisieren sollte. Es wurde erwartet, daß eine solche komische Vergleichsrede ein rhetorisches Kabinettsstück war. Man nannte dieses Spiel ἀντεικάζειν. Eine Erinnerung an die Komödie zeigt, welche literarischen Möglich-

[1] 203 C/D; vgl. die Kommentare zur Stelle.

keiten in einem solchen Gesellschaftsspiel enthalten waren. Alkibiades wählt diese Form (215A, vgl. 214E), um Sokrates gleichsam zu demaskieren. Aber schon der erste Vergleich, den er bringt (215A/B) – jener Vergleich, auf den die zitierten Sätze anspielen, – zeigt, daß sich auch die Methode des Demaskierens, auf die »ironische« Existenz des Sokrates angewendet, unmittelbar in ihr Gegenteil verkehrt. Alkibiades vergleicht Sokrates nämlich mit geschnitzten Silenenfiguren, die man aufklappen kann, und in deren Innerem sich herrliche Götterbilder befinden. Das Bild führt uns mit provozierender Drastik den ἐνθουσιασμός des Sokrates vor Augen. Andere Menschen stellen sich nach außen besser, als sie in Wahrheit sind, und erscheinen erbärmlich, wenn man ihnen die Maske herunterzieht. Sokrates hingegen gibt sich nach außen als ein Silen; demaskiert man ihn aber, tritt eine solche Herrlichkeit zutage, daß man sich ihr nur wie der Erscheinung eines Gottes unterwerfen kann. Diese paradoxe Form der Verstellung wird an unserer Stelle (216 E 4) »Ironie« genannt. Die Ironie des Sokrates besteht nach der Deutung des Alkibiades darin, daß er sich so stellt, als wäre er ständig von erotischer Begierde nach den schönen Knaben erfüllt und dadurch um jede Besinnung gebracht. Demaskiert man ihn aber, so kommt heraus, daß er sowohl die Schönheit wie alle anderen Güter des Lebens, zB den Reichtum und die Ehre, verachtet. Sein wahres Inneres ist von einer σωφροσύνη erfüllt, die sich strahlend und ungebrochen über alle menschlichen Leidenschaften und Begierden erhebt.

Dieser Begriff der Ironie entfernt sich weit von allem, was wir heute unter »Ironie« zu verstehen pflegen. Er läßt sich auch mit den gängigen Auffassungen von der »sokratischen Ironie« nicht zur Deckung bringen. Nun hängt aber einiges davon ab, ob wir die Grundhaltung des Mannes begreifen, der das Schicksal der gesamten späteren Philosophie bestimmt hat. Zunächst gilt es zu klären, wie die Griechen selbst das Wort εἰρωνεία verstanden haben. Dann soll untersucht werden, wie sich der moderne, in der Romantik aufgekommene Begriff der Ironie zur εἰρωνεία verhält, um uns von Vorstellungen freizumachen, die das Sokrates-Bild für das moderne Bewußtsein in ein irisierendes Zwielicht gerückt haben. Zum Schluß soll dann die These begründet werden, die sogenannte »Ironie« des Sokrates sei eine Umkehrung jener Haltung, welche die Griechen εἰρωνεία nannten.

I.

Aristoteles hat der εἰρωνεία ein Kapitel der »Nikomachischen Ethik« gewidmet.[2] Die Ironie wird dort als eine Form, sich zu verstellen, be-

[2] IV, c. 13, 1127a 13ff.

schrieben. Die ihr entgegengesetzte Form, sich zu verstellen, ist die Aufschneiderei oder Prahlsucht (ἀλαζονεία). Ein Aufschneider, oder, wie man im Jargon zu sagen pflegt, ein »Angeber«, ist nach Aristoteles ein Mann, »der sich etwas anmaßt, was in Geltung steht, was ihm aber nicht zukommt, oder der sich mehr anmaßt, als ihm zukommt. Der Ironische, umgekehrt, leugnet, was ihm zukommt oder setzt es herab. In der Mitte steht der Mann, der wahrhaftig ist in seinem Leben wie in seiner Rede, der von dem, was ihm zukommt, eingesteht, daß es zu ihm gehört, und weder mehr noch weniger in Anspruch nimmt« (1127a 21ff). Der Begriff der Ironie begegnet hier in einem uns ungewohnten Zusammenhang. Aristoteles behandelt ihn unter der Überschrift: »Wir wollen sprechen von den Menschen, die wahrhaftig sind und die täuschen, gleicherweise in Worten wie in ihrem Verhalten und in dem, was sie vorgeben« (1127a 19f). Er behandelt also in diesem Kapitel die verschiedenen Formen und Möglichkeiten der Wahrhaftigkeit und der Verstellung. Man kann sich verstellen, indem man mehr aus sich macht, als man wirklich ist; man kann sich verstellen, indem man weniger aus sich macht, als man wirklich ist. Beide Formen der Verstellung sind nach der Lehre des Aristoteles zu tadeln; »das Wahre aber ist edel und zu loben« (1127a 29f). So bestätigt sich auch im Bereich dieser Verhaltensweisen das Grundprinzip der aristotelischen Ethik, daß die ἀρετή sich stets als die Mitte zwischen einem Übermaß (ὑπερβολή) und einem defizienten Modus (ἔλλειψις) herausstellt.

Bevor wir versuchen, die Bedeutung des Begriffes »Ironie« in diesem Zusammenhang genauer zu bestimmen, müssen wir uns zur Ausschaltung von Mißverständnissen die Unterschiede klar vor Augen stellen, durch die sich griechische Adelsethik von der christlichen Ethik abhebt. Die Ethik christlicher Tradition hat aus Gründen, die nicht nur im Evangelium sondern auch in der Sozialgeschichte des Christentums zu suchen sind, die Demut vor Gott in eine Moral der Bescheidenheit gegenüber den Menschen projiziert. Bescheidenheit wird ohne Rücksicht auf den tatsächlichen Wert oder Unwert des Menschen gefordert; wer hohen Wert besitzt, ist doppelt zu loben, wenn er auch seinen Mitmenschen gegenüber Demut erweist. Hingegen gilt es immer als eine Untugend, sich vom Gefühl eigener Überlegenheit tragen zu lassen. Man nennt das Hochmut, gleichgültig, ob das Bewußtsein der Überlegenheit gerechtfertigt sein mag oder nicht. Die adelige Tugend der μεγαλοψυχία – der hochgemuten Art –, deren Darstellung den Höhepunkt der aristotelischen Ethik bildet, wird, mindestens in den vom Bürgertum bestimmten Phasen der christlichen Ära, scheel angesehen. Nur in der ritterlichen Kultur des Mittelalters hat sie eine neue Blüte erlebt. Das Moralsystem der »Bescheidenheit« hat dem Christentum den Verdacht zugezogen, es sei die Religion der Zukurzgekommenen, der Verachteten, der Machtlosen, der sogenannten »Stillen im Lande«, und sei nur eine Spiegelung ihrer Ressentiments. Dabei wird aber ein zweiter wesentlicher Unterschied zwischen der Ethik christlicher Tradition und der aristotelischen Ethik nicht in Betracht gezogen. Die christliche Ethik unserer Tradition geht aus der Frage nach der Heilsgewißheit der Seele hervor. Sie hat ihren Sitz im Gewissen und entspringt aus einer Selbstprüfung, die das Verhältnis der Seele zu Gott zu durchleuchten versucht, und deshalb vorwiegend das *innere* Verhalten des Menschen in seiner Einstellung zu sich selbst und zu seinen Mitmenschen im Auge hat. Die Grundbewegung christlicher Gewissensethik: die Rückwendung der Seele in ihre eigene Innerlichkeit, findet ihre Motivationen nicht nur und nicht primär in bestimmten sozialen Situationen; sie erwächst vielmehr aus einer Auffassung von der Stellung des Menschen im Angesicht Gottes, der sich, wie leicht belegt werden könnte, Fürsten und Könige ebenso gebeugt haben wie Knechte und Bettler. Vor Gott ist auch die μεγαλοψυχία nichtig, und das Bewußtsein dieser Nichtigkeit muß im Verhalten der Menschen zum Ausdruck kommen. Hier wird der gesamte Umkreis menschlichen Verhaltens in Dimensionen gerückt, die sich so fundamental von dem Horizont aristotelischer Ethik unterscheiden, daß es uns in die Irre führen muß, wenn wir in beiden Fällen von »Ethik« sprechen.

Aristoteles betrachtet die Menschen, wie gerade der Abschnitt über die εἰρωνεία zeigt, nicht unter der Perspektive der Reflexion in die Innerlichkeit; er betrachtet sie so, wie sie sich nach außen hin darstellen. Ablesen läßt sich das an der Bedeutung des Wortes, das ich, der Not gehorchend, weil in unserer Sprache nicht nur das Wort, sondern die Denkweise fehlt, mit dem Ausdruck »Wahrhaftigkeit« übersetzen mußte. Der griechische Gegenbegriff heißt ἀληθεύειν. Das bedeutet in unserem Zusammenhang: sich darstellen, wie man in Wahrheit ist. Die Frage, ob man vor sich selbst wahrhaftig ist oder sich selbst betrügt, kommt nicht ins Spiel; die Innerlichkeit wird nicht in Betracht gezogen. Ins Auge gefaßt wird lediglich, ob das Auftreten, das Verhalten und das Reden eines Menschen seinem wirklichen Wesen so genau entspricht, daß dieses Wesen in seiner Wahrheit hervortritt. Das Gegenteil christlich verstandener Wahrhaftigkeit ist die Heuchelei; das Gegenteil zu ἀληθεύειν ist die Verstellung. In jeder Verstellung aber manifestiert sich ein Mangel.

Die Tugend, um deren Bestimmung es *Aristoteles* geht, wird nicht »Wahrhaftigkeit«, sie wird ἀλήθεια genannt. Das ist die Tugend eines Mannes, der, wie *Aristoteles* (1127 b 2) sagt, »sowohl in seiner Rede wie in seinem Leben dadurch wahr ist, daß er sich in seinem Verhalten darstellt, wie er ist«. Das Wort ἀλήθεια hat also hier seine ursprüngliche, von *Heidegger* wieder entdeckte und durch die Untersuchungen von *WLuther*[3] gegen alle Einwände gesicherte Bedeutung. Es ist die »Unverborgenheit« des Ethos, das im Verhalten eines Menschen ans Licht tritt.

Vor diesem Hintergrund müssen wir nun jene Form der Verstellung betrachten, die bei *Aristoteles* εἰρωνεία heißt. Es wird nicht in Betracht gezogen, daß die Verstellung, vom Subjekt her gesehen, fragwürdig ist. Jenem reflexiven Bezug, den wir bei dem Ausdruck »*sich* verstellen« primär im Auge haben, wird keine Bedeutung zugemessen. Wichtig ist nur, daß eine Attitüde angenommen wird, die das wahre Wesen des Menschen vor den Augen der Umwelt zustellt. In diesem Sinne werden jene Menschen, wie wir schon sahen, »ironisch« genannt, die sich so stellen, als wären sie weniger wert, als sie wirklich sind. Ein solches Verhalten kann, wie auch Aristoteles zeigt (1127b 22ff), seine liebenswerten Seiten haben. Während die Prahlsucht der Umwelt lästig ist (1127b 8), machen jene, die sich geringer stellen, als sie sind, den Eindruck, als entspringe ihr Verhalten nicht aus Gewinnsucht, sondern daher, daß sie eine Scheu vor aufgeblasenem Wesen haben. Die Engländer nennen das »understatement« – das ist das moderne Äquivalent zu εἰρωνεία. Man hat eine solche Angst davor, mit Schwulst und falschem Pathos aufzutreten, daß man den Ernst, den Stolz, die Feierlichkeit und den Anspruch, der in den eigenen Standards liegt, verbirgt und sich so stellt, als wäre das alles ganz alltäglich. Während aber in unserer Gesellschaft das »understatement« als Tugend gilt, haben die Griechen in dem gleichen Verhalten das Element der Verstellung und der Unwahrheit so scharf empfunden, daß *Theophrast* in seinen »Charakteren« das Kapitel über die Ironie mit dem Satz beschließen kann: »Vor den nicht schlichten sondern hinterhältigen Verhaltensweisen muß man sich mehr hüten als vor den Schlangen« (Char. I,7). *Aristoteles* sagt zwar: »Wer die Ironie in rechtem Maße gebraucht und sich nicht gegen das allzu Handgreifliche und Offensichtliche ironisch verhält, der wirkt liebenswürdig«; aber dieser Satz bezieht sich nur auf die urbane Oberfläche, nicht auf das, wie sich noch herausstellen wird, in der Tat gefährliche und unheimliche Wesen der Ironie.

Was aber hat dies alles mit Sokrates, was hat es mit der »sokratischen Ironie« zu tun? Zunächst ist festzustellen, daß Alkibiades (Symp. 216 E 4) das Wort genau in der Bedeutung gebraucht, die *Aristoteles* analysiert. Er wirft dem Sokrates vor, jener verstelle sich nach außen hin und verberge hinter der niedrigen Maske eines Silenen die Herrlichkeit seines von σωφροσύνη erfüllten Inneren. Das ist jene »Verstellung nach unten hin«, die *Aristoteles* und *Theophrast* beschreiben; und ganz im

[3] Wahrheit, Licht und Erkenntnis in der griechischen Philosophie bis Demokrit, Archiv für Begriffsgeschichte 10 (1966).

Sinne des *Aristoteles* wird Sokrates von Alkibiades getadelt, weil er durch seine Verstellungskunst mit den anderen Menschen nur sein Spiel treibe. So wird das Wort bei *Platon* auch sonst verwendet; wir greifen das berühmteste Beispiel heraus. Im I. Buch der »Politeia« wird Sokrates von Thrasymachos beschimpft: er stelle immer nur Fragen, um dann die Antworten widerlegen zu können, selbst aber gebe er nie eine Antwort. Sokrates erwidert, er sei eben nicht fähig, eine Antwort zu finden; man solle ihn deshalb eher bemitleiden als beschimpfen. »Als jener das hörte, lachte er unheilverkündend auf und sagte: beim Herakles, das ist jene gewohnte Ironie des Sokrates« (337 A). Genau wie Alkibiades (Symp. 216 D 3) hält also auch Thrasymachos es für bloße Verstellung, daß Sokrates behauptet, nicht zu wissen, wonach er die anderen befragt. Was wir heute, in einer tieferen und erst in der Neuzeit aufgekommenen Bedeutung des Wortes, als »die sokratische Ironie« zu bezeichnen pflegen, wird von Thyrasmachos gerade *nicht* verstanden. Auch er hält die »Ironie« des Sokrates für das, was die Griechen εἰρωνεία nannten, für eine bloße Kunst der »Verstellung nach unten hin.« Das sokratische Nichtwissen wird von ihm als eine Maske mißdeutet, die das Wissen verbergen soll, und diese Verstellung erweckt, wie uns in *Platons* sokratischen Dialogen immer wieder vorgeführt wird, den Zorn.

Wie steht es dann aber mit der wirklichen Ironie des Sokrates? Ist sie bloß eine moderne Erfindung? Oder hat sie mit dem »dämonischen« (Symp. 202 D/E) Wesen dieses Vermittlers zwischen menschlicher Verblendung und göttlicher Wahrheit (Symp. 204 B) etwas zu tun? In dem Kapitel aus der »Nikomachischen Ethik«, das wir betrachtet haben, findet sich eine im Kontext überraschende und gar nicht leicht zu erklärende Bemerkung (1127 b 25): »Am meisten aber pflegen diese Menschen das zu verleugnen, was in Ansehen steht. So hat es ja auch Sokrates getan.« Auch hier ergibt sich die Interpretation aus den zitierten Sätzen der Alkibiades-Rede. Alkibiades behauptet, Sokrates stelle sich nur so, als ob er ein Liebhaber der schönen Knaben sei; in Wahrheit verachte er die Schönheit ebenso wie den Reichtum und die Ehre; er halte alle diese Besitztümer für wertlos und uns, die wir nach ihnen sterben, für nichts (216 D/E). Schönheit, Reichtum und Ruhm bilden den Kern jenes Katalogs der höchsten Güter des Lebens, der in der archaischen Lyrik des 7. und 6. Jahrhunderts eines der mannigfach variierten Lieblingsthemen darstellte und jene adlige Lebensform repräsentiert, die auch im demokratischen Athen zur Zeit des Sokrates ihre normenbildende Kraft nicht verloren hatte. Die Philosophie hat von Xenophanes an[4] den archaischen Kanon der Lebensgüter in

[4] Fragmente der Vorsokratiker[6] 21B2.

Frage gestellt und dadurch die öffentliche Meinung provoziert. Der im Prozeß gegen Sokrates erhobene Vorwurf, er verderbe die Jugend, ist nur vor diesem Hintergrund verständlich. Der Vorwurf, Sokrates verachte Schönheit, Reichtum und Ehre, hat also einen bösartigen Kern. Es läßt sich auch verstehen, wie sich der Begriff der Ironie mit diesem Vorwurf verbinden konnte. Der ἀλάζων, der »Angeber«, macht sich durch seine Verstellung das zu eigen, was in seiner Umwelt hoch im Kurse steht. Er tut so, als wäre er reich, von edler Geburt, gebildet, oder was sonst sein öffentliches Ansehen steigern könnte; er bestätigt also die Werte, die in Geltung stehen. Der Ironiker verhält sich umgekehrt. Er stellt sich so, als ob er die Vorzüge, die in der Gesellschaft anerkannt sind, nicht besäße, selbst wenn er sie in Wahrheit besitzt. Er verschmäht den Gewinn, der darin liegen könnte, daß man ihm solche Eigenschaften zuschreibt. Wie soll man erklären, daß er seinen eigenen Vorteil in den Wind schlägt? Begreiflich ist das nur, wenn er den Vorteil verachtet, wenn er auf die Liebe schöner Knaben, auf Reichtum oder auf Ruhm keinen Wert legt, wenn er sich über alle diese Güter weit erhaben dünkt. So sagt auch *Aristoteles* in der »Rhetorik«, die Ironie sei eine verächtliche Haltung, weil sie das lächerlich macht, was den anderen ernst ist (1379 b 31; vgl. 1419 b 7). Der Ehrsüchtige wird in seinem Eifer zum Spott, wenn ihm ein Mann begegnet, der zu verstehen gibt, daß ihm Ehre nichts gilt. Das angemaßte Wissen der Sophisten wird lächerlich, wenn ihnen Sokrates als der Nichtwissende gegenübertritt. Die »Verstellung nach unten hin« hat die Kraft, die »Verstellung nach oben hin« zu entlarven. Besonders provozierend wirkt die Ironie, wenn der, der sich verstellt, zugleich zu verstehen gibt, *daß* er sich verstellt, wenn also die Kunst der »Verstellung nach unten hin« als ein subtiles Spiel betrieben wird. Es ist ein Ausdruck höchster Souveränität, wenn sich ein Mann erlauben kann, mit Werten, die in der Gesellschaft hohes Ansehen besitzen, derart umzugehen; wenn er es wagen darf, sich so zu stellen, als ob er selbst dieser Werte nicht würdig wäre, und wenn er durch sein Auftreten zugleich erkennen läßt, daß er diese Werte mitsamt der Gesellschaft, die ihnen dient, für nichtig und verächtlich hält. So wird von Alkibiades das Verhalten des Sokrates verstanden und geschildert. Aber auch diese Form der Ironie ist nicht die wahre »Ironie des Sokrates«, denn Alkibiades gehört wie auch Thrasymachos zu jenen, die Sokrates *nicht* verstanden haben.

Die wahre Ironie des Sokrates kommt erst heraus, wenn man erkennt, daß Sokrates immer dann die Wahrheit sagt, wenn die anderen meinen, daß er sich ironisch verstellt. Er sagt die Wahrheit, seine tiefste Wahrheit, wenn er von seinem Nichtwissen spricht; aber die anderen halten das für Verstellung, für εἰρωνεία im griechischen Sinne des Wortes. Er ist in Wahrheit von der Schönheit der Knaben erschüttert; aber der Eros hat ihn in jener Gestalt ergriffen, die sich uns in der Diotima-Rede enthüllt. Deshalb erscheint sein Eros als ironische Verstellung, obwohl er sein innerster und tragischer Antrieb ist. Weil er den wahren Nutzen des Besitzes und den wahren Glanz des Ruhmes erkannt hat, verschmäht er falschen Reichtum und falsche Ehre. Der Verstellung wird er beschuldigt, weil in einer verfallenen Staatsordnung niemand mehr sehen kann, was Sokrates vor Augen hat, und was den Staat allein noch retten könnte. Bei Sokrates ist also die Ironie nicht jene Verstellung, als die sie den anderen erscheint; sie ist die nötige und adäquate Form, die Wahrheit zum Vorschein zu bringen, die er erkennt. Sie ist der Ausdruck eines schlichten, nicht eines hinterhältigen und sich verstellenden Ethos; sie gehört nach dem Tugendschema der »Nikomachischen Ethik« nicht zur εἰρωνεία, sondern zur ἀλήθεια. Trotzdem muß in dem Staat und in der Gesellschaft, in der er sich befindet, seine Haltung als Verstellung *erscheinen.* Und daß die Wahrheit als Verstellung erscheint, ist das tragische Wesen dieser »Ironie«. Sie ist die genaue Umkehrung jener Redeform, die wir als »tragische Ironie« zu bezeichnen pflegen. Die tragische Ironie besteht darin, daß der Redende selbst im Trug befangen ist, daß aber seine Rede einen Doppelsinn hat, und, ohne daß er selbst es bemerkt, eine Wahrheit ausspricht, die von den Hörern verstanden wird. Der Sprecher bewegt sich im Wahn; die Hörer aber wissen die Wahrheit. Bei Sokrates steht es umgekehrt. Er spricht die Wahrheit, und die Hörer verstehen immer nur Trug. So ist es bis zum heutigen Tag geblieben. Die Industriegesellschaft des 20. Jahrhunderts ist nicht klüger als jene Athener, die Sokrates hingerichtet haben. Die Tragik hat sich nicht aufgelöst; und deshalb ist zu allen Zeiten das Verhältnis der hellsichtigen Weisheit zu der sie umgebenden Welt »ironisch« geblieben.

II.

Die sogenannte Ironie des Sokrates ist also weder eine bestimmte Redeweise noch ein auffälliger Charakterzug eines absonderlichen Bürgers von Athen. Sie manifestiert vielmehr die unüberbrückbare Distanz, in der sich die Erkenntnis der Wahrheit zu allen Zeiten und in jeder Gesellschaft dem öffentlichen Bewußtsein und seinen Vorurteilen gegenüber befindet. Diese Distanz gehört zur »condition humaine«; darum hat die sokratische Ironie eine universale Bedeutung. Trotzdem ist sie ein griechisches Phänomen, dessen wahre Gestalt sich nur im Horizont der Philosophie des Sokrates und des Platon bestimmen läßt. Nun ist aber durch die deutsche romantische Schule, durch *Friedrich*

Schlegel, durch *Solger* und durch *Kierkegaards* Dissertation über den Begriff der Ironie ein neuer, ein spezifisch moderner Begriff der Ironie in Schwang gekommen, der an Sokrates anknüpft und die Sokrates-Deutung aller durch die Romantik bestimmten Richtungen, sogar die Sokrates-Deutung von *Hegel,* beeinflußt hat. Wir müssen diesen modernen Begriff der Ironie aus dem Wege räumen, wenn wir einen Zugang zur authentischen Ironie des Sokrates gewinnen wollen.

Den romantischen Begriff der Ironie fassen wir in jenen Sätzen, durch die *Kierkegaard* erklären will, wie sich das Verhältnis des Sokrates zum Staat bei seinem Prozeß manifestiert: »Die objektive Macht des Staates, seine Forderungen an die Tätigkeit des Einzelnen, die Gesetze, die Gerichtshöfe, alles verliert seine absolute Gültigkeit für ihn, das alles streift er ab wie unvollkommene Formen, leichter und leichter erhebt er sich, sieht das alles unter sich in seiner ironischen Vogelperspektive verschwinden und schwebt selber darüber in ironischer Zufriedenheit, getragen von der absoluten Konsequenz der unendlichen Negativität, in sich selber. So wird er der ganzen Welt fremd, der er zugehört (so sehr er ihr auch in einem anderen Sinn zugehört), das Bewußtsein der Zugehörigkeit hat kein Prädikat für ihn, namenlos und unbestimmt gehört er einer anderen Formation an. Aber was ihn treibt, ist die Negativität, die noch keine Positivität erzeugt hat. Daher wird es erklärlich, daß sogar Leben und Tod ihre absolute Gültigkeit für ihn verlieren«.[5] Schon auf den ersten Blick läßt sich erkennen, daß diese Auffassung der Ironie des Sokrates aus jenem Mißverständnis der sokratischen Haltung entwickelt ist, das Alkibiades vorträgt. Die Bestimmung der Ironie als »unendliche Negativität« knüpft an die Worte an (Symp. 216 E 3): »Er hält alle diese Güter für nichts wert und uns für nichts«. Dem Alkibiades gilt diese Mißachtung aller Güter und Menschen als ein Zeichen dafür, daß Sokrates sie verachtet und sich in absoluter Souveränität über sie erhebt. Im gleichen Sinne spricht auch *Kierkegaard* von der »ironischen Vogelperspektive« und der »ironischen Zufriedenheit«. Auch die Worte »so wird er der ganzen Welt fremd« – »namenlos und unbestimmbar gehört er einer anderen Formation an« wirken wie eine Paraphrase der Schilderung, die Alkibiades von der ἀτοπία (215 A) des Sokrates zu geben versucht. Sogar der Satz über die Götterbilder im Inneren des Sokrates findet bei *Kierkegaard,* im Anschluß an die zitierte Stelle, seine Spiegelung: »Aber wir haben doch in Sokrates die wirkliche, nicht die scheinbare Höhe der Ironie, weil erst Sokrates zur Idee des Guten, des Schönen, des Wahren als Grenze kam, dh zur ideellen Unendlichkeit als Möglichkeit kam«.

[5] Über den Begriff der Ironie mit ständiger Rücksicht auf Sokrates, deutsch von HHSchaeder (1929) 164f.

Durch den Vergleich des Textes von *Kierkegaard* mit dem Abschnitt aus der Alkibiades-Rede hat sich ergeben, daß, wenn ich so sagen darf, das Gerüst des romantischen Begriffes der Ironie sich mit dem durch Alkibiades vertretenen Verständnis der Ironie des Sokrates deckt. Aber obwohl die einzelnen Bestimmungsstücke dieses Begriffes aus dem griechischen Text übernommen sind, bekommt das Ganze eine völlig neue Bedeutung. Wir werden gleichsam in ein anderes Element versetzt, und es läßt sich auch genau der Punkt bezeichnen, an dem die große Umdeutung erfolgt. *Kierkegaard* entnimmt dem Text der Alkibiades-Rede, wie vor ihm *Friedrich Schlegel* und *Solger*, die Bestimmung der Ironie als einer unendlichen Negativität. Negativ ist die Ironie, weil sie die Güter und die Menschen verneint. Als unendliche Negativität wird sie bestimmt, weil sich in dieser Verneinung der Bezug der sokratischen Existenz auf die in seinem Inneren erscheinenden Götterbilder, also auf die Idee des Guten und damit auf das Absolute, ausspricht. Wenn aller Ernst und alle wahrhafte Bemühung nur der Erkenntnis dieser Götterbilder dient, dann muß sich das Dasein, das in einem solchen Dienste steht, von allen übrigen Gütern und Menschen distanzieren. Es muß sich zu ihnen negativ verhalten, denn alle Positivität hat sich nach dieser Deutung in jenen Bereich verlagert, den die Alkibiades-Rede als »Innenraum der Seele des Sokrates« darstellt.

Nun haben aber die Begriffe der »Negativität« und der »Innerlichkeit« in der deutschen Philosophie nach *Kant* eine ganz neue Bedeutung erlangt. Die Negativität ist nämlich jenes Moment, durch das sich bei *Fichte* das Ich vom Nicht-Ich unterscheidet. Sie ist also die fundamentale Bestimmung der Subjektivität und ihrer absoluten Freiheit gegenüber der Positivität der Natur. Wenn nun die Ironie als Form die Negativität zur Darstellung bringt, so ist sie unmittelbarer Ausdruck der absoluten Freiheit des Subjektes, also der absoluten Subjektivität. Die Ironie ist dann ein Spiegel der unbeschränkten Souveränität des sich in seiner Subjektivität begreifenden Genies, das sich im freien Spiel mit Dingen und Menschen über alles, was ist, auch über sein eigenes empirisches Dasein, zu erheben vermag. Deshalb hat *Friedrich Schlegel* gelehrt, Ironie sei die Form der absoluten Kunst, weil sie in der Darstellung des Schönen zugleich die kritische Distanz zu jedem *einzelnen* Schönen, also die unendliche Freiheit der Subjektivität, hervortreten läßt. *Hegel* hat in der Einleitung zur »Ästhetik« diesen Begriff der Ironie mit wenigen Zügen meisterhaft charakterisiert. Nachdem er zuerst gezeigt hat, wie sich die absolute Freiheit des Künstlers über alles erhebt, was für die übrigen Menschen Wert, Würde und Heiligkeit hat, fährt er fort: »Und nun erfaßt sich diese Virtuosität eines ironisch-künstlerischen Lebens als eine göttliche Genialität, für welche Alles und Jedes nur ein wesenloses Geschöpf ist, an das der freie Schöpfer, der von allem sich los und ledig weiß, sich nicht bindet, indem er dasselbe vernichten wie schaffen kann. Wer auf solchem Standpunkte göttlicher Genialität steht, blickt dann vornehm auf alle übrigen Menschen nieder, die für beschränkt und platt erklärt sind, insofern ihnen Recht, Sittlichkeit usf. noch als fest, verpflichtend und wesentlich gelten. So gibt sich denn das Individuum, das so als Künstler lebt, wohl Verhältnisse zu Anderen, es lebt mit Freunden, Geliebten usf., aber als Genie ist ihm dies Verhältnis zu seiner bestimmten Wirklichkeit, seinen besonderen Handlungen wie zum an und für sich Allgemeinen zugleich ein Nichtiges, und es verhält sich ironisch dagegen« (WW 12, 102).

Wenn man genauer zusieht, kann man auch in diesen, nicht ohne Bösartigkeit gegen *Friedrich Schlegel* verfaßten Sätzen sämtliche Merkmale wiederfinden, durch die Alkibiades die Ironie des Sokrates charakterisiert. Zwar wird durch den Begriff der absoluten Negativität und durch die Übertragung des griechischen Gedankens in das Medium der modernen Subjektivität der Begriff der Ironie auf ungeheuerliche Weise expandiert; er wird vieldeutig, schillernd, unbestimmt, verführerisch, ungreifbar und gefährlich. Aber man braucht nur unsere Stelle aus der Alkibiades-Rede daneben zu halten, so läßt sich genau bestimmen, was hier geschieht, und welcher Mechanismus uns den Zauber der romantischen Ironie vorspiegelt. Schon Alkibiades hatte, wie wir sahen, das Wesen des Sokrates dadurch verfälscht, daß er sein Verhalten als εἰρωνεία, als »Verstellung nach unten hin«, beschrieb und als Ausdruck souveräner Verachtung aller Güter und Menschen deutete. In dem romantischen Begriff der Ironie wird gerade dieses Mißverständnis zum Prinzip erhoben, und eben aus diesem Mißverständnis wird dann jene göttliche Weisheit abgeleitet, die schon Alkibiades nicht zu begreifen vermochte. Hier potenziert sich also jene Verzerrung und Verfälschung des Sokrates-Bildes, die schon in Athen zu seinem Prozeß geführt hatte. Der romantische Begriff der Ironie ist die totale Negation des Sokrates. Da aber eben die Negation des Sokrates sich in die Sokrates-Deutung immer wieder eindrängt und auch die Interpretation von *Platons* Dialogen stark beeinflußt hat, war eine kritische Destruktion des durch sie begründeten Sokrates-Bildes auf dem Weg, den wir eingeschlagen haben, nicht zu umgehen.

III.

Aristoteles sagt in dem Kapitel über die εἰρωνεία: »Der Trug ist an sich selbst etwas Niedriges und zu Tadelndes. Das Wahre aber ist edel und zu loben« (1127 a 29f). Deswegen wird von ihm die εἰρωνεία auch in ihren liebenswürdigen Formen als eine Untugend betrachtet. In Sokrates hingegen hat jenes Streben nach Wahrheit, das seit *Platon* den Namen φιλοσοφία trägt, leibhafte Gestalt gewonnen. Es ist undenkbar, daß gerade das sokratische Ethos durch eine Haltung charakterisiert sein soll, die von den Griechen als ψεῦδος, als Trug und Verstellung, aufgefaßt wurde. Wenn überhaupt in irgendeinem Menschen, so muß sich in Sokrates jene Tugend manifestieren, die *Aristoteles* ἀλήθεια nennt. Das wird durch die Alkibiades-Rede selbst bestätigt, denn alles, was er über das staunenswerte Verhalten des Sokrates zu berichten weiß, macht klar: Sokrates stand immer im Einklang mit sich selbst und stellte sich genau so dar, wie er wirklich war. Das spiegelt sich in jener Nüchternheit, die, wie wir sahen, eines der »Leitmotive« des »Symposion« ist, und die in der Alkibiades-Rede an betonter Stelle noch einmal hervorgehoben wird: »Kein Mensch hat jemals Sokrates trunken gesehen« (220 A). In der frühesten Lobrede auf Sokrates, die sich in *Platons* Werken findet, sagt der bewährte Feldherr Laches: »Wenn ich zuhöre, wie ein Mann über die Tugend oder über ein Wissen Gespräche führt, der wahrhaftig ein Mann und der Worte wert ist, die er sagt, dann freue ich mich über alle Maßen, weil ich sehe, wie der Redende einerseits und seine Worte andererseits zusammenpassen und sich einander fügen. Ein solcher Mann scheint mir im eigentlichen Sinne ›musisch‹ zu sein, denn er ist auf die schönste Harmonie gestimmt – nicht an seiner Lyra oder an Instrumenten des Spiels, sondern in Wahrheit er selbst in seinem eigenen Leben, in dem die Worte mit den Taten zusammenklingen. Das ist die schlechthin dorische Stimmung, nicht die ionische, ich glaube auch nicht die lydische oder phrygische, sondern jene, welche die einzige hellenische Harmonie ist ... Mit den Worten des Sokrates habe ich keine Erfahrung. Ich sollte wohl vorher seine Taten auf die Probe stellen, und dort habe ich gefunden, daß er edler Worte und jeglicher Beredsamkeit wert ist« (Lach. 188 C-E). Das ist eine Schilderung jenes schlichten und einfachen Ethos, das *Aristoteles*, im Gegensatz zur εἰρωνεία, als ἀλήθεια bezeichnet.

Nun findet sich in der Alkibiades-Rede ein Stück, in dem *Platon* (mit einer Form des indirekten Selbstzitates, die in seinen Dialogen mehrfach vorkommt) die Erinnerung an die Lobrede des Laches evoziert. Dort wird nämlich jene Szene beim Rückzug vor Delion geschildert, die Laches die Möglichkeit gegeben hatte, Sokrates auf die Probe zu stellen. Ausdrücklich werden wir darauf hingewiesen, Sokrates habe damals den Laches zur Seite gehabt, obwohl die Nennung der Person des Laches in der Erzählung sonst keine Funktion hat. Mit dieser Szene, die das große Beispiel für die ungebrochene Übereinstimmung der Worte und der Taten des Sokrates war, schließt Alkibiades seinen Bericht über das staunenswerte Verhalten dieses Mannes ab. Sie bildet den Schlußstein und die Krönung, dementiert aber zugleich die Sätze über die εἰρωνεία. Sokrates hat sich nicht verstellt, aber seine bloße Gegenwart genügte, um deutlich zu machen, daß nahezu alle anderen Menschen sich nicht nur vor der Umwelt, sondern vor sich selbst verstellen und etwas anderes zu sein vorgeben, als sie wirklich sind.

Wie kommt es dann aber zu jenem Phäomen, das wir die »Ironie des Sokrates« zu nennen pflegen, und das sich in den Dialogen *Platons* so vielfältig und hintergründig manifestiert? Was ist die wahre Gestalt jenes Ethos, das Alkibiades als εἰρωνεία mißdeutet? Im VI. Buch von *Platons* »Politeia« findet sich eine Darstellung der φύσις der Philosophen (485 A – 487 A), die, wie es gar nicht anders sein kann, zugleich so etwas wie ein Porträt des Sokrates ist. In diesem Abschnitt werden alle Tugenden der Philosophen aus einer Haltung abgeleitet, die *Platon* ἀψεύδεια nennt: der Freiheit vom Trug. Sie besteht darin, daß die Philosophen »freiwillig niemals dem Trug Einlaß gewähren, sondern ihn hassen, die Wahrheit aber lieben« (485 C). Damit bestätigt sich, daß ein wahrhafter Philosoph nicht jene Haltung annehmen kann, die bei den Griechen εἰρωνεία heißt; er kann sich nicht verstellen. Nun werden aber in demselben Abschnitt dem wahrhaften Philosophen alle jene Eigenschaften zugeschrieben, aus denen Alkibiades gefolgert hatte, daß Sokrates sich verstellt. »Wenn die Begierden eines Menschen«, so heißt es dort, »sich mit Gewalt einem einzigen Ziel zuwenden, so wissen wir, daß sie nach allen anderen Richtungen in ihm schwächer werden wie ein dorthin abgeleiteter Strom. – Gewiß. – Wenn sie sich also in einem Menschen wie ein Sturzbach auf die Erkenntnisse und alles, was ihnen verwandt ist, ergossen haben, so richten sie sich wohl auf die Lust der Seele, wie sie selbst für sich selbst ist. Aber aus den Lüsten, die durch den Leib vermittelt werden, ziehen sie sich zurück, wenn er nicht nur der Attitüde nach, sondern in Wahrheit ein Philosoph ist« (485 D). Der Sturzbach ist ein Bild für den Eros. Aus dem in der Seele des Philosophen zum vollen Durchbruch gelangten, in allen seinen Kräften gesammelten Eros selbst erklärt sich das für Alkibiades so anstößige Verhalten des Sokrates im Bereich der Erotik. Aus ihm erklärt sich jene Unterscheidung zwischen Außen und Innen, zwischen dem Leib und der Seele, wie sie für sich selbst ist, die dem Alkibiades als Verstellung erscheint. An einer späteren Stelle desselben Abschnittes sagt *Platon:* »Wenn einem Denken große Art zukommt und die Schau der Zeit im Ganzen wie des Seins im Ganzen – hältst du für möglich, daß einem solchen Mann das menschliche Leben als etwas Großes erscheint? – Das ist nicht möglich« (486 A). Daraus wird abgeleitet, daß der Philosoph die Güter des menschlichen Lebens gering achtet – der zweite Vorwurf des Alkibiades. Wir sehen: die Schilderung der φύσις der wahren Philosophen nimmt jene Wesenszüge des Sokrates wieder auf, die wir aus den Sätzen des Alkibiades kennen. Aber im Gegensatz zur Alkibiades-Rede werden sie nicht als εἰρωνεία gedeutet, sondern aus dem alles beherrschenden Drang zur Wahrheit und aus der Unfähigkeit zu Trug und Verstellung abgeleitet. Der Punkt des Mißverständnisses – wenn das dämonische Ereignis der Begegnung von Sokrates und Alkibiades mit einem so äußerlichen Wort bezeichnet werden darf – liegt in dem dritten, bisher nicht besprochenen Vorwurf des Alkibiades, das Nichtwissen des Sokrates sei bloße Verstellung. Das Rätsel der Ironie des Sokrates ist mit dem Rätsel des sokratischen Nichtwissens identisch.

Der Satz vom Nichtwissen tritt in den sokratischen Gesprächen in den verschiedenartigsten Formulierungen auf; in seiner prägnantesten Form heißt er: σύνοιδα ἐμαυτῷ οὐδὲν ἐπισταμένῳ (Ap. 22 C). Das Wort σύνοιδα ist ein terminus technicus aus der attischen Gerichtssprache. Er bezeichnet die Mitwisserschaft eines Augenzeugen. Der Satz bedeutet also: ich trete in jenem Prozeß, der bei Sokrates den Namen ἔλεγξις trägt, gegen mich selbst als Zeuge des Tatbestandes auf, daß ich nichts weiß. Betrachtet man den Satz genauer, so fällt auf, daß das Wissen hier in zwei Gestalten auftritt: als das Wissen des Augenzeugen (σύνοιδα) und als das angemaßte Wissen des durch ihn überführten Angeklagten (οὐδὲν ἐπισταμένῳ). In der sokratischen ἔλεγξις wird der Gesprächspartner nicht nur des Tatbestandes überführt, daß er nichts weiß. Weit wichtiger ist, daß er gezwungen wird, das erste Wissen in sich selbst zu entdecken. Zu dem, was wir zu wissen meinen, aber nicht wissen, gehören nicht nur die Inhalte unseres vermeintlichen Wissens; wir wissen auch nicht, was das Wissen selbst ist, und weil wir das nicht wissen, wissen wir nicht, was die ἀρετὴ des Menschen sein soll; die Normen, nach denen Staaten und Individuen sich richten, halten der ἔλεγξις nicht stand. Bis zu diesem Punkt deckt sich die Lehre des Sokrates mit der besonnenen Skepsis, die schon Protagoras vertreten hatte; nur wird die Skepsis der Sophisten durch Sokrates radikalisiert. Eben die Radikalisierung der Skepsis führt aber zu der großen neuen Entdeckung, welche die Stellung des Sokrates in der Geschichte der Philosophie begründet. Er entdeckt nämlich jenes erste Wissen, das uns als Mitwisserschaft des Augenzeugen begegnet ist. Er entdeckt, daß die skeptische Demaskierung des angemaßten Wissens die Erkenntnis eines kritischen Maßstabes voraussetzt, an dem der Skeptiker das angemaßte Wissen prüfen und seiner Hohlheit überführen kann. Dieses tief in der Seele des Menschen verborgene fundamentale Wissen hat eine andere Gestalt als jenes Wissen, das in der Prüfung überführt wird. Was ist in diesem Wissen das Gewußte?

Im »Charmides« wird diese Frage – vorerst noch in aporetischer Gestalt – in der Form einer Interpretation des delphischen Spruches γνῶθι σεαυτὸν durchgeführt. Wir wissen, was dieser Spruch bedeutet hat. Er heißt: »Erkenne angesichts des Gottes, daß du nur ein Mensch bist«. Diese Erkenntnis, auf die alle ἔλεγξις hinausläuft, wird in der »Apologie« ἀνθρωπίνη σοφία genannt (20D). Sie ist die dem Menschen angemessene Erkenntnis der Endlichkeit seines sterblichen Wesens. Das, was wir in unserer Eigenschaft als Augenzeugen wissen müssen, um uns der Endlichkeit und Hinfälligkeit unseres angemaßten Wissens zu überführen, ist also jene Gegenwart, vor der sich das Endliche als bloß Endliches enthüllt. Auf dieses Wissen von den dem Menschen gezogenen Grenzen bezieht sich die stets mißdeutete sokratische Lehre, die ἀρετή sei ein Wissen. Das ist nicht »ethischer Intellektualismus«, sondern Erkenntnis der Hinfälligkeit der Menschen vor jenem Gott, der in der griechischen Philosophie schon lange vor Sokrates in der Gestalt des Einen und Einzigen Gottes seine große Epiphanie erfahren hatte.

In der Diotima-Rede wird nun Sokrates selbst durch die Seherin einer ἔλεγξις unterworfen. Hier wird nicht mehr wie in den sokratischen Dialogen das angemaßte Wissen der Sophisten, der Politiker, der Dichter oder der athenischen Bürger seiner Nichtigkeit überführt. Das Wissen des Sokrates selbst, das Wissen des Nichtwissens, wird auf die Probe gestellt. Es geht um die Aufhellung der Form und der inneren Möglichkeit des σύνοιδα. Dadurch daß *Platon* – im Bericht des Sokrates – Diotima auftreten läßt, gewinnt er literarisch die Möglichkeit, die Gestalt des Sokrates nicht vom sokratischen Standpunkt aus, sondern von außerhalb und oberhalb ins Auge zu fassen; Sokrates selbst rückt in ein »ironisches« Licht. Es soll hier nicht versucht werden, das Rätsel der Diotima aufzulösen (bei der Suche nach dem Hintergrund dieser Gestalt läßt der Musenkult der Akademie an die Musen denken; in ihre Vorgeschichte gehören die Göttin Aletheia im Gedicht des Parmenides und die Priesterinnen, auf die sich *Platon* im Menon bei der Einführung der Anamnesislehre beruft;[6] die Geschichte ihrer Nachwirkung führt über die Personifikation der Philosophia in der »Consolatio« des *Boethius* zu *Dantes* Beatrice). Wichtig ist aber festzuhalten, daß durch das Auftreten von Diotima eine Stufe in *Platons* eigener Entwicklung sinnfällig repräsentiert wird, die es ihm erlaubt, über Sokrates hinauszugehen und dadurch Sokrates erst wahrhaft zu Gesicht zu bekommen. Deshalb ist das »Symposion« literarisch wie philosophisch der Höhepunkt der platonischen Sokrates-Darstellung.

Der für die Wesensbestimmung des sokratischen Wissens entscheidende Satz heißt: »Von den Götter philosophiert keiner, noch ist er begierig, weise zu werden, denn er ist es. Auch wenn sonst einer weise sein sollte, philosophiert er nicht. Aber auch die geistig Blinden philosophieren nicht und begehren nicht, weise zu sein, denn gerade das ist

[6] Men. 81A.

ja das Harte an geistiger Blindheit, daß man, obwohl man weder edel und gut noch verständig ist, sich selbst so vorkommt, als hätte man diese Ziele erreicht. Wer sich einbildet, nicht bedürftig zu sein, der begehrt auch nicht nach dem, was er nicht zu bedürfen glaubt« (204 A). Daraus ergibt sich folgende Bestimmung der Philosophie: »Wer nach Wissen strebt (φιλόσοφος), befindet sich in der Mitte zwischen dem Weisen und dem geistig Blinden« (204 B). In diesem so einfachen Satz steckt eine Lehre, durch die sich *Platons* Philosophie von aller späteren Metaphysik unterscheidet. Metaphysik entsteht, wenn sich das Wissen von den »höchsten Dingen« die Gestalt der Wissenschaft zu geben versucht. Die Form der Wissenschaft (ἐπιστήμη) hat aber jenes Wissen, das von Sokrates seiner Nichtigkeit überführt wird. In der Neuzeit ist die Wissenschaft sogar zur Modellform jener geistigen Blindheit geworden, die sich zu wissen einbildet, was sie nicht weiß. Durch die Lehre der Diotima wird deutlich, was schon der Frühdialog »Charmides« angedeutet hatte: das Wissen vom Nichtwissen des vermeintlichen Wissens kann nicht die Form der Wissenschaft von der Wissenschaft, der ἐπιστήμη ἐπιστήμης haben. Es ist nicht als Besitz von Wissen denkbar. Die Form des Wissens, welches das σύνοιδα überführt, darf nicht in das σύνοιδα selbst zurückprojiziert werden. Das Wissen des σύνοιδα hat nicht die Form des Besitzes, sondern des Strebens. Es ist durch und durch, in allen seinen Momenten, Bewegung. Es stützt sich nicht auf ein »fundamentum inconcussum«. Es steht nicht auf einem Grund, sondern befindet sich in einer Schwebe, in der Mitte zwischen Weisheit und geistiger Blindheit. Die Kraft, die es in dieser Schwebe erhält, ist der Eros. Er ist die Macht, welche die φιλο-σοφία trägt und antreibt. Nun hatte aber Diotima vorher diese Mitte durch ein anderes Paar von Gegensätzen bestimmt. Der Eros steht, so lehrt sie, in der Mitte zwischen Gott und dem, was sterblich ist. Er leistet zwischen Göttern und Menschen den Dienst eines Dolmetschers und Fährmanns (202 D/E). In diesem Sinne ist φιλοσοφία »Hermeneutik«. Weil Eros in der Mitte zwischen Gott und der sterblichen Sphäre schwebt, ist er ein Δαίμων. In diesem Sinne ist φιλοσοφία »dämonisch«.

Es wird nun deutlich geworden sein, weshalb das Reden und Verhalten des Sokrates seinen Gesprächspartnern als εἰρωνεία erscheinen mußte. Dadurch, daß er die Anmaßung und Hinfälligkeit ihres vermeintlichen Wissens und ihrer Vorurteile durchschaut, ist er ihnen unermeßlich überlegen. Sie müssen ihm ein höheres Wissen zuschreiben und können sein Nichtwissen nur als Maske deuten. Die Einsicht, daß das σύνοιδα selbst nicht die Gestalt des »Wissens« hat, sondern sich zwischen Gott und Sterblichkeit, zwischen Weisheit und geistiger Blindheit in der Schwebe befindet, muß ihnen unzugänglich bleiben. Nun hat aber *Platon* in seinen sokratischen Dialogen eben dieses, für sterbliches Denken unfaßbare Schweben im Reden und im Verhalten des Sokrates zur Darstellung gebracht, und die unermeßliche Wirkung dieser platonischen Schriften hat dazu geführt, daß man die indirekte Form, in der sich das Wissen des Nichtwissens aussprechen muß, unter Verkennung der authentischen Bedeutung des Wortes εἰρωνεία als »Ironie« bezeichnet. Richtig verstanden ist diese »ironische« Gestalt der Sprache und des gesamten Verhaltens die einzige Form, in der sich ein »Wissen« mitteilen läßt, dem es versagt ist, als ἐπιστήμη auftreten zu können, und das deshalb nicht zur direkt mitteilbaren »Lehre« gerinnen kann. Wer aber die sokratische Haltung als eine »Verstellung nach unten hin« mißdeutet, der bleibt im Irrtum des Alkibiades befangen, Sokrates wäre im Besitz der Wahrheit und könnte souverän über sie verfügen, wenn er nur wollte. Er wird wie *Kierkegaard* die sokratische Ironie als eine selbstgenügsame Souveränität auffassen müssen, an deren Felsen sogar die Souveränität des attischen Staates zerschellt. Der Leser der Diotima-Rede weiß, daß Sokrates im Wissen seines Nichtwissens *nicht* souverän ist, sondern der Einweihung bedarf. Er weiß, daß sich die Göttlichkeit dessen, was Sokrates vor Augen hat, gerade darin erweist, daß er darüber nicht verfügen kann, sondern seine Übermacht in einem Pathos erfährt, das im »Symposion« den Namen »Eros« erhält. Schon zu Beginn des Gespräches über den Eros hatte Sokrates (177 D) gesagt, daß er nichts anderes zu wissen behaupte, als was mit dem Eros zusammenhängt. Das bedeutet: das Einzige, was Sokrates in seinem Nichtwissen weiß, ist die Ohnmacht alles menschlichen Wissens gegenüber der Erscheinung der göttlichen Wahrheit.

Dadurch, daß Sokrates dem Scheinwissen der Menschen nicht ein höheres Wissen, sondern das sich selbst durchschauende Nichtwissen entgegensetzt, wird die εἰρωνεία, wenn der Ausdruck erlaubt ist, um 180° gedreht. Sie bringt nicht mehr das Verhältnis hochmütiger Überlegenheit über verachtete Partner zum Ausdruck, sondern spiegelt die Stellung eines Mannes, der selbst auf jede Anmaßung verzichtet, zu Menschen und zu Institutionen, deren Existenz auf angemaßten Vorurteilen beruht. Gewiß: von außen her betrachtet sehen sich die εἰρωνεία und ihre sokratische Umkehrung zum Verwechseln ähnlich. Sowohl die Verstellung wie die Wahrheit verhalten sich zur communis opinio in überlegener Distanz. Die Masse nimmt nur das äußere Verhalten wahr. Sie kann die Gründe dieses Verhaltens nicht durchschauen. Es ist unvermeidlich, daß sie die Umkehrung der εἰρωνεία als εἰρωνεία im gewöhnlichen Verstande auffaßt. Dadurch wird – es sei wiederholt – die Ironie des Sokrates tragisch. Seine Wahrheit erscheint durch die Brille der Vorurteile als Verstellung, so wie umgekehrt bei der »tragischen Ironie« der Verblendete eine ihm selbst verborgene Wahrheit ausspricht. Was wir das »Tragische« nennen, ist ein Schicksal, das unausweichlich dort entspringt, wo Wahrheit sich in die Sphäre des Truges oder Trug sich in die Sphäre der Wahrheit versetzt sieht. Dort, wo sich Trug und Wahrheit aneinander brechen, entsteht dann jene nicht gewollte, sondern unvermeidliche Doppeldeutigkeit des Redens und Handelns, die man mit εἰρωνεία verwechselt. Es ist nicht Verstellung sondern Ausdruck der Wahrheit, daß jeder Satz, den Sokrates spricht, für seine Partner etwas anderes bedeuten muß als für ihn selbst.

OTTO PLÖGER

ZUR AUSLEGUNG DER SENTENZEN-SAMMLUNGEN DES PROVERBIENBUCHES

Erfreulicherweise hat im letzten Jahrzehnt die Beschäftigung mit der alttestamentlichen Weisheit auch im deutschsprachigen Gebiet eine gewisse Renaissance erlebt. Zwar ist in den Kommentarreihen zum Alten Testament das Proverbienbuch nicht übergangen worden, wie es auch in den Lehrbüchern der Einleitungswissenschaft stets berücksichtigt worden ist. Aber diese aus einem gewissen Zwang hervorgegangene Beschäftigung mit bestimmten weisheitlich orientierten Büchern des Alten Testamentes stand doch je und dann unter der Prämisse, daß im eigentlichen Sinn in der Weisheit das Herz des alten Israel nicht geschlagen hat, daß es sich hier vielmehr um eine Äußerung handelt, die Israel mit anderen Völkern gemeinsam laut werden läßt, denen es sogar zugestehen muß, das Phänomen der Weisheit deutlicher profiliert zu haben, weshalb in einer früheren Zeit der Forschung der Vergleich mit der außerisraelitischen Weisheit eine bevorzugte Rolle spielte. Das neu erwachte Interesse an der Weisheit dürfte vielleicht weniger durch die in den Kommentaren vorgetragene Auslegung inspiriert worden sein, so sehr diese Kommentierung zur Erhellung der Textsituation verdienstvolle Arbeit geleistet hat, als vielmehr durch systematische Darlegungen, die sich darum mühten, der gerade im internationalen Verbund verflochtenen Weisheit Israels und speziell des Proverbienbuches auch in der Glaubenswelt des Alten Testamentes einen Ort zuzuweisen, von dem aus eine selbständige Dignität dieses Phänomens sichtbar gemacht werden könnte. Hier wird mit Nachdruck die gewiß knappe, aber höchst instruktive Würdigung der »Erfahrungsweisheit« Israels als anregend und inspirierend genannt werden können, die *GvRad* am Ende des ersten Bandes seiner »Theologie des Alten Testamentes« vorgetragen hat. Nicht zuletzt ist es der formkritischen Analyse zu danken, daß sie die Aussageformen der Weisheit mit parallelen Aussagen anderer alttestamentlicher Bereiche verglichen und damit einen weiteren Schritt zur Integration der Weisheit getan hat. Ein kurzes Studium der Literaturangaben einer jüngeren Untersuchung[1] vermag das neu erwachte Interesse anschaulich vor Augen zu führen.

[1] *H-JHermisson*, Studien zur israelitischen Spruchweisheit, WMANT 28 (1968).

Begreiflicherweise sind es in erster Linie monographische Einzeluntersuchungen, die unter verschiedenen Aspekten neue Erkenntnisse zum Phänomen der Weisheit vermittelt haben, aber – und dies könnte wie ein irreparabile fatum angesehen werden und hängt gewiß mit der Struktur des wichtigsten alttestamentlichen Weisheitsbuches, der Proverbien, zusammen – die neu gewonnenen Erkenntnisse zugunsten einer fortlaufenden Auslegung fruchtbar zu machen, dürfte keineswegs leichter geworden sein. Denn für den Hauptteil des Proverbienbuches, für die sog. Sentenzensammlungen in c. 10_1 bis 22_{16}, auch 25 bis 29, wird es dabei bleiben müssen, daß der Gegenstand der Auslegung die Einzelaussage in Form der durchaus verschiedenartig gebauten Sentenz ist. Diese Einzelaussage steht als in sich selbständig und inhaltlich suffizient häufig isoliert; sie kann je und dann in einem thematisch verwandten Kontext stehen, und bisweilen hat man den Eindruck, daß ein solcher thematischer Zusammenhang auch angestrebt worden ist. Die Verbindung mit der vorhergehenden und nachfolgenden Aussage kann gelegentlich auch durch ein äußeres Mittel, etwa durch einen Stichwortzusammenhang, hergestellt werden, so daß man sich fragen kann, ob dies vielleicht im Sinne eines mnemotechnischen Hilfsmittels geschehen ist. Aber das Schwergewicht ruht auf der Einzelaussage, deren Inhalt durch verwandte Aussagen in der Nachbarschaft verstärkt oder ergänzt werden kann.[2] Damit ist die Schwierigkeit einer Auslegung angedeutet, die primär die Einzelaussage zu berücksichtigen hat. Sie kann nur von Vers zu Vers fortschreiten, u. U. in monotoner Wiederholung bereits behandelter Sentenzen, oder sie kann versuchen, inhaltlich verwandte Sentenzen zusammenzustellen und damit eine eigene Ordnung in die Einzelaussagen zu bringen, wenn sie nicht resigniert und nach Behandlung notwendiger textlicher Probleme in allgemeiner Form über weisheitliche Themen zu reden für angemessener hält.

Nun hat es gewiß nicht an Versuchen gefehlt, die Aneinanderreihung der Einzelaussagen mit einer gewissen Ordnung zu versehen oder gewisse Ordungsprinzipien aufzuspüren. So hat *USkladny*[3] den Vorschlag gemacht, bestimmte Teilsammlungen im Hauptteil des Proverbienbuches mit Berufsständen in Verbindung zu bringen, wobei sich die Frage erhebt, inwieweit ein solcher Versuch für die Einzelauslegung in Anwendung gebracht und fruchtbar gemacht werden kann. Neuerdings ist *Hermisson* in den bereits genannten »Studien zur israelitischen Spruchweisheit« der Frage nach der Anordnung der Sprüche in einem

[2] Es ist wohl nicht von ungefähr, daß *GBoström*, der schon vor vielen Jahren den Paronomasien besondere Aufmerksamkeit gewidmet hat (Paronomasi i den äldre hebraiska maschalliteraturen, LUÅ NF Avd 1 Bd 23 Nr. 8, 1928), die Paronomasie primär auf die Einzelaussage beschränkt wissen möchte.

[3] *USkladny*, Die ältesten Spruchsammlungen in Israel (1961).

Abschnitt des dritten Kapitels (171–183) ausführlicher nachgegangen; dabei hat er die Kapitelreihe 10–15 unter dem Gesichtspunkt der Anordnung kapitelweise zu analysieren versucht. Sein Bemühen habe ich deshalb mit großem Interesse und mit weitgehender Zustimmung zur Kenntnis genommen, weil ich schon seit längerer Zeit Versuche in dieser Richtung entworfen und wieder verworfen habe. So erwies sich zB der Plan, thematisch verwandte Sprüche oder Sprucheinheiten innerhalb bestimmter kleinerer Teilsammlungen zusammenzustellen und gemeinsam auszulegen, insofern als wenig förderlich, als mit der Mißachtung der vorgegebenen Anordnung der nun auch vorhandene eigenartige Reiz, der in der Mischung verschiedener Themen erkennbar ist, verlorengeht. Man wird gut daran tun, wenigstens die in der Kapitelabfolge vorgegebene Anordung zu berücksichtigen, zumal oft genug der Neueinsatz eines Kapitels auch thematisch gerechtfertigt ist. Freilich dürfte auch die Anordnungsanalyse in der Form, wie sie *Hermisson* für Kap. 10–15 vorgetragen hat, nicht im Sinne einer Auslegung zu verstehen sein, was gewiß auch von ihm nicht beabsichtigt war. Die Auslegung wird vermutlich doch, insoweit die Sentenzensammlungen des Proverbienbuches betroffen sind, mit einer gewissen Aporie behaftet bleiben, was nicht ausschließt, einmal einen Auslegungsversuch zu wagen, der paradigmatisch ein Kapitel herausgreift, es als eine für die Auslegung selbständige Größe betrachtet, um dann bei den weiteren Kapiteln trotz der Gefahr einer häufigen Wiederholung ähnlich zu verfahren (vgl. etwa die Auslegung von *HRinggren* in ATD 16/1, 1962). Aus mehreren Gründen ist ein solcher Versuch problematisch genug; er möchte weniger über die Weisheit schreiben, dafür aber näher am Text der Sentenzen bleiben, jener Aussagen, die so formuliert sind, daß sie im Grunde keiner Auslegung mehr bedürfen, gleichwohl aber ausgelegt werden sollen. Ob ein solcher Versuch angebracht ist, ist mir freilich durchaus zweifelhaft.

Auslegung von c. 11

Hinsichtlich der äußeren Form hebt sich c. 11 nicht sonderlich von den umrahmenden Kapiteln ab. Üblich ist der aus einer Zeile bestehende Spruch; seine Teilung in zwei Hälften berücksichtigt zu einem guten Drittel des Kapitels den Doppeldreier oder Doppelvierer, während der Rest leichte Mischungen im Versmaß enthält, ohne die Zäsur aufzugeben. Vorherrschend ist die antithetische Aussage, von einigen Ausnahmen abgesehen (vgl. V. 7.16.25), die in der griechischen Übersetzung zu gewissen Veränderungen geführt haben (vgl. die Erweiterung in V. 16). Die Antithese bietet durchweg die Gegenüberstellung des Gerechten zum Frevler, kaum die des Weisen zum Toren, wobei es zu leichten Reihenbildungen gekommen ist, wenn etwa in einigen Versen die heilsame Wirkung der Rechtschaffenheit für den Rechtschaffenen selbst bzw. ihr Gegenteil für den Frevler (vgl. V. 3.4.5.6.8 u. ö.) abgelöst wird durch eine weitere Reihe, die die Wirkung der Rechtschaffenheit bzw. der Frevelhaftigkeit auf die Umgebung ins Auge faßt, sei es auf die eigene Familie (so vielleicht V. 17.29), sei es auf den Nachbarn (V. 9.12) oder auf die größere Gemeinschaft von Stadt und Volk (V. 10.11.14.25.26). Aber die Reihenbildung, dh die Behandlung eines Themas in aufeinanderfolgenden Sprüchen, ist doch nicht zu einem Sammlungsziel geworden, das sich hat durchsetzen können, wenn auch eine dahin führende Tendenz je und dann zu beobachten ist. Immer wieder wird die Reihe unterbrochen durch das Thema variierende oder durch ganz andere Sprüche, so daß die Variation eines Themas bzw. die Ablösung durch ein anderes Thema vermutlich als anziehender empfunden wurde, wie es der mündlichen Diskussion in den Kreisen der Weisheitsbeflissenen entsprochen haben könnte, die weniger darum bemüht waren, ein Thema erschöpfend zu behandeln als vielmehr der Mannigfaltigkeit des Lebens Rechnung zu tragen. Ein neuer Aspekt, auch wenn er Gesagtes wiederholte, konnte zur Vertiefung des Themas beitragen, wie es der Art eines Menschen entspricht, der von Liebe zu einer Sache erfüllt ist; er will ja nicht abschließend etwas beiseitelegen, sondern es neu sehen und so besser kennen lernen. – Nur selten ist von Jahwe die Rede (V. 1.20); freilich bildet sein ungenannter Einfluß den Hintergrund für viele Aussagen.

Der Eingangsspruch

> Eine falsche Waage ist ein Abscheu für Jahwe,
> doch ein volles Gewicht gefällt ihm

nennt mit der Antithese des falschen und des rechten Gewichtes Jahwe selbst als den, der eine solche Entscheidung gefällt hat. Das könnte auffallend sein, da die Beurteilung händlerischer Praktiken nicht üblicherweise mit einer Entscheidung Jahwes versehen ist. Nicht minder auffallend ist es aber, daß auch an weiteren Stellen des Spruchbuches, die dieses Thema aufgreifen, regelmäßig Jahwe genannt wird; vgl. 16$_{11}$; 20$_{10.23}$. Es mag der Gedanke eine Rolle gespielt haben, daß es nach 16$_{2}$ Jahwe ist, der die »Geister« prüfend wägt; wichtiger dürfte freilich sein, daß mit der »Abscheu-Formulierung« auf die deuteronomische und anderweitige Gesetzgebung verwiesen wird (Dt 25$_{13.15}$; Lv 19$_{36}$), wie sich zu diesem Thema auch Äußerungen bei den Propheten finden (Am 8$_{5}$; Mi 6$_{11}$; vgl. auch Hi 31$_{6}$). Gleichwohl entsteht der Eindruck, daß die im Alten Testament allgemein verurteilte Praxis von falschem

Gewicht und falscher Waage als Anlaß für weitere Folgerungen genommen wird. Denn auch der folgende Vers

> Wo Hochmut ist, da folgt Schande,
> doch bei den Bescheidenen ist Weisheit

enthüllt ja mit seiner Gegenüberstellung von in Schande endendem Hochmut und der Weisheit der Bescheidenen eine Antithese, die vor Jahwe besteht und geeignet ist, die Situation der Weisheit vor Jahwe zu veranschaulichen. Für eine Zusammenfassung beider Verse mag der Hinweis auf die plastische Erzählung in Dan 5 genügen, wo der in Hybris handelnde König gewogen und als zu leicht befunden wird. So besteht in beiden Versen die Möglichkeit, von einem Ansatz, der der Praxis des Lebens abgewonnen ist, erneut die Antithese anzugehen, die in der Gegenüberstellung des Rechtschaffenen und des Frevlers in breitem Strom die Weisheit durchzieht und nun wieder in den folgenden Versen behandelt wird. Daran wird deutlich, daß mit einleuchtenden Beispielen, die dem alltäglichen Leben entnommen sind, die Evidenz der großen weisheitlichen Antithesen vorgeführt werden soll.

Thematisch darf man die Verse 3–8 in gewissem Sinne als eine Einheit verstehen.

> 3 Die Rechtschaffenen leitet ihre Unbescholtenheit,
> aber die Betrüger vernichtet ihre Falschheit.
> 4 Nichts nützt Vermögen am Tage des Zorns,
> aber Gerechtigkeit errettet vom Tod.
> 5 Die Gerechtigkeit des Unbescholtenen ebnet seinen Weg,
> aber durch seinen Frevel stürzt der Frevler.
> 6 Die Rechtschaffenen errettet ihre Gerechtigkeit,
> aber in ihrer Gier fangen sich die Betrüger.
> 7 Im Tode des Frevlers vergeht die Hoffnung,
> und die Erwartung der Übeltäter ist dahin.[4]
> 8 Der Gerechte wird der Not entrissen,
> aber an seine Stelle tritt der Frevler.

In dieser Sprucheinheit geht es um die Wirkung der Unbescholtenheit und Gerechtigkeit für den Gerechten und den Unbescholtenen wie umgekehrt um die Frevelhaftigkeit und Falschheit für den Frevler und den Betrüger. Die für diesen Gegensatz gebrauchten Ausdrücke sind gewiß synonym zu verstehen, wenn sich auch leichte Nuancierungen nicht übersehen lassen, die nicht immer, vielleicht aber in dieser Vers-

[4] Textkritische Bemerkungen sind auf ein Mindestmaß beschränkt worden; nur die wichtigsten Änderungen werden kurz erwähnt. In der ersten Hälfte von V.7 läßt sich אדם ohne Schaden übergehen, um einen synonymen Parallelismus zu erhalten; in der zweiten Vershälfte könnte אונים (als Abstraktplural von און) vereinfachend durch פֹּעֲלֵי אָוֶן wiedergegeben werden.

gruppe, ihre Bedeutung haben. Daß die Rechtschaffenen und die Betrüger in V. 3 und 6 im Plural vorgeführt werden, während vom Gerechten und vom Frevler als von einer profilierten Größe im Singular geredet wird, braucht in der Tat nicht viel zu bedeuten. Aber die Falschheit der Betrüger (V. 3) erinnert an die falsche Praxis in V. 1. Ferner wird in V. 6 der rettenden Gerechtigkeit der Rechtschaffenen die Gier der Betrüger gegenübergestellt, in der sie sich selbst fangen werden. Darf in Verbindung mit V. 4 – über diesen Vers wird gleich noch zu sprechen sein – die Gier der Betrüger als Gier nach Vermögen aufgefaßt werden, dann wird die Falschheit der Betrüger, erkennbar am Verhalten im alltäglichen Leben, in ihrer Intention enthüllt: die Falschheit erstrebt ein Vermögen, das nichts nützt am Tag des Zornes, während sonst in der Weisheit der Reichtum als sachlich/neutral betrachtet wird als etwas, was durchaus dem Leben dienlich sein kann, wie ja auch die Antithese reich/arm nicht wie selbstverständlich mit der Antithese gerecht/frevlerisch identifiziert werden kann. Die zuletzt genannte Antithese ist vielmehr grundsätzlicher Natur; sie ist innerhalb der Weisheit geradezu irreparabel, während bei der Gegenüberstellung reich/arm erst am Verhalten des Menschen, des Reichen und des Armen, erkennbar wird, ob und wie der Reiche bzw. der Arme der grundlegenden Antithese von gerecht und weise einerseits und von frevlerisch und töricht andererseits einzuordnen ist. Hier aber geht es um einen auf falschem Wege erworbenen Reichtum, weshalb auf der positiven Seite die Verhaltensweise des Rechtschaffenen unbedenklich mit der Gerechtigkeit des Gerechten, dh mit einer der grundlegenden Antithesen, gleichgesetzt werden kann. Wiederum ist das Bemühen zu erkennen, in der Verhaltensweise des alltäglichen Lebens die Kriterien für die grundlegende Gegensätzlichkeit zwischen gerecht und frevlerisch aufzuspüren und so diese Gegensätzlichkeit als vorhanden und das Leben bestimmend evident zu machen. Daß dies als notwendig empfunden wird, zeigt eine Betrachtung der Verse 4.7 und 8. Wenn in V. 4 gesagt wird, daß ein (falsch erworbenes) Vermögen nichts nützt am Tage des Zornes – doch wohl des von Jahwe kommenden Zornes, dessen Name wohl absichtlich vermieden wird – und die positive Entsprechung fortfährt: »Aber Gerechtigkeit errettet vom Tode«, dann könnte es naheliegen, den Tag des Zornes auch in einem weisheitlichen Text vielleicht eschatologisch, jedenfalls im Sinne des Todestages, zu verstehen. Damit käme überein, was der textlich unsichere und in seinem synonymen Parallelismus auffallende V. 7 sagt. Die vorgeschlagene Übersetzung berechtigt gewiß zu der Frage, ob nicht wie im Tod des Frevlers so auch im Tod des Gerechten die Hoffnung vergeht. Gleichwohl dürfte diese Übersetzung zutreffender sein als die allgemeine Feststellung, die der hebr. Text vielleicht als Möglichkeit offengelassen hat, daß nämlich beim Tod des Menschen insgesamt seine Hoffnung, seine »Lebenserwartung«, am Ende angekommen ist. Aber um diese Feststellung, daß der Tod alle Menschen erreichen wird – ein beliebtes Argument der Skeptiker gegenüber der Weisheit –, geht es offenbar nicht, vielmehr um den Weg, der zum alle Menschen umfassenden Tod führt. Ist es ein Weg, der durch den Zornestag (V. 4) gekennzeichnet ist, dann darf der Gerechte hoffen, ja wissen, von einem unter dem Zorn stehenden Weg zum Tode befreit zu werden. Nur oberflächliche Dummheit vermag den das Leben tangierenden Unterschied zwischen einem glücklichen und trostlosen Weg nicht zu erkennen, obwohl beide Wege dem gleichen Ziel entgegenführen. Die Hoffnung des Gerechten konkretisiert V. 8 in Form eines zuversichtlichen Postulates, daß nämlich die Not, die wie alle Menschen auch den Gerechten überkommen und als Zornesauswirkung verstanden werden kann, ihrer zum Tode führenden Gefahr entkleidet wird, indem an die Stelle des Gerechten substitutiv der Frevler tritt. Ein hochgespanntes und darum gefährliches Postulat, das nur von dem prinzipiell antithetischen Lebensverständnis der Weisheit her zu begreifen ist und natürlich angezweifelt werden kann, wie es die Gegner der Weisheit dann auch getan haben, besonders die, die von einer tieferen Erfassung der Not und des Leides durchdrungen gewesen sind; eine Form eines geradezu leidenschaftlichen Protestes gegen die Evidenz dieses Postulates findet sich im Hiobbuch. In der Tat liegt hier ein Problem für die Weisheit. Man mag an dem Wort »Vergeltung« Anstoß nehmen, aber es geht hier und an anderen Stellen doch um dies, was wir mit dieser ärgerlichen Vokabel meist sehr pauschal zu umschreiben pflegen. Freilich wird dafür die Nennung Jahwes vermieden (abgesehen von V. 1, in dem die Erinnerung an das alte Jahwerecht nachgewirkt haben wird), vielmehr erscheint die Vergeltung als Auswirkung einer evident zu machenden Ordnung, die wie mechanisch reagiert. Aber dies eben erweckt den Protest. Der Undurchschaubarkeit des Lebens ist mit einer wie mechanisch ablaufenden Ordnung nicht beizukommen, ähnlich der Undurchschaubarkeit Jahwes, der in seiner Offenbarung zugleich immer der verborgene Gott bleibt, weshalb der je und dann zu beobachtende Rückgriff der Weisheit auf Jahwe als den Garanten der von ihr postulierten Ordnung verständlich ist, um allerdings in seiner Berechtigung von den Gegnern der Weisheit bestritten zu werden. Doch die Weisheit wagt es, das Leben als lebenswahr und lebensvoll nur in der von ihr postulierten und als evident zu erweisenden Ordnung anzuerkennen, und diesem Ziel sind ihre Aussagen unterstellt.

So wird in den folgenden Versen, die man zunächst von V. 9 bis V. 14 (vielleicht sogar bis V. 17) zu einer leidlichen Einheit zusammenfassen könnte, von der Wirkung der rechten und falschen Verhaltensweise auf die nähere und weitere Umgebung des jeweils Handelnden gesprochen. Damit wird die übliche Antithese erweitert durch die Einführung gleichsam neutraler Partner oder Objekte, an denen beide, der Gerechte und der Frevler, ihr Handeln ausüben. Der Nachbar, von dem in Vers

> 9 Mit seinem Mund verdirbt der Heuchler seinen Nachbarn,
> aber durch Erkennen[5] werden die Gerechten errettet

und in Vers

> 12 Wer seinen Nachbarn verächtlich behandelt, ist unvernünftig,
> aber ein einsichtsvoller Mann versteht zu schweigen

und wohl auch in Vers

> 13 Wer mit Verleumdung umgeht, entblößt ein Geheimnis,
> aber ein Mann zuverlässigen Sinnes behandelt eine Sache vertraulich

die Rede ist, dürfte im Zusammenhang des Proverbienbuches der benachbarte Nächste sein. In einem frühen Stadium der Weisheit, als etwa in der nomadischen Lebensweise die Großfamilie den natürlichen Lebensraum darstellte, war mit der Nennung des Nachbarn und des Nächsten gewiß ein verwandtschaftliches Element verbunden, das auch in der seßhaften, vor allem in der städtischen Lebensform, insofern noch eine Rolle gespielt haben kann, als die Ortsgemeinschaft zunächst aus der Sippengemeinschaft hervorgegangen sein wird; aber nach längerer Ansässigkeit wird in den größeren Orten das verwandtschaftliche Element aufgelockert worden sein, so daß vom Nachbarn auch im allgemeinen Sinn des als gleichberechtigt anerkannten Standesgenossen geredet werden kann. Das in c. 10 mit Vorrang behandelte Thema von der Bewahrung der Lippen wird hier nun auf das Verhältnis zum Nachbarn übertragen. Es wird vergiftet, wenn zügelloses Reden sich mit Heuchelei paart. Zwar ist die Antithese von V. 9 nicht unmittelbar zu erwarten; gemeint ist aber wohl, daß das Durchschauen der Heuchelei den Gerechten vor Schaden behütet, weil ihm ein solches Durchschauen und Erkennen eigentümlich ist. Deutlich ist die Antithese in V. 12/13. Verächtlich über den Nachbarn hinwegzugehen oder, noch konkreter in Anknüpfung an V. 9, ihn zu verleumden, setzt ein Wissen über den Nachbarn voraus, das in wenig vertraulicher Weise verwertet wird, denn nicht das Wissen macht klug und vernünftig, sondern der rechte Gebrauch dieses Wissens erweist Klugheit. So wird als zuverlässig und einsichtsvoll der betrachtet, der das, was ihm zu Ohren gekommen ist oder ihm anvertraut worden ist, auch in vertraulicher Weise behandelt. Es dürfte für die Methode der Weisheitsbe-

[5] Gemeint ist vielleicht das Erkennen des in der ersten Vershälfte Gesagten; in den Kommentaren wird »Erkennen« durchweg im Sinne von Vorsicht aufgefaßt.

lehrung kennzeichnend sein, daß es ihr nicht darum zu tun ist, in diesem Fall das Verhältnis zum Nachbarn umfassend darzustellen; sie versucht aber, den Punkt herauszufinden, an dem das nachbarliche Verhältnis am ehesten einer Gefährdung ausgesetzt ist. Wer sich hier zu bewähren versteht, darf den Gerechten und Weisen zugerechnet werden. – Diese Versgruppe ist ergänzt worden durch eine weitere Gruppe in V. 10.11.14, die das kleinräumige Verhältnis zum Nachbarn ausweitet zur Stellung des Gerechten und des Frevlers in der größeren Lebensgemeinschaft einer Stadt

> 10 Über das Wohlergehen der Gerechten frohlockt die Stadt,
> und über das Untergehen der Frevler herrscht Jubel.
> 11 Durch den Segen der Rechtschaffenen gedeiht die Stadt,
> aber durch den Mund der Frevler wird sie zerstört

und eines Volkes

> 14 Ohne ein gutes Regiment zerfällt ein Volk,
> doch Erfolg gibt es, wenn es viele Ratgeber gibt.

Darf man die beiden Verse 10 und 11 in ihrer Reihenfolge vertauschen, dann würde in dem nun nachgestellten V. 10 die Reaktion zu erkennen sein auf das, was in V. 11 gesagt wird. Dabei ist es in V. 11 interessant, daß der dem Wohl des Gemeinwesens dienende Segen, der auf dem Rechtschaffenen ruht, wie etwas verborgen, aber stetig Wirkendes betrachtet wird, während das Gegenteil, das zum Untergang der Stadt führt, konkret gesehen wird in dem zerstörerischen Mund der Frevler. Der auf dem Rechtschaffenen ruhende Segen dient nicht unmittelbar intentionell, aber tatsächlich dem Wohl der Gemeinschaft; das Reden der Frevler ist in seiner Absicht auf Zerstörung ausgerichtet. Die Reaktion darauf zeigt in V. 10 eine eigenartige Kombination von antithetischem und synonymem Parallelismus. Frohlockt wird in beiden Vershälften, aber über einen unterschiedlichen Vorgang, über das Wohlergehen der Gerechten und über das Umkommen der Frevler, und zwar aus dem in V. 11 genannten Grund. Dazu gibt V. 14 eine zusammenfassende Ergänzung in synthetischer Form. Die allgemein gültige Feststellung, daß ohne ein gutes Regiment ein Volk zerfällt, wird in der Antithese nicht einfach ins Gegenteil verkehrt, sondern die Antithese wird dazu benutzt, um eine knappe Definition eines guten und erfolgreichen Regimentes zu geben, wobei es als selbstverständlich angesehen wird, daß die wünschenswerte Vielzahl der Ratgeber sich aus den Gerechten und Weisen rekrutiert. Daß es auch unzuverlässige Ratgeber gibt, läßt die Absalomgeschichte in 2Sam 16/17 deutlich genug erkennen; freilich ist es dort ein objektiv nützlicher, aber in seinen Motiven verwerflicher Rat, der vom Erzähler als schlecht beurteilt wird. – Zum Thema »Verhältnis zum Nachbarn« könnte auch noch V. 15 gerechnet werden:

> 15 Sehr schlimm ist es,[6] wenn man für einen anderen bürgt;
> wer aber Handschlagbekräftigung haßt, geht sicher.

Doch steht hinter dem »Bürgschaftleisten« und der »Handschlagbekräftigung« ein Verhalten, das eher Fremden gegenüber geübt wird, vermutlich in der Absicht, schnell reich zu werden, wie denn ja auch vor dem überhastet erworbenen, trügerischen Gewinn (vgl. V. 18) gewarnt wird. So wird mit der Warnung vor solchen händlerischen Gepflogenheiten ein Thema genannt, das in der Spruchweisheit schon eine gewisse Rolle spielt (vgl. 6$_{1ff}$; 17$_{18}$; ferner die verschiedenen Sammlungen entstammenden Dubletten in 20$_{16}$ und 27$_{13}$, auch 22$_{26}$), in der Frühzeit einer nomadischen Lebensweisheit aber eher den Gegensatz zwischen dem Angehörigen einer Großfamilie und dem Fremden im Auge hatte, mit dem auf eigene Faust Geschäfte zu machen der eigenen Lebensgemeinschaft schaden könnte, während in einer späteren Zeit das Bestreben, schnell reich zu werden, mit solchen Praktiken verbunden worden ist. Damit ist das Thema des Reichtums angeschnitten, das anderweitig und auch im letzten Teil des Kapitels je und dann behandelt wird, vielleicht aber schon in V. 16 erkennbar ist:

> 16 Eine anmutige Frau gewinnt Ansehen,
> und Gewalttätige gewinnen Reichtum.[7]

Man kann sich fragen, ob in der knappen Form des hebr. Textes, der auf eine Antithese verzichtet und das Einflußgewinnen einer anmutigen Frau mit dem gewinnbringenden Erfolg des Rücksichtslosen vergleicht, die ursprüngliche Fassung vorliegt. Die griechische Übersetzung hat jedenfalls jede Vershälfte in V. 16 mit einer selbständigen Antithese versehen, wenn sie der anmutigen Frau die ehrlose Frau gegenüberstellt und die positive Beurteilung des Reichtums mit dem Gegensatz des Fleißigen und des Faulen verbindet. Es läßt sich aber nicht übersehen, daß auch die knappe Fassung des hebr. Textes einen treffenden Vergleich ergibt. Ein gewisses Auslegungsproblem enthält V. 17.

> 17 Ein Mann, der gütig ist, ist es auch gegen sich selbst,
> gegen sein eigenes Fleisch aber wütet ein Unbarmherziger.

Darf der Vers im Sinne der vorgeschlagenen Übersetzung verstanden werden, daß ein gütiger Mensch auch sich selbst nicht überfordert, während ein Rücksichtsloser sich selbst Gewalt antut – falls nicht an seine Familie gedacht ist –, dann gibt er eine Beobachtung wieder, die in Ver-

[6] Inf.abs. statt adj., vgl. BHK.

[7] 𝔊 hat jede Vershälfte mit einer analogen Antithese versehen, also V.16a ergänzt durch «ein Thron der Schande aber ist eine Frau, die Rechtschaffenheit haßt«, und V.16b erweitert durch »an Vermögen fehlt es dem Faulen«, was zu dem Vorschlag geführt hat, עריץ durch חרוץ (»fleißig«) zu ersetzen. Bleibt man bei 𝔐 ergibt sich ein synonymer Parallelismus.

bindung mit den folgenden Versen sogleich dem beherrschenden Gegensatz des Gerechten zum Frevler unterstellt wird. Dieses Thema, schon im Anfang des Kapitels erkennbar, wird nun in den Versen 18–20 und dann im Rest des Kapitels von mancherlei Gesichtspunkten aus abgehandelt:

18 Der Frevler erarbeitet trügerischen Gewinn,
wer aber Gerechtigkeit sät, einen bleibenden Lohn.
19 Rechte[8] Gerechtigkeit führt zum Leben,
wer aber dem Bösen nachjagt, zu seinem Tode.
20 Ein Abscheu für Jahwe sind die, die ein verkehrtes Herz haben,
aber sein Wohlgefallen gilt denen, die unbescholten einhergehen.

Der vom Frevler erarbeitete Gewinn (V. 18a) führt letztlich ins Verderben (V. 19b), weil vom Zentrum des Lebens, vom verkehrten Herzen her, eine falsche Richtung eingeschlagen worden ist, und zwar in Übereinstimmung mit dem, was durch das Jahwerecht – wie in V. 1 mit der »Abscheu-Formulierung« zum Ausdruck gebracht – unmißverständlich festgelegt worden ist (V. 20a). Der negativen Linie entspricht die positive: das Wohlgefallen Jahwes gegenüber dem Rechtschaffenen (V. 20b) macht die Bahn frei für einen gerechten, in Gerechtigkeit geführten Weg (V. 19a), dem der bleibende Lohn nicht versagt bleibt (V. 18b). Es ist aber in der Aneinanderreihung der drei Verse durchaus deutlich, daß der wie selbstverständlich gegebene Hinweis auf den Abscheu und das Wohlgefallen Jahwes auch ungenannt bleiben kann, ohne daß dem grundlegenden Gegensatz von gerecht und frevlerisch etwas von seiner Bedeutung genommen wird. Gleichwohl erfährt das in dieser Antithese erkennbare Postulat der Weisheit mit der Nennung Jahwes eine veranschaulichende Bestätigung. Als Auswirkung der vom Jahwerecht hergeleiteten »Abscheu-Formulierung«, die im deuteronomischen Bereich beliebt ist, darf man den angefügten V. 21 verstehen, so ungesichert die Wendung »Hand auf Hand« auch sein mag.

21 Hand auf Hand – nicht bleibt ungestraft der Böse,
die Nachkommenschaft des Gerechten aber bleibt bewahrt.

Die Wendung »Hand auf Hand« (= die Hand drauf?) findet sich noch in 16$_5$, auch dort sowohl mit dem Verb »unschuldig bleiben« als auch mit der »Abscheu-Formulierung« verbunden. Mag es sich um einen Ausdruck handeln, der in der paränetischen Instruktion des Jahwerechts entstanden sein könnte, so ist jedenfalls damit die Meinung wiedergegeben, daß der Frevler unmittelbar getroffen wird, während das Wohlgefallen Jahwes gegenüber dem Gerechten auch seinen Nachkommen erhalten bleibt, erinnernd an das, was im mittleren

[8] Oder ebenfalls partizipial: Wer Gerechtigkeit aufrichtet (מֵכִין), dem gereicht es zum Leben (?).

Teil des Kapitels von der Wirkung des Gerechten auf seine Umgebung gesagt worden war. – Völlig aus dem Rahmen der behandelten Antithesen fällt allerdings V. 22, der zwar den Gegensatz von Schein und Sein im Auge hat, aber auf eine antithetische Formulierung verzichtet.

> 22 Ein Ring aus Gold im Rüssel eines Schweines:
> eine Frau, zwar schön, doch bar aller Würde.[9]

Man könnte in diesem anschaulichen Vergleich so etwas wie eine Marginalglosse zum gesamten Thema »gerecht und frevlerisch« sehen. Eine Frau, schön, aber ehrlos, ist zwar keine Utopie, aber doch so etwas, was als Widerspruch empfunden wird und nicht wie selbstverständlich zu erwarten ist – dies will doch vermutlich der anschauliche Vergleich zum Ausdruck bringen. In ähnlicher Weise könnte der mit den Attributen des Gerechten und des Weisen sich schmückende Frevler und Narr als etwas Widerspruchsvolles empfunden werden. Doch wird man damit rechnen müssen, daß ein solches plastisches Bild durchaus asyndetisch einem fremden Zusammenhang eingefügt worden ist. – Von V. 23 an beherrscht der Gegensatz »gerecht/frevlerisch« den Rest des Kapitels, allerdings unter Berücksichtigung besonderer Variationen. Während Vers

> 23 Das Verlangen der Gerechten führt stets zum Guten,
> die Hoffnung der Frevler zum Zorn

die Aussagen aus den Eingangsversen wieder aufzunehmen scheint, bietet dazu V. 24 eine besondere Auslegung.

> 24 Es gibt solche, die großzügig geben und noch hinzugewinnen,
> und solche, die ungebührlich geizen, und es bringt nur Verlust.

Innerhalb des Proverbienbuches hat sich das Thema des Geizes nicht recht entfalten können, wie auch die positive Seite des Sparens nicht sonderlich vordergründig ist, während beides etwa in der Weisheit Hesiods (»Werke und Tage«) bei den Ermahnungen an Hesiods Bruder Perses schon eine kräftige Rolle spielt. Das hier gebrauchte Wort: חשך heißt »zurückhalten«, so im positiven Sinne »die Lippen zügeln« (10_{19}; 17_{27}), im negativen Sinne »mit der Züchtigung sparen« (13_{24}); eine Parallele zu unserem Vers findet sich in 21_{26}, und zwar im Blick auf das großzügige Geben, das für den Gerechten kennzeichnend ist. In V. 24 sind Großzügigkeit und Geiz der großen Lebensordnung unterstellt, die von der Weisheit postuliert wird. Ein solches Tun trägt in sich Gewinn und Verlust. Man könnte den Eindruck haben, daß alles, was im menschlichen Leben als wohlgefällig empfunden wird, zur De-

[9] *Hermisson* (175) nennt den Vers isoliert und verweist auf *Boström* mit möglichen Paronomasien.

termination des Weisen und des Gerechten herangezogen werden kann. Wenn freilich die Aussage von Vers

> 26 Wer Getreide zurückhält, den verwünschen die Leute,
> Segen aber kommt auf das Haupt dessen, der Getreide verkauft

als Interpretation des Geizes verwertet werden darf, dann übersteigt das frevlerische, im Alten Orient an vielen Orten festzustellende Tun der Getreidespekulanten die Kategorie des Geizes und wird zum Betrug. Wie sich der Gerechte und Weise zu verhalten haben, hat in anschaulicher Weise die Josephserzählung hervorgehoben; Josephs kluges Verhalten berücksichtigt das Wohl des Pharao und das Wohlergehen des Volkes. Etwas schwieriger ist der voraufgehende V. 25 zu verstehen.

> 25 Wer Segen begehrt, wird gesättigt,
> und wer (andere) labt, labt auch sich selbst.[10]

Eine Antithese ist nicht zu erkennen; eher könnte man V. 25b als eine zusätzliche Erläuterung der Großzügigkeit von V. 24 auffassen, während in V. 25a für den Gerechten, für den unter dem Segen Stehenden bzw. für den Segen Begehrenden, das reklamiert wird, was in V. 6 der Gier des Frevlers versagt bleibt. Auch in den letzten Versen des Kapitels ist die bisher behandelte Antithese vorherrschend. Während in V. 27 der Gerechte und der Frevler an ihrem verschiedenartigen Streben erkennbar sind

> 27 Wer Gutes sucht, sucht Wohlgefallen;
> wer aber Böses erstrebt, den trifft es,

wobei das Suchen nach Wohlgefallen indirekt an Jahwe denken mag, das Streben nach dem Bösen aber in sich das Verderben enthält, konkretisiert V. 28 die Aussage von V. 27:

> 28 Wer auf seinen Reichtum vertraut, der stürzt;
> wie volles Laub aber sprießen die Gerechten.

Das Verlangen nach Reichtum hat darin seinen Grund, daß der Reichtum als gesicherte Basis des Lebens angesehen wird; dies Vertrauen aber wird enttäuscht, während die Gerechten – im Zusammenhang: die in rechter Weise vertrauen und nach Wohlgefallen suchen – in voller Pracht stehen. Wie eine feststehende Tatsache wird die an Ps 1 erinnernde Aussage formuliert. Auch V. 29 möchte man als Konkretion von V. 27 auffassen.

> 29 Wer sein Haus schädigt, erbt Wind,
> und zum Sklaven wird (solch) ein Tor bei einem vernünftigen Mann.

[10] Der Syrer hat in V.25b eine Antithese gelesen; »Und wer verflucht, flucht auch sich selbst«.

Das Streben nach dem Bösen äußert sich geradezu töricht in der Selbstbeschädigung der Familie und des Eigentums und führt zum Verlust jener Freiheit, die im Streben nach dem Bösen mißbraucht wird. Daß ein solcher Narr der Sklave eines Vernünftigen werden kann, entspricht der von der Weisheit postulierten Ordnung, während der Skeptiker gegenüber der Weisheit, etwa in der Gestalt des Predigers (Koh 10$_{6.7}$), gerade diese in sich vernünftige Ordnung bestreitet. Auch die Spruchweisheit kann in einem anderen Zusammenhang einen solchen Fall ins Auge fassen, aber als einen abnormen Fall, der das Land in Unruhe stürzt (30$_{21.22}$). Verzichtet V. 29 auf eine Antithese, da mit der synonymen Aussage schon eine genügende Steigerung erreicht ist, so läßt die resümierende Aussage von V. 30a gleichwohl eine Antithese erwarten. Der hebr. Text scheint aber in V. 30b eine synonyme Fortsetzung geben zu wollen

30 Die Freude der Gerechten ist ein Baum des Lebens,
und es gewinnt andere der Weise,[11]

doch ist der Text unsicher, so daß eine Änderung erwägenswert ist, und zwar im Sinne der Antithese, die auch V. 31 beherrscht. Die durchaus verständliche Aussage dieses Verses

31 Wenn dem Gerechten auf Erden[12] vergolten wird,
um so mehr dem Frevler und dem Sünder,

den Lohngedanken von V. 18 im Sinne einer allgemeinen Vergeltung für Gerechte und Frevler weiterführend, ohne über die Art der Vergeltung etwas zu sagen, ist allerdings dadurch problematisch geworden, daß die griechische Übersetzung an Stelle des in der Tat überflüssigen »auf Erden« μόλις (»kaum«) gelesen und die Vergeltung als Errettung präzisiert hat, was in 1Petr 4$_{18}$ wiederum in Erscheinung tritt. Für die griechische Übersetzung ein hebr. Äquivalent zu finden, wie man dies in einer Form vom Stamm אלץ (»drängen«, wofür aram. ארץ getreten sein könnte) versucht hat, bleibt unsicher, da mE die griechische Übersetzung eine Steigerung beabsichtigt hat (»Wenn schon dem Gerechten kaum vergolten wird im Sinne einer Errettung, um wieviel weniger dem Frevler und dem Sünder«), die dem weisheitlichen Empfinden kaum gemäß sein dürfte. Man wird bei der Feststellung verharren dürfen, daß die (von Jahwe gewirkte) Heimsuchung beide, den Gerechten

[11] 𝔊 liest in V.30a »Gerechtigkeit« (statt צדיק) und in V.30b im Sinne einer Antithese חמס statt חכם: »Aber Gewalttat nimmt fort das Leben«. Man könnte in V.30a die Lesart von 𝔊 übernehmen und in der zweiten Vershälfte lesen: וְלֶקַח נְפָשׁוֹת חָכְמָה, also:

Die Frucht der Gerechtigkeit ist ein Baum des Lebens,
und eine Belehrung der Seelen ist die Weisheit.

[12] Dem auf Erden Gerechten (?) – was aber selbstverständlich sein dürfte.

und den Frevler, treffen wird, daß aber mit der Nennung des Gerechten und des Frevlers ungesagt die Art der Vergeltung zum Ausdruck kommt, wobei dem Wort »auf Erden« vielleicht keine allzugroße Bedeutung beizulegen ist. Vielmehr – und dies mag als Abschlußwort dienen – könnte dieser Satz zusammenfassend betonen wollen, was in der Gegenüberstellung des Gerechten und des Frevlers unter verschiedenen Aspekten im Kapitel gesagt worden ist und auch weiterhin gesagt werden wird. Wird von der Vergeltung gesprochen, dann ist auch in der Spruchweisheit der Gedanke an Jahwe durchweg miteingeschlossen, so selten er selbst auch in diesem Kapitel unmittelbar genannt wird. Die Zuordnung von Jahwe zu der von der Weisheit postulierten Ordnung bleibt freilich in der konkreten weisheitlichen Aussage mit einem gewissen Problem behaftet. Das ändert aber nichts an dem beherrschenden Thema dieses Kapitels, daß die Auswirkung der Gerechtigkeit auf den Gerechten und auf seine Umwelt wie auch umgekehrt die Auswirkung der Frevelhaftigkeit auf den Frevler und auf seine Umgebung die Evidenz der von der Weisheit vorgetragenen Lebensordnung zum Ausdruck bringen.[13]

[13] Die Bezüge zur Weisheit im Alten Orient lassen sich in einem Kommentar am Ende eines Kapitels an Hand von ausgewählten Beispielen zu einzelnen Versen vorführen. Es braucht nicht erwähnt zu werden, daß geschlossene Einheiten, etwa im ersten Teil des Proverbienbuches (1–9), in konventioneller Weise ausgelegt werden können, wie auch die in einem Kommentar nicht übliche Einschaltung der übersetzten Verse in einem Beitrag vorliegender Form erlaubt sein mag.

NORMAN W. PORTEOUS

MAGNALIA DEI

The publication in 1957 and 1960 of the two volumes of *Gerhard von Rad's »Theologie des Alten Testaments«* inaugurated a period of increased activity in the field of Old Testament theology. It is true that he had previously to some extent disclosed his hand in such writings as his *»Das formgeschichtliche Problem des Hexateuchs«* (1938) and above all in the article on the typological interpretation of the Old Testament which he contributed to the programmatic number of *»Evangelische Theologie«* in 1952 (Heft 1/2, 6ff) and which provoked prolonged discussion. It was not, however, till the full-scale work was published that all the implications of his view began to become manifest and that it was realized that the debate had entered upon a new stage. The time is surely not inopportune for a well-deserved tribute of gratitude to be paid to a scholar who by the originality and brilliance of his writings has to an uncommon degree stimulated his colleagues everywhere to strenuous thought. It is, indeed, an imaginative decision on the part of the editors of this Festschrift to design it as a forum for the voicing of criticisms as well as approval and thus as the kind of tribute which must be most acceptable to a great thinker. His influence has been pervasive and has penetrated the thoughts of men who frequently in other respects differ sharply from each other. It is clear that throughout *von Rad* has been dealing with issues of quite central importance.

Whether or not one feels moved to argue for the fundamental unity of the Old Testament, *von Rad* has performed an undoubted service in insisting, as he has done, on the variety of the material of which account has to be taken; perhaps no one has done more to distinguish and characterize the differing theological views to be found in the Old Testament. For this he deserves unstinted praise. Making the fullest use of formcritical methods for the analysis of the Biblical material and the defining of the *Sitz im Leben* of the various constituent units, he has gone on to show unusual skill in tracing the development of tradition and in recognizing the successive reinterpretations to which the elements of tradition may have been subjected in the course of the centuries until the end result was achieved in the Old Testament as we know it. Whatever disagreements there may be in matters of detail, there is no doubt that something like this development did take place and *von Rad* deserves credit for exhibiting, as he has done, the dynamic nature of the Biblical material. He has made us more than ever aware of the extremely complicated process of change through which the tradition has passed both in its oral and in its literary stages. Recognizing the limits imposed on the Biblical authors by the literary forms which they inherited and which in many instances may have had a long pre-literary history, he has nevertheless not failed to bring out the originality and creativeness exhibited by certain individuals or schools in their handling and moulding of the material at their disposal. All this has been so well done that it is next to impossible to read *von Rad's* writings without a feeling of excitement at the freshness of the insights with which one is again and again presented. So brilliant and persuasive is the writing that one can be pardoned if at times one's critical faculty is lulled to sleep. It has been said that no one is likely to become a good philosopher if at some point in his development he has not been carried off his feet by the arguments of Bishop *Berkeley*. It may very well be a salutory experience to fall, at least for a time, under the spell which *von Rad's* writings cast and catch some of the enthusiasm and indeed devotional spirit which are characteristic of him. The criticisms which some of his views have called forth lose none of their force by being accompanied by generous acknowledgement of a very great achievement which places *von Rad* among the greatest interpreters of the Old Testament of our time.

Just as in literature, art and music there are mysterious changes of fashion and one is frequently given the impression that everything that preceded the latest novelty is already hopelessly out of date, so in matters theological there is a very prevalent tendency to-day to proclaim upon the roof tops that the latest celebrity has routed his predecessors and now dominates the situation. One is reminded of the fabled priest of the Arician grove who prowled among the trees surrounding his shrine on the look out for the successor to his office who would eventually kill him and take his place. It is all a little absurd, this setting of a premium on novelty, especially when the novelty is achieved by an exaggeration which invites retribution. Whatever criticisms have to be passed upon him, *von Rad's* work should surely continue to be recognized as a classic achievement to which later students of the Old Testament will be well advised to go back again and again. An exposition of genius retains its value in spite of the qualifications which have to be made as time goes on. This is not a plea for less criticism but for the recognition, that, because a man is wrong in certain respects, as everyone is, he is not therefore wrong all along the line; indeed one may learn most from a man just at those places where one differs from him but is made to realize the strength of the arguments for the view he has taken. To recognize another's mistakes need not imply that one is superior to him. To have avoided making mistakes may be due to one's not having ventured greatly. *Von Rad* is a man who has ventured greatly.

In the same year (1952) in which *von Rad*'s famous article, referred to above, appeared there was also published *GEWright*'s significant monograph »*God who Acts: Biblical Theology as Recital*«, which insisted on the correctness of following the lead of the Bible itself and confining the theological treatment of the Scriptures to the recital of the alleged acts of God in Israel's history and in the classic period which saw the rise of the Christian Church. The *magnalia dei* are, we are told, what the Bible, following the example of the cult, came into existence to proclaim and it is on these that we ought, not perhaps exclusively, but mainly to concentrate our attention. The proposal had an immediate success in many quarters; it seemed to draw attention to something of central importance which had to some extent at least been neglected and to simplify the theological task. To be told that God had been doing things in history corresponded very well with the evangelical conviction that salvation depended on something which God and not man had achieved. The acts of God in Israel's history could be seen as leading up to, and being fulfilled in, his climactic act in the life, death and resurrection of Jesus Christ. *Von Rad* in particular contended that an Old Testament theology should be something quite distinct from a history of Israel's faith, legitimate as it might be to make that also an object of study. All this fitted in very well with what we had been told by the dialectic theologians who had set their faces against the nineteenth century emphasis on religious experience and the consequential psychologizing of religion.

Now, of course, *Wright* and *von Rad* in their emphasis on the acts of God were saying something of real importance. The conviction that God is active in relation to his world is surely an insight that may not be surrendered. In his volume »*Old and New in Interpretion*« (1964) *JBarr* has seen fit to minimize the importance of this emphasis on the acts of God by pointing out that there is as much in the Bible about God's speaking as about his acting and that moreover to speak of Biblical theology as recital or proclamation, as *Wright* and *von Rad* do, is to leave out of account whole tracts of the Bible which make no reference to the *Heilsgeschichte* or history of salvation. *Barr* has undoubtedly some right on his side, but here, as sometimes elswhere, he shows an understandable but unfortunate tendency to exaggerate a good point. For surely the distinction he draws between speaking and acting is much too rigid. The advocates of theology as recital would fully admit that God is frequently reported to have spoken, not least in connexion with the things he has done or is about to do. Moreover, when *Barr* points out that the Wisdom literature has little to say of the acts of God in history, he should be reminded that he has resisted the tendency of the Biblical theologians whose views he deprecates to assume that one should look to find revelation everywhere in Scripture and that it is the main category to be applied by the expositor. At the same time it may be admitted that Biblical theology as recital is too narrow in its scope. For example, God can very definitely disclose himself through the anguished debates of the book of Job and, of course, also in the Psalms, which are much more than Israel's response to the acts of God and are themselves frequently the medium of revelation. But, when all is said and done, it remains true that the main impression which the Bible makes on its readers is of a God who is active in his world and is carrying out a consistent purpose on behalf of his people. It would be quite inadequate to describe him as a first principle or as the ground of being. He is one who is intensely alive and perhaps it would be better to speak of the living God than of the acting God. At all events, though to confine Biblical theology to the proclamation of divine acts in history would be to impose too severe a limitation, nevertheless the emphasis on the acts of God has had its value. It cannot, however, be worked out theologically as easily as at first seemed possible.

As the debate has developed, it has become abundantly clear that part at least of the trouble is connected with the concept of history. The term is susceptible of various interpretations and so it becomes all too easy to fall into what the logicians call the fallacy of the undistributed middle. When we are told that Biblical theology ought to be confined to recital of the mighty acts of God, the first impression one gets is that the theological handling of the Bible is to be based on something objective. The cultic recital was to the effect that certain events had taken place and in them we are invited to see a manifestation of the activity of God. At once, of course, the historian springs to life and asks for the evidence for the statements that are made and then the trouble begins. It is frankly admitted by *von Rad* that there is a gulf between *Historie*, as it is constructed by the scientific historian, who uses all the approved methods of sifting the evidence, Biblical and extrabiblical, especially the archaeological evidence, both in the form of material objects and of texts capable of being interpreted, and, on the other hand, the *Geschichtsbild* which the Bible itself presents to us, representing, as it does, the view which Israel took of its own history and the early Church took of the events associated with the life of Jesus and his living presence which continued with it. It is certainly legitimate to point out, as a number of his critics have done, that *von Rad* uses the same critical methods as the historians to determine the *Geschichtsbild* or rather *Geschichtsbilder* which we find in the Old Testament and should therefore have realized that the gulf he alleges to exist is not as great as he supposes. The *Geschichtsbilder* which he describes are based on the same kind of evidence as is used for constructing the scientific history and they are handled by *von Rad* himself in the same critical fashion.

At first *von Rad* gave the distinct impression that, when it came to a conflict between scientific history and *Heilsgeschichte*, he was prepared to opt for the latter as alone theologically relevant and he did not seem to be unduly disturbed by the discrepancy between them. Critics seized readily upon this point and pressed him hard. In the second edition of his Old Testament Theology, however, he is prepared to concede that the *Heilsgeschichte* by no means wholly misrepresents what happened; the *kerygma* proclaimed in the cult is indeed based on something actual in the history of Israel. It looks as though, corresponding to the socalled new quest of the historical Jesus, *von Rad* ought to concede the advisability of having a new quest of the historical Israel. It is indeed true that the handling of Israel's early history by *von Rad* and by *Noth* tends to give the reader the impression that Israel's faith was in the last resort based on very shaky foundations. When to this is added *von Rad*'s typological principle, we find ourselves invited at times to see a historical antitype corresponding to an unhistorical type and so we immediately begin to wonder about the viability of the typological principle.

However this may be, *von Rad* is undoubtedly correct – he has a powerful ally here in *RRendtorff* (v. »*Geschichte und Überlieferung*«, edd. *Rendtorff* and *Koch*, 1961, 81–94) – in insisting that we may not bypass tradition in our search for what happened in history. *Rendtorff* goes so far as to say that history is tradition. The tremendous labours of the many scholars who have followed in the wake of *Gunkel* and raised the question of the *Sitz im Leben* of all the distinguishable types of literature to be found in the Old Testament, tracing them back into the pre-literary period of their development, and of those who have gone on to trace the history of individual traditions, have made it impossible for us to return to the naive attitude of those who used to accept the narratives of the Old Testament at their face value without raising the questions Who said this? and why and when and in what circumstances did he say it? This is not to say that it is wrong or necessarily impracticable to ask what actually happened on any particular occasion. Certainly there is something very far wrong if the question as to what actually happened is swept aside as irrelevant from the theological point of view. At the same time we have to come to terms with the fact that in the Biblical narratives we have to do with developing tradition, with narratives which, as *von Rad* has sought to show, may well have been interpreted and reinterpreted again and again before they reached the form in which we now find them.

It is obvious that this presents us with a problem. We may argue that it would not help us very much if we could get back in each case to the bare fact of what actually happened. Before an event means anything it has to be seen in relation to other events, preceding, contemporary and following; that is to say it has to be interpreted in its context and it has to go on being reinterpreted to bring it into relation to ever new situations and ever new possibilities of understanding. It may be argued, therefore, that a total event is the original happening plus all the subsequent interpretation it has received. This seems reasonable and undoubtedly it represents an important truth. Certainly the various layers of meaning which come to be attached to events can themselves become potent factors in history. That is generally agreed. Difficulty arises when the ›plain tale‹ of Scripture, the *kerygma* of the so-called Biblical credo, is discredited by the historian. How can we properly speak in our Biblical theology of mighty acts of God which *ex hypothesi* did not happen?

About this two things may be said. In the first place form-critics like *von Rad* and *Noth* make the difficulty more acute than is really necessary. They seem sometimes to accept as a matter of preference rather than of compelling proof the atomization of tradition and assume that the framework is likely to be largely unhistorical. For example, the cutting of the thread of connexion between the Exodus tradition and the Sinai tradition is not absolutely demanded by the evidence; indeed it has been shown by other scholars that there are good scientific grounds for the contrary view that deliverance and covenant stand together. The debate on this particular point is by no means settled one way or the other. Generally speaking, the excessive scepticism regarding the pre-monarchical period of such a scholar as *Noth*, while it should not be rejected just because we do not like it, is not nearly as convincing as some people assume. It is certainly difficult to believe that a deliberate restructuring of tradition of the kind postulated by *von Rad* and attributed to the Yahwist could have been carried out and won acceptance as late as the time of the united monarchy, when there would be those who would be well aware of what was being done.

The second thing that has to be said is this. If, as the form-critics have given us good reason to believe, the history of tradition is an exceedingly complicated one, and if we must think, not of a limited number of original writers inspired as indepedent individuals to write as they did, but rather of an innumerable company of bearers of tradition working within a community whose inherited forms of thought they used and whose life they in many ways reflected, we must think of God as active in the whole process of interpretation. But we cannot stop there and confine ourselves to the writers themselves. We must also take account of the faithful in Israel of whom we are granted occasional glimpses and of those who have no memorial but whose existence we can infer. The amazing and unique literature of the Old Testament must have had an audience or it would never have come down to us at all. It is this that makes one wonder why *von Rad* is so insistent that an Old Testament theology must not be a *Glaubensgeschichte*, a history of Israel's faith. For surely, on his own showing, that is precisely what it is, not, of course, a history of subjective religious experience – experience into which it is notoriously difficult for us now to enter with any confidence – but a history of the way in which God's activity in history – and this must in the last resort be actual history – was accepted *in faith*. What *von Rad* really has in mind is a *Glaubensgeschichte*, understood as a history of Israel's commerce with its God at every level of its life.

One of the most remarkable features of *von Rad*'s handling of the Biblical material is his assertion that there was a break in the *Heilsgeschichte* when the Jewish state finally collapsed and that then God made a new start with his people, inaugurating a new dispension with an eschatological emphasis. At the same time there was a measure of continuity with the past, as is indicated by the use the prophets, who announced what was to come, made of the thought forms – election, covenant, etc – of the old dispensation. Perhaps it would be better to recognize that God's purpose in creating Israel was one and the same from the beginning, even though Israel itself could only partially understand what it was. Indeed it was only as the new righteousness in human affairs began to be realized among some in Israel that men could begin to understand the character of the God with whom they had to do. In the confused and often tragic history of Israel we can witness the gradual emergence under God's mercy and judgment of a new type of community life, that of the people of God, the emergence indeed of something which must be described as the greatest of the *magnalia dei* until Christ came as the fulfilment and earnest in his own person of the way of life which was the goal of God's purpose with Israel. Israel's response was always ambiguous, but God's purpose was never wholly frustrated. All this, of course, can only be asserted in faith as the Old Testament is used to interpret the New and the New to interpret the Old.

To sum up, the suggestion is that it will not do to speak of the acts of God without at the same time speaking of Israel's response in obedience and disobedience, in understanding and misunderstanding. It is this that gives its ambigous character to the Old Testament. Yet there were those in Israel, let it be repeated, who understood, dimly indeed and with an intermixture of misunderstanding, something of what God was about and God's purpose continued to be fulfilled, not only in the understanding, but in the life of Israel, as God's will was actualized.

There is a tendency for response to be thought of too much in terms of cultic response. Important, however, as Israel's cultic response to God was, since religious ideas tend to evaporate unless they are embodied in institutions, the cult and the literary forms which were moulded by the cult and are so pervasive in the Old Testament, must not blind us to what is of still greater importance, namely the life of men together in true personal relations of justice and mutual respect and helpfulness. It is true that much is hidden from us that we should like to know. The humble and quiet in the land, however, should not be forgotten in any assessment of Israel's religion. In particular there is evidence in the Psalter for what was going on in the heart of Israel. One gets a onesided view if one concentrates upon the denunciations of the prophets and, indeed, forgets that the prophets themselves have to be accounted for.

Perhaps we can venture just a little further in a region where there is much obscurity. It may be that in thinking of God's way with Israel we allow our minds to be dominated overmuch by the idea of the remnant instead of thinking of what God was doing with his people as a whole, the servant who was blind and disobedient but whom God could nevertheless use. May we not believe that in the last resort God's mercy extends to all through the faith and obedience of the few in Israel, just as Israel itself acts vicariously for the world? But these are high matters where one cannot be dogmatic.

One of the great merits of *von Rad's* handling of Old Testament theology is that he takes seriously the relation between the Testaments. As is well known, the category which he uses is that of promise and fulfilment. What he has to say about typology is subordinate to that. Criticism has fastened especially on his view that the Old Testament ›leans towards‹ the New Testament, just as within the Old Testament period each fulfilment of promise points, on his view, towards a further and richer fulfilment. Certainly the Jew would strenously deny that the Old Testament, a title which for him begs the question, is incomplete, though its relevance to subsequent ages had to be made secure by the elaborate casuistry of Mishnah and Talmud. Perhaps it is better for the Christian to claim that in Christ a new and in many ways surprising act of God took place and that in faith we may recognize retrospectively that the God who acted in Christ was the same God who had previously dealt with Israel. At all events, we must not minimize the positive character of what God accomplished in Israel before Christ came.

Perhaps the best way to introduce what the present writer would like to say in conclusion on some of the issues raised by *von Rad's* work is to consider briefly the theme of a thought-provoking book recently published, entitled *»Biblical Theology in Crisis«* (1970). The author *BSChilds,* makes the suggestion that the task of Biblical theology is to look at both Testaments in their mutual relationship within the Christian canon, though without ignoring the historical conditioning of either. He insists that it is not the Church through the decision of any council that determines what is its normative canon of Scripture; it merely recognizes as a matter of fact that in a certain collection of books it has heard the voice of God speaking with unmistakable authority. »The concept of canon was an attempt to *acknowledge* the divine authority of its writings and collections. The church as a fully human institution bore witness to the effect that certain writings had had on its faith and life. In speaking of canon the church testified that the authority of its Scriptures stemmed from God, not from human sanction« (p. 105). *Childs* argues that much has been lost through the habit of many modern expositors of Scripture of relying almost exclusively on the historicocritical method and failing to follow the older method of allowing one part of Scripture to illuminate another, interpreting Scripture by Scripture. He maintains that it is possible to combine the historicocritical method with that of drawing upon the resources of the canon on the assumption that the way in which God works in one human situation is relevant for our understanding of how he works in another. To know how God acted in the world before Christ came is an essential clue for understanding what he did in Christ, and vice versa.

Childs goes on to give interesting examples of how one should proceed to expound specific passages of Scripture within the context provided by the canon and seeks to show how, when an Old Testament passage is made use of in the New Testament, we can get new light upon it without in any way compromizing its original meaning within the Old Testament context. The procedure is somewhat more risky when we have to consider in the context of the canon a passage of the Old Testament which is not referred to in the New Testament, as there is the temptation to look for artificial connexions. It is certainly useful to group together different scriptural treatments of the same or closely allied subjects and allow one passage to qualify another.

While recognizing that *Childs* has done a distinct service by his insistance upon the importance of the canon and of the normative, instead of the purely illustrative, value of Scripture, we may venture the caveat that, while the canon is the canon because it gives us what the Church has always felt to be the classic statement of what God did in accomplishing his purpose for mankind, we are not bound to suppose that every detail is normative or indeed that there was any unified planning of the contents of the Bible. The human witnesses to God's way with the world can be seen struggling with the problems of belief and conduct in their own situations, sometimes showing confidence and sometimes doubt and perplexity. We cannot, therefore, state a priori that within the covers of the canon we are provided with the means to settle conclusively all our problems to-day, though we are left in no manner of doubt as to the character and general requirements of the God in whose presence we have to make our decisions. Moreover the Bible is a human book in this as in other respects that it shares in the imperfection of all things human, and that has to be taken into account as we strive after the answer to our problems. Sin, that of the Biblical witnesses and our own, can blur the issues. We have also to bear in mind the specific nature of the Biblical situations, determined as they are by circumstances which are never identical with those which determine our situations. Perhaps this is what *Childs* means when he concludes a section of his discussion thus: »The Bible is consistent throughout in confessing that God had made known his will to his people. Yet at the same time the tradition continues to testify to the need of his people to seek and discern his will in the concrete situations of life. The obedient life, which is lived in the knowledge of God's election, functions as a struggle both to know and to do the works of God.« (op. cit. 130).

Emphasis upon the importance of the canon, of course, implies that an individualistic approach to Scripture is inadequate. The Bible came gradually into existence as the witness of the people of God to what God was doing and it is only within a fellowship that the Bible will fully disclose its meaning. Indeed, it is creative of fellowship as men gather round it and permit it to speak to them. It is certainly not wrong to take fully into account the fact that the Bible reflects a history, as *von Rad* and others have done, and we must not with the existentialists substitute for history the historicity of the individual seeking self-knowledge. But we must not fail, as we accept the guidance of all the varied witnesses to whom the Bible introduces us, to expect that the living God will use their witness to enable us in our in many ways very different modern situations to respond in faith and obedience. Indeed it is just because God spoke there and then that we may have the confidence that he will speak here and now. That God does so speak to and through his people must be reckoned among the *magnalia dei.*

ROLF RENDTORFF

BEOBACHTUNGEN ZUR ALTISRAELITISCHEN GESCHICHTSSCHREIBUNG ANHAND DER GESCHICHTE VOM AUFSTIEG DAVIDS

Dem Anfang der Geschichtsschreibung im Alten Israel hat *Gerhard von Rad* besondere Aufmerksamkeit gewidmet. Er hat gezeigt, wie sich gerade in der Entstehung und Entwicklung der Geschichtsschreibung wesentliche Vorgänge der israelitischen Geistesgeschichte widerspiegeln.[1] Dabei hat er insbesondere die Überlieferung von der Thronnachfolge Davids (2Sam 6–1Kön 2) immer wieder zum Gegenstand seiner Auslegung gemacht.

Neben diesem Werk, das seit der Untersuchung von *Rost* als geschlossene Größe anerkannt ist,[2] nennt *von Rad* nun als weiteres Werk aus der Epoche der beginnenden Königszeit (außer dem Jahwisten) auch die Geschichte vom Aufstieg Davids.[3] Dieser literarische Komplex, dem im allgemeinen die Kapitel von 1Sam 16 bis 2 Sam 5 zugerechnet werden, hat erst in jüngster Zeit eingehendere Untersuchungen erfahren. *Wellhausen* hatte ihn (mit etwas anderer Abgrenzung) als die »Erste Geschichte Davids« bezeichnet, und einer knappen, fortlaufenden Analyse unterzogen.[4] *Alt* betrachtete die »Schrift von Davids Aufstieg« als wichtige Quelle für die Darstellung der Anfänge des Königtums Davids,[5] und *Noth* sah in der »Geschichte vom Aufstieg Davids« einen der größeren literarischen Zusammenhänge, die der Deuteronomist seinem Werk zugrundelegen konnte.[6] Eine eingehende

[1] *GvRad,* Der Anfang der Geschichtsschreibung im alten Israel, AKultG 32 (1944) 1–42 = Gesammelte Studien zum Alten Testament, ThB 8 (1965) 148–188; *GvRad,* Theologie des Alten Testaments I (^{5}1966) 62–70 u. ö.

[2] *LRost,* Die Überlieferung von der Thronnachfolge Davids, BWANT 42 (1926) = Das kleine geschichtliche Credo und andere Studien zum Alten Testament (1965) 119–253.

[3] *GvRad,* Theologie des Alten Testaments I (^{5}1966) 62.

[4] *JWellhausen,* Die Composition des Hexateuchs und der historischen Bücher des Alten Testaments (^{3}1899) 246ff; *Wellhausen* bezieht 2Sam 6–8 in den Zusammenhang ein.

[5] *AAlt,* Die Staatenbildung der Israeliten in Palästina (1930) = Alt II (1953) 15. 34 u. ö.

[6] *MNoth,* Überlieferungsgeschichtliche Studien. Die sammelnden und bearbeitenden Geschichtswerke im Alten Testament, SGK XVIII, 2 (1943) 62.

Analyse hat *Nübel* in seiner Dissertation aus dem Jahre 1959 versucht,[7] er hat jedoch mit seiner im wesentlichen literarkritischen Behandlung m. E. mit Recht wenig Zustimmung gefunden. Nach ihm hat sich *Mildenberger* in seiner Dissertation von 1962 ebenfalls um eine Analyse bemüht.[8] Dabei steht vor allem die Frage der literarischen Einheitlichkeit dieses Werks im Mittelpunkt. *Mildenberger* hat an einer Reihe von Beobachtungen einleuchtend gezeigt, daß hier – anders als etwa in dem Überlieferungskomplex von Samuel und Saul 1Sam 1–15 – eine planende Hand am Werke ist. Dafür sind neben dem erkennbaren Bemühen um eine zusammenhängende Darstellung besonders die deutenden Hinweise wichtig, die sich oft im Munde handelnder Personen finden (1Sam 20_{13ff}; 23_{17}; 24_{21}; 26_{25}; 2Sam 3_{9f}) und die das Ganze unter einem übergreifenden Gesichtspunkt interpretieren.[9] Allerdings hat *Mildenberger* m.E. eine falsche methodische Vorentscheidung getroffen, indem er *Rosts* Analyse der Thronfolgegeschichte zum Ausgangspunkt genommen und versucht hat, nach den gleichen Kriterien die Einheitlichkeit der Aufstiegsgeschichte zu erweisen. Auf diese Weise setzt er die abschließende Bearbeitung, der in der Tat offenkundig ein einheitlicher Plan zugrundeliegt, vorschnell mit der literarischen Gestaltung der Texte im einzelnen gleich und verbaut sich dadurch die Möglichkeit zu einer differenzierenden Betrachtung der einzelnen literarischen Bestandteile dieses Werkes.

Weiser hat die grundlegenden Beobachtungen *Mildenbergers* über die planvolle Gestaltung der Aufstiegsgeschichte aufgenommen und weitergeführt.[10] Allerdings hat er sie auf das Endstadium des jetzt vorliegenden Textkomplexes bezogen und im übrigen betont, »daß der Verfasser verschiedenartige Einzelüberlieferungen verwendet und sein Werk dadurch trotz aller Bemühungen um ihre zeitliche Eingliederung im Unterschied zur Thronfolgegeschichte einen gewissen mosaikartigen Charakter hat.« Weiter heißt es: »Die Aufstiegsgeschichte ist nicht wie jene (sc. die Thronfolgegeschichte) ein Werk aus *einem* Guß, sondern eine Komposition von einzelnen, in Gestalt und Umfang verschiedenen Überlieferungselementen, die den Schluß unausweichlich machen, daß der Verfasser mit *vorgegebenem Material* gearbeitet hat.«[11]

[7] *HUNübel*, Davids Aufstieg in der Frühe israelitischer Geschichtsschreibung, Diss. Bonn (1959).

[8] *FMildenberger*, Die vordeuteronomistische Saul-Davidüberlieferung, Diss. Tübingen (1962).

[9] *Mildenberger*, aaO 102f. Vgl. auch den in Anm. 10 genannten Aufsatz von *Weiser*, 336f.

[10] *AWeiser*, Die Legitimation des Königs David. Zur Eigenart und Entstehung der sogen. Geschichte von Davids Aufstieg, VT 16 (1966) 325–354. Die Arbeit *Mildenbergers*, bei der *Weiser* Korreferent war, wird von ihm nicht zitiert.

[11] *Weiser*, aaO 330f.

Man wird *Weiser* in dieser Beurteilung der Aufstiegsgeschichte zustimmen können. Das bedeutet dann auch, daß die deutenden Hinweise, die den ganzen Erzählungszusammenhang durchziehen, nicht Bestandteil der vorgefundenen Überlieferungen sind, sondern vom Verfasser der Endgestalt stammen. Gerade darin zeigt sich sein Interpretationswille sehr deutlich (vgl. auch Anm. 17).

Damit steht die Aufstiegsgeschichte zwischen der vorangehenden Sammlung von Überlieferungen über Samuel und Saul, bei denen sich keine planvolle Gestaltung erkennen läßt,[12] und der nachfolgenden Thronfolgegeschichte, die bereits als ganze einheitlich konzipiert worden ist. In der Aufeinanderfolge dieser drei Textkomplexe zeigt sich also ein deutliches Fortschreiten von der lockeren Sammlung überlieferten Materials über die planvolle Gestaltung überkommener Überlieferungen bis hin zur zusammenhängenden Darstellung der Ereignisse durch *einen* Verfasser. Darin haben wir ein entscheidendes Stück der Geschichte der israelitischen Geschichtsschreibung vor Augen.

I.

Um einen tieferen Einblick in diese Geschichte zu gewinnen, bedarf nun aber auch das Überlieferungsmaterial, das der Verfasser der Aufstiegsgeschichte verwendet hat, einer näheren Betrachtung. Wir beschränken uns dabei auf die erzählenden Bestandteile, lassen also poetische Stücke, Listen usw außer Betracht.[13] *Von Rad* hat die Heldensage als eine wesentliche Vorstufe der Geschichtsschreibung herausgestellt.[14] Sie ist dadurch charakterisiert, daß die Darstellung von dem Interesse an einer bestimmten Person geprägt ist. Die Ereignisse werden nicht mit dem Bestreben nach vollständiger und zusammenhängender Schilderung des Geschehnisablaufs dargestellt, sondern im Blick auf die handelnden Hauptpersonen. Es ist ohne weiteres erkennbar, daß sich in der Aufstiegsgeschichte eine Anzahl in sich abgeschlossener Erzählungen findet, auf die diese Charakterisierung zutrifft. In einigen Fällen hat *Greßmann* in seinem Kommentar einen entsprechenden Hinweis auf die Gattungszugehörigkeit gegeben.[15] *Koch* hat sich aus-

[12] Vgl. dazu *GChMacholz,* Untersuchungen zur Geschichte der Samuel-Überlieferungen, Diss. Heidelberg (1966).

[13] Diese Texte sind bei *Weiser,* aaO 330f im einzelnen aufgeführt; darüber hinaus wäre zu den Listen auch 1Sam 25$_{43f}$ und 2Sam 5$_{13}$ zu rechnen, Verse, die man aber mit gleichem Recht – besonders im Blick auf 1Sam 25$_{44}$ – auch zu den kurzen Mitteilungen zählen könnte, die in Abschnitt II behandelt werden.

[14] *GvRad,* Der Anfang der Geschichtsschreibung im alten Israel, ThB 8, 154.

[15] *HGreßmann,* Die älteste Geschichtsschreibung und Prophetie Israels, SAT II/1

führlich mit den beiden Parallelerzählungen über die Begegnung Davids mit Saul in der Wüste beschäftigt[16] (1Sam 24[17] und 26) und ist dabei ebenfalls zu der Gattungsbestimmung »Heldensage« gelangt. Auch *von Rad* spricht von den »Einzelerzählungen« innerhalb dieses Textkomplexes, möchte aber ihre Verfasser wegen der kunstvollen Handhabung der erzählerischen Stilformen als »Novellisten« bezeichnen.[18]

Diese Einzelerzählungen sind allerdings von durchaus unterschiedlicher Art. Einige tragen »geistliche« Züge, so daß man für sie auch die Bezeichnung »Legende« verwenden könnte (1Sam 16$_{1-13}$; 17$_{1-58}$). Bei einigen tritt das *anekdotische* Moment in den Vordergrund (1Sam 19$_{11-17}$; 21$_{11-16}$; vgl. auch 25$_{36-38}$),[19] bei anderen das *ätiologische* (1Sam 19$_{18-24}$). Einige haben es mit dem Gegenüber Davids zu anderen Personen zu tun: zu Saul (1Sam 16$_{14-23}$; 23$_{19-28}$; 24$_{1-23}$; 26$_{1-25}$), zu Jonathan (1Sam 19$_{1-7}$; 20$_{1}$–21$_{1}$), zu Nabal und Abigail (1Sam 25$_{2-42}$). In 28$_{4-25}$ findet sich eine selbständige Saultradition.

Bei einigen Erzählungen treten geschichtliche Zusammenhänge stärker in den Vordergrund, so daß die Kennzeichnung als Heldenerzählung nur noch bedingt zutrifft. Das gilt für die Erzählungen von Davids Aufenthalt bei den Philistern (1Sam 27$_{8-12}$; 28$_{1f}$; 29; 30) wie auch für 2Sam 1$_{1-16}$. In noch stärkerem Maße gilt es dort, wo überhaupt keine Einzelperson im Mittelpunkt der Erzählung steht, wie

(²1921); zB: 63 (zu 1Sam 16$_{1-13}$), 71ff (zu 1Sam 17$_{1}$–18$_{5}$), 78 (zu 1Sam 18$_{6}$–19$_{8}$), 90 (zu 1Sam 21$_{2}$–22$_{23}$), 96 (zu 1Sam 23.24), 103 (zu 1Sam 25), 107 (zu 1Sam 27$_{1-12}$), 114 (zu 1Sam 28$_{3-25}$).

[16] *KKoch,* Was ist Formgeschichte? Neue Wege der Bibelexegese (²1967) 163–181.

[17] Man wird *Koch* nicht zustimmen können, wenn er 1Sam 23$_{14-18}$ zu der Erzählung in c. 24 hinzurechnet. Dieser Abschnitt ist vielmehr ein sehr charakteristisches Beispiel für die Arbeitsweise des Verfassers der Endgestalt der Aufstiegsgeschichte. Formgeschichtlich erweist sich sofort, daß es sich hier gar nicht um eine wirkliche Erzählung handelt. Der entscheidende Inhalt sind die Worte, die Jonathan zu David spricht; alles übrige ist nur Einkleidung. Der Verfasser der Aufstiegsgeschichte läßt also den Kronprinzen (!) Jonathan eigens zu dem Zweck in die Wüste gehen, um David (bzw. dem Leser) noch einmal nachdrücklich zu versichern, daß er König über Israel werden wird. Der Satz: »Und auch mein Vater Saul weiß das« (V. 17b) weist schon auf die entsprechenden Aussagen hin, die der Verfasser schließlich sogar Saul selbst machen läßt (1Sam 24$_{21}$: »Siehe, ich weiß ...«; vgl. 26$_{25}$). – An diesem Punkt zeigt sich übrigens noch einmal *Mildenbergers* falscher methodischer Ansatz: Er will dieses Stück »seines programmatischen Charakters wegen ... unserer Geschichtsschreibung« (dh dem einheitlich konzipierten Gesamtwerk) zuweisen. Weil aber nach dem Abschied in 1Sam 20$_{42}$; 21$_{2}$ keine Begegnung zwischen David und Jonathan mehr zu erwarten ist, muß er es als »Bruchstück« betrachten, »welches seinen Platz einmal in einem anderen Zusammenhang hatte« (aaO 104).

[18] *GvRad,* Theologie des Alten Testaments I (⁵1966) 68.

[19] *vRad,* aaO 68, bezeichnet diese Verse als »Burleske«.

etwa in der Erzählung vom Schicksal der Priesterschaft von Nob (1Sam 21$_{2-10}$; 22$_{6-23}$). Man wird sie eher als *Geschichtserzählung* bezeichnen können. Das gleiche trifft dann auch für die Erzählungen aus der Anfangszeit des Königtums Davids zu.[20] In 2Sam 2$_{12-32}$ liegt eine breit ausgeführte, sehr lebendige Geschichtserzählung über die Auseinandersetzung zwischen den militärischen Führern der beiden rivalisierenden Könige und ihren Anhängern vor, die man durchaus neben die großen Beispiele früher Geschichtserzählungen, wie etwa Ri 9, stellen kann.

Noch ausführlicher wird die Darstellung in der großen, zusammenhängenden Erzählung vom Übergang Abners zu David und dem Ende Eschbaals in 2Sam 3$_{6}$–4$_{12}$.[21] Diese Erzählung sprengt fast schon den Rahmen dessen, was man als selbständige, in sich geschlossene Geschichtserzählung bezeichnen kann. Sie steht in ihrer Darstellungsart und in der Verwendung der erzählerischen Mittel schon ganz nahe bei der Thronfolgegeschichte. Gerade diese Feststellung ist aber besonders interessant. Die Aufstiegsgeschichte unterscheidet sich zwar darin von der Thronfolgegeschichte, daß sie nicht als zusammenhängend konzipiertes und gestaltetes Werk der Geschichtsschreibung gelten kann, sondern aus verschiedenartigen Überlieferungen zusammengefügt worden ist. Aber das verwendete Material steht gegen Ende der Darstellung der Thronfolgegeschichte sehr nahe.[22] Der Verfasser von 2Sam 3$_{6}$–4$_{12}$ dürfte dem gleichen Kreis angehören wie der Verfasser der Thronfolgegeschichte. (Auch eine Personenidentität erscheint keineswegs ausgeschlossen.)

II.

Mit den bisher genannten Texten ist aber das Material, das in der Aufstiegsgeschichte vorliegt, noch keineswegs erschöpft. Es verbleibt noch eine ganze Anzahl von Überlieferungsstücken, auf die die bis jetzt angeführten Kriterien nicht zutreffen.

[20] *HGunkel*, Die israelitische Literatur, Kultur der Gegenwart I, 7, Orientalische Literaturen (1925) 53–112 (separater Nachdruck 1963), zählt auf Seite 75 (23) »die Geschichten ... von Davids Anfängen als König (II. Sam. 1–5)« zu den »Musterbeispiele(n)« von »Geschichtserzählung«.

[21] 2Sam 3$_{1}$ ist eine überleitende Bemerkung, die diese Erzählung mit der vorausgegangenen verknüpft.

[22] »Freilich beginnt auch die Schrift über Davids Aufstieg, ... noch in der anekdotenhaften Art der Heldensage; aber je länger desto deutlicher geht sie dann in eine geschlossenere Darstellung über, die den Leser ohne Umschweife Zug um Zug bis zu dem Bilde der vollendeten Reichsgründung Davids hinführt, mit dem sie schließt.« *AAlt,* Die Staatenbildung der Israeliten in Palästina, Alt II (1953) 34.

Das Kapitel 1Sam 18 enthält eine ganze Reihe von Einzelstücken, die jetzt näher betrachtet werden sollen. In 18_{2} findet sich eine kurze Bemerkung über die Aufnahme Davids an den Hof Sauls, die an die Goliatherzählung c. 17 anschließt. Die Verse 1.3 und 4 hingegen handeln von etwas ganz anderem: von der Freundschaft zwischen Jonathan und David. Sie machen über den Beginn dieser Freundschaft einige grundlegende Mitteilungen, die im Vergleich zu der ausführlichen Behandlung, die dieses Thema später erfährt, auffallend knapp sind. Man wird diese Verse kaum als Erzählung bezeichnen können. Sie stehen eher in der Nähe jener kurzen Notizen, denen wir so oft in den erzählenden Büchern des Alten Testaments begegnen. Ähnliches muß über V. 6–8 gesagt werden. Auch hier wird auffallend knapp von einem Ereignis berichtet, das für die folgenden Erzählungen von grundlegender Bedeutung ist; es ist jedoch selbst nicht erzählerisch ausgestaltet. Das gleiche gilt für V. 10f, wo sehr kurz von dem mißglückten Versuch Sauls berichtet wird, David zu töten; in anderem Wortlaut wird das gleiche Ereignis ebenso knapp in 19_{9f} noch einmal berichtet. V. 13 schließlich enthält eine Notiz darüber, daß David aus der unmittelbaren Umgebung Sauls entfernt und mit einer führenden militärischen Aufgabe betraut wird.

Es handelt sich bei diesem ganzen Abschnitt also nicht um ausgeführte Erzählungen, sondern um fast notizartige Mitteilungen von Vorgängen, die für den weiteren Verlauf der Ereignisse von Bedeutung sind. Auf diese Bedeutung wird denn auch mehrfach ausdrücklich hingewiesen: V. 5 hebt hervor, daß David militärischen Erfolg hatte (dabei wird beiläufig schon einmal seine Einsetzung in eine militärische Funktion erwähnt) und daß er beim Volk und sogar beim Gefolge Sauls beliebt war. V. 9 fügt dem als Kontrast hinzu, daß Saul gegenüber David neidisch oder argwöhnisch wurde; damit ist der künftige Konflikt bereits angedeutet. V. 12 steigert diese Aussage noch: Saul fürchtete sich vor David; zugleich wird eine Begründung hinzugefügt, die noch einen Schritt weiter in Richtung auf eine übergreifende Interpretation der Zusammenhänge geht: Jahwe war mit David, aber von Saul war er gewichen. Schließlich werden diese interpretierenden Hinweise in V. 14–16 noch einmal zusammenfassend aufgenommen, wobei alle einzelnen Elemente wiederkehren: Der Erfolg Davids (V. 14a), seine Beliebtheit (V. 16) und daß Jahwe mit ihm war (V. 14b); entsprechend auch die Furcht Sauls, die hier mit dem offenbar stärkeren Ausdruck גור V. 15 (gegenüber ירא V. 12) bezeichnet wird.

Wir haben es also in diesem Abschnitt mit verschiedenartigem Material zu tun, das sich deutlich auf zwei Gruppen verteilt: kurze, notizartige Mitteilungen über wichtige Ereignisse aus der Frühzeit Davids – und deutende Hinweise, die diese Mitteilungen in einen größeren Zusammenhang hineinstellen. Von den letzteren war bereits die Rede. Zu den ersteren müssen wir jetzt weitere Erwägungen anstellen. Wie soll man diese kurzen Mitteilungen beurteilen? Es handelt sich einerseits nicht um ausgeführte Erzählungen; andererseits können diese notizartigen Stücke aber auch wohl nicht einem annalenartigen Sammelwerk entstammen, da es sich bei ihnen um Gegenstände handelt, die kaum in einem offiziellen Annalenwerk ihren Niederschlag gefunden haben dürften. Sie handeln ja nicht vom König, sondern von einem Mann, der zunächst eine untergeordnete Rolle spielte, später aber der Gegenspieler des Königs wurde. Gleichwohl waren diese Ereignisse zweifellos im Volk bekannt und wurden weitererzählt. Ihre eigentliche Bedeutung erlangten sie jedoch erst, nachdem David König geworden war und man daranging, die Geschichte seines Aufstiegs zum König im Zusammenhang darzustellen. Vorher bestand zu ihrer schriftlichen Aufzeichnung kaum ein Anlaß, während ihnen jetzt eine wichtige Rolle für die Gesamtdarstellung zukam. Dem Geschichtsschreiber, der sich an diese Aufgabe heranmachte, stand einerseits eine Anzahl von ausführlichen Erzählungen zur Verfügung. Andererseits hatte er aber offenbar auch Kenntnis von Ereignissen, über die keine solchen Erzählungen umliefen. Ihren Niederschlag haben wir m. E. in diesen kurzen Mitteilungen vor uns. Man könnte sie sich geradezu als das Ergebnis von »Recherchen« vorstellen, die der Chronist, der die Geschichte vom Aufstieg Davids zum König schreiben wollte, angestellt hat. Das Ergebnis zeichnete er in knapper, chronikartiger Form auf.

Ähnliche kurze Mitteilungen finden sich auch in den folgenden Kapiteln. So ist der Bericht über das nichteingehaltene Versprechen Sauls an David, ihm seine älteste Tochter zur Frau zu geben, nicht erzählerisch ausgestaltet worden (18_{17-19}), während von Davids Ehe mit Michal ausführlicher gesprochen wird (V. 20–27). In V. 28f[23] finden sich wieder deutende Hinweise zur Begründung der Feindschaft Sauls gegenüber David, ähnlich wie in V. 14–16.

Am Anfang von Kap. 22 findet sich wieder eine kleine Sammlung solcher Mitteilungen: über die Sammlung von Freischärlern um David (V. 1f), über das Insicherheitbringen seiner Eltern beim König von Moab (V. 3f) und über eine Anweisung des Propheten Gad, der hier erstmalig und unvermittelt auftritt (V. 5). Auch die Mitteilungen über den Anfang des Aufenthalts Davids bei den Philistern in 27_{1-7} zeigen die gleichen Züge. V. 1–3 geben kurz die Überlegungen wieder, die David zum Übertritt zu den Philistern veranlaßt haben, und teilen den Übertritt selbst mit. V. 4 berichtet von der Reaktion Sauls. V. 5f

[23] Vgl. auch 18_{30b}. Vers 30a enthält einen Hinweis auf den Philisterkrieg als Hintergrund der Auseinandersetzungen zwischen Saul und David; vgl. auch 19_{8}; 23_{27f}; 24_{2}.

bieten eine kurze Erklärung für den Sachverhalt, daß die Stadt Ziklag unmittelbarer Besitz des Hauses David ist; ihr ätiologischer Schluß (»bis auf diesen Tag«) gehört allerdings eher in eine spätere Zeit. Schließlich enthält V. 7 eine Mitteilung über die Dauer des Aufenthalts bei den Philistern. Damit ist diese Sammlung von kurzen Mitteilungen durchaus in sich abgeschlossen. Zugleich stellt sie jetzt aber den Beginn einer Reihe von Erzählungen über die Zeit des Aufenthalts Davids bei den Philistern dar (27$_{8-12}$; 28$_{1f}$+29$_{1-11}$; 30). Darin kann eine Bestätigung unserer Überlegungen über die Entstehung dieser kurzen Mitteilungen gesehen werden: Sie sind niedergeschrieben worden, um den Darstellungszusammenhang zu vervollständigen, der durch die überlieferten ausführlichen Erzählungen gegeben war; in diesem Fall bedurften die Erzählungen über Davids Aufenthalt bei den Philistern einer Einleitung, die erklärte, wie er zu den Philistern und speziell nach Ziklag kam.

Ähnliche Überlegungen können für den Anfang des Kapitels 2Sam 2 gelten. Offenbar gab es über die Einsetzung Davids zum König über Juda in Hebron keine erzählerisch ausgestaltete Überlieferung. So werden seine Übersiedlung nach Hebron und seine Salbung zum König über Juda in V. 1–4a in knapper Form mitgeteilt (V. 4b–7 stellen die Fortsetzung von 1Sam 31$_{11-13}$ dar). Auch die Einsetzung Eschbaals zum König über die Nordstämme durch Abner wird in V. 8f.10b in kürzester Form mitgeteilt. (V. 10a.11 enthalten deuteronomistische formelhafte Notizen in Angleichung an die Überlieferung der Königsbücher.) Diese beiden Ereignisse bilden aber die Voraussetzung für die in den folgenden Kapiteln ausführlich berichteten Auseinandersetzungen.

Schließlich stellt sich auch der Abschluß der Aufstiegsgeschichte in 2Sam 5 nicht in der Form einer ausgeführten Erzählung dar. In V. 3 findet sich die kurze Mitteilung über die Einsetzung Davids zum König über Israel, der in V. 1f ein damit nicht ganz vereinbares (V. 1: »alle Stämme Israels«, V. 3: »alle Ältesten Israels«) Stück vorangestellt worden ist, das die Gesamtinterpretation der Aufstiegsgeschichte auch an dieser Stelle zum Ausdruck bringt, indem es auf eine göttliche Verheißung an David zurückverweist. (V. 4f sind wohl als deuteronomistische Einführungsformel für David zu verstehen.) Aber auch die Darstellung der Einnahme Jerusalems ist auffallend knapp (V. 6f.9) und wird nur durch die jetzt unverständlich gewordene Erklärung des Sprichworts von den Blinden und Lahmen (V. 8) etwas erweitert. V. 11 ist wiederum eine selbständige Notiz, während V. 10 und 12 die interpretierenden Sätze aus 1Sam 18 wieder aufgreifen und damit die Geschichte vom Aufstieg Davids zum Abschluß bringen.[24] So hat der

[24] *Mildenberger* hat einleuchtende Gründe dafür angeführt, daß der eigentliche

Verfasser also auch am Schluß seiner Darstellung durch verschiedene kurze Mitteilungen das Bild vervollständigt, das durch die ihm zur Verfügung stehenden ausgeführten Erzählungen gegeben war.

Wir haben es bei diesen kurzen Mitteilungen offenbar mit einer bestimmten Form von Geschichtsschreibung zu tun. Der Verfasser der Aufstiegsgeschichte ist nicht nur Sammler, der die ihm überlieferten Erzählungen zusammenstellt und ordnet; er begnügt sich auch nicht damit, das so geordnete Material unter einem übergreifenden Gesichtspunkt zu interpretieren. Vielmehr bemüht er sich darum, die Darstellung durch weitere Mitteilungen zu vervollständigen und zu ergänzen. Dadurch erhält sein Werk ungeachtet der Verschiedenartigkeit des Materials eine große innere Geschlossenheit, die vor allem in der jetzt gegebenen Kontinuität der Darstellung begründet ist.

Ein weiteres Moment kommt hinzu. Der Verfasser dieser kurzen Mitteilungen beherrscht die Mittel der Darstellung, die seiner Epoche zur Verfügung standen. Der »neue Geist«, der in den Erzählungswerken der beginnenden Königszeit zum Ausdruck kommt,[25] findet auch in diesen kurzen Stücken seinen Niederschlag. So ist es auffallend, wie oft in ihnen von den Überlegungen, Absichten und Gefühlen der handelnden Personen die Rede ist.[26] Jonathan liebt David (1Sam 18$_{1.3}$); Saul reflektiert über die möglichen Folgen von Davids Beliebtheit (V. 8); seine geheimen Gedanken werden dem Leser offenbart: die Absicht, David zu töten (V. 11) oder ihn indirekt durch die Philister zu beseitigen (V. 17b). Auch Davids Überlegungen für seinen Übertritt werden mitgeteilt (27$_{1}$; allerdings nicht seine Hintergedanken bei der scheinbar bescheidenen Bitte um einen Aufenthaltsort möglichst weit vom Hof entfernt V. 5). Dadurch gewähren diese kurzen Mitteilungen trotz ihrer Knappheit dem Leser Einblicke in die Zusammenhänge und Hintergründe der dargestellten Ereignisse, und tragen wesentlich zur Lebendigkeit und Eindruckskraft der ganzen Darstellung bei.

III.

Wir haben uns bis jetzt auf Texteinheiten beschränkt, die nur wenige Verse umfassen. Es zeigt sich jedoch, daß die gleichen Kennzeichen der Darstellung, die für die kurzen Mitteilungen gelten, auch auf eine Reihe von etwas umfangreicheren Textstücken zutreffen.

Schluß der Aufstiegsgeschichte in 2Sam 7 gesehen werden müsse (aaO 120. 151, vgl. auch 194f). Vgl. auch *Weiser,* aaO 342ff. Auf diese Frage kann hier aber nicht näher eingegangen werden.

[25] Vgl. *GvRad*, Theologie des Alten Testaments I ([5]1966) 62ff.

[26] Man vergleiche einmal dagegen, was *HGunkel,* Genesis, HK I, 1 ([3]1910) XXXIX, zur Darstellungsform der Sage ausführt.

Das gilt etwa für die Erzählung vom Tode Sauls 1Sam 31$_{1-7}$. V. 1 enthält eine allgemeine Bemerkung über die Niederlage der Israeliten gegen die Philister; V. 2 erwähnt sehr kurz den Tod der drei Söhne Sauls; V. 3–5 bilden dann ein etwas größeres, zusammenhängendes Erzählungsstück über den Tod Sauls, während V. 6 die Verse 2–5 noch einmal abschließend zusammenfaßt. V. 7 enthält wiederum eine selbständige Mitteilung über die politischen Folgen der Niederlage durch die Erweiterung des Herrschaftsgebiets der Philister. – Es ist ohne weiteres deutlich, daß dieser Abschnitt nur mit Einschränkungen als Erzählung bezeichnet werden kann; vielmehr werden in ihm verschiedenartige Mitteilungen und kurze Szenen, die inhaltlich zusammengehören, zu einem Bild zusammengesetzt, das allerdings sehr anschaulich und informativ ist. Damit steht dieses Stück den kurzen Mitteilungen wesentlich näher als den großen ausgeführten Erzählungen.

Auch die folgende kurze Erzählung darüber, wie die Philister mit Saul verfuhren (V. 8–10), zeigt den gleichen knappen, nüchternen, referierenden Stil. Auch hier fällt die Nähe zu den kurzen Mitteilungen ins Auge, während ein Vergleich mit den großen Erzählungen kaum möglich ist. Dasselbe gilt schließlich auch für den Bericht über das Verhalten der Leute von Jabesch in V. 11–13. Hier ist interessant, daß der Faden in 2Sam 2$_{4b-7}$ wieder aufgenommen wird. Man könnte fragen, ob die beiden Stücke ursprünglich eine zusammenhängende Erzählung gebildet haben; das wäre nicht ausgeschlossen, da die Ereignisse vom Tode Sauls bis zur Erhebung Davids zum König möglicherweise sehr rasch vor sich gingen, so daß die Mitteilung David erst nach seiner Inthronisation erreicht haben könnte.[27] Im Blick auf unsere früheren Beobachtungen zu den kurzen Mitteilungen legt sich aber auch hier der Gedanke nahe, daß die Formulierung der beiden aufeinander bezogenen Textstücke vom Verfasser der Endgestalt der Aufstiegsgeschichte selbst stammen könnte.

In diesem Zusammenhang ist jetzt auch das Textstück 1Sam 23$_{1-13}$ zu nennen. V. 1–5 berichten von Davids Eintreten für die Leute von Kegila in sehr knapper Form: V. 1 enthält die Meldung an David, V. 2–4 die Jahwebefragung durch David, die Einwände seiner Leute und die erneute Befragung. V. 5 schließlich teilt sehr kurz mit, daß David die Philister geschlagen und so die Bewohner von Kegila gerettet habe. Wieder ist deutlich, daß dieser Abschnitt in Darstellungsart und Stil den kurzen Mitteilungen näher steht als den ausgeführten Erzählungen.

[27] Es ließe sich allerdings auch erwägen, in Vers 7b einen sekundären Zusatz zu sehen.

Gleiches gilt aber auch für den Abschnitt V. 6–13. Er ist dadurch etwas bewegter, daß er parallel von Saul und von David handelt; beides geschieht aber in der bekannten knappen Form. V. 6 teilt als Voraussetzung für das folgende mit, daß Ebjathar als einziger überlebender Sohn des Priesters von Nob zu David gestoßen war. V. 7f berichten von Sauls Plan gegen David, V. 9–13a von Davids Reaktion darauf in einer doppelten Jahwebefragung durch das Ephod und dem Aufbruch aus Kegila. V. 13b kehrt zu Saul zurück und teilt mit, daß er daraufhin sein Unternehmen abgebrochen habe.

Schließlich gehören hierher auch die beiden Abschnitte 2Sam 5_{17-21} und $_{22-25}$. Sie tragen die gleichen Kennzeichen wie die bisher genannten Texte. In beiden ist von Philisterangriffen, Jahwebefragungen und – ohne jegliche erzählerische Ausgestaltung – von der Besiegung der Philister die Rede; lediglich in V. 20 tritt noch ein ätiologisches Element hinzu.[28]

IV.

Es zeigt sich also, daß diese Form der Geschichtsdarstellung nicht nur dazu dient, Lücken auszufüllen und Übergänge zwischen größeren Erzählungsstücken herzustellen, sondern daß auch die selbständige Darstellung bestimmter Ereignisse, über die keine anderen Überlieferungen vorliegen, in dieser Form begegnet. Wir haben es also durchaus mit einer eigenständigen Form von Geschichtsschreibung zu tun. Sie ist nicht aus der ausgeführten Geschichtserzählung erwachsen, die zu den großen Entwürfen wie der Thronfolgegeschichte hinführt. Sie ist aber auch nicht mit annalenartigen Überlieferungen zu vergleichen, da sie bei aller Knappheit doch viel stärker ein erzählendes Moment aufweist, als es bei Annalen der Fall sein kann, und auch viel stärker am Einzelereignis orientiert ist.

Zur Beurteilung dieser Form von Geschichtsschreibung weisen aber vielleicht doch die zunächst in Abschnitt II gemachten Beobachtungen in die richtige Richtung. Dort zeigte sich, daß die kurzen Mitteilungen ihre Entstehung im wesentlichen dem Bestreben nach Vervollständigung der Darstellung verdanken.

Wenn nun auch manche der in Abschnitt III behandelten Texte eine größere Selbständigkeit aufweisen, so kann man sie sich andererseits doch kaum unabhängig von einem größeren Darstellungszusammenhang vorstellen. Als selbständige Einzelerzählungen sind sie zu kurz,

[28] Es ist auffällig, daß von Jahwebefragungen besonders häufig in der in Abschnitt III behandelten Textgruppe die Rede ist: 1Sam $23_{2.4.9-12}$; 2Sam 2_{1}; $5_{19.22}$; vgl. außerdem: 1Sam $22_{10.15}$; 28_{6}; $30_{7f.}$ Dies bedürfte einer näheren Untersuchung.

und zudem setzen sie in fast allen Fällen die Kenntnis von früher Erzähltem voraus. Andererseits können sie auch nicht als Bestandteile eines größeren Erzählungswerkes verstanden werden, weil sie dafür zu deutlich in sich abgeschlossen sind und oft mit ausgesprochenen Abschlußwendungen enden. Sie werden also auch von vornherein mit der Absicht verfaßt worden sein, sie einem größeren Zusammenhang einzufügen.

Wenn das zutrifft, dann gewinnen wir mit diesen Texten einen weiteren Einblick in die Arbeitsweise der Geschichtsschreiber der frühen Königszeit. Wir haben bereits die Vermutung ausgesprochen, daß der Verfasser der Endgestalt der Aufstiegsgeschichte nicht nur das Gesamtwerk planend, ordnend und deutend gestaltet hat, sondern daß auch die kurzen Mitteilungen von ihm stammen. Das gleiche könnte dann auch von den übrigen Texten dieser Art gelten. Auf der anderen Seite zeigte sich, daß die letzten Abschnitte der Aufstiegsgeschichte in ihrer Darstellungsweise der Thronfolgegeschichte sehr eng verwandt sind. Es legt sich nun aber m. E. sehr nahe, auch den Verfasser der Aufstiegsgeschichte in dem gleichen Kreis zu suchen. Schon die zeitliche Nähe zwischen der zu vermutenden Abfassungszeit der Abner-Geschichte (wie man den Abschnitt 2Sam 3_{6}–4_{12} abgekürzt nennen könnte) und der der Endgestalt der Aufstiegsgeschichte macht es sehr unwahrscheinlich, hier an voneinander unabhängige Verfasser oder Verfasserkreise zu denken. Zudem zeigt auch die Art der Deutung der Aufstiegsgeschichte – bei allen durch die Art des Materials bedingten Unterschieden – m. E. eine deutliche Nähe zur Thronfolgegeschichte.

Das würde dann aber bedeuten, daß man sich die Arbeitsweise dieser Geschichtsschreiber nicht zu einseitig vorstellen darf. Sie verfügten gewiß über verschiedenartige Möglichkeiten des Umgangs mit den darstellerischen Mitteln, die sie je nach Art des Gegenstandes und der Überlieferung einsetzen konnten.

WERNER H. SCHMIDT

KRITIK AM KÖNIGTUM

Soweit Israel altorientalische Feste, Mythen oder allgemein religiöse Vorstellungen übernahm, hat es sie in der Regel tiefgreifend umgestaltet, seinem Gottes- und Geschichtsverständnis assimiliert und integriert. Läßt sich eine solche Wandlung vorgegebener Phänomene auch beobachten, wenn es sich um eine Institution handelt? Gewöhnlich kann man aus dem Alten Testament nur indirekt erschließen, daß es sich fremdes Gut aus der Umwelt aneignete; beim Königtum ist sich das Alte Testament, wenn auch mehr ausnahmsweise, dieses Vorgangs bewußt: »Setze uns einen König ein, damit er uns richte, wie es bei den Völkern üblich ist!« (1Sam 8$_{5.20}$; Dt 17$_{14}$). Über dieses Selbstzeugnis hinaus zeigt der historische Vergleich im einzelnen, wie das israelitische Königtum trotz gewichtiger Unterschiede unter altorientalischem Einfluß gestanden hat.[1]

In besonderem Maße macht sich dieser Tatbestand in den Königspsalmen bemerkbar: »Der alte Jahweglaube hatte für ein von Gott legitimiertes Königtum zunächst keine zureichenden Ausdrucksmöglichkeiten; das Phänomen war ihm zu neu. In diese Lücke ist der altorientalische Hofstil getreten.« *GvRad* hat gleichsam als Bedingung der Möglichkeit für diese Sprachanleihe hervorgehoben: Die Königspsalmen reden »viel mehr von dem prophetischen Urbild des Gesalbten Jahwes und seines Reiches ... als von seiner geschichtlichen Erscheinung; sie reden das Königtum auf seine Doxa hin an, die ihm nach ihrer Meinung Jahwe ein für allemal beigelegt hat«.[2] Liegt aber dieses Urbild, das die Königspsalmen zeichnen, ein für allemal fest? Geben sie dem König stets in gleicher Weise Anteil an der göttlichen Doxa? Insgesamt hat die Forschung wohl häufiger und eingehender dargestellt, inwiefern das Königtum »theologiebildend«[3] gewirkt, welch vielseitigen Einfluß es auf die Gestaltung des Jahweglaubens ausgeübt

[1] Vgl. etwa *MNoth*, Gesammelte Studien zum Alten Testament ([3]1966) 342; für die Übertragung gewisser Aufgaben auf Beamte: *WBeyerlin*, ZAW 73 (1961) 200f; allgemein *RdeVaux*, Das Alte Testament und seine Lebensordnungen I (1960) 163ff.

[2] Beide Zitate: *GvRad*, Theologie des Alten Testaments I ([4]1962) 333f; vgl. Erwägungen zu den Königspsalmen, ZAW 58 (1940/1) 216–222, bes. 219f.

[3] aaO 320.

hat. Seltener wird umgekehrt die Frage gestellt: Welchen Einfluß nahm der Jahweglaube auf das Königtum?[4] Hat alttestamentliches Gottesverständnis in irgendeiner Weise auf die Rolle dieser Institution eingewirkt, so daß sich die Stellung des Königs veränderte? Ist wie bei den anderen aus der Umwelt übernommenen Phänomenen im Alten Testament auch an dieser Stelle ein Wandlungsprozeß erkennbar? Diese Frage greift natürlich über die Königspsalmen hinaus in verschiedene Literaturbereiche ein. Damit verliert die Antwort allerdings auch an Eindeutigkeit. Vielleicht lassen sich aber die hier und da hervortretenden Tendenzen aus gewissen Gesamtintentionen verstehen.

I.

Als das Volk Samuel den – bereits zitierten – Wunsch vorträgt, wie alle Völker ringsum durch einen König regiert zu werden, ergeht das Gotteswort an Samuel: »Nicht dich, sondern mich haben sie verworfen, damit ich nicht (mehr) König über sie sei« (1Sam 8$_{7}$). Eine solche Gegenüberstellung sich gegenseitig ausschließender Führungsansprüche wird beim Auftreten der Richter noch nicht formuliert; sie ist vielmehr typisch für die Begegnung des Jahweglaubens mit dem Königtum. Sind die Könige nicht in gleichem Maße Jahwes Bevollmächtigte wie die charismatischen Helden der Richterzeit? Worin besteht nach dem Erzählungskomplex 1Sam 8–12 die Differenz zwischen Richtertum und Königtum, die eine so andere Beurteilung erfordert? Werden als Gründe für die Einsetzung eines Königtums Rechtsprechung und Kriegführung genannt (1Sam 8$_{2f.20}$), so sind entsprechende Gegengründe die sicher zu erwartende Rechtsbeugung und der Widerspruch gegen die Gottesherrschaft. Nun hat *HJBoecker*[5] überzeugend dargelegt, daß die beiden Motivgruppen in einem Zusammenhang stehen: Jahwe wird aus seiner Herrschaft eben dadurch verdrängt, daß der König als der Führer des Krieges gilt; denn zumindest nach späterem Verständnis führt den Jahwekrieg Jahwe selbst (Jos 23$_{3.10}$; 10$_{14.42}$; Ri 4$_{14}$ u. a.). Die Alternative zwischen Gottes- und Königsherrschaft entsteht also, indem Traditionen des Jahwekrieges mit der Wirklichkeit des König-

[4] *GFohrer* Geschichte der Israelitischen Religion (1969) 142f hat etwa einen Abschnitt: »Begrenzung und Ablehnung« des Königtums; vgl. bes. *KHBernhardt*, Das Problem der altorientalischen Königsideologie im Alten Testament, VTSuppl 8 (1961) 114ff.

[5] Die Beurteilung der Anfänge des Königtums in den deuteronomistischen Abschnitten des 1. Samuelbuches, WMANT 31 (1969) 19ff; dort auch weitere Literatur, bes. *AWeiser*, Samuel (1962). Dieser Aufsatz versucht u. a., die von *HJBoecker* erzielten Ergebnisse in einen Zusammenhang mit ähnlichen Tendenzen zu bringen (bes. u. Abschn. IV).

tums konfrontiert werden. Die Überlieferung vom Jahwekrieg, wie sie sich später gestaltet hat, wird zum Anlaß und Maßstab der Kritik am Königtum.

Diese Schlußfolgerungen werden durch den Fortgang der Erzählung bestätigt. Das Drängen nach einem irdischen König ist deshalb eine Verwerfung Gottes, weil man verkennt, daß Gott selbst und allein der Befreier aus der Not ist (1Sam 10_{18f}). Anstatt darum in der Bedrängnis einen Hilferuf an Gott zu richten, spricht das Volk den Wunsch nach einem König aus (1Sam 12_{6-12}). Auch Gideons Ablehnung der ihm angetragenen Königswürde »Weder ich noch mein Sohn soll über euch herrschen, sondern Jahwe soll über euch herrschen« (Ri 8_{23}) erwächst aus einer Situation, in der deutlich ist, daß Jahwe beansprucht, der eigentliche Retter zu sein (Ri $7_{2.7}$).[6] »Das Königtum verfällt der Kritik und Ablehnung, sofern es Jahwe als den ›Helfer‹, dh also als den Helfer und Retter aus der Feindbedrängnis, von seinem Platz verdrängen will«.[7] Anscheinend läßt das Richtertum, jedenfalls für diese spätere Sicht, Raum für die Wirksamkeit oder gar Alleinwirksamkeit Gottes (vgl. etwa Ri $6_{14.36f}$), das Königtum jedoch nicht.

[6] In einer überlieferungsgeschichtlichen Untersuchung hat *WBeyerlin* (VT 13, 1963, 1–25) gezeigt, wie sich die Gideonerzählung aus einem historischen Ansatzpunkt zu einer theologischen Darstellung entwickelt; *HJBoecker* (aaO 20ff) hat diese Deutung aufgenommen (vgl. noch *WRichter*, Traditionsgeschichtliche Untersuchungen zum Richterbuch, ²1966, 235ff). Daß Gideons Ablehnung des Königstitels (Ri 8_{22f}) keine historische Szene im strengen Sinne wiedergibt, legen schon die beiden allgemeinen Beobachtungen nahe: Die Ereignisse sind auf ganz Israel übertragen, und eine Handlung wird gar nicht dargestellt. Es sind in diesem Sonderabschnitt nur Worte überliefert, die zweifellos in einem Zusammenhang mit der sachlich ähnlichen Problematik in 1Sam 8–12 gesehen werden müssen. So bleibt ungewiß, ob die strenge Ausschließlichkeit des Wirkens Gottes schon Bekenntnis der Richterzeit selbst ist. Jedenfalls macht es die Erkenntnis, daß der Widerspruch gegen das Königtum von der Jahwekriegs- bzw. Exodustradition (1Sam 10_{17f}; 12_{6ff}; auch Ex 14f ist ja als Jahwekrieg geschildert) erfolgt, unmöglich, auf Grund von Ri 8 und 1Sam 8; 12 ein hohes Alter der Königsprädikation Jahwes anzunehmen (so noch *Boecker*, aaO 98, u. a.). Diese Texte setzen bereits eine Traditionsmischung voraus: Die Vorstellung (eines) Gottes als König und die Exodus- bzw. Jahwekriegstradition, die ursprünglich allem Anschein nach unabhängig voneinander bestanden (vgl. Königtum Gottes in Ugarit und Israel, BZAW 80, ²1966, 80ff), müssen miteinander verbunden worden sein (vgl. auch Ez 20_{33ff}; Jes 52_{7}; Mi 2_{13f} u. a.), bevor sie gemeinsam dem irdischen Königtum entgegentreten konnten.

[7] *HJBoecker*, aaO 43; vgl. *WBeyerlin*, aaO 20ff. Hier zeigt sich ein überlieferungsgeschichtlicher Zusammenhang mit der Verkündigung Hoseas ($13_{4.9f}$), vgl. zu Anm. 27.

Auch die Jotham-Fabel (Ri 9_{8-15a}), die *MBuber* als »die stärkste antimonarchische Dichtung der Weltliteratur« bezeichnete, ist durch die Frage nach dem Nutzen bestimmt: Das Königtum ist »kein produktiver Beruf« (Werke II, 1964, 562), dh es hilft nichts.

Ein Motiv kritischer Interpretation wird also vermutungsweise darin bestehen, dem Wirken Gottes im Königtum in gleicher Weise Raum zu geben wie im Richtertum.

Trotz allem wird die neue Institution nicht schlechthin verworfen. Vielmehr gilt der König als von Gott »eingesetzt« (1Sam 8_{22}; vgl. 12_{13}), durch Los bestimmt (10_{20ff}) oder gar »erwählt« (10_{24}) und gesalbt (9_{16f}; 10_{1}; vgl. $12_{3.5}$). Auf diese Weise wird das Königtum in den Jahweglauben einbezogen, allerdings nur unter einer Voraussetzung: Der König hat mit seinem Volk Jahwe zu fürchten und auf seine Stimme zu hören, andernfalls »werdet ihr und euer König hinweggerafft« ($12_{14f.24f}$; vgl. Dt 17_{19}). Das Königtum existiert also nur unter einer *Bedingung*; es wird unter die gleiche Forderung gestellt, unter der das Volk insgesamt steht. Über Heil und Unheil entscheidet also nicht das Bestehen der Institution, sondern der Glaubensgehorsam.

Das deuteronomistische Geschichtswerk entwirft mit diesen Bestimmungen gewiß nicht nur die Grundsätze für das Aufkommen des Königtums und die Amtseinsetzung Sauls, sondern hat über die geschilderte Situation hinaus die Institution als solche im Blick. Dh, die Darstellung bezieht sich weniger auf die *Person* als auf das *Amt*. Dagegen wird in den Königsbüchern jenes Allgemeinurteil durch eine Einzelbeurteilung ergänzt. In ihnen wird nicht mehr über Nutzen und Nachteil der Institution als solcher reflektiert, sondern nun werden die Könige jeweils nach ihrem Verhalten kritisiert; insofern wird hier nicht das Amt allgemein, sondern die Person angesehen. Genauer gesagt, die einzelnen Könige werden jeweils unter den Bedingungen – dem Jahwegehorsam – betrachtet, die für das Amt entworfen wurden. Gewiß ist die Bewertungsskala nicht individuell ausgeprägt, umfaßt aber immerhin verschiedene Differenzierungen von der Zustimmung (2Kön 18_{3ff}; 22_{2}; 23_{25}) über gewisse Einschränkungen im Guten (1Kön $15_{11.14}$; 22_{43f}) wie im Bösen (2Kön 17_{2}) bis zur völligen Ablehnung (1Kön $16_{30.33}$; 21_{25f}).[8] So wird zwar das Königtum prinzipiell anerkannt, jedoch eben bestimmten Kautelen unterworfen.

Beziehen sie sich durchweg auf kultisches Verhalten, so nimmt das Königsgesetz des Deuteronomiums (17_{14-20}) – zumindest theoretisch – auch konkrete Einschränkungen für die politische Praxis vor. Gewisse Unternehmungen sind dem Herrscher untersagt, vor allem soll er streng

[8] Das deuteronomistische Geschichtswerk hat nicht »überhaupt vom Königtum gering gedacht«; die Entscheidung über Heil oder Verwerfung der Könige fiel vielmehr »in ihrer Stellungnahme zu der Israel längst bekannten Jahweoffenbarung, dh zu dem Gesetz Moses“ (*GvRad*, TheolAT I[4], 351). Die Gradunterschiede im deuteronomistischen Vergleich der Könige sind ausführlich dargestellt von *GJohannes*, Unvergleichlichkeitsformulierungen im Alten Testament, Diss. Mainz (1968) 31ff.

nach dem Gesetz handeln.[9] Erstaunlich ist jedoch vor allem, daß der König überhaupt einem Gesetz unterstellt wird, welche praktischen Auswirkungen es auch gehabt haben mag.[10]

II.

Das Königtum verläßt die Verhältnisse der vorhergehenden Epoche der Richter zunächst dadurch, daß es dem Herrscher ein Amt auf Lebenszeit überträgt; doch greift die *Nathanweissagung* noch über diese Neuerung hinaus, indem sie den Fortbestand der Dynastie, eine Herrschaft »auf immer«, verheißt. Die Erzählung 2Sam 7 bedenkt erneut die Beziehung zwischen Königtum und Jahweglauben, versteht sie aber wiederum nicht schlechthin als Einheit, sondern als Spannung, die auch den Widerspruch einschließt (V. 1–7) und vor allem Gottes Initiative stark zur Geltung bringt (V. 8ff). Nun sind Datierung und Deutung von 2Sam 7 stark umstritten. Wenn die Erzählung nicht *insgesamt* als sehr jung einzuschätzen ist,[11] was aber trotz deuteronomistischer Sprachanteile kaum ausreichend begründet werden kann, dann bleibt nur die nicht restlos überzeugende Möglichkeit literar- oder traditionskritischer Scheidung.[12] In den als vermutlich alt einzugrenzenden Text-

[9] Das Königsgesetz scheint, von der Einleitung (V. 15) abgesehen, ursprünglich nur negative Bestimmungen, also Einschränkungen königlicher Macht, enthalten zu haben und erst allmählich zu seiner vorliegenden Gestalt gewachsen zu sein; vgl. zuletzt *RPMerendino,* Das deuteronomische Gesetz (1969) 179ff. Bestimmte Möglichkeiten scheinen – zumindest für prophetisches Verständnis – dem König ja seit je durch das Recht genommen zu sein (vgl. 2Sam 12; 1Kön 21 u. a.). Erinnert sei in diesem Zusammenhang auch an das »Königsrecht« 1Sam 8$_{11ff}$, das – ebenfalls mit kritischer Intention – nur die Vorrechte und möglichen Übergriffe des Königs aufzählt.

[10] »Das haben auch die Gesetzgeber gewußt und das haben sie gewollt: Sie geben dem König ein Gebot wie dem kleinsten Bauern und verlangen von ihm bei Verlust des göttlichen Segens Gehorsam« (*HSchmidt,* SAT II/2, ²1923, 197).

[11] So ist wohl *HGese* (ZThK 61, 1964, 10–26, bes. 23ff: »zeitliche Nähe zum Deuteronomium«) zu verstehen. *DJMcCarthy* (JBL 84, 1965, 131–138) hat sprachliche und inhaltliche Beziehungen zum deuteronomistischen Geschichtswerk hervorgehoben.

[12] Die von *LRost* (Die Überlieferung von der Thronnachfolge Davids, 1926 = Das kleine Credo, 1965, 119–253, bes. 159ff) vorgenommene Aufteilung hat *EKutsch* (ZThK 58, 1961, 137–153; ZAW 79, 1967, 28) modifiziert erneuert. Den älteren Textbestand wird man am ehesten in V. 11b.16 oder in V. 12.13b erkennen. Die von *MNoth* zuletzt stärker vertretene einheitliche Sicht von 2Sam 7 (Gesammelte Studien zum Alten Testament, ³1966, 334–345; vgl. auch *AWeiser,* ZAW 77, 1965, 153–168) ist wohl schon wegen der Plerophorie der Ausdrucksweise unwahrscheinlich. Wird die Häufung derselben Verheißung in nur wenig wechselnder Sprache nicht am leichtesten durch ein überlieferungsgeschichtliches Wachstum

aussagen findet sich die Verheißung dauernder Thronfolge in verschiedener Fassung: »Jahwe wird dir ein Haus errichten« (V. 11b; vgl. V. 27), »Dein Haus und dein Königtum sollen für immer vor mir bestehen; dein Thron soll für immer feststehen« (V. 16; ähnlich V. 26b), »Ich will deinen leiblichen Nachwuchs aufrichten und sein Königtum erhalten« (V. 12b) oder auch »Ich will seinen Königsthron auf immer befestigen« (V. 13). Welcher Redeweise man für die historische Rekonstruktion auch den Vorzug geben mag – sie alle stimmen in einer Hinsicht überein: Sie ergehen ohne jegliche Bedingung. Die aus anderen Gründen vorgenommene literarische oder überlieferungsgeschichtliche Schichtung hat also Konsequenzen für das Verständnis der Verheißungsrede.

So uneingeschränkt wird die Verheißung nämlich nicht durchgehalten. Eine spätere Erweiterung bedenkt die Möglichkeit der Verfehlung des Königs: »Wenn er sich vergeht, will ich ihn mit menschlichen Ruten und menschlichen Schlägen züchtigen« (V. 14b). Doch bleibt die Strafe erträglich, die Schuld hebt die Verheißung nicht auf: »Aber meine Gnade soll nicht von ihm weichen« (V. 15a).

Wenn »die letzten Worte Davids« auf die sog. Nathanweissagung Bezug nehmen, geschieht dies wiederum ohne irgendeine dem König gestellte Bedingung: »Er hat mir einen ewigen Bund, dh eine ewige Verheißung, gewährt« (2Sam 23$_{5}$). Diese Formulierung ist den in 2Sam 7 erhaltenen Redeweisen kaum vorzuziehen; denn sie deutet das Verhältnis zwischen Gott und David mit dem Bundesbegriff (vgl. Ps 89$_{4.29}$; auch Jes 55$_{3}$; Jer 33$_{21}$),[13] und darin liegt doch wohl eine sekundäre Interpretation der bereits bekannten Zusage vor. Allerdings stellen »Davids letzte Worte« insofern indirekt den König unter eine Forderung, als sie in einer Art Regentenspiegel konstatieren: »(Nur) wer gerecht über Menschen herrscht, in Gottesfurcht herrscht, gleicht dem Morgenlicht, wenn die Sonne aufstrahlt« (V. 3b.4a). Doch besteht – noch – kein erkennbarer Zusammenhang zwischen Anspruch und Zu-

des Textes erklärlich? Diese Frage ist berechtigt, auch wenn »der ursprüngliche Wortlaut des Kapitels nicht mehr mit Sicherheit in allen Einzelheiten zu rekonstruieren« ist (*MNoth* 344). Weitere Literatur zu 2Sam 7 nennen *JASoggin*, ZAW 78 (1966) 185 Anm 18; BZAW 104 (1967) 70 Anm 32; *MRehm*, Der königliche Messias (1968) 7ff.

[13] *AHJGunneweg* (Sinaibund und Davidsbund, VT 10, 1960, 335–341) entnimmt dieser Bundesvorstellung, »daß Israels Glaube sich die allgemein-orientalische Idee des sakralen Königtums aneignet und sie zugleich umwandelt und assimiliert« (338). Dann erhebt sich jedoch die Frage, was die Vorstellung eines Davidsbundes für die Machtstellung des Königs bedeutet. Zum Davidbund vgl. jetzt *LPerlitt*, Bundestheologie im Alten Testament, WMANT 36 (1969) 47–53, bes. 50ff.

spruch.[14] Gerade in dieser Beziehung tritt aber allmählich eine recht tiefgreifende Wandlung ein.

Sie läßt der Psalter allerdings noch nicht in vollem Ausmaß erkennen. Ps 89[15] zitiert mehrfach, wiederum in wechselnder Ausdrucksform, die sog. Nathanweissagung (V. 4f.29f.37f). Er erinnert nicht nur darin an die schon genannten Texte, daß er eine ähnliche, wenn auch wohl stärker zersagte Redeweise benutzt und den Bundesbegriff verwendet; vielmehr bedenkt Ps 89 ähnlich wie 2Sam 7_{14f} die Möglichkeit der Verfehlung und findet die gleiche Lösung: Nur wird jetzt im engen Anhalt an deuteronomistische Sprache das Vergehen als Übertretung der göttlichen Gebote beschrieben und so verschärft; der König hat das Sinaigesetz einzuhalten.[16] In jedem Fall bleibt jedoch Gottes Huld bestehen (V. 31–34).

Wie Ps 89 so kann auch Ps 132 kaum als Grundlage einer Rekonstruktion der historischen Ereignisse dienen; denn beide Psalmen bieten zweifellos ein späteres Stadium der Überlieferung. Zwar verbindet Ps 132 ebenfalls die beiden Hauptmotive von 2Sam 7 miteinander, verschärft sie jedoch bzw. gestaltet sie erzählerischer, fast legendenhaft weiter aus: Aus Davids Wunsch, für die Lade einen Tempel zu errichten, wird eine Selbstdemütigung, die mit einem Gelübde schließt, und die Verheißung einer Dynastie bekommt als Schwur Jahwes noch mehr den Charakter der Unverbrüchlichkeit (vgl. auch Ps $89_{4.36.50}$).[17] Der

[14] Sollte Ps 45_{7a} auf die Nathanweissagung anspielen, würde in gleicher Weise eine lockere Verbindung mit der an den König gestellten Forderung nach Gerechtigkeit (V. 7b.8a) vorliegen, ohne daß die beiden nebeneinander geordneten Aussagen in irgendeine innere Beziehung zueinander träten. Zur Sache vgl. auch Spr 20_{28}; 25_5; 29_{14}.

[15] Der Versuch, aus Ps 89 durch literarkritische Scheidung ein älteres Lied (aus dem 10. Jahrhundert) zu gewinnen (*ELipinski*, Le poème royal du Psaume LXXXIX 1–5.20–38, 1967; weitere Literatur dort Anm. 2), ist kaum gelungen. Die Verschachtelung der Themen (die Anspielung auf den König V. 4f.19 innerhalb des Hymnus V. 2–19), die deuteronomistische Sprache V. 31ff, die antithetische Entsprechung von V. 20ff.39ff usw. legen die Vermutung nahe, daß der Psalm als ganzer – und zwar am ehesten in exilischer oder nachexilischer Zeit – abgefaßt wurde (so schon *HGunkel*, Die Psalmen, ^{5}1968, 396; neuerdings *JMWard*, VT 11, 1961, 321–329; *JBecker*, Bibl 49, 1968, 275–280). Allerdings greift Ps 89 gewiß ältere Traditionen auf; insofern wäre zwar keine literarkritische, aber eine überlieferungsgeschichtliche Analyse durchführbar.

[16] Neben *HGunkel* u. a. macht auch *GvRad* (TheolAT I^4, 323 Anm. 6) auf die Nähe zu deuteronomistischen Tendenzen aufmerksam. Daß das Motiv der Züchtigung in Ps 89 gegenüber 2Sam 7_{14} »getrennt von der Ausführung des Vater-Sohn-Verhältnisses« ist (*HGese*, ZThK 61, 1964, 25 Anm. 35), berechtigt angesichts der stärkeren Betonung der Verpflichtung in Ps 89_{31ff} (sowie der deuteronomistischen Sprache) kaum dazu, Ps 89 für älter zu halten.

[17] Aus diesen Gründen (vgl. *HGunkel*, Psalmen 393; *HJKraus*, Psalmen 844; zum Sinn von Ps 132_1: *WSchottroff*, »Gedenken« im Alten Orient und im Alten Te-

Eid »Aus der Frucht deines Leibes setze ich auf deinen Thron« (V. 11) bleibt zunächst wiederum uneingeschränkt. Sonderbarerweise setzt die Verheißung aber noch einmal völlig neu ein, jetzt aber unter Angabe strenger Vorbedingung: »Wenn deine Söhne meinen Bund (dh: meine Verpflichtung) halten und mein Zeugnis, das ich sie lehre, sollen auch ihre Söhne für immer auf deinem Thron sitzen« (V. 12).[18] Das auffällige »auch« (גם) wie überhaupt der zweiteilige Aufbau der Verheißung legen die Vermutung nahe, daß in V. 12 eine nachträgliche Erweiterung vorliegt. In ihr werden die späteren Generationen ausdrücklich in die Zusage einbezogen, aber nur unter Vorbehalt.[19]

Die im Psalter angedeutete Tendenz wird für das deuteronomistische Geschichtswerk bestimmend. Verlangen 2Sam 7$_{14f}$ und ähnlich Ps 89$_{31-34}$ vom König Gehorsam, ohne die Gültigkeit der Verheißung anzutasten, so wird sie jetzt selbst der Gehorsamsverpflichtung untergeordnet. Die Bedingung, die innerhalb der Nathanweissagung gestellt ist, wird auf sie insgesamt übertragen: »Wenn deine Söhne auf ihren Weg achten, so daß sie vor mir in Treue mit ihrem ganzen Herzen und ihrer ganzen Seele wandeln, soll dir nie jemand auf dem Thron Israels fehlen« (1Kön 2$_{4}$) oder: »Es soll dir nie jemand vor mir fehlen, der auf dem Thron Israels sitzt, aber nur, wenn deine Söhne auf ihren Weg achten, daß sie vor mir wandeln« (8$_{25}$; ähnlich 9$_{4f}$; 3$_{6}$; vgl. 6$_{12}$ u. a.).[20] Wie das deuteronomistische Geschichtswerk die Exi-

stament, ²1967, 224) sind die Erwägungen von *HGese* (ZThK 61, 1964, 13.16f) über das Alter von Ps 132 kaum überzeugend. Wahrscheinlich kommt die Rede von der »Erwählung« (בחר) des Zion (Ps 132$_{13}$; vgl. den vom Deuteronomium beeinflußten Ps 78$_{68}$; auch 1Kön 8$_{16}$; 2Kön 23$_{27}$; Sach 3$_{2}$) erst durch die Reform Josias auf: »Der Ort, den Jahwe erwählt« (Dt 12$_{5.11}$ u. a.; vgl. *RdeVaux*, Festschr. LRost, BZAW 105, 1967, 219–228), wird mit dem Zion bzw. Jerusalem identifiziert. Die Beziehung zwischen Königtum und Zion wird ursprünglich wohl auf andere Weise ausgesprochen (vgl. etwa Ps 2$_{6}$; 110$_{2}$).

[18] Häufig denkt man dabei unter Verweis auf 2Kön 11$_{17}$ an ein besonderes Königsprotokoll, das die Thronnamen oder für den König bestimmte Bundes- oder Rechtssatzungen enthalten soll (*GvRad*, Gesammelte Studien zum Alten Testament, ³1965, 205–213 u. a.; vgl. *ZWFalk*, VT 11, 1961, 88–91; *GHJones*, VT 15, 1965, 340f; zuletzt *BVolkwein*, BZ 13, 1969, 30f). Allerdings erinnert der Bedingungssatz, wenn auch weniger in der Sprache, so doch in der Sache, so stark an die deuteronomistischen Bestimmungen, denen die Verheißung unterworfen wird, daß die Annahme näherliegt, hier werde das Königtum wiederum dem Sinaibund unterstellt.

[19] Oder sollte umgekehrt für Davids direkten Nachfolger, also für Salomo, die Bedingung noch nicht gelten? Hat der erste bzw. haben die ersten Thronfolger gar geherrscht, obwohl sie den Bund nicht hielten?

[20] Auf das Bedingungsverhältnis in diesen Aussagen haben in letzter Zeit u. a. hingewiesen: *EKutsch*, ZAW 79 (1967) 32; *NPoulssen*, König und Tempel im Glaubenszeugnis des Alten Testaments (1967) 121f.132f; *HPMüller*, Ursprünge und Strukturen alttestamentlicher Eschatologie, BZAW 109 (1969) 186f Anm. 44; vgl.

stenz des Königtums überhaupt von der Gehorsamsforderung abhängig macht (1Sam $12_{14f.24f}$), so wird in sinngemäß, wenn auch nicht wörtlich gleicher Weise die Nathanweissagung eingeschränkt. In beiden Fällen ist die Zugehörigkeit zu Jahwe »in Treue, von ganzem Herzen« notwendige Voraussetzung (1Sam 12_{24}; 1Kön 2_4; vgl. 3_6; 9_4); nur der rechte Wandel macht die Verwirklichung des angekündigten Heils möglich. Daß die Thronfolgeverheißung, die doch – wie ausdrücklich bestätigt wird (2_4; 8_{25}) – auf einem Gotteswort beruht, in solchem Maße eingegrenzt wird, ist geradezu erstaunlich. Anscheinend tritt aber der Jahweglaube, der sich im deuteronomistischen Geschichtswerk ausspricht, der Institution des Königtums mit solchem Vorbehalt gegenüber, daß er selbst die ihr geltende unbedingte Verheißung nur als bedingte bestehen läßt.

Daß diese kritische Einstellung in späterer Zeit nicht ganz vergessen wird, zeigt die in Sacharjas Vision vorgenommene Amtseinsetzung des Hohenpriesters Josua. Das Gotteswort überträgt ihm die Sonderstellung nur unter der Voraussetzung, daß er in Jahwes Wegen wandelt und Jahwes Ordnung einhält (Sach 3_7). Die Verpflichtungen, denen der König unterworfen war, hat der Hohepriester zu übernehmen.[21]

III.

Eine ähnliche Tendenz verfolgen die *Propheten* im Umgang mit dem Königtum. So ist es nicht möglich, die Frage nach der »Kritik am Königtum« zu stellen, ohne einen, wenn auch flüchtigen Blick auf die prophetische Verkündigung zu werfen. Bekanntlich können schon die frü-

auch *ACaquot,* La prophétie de Nathan et ses échos lyriques, VT Suppl 9 (1963) 213–224.

[21] Im chronistischen Geschichtswerk, das das israelitische Königtum erst recht nicht mehr aus eigener Erfahrung kennt, sind die Aussagen merkwürdig unausgeglichen, ja zwiespältig: Der Hinweis auf den möglichen Ungehorsam 2Sam 7_{14b} fehlt in 1Chr 17_{13}. Entsprechend ergeht die Verheißung unbedingt (1Chr 22_{10}; 28_4; 2Chr 13_5; 21_7; 23_3; vgl. noch Jer 33_{21}), aber auch bedingt (2Chr 6_{16}; 7_{17f}; 1Chr 28_7; vgl. 22_{12f}). Daß der König auf Jahwes Königsthron sitzt (1Chr 28_5; 29_{23}; vgl. 17_{14}; 2Chr 9_8; 13_8), sagt die ältere Tradition in so unbekümmerter Direktheit nicht; selbst Ps 110_1 meint wohl nicht die Identität der Herrscherthrone. So erscheint es fraglich, ob man urteilen darf: »Ein sachlicher Unterschied gegenüber der älteren Auffassung besteht aber kaum« (*GvRad*, TheolAT I^4, 333 Anm. 5. 362). Die Aussagen über das Königtum Gottes und die irdische Königsherrschaft laufen ja durchweg (mit wenigen Ausnahmen, wie 1Sam 8; 12) bis in die Zukunftserwartungen hinein getrennt. Anscheinend gewinnt also das Königtum – auf Grund der messianischen Hoffnung? – in der Chronik wieder an Bedeutung, nachdem die Institution zerfallen ist. Vgl. zuletzt *ACaquot,* RThPh 99 (1966) 110–120.

hen Propheten dem König Gericht, ja den Tod androhen (1Kön 14; 21; 2Kön 1 u. a.); die sog. Schriftpropheten setzen diese Intention in verschiedener Weise fort.

Als *Jesaja* König Ahas entgegentritt, der angesichts feindlicher Bedrohung Vorkehrungen für die erwartete Belagerung Jerusalems trifft, erneuert der Prophet die der davidischen Dynastie – oder auch dem Zion – gegebene Verheißung in einer konkreten Situation: »Glaubet ihr nicht, so bleibet ihr nicht« (Jes 7$_{9}$). Ob Jesaja nun (mit dem Wortstamm אמן) die Nathanweissagung (2Sam 7$_{16}$; 1Kön 11$_{38}$; Jes 55$_{3}$; 1Sam 25$_{28}$; vgl. 2$_{35}$) oder die ihr nahestehende Ziontradition (Jes 1$_{21.26}$) aufgreift,[22] in jedem Fall stellt er sie unter eine Bedingung.[23] Ähnliche Umwandlungen von unbedingten Heilsaussagen in bedingte scheint Jesaja auch sonst vorzunehmen (zB Jes 1$_{19f}$); auf diese Weise ist es ihm möglich, Heils- und Unheilsankündigung zu vermitteln. Der Mensch kann in gewisser Weise bei der Gestaltung der Zukunft mitwirken. Damit vertritt aber Jesaja in einer Vor- und Frühform eine Intention, die sich ausgeprägt vor allem im deuteronomistischen Geschichtswerk findet: Die auf der Daviddynastie ruhende Verheißung wird vom Verhalten des Menschen abhängig.[24]

Auch *Jeremia* übt keine grundsätzliche Kritik an der Institution des Königtums, vielmehr prüft er – nur in dieser Hinsicht ähnlich der deuteronomistischen Redaktion der Königsbücher – die Könige einzeln (Jer 21$_{11ff}$), und zwar am Maßstab des Rechts. Josias Verhalten kann sogar als vorbildlich gelten (22$_{15f}$), ja, das Ende der Thronfolge scheint nicht ohne Klage angekündigt zu werden (22$_{30}$). Durch die strenge Forderung nach sozial gerechtem Handeln gerät das Herrscherhaus aber wieder unter eine Bedingung (21$_{12}$; 22$_{3ff}$ in deuteronomistischem Stil).

Schließlich hält *Ezechiel* am Königtum, wenn auch wiederum nicht ohne Einschränkung, fest. Er betont – trotz der visionär geschauten Trennung von Palast und Heiligtum – stärker das kultische Handeln des Herrschers; außenpolitisches oder kriegerisches Wirken treten zurück. Vielleicht wird schon aus diesem Grunde der Titel »König« zugunsten der blasseren Bezeichnung »Fürst« gemieden.[25]

[22] Die zweite Lösung hat zuletzt *RSmend*, Hebräische Wortforschung [illegible] *WBaumgartner*, VT Suppl XVI (1967) 287ff, vorgeschlagen.

[23] »Die grundsätzliche Verheißung, die über dem Davidshause steht, wird angesichts der Kriegsgefahr aktualisiert. Aber die Heilszusage wird an die Bewährung des Glaubens durch das Davidshaus gebunden« (*HWildberger*, ZThK 65, 1968, 133).

[24] o. Abschn. II. So kann man erwägen, ob die deuteronomistische Schule prophetische Anregungen übernimmt (s. Anm. 41). Vgl. aber auch Ps 132$_{12}$.

[25] Vgl. zuletzt *WZimmerli*, Ezechiel, BK XIII (1969), bes. 1227ff (u. Reg.). Der

Anders liegen die Dinge bei *Hosea*; er ist wohl der schärfste Kritiker der Institution des Königtums überhaupt. Allerdings bestreitet man oft den prinzipiellen Charakter der prophetischen Polemik; so beteuert etwa *MBuber*, »daß auch Hoseas Ablehnung ungeachtet ihres grundsätzlichen Charakters keine unbedingte ist ... Das Königtum war so stark in die Theokratie eingebaut oder theokratisch unterbaut, daß die Kritik der Prophetie nicht an den Grund selbst rühren konnte: Sie konnte nur eben auf diesen Grund weisen, den Inhaber der Macht also mit dem Ursprung und dem Sinn seiner Macht konfrontieren«.[26] Ein solches Urteil wird jedoch der Schärfe von Hoseas Stellungnahme kaum ganz gerecht. Für ihn ist das Königtum zunächst eine rein menschliche Einrichtung, die ohne oder gar gegen Gottes Willen eingeführt ist; so wird sie in einem Atemzug mit dem Götzendienst genannt (Hos 8$_{4}$). Wenn der Prophet dennoch das Königtum von Gott herleitet, erkennt er es nicht als Gnadengabe an, sondern sieht es vom Ursprung bis zum Ende unter dem Gericht stehen: »Ich gab dir einen König in meinem Zorn und nahm ihn weg in meinem Grimm« (13$_{11}$). Dabei ist die kritische Haltung durch dasselbe Grundmotiv bestimmt, das auch 1Sam 8ff beherrscht: Nicht der König, sondern Gott allein ist der wahre Helfer und Retter (13$_{9f.4}$; vgl. 10$_{3}$).[27] Mögen solche Prophetenworte auch mehrdeutig bleiben, eindeutig wird die Gerichtsankündigung innerhalb der symbolischen Handlungen Hos 1$_{4}$ und 3$_{4}$. Wieweit die Drohung: »In Kürze ahnde ich die Bluttaten von Jesreel am Haus Jehus und mache dem Königtum ein Ende« (1$_{4}$) über die Strafansage an einen bestimmten Herrscher oder ein Herrscherhaus hinausgeht, lehrt der Vergleich mit dem einzigen Wort, in dem Amos direkt den König angreift: »Jerobeam soll durch das Schwert sterben« (Am 7$_{11}$) bzw. »Ich erhebe mich gegen das Haus Jerobeams mit dem Schwert« (7$_{9}$). Droht Amos den Tod des Königs oder den Untergang

Text Ez 37$_{22.24}$, in dem der Königstitel erscheint, gehört anscheinend erst einer späteren Schicht des Prophetenbuches an.

[26] Königtum Gottes, Werke II (1964) 522; vgl. 571. Ähnlich meint *HWWolff* (Hosea, BK XIV/1, [2]1965, 178 zu Hos 8$_{4}$), daß Hosea »hier nicht das Königtum als solches ablehnt ...; vielmehr verurteilt er die Art und Weise der Thronwechsel«. Zu 13$_{10}$ heißt es jedoch prinzipiell, »daß Hoseas Kritik am Königtum tiefer wurzelt als in den zeitgenössischen Mißständen ... Fast so wie der Baalkult ... lebt es von Anfang an vom Gegensatz gegen die Herrschaft Jahwes« (295).

[27] Vgl. *WRudolph*, Hosea, KAT XIII/1 (1966) 244 und o. Anm. 7. Daß Hoseas Kritik am Nordreich von einer Hochschätzung der Davididen begleitet wird (*WRudolph* 244. 256f; vgl. aber 93; auch *EJacob*, EvTh 24, 1964, 283 u. a.), läßt sich nicht erweisen. Falls die Verheißung 2$_{1-3}$ überhaupt »echt« ist, was jedoch sehr zweifelhaft bleibt, so ist bezeichnend, daß sie die Vereinigung der beiden Völker nicht unter einem »König«, sondern einem gemeinsamen »Haupt« erwartet. Das ist wohl als Rückgriff auf den Titel eines Führers aus vorstaatlicher Zeit zu verstehen (vgl. Num 14$_{4}$; Ri 11$_{8ff}$).

der Dynastie an, so spricht Hosea vom Ende des König*tums* (vgl. auch Am 9$_{8}$). Nur wenn man die Aussage derart radikal faßt, stimmt sie auch in ihrem Zusammenhang mit der unbedingten Unheilsankündigung über das Volksganze überein, die in der Namengebung »Erbarmungslos« und »Nicht-mein-Volk« gipfelt (Hos 1$_{6.9}$). Bestätigt wird diese Deutung durch das Gerichtswort, auf das die zweite Zeichenhandlung zielt: »Viele Tage werden die Israeliten dasitzen ohne König und ohne Führer ...« (3$_{4}$). Wiederum ist hier die Abschaffung der Institution im Blick – sowie der Verlust gewisser kultischer Phänomene, zu denen neben bestimmten Mitteln der Orakelgewinnung immerhin auch die Opfer zählen. Dabei ist ein Ende dieses Zustands kaum abzusehen; die »vielen Tage« ohne Königtum sollen wohl nicht dadurch abgeschlossen werden, daß es neu eingesetzt wird. Entweder hat man »viele« im inkludierenden Sinne als »alle« aufzufassen[28] oder eher parallel zu Drohung und Verheißung von Hos 2 an eine Rückkehr in die Situation der Wüstenzeit zu denken. Zu den Gütern, die Israel nach dem zweiten Wüstenaufenthalt neu empfängt (2$_{17}$; vgl. 2$_{23ff}$), gehört das Königtum jedoch nicht. So ist Hoseas Kritik am Königtum kaum anders als prinzipiell zu verstehen. Allerdings bezieht sie sich nur – oder zumindest speziell – auf das Nordreich.

Ein in gleicher Weise radikales Urteil über die Daviddynastie fällen die übrigen Propheten nicht. Immerhin spricht sich in *Deuterojesajas* Verkündigung indirekt eine kritische Stellungnahme aus, die abschließend noch erwähnt sei. Sie beruht gleichsam auf einer Ämterteilung: Den Königstitel behält sich Jahwe selbst vor (Jes 52$_{7}$), die politische Funktion des Königs einschließlich der Bezeichnung »Gesalbter« erhält der Nicht-Israelit Kyros (44$_{28ff}$), während die Gottesknechtlieder die aus der Königstradition stammenden Hoheitszüge mehr und mehr in Niedrigkeitsaussagen verwandeln.[29] Schließlich wird die David-

[28] Vgl. *JJeremias,* ThW VI (1959) 536–538. *WRudolph* deutet die Drohung auf ein Exil, in dem Israel »keinen König mehr hat und keinen Kult mehr üben kann. Daß es sich um einen langdauernden Zustand handeln wird, verschärft die Drohung. Ob und wann er ein Ende haben wird, tritt hier nicht ins Blickfeld« (aaO 93).

In der mit »danach« eingeleiteten Zukunftserwartung von Hos 3$_{5}$ ist zumindest »und David ihren König« (vgl Jer 30$_{9}$) ein Nachtrag (so zB *HWWolff*). Wahrscheinlicher ist aber der ganze Vers ein Zusatz (so zB *WRudolph*). Dann ist auch »die Zweiphasigkeit der Eschatologie«, »eine Wurzel der Apokalyptik und ihrer Periodisierung der Geschichte« (*Wolff*, aaO 78), zumindest in dieser Form nicht die Anschauung des Propheten, sondern erst späterer Zeit.

[29] Vgl. zuletzt KuD 15 (1969) 30–32.28 Anm. 23; zu der von Deuterojesaja vorgenommenen »Ämterteilung«: *OEissfeldt,* Kleine Schriften IV (1968) 44–52, bes. 50; *OHSteck,* KuD 15 (1969) 287f Anm. 12; auch *WBrueggemann,* ZAW 80 (1968) 195f.

tradition auf das Volksganze bzw. die Hörer im Exil übertragen. »Mit dieser ›Demokratisierung‹ hat Deuterojesaja der Überlieferung faktisch ihren spezifischen Inhalt genommen«.[30] Die Umprägung besteht aber keineswegs nur in der Ausweitung der Verheißungsträger, sondern darüber hinaus in der von Deuterojesaja im Zusammenhang seiner Verkündigung vorgenommenen Neuinterpretation des Königsamtes: »Fürst (nicht: König) und Gebieter der Völker« wird Israel nicht durch Krieg und Sieg, sondern als »Zeuge«. Auf seinen Ruf hin laufen selbst die Völker herbei, die ihm persönlich unbekannt sind (55_{4f}; vgl. 43_{10} u. a.). Hat die Herrschaft damit nicht ihren gewaltsamen Charakter, die Autorität ihre Strenge verloren?

Auch andere Bereiche prophetischer Literatur gewähren der messianischen Hoffnung und damit dem Königsamt für die Gestaltung der Zukunft keinen Raum. Aber die messianischen Erwartungen sind ja indirekt selbst Kritik am Königtum und in ihren Aussagen wiederum nicht ohne kritische Reduktion der Königstradition.[31] Dh: Soweit die prophetischen Zukunftsansagen nicht ohne Rückgriff auf die Königstradition auskommen, übernehmen sie sie nur mit Einschränkungen. Mit dieser Tendenz stehen die Propheten jedoch nicht allein.

IV.

In zunehmendem Maße hat das Alte Testament – und zwar neben der Prophetie vor allem das deuteronomistische Geschichtswerk (Abschn. I und II) – die Institution des Königtums so in den Jahweglauben integriert, daß es sie seinen Ordnungen unterwarf. Die Abhängigkeit des Königs von Gott wird also im Laufe der Zeit schärfer erkannt, jedenfalls betont. Lassen sich ähnliche oder gar darüber hinaus gehende Tendenzen auch in den *Königspsalmen* beobachten? Ganz allgemein gilt: »Gott und nicht der König steht im Vordergrund. Wie es anscheinend weder Lieder zur Verherrlichung des Königs noch den Selbstruhm des Königs gegeben hat, so ist in den kultischen Königsliedern weniger von seiner Kraft und seinen Leistungen die Rede als davon, was ihm von Gott verheißen wird, was er von Gott erbittet und wofür er ihm dankt«[32] (vgl. zB Ps 21_{5-8}; anders Ps 45).

Schon die *Fürbitte* für den König spricht ja die Angewiesenheit des Herrschers auf Gottes Zuneigung aus (Ps 20_{2-6}; $132_{1.10}$; vgl. 1Sam 12_{19}); ja, der König selbst naht Gott mit einer Bitte (Ps 2_{8}; 20_{5}; $21_{3.5}$;

[30] *GvRad*, TheolAT II ([4]1965) 250.
[31] Vgl. u. Anm. 51.
[32] *GFohrer*, Einleitung in das Alte Testament ([11]1969) 291.

1Kön 3_{5ff}). Bestimmte *Gehorsamsbedingungen*, wenn auch ohne allzu strenge Konsequenzen, zählt Ps 89_{31-34} auf,[33] und Ps 101 scheint der König sogar in einem Reinheitsgelübde darzulegen, wie er den göttlichen Rechtsforderungen Genüge tut (vgl. 1Sam 12_{3f}). Überhaupt kann sehr stark betont werden, daß der König zur *Gerechtigkeit* verpflichtet ist (Ps $45_{5.8}$; 72; vgl. Spr 20_{28}; 29_{14}; 2Sam 8_{15}; 1Kön 10_{9}; Jer 21_{11ff}). Gewiß wirkt hier altorientalische Tradition nach;[34] vielleicht hat das Alte Testament sie aber zugespitzt und verschärft, so daß die Verwirklichung des Rechts in der Hoffnung faktisch zur einzigen Aufgabe des Messias wird (Jes 9_{6}; 11_{3ff}; Jer 23_{5f}).

Die entscheidende Differenz zwischen Gott und König kommt in den Königspsalmen jedoch wohl auf andere Weise zur Geltung.

Im Gegensatz zu der strengen Gegenüberstellung von *göttlicher* und *königlicher Herrschaft* (Ri 8_{23}; 1Sam 8_{6f}; 10_{19}; 12_{12}) erscheint in Ps 2 die Herrschaft des Davididen „in unlöslichem Zusammenhang mit der Herrschaft Jahwes selbst«.[35] Gott thront zwar – irdischer Unruhe entrückt – im Himmel, aber der Kampf der Völker richtet sich in gleicher Weise „gegen Jahwe und seinen Gesalbten“ (V. 2). Ihr Machtbereich scheint eine Einheit darzustellen. Gott bleibt transzendent und ist keineswegs im König verkörpert; Gottes Reich und das Reich des Königs sind jedoch weitgehend identisch. So gibt Gott dem König die Völker zum Erbe, so daß er über die Welt herrscht (vgl. Ps 72_{8-11}), und die Furcht vor Jahwe scheint sich in der Unterwerfung unter den Sohn zu konkretisieren. Gewiß beruhen Recht und Stellung des Königs auf der Einsetzung durch Jahwe und seinem hilfreichen Eingreifen, aber diese Abhängigkeit des Herrschers von Gott kommt in der königlichen Machtausübung nicht weiter zur Geltung. Vielmehr verwirklicht der König *selbst* die ihm von Gott verliehene Herrschaft. Dem »Ich gebe (dir) die Völker« folgt die Zusage »Du magst sie zerschlagen

[33] Der Sprecher des – wie Ps 89_{31ff} durch deuteronomistische Terminologie charakterisierten – Unschuldsbekenntnisses von Ps 18_{21ff}: »Ich achtete auf die Wege Jahwes, ... alle seine Ordnungen standen vor mir, und von seinen Satzungen wich ich nicht ab«, ist ursprünglich kaum ein König. Doch mag man erwägen, ob durch die Zufügung des Königsliedes Ps 18_{32ff} auch die erste Hälfte des Psalms (V. 2–31) zu einem Wort des Königs wird. In diesem Fall würde gelten: Der König »ist Israelit wie jeder andere und dankt Jahwe in den üblichen Formen (Ps 18A), zugleich aber ist er König in der Tradition altorientalischer Herrscher (Ps 18B)« (*FCrüsemann*, Studien zur Formgeschichte von Hymnus und Danklied in Israel, 1969, 258; vgl. *RKnierim*, Die Hauptbegriffe für Sünde im Alten Testament, 1965, 187–189).

[34] Vgl. zuletzt *HHSchmid*, Gerechtigkeit als Weltordnung (1968) 23ff.83ff.

[35] *AAlt*, Kleine Schriften zur Geschichte des Volkes Israel I (^{2}1959) 357 von den Königsliedern des Psalters allgemein, allerdings mit der Einschränkung »besonders deutlich Ps 2«. Was besagt diese notwendige Eingrenzung? Denken die übrigen Königsspalmen das Verhältnis anders?

mit eiserner Keule, sie wie Töpfergeschirr zerschmeißen« (V. 8f). Noch uneingeschränkter – sowohl in der universalen Ausdehnung als auch der Art nach, die sich in der drastischen Ausdrucksweise verrät – kann die Macht des Königs kaum ausgesprochen werden. Eine gewisse »Vermenschlichung« stellt höchstens die (in V. 10 an Stelle einer Gerichtsankündigung) an die Welt gerichtete ultimative Warnung dar. Von der doch sonst stark betonten Rechtsverpflichtung ist – wie von irgendeinem Bezug auf Israels Geschichte – keine Rede. Wohl nirgends spricht das Alte Testament so ungehindert von der Macht des regierenden Königs und wohl nirgends hat es sich so ungehemmt altorientalischem (vielleicht speziell ägyptischem) Einfluß geöffnet,[36] der ja auch in der Adoptionsformel »Mein Sohn bist du, heute habe ich dich gezeugt« (V. 7) nachklingt.[37]

Greift der Jahweglaube im Laufe der Zeit in schärferem Maße in diese Überlieferung ein, kommt die Differenz zwischen dem Regiment Gottes und des Königs stärker zur Geltung? Das in Ps 2 (V. 8f) bemerkenswerte Nebeneinander von göttlichem und königlichem Handeln findet sich in anderen Königspsalmen wieder und wirkt dort eher noch auffälliger. Nach Ps 18 rüstet Jahwe den König zum Kampf aus (V. 33ff) und setzt ihn zum »Haupt der Völker" (V. 44) ein. Dennoch führen sowohl Gott (V. 40b. 48f) als auch der König (V. 38f. 41b. 43) den Krieg. Möchte man diesen – vom Bekenntnis her, daß Gott »rettet« (V. 44a) – fast unverständlichen Wechsel zwischen göttlicher und königlicher Tat, der keinen merklichen Sinnunterschied erkennen läßt, in einer Aussage zusammenfassen, gleichsam systematisieren, so bietet sich der Schlußvers an: Jahwe gewährte dem König Hilfe (V. 51). Der König bedarf also der göttlichen Hilfe (Ps $20_{3.7}$; 21_{6}; $144_{2.7.10}$), so daß sich das Gebet an Gott wendet: »Jahwe, hilf dem König!« (20_{10}; vgl. 101_{2a} MT).

Anders liegen die Verhältnisse schon in Ps 110, obwohl der schlechte, gewiß zT auf dogmatischen Korrekturen beruhende Textzustand, bestimmte mythologische Anspielungen wie auch die dem König ohne

[36] Vergleichbar ist höchstens die Anrede an den König als »Gottwesen« (Ps 45_{7}), während die hochgreifende Titulatur von Jes 9_{5} ja nur dem erwarteten Zukunftsherrscher zugesprochen wird.

[37] Auf Grund des aramäischen Sprachanteils (vgl. aber *BLindars*, VT 17, 1967, 64) und anderer Erwägungen hat man öfter eine Spätdatierung von Ps 2 vorgenommen. Der Sache nach ist Ps 2 jedenfalls in weit geringerem Maße durch alttestamentliches Gedankengut beeinflußt als andere Königspsalmen (s. u.). Vielleicht darf man auch annehmen, daß Ps 2 im Laufe der Zeit gewachsen ist: V. 2b sieht wie eine, wenn auch sinngemäß richtige, Ergänzung aus. V. 12b könnte Zusatz sein, vielleicht überhaupt der (eschatologische?) Ausblick (V. 11–12). So könnte sich die spätere eschatologische Deutung der Königspsalmen in V. 2b.12 widerspiegeln. Aber solche Erwägungen bleiben naturgemäß höchst unsicher.

jede Einschränkung zugeschworene Priesterwürde darauf hindeuten, daß der Psalm stark durch altorientalische Traditionen geprägt ist. Wie in Ps 2 beruht die Ermächtigung des Königs auf dem göttlichen Wort (V. 1), das ihn erst zum Herrscher macht: »Setze dich zu meiner Rechten, bis ich deine Feinde als Schemel deiner Füße hinlege!« Aber anders als in Ps 2 (V. 9) führt Gott den Krieg allein.[38] Von einer Handlung des Königs spricht nur noch das Gotteswort (V. 2; vgl. noch V. 7). Es mutet ihm zu, inmitten der – bereits überwundenen – Feinde zu herrschen; denn V. 1 und 2 stellen doch wohl keinen synonymen Parallelismus dar, sondern bezeichnen das Nacheinander zweier Handlungen. Dann geht aber Ps 110 über die Zusage göttlicher Hilfe hinaus; vielmehr deutet sich hier die für die messianischen Weissagungen typische Differenz von göttlicher und menschlicher Tat bzw. Herrschaft zum ersten Male an.[39] Der König scheint erst in einem Bereich zu wirken, den Gott herbeigeführt hat.

Merkwürdigerweise kommt die sich hier anbahnende Unterscheidung zwischen göttlichem und königlichem Wirken ähnlich wie in Ri 8_{22f}; 1Sam 8; 12, wenn auch zunächst in weit geringerem Maße als dort (o. Absch. I), dadurch zustande, daß die – altorientalisch beeinflußte – Königsideologie mit der Tradition von einer Kriegführung durch

[38] Vgl. auch V. 5: »Der Herr ist über deiner Rechten. Er zerschmettert ... Könige«. Die Textkorrektur des Gottesprädikates in einen Königstitel »mein Herr« (vgl. *JCoppens*, Suppl. Numen 4, 1958, 334f) beseitigt die Schwierigkeiten des Verses nicht; vor allem bezieht sich »sein Zorn« doch wohl auf das Eingreifen Gottes vgl. Ps 2_5; auch Ez 7_{19}; Zeph 1_{18} u. a.). – Möglicherweise kann man sich wie zu Ps 2 (o. Anm. 37) fragen, ob nicht V. 5b »am Tage seines (= Gottes) Zorns« und V. 1b wieder eine Art eschatologischer Vorbehalt zum Ausdruck kommt. Ist die Inthronisation noch nicht die Unterwerfung der Völker, steht die Aufrichtung der Herrschaft eigentlich noch aus? In diesem Fall hätten die Königspsalmen bereits von sich aus einen Zukunftsbezug.

[39] Vgl. u. Anm. 51. Den in Ps 110 vorliegenden Sachverhalt hat *GRDriver* zwar gesehen, aber verkannt, nämlich in sein Gegenteil verkehrt: »The Messianic king's function is not to sit inactive while the Lord defeats Israel's enemies but to sally forth and reduce them to submission as the Lord's agent in bringing about Israel's victory (cf. Numb XXIV, 17–19) ... In other words, the clause (V. 1) ist not an instruction to remain idle while God fights His people's battles but a promise of a seat beside His when he (sc. the Messianic king) has won the victory on God's behalf for Israel« (Psalm CX: its Form, Meaning and Purpose, Studies in the Bible, MHSegal, 1964, 17*–31*, bes. 19*). Ähnlich bemerkt *MRehm* (Der königliche Messias, 1968, 323 Anm. 297): »Aus dem Wortlaut ist nicht zu entnehmen, daß Gott selbst den Kampf für ihn (= den König) führt. In der Sprache des AT kann jeder Sieg des Volkes oder des Königs als Tat Gottes bezeichnet werden«. Das ist aber ein Mißverständnis; denn für das Alte Testament sind göttliche und menschliche Tat keineswegs schlechthin identisch (vgl. schon Ex $14_{13f.25.31}$). – Übrigens fällt eine Datierung von Ps 110 auf Grund der Wortstatistik sehr schwer, weil sie bereits ein bestimmtes Textverständnis voraussetzt (bes. V. 3), also nicht von der eigenen Ansicht unabhängig ist.

Jahwe selbst zusammenstößt. Auffällig ist weiter, daß Gott seine Zusage, dem König die Feinde zu Füßen zu legen, in der Ichrede gibt. In Ps 110$_1$ liegt also das Wort eines Propheten, sei es eines sog. Kult-, sei es eines Hofpropheten, vor. Nun hat *RRendtorff* in anderem Zusammenhang die These von *RBach* aufgegriffen und weitergeführt, »die Traditionen des heiligen Krieges seien schon in der Zeit der Staatenbildung oder unmittelbar danach an die Prophetie übergegangen«.[40] Der Prophet scheint demnach in gewisser Hinsicht die Nachfolge des Heerbannführers angetreten zu haben. Auf diese Weise erklärt sich, daß das Prophetenwort (Ps 110$_1$) sowohl die Zusage des Jahwekrieges als auch damit indirekt der »Alleinwirksamkeit« Gottes macht. Für die Vermutung eines Überlieferungszusammenhangs zwischen Jahwekrieg und Prophetie bietet also nicht nur die im engeren Sinne prophetische Literatur, sondern auch der Psalter eine Stütze. Um die Traditionskette noch weiter ausziehen zu können, möchte man erwägen, ob die (in 1Sam 8; 12 sprechende) deuteronomistische Schule nicht wiederum die prophetischen Überlieferungen aufgreift.[41] Unter diesen Umständen ließe sich mit Vorbehalt der Weg, den das Bekenntnis zu Gottes »Alleinwirksamkeit« ging, über eine weite Strecke verfolgen.

Vielleicht darf man sogar noch einen Schritt über das Alte Testament hinaus wagen. Das in Ps 110$_1$ vorliegende Bild der Feinde zu Füßen des Herrschers ist eine dem alten Orient vertraute Szene.[42] Doch gibt es auch direkte altorientalische Zeugnisse für die durch Propheten vermittelte Zusicherung göttlicher Kriegshilfe. Nach der Inschrift Zakirs

[40] *RBach*, Die Aufforderung zur Flucht und zum Kampf im alttestamentlichen Prophetenspruch (1962) 112; *RRendtorff*, Erwägungen zur Frühgeschichte des Prophetentums in Israel, ZThK 59 (1962) 145–167, bes. 160ff. Andere Phänomene lassen die gleichen Vermutungen aufkommen; vgl. etwa *GvRad*, TheolAT II (^{4}1965) 31.38f.

Ja, die (von *RBach* und *RRendtorff* ausgesprochene) Vermutung, daß sich die Einheit von Charisma und Führertum in den Heerbannführern der Richterzeit in das Gegenüber von Prophetie und Königtum spaltete, hat eine gewisse Wahrscheinlichkeit. Die Prophetie erscheint »oft als eine Art charismatisches Korrektiv zu dem sich verselbständigenden Königtum« (*Rendtorff*, aaO 164). Sogar die Designation des Königs erfolgt nicht mehr unmittelbar, sondern durch einen Propheten, wie ja auch die wohl durch einen Propheten gesprochenen Gottesworte der Königspsalmen zeigen (Ps 2$_{7f}$; 110$_1$; vgl. 89$_{4f.28ff}$ u. a.). Die Stellung des Königs zu Gott ist gleichsam vermittelt; das erinnert – nur im Blick auf diese Indirektheit, nicht die Geistbegabung – an die Berufung Elisas durch Elia (2Kön 2; vgl. Num 11$_{25}$).

[41] Auch das ist schon aus verschiedenen Gründen vermutet worden; vgl. etwa *RRendtorff*, aaO 148 (mit Anm. 3) oder *OPlöger*, Festschrift GDehn (1957) 38 (für den Predigtstil), auch o. Anm. 24.

[42] Vgl. Darstellungen wie AOB 59f oder etwa Enuma elisch IV, 129 »Dann trat der Herr auf Tiamats Bein(e)«. Weitere altorientalische Belege bei *RBorger*, VT 10 (1960) 72; vgl. auch Jos 10$_{24}$; 1Kön 5$_{17}$; Jes 51$_{23}$.

von Hamath wendet sich der König in der Not der Belagerung an seinen Schutzgott Baalschamen, der ihn erhört:

»(Da redete) Baalschamen zu mir (durch) Vermittlung von Sehern und durch Vermittlung von Zukunftskundigen, (und es sprach) Baalschamen (zu mir): ›Fürchte dich nicht; denn ich habe (dich) zum Kön(ig gemacht, und ich werde mich) mit dir (erheb)en, und ich werde dich erretten von allen (diesen Königen, die) einen Belagerungswall gegen dich aufgeworfen haben!‹«

Ist die Rekonstruktion[43] richtig, dann empfängt der König durch Seher ein – allerdings erbetenes – Heilsorakel. Wie in Ps 110 treffen drei Größen zusammen: (a) ein prophetisches Wort in der göttlichen Ichrede, (b) die Zusicherung des kriegerischen Eingreifens der Gottheit und (c) die Erinnerung an die Einsetzung des Königs durch Gott (vgl. Ps 110$_{3f}$). Ähnliche Zusagen göttlicher Kriegshilfe in der Ichrede geben auch die Mari-Propheten.[44] Der Zusammenhang zwischen Prophetie und Gotteskrieg ist demnach vermutlich schon Israel vorgegeben, und dieser altorientalische Ursprung wirkt in Ps 110 nach.[45]

Doch kehren wir von diesen historischen Vermutungen zum Psalter zurück, um zu fragen, ob die übrigen Königspsalmen entsprechende Tendenzen erkennen lassen! Ps 144 vereinigt – ähnlich, wie es altorientalische Abbildungen darstellen können – Königs- und Kriegstradition so, daß Gott den König in der Kriegskunst unterweist: »Er lehrt meine Hände den Kampf, meine Finger den Krieg“ (V. 1; vgl. Ps 18$_{35}$). Nirgends stellt der Psalm jedoch fest, daß der König seine unter göttlicher Anleitung erworbenen Fähigkeiten erprobt; vielmehr lautet das Vertrauensbekenntnis: Jahwe »mein Retter, mein Schild, auf den ich traue, der mir ›Völker‹ unterwarf« (V. 2; vgl. V. 6f. 10; Ps 89$_{24}$; 132$_{18a}$). Wieder vertritt Gott also den König in der Kriegsführung – dieser Tatbestand springt deshalb so in die Augen, weil in dem Psalm auf diese Weise gleichsam Theorie und Praxis auseinanderfallen.

Der in Ps 21$_{9-13}$ ursprünglich an den König gerichtete Zuspruch geht in seiner krassen Ausdrucksweise noch über Ps 2$_{9}$ hinaus: »Deine Hand wird finden alle deine Feinde, deine Rechte wird finden deine

[43] KAI 202 A 12–15. Die Übersetzung (II, S. 205) ist drucktechnisch vereinfacht. Vgl. jetzt *JFRoss*, HThR 63 (1970) 1–28.

[44] Vgl. zuletzt *FEllermeier*, Prophetie in Mari und Israel (1968) [illegible] u. a. Bei[illegible] heißt es in ARM II, [illegible] (S. [illegible]). »[illegible], selbst wenn du mich mißachtest, werde ich mich dir liebevoll zuneigen. Deine Feinde werde ich in deine Hand überantworten«. Auch der Rückbezug auf die Einsetzung in die Königsherrschaft findet sich in ähnlichem Kontext ausdrücklich (A 1121, S. 50f).

[45] Dem alten Orient war die Vorstellung eines von Gott geführten Krieges geläufig; vgl. zuletzt *BAlbrektson*, History and the Gods (1967); auch *JJeremias*, Theophanie (1965) 80ff. Die Beziehungen der alttestamentlichen Aussagen vom Jahwekrieg zu den altorientalischen Belegen müßten einmal eingehend untersucht werden, damit auch die Unterschiede hervortreten. Vgl. u. Anm. 50.

Hasser ...« Doch ist dieses ursprünglich wohl an den König gerichtete Orakel durch Einfügung des Namens Jahwe (V. 10) in eine Bitte an Gott umgewandelt worden, die in dem Wunsch gipfelt: »Erhebe dich, Jahwe, in deiner Macht!« (V. 14). In diesem Fall wurde durch Textkorrektur die Tat des Königs nachträglich zur Tat Gottes umgebogen und so wiederum der König vom Kriegshandwerk befreit.[46] Die dem König von Gott verliehene Macht wird zurückgenommen und Gott allein zugesprochen.

Schließlich kommt im Vertrauensbekenntnis von Ps 20$_{8f}$ die Gegenüberstellung von menschlicher und göttlicher Macht pointiert zum Ausdruck:

> »Diese (vertrauen) auf Streitwagen und Rosse,
> (doch) wir rufen den Namen Jahwes, unseres Gottes, an.
> Sie brachen in die Knie und fielen,
> aber wir erhoben uns und standen aufrecht«.[47]

Wieder ist von einer kriegerischen Tätigkeit des Königs keine Rede; vielmehr »erhört« ihn Jahwe »von seinem heiligen Himmel mit den Heilstaten seiner Rechten« (V. 7b). So hängt der König allein von Gottes Hilfe ab, die vom Vertrauen auf eigene Macht unterschieden wird; dennoch ist die Wirksamkeit Gottes noch nicht explizit ausschließlich gedacht.

Diesen letzten Schritt in der Kontrastierung von Königs- und Kriegstradition wagen allerdings nicht mehr die Königspsalmen; ihn geht erst Ps 33. Er sagt nicht nur wie Ps 20, daß »die anderen« ihre Hoffnung vergeblich auf die eigene Kraft setzen, sondern steigert diese Einsicht gleichsam zur Selbsterkenntnis und bezieht so den Herrscher in das Eingeständnis menschlicher Ohnmacht ein. Auch dem König nützt keine Eigenmacht; die Gottestat kann nun auf keinen Fall mehr als Stütze königlicher Amtsbefugnisse mißverstanden werden:

> »Nichts hilft dem König ein starkes Heer,
> ein Held rettet sich nicht durch Riesenkraft.
> Ohne Verlaß ist das Roß für den Sieg,
> und seine große Kraft läßt nicht entkommen.
> Sieh', Jahwes Auge ruht auf denen, die ihn fürchten,
> auf denen, die auf seine Gnade harren«
> (Ps 33$_{16-18}$; vgl. 147$_{10f}$).

[46] »Die Vorstellungen sind so gewaltig, daß man an dieser Stelle schon früh in den Text eingegriffen und die dem König gegebenen Gerichtszusagen wieder auf Jahwe zurückbezogen hat« (*HJKraus*, Psalmen, BK XV/1, 1960, 172). Nimmt man dagegen an, daß V. 9–13 »besser zur altertümlichen Vorstellung von Jahwe als Kriegsgott« passen (*AWeiser*, Die Psalmen, ATD 14/15, [4]1955, 145; vgl. *FC Fensham*, ZAW 77, 1965, 198ff), so weiß Ps 21 von vornherein nur von einem kriegerischen Wirken Gottes.

[47] Vgl. *WSchottroff*, »Gedenken« im alten Orient und im Alten Testament, WMANT 15 ([2]1967) 250.

Damit ist die Vermischung der beiden Traditionsströme zum Ausgleich und Abschluß gekommen. Das Bekenntnis zu dem von Gott selbst geführten Krieg hat den König von seiner Aufgabe der Kriegführung allmählich so stark verdrängt, bis er gleichsam einen Teil seiner Funktion aufgeben mußte. Die Kriegstradition hat die Königsideologie (»Gürte dein Schwert an die Hüfte, du Held! ... Furchtbare Taten lehre dich dein Arm! ... ›Mutlos‹ werden die Feinde des Königs«, Ps 45$_{4ff}$) in ihrem Wesen verwandelt. Auch auf diese Weise hat der Jahweglaube das Königtum in sich aufgenommen; für ihn vollbringt das Geschehen letztlich nicht der König, sondern Gott (vgl. ähnlich Ps 44$_{2-9}$). Das Königtum wird so interpretiert, daß es der Wirksamkeit Gottes Raum gibt; ja, die Ermächtigung des Königs durch Gott wird zur Alleinwirksamkeit Gottes gesteigert. »Die immer grundsätzlichere Ausscheidung jeglichen menschlichen Synergismus und die Herausarbeitung der Allgenugsamkeit des göttlichen Wirkens«, die *GvRad* als die Tendenz der Überlieferung vom »heiligen Krieg im alten Israel« aufgezeigt hat,[48] ist auch für die Doxa, die Jahwe dem König nach Meinung der Königspsalmen »ein für allemal beigelegt hat",[49] nicht ohne Folgen geblieben. So möchten diese Erwägungen *GvRad* ehren, indem sie zwei Ansätze oder Ergebnisse seiner Auslegung des Alten Testaments miteinander verbinden. Der altorientalische Hofstil ist in seiner Vorgegebenheit nicht das »Gefäß« geblieben, »in das der Jahweglaube eingeströmt ist und in dem er zu einer ganz neuen Ausprägung seiner selbst gekommen ist«;[50] vielmehr ist die Form

[48] TheolAT I^4 341 Anm. 3. In »Der Heilige Krieg im alten Israel« (^{3}1958) 82 erwähnt *GvRad* die obige Fragestellung nur kurz: »Daß in der Gattung der Königspsalmen (vgl. Ps 18; 20; 21; 144) ... die alten Motive eine besondere Pflege finden mußten, bedarf keiner Erklärung«.

[49] Vgl. o. Anm. 2.

[50] TheolAT I^4 334. *HJKraus* (Psalmen I, 148) versteht Aussagen wie Ps 18$_{20ff}$, nach denen Gott dem König im Kampf hilft, als »Modifikationen« der Vorstellungen vom heiligen Krieg: „Stand in Israel der vorköniglichen Zeit Jahwe als ›Kriegsmann‹ seinem Volke bei, so konzentriert sich sein heiliges Wirken jetzt auf einen einzigen Mann: auf den König«.

In diesem Zusammenhang sei nur anmerkungsweise nochmals daran erinnert, daß auch nach altorientalischen Berichten die Götter zugunsten eines Volkes oder Herrschers in die Schlacht eingriffen und die Sieger den Erfolg ihrem Gott dankten (vgl. Anm. 45). Gelegentlich kann bereits der alte Orient den Gegensatz zwischen Gottestat und Handlung des Königs direkt aussprechen. So schreibt Ramses III. einmal seinem Gott Amun-Re alle Macht allein zu: »Du machst den Sieg des Landes Ägypten, deines einzigen Landes, ohne daß die Hand eines Soldaten oder irgendeines Menschen dabei ist, sondern nur deine große Stärke, die es errettet" (*SMorenz*, Gott und Mensch im alten Ägypten, 1964, 18.66; Ägyptische Religion, 1960, 52). Mag ein solches Bekenntnis innerhalb der Vielfalt altorientalischer Zeugnisse vom Wirken des Königs auch Ausnahme bleiben, so läßt es doch die Vermutung zu, daß das Gegenüber von Jahwekrieg und Königs-

tiefgreifend neu gestaltet worden. Das Königtum ist nicht nur in die Verantwortung vor Jahwe gezogen, sondern auch in seiner Stellung und Eigenart neu verstanden worden.

Gewiß kommt dieser Prozeß in den Königspsalmen erst in Gang; die Hoffnungen auf einen Messias als Friedenskönig führen diese Intentionen weiter. Zwischen beiden Literaturbereichen besteht jedoch auch in dieser Tendenz ein Zusammenhang. So möchten die vorgetragenen Überlegungen zugleich zeigen, daß die messianische Erwartung, die in noch stärkerem Maße auf einen Zukunftsherrscher ohne außenpolitische Wirksamkeit, ja ohne Macht, zielt (vgl. Sach 9_{9}), nicht einfach eine notwendige Korrektur der nachexilischen, politisch ohnmächtigen Gemeinde darstellt und nur ihre Situation widerspiegelt, sondern gleichsam folgerichtig aus der Vermischung zweier Traditionen erwuchs.[51]

Man könnte das Ergebnis dieses Traditionsprozesses auch so umschreiben, daß er zunehmend die *Menschlichkeit* des Königs zur Sprache bringt. Die Königspsalmen reden ja zunächst vom Herrscher als Amtsträger,[52] und schon darum lassen sie eine historische Situation, ihre Entstehungszeit und Verwendung, kaum oder nur indirekt erkennen. Aber auch in dieser Hinsicht vollzieht sich im Laufe der Zeit ein gewisser Umbruch.

Die Klage über den Niedergang und die Auflösung des Bundes Ps 89_{39ff} (vgl. Klg 4_{20}) spricht die wahre Lage des Königtums deutlicher aus als etwa Ps 2. Vor allem stellt Ps 89_{48f} eine Frage, die in den Königsliedern völlig neu ist: »Wer ist der Mann, der lebt und den Tod nicht sieht, der sein Leben aus der Macht der Scheol errettet?« Entsprechend unterscheidet der Königspsalm 144_{3f} den Herrscher im Blick auf seine Vergänglichkeit nicht vom Menschen allgemein:

> »Jahwe, was ist der Mensch, daß du ihn beachtest,
> der Einzelne, daß du an ihn denkst?
> Der Mensch gleicht dem Hauch,
> seine Lebenszeit ist wie ein Schatten, der vorüberzieht«
> (vgl. Hi 7_{17f}; 15_{14}; Ps 8_{5}).

Die Sterblichkeit begründet die Bitte um Gottes Hilfe; damit ist ein Motiv aus dem allgemeinen Klagelied in den Königspsalm übertra-

ideologie bereits altorientalische Vorstufen hat. Vgl. auch *ILSeeligmann*, Menschliches Heldentum und göttliche Hilfe, ThZ 19 (1963) 385–411.

[51] Vgl. Die Ohnmacht des Messias, KuD 15 (1969) 18–34, bes. 20.

[52] Auch die Selbstaussagen des Königs darf man »nicht allzu persönlich verstehen, dh als Aussagen, die sich auf den König als Privatperson beziehen; es sind vielmehr Amtsaussagen, mit denen sich der Gesalbte vor Jahwe und vor den Menschen darstellt« (*GvRad*, TheolAT I[4] 334).

gen.[53] An dieser Stelle hat die Amtsfunktion nicht mehr das Menschliche verdrängt; denn der König stirbt nicht als Amtsperson, sondern als Mensch. So brechen die Königspsalmen hier gleichsam aus der Rolle aus, die sie haben.

Gewiß ist die sachliche Differenz, die etwa zwischen Ps 2 und Ps 89$_{48f}$ (oder auch Dt 17$_{14ff}$) besteht, nicht in einem Bild zu vereinen, das gleichsam zeitlos die Vorstellung vom israelitischen Königtum wiedergibt, sondern einem langwierigen, vielleicht mehrhundertjährigen kritischen Prozeß zuzuschreiben. Ihm suchten die hier vorgetragenen Beobachtungen und Überlegungen nachzugehen.

[53] Vgl. *HGunkel,* Psalmen 395.605; Einleitung in die Psalmen (1933) 236.56.
Wie Ps 89 (vgl. o. Anm. 15) so wird auch Ps 144 (zum weisheitlich bestimmten Motiv V. 3f vgl. ThZ 25, 1969, 7f) wohl erst exilisch oder nachexilisch sein. Die Königspsalmen müssen anscheinend nicht in der Königszeit entstanden sein.

HERMANN SCHULT

AMOS 7_{15a} UND DIE LEGITIMATION DES AUSSENSEITERS

Vers 15 enthält auch keine Probleme,
es sei denn, man trägt welche ein . . .
Herbert Schmid, Judaica 23 (1967) 72

Die zwischen Amos und Amazja in Bethel sich abspielende Szene Amos 7_{10-17} und besonders die Worte des Propheten in 7_{14-15} sind so oft und so gründlich erörtert worden, daß neue Argumente im Streit um das »Selbstverständnis« des Amos vorläufig nicht zu erwarten sind. Jedenfalls dieser Beitrag will nicht mehr erreichen als eine Veränderung des Verständnisses einer zwar nicht entscheidenden, aber auch nicht belanglosen Einzelheit der Sätze $7_{14f.}$[1]

Der unveränderte und unreflektiert verstandene Text von Am $7_{14b.15a}$ enthält drei Ausdrücke, die sich auf den Beruf des Amos beziehen: 1. Rinderhirt, 2. Sykomorenritzer, 3. Kleinviehhirt (aus צאן erschlossen). »Sykomorenritzer« wird allgemein als authentisch anerkannt und gibt hier keine Fragen auf, von denen irgendetwas abhängt. Nicht Alle meinen, daß Amos »Rinderhirt« gewesen sei: *MBič* hat בּוֹקֵר als »Leberschauer« (Haepatoskopos), *JDWWatts* (S. 8 Anm. 1) hat es vorsichtig fragend als »keeper . . . of sycamores« verstanden. Die anderen Autoren gehen davon aus, daß es von בָּקָר »Rindvieh« denominiert ist und von Hause aus »Rinderhirt« oder allenfalls »Rinderherdenbesitzer« heißt. In den meisten Fällen (eine Ausnahme ist *Würthwein*[22]) wird diese Erkenntnis in den Übersetzungen allerdings nicht realisiert, sondern eher unterdrückt; es heißt dann etwa »Hirt, Viehhirt, Viehzüchter«. Die charakteristische Begründung dafür ist: ». . . da Amos nach der Fortsetzung in 15a vornehmlich mit Schafen und Ziegen (צאן) beschäftigt ist, empfiehlt sich die umfassendere Übersetzung ›Viehzüchter‹« (*Wolff* 353). Es gibt aber nach Ausweis von Konkordanz und Lexikon keinen Beleg, der eine Harmonisierung von בוקר und צאן gestattet. Denn auch צאן bedeutet etwas ganz Bestimmtes: selbst in übertragenem Gebrauch meint es nie den Abstraktbegriff der Herde, sondern stets die aus Schafen und Ziegen gemischte »Kleinviehherde«. Die

[1] Im Amos-Kommentar von *HWWolff*, BK XIV/2 (1969) 145. 352ff aufgeführte Literatur wird abgekürzt zitiert. Sonstige Abkürzungen nach RGG, 3. Aufl.

fast immer dargebotene Übersetzung »Herde« führt also ebenfalls zu einer philologisch unzulässigen Verwischung der Unterschiede, selbst wenn בוקר zutreffend mit »Rinderhirt« übersetzt wird.

In der Erkenntnis, daß der Gegensatz von בוקר und צאן auch durch eine harmonisierende Übersetzung nicht zu überbrücken ist, haben Viele die Änderung des Textes für nötig gehalten und בּוֹקֵר nach Am 1_1 durch נוֹקֵד ersetzt. Aber die Konjektur ist aus mehreren Gründen ungerechtfertigt: 1. Die hebräische Textüberlieferung ist einheitlich. 2. »Weder aus 𝔊 (αἰπόλος) noch aus folgendem צאן (15) wird man auf ursprüngliches נוֹקֵד schließen dürfen (so *VMaag*), zumal dieses Wort 𝔊 in 1_1 unbekannt zu sein scheint« (*Wolff* 353), denn dort wird es nur transkribiert statt übersetzt. Dazu kommt drittens folgende Erwägung: Anders als allgemein angenommen ist נקד in 1_1 wohl nicht aus בוקר, sondern aus צאן in 7_{15} erschlossen;[2] durch die Konjektur נוקד in 7_{14} wird demnach nur eine überlieferte Verlegenheitsauskunft von einer Stelle auf die andere übertragen, und die erreichte Harmonie beruht auf einem Zirkelschluß.

Der masoretische Text muß also stehen bleiben und wörtlich übersetzt werden. Der Widerspruch von בוקר und צאן löst sich nicht durch Änderung, sondern nur durch Interpretation. Nun darf aber diese Interpretation, das sei vorweg gesagt, nicht von der philologischen auf eine biographische Harmonisierung ausweichen. Die Lösung besteht nicht darin, daß man dem Amos außer den Schafen und Ziegen, mit denen er »vornehmlich beschäftigt« war, zugesteht: »Er mag tatsächlich (einige) Kühe besessen haben« (*HSchmid* 72). Selbst die umgekehrte Verteilung träfe die Sache nicht. Vers 15a läßt sich als Auskunft über den »bürgerlichen Beruf« des Amos überhaupt nicht brauchen, denn Vers 15a enthält keine biographische Angabe, sondern ein traditionelles Motiv. Wenn das aufgrund der folgenden Darlegungen anerkannt wird, nimmt wenigstens die Spekulation über den Anteil von Rindern und Kleinvieh am Vermögen oder an der abhängigen Berufsarbeit des Amos ein Ende.

Sucht man zur Erklärung der Amosstelle nach analogen Fällen, so stößt man zuerst auf einige biblische Berufungserzählungen, wird dann aber bald darüber hinausgeführt in die altorientalische und klassische Literatur, wo sich weitere Belege finden,[3] die der Sache nach so augen-

[2] König Mesa von Moab wird 2Kön 3_4 als נֹקֵד bezeichnet. Er liefert dem König von Israel כָּרִים = Schafböcke (Widder) und אֵילִים צָמֶר = wolletragende Widder. Daß der כר zum צאן gehört, zeigt auch Am 6_4: כרים מצאן

[3] Erste Hinweise fand ich bei *AJeremias*, ATAO (^{4}1930) 312.400.491.606; weitere u. a. bei *MLWest*, siehe Anm. 11.

scheinlich mit den biblischen zusammengehören, daß es sich empfiehlt, sie gemeinsam vorzuführen und nur in der Anordnung auseinanderzuhalten. Überall kehren dieselben wesentlichen Züge wieder: *Ein (unbegüterter) Hirt oder Landmann wird bei oder unmittelbar aus seiner beruflichen Alltagsarbeit von höchster Stelle (Gott oder seinem Mittelsmann; Repräsentanten des Volkes) zu politisch führender Tätigkeit, zum Dichter oder zum Propheten berufen.*[4] Um Mißverständnisse zu verhüten, sei im voraus betont, daß nicht von einer Gattung die Rede sein soll; denn Fremdbericht und Selbstbericht, Erzählung und Formel stehen nebeneinander. Die Texte erhalten ihre Einheitlichkeit weniger durch ihre Form – denn die kann variieren – als durch ihre Funktion.

1. David wird von der Weide geholt, wo er Kleinvieh hütet, und von Samuel gesalbt (1Sam 16$_{11}$).[5] In 2Sam 7$_{8}$ heißt es: »Ich habe dich genommen von der Weide, von hinter dem Kleinvieh weg, damit du נגיד werdest über mein Volk Israel.« Vgl. auch 1Sam 16$_{19}$; 17$_{15.28.34ff}$; Ps 78$_{70-72}$; ferner Anm. 49.

2. Amos sagt von sich:»Jahwe hat mich von hinter dem Kleinvieh weg genommen; und Jahwe sagte zu mir: Geh, prophezeie meinem Volk Israel!« (Am 7$_{15}$).

3. Mose weidet das Kleinvieh seines Schwiegervaters Jethro. Dabei kommt er an den Gottesberg und wird berufen (Ex 3$_{1ff}$).[6]

4. Saul kommt hinter den Rindern her vom Felde nach Haus.[7] Er hört von der Notlage der Stadt Jabesch und ihrer Bürger. Vom Geist Gottes überfallen, bietet er das Volk auf und besiegt die Ammoniter. Danach wird er zum König gemacht (1Sam 11$_{5ff}$).

5. Elisa pflügt den Acker, »zwölf Joch Rinder vor sich«; Elia wirft seinen Mantel auf Elisa, ... Elisa schlachtet »das Joch Rinder« und gibt das gekochte Fleisch dem עם zu essen; dann folgt er Elia und dient ihm (1Kö 19$_{19-21}$).

6. Gideon klopft in der Kelter Weizen aus; da kommt »der Bote Jahwes«, und Jahwe beruft ihn zum Bezwinger der Midianiter (Ri 6$_{11ff}$).

[4] Damit wird ein Ergebnis der Aufschlüsselung S. 470 vorweggenommen.

[5] In 1Sam 16 und auch sonst sind mehrere Motive verknüpft. Das hat in unserem Zusammenhang und auch für die Frage nach Alter oder Originalität der Erzählung keine Bedeutung. Vgl. Anm. 14 Ende, 18 Mitte.

[6] Ob das Kleinviehhüten hier Motiv ist oder ausschließlich dazu dient, Mose an den Gottesberg zu befördern, ist natürlich nicht entscheidbar. Daß man aber auf den Gedanken kommen kann, zeigt eine Bemerkung von *PHeinisch*: »Wie später Amos (7$_{15}$), so wurde Moses von der Herde weg zum Prophetenamte berufen« (HSchAT I, 2, 1934, 48 zu Ex 3$_{1}$); vgl. unten No. 11.13 (Schafehüten beim Heiligtum) und Anm. 52.

[7] Es ist an Heimkehr vom Acker, nicht von der Weide zu denken.

7. Summarisch erwähnt sei die Berufung einiger Jünger Jesu von ihrer Berufsarbeit weg: Mk 1_{16-20} (Fischer), Mk 2_{14} (Zöllner).

8. Sargon wird von seiner Mutter in einem mit Bitumen abgedichteten Kästchen in den Euphrat ausgesetzt. Akki der Wasserschöpfer findet ihn, erzieht ihn wie einen Sohn und macht ihn zu seinem Gärtner. »Während ich Gärtner war, gewann Ištar mich lieb,[8] und ich übte [. .] 4 Jahre die Königsherrschaft aus . . .« (AOT 234, ANET 119).

9. Abdalonymos: Alexander sucht einen Nachfolger für den von ihm entthronten König von Sidon. (Ein Bürgerlicher lehnt das Angebot ab). Man erinnert sich eines gewissen Abdalonymos; er ist (königlicher Abkunft, aber) bettelarm und arbeitet als Gärtner. Die Boten treffen ihn beim Wasserschöpfen/Unkrautjäten und überbringen ihm die Nachricht von seiner Erhebung.[9]

10. Der Phryger Gordios ackerte »auf dem Feld, als ihn Vögel aller Art zu umfliegen begannen; um sich dieses Zeichen auslegen zu lassen, machte er sich nach der nächsten Stadt auf, an deren Tor er einer schönen Jungfrau aus dem Wahrsagergeschlecht begegnete; sie deutete ihm das Zeichen auf künftige Herrschaft . . .«. Gordios wird der erste phrygische König.[10]

[8] Das Gärtner-Motiv ist unabhängig von dem Motiv des geretteten Ausgesetzten, vgl. Ex 2. – Eine direkte Verbindung zu Gilgamesch VI 44ff. dürfte kaum bestehen, denn dort wird besungen, wie Ischtar ihre Geliebten *zugrunderichtet* (u. a. »den Hirten, den Hüter« VI 46f.58; »Ischullanu, deines Vaters Palmgärtner« VI 64); siehe Das Gilgamesch-Epos, übersetzt von *ASchott*, hg. v. *WvonSoden*, Reclam No. 7235/35a (1958) 54f.

[9] Die Geschichte ist vierfach überliefert, in den Einzelheiten verschieden stark ausgeschmückt. Den längsten Text haben *Quintus Curtius Rufus*, Geschichte Alexanders IV 1,15–23 (mit Übersetzung in The Loeb Classical Library [LCL] *Quintus Curtius*, Vol. I, [1946] 1962, 166–169) und *Diodor von Sizilien*, Histor. Bibliothek XVII 46–47 (mit Übers. in LCL *Diodorus of Sicily*, Vol. VIII, 1963, 250–255); ferner *Plutarch*, De Alexandri fortuna aut virtute II 8 (mit Übers. in LCL *Plutarch's* Moralia, Vol. IV, [1936] 1962, 460–463). Am kürzesten (und ursprünglichsten?) *MIunianus Iustinus*, Exzerpt aus den Historiae Philippicae des Pompeius Trogus XI 10,7–9 (ed. *OSeel*, Teubner-Ausgabe, 1935, 100); hier seine Fassung: Ex his (nämlich von den Königen von Syria) pro meritis singulorum alios in societatem recepit, aliis regnum ademit suffectis in loca eorum novis regibus. Insignis praeter ceteros fuit Abdalonymus, rex ab Alexandro Sidoniae constitutus, quem Alexander, cum operam oblocare ad puteos exhauriendos hortosque inrigandos solitus esset, misere vitam exhibentem regem fecerat spretis nobilibus, ne generis id, non dantis beneficium putarent. – Die Fundstellen bei *Kaerst*, Art. Abdalonymos, PW I (1894) 22. – Der Name Abdalonymos ist übrigens gut phönikisch (עבדאלנם) – die Tradition auch?

[10] So nach *Swoboda*, Art. Gordios (1), PW VII (1912) 1590 aufgrund von *MIustinus* XI 7,3–13 (ed. *Seel*, S. 97). Etwas anders lautet der Bericht des *Arrian*, Anabasis Alexandri II 3,1–6 (mit Übers. in LCL *Arrian*, Anab. Alex., Vol. I, [1929] 1963, 130–133): Auf dem Gespann des Gordios läßt sich ein

11. Hesiod: Die unsterblichen Götter »lehrten auch den Hesiodos edle Gesänge, Wie er Lämmer betreut an des heiligen Helikon Hängen. So begannen zu mir zuerst die olympischen, hehren Musen zu reden ...: Hirten vom Lande,ihr Lumpengesindel und lediglich Bäuche, Seht, wir reden viel Trug, auch wenn es wie Wirklichkeit klänge, Seht aber, wenn wir gewillt, verkünden wir lautere Wahrheit« (Theogonie 21 bis 28). Die Musen »Hießen mich preisen die Sippe der ewigen, seligen Götter, Und sie selber immer zuerst und zuletzt zu besingen« (Theogonie 33–34).[11]

12. Theokrit sagt unter dem Namen Simichidas im Wettstreit der Sänger: »Mein lieber Lykidas, manches haben auch mich die Nymphen gelehrt, als ich auf den Bergen (Rinder) hütete (βουκολεοντα)«.[12]

13. Quintus von Smyrna sagt zu den Musen: »Ihr habt mir allerlei Gesang eingegeben, ... als ich [noch im Jugendalter] auf der Flur von Smyrna das vortreffliche Kleinvieh weidete ... in der Nähe des Artemistempels im Garten des Befreiers (? / der Freiheit ? / des Eleutheros?)«.[13]

14. Von Zaleukos, dem halb legendären Gesetzgeber von Lokroi in Unteritalien, wird überliefert, daß er »ein Hirtensklave gewesen sei, der von besseren Gesetzen sprach. Als man ihn fragte, woher er das habe, habe er geantwortet, Athena sei ihm im Traum erschienen und habe ihm die Gesetze offenbart. Darauf sei er freigelassen und zum Gesetzgeber gemacht worden«.[14]

15. »Als Cincinnatus gerade seine vier Morgen Land auf dem Vati-

Adler nieder und bleibt bis zum Abend. Die Jungfrau rät G., an der Stelle, wo das Wunder geschah, zu opfern. (Das Zeichen bleibt bei Arrian ungedeutet und folgenlos; erst als Midas, der Sohn des Gordios, aufgrund eines neuen Orakels König wird, weiht er dem Zeus den Wagen seines Vaters [mit dem Gordischen Knoten] als Dank für die Sendung des Adlers). – Eine zu *Arrian* stimmende Kurzfassung bei *Aelian*, De natura animalium XIII, 1 (mit Übers. in LCL *Aelian*, On the Characteristics of Animals, Vol. III, 1959, 78–79).

[11] Übersetzung von *ThvScheffer*, nach *HWWolff*, Amos 345. Text und Kommentar bei *MLWest*, Hesiod Theogony, Oxford 1966. Die auffällige Formulierung in der 3.sing. führt *West* zSt auf den Dichter selbst zurück.

[12] Idyll VII 92f. Text und Übers. bei *ASFGow*, Theocritus, Cambridge 1965, Bd. I S. 62f.; vgl. unten S. 469 mit Anm. 24.

[13] Posthomerica XII 308–312, mit Übers. in LCL *Quintus Smyrnaeus*, The Fall of Troy (1913) 508–509. *RKeydell*, Art. Quintus von Smyrna, PW XLVII (1963) 1271: »Die Musenweihe des Schafhirten entstammt der Hesiod-Nachahmung« – zu dieser Betrachtungsweise vgl. Anm. 18 Ende.

[14] So *KvFritz*, Art. Zaleukos, PW 2. Reihe 18. Halbb. (1967) 2298–2301 (2299), nach Aristoteles Fragment 548 (*Val. Rose*). Plutarch, De se ipsum citra invidiam laudando 543A (LCL *Plutarch*'s Moralia, Vol. VII, 1959, 136–137) erwähnt nur die Erscheinungen der Athena (vgl. Anm. 18 Mitte). Siehe auch unten S. 469 f mit Anm. 25.

kan pflügte, die man die Quinctischen Wiesen nennt, überbrachte ihm der Senatsbote die Nachricht von seiner Wahl zum Diktator«.[15]

16. »Herr Heinrich saß am Vogelherd« – da kommen die (Abgesandten der) Fürsten und überbringen ihm die Nachricht von seiner Wahl zum König.[16]

17. Cædmon gilt als ältester christlicher Dichter der Angelsachsen (gest. ca 680). *Beda Venerabilis* berichtet,[17] daß er bis ins vorgerückte Alter nichts von carmina verstand; wenn im geselligen Kreis zum Spaß die Harfe herumging, verließ er das Haus, sobald die Reihe an ihn kam. Einmal geht er nach einem solchen Vorfall in den Viehstall, wo er Nachtdienst hat. Im Traum wird er aufgefordert: Sing mir etwas! Aber er will nicht: Gerade weil ich nicht singen kann, bin ich doch fortgegangen! Nach der zweiten Aufforderung fragt er: Was soll

[15] »Aranti quattuor sua iugera in Vaticano, quae prata Quin(c)tia appellantur, Cincinnato viator attulit dictaturam ... (*Plinius*, Naturgeschichte XVIII 20, mit Übers. in LCL *Pliny*, Natural History, Vol. V, [1950] 1964, 200–203). Bekannter ist die Darstellung des *Livius*, Ab urbe condita III 26,6–10 (mit Übers. in LCL *Livy*, Vol. II, 1922, 88–91); eine Probe: »C. bestellte ein Feld von vier Morgen ...; ob er nun gerade über den Spaten gebeugt einen Graben aushob oder ob er pflügte – jedenfalls war er mit irgendeiner Landarbeit beschäftigt, das steht fest«.

[16] Die Quellen zu Heinrichs Beinamen sind gesammelt und besprochen in: *GWaitz*, Jahrbücher des Deutschen Reichs unter König Heinrich I., [[3]1885] [4]1963, Excurs 8, 209–214. Der Beiname »der Vogler, auceps« ist zuerst belegt bei dem *Annalista Saxo* (ca. 1152): »Heinricus, cognomento Auceps, ...« (MG SS VI, 1844, 594, 41f). Ob der Beiname aus der Berufungssage stammt oder umgekehrt, ist nicht feststellbar, aber auch nicht wichtig. Mit der Sage verbunden ist »auceps« in den Annales Palidenses des *Theodericus Palidensis* (2. H. 12. Jh.): Heinricus »cognominatur auceps (Randglosse: the vogelere) pro eo quod venatu semel in curia sua Dinkelere [d. i. Dinklar] ... cum pueris lascivis aviculas inlaqueavit. In quo etiam studio a principibus deprehensus, inopinate Aquisgrani intronizatus est« (MG SS XVI, 1859, 61). In seinem »Pantheon« (1191) schreibt *Gottfried von Viterbo*, der die Pöhlder Annalen oder ihre Quelle benutzte (*GWaitz* 210):

11 Henricus dux Saxonicus regnare vocatur.
Legati mittuntur ei, qui sepe rogatus
    Noluit imperium sumere rite datum.
14 Invenere ducem veterano more sedentem
Aucupis officio sua retia perficientem
    Ut modicas caperet insidianter aves
17 Et quia simpliciter fuit his presentibus auceps,
Ammodo perpetuo cognomine dicitur Auceps
    Cum tamen egregium mundus haberet eum. (etc.)

(MG SS XXII, 1872, 233, 11–19. Nach dieser Vorlage die Ballade »Herr Heinrich saß am Vogelherd ...« von *Johann Nepomuk Vogl*, 1827).

[17] Historia ecclesiastica gentis Anglorum IV 22 [24]. Text bei *CPlummer*, Venerabilis Baedae opera historica, Oxford (1896) Bd. I 258–262 (Zählung: IV 22 [24]); auch in MPL 95, 212–215 (= IV 24).

ich denn singen? »Canta, inquit, principium creaturarum«. Darauf stimmt er nie gehörte Verse zum Lobe des Schöpfers an. Cædmon, dessen Talent bekannt und anerkannt wird, tritt ins Kloster ein, wo er alles, was man ihn »ex divinis litteris« lehrt, alsbald in carmina dulcissima verwandelt.

18. Der Dichter des Heliand wird ausführlich als bescheidener, einfacher Landmann geschildert (Vers 3–20). Eines Tages schläft er auf der Viehweide unter einem Baum ein (21f) und wird von einer Himmelsstimme aufgefordert: Incipe divinas recitare ex ordine leges! (24). Kaum sind die Worte verklungen – Qui prius agricola, mox et fuit ille poeta (28). Sein Gedicht beginnt bei der Weltschöpfung und endet mit dem Erlösungswerk Christi (30–34).[18]

19. *Wilhelm Kaisen* berichtet in seinen Lebenserinnerungen: »Ende April 1945 erschien er« – nämlich der amerikanische Besatzungsoffizier, der die Bremer Kommunalverwaltung wiederaufbauen sollte – »bei mir und traf mich auf einem Acker an, den ich für die Einsaat von Sommergetreide umgepflügt hatte. So verlief nach meiner Erinnerung die erste Begegnung mit Herrn Professor Dorn und mir. Es sind im Laufe der Jahre etliche Anekdoten darüber in Umlauf gesetzt worden, sie stammen nicht von mir. Ich wurde dabei mit jenem Cincinnatus verglichen, den man vom Pfluge wegholte und zum römischen Konsul machte. Die Wirklichkeit war nüchterner. Ich bat ihn ins Haus, ...«. *Kaisen* wurde bremischer Senator und Oberbürgermeister (1945 bis 1965).[19]

20. Johanna von Orléans (nach *FrSchiller*).[19a]

[18] So die 34 Hexameter am Ende der lat. Vorrede zum Heliand, die erstmals belegt ist bei *MFlacius Illyricus*, Catalogus testium veritatis (^{2}1562) 93f, abgedruckt bei *ESievers*, Heliand, Germanistische Handbibliothek IV (1876) 3–6. Sie muß vor dem Tode Ludwigs d. Fr. (840) entstanden sein. Die Vorrede gibt eine geschichtliche Herleitung des Heliand (vgl. unten S. 470), und nach einer Überleitung, in der das »Landmann«-Motiv nicht vorkommt (vgl. Anm. 14!), das Gedicht. Näheres bei *HdeBoor* in *deBoor-Newald*, Gesch. der deutschen Literatur, Bd. I (^{2}1955) 58–64. *DeBoor* schreibt S. 59: Die Verserzählung »überträgt das Berufungswunder, das uns Beda von ... Cædmon erzählt, mechanisch [!] auf den Dichter des Heliand«. Der Kurzschluß von ›Kenntnis der Cædmon-Legende‹ auf ›mechanische Übertragung des Berufungswunders‹ zeugt von wenig überlieferungsgeschichtlichem Sinn. Man vergleiche nur, wie verschieden die Texte aussehen, wie lebendig die Tradition angeeignet wird!

[19] *WKaisen*, Meine Arbeit, mein Leben (1967) 175. Ein Hinweis darauf in: Der Spiegel 24 (1970) Nr. 19 vom 4. Mai, S. 87. Dieses moderne Beispiel ist besonders reizvoll, weil sich darin historisches Ereignis und historisches Bewußtsein zum Beweis der Lebendigkeit des Motivs miteinander verbinden.

[19a] Ich verdanke diesen nachträglichen Hinweis meinem Vater. Die folgenden Verse aus dem 4. Auftritt des Prologs fügen sich bruchlos in die von uns verfolgte und gedeutete Tradition: »Ihr Wiesen, die ich wässerte, ihr Bäume, Die ich gepflanzet, grünet fröhlich fort! ... Zerstreuet euch, ihr Lämmer auf der Heiden, Ihr seid

Aus der Menge und relativen Gleichförmigkeit des beigebrachten Materials geht hervor, daß es sich bei der »Berufung des Hirten oder Landmanns« um ein literarisches Motiv handelt. Es tritt in sachlich begrenztem Rahmen[20] so oft und so stereotyp auf, daß an einen häufig wiederkehrenden historisch-biographischen Zug kaum zu denken ist. Zufällige Kongruenz von historischer Wirklichkeit und legendärem Motiv ist natürlich im Einzelfall nicht ausgeschlossen (No. 19!); im übrigen spricht aber die geschichtliche Wahrscheinlichkeit dagegen, daß so viele erlauchte Männer ihre Karriere buchstäblich auf der Weide oder auf dem Acker begonnen haben. Der im übrigen aufschlußreichen Deutung Philos von Alexandria, die Hirtentätigkeit sei eine gute Vorübung für das Herrschen,[21] mag beipflichten wer will.

In folgenden Fällen scheint mir aus inneren Gründen besondere Skepsis gegen die historische Zuverlässigkeit des Motivs angebracht, wenn auch beweisende Urkunden fehlen: *David* (No. 1): Es läßt sich zeigen, daß die Überlieferung vom Hirtenjungen die ältere und historisch näherliegende Tradition vom tapferen jungen Mann[22] sekundär durchdrungen und wegen ihrer Bedeutung schließlich überlagert hat. – Zu *Amos* (No. 2) siehe S. 474ff. – Bei *Saul* (No. 4) führen m. E. alle überlieferungsgeschichtlichen Wege zu der Vermutung, daß er es als Krieger, nicht als Ackermann zum König gebracht hat. – *Sargon* (No. 8): Daß dieser große Mann als Gärtner begonnen haben sollte, ist ziemlich sicher auszuschließen, obwohl über seine Vorgeschichte sonst gar nichts bekannt ist. – *Hesiod* (No. 11): Gewiß hat der Hirt viel Muße zu Musik und Gesang, zugleich aber muß man sich fragen, »whether Hesiod ever really had any sheep . . . it remains a possibility that the sheep owe their presence to the force of tradition«.[23] – *Theokrit* (No. 12): »Simichidas is not a countryman and the remainder of this line is somewhat unexpected«.[24] – *Zaleukos* (No. 14) gilt nach

jetzt eine hirtenlose Schar, Denn eine andre Herde muß ich weiden, Dort auf dem blut'gen Felde der Gefahr. So ist des Geistes Ruf an mich ergangen, Mich treibt nicht eitles, irdisches Verlangen. – Denn der zu Mosen auf des Horebs Höhen Im feur'gen Busch sich flammend niederließ Und ihm befahl, vor Pharao zu stehen, Der einst dem frommen Knaben Isais, Den Hirten, sich zum Streiter ausersehen, Der stets den Hirten gnädig sich bewies, Er sprach zu mir aus dieses Baumes Zweigen: »Geh hin! Du sollst auf Erden für mich zeugen [illegible]«. Vgl. auch I, 10 (»Ich bin nur eines Hirten niedre Tochter . . . Und hütete die Schafe meines Vaters von Kind auf . . .«).

[20] Dazu unten S. 473f.

[21] ThW VI 489, 5–7.

[22] Auch *HGottlieb* (Anm. 49) 191f und *AWeiser* (Anm. 49) 326 bezweifeln, daß David wirklich einmal Viehhirt gewesen ist.

[23] *MLWest* (Anm. 11) 160.

[24] *ASFGow* (Anm. 12) Bd. II 155.

anderer Überlieferung (*Diodor von Sizilien* XII 20: ἀνηϱ εὐγενης)[25] als Aristokrat – vermutlich mit Recht, denn »seine Gesetzgebung ... war eher aristokratisch, da sie den Großgrundbesitz schützte«.[26] – *Cincinnatus* (No. 15) war schon einmal Konsul, daher wird er kaum so unbemittelt gewesen sein, daß er selber pflügen mußte. »Es ist auffallend, daß Livius erst jetzt die Armut des Cincinnatus schildert, dagegen ... 19,2 ... nichts davon andeutet. Wahrscheinlich folgt er hier einem Annalisten ...«[27] – oder dem Zwang des Motivs! – Zu *Heinrich* (No. 16) siehe Anm. 28. – Den *Heliand-Dichter* (No. 18) nennt die lateinische Vorrede einen »vir de gente Saxonum, qui apud suos non ignobilis Vates habebatur«, weshalb Ludwig der Fromme ihn beauftragte, das Bibelepos zu verfassen. Er muß ein gebildeter Geistlicher gewesen sein (*Wapnewski* RGG III 209); seine Leistung »setzt das doppelte Studium der angelsächsischen Bibelepik und der zeitgenössischen Theologie voraus« (*deBoor* 59).

Entscheidend ist aber gar nicht, ob das Motiv historisch »stimmt«; sondern entscheidend ist die Frage nach seiner Funktion. Was ist nun aber die Funktion oder Aufgabe des Motivs der »Berufung des Hirten oder Landmanns bei der Arbeit«? Was will man damit erreichen? Darauf läßt sich besser antworten, wenn die Texte zuvor nach bestimmten Gesichtspunkten aufgeschlüsselt werden: 1) Die Tätigkeiten, *aus* denen berufen wird, sind: Viehhüten (No. 1.2.3.11.13; 12; 14.17. 18), Landarbeit (4.5.10.15.19; 8.9; 6), andere Arbeiten (7.16). Es handelt sich immer um berufliche Alltagsarbeit.[28] – 2) Der Berufene wird eher arm als begütert dargestellt. Eindeutig No. 8.9.11.14.15.17, weniger klar No. 1.2?.3.?18.[29] – 3) Widerspruch gegen die Berufung oder Ablehnung des Rufs kommen nicht vor. – 4) Nirgends ist die Rede von Rückkehr in den »alten« Beruf, aber auch nicht von Beibehaltung oder Aufgabe des Berufs. Berufsaufgabe ist jedoch impliziert bei No. 1.3.4. 5.7–13. 17–19.[30] – 5) Der Berufende ist Gott, eine Gottheit oder ein Gottesmann; ganz profan No. 9.15.16.19. – 6) Die Tätigkeiten, *zu* denen berufen wird, sind: Politische (No. 1.3?.4.6.8.9.10.14.15.16.19), Dichterische (No. 11.12.13.17.18), Prophetische (No. 2.3?[31].5).

[25] LCL *Diodorus*, Vol. VI, [1946] 1961, 414.

[26] dtv-Lexikon der Antike, Philosophie etc., IV (1970) 367a s. v. Zaleukos.

[27] *FLuterbacher*, Komm. zu Livius, Bd. III zu Buch III (1885) 45.

[28] No. 16 ist nur scheinbar eine Ausnahme. Jeder kennt die herzogliche Herkunft des Berufenen. Dagegen kann sich der topos vom Hirten oder Landmann nicht durchsetzen. Die Legende weicht auf eine wahrscheinlichere Tätigkeit aus.

[29] Zu No. 18 vgl. »Häuschen mit Strohdach, modicus ager, agellum« (Anm. 18 und 34).

[30] Zu Amos (No. 2) siehe S. 474ff.

[31] *WZimmerli* (Ezechiel, BKAT XIII, 1969, 16ff [1955]) weist auf Ähnlichkeiten in den Berufungsberichten über Mose, Gideon, Saul, Jeremia hin. Es ist schwer,

Das vorgeführte Material legt die Erwägung nahe, daß das Motiv im politischen Bereich beheimatet ist. Diese Meinung stützt sich vorerst auf den zahlenmäßigen Befund. Von unseren Beispielen bildet nämlich über die Hälfte eine Gruppe, in der das Motiv auf einen politischen oder militärischen Helden angewendet wird. Bei näherer Betrachtung zeigt sich, daß sie Alle Eines gemeinsam haben: Ihnen fehlt ein unmittelbarer Vorgänger und damit die institutionelle Verankerung und Sicherung. Sie sind große Einzelne, die unvermittelt auftreten. Sargon I, David, Gordios I und Heinrich I sind Dynastiegründer. Abdalonymos von Sidon verdrängt den bisher regierenden König. Zaleukos hat als Gesetzgeber keine Vorläufer in Europa. Saul ist der erste König in Israel; oder aber er zählt wie Gideon (und Mose?[31]) zu den Befreiergestalten, die in der Geschichte auftauchen und verschwinden. Im Amt des Diktators (Cincinnatus) sind Diskontinuität und Zufälligkeit geradezu verkörpert. Wilhelm Kaisen ist der erste Bremer Bürgermeister nach dem totalen Zusammenbruch von 1945.

Wer innerhalb eines institutionellen Rahmens rechtmäßiger Nachfolger ist, braucht sich um seine Legitimation keine Sorgen zu machen. Aber wo jemand eine Machtstellung usurpiert oder sonst als Außenseiter emporkommt ohne Rückendeckung durch historische Kontinuität, da erfüllt das Motiv der »Berufung des Hirten oder Landmanns bei der Arbeit« die Aufgabe zu zeigen, daß der Betreffende das geschichtliche Recht auf seiner Seite hat: Es legitimiert ihn. Die ursprüngliche und im Grunde einzige Leistung des Motivs ist die Legitimation dessen, den es als »berufen« darstellt.

Aus dieser ideologischen Funktion des Motivs[32] erklärt es sich auch, daß *Widerspruch* gegen die Berufung im untersuchten Material nicht vorkommt. Jede einschränkende Bemerkung über den Berufenen und seine Fähigkeiten wäre Wasser auf die Mühlen seiner Widersacher und würde die Leistung der Berufungserzählung neutralisieren. – So versteht man auch, daß Beibehaltung oder Wiederaufnahme des alten *Berufs* überhaupt nicht in den Gesichtskreis der Überlieferung treten. Das Motiv legt ja gerade Wert auf den Wechsel aus der niedrigen in die hohe Position. Nicht einmal bei Cincinnatus, wo die geschichtliche Wirklichkeit es nahegelegt hätte, wird von Rückkehr aufs Land gesprochen.

Ex 3_1 überlieferungsgeschichtlich richtig einzuordnen: Zu Gideon und Saul? Oder zu Jeremia und (im hiesigen Zusammenhang) zu Amos und Elisa?

[32] Ideologische Funktion hat das Motiv in jedem Fall. Es ist dabei völlig gleichgültig, ob es »historisch echt« ist oder nicht, und ob es als Mittel politischer Propaganda *eingesetzt* wird (so vermutlich No. 1. 8. 9) oder nicht (No. 19). Das Motiv ist und bleibt ein Legitimations*mittel,* auch wenn es nicht mit bewußter Absicht für Legitimations*zwecke* gebraucht wird.

Das waren zwei Argumente e silentio, auf die bekanntlich nicht zu bauen ist; aber auch positive Anhaltspunkte fehlen nicht. Der Außenseiter führt seine Berufung auf *Gott* zurück. Das ist folgerichtig – denn er hat, wie man sagt, »alles nur sich selbst zu verdanken« und auf Erden keinen Höheren über sich. Wo das historisch nicht zutrifft, wird dem Rechnung getragen. – Die *Berufsangabe* Hirt, Landmann usw. zeigt den Berufenen als einen Durchschnittsmenschen ohne Ehrgeiz. Sie demonstriert geradezu aufdringlich sein Desinteresse an Rangerhöhung[33] und betont desto klarer, daß Gott oder die Gemeinschaft ihn zu dem gemacht haben, was er jetzt ist. – Das bietet auch Schutz vor Kritik. Anderseits gibt der Außenseiter als solcher Anlaß zu der Hoffnung, daß er seine Stellung besonders unvoreingenommen und gerecht ausfüllen werde, da er – nur der Sache verpflichtet – nicht Exponent bestimmter Institutionen, Klassen oder Denkweisen ist. – Ähnliche Funktion wie die Berufsangabe hat die Vorstellung von der *Armut* des Berufenen: Gott allein war es, der ihn aus dem Nichts erhob, materielle Mittel haben dabei keine Rolle gespielt. – Alle diese Züge sichern dem »Berufenen« auch die Sympathien der kleinen Leute. Er verkörpert ihre Wunschträume, und sie können ihn als einen der ihrigen betrachten und sich mit ihm identifizieren.

Durch die Analyse des »Berufungs«motivs bestätigt sich die Vermutung, daß es aus dem politischen Bereich stammt; denn nur hier dient jeder Einzelzug zwanglos der legitimierenden Funktion des Ganzen. Es versteht sich nun aber von selbst, daß es seine Funktion auch außerhalb des ursprünglichen Rahmens ausüben kann: Einer sprichwörtlichen Redewendung ähnlich, emanzipiert es sich von seinem angestammten Lebensgebiet und geht auf andere Bereiche über.[34]

Das ist wohl verhältnismäßig leicht einzusehen im Falle der Berufung des Propheten *Elisa.* Die Überlieferung konnte sich anscheinend nicht damit abfinden, daß »der Charismatiker Elisa« einfach dage-

[33] 1. Das zeigt ganz naiv *Gottfr. von Viterbo* (Anm. 16): »sepe rogatus noluit sumere imperium« (12f); »simpliciter [!] fuit auceps« (17); und ebenso die Chronica minor (2. H. 13. Jh.): »renitens [!] electus est« (MG SS XXIV, 1879, 185, bei *GWaitz* 210). 2. Wenn *Plinius* und *Livius* das Motiv zur Illustration altrömischer Einfachheit benutzen, so entspricht auch das seinen Intentionen, wenn man von dem moralisierenden Unterton absieht. 3. Vgl. Anm. 34.

[34] ›NN hat einen kleinen Acker und ein strohgedecktes Häuschen. Seine ganze Sorge gilt seinem Vieh – sein Gütchen (agellum) geht ihm über alles; und so lebt er, neidlos und von niemandem gehaßt, in innerem Frieden, nur »proprio censu«. Ruhm, Königspaläste (!), irdische Reichtümer (!) und Ehrgeiz ([!] cupido) interessieren ihn nicht‹. Es wäre nur konsequent und stilgerecht, wenn dieser kleine Landmann in die große Politik berufen würde; aber hier ist vom Dichter des Heliand die Rede (No. 18, 4–15): Das politische Substrat behält auch nach dem Übergang des Motivs in den andersartigen Zusammenhang die Oberhand. Dadurch wird das im Text Ausgeführte bestätigt.

wesen war, Wunder getan und »eine Prophetengenossenschaft um sich geschart« hatte (*Fohrer* RGG II 431). Aus irgendeinem Grunde wollte oder mußte sie erklären, wie es zu seinem Auftreten gekommen war und was ihn zu seinem institutionell offenbar nicht vermittelten Wirken berechtigte; und dazu stand das Legitimationsmotiv der »Berufung des arbeitenden Landmanns« zur Verfügung. Daß gerade Elia die Berufung ausführt, ist eine Sache für sich, die hier nicht zur Debatte steht.[35] – Über *Amos* ist noch zu sprechen (S. 474ff).

Auch bei den Dichtern findet das Motiv seine sinnvolle Verwendung als Mittel der Legitimation. *Hesiod* ist nicht Belletrist, sondern theologischer Dichter. Er »fühlte sich als Prophet und erhebt den Anspruch, die Wahrheit zu verkünden«.[36] Das konnte er nicht ohne den Nachweis einer objektiven Berechtigung, und dazu dient ihm das Motiv der Berufung des Hirten. Unter gewandelten Verhältnissen taucht es dann mehr formelhaft bei *Theokrit* und in enger Anlehnung an Hesiod bei *Quintus von Smyrna* (3./4. Jh. n. Chr.) auf. Auch diese beiden gebrauchen es, um sich auszuweisen, wenn man auch den Eindruck hat, daß der Ernst des hesiodischen Sendungsbewußtseins nicht mehr dahintersteht.

Cædmon und der *Heliand-Dichter* (vgl. Anm. 34) bedurften der Legitimation, weil sich überall der Widerspruch der beharrenden Kräfte erhob, wo Kunstwerke und Kunstformen in den kirchlichen Bereich einzudringen suchten. Wer die Tradition durchbrach und Neues begann, mußte sich rechtfertigen, wenn man ihm etwa entgegenhielt: »Verba dei legantur in sacerdotali convivio. Ibi decet lectorem audiri, non citharistam; sermones patrum, non carmina gentilium. Quid Hinieldus cum Christo?«;[37] mit anderen Worten: »Da die epische Kunstdichtung ein Hauptstück der heidnischen Kultur darstellte, mußte man Gründe vorbringen, wenn man sie für christliche Zwecke übernahm«.[38]

Die Anwendung des Legitimationsmotivs ist auf Gestalten aus Politik, Dichtung und Prophetie beschränkt. Das wird wohl ganz einfach daran liegen, daß Andere nicht mit ähnlich hohen Ansprüchen auftreten und also auch nicht in gleicher Weise der Legitimation bedürfen; ja

[35] Daß ein Legitimationsbedürfnis bestand, zeigt auch der Auftrag an Elia, Elisa zu seinem Nachfolger zu *salben* (1Kön 19_{16}). – Wie sich hier und anderwärts die verschiedenen Arten der Legitimation überlieferungsgeschichtlich und sachlich zueinander verhalten, bleibt einer weiteren Untersuchung vorbehalten, die auch den Begriff des »Charismatikers« ins Auge zu fassen hätte.

[36] dtv-Lexikon (Anm. 26) II 229a, s. v. Hesiod.

[37] *Alkuin* an Bischof Higbald, bei *CPlummer* (Anm. 17) II 249.

[38] Zum Problem der Rechtfertigungsbedürftigkeit der epischen Form in der christlichen Dichtung vgl. außer *CPlummer* II 248f auch *ERCurtius*, Europäische Literatur und Lateinisches Mittelalter ([4]1963) 58. 453ff. (Zitat: S. 455f).

es fällt schwer, sich überhaupt vorzustellen, für wen das Motiv sonst noch geeignet wäre. Wirtschaftliche Tüchtigkeit und Reichtum erfordern offensichtlich keine Rechtfertigung. Die üblichen Berufe werden ohne weiteres erlernt, ausgeübt und vererbt. Allenfalls könnte man an den Priester denken; aber gerade er ist in besonderem Maße Fachmann, der erlerntes Berufswissen anzuwenden hat – nirgends ist ein Außenseiter weniger denkbar als im fest organisierten Rahmen des kultischen Dienstes.

Mögen die Texte mit dem Legitimationsmotiv auch anderwärts für den Exegeten nützlich sein – wir kehren jetzt zu unserem Ausgangspunkt zurück und beschränken uns auf die Frage, welche Schlüsse sie für das Verständnis von Am 7$_{14-15}$ gestatten.

Wir halten es durch das vorgelegte Material für erwiesen, daß auf Amos das Motiv der »Berufung des Hirten oder Landmanns« angewendet wird. Zwar hat man auch bisher schon Am 7$_{15a}$ mit der »Berufung« des Propheten in Verbindung gebracht, aber wir sind jetzt doch zwei kleine Schritte weiter gekommen; denn (1) die textliche Grundlage dafür ist wesentlich breiter und sicherer geworden, und dadurch wird (2) der Sinn der »Berufungs«aussage genauer erfaßbar:

a.) Wie in allen anderen Fällen dient das Motiv nämlich auch bei Amos der Legitimation eines Außenseiters ohne institutionellen Hintergrund. Dieses Verständnis vorausgesetzt, wird 15a durch 14a bestätigt, denn dann ergänzen sich beide als Negation (14a) und Position (14b.15a). Die Übersetzung soll das verdeutlichen: »Ich bin kein Prophet im Sinne eines geschulten/organisierten Propheten, sondern mich hat Jahwe hinter dem Kleinvieh weg genommen, als ich mit Rinderhüten und Sykomorenritzen beschäftigt war«.[39] – *Reventlow* meint, in 7$_{14f}$ sei von einer »ordentlichen Berufung« in ein »reguläres Amt« im

[39] Mit der explikativen Übersetzung des וְ folge ich einem mündlich geäußerten Vorschlag von *Konrad Rupprecht*, Heidelberg. – Der Nominalsatz mit den Partizipien (14b) bildet den Vordersatz, 15a den Nachsatz mit der Hauptaussage. Das Ganze steht durch כִּי im Gegensatz zu 14a. Nach dem Grundsatz, daß die Zeitstufe des Nominalsatzes aus dem Zusammenhang zu erschließen ist, gebe ich 14a mit der Gegenwarts-, 14b. 15a mit der Vergangenheitsform wieder: Bisher hat man nicht daran gedacht, daß 14a und 14b in verschiedene zeitliche Zusammenhänge gehören könnten, und daher ohne zwingenden Grund einheitlich präsentisch oder präterital übersetzt. – Auf die *Funktion* der Aussage des Amos gesehen, ist es übrigens gleichgültig, ob er seinen Beruf noch ausübt oder nicht, die Hauptsache ist, daß er »bei der Berufsausübung berufen« wurde, denn das weist ihn aus (S. 470; No. 4 und S. 471f ist hier nicht anwendbar, vgl. S. 475f). Auf die wirtschaftliche Unabhängigkeit des Amos scheint es mir in dem Abschnitt am allerwenigsten anzukommen (gegen *Wellhausen*, Kleine Propheten, [4]1963, 90f zu 7$_{12ff}$).

Sinne »ordentlicher Amtsnachfolge« die Rede.[40] Dem hat zB *Weiser* mit Recht, aber ohne Gründe widersprochen;[41] durch unsere Ausführungen wird erwiesen, daß das genaue Gegenteil von dem richtig ist, was *Reventlow*, man darf wohl sagen: aus der Luft gegriffen hat.

b.) Einige Ausleger sehen hinter Amos 7_{15} das Berufungs*erlebnis*, die persönliche Erfahrung. Das mag an und für sich nicht unbegründet sein, denn auch der prophetische Außenseiter wird irgendeinen Antrieb zu seinem Auftreten verspürt haben. Man muß sich aber vergegenwärtigen, daß in unseren Texten und also auch hier mit keinem Wort auf innere Erlebnisse oder Erfahrungen angespielt wird; und verstehen wir die Funktion des Motivs richtig, so hat dergleichen auch gar nichts darin zu suchen. Bei einer Legitimation geht es nicht um subjektive Sachverhalte bei dem Berufenen, sondern um das objektive Berufensein und das daraus erwachsende Recht. Mehr noch, es gehört augenscheinlich zu der Aufgabe des Motivs, alles Subjektive in den Hintergrund zu drängen, damit der Legitimationscharakter desto deutlicher hervortreten kann.

c.) Daher ist es wiederum sachlich nicht unzutreffend, wenn Manche in dem Verbum לקח die göttliche Alleinwirksamkeit ausgedrückt sehen; es kann indessen weder aus dem Wort noch aus dem Zusammenhang gefolgert werden, daß »לקח shows that the vocation came suddenly« oder daß »the vocation itself must have come as a strong emotional experience«.[42] Ebensowenig geht daraus hervor, daß Amos willenloses Objekt eines zeitlich und örtlich fixierbaren göttlichen Eingriffs war.[43] Wie groß auch unser Wissensdurst sei – einer motivischen Phrase wie Am 7_{15a} fehlt jede biographische oder autobiographische Absicht; sie verrät nichts über die äußeren und noch weniger über die inneren Umstände der »Berufung« des Amos;[44] sie will ja nicht deren Hergang schildern, sondern in traditioneller Form das Recht seines Auftretens dartun.

Die Tatsache der Uneinheitlichkeit von Am $7_{14b.15a}$ gab den Anstoß, Vers 15a zu untersuchen, als Überlieferungselement zu erkennen und sachgemäß zu verstehen. Einen weiteren Dienst leistet die Uneinheitlichkeit bei der Beurteilung der Berufsangaben des Amos. Es spricht

[40] *HReventlow* 21. 24.

[41] *AWeiser*, ATD 24 (⁴1963) 192 Anm.

[42] *AKapelrud* 12. 14.

[43] So sinngemäß *Wolff* 362.

[44] Bisher hat niemand die in Am 7_{15} hineinexegesierten Implikationen auch auf David übertragen, von dem doch mit denselben Worten gesprochen wird (2Sam 7_8). An der Konsequenz zeigt sich die Unhaltbarkeit aller Behauptungen, die nicht hier wie dort gelten.

nämlich alles dafür, daß die beiden Angaben historisch zutreffen, also zur Biographie und nicht zum Motiv gehören,[45] und zwar negativ, weil sie nicht mit der motivischen Phrase harmonieren, und positiv, weil alle anderen Beispiele unserer Sammlung in dieser Hinsicht bruchlos und einheitlich sind. – Bekanntlich hat man die Berufsangaben immer schon für historisch gehalten; aber in unserem Zusammenhang ist es methodisch notwendig geworden, diese Annahme zu reflektieren.

Im Anschluß an das Problem der Uneinheitlichkeit stellt sich zuletzt die Frage, wie man sich die weitgehende Ähnlichkeit von Am 7_{15a} mit 2Sam 7_8 erklären soll.[46] Sie kommt sicher nicht von ungefähr. Irgendeine Abhängigkeit muß bestehen; es fragt sich nur: von welcher Art? Leider treten hier aus Mangel an Beweismitteln bloße Erwägungen an die Stelle einer eindeutigen Antwort.

1) Ob man die Herkunft des Motivs der »Berufung des Hirten oder Landmanns bei der Arbeit« überlieferungsgeschichtlich je wird feststellen können, ist sehr zweifelhaft. Wie der Witz oder die Anekdote ist es irgendwann einmal einfach da, und wo es zum ersten Mal nachzuweisen ist, dort hat man wohl kaum auch zugleich die Stelle vor sich, an der es das Licht der Welt erblickt hat. Wahrscheinlich trifft dieser Vergleich nicht einmal zu, und es ist daher wohl sachgemäßer anzunehmen, daß ein solches Motiv polygen, dh an mehreren Orten gleichzeitig oder nacheinander ohne gemeinsame überlieferungsgeschichtliche Ursache aufgekommen ist.

Wie dem auch sei – seine Existenz ist literarisch allein für Syrien-Palästina achtmal belegt, dazu kommen zwei Belege für den übrigen Vorderen Orient.[47] Angesichts dieser Häufigkeit wird man es nicht von vornherein für ausgeschlossen halten dürfen, daß die erzählerische Ausführung des Motivs, wie sie in der Überlieferung vorherrscht, sich zu einer knappen Formel kondensiert hat, die den ganzen Aussagewert des Motivs in sich faßt und genau wie eine sprichwörtliche Redewendung auch dann richtig (nämlich funktionsgerecht) verstanden wird, wenn durch ihre Anwendung im Kontext logische Unebenheiten entstehen. Einmal geprägt, lag die Formel als Traditionsgut im Sprachschatz bereit und konnte nach Bedarf verwendet werden. Bei David und Amos ist also von »Abhängigkeit« insofern zu reden, als an bei-

[45] Wer für Kombinationen ist, könnte noch erwägen, ob etwa gar auch בוקר ein traditionelles Element ist (vgl. No. 4. 5. 10. 12?. 15); dann bliebe nur בולס שקמים übrig.

[46] David: אני לקחתיך מן־הנוה מאחר הצאן
Amos: ויקחני יהוה מאחרי הצאן

[47] No. 1–7.9.; 8. 10. – Die Zahlen sind Minimalzahlen, da ich für Vollständigkeit nicht garantieren kann.

den Stellen die gleiche überlieferte Ausdrucksform aufgenommen wird.[48] – Die beiden verfügbaren Belegstellen wären als statistische Grundlage für einen Beweis nicht gerade überwältigend. Sie reichen aber aus, um unsere überlieferungsgeschichtliche Erwägung zu stützen und ihr das nötige Mindestmaß an Wahrscheinlichkeit zu verleihen.

2) Auf den ersten Blick verspricht die Annahme direkter Abhängigkeit der Amosstelle von 2Sam 7_8 eine solidere Lösung; aber schon beim zweiten Blick sieht die Sache anders aus. Ganz gleich nämlich, wie man den Begriff der »direkten Abhängigkeit« auch versteht – sei es als literarische im Sinne eines Zitats, sei es als sachliche im Sinne einer Anspielung auf Wortlaut und Inhalt der speziellen Tradition von David als Hirten[49] – in jedem Fall wäre man verpflichtet zu erklären, was die Amos-Tradenten[50] bewogen haben könnte, eine Davidtradition in die Bethelszene einzuarbeiten; aber das *kann* man eben nicht erklären, weil es einleuchtende Gründe für eine theologische oder sonst überlieferungsgeschichtliche Verbindung von Amos mit David gar nicht gibt. Zur Not könnte jemand vielleicht auf die Nähe von Am 9_{11} (»zerfallene Hütte Davids«) zur Nathanweissagung hinweisen, in der ja das Legitimationsmotiv auf David angewendet ist. Nur würde damit, von allen anderen Problemen abgesehen, noch nicht verständlich, was David und Amos als Personen oder Gestalten nach Auffassung der Tradition miteinander verbinden soll und

[48] Unter diesen Umständen entzöge es sich natürlich der Kontrolle des Auslegers von Am 7, ob das Legitimationsmotiv aus dem Munde des Propheten stammt oder in die Geschichte der Amos-Überlieferung und -Auslegung gehört; letzteres ist wohl eher anzunehmen.

[49] Nach *HGottlieb,* Die Tradition von David als Hirten, VT 17 (1967) 190–200 ist 2Sam 7_8 »ein Jahweorakel für den König« (196), Fragment eines Krönungs- oder Königsrituals (193.197) im Rahmen der Bundeserneuerung zwischen Gott und König beim jerusalemischen Neujahrsfest (197). Der Vers zeigt, wie der Gott »zuerst den König absetzt [»›Ich entferne dich hiermit aus deiner Stellung als Hirte‹, wobei ›Hirte‹ die sakrale Mittlerstellung zwischen Jahwe und dem Volk bezeichnet ...«], um ihn dann wieder ... einzusetzen. An dieser Absetzung des Königs durch Jahwe hat das Orakel ... ursprünglich seinen Platz gehabt« (199). Die Tradition von David als Hirten ist »Ausdruck eines Mißverständnisses [!] des Wortlauts des Königrituals« (193). Am 7_{15} ist für *Gottlieb* sachlich bedeutungslos. – Man kann den kritiklosen Dogmatismus, mit dem *HGottlieb* 2Sam 7_8 über den Leisten der Königsideologie schlägt, nur bedauern. Im Lichte von ritual & kingship sind offenbar alle Katzen grau. – Im Gegensatz zu *Gottlieb* halte ich 2Sam 7_8 für den vorläufigen Endpunkt (vgl. noch Ps 78), nicht den Ausgangspunkt der Traditionsbildung von 1Sam 16f. So auch *AWeiser*, Die Legitimation des Königs David, VT 16 (1966) 324–354 (324). Unser Versuch entstand unabhängig von *Weiser*; das Ergebnis bestätigt die Auffassung *Weisers* an einem von ihm nicht besonders ins Auge gefaßten Detail.

[50] Nimmt man direkte Abhängigkeit an, so kommen nur sie als Urheber von 7_{15a} in Frage.

warum die Übernahme von 2Sam 7_{8} dem angemessenen Ausdruck verleiht. Als letzter Ausweg bliebe noch die Annahme »mechanischer Übertragung«[51] von einer Stelle auf die andere; jedoch, auch damit kommt man nicht weiter, da sich sogleich die Frage stellt, wodurch die Übertragung veranlaßt sein mag. Von den beiden möglichen Antworten ist eine so schlecht wie die andere: »Mechanische Übertragung« kommt nur durch Gedankenlosigkeit zustande oder aus naiver Freude am gelehrten Zitat.

Man sieht, daß sich das Verhältnis von 2Sam 7_{8} und Am 7_{15a} nicht zweifelsfrei bestimmen läßt. Aber die erste von unseren beiden Erwägungen kann doch wohl die relative Wahrscheinlichkeit für sich beanspruchen, da die Gegengründe weniger schwer wiegen.

Ein Ergebnis hat unsere Untersuchung indessen hervorgebracht: Am 7_{14-15} darf nicht harmonisierend übersetzt oder gedeutet werden. Der Widerspruch zwischen בולס שקמים/בוקר und מאחרי הצאן ist scheinbar, da 7_{15a} nach der vorgelegten Materialsammlung in traditionsgebundener Sprache von der »Berufung des Hirten oder Landmanns bei der Arbeit« redet und daher nicht biographisch, sondern »ideologisch« zu verstehen ist als Mittel zur »Legitimation des Außenseiters«.

[51] Zu diesem Ausdruck siehe Anm. 18 Mitte.

KLAUS SCHWARZWÄLLER

PROBLEME GEGENWÄRTIGER THEOLOGIE UND DAS ALTE TESTAMENT

Ob und inwieweit die Bibel für die Theologie tatsächlich *Kanon* ist, hängt weder von Programmen noch davon ab, in welchem Maße die Dogmatik auf die Schrift zurückgreift oder das Gespräch mit der Exegese führt. Das Gespräch mit der Exegese kann auch bloße Sicherungsfunktionen für ein vorher festliegendes dogmatisches System haben; die Bibel kann man als Materialsammlung mißbrauchen; und häufig genug waren Programme nicht mehr als Ausdruck guten Willens. Ist jedoch die Schrift nicht mehr Kanon, so sind es kirchliche Traditionen, Tagesinteressen, Philosopheme, praktische Bedürfnisse o. ä. Eine Mißachtung der Bibel als Kanon müßte sich folglich dadurch nachweisen lassen, daß man ein Prinzip oder System namhaft machen kann, das an die Stelle des Kanons trat und folglich daran hindert, den Kanon wirklich in vollem Umfange auf- und ernstzunehmen. Ein derartiges Prinzip oder System, das die verschiedenen theologischen Entwürfe der Gegenwart wie übrigens auch das Gros der einflußreichen, häufig etwas pragmatischen Konzeptionen zweiter und dritter Hand weithin und auf Kosten wesentlicher Teile und Aussagen der Schrift prägt, das also der gegenwärtigen Theologie a parte potiore das Feld abgrenzt, läßt sich in der Tat angeben. Es liegt vor in einem kleinen Kompendium eines theologischen Außenseiters.

Dieses Kompendium beginnt – hierin wie auch sonst immer wieder lutherische Tradition verratend – mit der Feststellung der Sünde: Das Böse ist ein nicht fortzudiskutierendes Faktum. Das bedeutet zugleich, daß es sich jedem Versuch einer Ableitung entzieht. Man mag sich das anhand von Gen 3 oder dem Verrat des Judas klar machen: Erklärbares Böses ist immer entschuldbares, zufälliges Böses. Es braucht darum nicht verantwortet zu werden, denn mit der Erklärung wurde es in einen Kausalnexus gebracht, dh auf eine außermenschliche Ursache zurückgeführt. Damit ist es zum bedauerlichen Schicksal geworden, der Mensch hingegen nur noch ein armer Kerl, der unversehens in ein Minenfeld geriet. Einer solchen Sichtweise gegenüber wird mit Nachdruck unterstrichen: Wir kommen nicht um die Feststellung herum, daß das menschliche Leben von Anbeginn negativ qualifiziert ist.

Der somit sich nahelegende Sündenpessimismus wird freilich relativiert: Mit dieser Feststellung ist keine ontologische Bestimmung getroffen. Sondern es geht darum, daß jeder Mensch sich selbst und die ihm beigelegten Gaben von vornherein stets dadurch preisgibt und mißbraucht, daß er trotz seines Wissens um gut und böse in Denken und Handeln vom göttlichen Willen abweicht. *Das* verderbliche Prinzip ist dabei der Egoismus; und der von ihm Getriebene lebt und handelt über die Selbstverfehlung hinaus stets auch asozial. Denn die Peitsche der vom Leistungsprinzip bestimmten Sozietät: die Selbstdurchsetzung und die durch sie zu gewinnende Erfüllung und Befriedigung, sie diktieren Trachten und Tun. Gut biblisch gesprochen: Des Menschen Herz ist verkehrt, und es fehlt an dem Vermögen zum Vollbringen des offenbaren Gotteswillens, der ja auf unser Verhalten zielt und insoweit eine eminent sozialethische Dimension hat. Zu dieser Verkehrtheit gehört überdies Unwahrhaftigkeit gegen sich selbst und den Nächsten: »Diese Unredlichkeit, sich selbst blauen Dunst vorzumachen ... erweitert sich denn auch äußerlich zur Falschheit und Täuschung anderer.« Folgerichtig wird Ps 14 zitiert: Es ist keiner, der Gutes tue, nicht einer. Mit *WAdorno* zu reden: Das Leben ist beschädigt; mit *Kütemeyer:* Die Gesellschaft ist krank. Entsprechend findet sich in diesem Kompendium die biblische Sündenfallgeschichte – unter strenger Wahrung der Unableitbarkeit des Bösen und in einer gewissen eigentümlichen Nähe zu *Luthers* Gedanken vom servum arbitrium Adams bereits im Urstand wie auch zu seiner Bestimmung der Sünde als Undankbarkeit und Egoismus – ad hominem entmythologisiert: Ständig wiederholt sich die Auflehnung des Menschen gegen Gottes Willen in Unfreiheit, Undank, Zweifel und Eigensucht.

Dieser »tief bösen Verderbung der Natur« steht der offenbare Gotteswille entgegen, welcher von uns das Gute fordert. Die Tatsache dieser Forderung wird nun allerdings in der Weise des *Erasmus* aufgefaßt: sie setze die Möglichkeit einer Erfüllung voraus. Und so wird die negativ gezeichnete menschliche Situation zugleich als Aufgabe exponiert, als Aufgabe zu Veränderung und Verbesserung. Dabei wird umsichtig zu Werke gegangen: So unerklärlich die Sünde des gut geschaffenen Menschen ist, so – um es einmal in dieser Weise zu umschreiben – wundersam ist's auch, daß diese Aufgabe erkannt und angepackt wird. Das setzt voraus, daß die verdrängte und verleugnete Imago Dei gleichwohl nicht verloren ist. Es wird hier demgemäß die Menschwerdung des Menschen gefordert, also dies, daß der Mensch zu sich selber komme, zu sich als wahrem Menschen, wie es seiner Erschaffenheit gemäß ist. Dazu wird im Kompendium freilich nicht im Sozialbereich, sondern beim Individuum angefangen: Daß man dahin komme, Menschlichkeit, Ehre und Hoheit des Menschen und entsprechende Lebensbedingungen und Verhältnisse zum bestimmenden Ziel des Handelns zu machen, das ist es, was hier von jedem gefordert wird. Das kann man nicht einfach gesinnungsethisch neutralisieren; zwar ist hier von einer »Revolution in der Gesinnung des Menschen« die Rede – eine Neuformulierung der biblischen Chiffre »Wiedergeburt« –, doch die handgreiflichen Konsequenzen für das Sozialverhalten werden keinen Augenblick in den Hintergrund gedrängt. Es geht hier vielmehr um die Reihenfolge, und diese hat ihren Grund in der bereits genannten Intention, nämlich der Menschwerdung des Menschen. Diese Wiedergeburt des Einzelnen bleibt nicht ohne Folgen für die Sozietät: Aus ihr erwachsen nämlich Engagement und Mut, sich für das Gute und Rechte zu exponieren und darin vorbildlich zu wirken. Die Kraft dazu wächst uns zu, wenn wir uns endlich als Gottes Geschöpf und Imago verstehen lernen, als erschaffen zum Vollzug des göttlichen Willens. Es bedarf m. a. W. der re-ligio, der wahrhaften Bindung an Gott. In der Gottesbindung erkennen wir unsere Imagohaftigkeit und also unsere Begnadung, Gottes Willen zu *tun.* Gotteserkenntnis ist theoria practica. Wir erkennen Gott als den, der uns zum Handeln bestimmte und ausrüstete, und wir erkennen ihn nur so, daß wir uns aller – ablenkenden! – Spekulationen über ihn und sein Wesen in seinem An sich entschlagen, wir uns vielmehr in unserer ganzen Lebensführung von seinem Willen bestimmen lassen.

Das steht freilich in bemerkenswertem Gegensatz zu der voraufgegangenen Situationsanalyse. Es ist zu notieren, daß in dem Kompendium der Gegensatz nicht überkleistert, sondern durchgehalten wird, freilich modifiziert; der Weg, hier zu einer Lösung (nicht Auflösung!) zu kommen, deutet sich bereits an: Ich habe – nach allem Gesagten – Grund zur Hoffnung auf Änderung, auf die Erneuerung meines Lebens um der noch lebendigen Imago willen. Da im Kompendium jedoch das Individuum stets im Zusammenhang der ganzen menschlichen Gesellschaft gesehen wird, kann hier im Vorgriff bereits gesagt werden: Ich habe Hoffnung auf Änderung, wie in meinem eigenen Leben, so auch in der gesamten Sozietät.

Erkenntnisgrund bei alledem ist DER Mensch, Jesus Christus also, durch welchen Gott in seinem Willen offenbar ist. Das ist hier ganz streng gedacht: Gotteswille und Imagohaftigkeit verschmelzen in ihm zur Einheit. Darin ist er Urbild des Homo Imago Dei, der seinerseits wiederum in ihm das Urbild der Menschheit erkennt, ja, erkennen muß. Dh daß Jesus in seinem Anspruch sich selbst beweist als den, der er ist; und alle Versuche, ihn zu demonstrieren, laufen auf die Unmöglichkeit der Demonstration des Gotteswillens selbst hinaus, mit der ihm Unbedingtheit und Verbindlichkeit geraubt wären. So bringt der sich selbst legitimierende, uns unmittelbar anredende Anspruch Jesu den Menschen in die Eigentlichkeit und eröffnet *als* Anspruch Freiheit.

Jesus Christus ist zugleich Realgrund der Hoffnung und Basis all unserer Maßstäbe. Sein Sein für uns, expliziert in der Selbstlegitimierung seines Anspruches, impliziert Universalität: Alle Menschen sind in die Nachfolge, in die Menschwerdung berufen. Dazu erniedrigte er sich selbst, und als der Erniedrigte eröffnet er uns die Hoffnung auf das Geschehen der Revolution der Gesinnung, auf die Vollendung des stückwerkhaft im Menschen Anhebenden, auf Freiheit und auf eine Sozietät der Gerechtigkeit und Menschlichkeit. Das Erreichen des erhofften Zieles ist im Trachten nach dem Reiche Gottes bereits proleptisch realisiert: *Wenn* erst diese Revolution eingeleitet ist, dann wird der Weg auf der engen Straße je länger je leichter – ein Gedanke, der den Ansatz bietet für eine Immanentisierung des Eschatons.

Es ist bei alledem deutlich, daß Jesu Werk an uns nicht mirakelhaft geschieht, und eine derartige Konstruktion wird durch die Verklammerung mithilfe der Imagohaftigkeit zudem überflüssig. Folgerichtig tritt die Menschheit Christi in den Vordergrund: Nur einem Menschen können wir nachfolgen; als Menschen können wir nur eines Menschen Weg gehen. Sind wir jedoch auf dem von ihm eröffneten Weg, so werden wir uns das nicht als Verdienst selber zuschreiben, sondern ihm darüber die Ehre geben und danken, daß er uns voranging und uns damit zur Besinnung auf Gottes Willen und unsere Bestimmung als Menschen, also zur Buße Anlaß gab. Damit rückt das Versöhnungsgeschehen ins Zentrum. Unsere Schuld gegen Gott – hier läßt sich das Kompendium von *Anselm* leiten – ist unendlich groß, unsere Verhaftung ans Böse indes nicht einfach durch das ja ohnehin durch unsere Bestimmung geforderte Tun des Gotteswillens zu kompensieren. Doch obschon für uns untilgbar, kann diese Schuld gleichwohl nicht von uns genommen werden; wir haben sie vielmehr zu vertreten. Das so gestellte Problem wird mithilfe einer immanent-präsentischen Eschatologie überwunden, und anregend mag im Hintergrund *Luthers* Lehren vom Leben in der Taufe gestanden haben. Unsere Schuld – so lautet hier der Ausgleich – empfängt ihre Strafe in der sárx; die Strafe wird also am alten Adam in uns vollzogen, und sie hat Grund und Urbild im Kreuz. Umgekehrt geschieht unsere Rechtfertigung als Anrechnung unserer ursprünglichen Gerechtigkeit, also Ebenbildlichkeit, als in ihrer Wiederherstellung in Christus proleptisch vorweggenommen, in Christus, dem wir in der Nachfolge verbunden sind. Es sind also Satisfaktions- und Imputationstheorie versöhnt und ethisch vermittelt: Gottes Richten und Gerechtmachen vollzieht sich in unserer die Verhältnisse aufgrund der inneren Revolution tatsächlich reformierenden Nachfolge Jesu Christi, der als der Anfänger und Vollender unser Stellvertreter ist. Bei alledem wird das refomatorische »extra nos« kräftig betont; haarscharf wird vorgerechnet, daß hier jeder Abstrich in die Unfreiheit der egozentrischen Werkerei führen müßte.

So gilt nach allem Gesagten beides, obschon es als widersprüchlich erscheint: Jesus Christus bedeutet eine Revolution in der Menschheitsgeschichte; und zugleich: Er geht uns unbedingt an.

Bei alledem kommt das theokratisch gedeutete Alte Testament wegen seiner juridischen Denkweise schlecht weg, und seine penetrante Diesseitsbezogenheit wird nachgerade als Verschütten der Hoffnung denunziert. Jene Haltung indes habe der Reine überwunden, der vom Himmel, aus des Vaters Schoß, kam und, physisch unterliegend, die Freiheit, ihre Idee und Hoffnung und damit die innere Revolution heraufführte, indem er uns zur Einkehr bei uns selbst, zur Rückbesinnung auf den Willen Gottes an uns brachte. Damit gründete er ein Reich von eschatologischer Qualität. Dieses Reich steht seither im Kampf mit dem alten, dessen Macht nunmehr so entscheidend gebrochen ist, daß wir hoffen können und dürfen, daß wir gewiß sein können: es wird sich vollenden. Und in der Nachfolge verbinden sich die Christen mit *allen* Menschen guten Willens. Bei alledem werden Wunderglaube und Theismus endgültig verabschiedet. Der mündige, intellektuell redliche Mensch hat hic et nunc, und zwar praktisch und ohne ein Schielen nach Mirakeln dies eschatologische Reich der Freiheit und Hoffnung an seinem Orte zu bezeugen und durch dieses Zeugnis mit zu bauen.

Denn es kann bei der individuellen Wiedergeburt nicht sein Bewenden haben – die Verhältnisse, sie lassen ja stets zu vieles wieder zuschanden werden. Ernsthafte Individualethik ist darum notwendig zugleich Sozialethik, und zwar unter der Zielvorstellung einer Gesellschaft der Freiheit und Menschlichkeit – Chiffren für »Reich Gottes«. Das Reich Gottes, die Widergeburt des Einzelnen, das Leben in der Nachfolge Jesu Christi: sie sind politisch. Allgemeine Verhaltensnormen, kodifiziertes Recht wie auch Staat und Gesellschaft stehen somit als Aufgabenfelder im Vordergrund. Dabei wird die Vernunft als kritisches und leitendes Organ thematisch – und man erinnert sich der oft deklamierten und doch viel zu selten praktizierten Sachlichkeit und Vernünftigkeit des Christen im Umgang mit den Dingen dieser Welt. Freilich bedarf es dabei eines Zielpunktes, einer Idee oder Utopie, ohne deren Maßgabe die Vernunft auf bloße Verstandesfunktionen regredieren müßte – Kennzeichen des Technokratentums.

Die im Kompendium namhaft gemachten Leitziele kann man mit den Worten Gleichheit, Freiheit, Solidarität und Loyalität zusammenfassen. Wichtig ist dabei, daß alle diese Grundsätze zurückgeführt werden auf Gott selbst, in dem allein sie fundiert sind – fundiert sein *müs-*

sen, sofern sie unserem Wesen als Imago entsprechen und mit dem Reich Gottes realisierbar sein sollen. Eine derartige Fundierung aber wird zur bloßen Behauptung, solange die Stabilisierung durch die immanente Konkretion fehlt. So ergibt sich wie von selbst das Postulat von Kirche als Gemeinschaft derer, die – etsi Deus non daretur! – »das Reich Gottes auf Erden, so viel es durch Menschen geschehen kann«, darstellen, und das in Einheit, Lauterkeit, Freiheit, Kontinuität und insgesamt der Art einer great family. Und nun auch umgekehrt: Die Kirche wird zur bloßen Fassade, wenn sie nicht in einer Offenbarung Gottes gründet und sie sich diese nicht in Gottesdienst wie auch Lebensweise vergegenwärtigt. Hier klafft nun freilich der »garstige breite Graben« auf – die Offenbarung ist ja als Ereignis der Historie in ihrer allgemeinen Verbindlichkeit heute fraglich. Indes hat das Voraufgegangene die Lösung bereits vorgezeichnet: Die Offenbarung führt den Menschen ja gerade zu sich selbst; sie hat – man denke an *Lessings* Postulat – eine unmittelbar überführende innere Wahrheit. In seinen Worten und Taten überzeugt der EINE Mensch schlechthin – einst wie heute. Gegenüber dem naheliegenden Einwand, die Konzentration auf diese innere Wahrheit lasse die Offenbarung womöglich in Vergessenheit geraten, ist dabei im Sinne des Kompendiums die Gegenfrage zu erheben: Was soll das permanente Gedenken einer Offenbarung, die auf die Tat zielte, wenn es bei diesem bloßen Rückblick und korrespondierender frommer Innerlichkeit sein Bewenden haben soll? Wird das Gedenken der Offenbarung dabei nicht nachgerade deren Verleugnung? – Hier fehlt also jeder Ekklesiozentrismus; Kirche ist Ort und Gemeinschaft der Ausrichtung auf die Realisierung des Reiches Gottes. Und diesem Ziel ist in der Kirche *alles* unterzuordnen. Das darf man indes nicht pragmatisch mißverstehen: Es bedarf sehr wohl der Pflege des christlichen tradendum. Es bedarf somit der Theologie, die der Kirche zu der immer wieder nötigen Neuorientierung anhand des Kanons die Möglichkeit gibt. Dabei ist die Betonung des Kanons nur folgerichtig: Er ist es ja, durch dessen Vermittlung die uns unmittelbar überführende Offenbarung kund wird, so daß, was hier als Zwang oder auch Konzession an etablierte Theologie und Kirche sich darstellen mag, in Wahrheit die der Offenbarung eigentümliche Universalität und Freiheit unterstreicht.

Es leuchtet nunmehr ein: Gerade der christliche Glaube geht mit der Vernunft konform; beide korrigieren sich wechselseitig. Das impliziert das Verdikt von Magie, Mirakelglauben wie auch der jüdischen Religion als Atavismen. Dem Rückfall in sie wehrt die Auslegung des Kanons auf dem Boden der Konformität von Glauben und Vernunft, hin auf das Handeln der Gemeinschaft. Somit ist die Theologie gerade im Hinblick auf das als Reich der Freiheit verstandene Reich Gottes normative Wissenschaft, normativ insofern, als sie aufgrund der Übereinstimmung der in der Schrift bezeugten Offenbarung mit der Imagohaftigkeit der Theologie zu prüfen hat, ob die Menschwerdung des Menschen geschieht. Dieser Aufgabe gegenüber werden innertheologische und innerkirchliche Differenzen zu Randerscheinungen.

Im Blick auf die Menschwerdung des Menschen ist der Vorbehalt des hos mé bedeutsam: Wir haben zu handeln, *als ob* uns von Gott *nichts* gnadenhaft zugewendet würde, als ob das Reich Gottes allein von uns abhinge. Erst im Vollzug des Handelns erfahren wir auch die göttliche Begnadung. Damit ist nochmals jede Art von Klerikalismus abgewiesen. Religionen wie die des Judentums mit ihrer gottesdienstlich-priesterlichen Zentriertheit sind – mit *Hesse* zu reden – erledigt; das Judentum hat nur noch Randinteresse als Vorgänger und Auslöser des Christentums. Dh der christliche Glaube bedeutet die dem mündigen Menschen gemäße Überwindung von Kult und Observanz. Mit Notwendigkeit: Jede Observanz verdeckt nur den Selbsterweis der Verkündigung Jesu für den Homo Imago Dei, einen Selbsterweis, den gemäß der statuierten Konformität von Glauben und Vernunft die letztere auch darzustellen vermag. Nur daß andererseits die Betonung von Vernünftigkeit und anthropologischer Gemäßheit – sofort wird es eingeschärft – keinesfalls zum bloßen Betrachten und zum bloßen Bekennen der fides quae creditur führen darf, sondern, recht verstanden, ins Handeln ruft, also – mit *Metz* zu reden – in die Hominisierung, in die – mit *van Buren* gesprochen – Praktizierung der ansteckenden Freiheit, in einen – man denke an *Moltmann* – Exodus hinaus in die Zukunft, in welcher Ostern sich in und durch unsere Taten beweist und die Auferstehung der Toten an uns selbst zur Gegenwart wird. Und das auf einem Weg des Kreuzes und der Trübsal, doch in der begründeten Hoffnung, daß Gott in der Tat unter uns sein wird alles in allem – abermals ist die futurische Eschatologie konsequent in eine immanente transformiert.

Mit alledem verbindet sich eine neue Auslegung der Trinitätslehre, ohne welche nicht auszukommen ist. Man gerät ja beim Bisherigen letztlich in agitatorische Metaphysik, wenn man nicht, der Forderung der Vernunft gemäß, sauber *theologisch* denkt. Wenn man also nicht bezieht auf den Vater als Schöpfer der Welt und des Homo Imago Dei und damit als den, der uns die Linien unseres Denkens und Handelns immer schon vorgezeichnet hat; nicht bezieht auf den Sohn als den Offenbarer von Gottes Liebe und Erstling des Reiches und damit als den, der schon vorzeiten erwählt war, den Menschen aus seiner totalen Verderbnis zu befreien; nicht bezieht auf den Heiligen Geist als den Vollstrecker von Gottes heiligem und gütigem Willen und damit als den, der uns im freien, vernunftgemäßen Leben erhält. Man muß sich dabei vor der Eintragung anthropomorpher (und dh auch: egoistischselbstzwecklicher) Vorstellungen hüten. Gott ist also als Vater weder Despot noch als Sohn der durch die Finger Sehende noch als Heiliger Geist eine ein göttliches Prinzip gegen und über den Menschen hinaus durchsetzende mirakulöse Kraft. Doch auch nach der anderen Seite ist Wachsamkeit geboten: Als Aussagen über Gottes Wesen, als ontologische Aussagen also sind diese theologischen Grundätze die schiere Spekulation und als solche allenfalls numinos – und deren Folge sind Offenbarungspositivismus und korrespondierendes sacrificium intellectus. Nein, Gott will im Dunkel wohnen und ist ein verborgener Gott; die aufgeführten Grundsätze sind mithin streng zu beziehen auf das, was unser Leben in seinen weitesten Bezügen betrifft, was also innerhalb des Erfahrungsbereiches liegt. Gotteserkenntnis als theoria practica wird also konsequent durchgehalten. Das bedeutet etwa hinsichtlich der Schöpfung: ihr Begriff entzieht sich strengem Denken; doch im Realisieren der Menschwerdung des Menschen füllen wir gleichsam die vorgegebenen Aussagen über die Geschöpflichkeit des Menschen und können sie daraufhin verantworten. Das bedeutet im Blick auf Christi Heilswerk für uns: zwar widerstreitet es der gesunden Vernunft, daß es für die vielen und ein für allemal gültig sein solle; doch in der Nachfolge haben wir die Möglichkeit einer entsprechenden Deutung unserer Existenz und somit Anlaß, für unser *eigenes* Tun doch *Gott* die Ehre zu geben. Das impliziert im Blick auf das Werk des Heiligen Geistes, das im Kompendium sachgemäß in den Zusammenhang des göttlichen Erwählens gebracht wird: daß es das unter uns gibt: Freiheit, Hingabe an Gottes Willen, Engagement für jenes Reich, da Gott sein wird alles in allem, das ist in seiner Faktizität unableitbar und für den, der daran teilhat, allein pneumatologisch angemessen sagbar. Doch liegt dabei an der Formel oder dem überkommenen Symbol nichts: Daß nach einer Geschichte, in der um solcher Formeln willen Ströme von Blut flossen, der Wille Gottes geschehe, recht erkannt und für unser Tun entsprechend begründet werde, das trägt hier den Ton.

Freilich, es liegt alles daran, daß es der Wille *Gottes* ist. Von uns aus könnten wir Menschen nicht das Reich – Gottes (!) bauen wollen. Gott muß es zuvor in die Welt gebracht haben, damit wir es ausführen können. Dh wir müssen die Begründung unseres Tuns in Gottes Willen erkennen, oder wir vertauschen den Glauben mit Ideologie. Nur daß wir andererseits zu dieser Erkenntnis imstande sind, weil wir, erschaffen zur Imago Dei, im Vollzug der Menschwerdung die uns vorgegebene Norm als wesensgemäß empfinden, zugleich allerdings auch als unsere menschliche Existenz transzendierend – der christlich-marxistische Dialog etwa illustriert das, und bekanntlich fand *Luther* im Dekalog (NB: mit Einschluß des ersten Gebotes!) die Summe des Naturgesetzes. Diese Korrespondenz von göttlichem Setzen und menschlichem Entsprechen ist jedoch überdies sogar zu postulieren: Etwas, das entsprechungslos von außen auf uns zukäme, könnte nicht Geschichte machen, sondern müßte als ephemere Kuriosität im Gedächtnis bleiben; – hier ein gewichtiges Argument zB gegen die Aussagen des Alten Testamentes. Das aber führt zu einer ekklesiologischen These, deren Tragweite unerhört ist: Kirche – und mit ihr die Theologie – hat nur dann und solange eine reelle Chance in der Welt, als sie in Aussagen und Forderungen mit dem natürlichen Gesetz, dh faktisch mit der Verunft des Homo Imago Dei in Übereinstimmung ist. Wo man über den Horizont der Vernunft hinausgeht, engt man in Wahrheit ein. Wo die Kirche Worte und Vorstellungen gebraucht, die in unserem Leben und Sprechen keinen Ort haben, richtet sie nicht nur nichts aus (von einigen wenigen Orthodoxen abgesehen!), sondern sabotiert sie damit ineins ihre Existenzbasis: Darstellung des Reiches Gottes zu sein *ohne* partikularistische Einschränkungen. Dieses ekklesiologische Postulat schließt billige Gnade aus. An der Bergrede etwa kann nichts abgestrichen werden, das *Tun* des Glaubens durch nichts ersetzt oder modifiziert. Das Doppelgebot der Liebe ist vielmehr gerade in Erfüllung dieses Postulates uneingeschränkt zur Geltung zu bringen. Doch man muß interpretierend hinzufügen: Es besagt dann schalom, also Übereinstimmung mit Gottes Willen und Ausgleich mit der Sozietät in gleichgerichteten Handlungen und Intentionen, dh hin auf die Hominisierung der Welt. Heilsegoismus ist im Ansatz ausgeschaltet, und der Lohngedanke wird uminterpretiert als gleichsam Illustration des Gotteswillens; Kirche und Theologie aber stehen in der diakonía der Welt und haben keinerlei Selbstzweck. Der Selbstzwecklichkeit verfällt man jedoch, sofern man Jesus Christus und das von ihm heraufgeführte Reich Gottes nun doch wieder mit dem Alten Testament verknüpft, in welchem es doch um die Religion als solche gehe. Religion als solche aber – das ist Werkerei, Asketik, Devotion, Wallfahrten, letztlich Superstition. Kirche in der diakonía der Welt hingegen ist in ihrem Denken utopisch: Sie macht sich keine Illusion über das Böse und das Leid, und doch hofft sie und stellt sie jenes Reich dar, da Gott ist alles in allem, ruft sie in dies Reich, kämpft sie um Humanisierung. Sie ist hoffende Kirche. Darüber jedoch, wie ihr Gott aus der Zukunft entgegenkommen werde, sind ihr Spekulationen verwehrt. Der Herr kommt – doch wir beginnen heute sein Werk, etsi Deus non daretur. Hierauf sind Lehre und Verkündigung zu entwerfen; Tradition, Offenbarungstatsachen, Gottesdienstformen etc, all dergleichen ist cura posterior. Sie verdecken nur das Eigentliche: die Liebe zu Gott und das diese realisierende Tun seines Willens. Hingegen kann die Verkündigung den Menschen aufgrund seines Gewissens an dieser Stelle auch behaften – das Gewissen ist ja der Ort, wo im Menschen die Imago Dei sich unüberhörbar zur Geltung bringt. Wir können also die Hoffnung auf die kommende Gerechtigkeit und die Einsicht in die Notwendigkeit des Engagements hin auf das utopische Ziel nicht auslöschen, ohne den Menschen im Kern seines Wesens zu verleugnen und als Kirche unglaubwürdig zu werden.

Mit alledem sind die Leitlinien für den Gottesdienst gegeben: Er stabilisiert uns in unserem Engagement für das Reich Gottes. Er sorgt für die Proklamation des Gotteswillens, dh unserer Pflicht zum Engagement. Er dient der Heranführung der nachwachsenden Generation an die Aufgaben dieses von *einer* Generation nicht entfernt zu bewältigenden utopischen Ziels. Er stabilisiert die Kirche für ihre Aufgaben, indem er einen sachlich-formal angemessenen Mittelpunkt abgibt.

Damit werden Gebet – es ist nunmehr die fromme Haltung, der Wunsch, Gottes Willen zu tun –, Gnadenmittel – sie gelten für paralysierende Magie – und Wunder – sie werden vielmehr subjektiv erfahren im sich-Einlassen auf den Gotteswillen – teils um-, teils fortinterpretiert. Energisch wird dagegengesetzt: Kriterium ist, was der Herr selbst sagt: Das Licht einer Stadt auf dem Berge kann nicht verborgen bleiben. Theologie, Kirche, Frömmigkeit und Handeln haben daran Maß und Legitimität.

Daß *Kants* Traktat *»Die Religion innerhalb der Grenzen der bloßen Vernunft«* (1793), der soeben, aus anderen Schriften leicht ergänzt und durch extensive theologische Interpretation und Transformation der Aussagen in gängige theologische Begrifflichkeit camoufliert, in aller Kürze referiert wurde, für einfachhin *alle* theologischen Entwürfe der Gegenwart das Konzept vorgäbe, das sei hier keinesfalls behauptet. Doch scheint es mir keine Frage zu sein, daß man seine Maß-gabe für die gegenwärtige Theologie kaum überschätzen kann: Er ist, durch welche Filter hindurch auch immer, die Matrix der Mehrzahl der theologischen Entwürfe, also letztlich weithin die Basis auch der Schriftinterpretation und als solche herrschende Normaltheologie. Freilich ist eine Einschränkung zu machen: Der exakte Denker *Kant* war bei der Bestimmung der Grenzen der bloßen Vernunft weder ängstlich noch kleinlich; er kommt dem Theologen doch weit mehr entgegen, als dieser es zumeist anzunehmen wagt. Daß die gegenwärtige Theologie die von *Kant* einer Religion innerhalb der Grenzen der bloßen *Vernunft* visierten Grenzen wirklich erreichte, das von *Kant* abgesteckte Terrain gar voll ausnutzte, wird man nicht sagen können. Wie auch immer: Es stellen sich bei alledem Fragen an die gegenwärtige Theologie, insoweit sie – bewußt oder unbewußt – *Kant* zum Normaldogmatiker nimmt:

I. a) Hat eine Theologie, die (a parte potiore) innerhalb der Grenzen der bloßen Vernunft betrieben wird, und hat eine Kirche, die ihr darin folgt, der Welt noch etwas Neues zu sagen? Haben somit Theologie und Kirche noch etwas zu sagen, was sich die Welt nicht selber sagen kann und sagt?

b) Sind in diesem Fall Theologie und Kirche nicht dazu verdammt, aus Gründen der Selbsterhaltung sich der Wissenschaft und Gesellschaft unentbehrlich zu machen? Sind sie nicht zu Orthodoxie, Klerikalismus, Sakralismus und Konformismus auf der einen und zu Heterodoxie, Experimentieren, Humanismus und Kritizismus auf der anderen Seite gezwungen, um weiterbestehen zu können? Welchen Sinn aber hat, theologisch gesehen, ein kirchliches oder theologisches Tun, das letztlich von der theologisch-kirchlichen Daseinsangst diktiert ist?

c) Ist es nicht eine notwendige Folge einer derartigen Beschränkung, wenn Theologie und Kirche nunmehr, nach der Ausräumung des Himmels und dem Zusammenbrechen einer allgemeinverbindlichen Metaphysik, nicht nur nicht mehr von Gott reden, geschweige denn ihn und seinen Willen kritisch gegen Zeiterscheinungen kirchlich-theologischer oder profaner Art geltend machen können?

Insgesamt also: Begründet und sanktioniert nicht eine solche Selbstbegrenzung der Theologie theologisch-akademischen Leerlauf einerseits und kirchliche Wirkungslosigkeit andererseits, wenigstens zum entscheidenden Teil?

II. a) Ist es möglich, *Kants* Traktat über die Religion innerhalb der Grenzen der bloßen Vernunft aus seinem Gesamtwerk zu isolieren und ihn sich entsprechend zu adaptieren?

b) Ist es also möglich, davon zu abstrahieren, daß es *innerhalb* dieses Systems um Gott stets nur als um eine notwendige Arbeitshypothese geht, die Denken, Anschauung und Handeln miteinander metaphysisch verbindet? Also davon abzusehen, daß dieser Gott konstruiert ist als Antwort auf die dem denkenden Menschen sich aufdrängende Sinnfrage?

c) Ist es also möglich, davon zu abstrahieren, daß andererseits das zugleich anzutreffende Bemühen einer Wahrung der Gottheit Gottes anthropologisch fundiert ist und ins Schweigen führt? Also davon abzusehen, daß ein Deus in maiestate absconditus hier nicht theologisch-existentiell, sondern theoretisch-ontologisch ins Spiel gebracht wird?

d) Ist es also möglich, davon zu abstrahieren, daß die Gottheit Jesu Christi hier eliminiert werden muß, Jesus Christus vielmehr als Kirchenstifter, Urbild und religiöses Genie zu sehen ist und somit insgesamt als Vorbild einer moralischen Lebenshaltung?

Also davon abzusehen, daß dieser Mensch sachlich nichts zu sagen oder zu bringen hatte, was der Menschheit nicht schon beigelegt war?

e) Ist es also möglich, davon zu abstrahieren, daß die aufgrund der totalen Formalisierung der sog. goldenen Regel (in ihrer positiven Fassung) konzipierte Freiheit hier keine andere ist als jene vermeintliche, die Paulus in Röm 7 beschreibt und die in den Schrei nach Erlösung führt? Also davon abzusehen, daß hier die Erlösung im voraus dadurch abgeschnitten wird, daß einerseits der Gott dieses System durch die Offenbarung von Gesetz erlöst und andererseits die Eschatologie völlig in die Immanenz hineingezogen worden ist?

Insgesamt also: Beweist nicht *Kants* Traktat über die Religion innerhalb der Grenzen der bloßen Vernunft, daß es in unserem Kulturkreis möglich ist, die Botschaft des Neuen Testamentes in ein System einzuzeichnen, das diese Botschaft im entscheidenden negiert; daß es also möglich ist, Jesus Christus philosophisch zu adaptieren, wogegen auch die Behauptung eines durch Schweigen anzuerkennenden Deus absconditus kein Korrektiv mehr sein kann?

Die Antworten dürften nicht zweifelhaft sein. Mustert man die Fragen unter II von denen unter I aus, so ergibt sich: Eine Theologie und eine Kirche, deren theologische Matrix jener Traktat ist, müssen der Welt das Evangelium schuldig bleiben. Blickt man umgekehrt von den Fragen unter II zu denen unter I, so ergibt sich: Diese Theologie und Kirche können über jenes Schuldigbleiben hinaus die Welt, uns selbst also, nur in allerlei Vorstellungen und Vorhaben bestätigen und befestigen, die erst recht nach Erlösung fragen lassen, welche dann allerdings beim Christentum nicht mehr erwartet noch auch geglaubt werden wird.

Demgegenüber ist festzustellen:

1. Eine Theologie, die auf das Alte Testament als verbindlichen Teil des Kanons verzichtet, gibt sich somit nicht nur mit einem Teil- oder Restkanon zufrieden, sondern vermag darüber hinaus auch diesen verbliebenen Teil nicht mehr als Kanon zu handhaben.

2. Denn eine Theologie, die das Alte Testament in dieser Weise preisgibt, hat (wenigstens in unserem Kulturkreis) keine hinreichende Möglichkeit, die Adaptierung Jesu Christi durch Philosophie oder Ideologie zu dementieren und also der entsprechenden Perversion des Evangeliums das Evangelium selbst entgegenzusetzen.

3. Eine derartige Adaptierung aber und die entsprechende Pervertierung des Evangeliums ist nur möglich aufgrund der ausdrücklichen oder faktischen Leugnung der Gottheit Jesu Christi.

4. Das Alte Testament bezeugt und schildert den Gott, von dem das Neue Testament bezeugt, daß er es sei, der in Jesus Christus zu uns kam, in der ganzen »Wucht seiner Erscheinung«, seiner Majestät, Aktuosität, kurz in seiner herrscherlichen Gottheit. Der hier geschilderte Gott ist für uns weder philosophisch noch ideologisch integrierbar.

5. So ergibt sich, daß das Alte Testament nicht nur darüber belehrt, wer gemeint ist, wenn wir dem Gekreuzigten und Auferstandenen das »vere Deus« prädizieren. Vielmehr gibt es uns allererst überhaupt die Möglichkeit zu dieser Prädikation.

Insgesamt also: Die Schrift als ganze ist als Kanon in Geltung, oder sie ist nicht als Kanon in Geltung; tertium non datur. (Dieser Satz setzt die differenzierte Behandlung der verschiedenen Partien der Bibel voraus.) Sie ist als Kanon in Geltung, wenn und solange der Gekreuzigte und Auferstandene nicht nur als wahrer Mensch, sondern auch als wahrer Gott proklamiert und kritisch zur Geltung gebracht wird. Die Möglichkeit dazu aber eröffnet das Alte Testament.

Das kann hier nicht bewiesen, wohl aber exemplifiziert werden.

Zum ersten: Nimmt man den Psalter als ein Ganzes, so stellt er sich als ein besonders eindrückliches Zeugnis einer geglaubten, erfahrenen und erkannten Gegenwart Gottes dar. Gerade wo Gott sich entzogen hat, man sich von ihm verlassen fühlt, ihn nicht mehr findet, auch dort betet man zu ihm. Genauer: Man singt, jubelt, triumphiert, redet, meditiert, bittet, fleht, klagt, jammert, schreit, stöhnt vor und zu diesem Gott. Man ist Mensch vor ihm, Mensch in der vollen Kreatürlichkeit mit allem, was einen Menschen bewegt. Vor diesem Gott bedarf es keiner frommen Verstellung; vor ihm wird der Beter wieder, was er ist: Geschöpf dieses Herrn. Vor seinem Angesicht wird darum Mut gefaßt, Hoffnung geschöpft: Er, Jahwe, ist ja der Schöpfer, der das Werk Seiner Hände nicht fahren läßt; Er ist es, der sein Volk aus Ägypten erlöste und mit ihm einen Bund schloß; der die Väter in ihrer Not erhörte; der ein Gedächtnis seiner Wunder stiftete; der auch in der jeweiligen Gegenwart durch sein gnädiges und herrliches Handeln immer wieder Anlaß gibt zu einem neuen Lied. Ihn zu mißachten, seine Gegenwart und Macht zu verleugnen, ist viehische Dummheit. Nein, er *ist* präsent, präsent als Herr, Herrscher, Richter, es sei in Gnaden oder Ungnaden. Es ist die Gegenwart eines Gottes, dessen Herrlichkeit und Macht das Begreifen seines Geschöpfes übersteigen und es in die Anbetung führen.

Zum zweiten: Die eigenartige Geschichte 1Kön13 läßt einen abgründigen Gott erkennen. Sie ist ja, abgesehen einmal vom redaktionellen Rahmen, eigentümlich pointenlos; die vielverhandelte Solidarität des Propheten mit dem toten Gottesmann, wie sie am Ende zum Ausdruck kommen soll, ist doch eher die beruhigende Schreibtischerfindung eines ratlosen Auslegers. Gerade in ihrer Pointenlosigkeit beunruhigt diese Geschichte: Es gibt doch ihr zufolge die Möglichkeit, daß Jahwe, dessen Aktuosität vielfältig bezeugt ist, von dem man weiß, daß er einem einmal erteilten Gebot ein widersprechendes folgen lassen kann, einen von ihm Ausersehenen in Irrtum fallen läßt, ja, ihn einer regelrechten Verführung preisgibt, die allein darum gelang, weil sie unter Mißbrauch des Namens ebendieses Gottes geschah; daß er alsdann jedoch nicht den Verführer straft, der seinen Namen gewissenlos führte, sondern den, der irrend sich in Schuld verstrickte. Es gibt das – aber es gibt dabei keine Regeln. Jahwe verhält sich undurchsichtig, er handelt in einer Weise, die unser Gerechtigkeitsempfinden zuinnerst stupiert; er schlägt hart zu und schneidet in dieser Härte die Sinnfrage einfach ab: Ihm, dem Gegenwärtigen, gerade auch dem in Gnade und Erbarmen Gegenwärtigen gegenüber ziemt der Gehorsam gegen sein Wort; das allein zählt. Dieses Wort ist nicht hinterfragbar noch von vornherein einsichtig. Der es ergehen läßt, ist weder faßbar noch erträglich: Er vielmehr ist es, der uns fixiert und in dem Fixieren durch sein Wort uns sistiert, annimmt oder zuschanden werden läßt. Es ist gefährlich, mit ihm zu tun zu haben.

Zum dritten: Zwar nicht in allen Schriften des Alten Testamentes, wohl aber in vielen Teilen trifft man auf die von *W.Zimmerli* herausgearbeitete Formel des Erweiswortes; sie lautet in der Regel (nach *Zimmerli*): »Und du wirst (ihr werdet, sie werden) erkennen, daß ich Jahwe bin.« *Zimmerli* hat dabei den Teil »erkennen, daß ich Jahwe bin« als schwerfällig und ungelenk gekennzeichnet; dieser Teil läßt die Formel in der Tat spröde werden. Man möchte erwarten, daß es primär um die Herausstellung der Gottheit Jahwes gehe; doch eben das wird abgebogen. Die Gotteserkenntnis im Alten Testament ist die Erkenntnis, Anerkennung und Anbetung dieses Einen, der auch und gerade als der Erkannte Subjekt bleibt, dessen Gottheit das Geheimnis seiner Person bleibt. Der Satz, daß Gott nicht in genere sei, hat *hier* Ort und Grund: Wer und was Gott, Gottes, göttlich und einem Gott gemäß sei, Er, Jahwe, Er und kein anderer setzt, sagt, bestimmt es; was heilig, was recht, was gut, was dem Menschen zu tun und zu wissen gebührend und nötig ist: Seine Setzung, Sein Satz, Sein Bestimmen legt es fest; wie Gott zu erkennen, anzuerkennen und zu ehren sei: Von ihm hängt es ab – von Ihm, der da frei erwählt und verstockt. Von Ihm, der als der frei Erwählende sich sein Volk ersah und ihm gegenwärtig ist, so daß es zu Lob und Klage vor Seinem Angesicht erscheinen kann und Ihm ob der Herrlichkeit seines Tuns selbst im Gericht die Ehre gibt. Von Ihm, der als nach unauslotbarem Willen Verstockender Einzelne wie Völker in die Irre gehen, in ihr verbleiben und als die Irrenden zugrundegehen läßt – derselbe Gott, der der Gnädige ist. Von Ihm, der als der

Erwählende und Verstockende erkannt werden will und kann als Jahwe, der Treue hält ewiglich.

Zimmerli weist darauf hin, daß die Gotteserkenntnis in Jesus Christus zu ihrer Vollendung und Erfüllung komme. In der Tat: Wer der uns Gegenwärtige, Freie und Unausgründliche ist, das erweist sich uns erst im Gekreuzigten und Auferstandenen. In ihm war Gott auf Erden leibhaft gegenwärtig; er ist wahrer Gott. Daß er Gott war, lehrt das Alte Testament erkennen und aussagen: Gott als der, in dessen Gegenwart der Mensch Mensch sein, seiner Mühseligkeit und Beladenheit genesen darf und als der Verzagende zur Gerechtigkeit Gottes in ihm (2Kor 5$_{21}$) erwählt wird. Gott als der, der souverän seinen Willen und Anspruch geltend macht, in *seinem* Tun von Gerechtigkeit unser Maß sprengt und in der grundlosen Annahme der Sünder und der grundlosen Selbsthingabe für die Vielen einerseits und in der Verstockung Seines Volkes (Mk 4$_{11f}$) andererseits jede gesunde Sittlichkeit auf den Kopf stellt. Gott als der, der uns fixiert und als der Gegenwärtige uns in Anbetung, Lob und Handeln nach Maßgabe seiner Gerechtigkeit führt, so daß wir erkennen: »Mein Herr und mein Gott.«

». . . wo Alles selbst mit der moralischen Beschaffenheit des Menschen zuletzt auf einen unbedingten Rathschluß Gottes hinausläuft ›er erbarmet sich, welches er will, und *verstocket,* welchen er will‹, welches nach dem Buchstaben genommen, der salto mortale der menschlichen Vernunft ist« (*Kant,* Rel., Akad.-Ausg. VI, 121). Wie, wenn erst dieser Salto mortale die menschliche Vernunft vor Gott zu sich selbst brächte?

RUDOLF SMEND

DAS GESETZ UND DIE VÖLKER

Ein Beitrag zur deuteronomistischen Redaktionsgeschichte

Josua 1 7–9

Die biblische Darstellung der Einnahme des westjordanischen Palästina durch die Israeliten beginnt in Jos 1 1–9 mit einer göttlichen Ansprache an Josua, den Nachfolger des eben verstorbenen Mose. Der Abschnitt setzt die Erzählung am Anfang und am Ende des Buches Deuteronomium fort; in seinem Grundbestand spricht fraglos derselbe Schriftsteller wie dort, also der Autor des deuteronomistischen Geschichtswerkes (DtrG). Zu diesem Grundbestand gehört mit großer Wahrscheinlichkeit[1] der Satz: »Zeige dich stark und fest; denn du selbst wirst diesem Volke das Land zum Erbbesitz geben, das ihnen zu geben ich ihren Vätern geschworen habe« (V. 6).[2] Dieser Satz erfährt eine merkwürdige Fortsetzung. Der doppelte Imperativ, der seinen Anfang bildet, wird, nunmehr eingeleitet durch רק »nur« und verstärkt durch מאד »sehr«, wiederholt und bekommt dann anstelle der Begründung von V. 6 eine nähere Bestimmung, die ihrerseits weiter ausgeführt wird: »Nur zeige dich sehr stark und fest darin, daß du darauf achtest, so zu handeln, wie mein Knecht Mose dir befohlen hat. Du sollst davon weder nach rechts noch nach links abweichen, damit du Erfolg hast, wohin du auch gehen magst« (V. 7 in seinem ursprünglichen Text[3]). Nicht genug damit, V. 8 variiert die Anweisung von V. 7 und führt sie in bestimmter Richtung weiter: »Dieses Gesetzbuch soll aus deinem Munde nicht weichen, und du sollst darüber Tag und Nacht nachdenken, damit du darauf achtest, zu handeln nach all dem, was darin geschrieben steht; denn dann wirst du deine Wege glücklich vollenden, und dann wirst du Erfolg haben.« V. 9 schließlich lenkt zu V. 6 zurück: nochmals wird das »Zeige dich stark und fest« aufgenommen, nun

[1] Man hat dagegen (für V. 5bβ.6) die Übereinstimmung mit Dt 31 6–8 angeführt; so noch *MNoth* in der 1. Auflage seines Kommentars. Vgl. aber *NLohfink*, Schol. 37 (1962) 32ff. Das Verhältnis zwischen V. 6 und V. 7f wird von der kleinen Unsicherheit nicht unmittelbar berührt.

[2] Übersetzung hier und zT auch im folgenden nach *MNoth*.

[3] כל־התורה ist spätere Einfügung, wie sich anerkanntermaßen aus dem Fehlen in der LXX und dem folgenden ממנו ergibt.

aber durch ein »Fürchte dich nicht und erschrick nicht« und den Hinweis auf den göttlichen Beistand, wohin Josua auch immer gehen mag, anders und näherliegend als in V. 7f bestimmt und begründet.

Wie verhalten sich die Glieder dieser Versfolge zueinander, und wie ist dieses Verhältnis zu erklären? Zwischen V. 6 und V. 7 liegt eine deutliche Zäsur. V. 6 gebietet dem Josua präzise den Mut in dem jetzt bevorstehenden Kampf um das verheißene Land; die Begründung ist zugleich die feste Zusage, daß dieses Vorhaben gelingen wird. V. 7 dagegen gibt die allgemeine Anweisung, gemäß den durch Mose ergangenen Befehlen zu handeln und von ihnen – wie von einem Wege, das Bild ist hier schon verblaßt – nicht nach rechts und links abzuweichen; dafür wird dem Josua Erfolg auf allen seinen Wegen in Aussicht gestellt. Die Verallgemeinerung bedeutet, das einleitende »nur« sagt es schon,[4] gegenüber V. 6 zugleich eine Einschränkung: der Erfolg wird daran gebunden, daß Josua sich strikt an die Befehle des Mose hält. Von hohem Interesse ist die modifizierte Wiederholung des doppelten Imperativs »Zeige dich stark und fest«, durch die V. 7 an V. 6 angeschlossen wird. Die Worte verlieren dabei einigermaßen ihre Farbe, ja sie werden »auf einen ganz anderen Sinn umgebogen«.[5] Meinen sie in V. 6, wie gewöhnlich, Mut und Unerschrockenheit im Kriege, so können sie in V. 7 nur noch bedeuten: »Mache jede Anstrengung, tue dein Möglichstes.«[6] Die Differenz läßt es um so stärker hervortreten, daß die Worte als solche *wiederholt* werden. Die Wiederholung geschieht in der Absicht der Interpretation. Das aber setzt einen zeitlichen und sachlichen Abstand zwischen der Abfassung der Verse 6 und 7 voraus. Der Verfasser von V. 7 ist also vermutlich nicht mit dem Autor des deuteronomistischen Geschichtswerkes identisch.[7] Ihm liegt V. 6 bereits als Text vor; er liefert die älteste Exegese dieses Textes, indem er ihn anhand seiner Eingangsworte im Sinne des Gesetzesgehorsams zugleich verallgemeinernd und einschränkend interpretiert.

Mit V. 7 gehört V. 8 zusammen. Das Motiv des Gesetzesgehorsams ist hier noch stärker ausgeführt als in V. 7. War dort nur verhalten von den Befehlen des Mose die Rede, so daß das Wort »Gesetz« später vermißt und noch in der Zeit nach der Übersetzung ins Griechische in den hebräischen Text eingetragen wurde, so läßt V. 8 an Deutlichkeit nichts zu wünschen übrig. Nicht nur vom Gesetz (oder seinen Anordnungen) ist hier die Rede, sondern geradezu vom *Buch* des Gesetzes und dem, was darin geschrieben steht. Die Spannung zu der Situation,

[4] *Noths* Übersetzung »jedenfalls« verwischt das; besser *CSteuernagel*: »jedoch«.

[5] *RSmend*, Die Erzählung des Hexateuch (1912) 280.

[6] *ABEhrlich* zSt.

[7] Für sekundären Charakter spricht auch, daß Entsprechungen zu V. 7(f) in den deuteronomischen Parallelen zu V. 6 (Dt 3_{21f}; $31_{7f.23}$) fehlen (*Steuernagel* zSt).

in die der Text gehören will, ist noch greifbarer als in V. 7: »Josua hatte während der Eroberung Kanaans die Hände voll zu tun und keine Zeit, sich Tag und Nacht mit dem Gesetzbuch abzugeben.«[8] Im übrigen läuft V. 8 dem V. 7 überraschend parallel. V. 8b variiert V. 7b nur geringfügig, und V. 8a gibt sich als eine Anleitung zu verstehen, wie das »darauf achten, so zu handeln ...« von V. 7a zu bewerkstelligen ist, nämlich durch die Lektüre des Gesetzes. Bedeutet das, daß V. 8, zu dessen Vokabular man im außerdeuteronomistischen Bereich Parallelen aus später Literatur anzuführen pflegt,[9] sich zu V. 7 verhält wie V. 7 zu V. 6? Wir müssen die Frage einstweilen offenlassen. Ist sie mit Ja zu beantworten, dann haben wir zwei voneinander zu unterscheidende Stadien der Interpretation des ursprünglichen deutoronomistischen Textes vor uns, von denen das zweite auf dem ersten fußte und es seinerseits weiterführte.[10]

Das Wissen um den Unterschied des Eingetragenen zum ursprünglichen Text ist für den späteren Schriftsteller nicht Hindernis, sondern Anlaß, die Worte, die den Ausgangspunkt für die Hinzufügungen gebildet haben, am Ende noch einmal ohne die Pointe seiner eigenen Interpretation zu wiederholen und damit zu demonstrieren, daß es nicht seine Absicht ist, den ihm vorgegebenen Text außer Kraft zu setzen (V. 9).[11]

Die deuteronomistische Redaktorentätigkeit ist in unserem Beispiel also kein einmaliger Akt gewesen.[12] Vielmehr wird hier ebenso wie sonst im Alten Testament der Vorgang sichtbar, den *HWHertzberg* »Nachgeschichte« genannt hat.[13] Texte wie der unsere »wollen in der Vertikale gelesen sein«,[14] wobei die überlieferungsgeschichtliche, geschichtliche und theologische Interpretation der Schichten einzeln und

[8] *Ehrlich* zSt.

[9] Jes 59_{21}; Ps $1_{2f.}$ Zwischen unserer Stelle und der Psalmstelle muß ein direkter Zusammenhang bestehen. Nach der gewöhnlichen Meinung liegt die Priorität bei Jos 1_{8}; umgekehrt *Steuernagel* zSt.

[10] Ähnliches läßt sich womöglich in Jos 8_{30-35} beobachten.

[11] In V. 9 wird innerhalb unseres Kapitels außer auf V. 6a (9aα) auf V. 5bα (9bα) und V. 7bβ (9bβ) zurückgegriffen. Als Verfasser käme bei einer Trennung von V. 7 und V. 8 am ersten der Verfasser von V. 8 in Frage; das Mißverständnis von V. 7aβ-9a als Moserede, das *Noth* veranlaßt, V. 9b wegen der dortigen Nennung Gottes in 3. Person vom Vorangehenden zu trennen, kann auch schon für den Verfasser von V. 8, kaum aber für den von V. 7 vorliegen. Zur Übersetzung der beiden ersten Worte von V. 9 vgl. *Ehrlich* zSt.

[12] Auch *Noth* hat zunächst, in der 1. Auflage seines Kommentars und in den Überlieferungsgeschichtlichen Studien (1943) 41 Anm. 4, V. 7–9 als späteren Zusatz betrachtet; in der 2. Auflage des Kommentars freilich hat er seine Meinung geändert.

[13] BZAW 66 (1936) 110ff = Beiträge zur Traditionsgeschichte und Theologie des Alten Testaments (1962) 69ff.

[14] *Hertzberg* zu Jos 1_{8}.

im Ensemble weit über ihre literarkritische Sonderung hinausgeht.[15] Mit unserer Untersuchung von Jos 1_{7-9} ist freilich über das Ganze des deuteronomistischen Geschichtswerkes noch wenig gesagt. Parallele Beobachtungen an anderen Texten müssen hinzukommen, wenn glaubhaft werden soll, daß es sich nicht um mehr oder weniger zufällige Glossierungen, sondern um eine einigermaßen planvolle Bearbeitung des ursprünglichen deuteronomistischen Zusammenhanges handelt, daß es also neben dem Verfasser des deuteronomistischen Geschichtswerkes (DtrG) einen weiteren Autor (oder deren mehrere) gegeben hat, für den (die) man aufgrund des gesetzlichen oder nomistischen Skopus seiner (ihrer) Arbeit am Werk seines (ihres) Vorgängers etwa das Siglum DtrN prägen darf. Darum wenden wir uns nun weiteren Texten zu.

Josua $13_{1b\beta-6}$

Der nächste größere Abschnitt des deuteronomistischen Geschichtswerkes, die Verteilung des Westjordanlandes nach dem Abschluß seiner Eroberung, beginnt wiederum mit einer göttlichen Anrede an Josua: »Und Josua war alt und betagt geworden. Da sprach Jahwe zu ihm: Du bist nun alt und betagt geworden ...« (Jos $13_{1ab\alpha}$).

MNoth hat die Zugehörigkeit von Jos 13_1–21_{42} insgesamt zum ursprünglichen deuteronomistischen Geschichtswerk bestritten und den Komplex einer späteren deuteronomistischen Bearbeitung zugeschrieben. Dem kann ich nicht zustimmen. *Noths* Hauptargument ist die Wiederkehr des Satzes »Und Josua war alt und betagt geworden« aus Jos 13_{1a} in Jos 23_{1b}, in der Einleitung zur Abschiedsrede Josuas an die Israeliten Jos 23. Mit Recht meint *Noth*, daß dieser »Satz in einem literarisch einheitlichen Ganzen ... nicht wohl an zwei voneinander so weit getrennten Stellen ursprünglich gestanden haben« kann.[16] Welche der beiden Stellen hat die Priorität? *Noth* entscheidet sich für 23_1. Seine Überlegung, daß der Satz über Josuas Alter »eigentlich ein letztes Wort Josuas einleiten muß«,[17] klingt zunächst einleuchtend. Eine sekundäre

[15] Dabei korrigieren sich manche Urteile einer fast nur literarkritischen Arbeitsweise, aufgrund deren etwa, um beim obigen Beispiel zu bleiben, *Steuernagel* Jos 1_9 nicht zu V. 7f, sondern zu V. 5f stellte – ein sehr begreiflicher Fehlschluß angesichts des Umstandes, daß es zur Eigenart der späteren Deuteronomisten gehört, mit dem Vokabular ihrer Vorgänger zu arbeiten. Das Verhältnis von V. 7f zu V. 6 übersieht *GFohrer*, Einleitung in das Alte Testament (1965) 219f, wenn er V. 7f die Priorität vor V. 3–6.9.12–18 gibt. Die Beziehung der zuletzt genannten Verse zum Deuteronomium ist eine Frage für sich.

[16] Josua ²10.

[17] *Noth* aaO.

Übertragung von dort auf einen früheren Zeitpunkt zu dem Zweck, »den stämmegeographischen Abschnitt nachträglich literarisch einzuschalten« (*Noth*), ist aber, da der Satz hier von dem späteren Zeitpunkt aus gesehen reichlich verfrüht wirkt, noch weniger plausibel als eine sekundäre Wiederholung des Satzes an der sinnvollen Stelle zu Beginn der Abschiedsrede,[18] nachdem er am Beginn der Landverteilung einmal gestanden hatte. Natürlich können derart vage Mutmaßungen auf schmalster Basis nicht den Ausschlag geben, und sie tun es auch bei *Noth* nicht. Sein Urteil beruht auf der für ihn offenbar unproblematisch sicheren Voraussetzung, daß Jos 23 zum ursprünglichen deuteronomistischen Geschichtswerk gehört hat. Im weiteren Verlauf unserer Untersuchung wird sich diese Voraussetzung als unrichtig erweisen, so daß die Identität von Jos 13_{1a} und Jos 23_{1b} nicht mehr dagegen, sondern dafür spricht, daß die ersten Worte von Jos 13 auf den Autor des deuteronomistischen Geschichtswerkes (DtrG) zurückgehen. Betrachten wir die Stelle ohne Rücksicht auf Jos 23, so finden wir eine auffallende formale Verwandtschaft mit Jos $1_{1.2a}$, die in die gleiche Richtung weist. Zunächst wird beide Male mit einem kurzen Satz die äußere Voraussetzung für das Folgende angegeben: »Und es geschah nach dem Tode des Mose, des Knechtes Jahwes« – »Und Josua war alt und betagt geworden«. Es folgt die göttliche Rede, beide Male damit beginnend, daß die äußere Voraussetzung noch einmal genannt wird: »Mein Knecht Mose ist gestorben« – »Du bist nun alt und betagt geworden«. Daran schließt sich in 1_{2b} unmittelbar der göttliche Befehl an Josua an, eingeleitet durch ועתה »und jetzt«. Die Parallele dazu kommt in c. 13 erst in V. 7; dazwischen steht in V. 1bβ–6 ein längeres Stück, das unter Aufzählung einer ganzen Reihe geographischer Einzelheiten vom Land, genauer von der bisherigen Unvollständigkeit seiner Eroberung handelt. Man hat gesagt, in die Gottesrede passe »eine geographische Erörterung, zumal wenn sie so lang ist, durchaus nicht«.[19] Der Vergleich mit dem Aufbau von Jos 1_{1f} bestätigt diesen wesentlich ästhetischen Eindruck durchaus, und beides legt die Annahme nahe, daß das Stück sekundär in seinen jetzigen Zusammenhang eingefügt worden ist.

Die Analyse des Textes macht diese Annahme sehr wahrscheinlich. Wir beginnen am Ende. In unmittelbarem Anschluß an den Befehl, »es« an Israel als Erbbesitz zu verlosen (6b), ergeht dort der neue Befehl: »Und jetzt verteile dieses Land als Erbbesitz . . .« (7). Diese Aufeinanderfolge ist in einem ursprünglichen Zusammenhang undenkbar. Zur formalen Unverträglichkeit kommt die inhaltliche. Einmal was den

[18] Die Wiederholung wäre hier keineswegs »durch nichts motiviert« (*Noth*, Josua[1] XIV).

[19] *Ehrlich* zSt.

Empfänger des zu verteilenden Landes angeht. In V. 6b ist einfach von Israel die Rede, in V. 7 dagegen von den neuneinhalb Stämmen, letzteres gemäß der Darstellung des DtrG, wonach zweieinhalb Stämme schon im Ostjordanland abgefunden sind (Dt 312f. 18–22 Jos 112–15; 221–6). Außerdem und vor allem besteht eine erhebliche Differenz hinsichtlich des zu verteilenden Landes selbst. Die neuneinhalb Stämme erhalten nach der Vorstellung von DtrG das nunmehr eroberte Westjordanland. Was dagegen nach V. 6b an »Israel« zu verteilen ist, sind die in V. 2–6a offenbar wiederum in mehrfacher literarischer Schichtung aufgezählten Gebiete an der Peripherie des Landes, voran die Küstenebene.[20] Sie werden als das »übriggebliebene Land« bezeichnet (2a), dessen Bewohnerschaft Jahwe noch vor den Israeliten vertreiben wird (6aβγ).[21] Der Halbvers 6b, durch das uns schon in 17, wenngleich in etwas anderer Bedeutung, begegnete רק eingeleitet, führt von dieser Ankündigung[22] hinüber zu dem in V. 7 wieder einsetzenden älteren Zusammenhang.[23] Er tut das mehr schlecht als recht und vermag weit weniger als der ihm in der Funktion verwandte Satz 19 die sachliche Spannung zwischen den literarischen Schichten auszugleichen.

Man geht nicht fehl, wenn man den Beginn der Einfügung in dem »Dies ist das übriggebliebene Land . . .« von V. 2 sieht. Darüber hinaus muß aber noch etwas zur Art des Anschlusses der Einfügung an den älteren Text gesagt werden. Vermutlich hat der unmittelbar vorangehende Satz 1bβ schon zum älteren Text, also zu DtrG gehört.[24] Er hat aber in dessen Zusammenhang ohne Zweifel etwas anderes bedeutet als in der Interpretation durch V. 2ff – nämlich: das, eroberte, Land

[20] Zum Geographischen vgl. *Noth* zSt.

[21] Streng genommen bezieht sich diese Aussage nur auf die in 6aα genannten Leute; der gegenüber dem Voranstehenden vermutlich jüngere Satz begreift aber natürlich auch die Bewohner der in 2b–5 aufgezählten Gebiete ein.

[22] Die Ausscheidung von 6a, so daß 6b an 5 anschlösse (*Steuernagel*), scheint mir keine große Erleichterung zu sein. 6b verlangt etwas wie 6aβγ vor sich. Das Suffix in הפלה orientiert sich womöglich an dem הארץ in V. 7. 6b dürfte demselben literarischen Stadium angehören wie 6aβγ.

[23] Dessen ursprüngliche unmittelbare Fortsetzung dürfte, wie man längst gesehen hat, wenngleich die Versuche im einzelnen noch nicht befriedigen, aus 182ff zu gewinnen sein.

[24] Dafür sprechen der erläuternde Neueinsatz in V. 2 und die in der vermutlichen ehemaligen [illegible] in [illegible] wohl sichtbare Anknüpfung gerade an [illegible] Gegen die Zugehörigkeit zur älteren Schicht könnte man allerdings die Analogie von Jos 11f anführen; das את־הארץ הזאת in V. 7 verlangt das הארץ in 1bβ nicht notwendig vor sich. Vor allem ließe sich sagen, daß 1bβ, mindestens in seinem jetzigen Wortlaut, von 2ff her viel leichter verständlich ist als im Zusammenhang von DtrG. Die Trennung von 1abα (gleichgültig wen sie als dessen Verfasser annehmen) vollziehen *Smend*, aaO. 321 f; *OEissfeldt*, Hexateuch-Synopse (1922) 227*; *HHolzinger* bei *Kautzsch-Bertholet* zSt; *Steuernagel* zSt, teilweise so, daß V. 2ff ihrerseits spätere Erläuterung von 1bβ sind.

bleibt, mindestens zum größten Teil, noch zu *besetzen* –,[25] ja er hat vielleicht, um für die Interpretation tauglich zu sein, sogar in seinem Wortlaut verändert werden müssen.[26] So muß man ihn – in seinem jetzigen Sinn – zur jüngeren Schicht ebenso rechnen wie wahrscheinlich – in seinem früheren Sinn – zur älteren. Beide Schichten überschneiden sich in ihm, ähnlich wie es in Jos 1$_{6-9}$ in dem »Zeige dich stark und fest« geschieht, das dort von der jüngeren Schicht in neuer Interpretation beansprucht wird.

Im Zusammenhang der jüngeren Schicht, also so, wie er durch V. 2–6 erläutert wird, besagt V. 1bβ ohne Frage: das Land ist zu einem großen Teil noch nicht erobert. Diese Aussage steht in entschiedenem Gegensatz zur Darstellung des DtrG. In den resumierenden Abschnitten Jos 10$_{40-43}$ und 11$_{16-20.23}$ wird ausdrücklich die restlose Eroberung des Landes und die beinahe ebenso restlose Ausrottung seiner Bewohner behauptet. Lücken, die man in den dortigen Einzelaufzählungen finden mag,[27] reichen ebensowenig wie die richtige Einsicht, daß die in 13$_{2-6}$ aufgezählten Gebiete und Völker für Israel an der Peripherie gelegen haben,[28] aus, den Gegensatz zu beseitigen; die Aussage von 13$_{1b\beta}$ ist dafür zu gewichtig und zu umfassend.

Wir haben, so läßt sich abschließend sagen, in Jos 13$_{1b\beta-6}$ ebenso wie in 1$_{7-9}$ den interpretierenden Zusatz eines Späteren zur Erzählung des DtrG vor uns. Es haben sich auch gewisse formale Ähnlichkeiten gezeigt, und die Sprache in V. 6aβγb kann auch für unsere Stelle gleich an einen Deuteronomisten denken lassen. Inhaltliche Berührungen aber sind nicht zutage getreten. So steht das Ergebnis aus c. 1 einstweilen unverbunden neben dem aus c. 13: hier ein Ergänzer, dem das Gesetz, dort einer, dem die Unvollständigkeit des Landbesitzes und die Fortexistenz fremder Völker im Land am Herzen liegen. Die Beziehung zwischen beiden wird sich aber schnell zeigen.

[25] Vgl. *Holzinger* (KHC) und besonders *Noth* zSt; anders*Hertzberg* zSt: »Ursprünglich mag allgemein gesagt worden sein, daß noch viel Land zu erobern blieb.«

[26] S. *WRudolph*, Der »Elohist« von Exodus bis Josua (1938) 211f.

[27] In der zweiten ist die Küstenebene nicht erwähnt; dafür erscheint in der ersten immerhin Gaza als Grenzpunkt (10$_{41}$).

[28] Vgl. *Rudolph*, aaO 240f. In Jos 23 sind diese Völker, die »vom Jordan bis zum großen Meer im Westen« wohnen (V. 4), als nah bei den Israeliten, in enger Tuchfühlung mit ihnen gedacht. Die Aufzählung in 13$_{2-6}$ ist konventionell. Ihre geographischen Angaben sind unserem Autor im einzelnen kaum noch deutlich und wichtig. Er benutzt sie, um die Totalität der im Lande verbliebenen Völker zu bezeichnen.

Josua 23

Die Erzählung von Eroberung und Inbesitznahme des Landes wird von DtrG in Jos 21_{43-45} abgeschlossen. Wir erfahren noch einmal, daß Jahwe den Israeliten das ganze Land gegeben und daß ihnen keiner der Feinde standgehalten hat; das Ergebnis wird mit dem Begriff der »Ruhe« feierlich umschrieben. Die Verheißung ist, so heißt es ausdrücklich, uneingeschränkt erfüllt. Als Nachspiel schließt sich (22_{1-6}) die Entlassung der zweieinhalb ostjordanischen Stämme an.[29]

Der nächste deuteronomistische Text ist Jos 23, die warnende und mahnende Rede des alt gewordenen Josua an die Israeliten. *Noth* schreibt das Kapitel DtrG zu. Wie steht es damit?

Schon auf den ersten Blick fällt die Nähe zu den Texten ins Auge, deren sekundären Charakter innerhalb des deuteronomistischen Geschichtswerkes wir bisher erkannt haben. Eine Hauptrolle spielen »diese übriggebliebenen Völker« (הגוים[האלה] הנשארים האלה) (V. 4.7.12). Josua hat ihr Land den Israeliten als Erbbesitz zugeteilt (V. 4), Jahwe wird sie vor den Israeliten vertreiben, und diese werden ihr Land in Besitz nehmen (V. 5). Das alles ist entsprechend $13_{1b\beta.6a\beta b}$ formuliert und nimmt darauf Bezug. Dazu kommt in V. 6 eine enge Berührung mit dem »nomistischen« Einsatz Jos 1_{7f}: »Erweist euch nun sehr stark darin, zu halten und zu tun alles, was im Gesetzbuch des Mose geschrieben steht, ohne davon nach rechts oder links abzuweichen.« In 1_7 war das »Zeige dich stark und fest« von 1_6 einigermaßen hart auf den Gehorsam gegen die Befehle des Mose umgebogen worden; die Verbindung der beiden einander von Hause aus fremden Glieder blieb dort, nicht zuletzt durch das Stehenbleiben von 1_6, in ihrer Kühnheit und Gewaltsamkeit für immer sichtbar. In 23_6, wo vom einleitenden Doppelimperativ das zweite Glied fortgelassen, dafür die Verstärkung מאד »sehr« aus 1_7 übernommen ist, hat die Verbindung ihren status nascendi hinter sich; sie ist »Erbauungssprache« (*EKäsemann*) geworden. Eine gewisse Nivellierung hat auch insofern stattgefunden, als das Nebeneinander des Tuns der Befehle des Mose (1_7) und des Tuns dessen, was im Gesetzbuch geschrieben steht (1_8), aufgelöst und die Aussagen in einem einzigen Satz zusammengefaßt sind.

Die angeführten Bestandteile von Jos 23 lassen sich aus ihrem Zusammenhang nicht herauslösen.[30] Folglich gehört das Kapitel nicht DtrG, sondern späterer Redaktion an. Diese setzt 1_{7-9} und $13_{1b\beta-6}$

[29] V. 5 ist ohne weiteres als Zusatz entsprechend 1_{7f} zu erkennen.

[30] *Noth* zSt versucht es mit einem Teil von ihnen (besonders V. 5.13a), kann aber auch damit die (von seiner Sicht her) »in diesem Zusammenhang in der Tat etwas auffällige Voraussetzung noch vorhandener Überreste der vertriebenen Völker« nicht eliminieren und gelangt so zu einem nur halben Verständnis des Textes.

voraus; sollte man in 1_{7f} zwei Redaktionsstufen zu unterscheiden haben, läge in c. 23 bereits die zweite von ihnen vor. Theoretisch wäre denkbar, daß in c. 23 eine noch spätere Hand schriebe – wir hätten dann allein in diesem begrenzten Bereich schon vier deuteronomistische Redaktionsstufen vor uns. Wahrscheinlich ist das aber glücklicherweise nicht. In c. 23 wird eine Konzeption sichtbar, in der die vorangehenden Stellen ihren Platz haben und von der aus sie erst volles Profil gewinnen. Es zeigt sich, daß hinter dem, was man einzeln als mehr oder weniger zufällige Glossen betrachten konnte, eine Redaktion von umfassendem Anspruch und Rang steht. Das Siglum DtrN, oben bei Jos 1_{7-9} flüchtig erwogen, hat in der Tat seine Berechtigung.

Ausgangspunkt ist für c. 23 der Zustand, wie ihn Jos 21_{43-45} beschreibt: Israel hat Ruhe vor seinen Feinden ringsum (23_{1a} gemäß 21_{44a}), keiner hat den Israeliten standhalten können (23_{9b} gemäß 21_{44b}), die Verheissung ist gänzlich erfüllt (23_{14b} gemäß 21_{45}).[31] Bei genauerem Zusehen zeigen sich freilich Unterschiede. Hieß es in 21_{44b}: »Niemand von allen ihren Feinden konnte ihnen standhalten, alle ihre Feinde hatte Jahwe in ihre Hand gegeben«, so sagt 23_{9b} weniger voll: »Niemand hat euch standgehalten bis auf den heutigen Tag«. Diese Aussage erfährt eine präzise zeitliche Einschränkung auf die Vergangenheit, und auch dort wird der doppelte Hinweis, daß es sich um alle Feinde der Israeliten gehandelt habe, stillschweigend fallengelassen. Das geschieht nicht zufällig, wie die positive Darstellung erweist. Es werden zwei Kategorien von Völkern (גוים, nicht wie 21_{44} und entsprechend 23_{1} איבים = Feinde) unterschieden. An den einen hat Jahwe in der Vergangenheit vor den Augen Israels siegreich gehandelt; sie sind verschwunden (v. 3). Daneben aber gibt es die »übriggebliebenen«,[32] den »Rest« (V. 12), deren Gebiet den Israeliten schon zugeteilt ist und die Jahwe gemäß seiner Zusage vertreiben wird (V. 5). Jetzt sind sie noch da, und vielleicht wird Jahwe entgegen seiner Zusage mit der Vertreibung nicht fortfahren (V. 13a), dann nämlich, wenn die Israeliten sich mit ihnen zu eng einlassen und ihre Götter verehren sollten (V. 12.7). Die Anweisung dagegen gibt das Gesetz des Mose (V. 6). »Bis auf diesen Tag« haben sich die Israeliten richtig verhalten, dh sie haben Jahwe angehangen (V. 8), und so hat Jahwe »bis auf diesen Tag« die Völker vertrieben (V. 9f). Dem Aufruf, sich weiter so zu verhalten, nämlich Jahwe anzuhangen und ihn zu lieben (V. 11, vgl. 8), steht im Munde des sterbenden Josua (V. 14a) bereits eine Beschreibung der Rolle gegenüber, die

[31] *Noth* hat eine zeitlang sogar Jos 21_{43-45} als gegenüber DtrG sekundär betrachtet, weil dort Sätze aus Jos 23 unpassend vorweggenommen würden (Überlieferungsgeschichtliche Studien 45); das Verhältnis ist umgekehrt.

[32] הנשארים האלה kann in V. 7.12 mit *Noth* als Zusatz betrachtet werden; aber als ein zutreffend (gemäß V. 4) verdeutlichender.

die im Land verbliebenen Völker für die Israeliten spielen werden, und darüber hinaus eine weitere, schaurige zeitliche Begrenzung, nunmehr die für diese Rolle der Völker: sie wird aufhören, wenn die Israeliten aus diesem Lande vertilgt werden (V. 13b, vgl. 15bβγ.16b). Den »guten Worten« Jahwes (vgl. 21 45) werden so seine »schlimmen Worte« zur Seite gestellt, die sich, wenn Israel die göttliche Anweisung (ברית) übertritt, ebenso erfüllen werden, wie die guten sich bereits erfüllt haben (V. 14b–16).

Durch den Mund des Josua spricht der Autor zu seiner eigenen Zeit, natürlich nicht ohne ihm bei der historisierenden Rückprojektion selbstverständliche Einkleidungen, aber doch so, daß man nicht viel Phantasie braucht, um sich im Groben die – frühestens exilische – Situation vorzustellen, aus der heraus und in die hinein hier geschrieben wird. Das Ziel ist natürlich auch hier nicht nur die Deutung und Ableitung des gegenwärtigen Zustandes, sondern ebenso und noch mehr der Aufruf zu einem Verhalten, das die Vollendung der Katastrophe vielleicht noch abwenden kann.[33]

Jos 23 ist wie die vorher von uns besprochenen Texte in den bereits bestehenden literarischen Zusammenhang des DtrG eingefügt worden. Die neuen Aussagen sollen nicht ohne die alten sein, sollen diese vielmehr gerade in Geltung halten und bekräftigen. Das tun sie notwendigerweise durch deren Modifikation. Im Vordergrund steht nun nicht mehr – obwohl sie keineswegs geleugnet wird – wie für DtrG die überwältigende Machttat Jahwes für sein Volk, die kein anderes Bild von der Landnahme erlaubt als das einer vollständigen Eroberung in einem Zuge mit nahezu radikaler Ausrottung der Vorbewohner,[34] sondern die weniger eindeutige, vielmehr unübersichtliche, mühsame und gefährliche Wirklichkeit des Miteinanders Israels und der Völker im Land. Es fügt sich – und das, wie sich noch zeigen wird, nicht nur zufällig –, daß sich dabei ein Bild ergibt, das dem tatsächlichen Hergang besser entspricht als das des DtrG. Beide Bilder stehen zueinander mehr im Verhältnis der Konkurrenz als dem der Ergänzung, im Grunde nicht viel anders als es die Vorstellungen der modernen Historiker von der Landnahme der Israeliten in Palästina tun. Der nomistische Redaktor hat sein Bild in das seines Vorgängers so gut hineingezeichnet wie er konnte – ganz ohne Ungereimtheiten und Gewaltsamkeiten ging es dabei nicht ab, zum Nutzen des Literarkritikers.

Bei der Behandlung von Jos 23 darf c. 24 nicht übersehen werden. Die Berührungspunkte sind offensichtlich. In beiden Kapiteln beruft Josua eine Versammlung der Israeliten ein, beide Male hält er eine Rede, in

[33] Vgl. *HWWolff*, Gesammelte Studien zum Alten Testament (1964) 308ff.
[34] Vgl. *RSmend*, Elemente alttestamentlichen Geschichtsdenkens (1969) 27f.

der er ihnen das bisherige Handeln Jahwes vor Augen führt und sie aufgrund dessen zur Entscheidung für Jahwe aufruft. Man nimmt seit langem an, daß c. 24 bei der Abfassung von c. 23 als Vorbild gedient hat. Auch *MNoth*, der diese Annahme zunächst geteilt, sie dann aber bestritten hatte, ist wieder zu ihr zurückgekehrt.[35] Größere Schwierigkeiten hat immer das Hintereinander beider Kapitel gemacht. *Noth*, von der ihm fraglosen Zugehörigkeit von c. 23 zu DtrG ausgehend, konstruiert so: »Der Deuteronomist kann ... nicht wohl auch noch die von ihm als Vorbild benutzte Erzählung mit in sein Werk aufgenommen haben. Vielmehr ist diese in deuteronomistischer Bearbeitung sekundär dem deuteronomistischen Josuabuche als Anhang noch mit beigegeben worden.«[36] Nun stammt aber Jos 23 nicht von DtrG, und das, was wir bisher über die Stellung des Verfassers dieses Kapitels zu den ihm vorgegebenen Texten ermittelt haben, kann sich auch an seinem Verhältnis zu Jos 24 bewähren. Seine Absicht ist hier ebensowenig wie in Kap. 1 und 13 die, den älteren Text zu ersetzen.[37] Vielmehr läßt er ihn, mindestens »anhangsweise«, stehen,[38] nachdem er seine Grundaussage für die eigene Gegenwart erneuert hat. Die doppelte Einberufung der Versammlung (23_{2a}; 24_{1}) dürfte ihm weniger Beschwer gemacht haben als uns. Die Wiederholung von 13_{1a} in 23_{1b} zeigt, daß er in solchen Dingen nicht penibel gewesen ist. Wir haben schon gesehen, daß das Verfahren der »Wiederaufnahme« zu seinen literarischen Mitteln gehört; es wird uns auch weiter bei ihm begegnen.

Richter 2 17.20f.23

In der programmatischen Darstellung der Richterzeit Ri 2_{10ff} spricht zunächst eindeutig DtrG. Die Gegner, deren Göttern die Israeliten folgen und in deren Hand sie Jahwe gibt, sind »die Völker (עמים) ringsum« bzw. »die Feinde (איבים) ringsum« (V. 12.14), in wörtlicher Anknüpfung an Jos 21_{44}. Mit den im Lande übriggebliebenen Völkern (גוים) von Jos $23_{4.7.12.13}$[39] wird nicht gerechnet.[40] Im übrigen zeigt sich bei aller Unterschiedenheit an einer Stelle wie dieser auch, wieviel DtrN von

[35] Josua [1]101; Überlieferungsgeschichtliche Studien 9 Anm. 1; Josua [2]133.

[36] Josua [2]10.

[37] Das von *Smend*, Die Erzählung des Hexateuch 315 u.a. angegebene Motiv (Anstoß an der Rolle Sichems) widerlegt das nicht. Vgl. die Rolle Sichems bei DtrN in Jos 8_{30-35}.

[38] *Noth*, Josua [1]XIII.

[39] Daß DtrN in Jos $23_{3.4b(?).9}$ auch die erste Kategorie גוים nennt, macht nichts aus.

[40] *MWeinfeld*, VT 17 (1967) 104f sucht Jos 23 auf die Linie unseres Textes zu bringen, wobei er dem Umstand, daß die »übriggebliebenen Völker« nach Jos 13_{2-6} an der Peripherie des Landes liegen, zu viel Gewicht beimißt.

DtrG gelernt hat. Er hat von hier – wenngleich wohl nicht nur von hier – den Gedanken übernommen, daß Jahwe die Verehrung der Götter der anderen Völker an den Israeliten durch die Hand eben dieser Völker ahndet, und ihn gemäß seiner anderen Anschauung von Vorgang und Ergebnis der Landnahme modifiziert.

Und natürlich mit seinem ausgeprägt nomistischen Vokabular. Dafür ist auch in unserem Text ein Zeugnis erhalten, nämlich in Ri 217. Über den sekundären Charakter dieses Verses ist kein Streit möglich. Die Einfügung in den Zusammenhang ist, ja nicht zum ersten Mal bei DtrN, durch Wiederaufnahme erfolgt: der Anfang von V. 18 wiederholt, in Form eines Nebensatzes, die Aussage von V. 16a. Der Sache nach durchbricht V. 17 das Generationenschema von DtrG, in handgreiflichem Widerspruch zu V. 19. Zudem erscheinen die »Richter« hier in anderer Funktion als bei DtrG, nämlich geradezu als Gesetzesprediger.[41]

Der Zyklus des Richterschemas schließt sich in V. 19 mit dem Tode des Richters und dem nunmehr verstärkt neu beginnenden Götzendienst der Israeliten. Scheinbar ohne Naht folgt in V. 20 die aus V. 14 bekannte Fortsetzung: »Da entbrannte der Zorn Jahwes gegen Israel.« Aber nur scheinbar. Denn das Weitere sprengt das bisherige Schema. Auf die Worte über Jahwes Zorn folgen die über sein Handeln nicht unmittelbar wie in V. 14, sondern erst drei Verse später (V. 23). Dazwischen steht eine göttliche Rede oder besser Selbstreflexion (von Israel wird in 3. Person gesprochen), die das Handeln motiviert. In ihr ist V. 22 sekundär (Jahwe in 3. Person usw.).[42] Die Elemente von V. 20b.21 dagegen sind uns bereits bekannt: weil »dieses Volk« (גוי) Jahwes Gebot übertreten hat, wird er niemanden mehr von den Völkern (גוים), die Josua übriggelassen hat, vor ihm vertreiben. Was in Jos 23 als böse Möglichkeit ins Auge gefaßt war, ist nun eingetreten. Die Voraussetzung, die dort für das Ende der Vertreibung der Landesbewohner durch Jahwe (V.13a) angegeben war (V. 12), ist mit der Abgötterei der Israeliten (Ri 211–13)[43] Wirklichkeit geworden; die göttliche Ankündigung wird damit aus einer bedingten zu einer begründeten, der die Tat auf dem Fuße folgt. Die gedankliche Verbindung tritt auch im Wortlaut zutage; genannt sei nur V. 20 עבר ברית wie Jos 2316, V. 21 הוריש wie Jos 239 (Ri 26 dagegen ירש), bzw. noch genauer הוסיף להוריש wie Jos 2313. Wir haben die Fortsetzung von dort vor uns, es spricht DtrN.

[41] Vgl. dazu *W Richter*, Die Bearbeitungen des »Retterbuches« in der deuteronomischen Epoche (1964) 33f.

[42] Vgl. *Richter*, aaO 37.

[43] Einen dieser Verse für DtrN zu reservieren besteht keine zwingende Notwendigkeit; DtrN ist Ergänzer, kein selbständiger Erzähler, für den man einen durchlaufenden Zusammenhang nachweisen müßte.

Was in 3_{1-6} auf die bündige Umschreibung der nunmehrigen göttlichen Maßnahme (2_{23}) folgt, ist unübersichtlich und, wie alle bisherigen Versuche zeigen, literarkritisch nur schwer zu entwirren. Es mag sich etwa so verhalten, daß 3_{5f} zu $2_{20f.23}$ gehört und das Übrige dem sukzessive hinzugefügt worden ist.[44] Hinter DtrN kommen wir mit keinem Bestandteil der Verse zurück; dafür zeigt sich umgekehrt, daß die Arbeit der deuteronomistischen Schule auch mit DtrN nicht beendet war.

Richter 1_{1}–2_{9}

Wir gehen im biblischen Zusammenhang ein wenig zurück und schliessen eine Textbetrachtung an, die etwas hypothetischer ist als die bisherigen.

Die Erzählung vom »Landtag zu Sichem« endet mit der Entlassung des Volkes (Jos 24_{28}). Es folgen die Angaben über Tod und Begräbnis des Josua (V. 29f). DtrG fährt mit der Feststellung fort, Israel habe Jahwe gedient »alle Tage Josuas und alle Tage der Ältesten, die Josua überlebten und die das ganze Werk Jahwes kannten,[45] das er an Israel getan hatte« (V. 31). Die evidente Fortsetzung dazu ist Ri 2_{10}: »Und auch diese ganze Generation wurde zu ihren Vätern versammelt, und es stand eine neue Generation auf, die Jahwe nicht kannte und das Werk, das er an Israel getan hatte.« Damit bricht die Richterzeit an, deren Geschehen durch das böse Tun dieser neuen Generation in Gang gesetzt wird (V. 11).[46]

Was zwischen Jos 24_{31} und Ri 2_{10} steht, ist späterer Einschub. An seinem Ende ist, um den verlorenen Anschluß wiederherzustellen, in besonders eindrucksvoller Weise das Verfahren der Wiederaufnahme angewendet worden:[47] Jos 24_{28-31} wird in Ri 2_{6-9} wiederholt, mit einer größeren Umstellung und ein paar kleinen Veränderungen, deren Mehrzahl den sekundären Charakter von Ri 2_{6-9} erkennen läßt.

[44] So *Richter*, aaO 38ff.

[45] Hier vielleicht ursprünglich »gesehen hatten«; vgl. Ri 2_{7} und *Richter*, aaO 47.

[46] Den ursprünglichen Zusammenhang zwischen V. 10 und V. 11 bestreitet *WBeyerlin* in: Tradition und Situation, Festschr. AWeiser (1963) 7f. Die Argumente dafür halten aber nicht Stich. Der Subjektswechsel zwischen V. 10 und V. 11 erklärt sich aus der Formelhaftigkeit von V. 11. Die Motivation der Untreue Israels in V. 11–19 widerspricht derjenigen in V. 10 nicht, zumal wenn man den sekundären Charakter von V. 17 und das Steigerungsmoment in V. 19 in Rechnung stellt. In V. 19 läßt sich schwerlich mit *Rudolph*, aaO 243 ein Hinweis auf die Verderbtheit der Josua-Generation erblicken.

[47] Vgl. *ILSeeligmann*, ThZ 18 (1962) 322ff und besonders die Einzelnachweise bei *Richter*, aaO 46ff. Anders etwa *ThCVriezen*, VT 17 (1967) 336ff.

Das Stück Ri 1_{1}–2_{5}[48] ist, wiewohl auf diese Weise von einem späteren Redaktor in das Werk des DtrG eingefügt, doch keineswegs diesem Redaktor aus der Feder geflossen, mindestens zum größten Teil nicht. Hier ist nicht der Ort, die mannigfachen geschichtlichen und überlieferungsgeschichtlichen Probleme von Ri 1 zu erörtern; uns interessiert die redaktionsgeschichtliche Frage nach der Rolle und womöglich der Herkunft dieses unbestritten alten Textes in seinem jetzigen Zusammenhang. Der Schlüssel dazu dürfte in dem jüngeren Anhang 2_{1-5} liegen, genauer in der Engelrede, die dessen Hauptteil ausmacht (V. 1b–3).[49] Den Israeliten wird darin ihr Verhalten gegen die bisherigen Bewohner des Landes vorgeworfen: sie haben nicht auf den göttlichen Befehl gehört, sich mit ihnen nicht einzulassen und vielmehr ihre Altäre niederzureißen. Jahwe wird die Landesbewohner nun nicht mehr vertreiben; sie mitsamt ihren Göttern werden die Israeliten bedrängen und ihnen zur Falle werden. So gewaltsam es ist, Ri 1 im Sinne dieser Rede verstehen und verwenden zu wollen, es scheint geschehen zu sein. Das »negative Besitzverzeichnis« von Ri $1_{19.21.27-35}$, von Haus aus eine Zusammenstellung der Lücken im israelitischen Besitz, wie sie einfach durch das militärische Kräfteverhältnis erzwungen waren, soll jetzt offenbar den Vorwurf des falschen Verhaltens gegen die bisherigen Landesbewohner und damit des Ungehorsams gegen Jahwe belegen.[50]

Wer hat Ri 1_{1}–2_{5} hier eingefügt? Ohne Frage ein Späterer als DtrG, da ja dessen Werk unterbrochen wird. Es liegt nahe, an DtrN zu denken, der uns als Interpolator in DtrG schon bekannt ist. Der wichtigste Anhaltspunkt dafür ist die Übereinstimmung zwischen dem Einschub und DtrN in der fundamentalen Tatsache, daß das Land nicht vollständig erobert ist und die völlige Vertreibung seiner bisherigen Bewohner aussteht, falls sie überhaupt noch erfolgen wird. Man hat einen Unterschied darin finden wollen, daß die Nichtvertreibung in unserem Text als Sünde, dagegen in Jos 23; Ri $2_{20f.23}$, also bei DtrN, als göttliche Strafe für die Sünde erscheine.[51] Diese Gegenüberstellung ist fragwürdig: die Nichtvertreibung wird als göttliche Strafe auch in Ri 2_{3} angekündigt. Von Jos 23 läßt sich nicht nur nach Ri $2_{20f.23}$, sondern auch nach Ri 2_{1b-3} eine Linie ziehen, nur daß hier der Ungehorsam der Israeliten, der die göttliche Ankündigung aus einer bedingten zu einer un-

[48] Jos 24_{32f} ist für uns hier ohne Belang.

[49] Vgl. besonders *Rudolph*, aaO 263f.

[50] Vgl. *KBudde* zu 1_{19}; *Rudolph* aaO; *Weinfeld*, aaO 94f. Man sähe freilich in Ri 2_{2} gern eine genauere Bezugnahme auf Ri 1; diese Schwierigkeit wäre geringer, wenn Ri 2_{1-5} eine ursprünglich selbständige Erzählung wäre; vgl. dazu *HGressmann* zSt (dort allerdings die dann vielleicht notwendige Annahme, V. 2 habe eine ursprüngliche, gewiß konkretere Begründung ersetzt).

[51] *Weinfeld*, aaO 100ff.

bedingten macht, offenbar konkret in den Feststellungen des negativen Besitzverzeichnisses beschrieben gedacht ist. Daß aber DtrN nach Jos 23 sozusagen auf gleicher Ebene sowohl Ri 2_{1b-3} als auch Ri $2_{20f.23}$, sachlich doch Dubletten, geschrieben hat, läßt sich nur schwer vorstellen. Da Ri $2_{20f.23}$ ohne Frage aus seiner Feder stammt, dürfte sein Verhältnis zu 2_{1b-3} anders sein. Lag ihm 2_{1b-3} schon in seiner jetzigen Form vor, so daß die frappante Übereinstimmung zwischen Jos 23_{13b} und Ri 2_{3b}[52] literarische Abhängigkeit auf seiten des Josuatextes wäre und DtrN Ri $2_{20b.21}$ nach dem Vorbild von 2_{1b-3} gestaltet hätte? Ri 2_{1b-3} steht mit Ex 23_{20-33}; 34_{11-16}; Num 33_{50-55}; Dtn 7_{1-5} in Beziehungen,[53] deren Klärung für unsere Frage im engeren Sinne, darüber hinaus aber für die Frage nach der traditionsgeschichtlichen Stellung von DtrN nicht ohne Belang sein dürfte.

In jedem Fall ist die Einsicht, daß Ri 1_{1-25} vermutlich von DtrN in das Werk des DtrG eingefügt worden ist, von großem Wert. Sie ergibt, daß DtrN nicht nur eigenes Raisonnement, sondern auch altes Material zu bieten hatte. Leider reichen unsere Mittel noch nicht aus, die Alternative zu entscheiden, ob ihm Ri 1_{1-25} als Einzelstück oder als Bestandteil eines umfassenderen Literaturwerkes vorgelegen hat. Zumal wenn man bedenkt, daß die Überlebenschance größerer Dokumente in die exilisch-nachexilische Zeit hinein die von kleineren im allgemeinen übertroffen haben dürfte, wird man die zweite Möglichkeit nicht vorschnell von der Hand weisen dürfen. Im Zusammenhang mit weiteren Beobachtungen zur deuteronomistischen Redaktorentätigkeit, auch innerhalb des Tetrateuchs, könnten sich hier nebenbei neue Perspektiven auf den alten Streit eröffnen, ob wir in Ri 1 den Schluß der jahwistischen Pentateuchquelle vor uns haben.[54]

Für DtrN ist das Vorhandensein fremder Völker im Land gewiß ein bedrängendes Problem seiner eigenen Zeit gewesen. Er hat es aber doch nicht einfach nur von dort in die Vergangenheit der Landnahmezeit zurückprojiziert. Vielmehr stand ihm über diese Vergangenheit das gerade in dem ihn interessierenden Punkt wichtigste und authentischste alte Dokument zur Verfügung. Er hatte also bei seinem Entwurf den besten Anhalt in der Tradition, so wie umgekehrt diese Tradition in ihm einen gegebenen Interpreten fand, wenngleich nicht so, daß er die alten Aussagen in allem so verstanden hätte, wie sie einst gemeint waren. Über das genaue Verhältnis können wir einstweilen nur mutmaßen. Ist es etwa so gewesen, daß Ri 1 ihm die Augen für das Gegenwartsproblem

[52] Als Pendant zu dem Motiv läßt sich Ri 2_{20} mitsamt seinen Seitenstücken (bzw. Fortsetzungen) in Ri 3_{1-6} betrachten.

[53] Vgl. etwa *NLohfink,* Das Hauptgebot (1963) 172ff.

[54] Dazu zuletzt *OKaiser,* Einleitung in das Alte Testament (1969) 73f.

geöffnet, die Priorität in dieser Hinsicht also bei der Tradition gelegen hat? Sollte Ri 1 dem DtrN bereits mitsamt der Interpretation in Ri 2_{1b-3} vorgelegen haben, wäre sein Werk die Übernahme und Durchführung dieser Interpretation im ihm ebenfalls bereits vorliegenden größeren Zusammenhang der Landnahmedarstellung des DtrG gewesen. Damit man sich die traditionsgeschichtliche Genealogie des DtrN nun nicht zu einfach vorstellt, sei daran erinnert, daß ihm die Tradition von der unvollständigen Eroberung des Landes nicht nur in Gestalt von Ri 1 zur Hand war. In Jos 13_{2-6} verwendet er ebenfalls eine bereits vorhandene Aufzählung nichteroberter Gebiete. Sie weicht von der in Ri 1 erheblich ab,[55] ohne daß man den Eindruck bekäme, daß den DtrN diese Abweichungen besonders beschwert hätten.[56] Auf erzählerische Konsequenz kam es ihm ja auch sonst offenbar nicht in erster Linie an, sondern auf die Durchdringung der Stoffe mit seinen theologischen Vorstellungen.

Wir halten inne. Unsere Untersuchung verfolgte das Ziel, die Existenz einer planmäßigen Bearbeitung des deuteronomistischen Geschichtswerkes nachzuweisen, deren Hauptmotiv das Gesetz gewesen ist. Der Nachweis wurde hier nur für die deuteronomistische Darstellung der Landnahme geführt.[57] Er läßt sich aber – das soll an anderem Ort geschehen – auf das ausdehnen, was ihr vorangeht und was ihr folgt; DtrN nimmt im Bereich des deuteronomistischen Geschichtswerkes zuerst in Dtn 1_5 das Wort und schweigt nicht bis zum Ende des zweiten Königsbuches.[58] Ich versage es mir, aufgrund des hier gelieferten Fragments[59] auch nur eine grobe Skizze der Physiognomie des nomistischen Redaktors zu versuchen. Schon an das hier Gesagte ließe sich eine Reihe von Fragen überlieferungsgeschichtlicher, geschichtlicher und theologischer Art anschließen; vielleicht wären auch erste Antworten möglich. Es scheint mir aber besser, damit zu warten, bis die exegetische Basis breiter ist.

[55] In Ri 1 werden die Verhältnisse der Richterzeit beschrieben, in Jos 13_{2-6} stehen eher die der Königszeit im Hintergrund.

[56] S. o. Anm. 28.

[57] Der Aufsatz geht zurück auf ein Seminar über die Redaktion des Buches Josua, das ich im Wintersemester 1967/68 gehalten habe. Ich freue mich besonders, an manchen Stellen mit dem Buch von *GSchmitt*, Du sollst keinen Frieden schließen mit den Bewohnern des Landes (1970), zusammenzutreffen, das zur Zeit der Ablieferung dieses Aufsatzes noch nicht im Druck vorlag.

[58] Für die Königsbücher ist ein Teil der analytischen Arbeit bereits geleistet bei *WDietrich*, Prophetie und Geschichte. Eine redaktionsgeschichtliche Untersuchung zum deuteronomistischen Geschichtswerk. Diss. ev. theol. Münster (1970).

[59] Es erschöpft nicht einmal im Buch Josua das Material.

J. J. STAMM

BERÎT ʿAM BEI DEUTEROJESAJA

Der Ausdruck בְּרִית עָם begegnet im Alten Testament nur bei Dtjes an den Stellen Jes 42_{6} und $49_{8b\alpha}$. Davon gehört die erste zur Texteinheit 42_{5-9} und damit in den Zusammenhang der Ebed-Jahwe(E-J)-Lieder,[1] sei es als selbständiges Stück,[2] oder sei es als Teil des Abschnittes 42_{1-9}.[3] Der Wortlaut in V. 6 ist nach dem MT, der größeren Jesaja-Rolle aus Qumran (1QJes^{a}) und den Versionen gut überliefert,[4] so daß, von dem bei den Verben wohl herzustellenden Imperfectum consecutivum abgesehen, jeder Eingriff abgelehnt werden muß. Versuche, dem Text durch Änderungen aufzuhelfen, setzen zwar schon recht früh ein. Eine Jesaja-Handschrift aus Qumran (4QJes^{h})[5] bietet die auch später noch[6] vertretene Lesart ברית עולם, und *Duhm*, Das Buch Jesaja$^{2-4}$ schlug vor, statt ברית עם vielmehr פְּדוּת עָם »Erlösung des Volkes« zu lesen, was auch *Arnold BEhrlich*, Randglossen zur hebräischen Bibel IV (1912) 153 bevorzugt. Weniger einschneidend ist der Versuch, das singularische עָם durch den Plural עַמִּים zu ersetzen,[7] oder das zweite der beiden Verben vor לאור גוים zu stellen, so *Budde*, HSAT I 664.

In Jes $49_{8b\alpha}$ ist der Wortlaut: »und ich bilde dich und mache dich zum Volksbund« an sich ebenfalls nicht zu beanstanden, doch wirkt der imperfektische, auf zwei Perfecta folgende Satz im Zusammenhang, den er auch unterbricht, fremd. Daher besteht der vielfach ge-

[1] Dazu gehören in jedem Fall als Grundbestand: 42_{1-4}; 49_{1-6}; 50_{4-9}; 52_{13}–53_{12}. Daran glaube ich trotz der Bestreitung durch *Orlinsky* und *Snaith* festhalten zu sollen. – Hier und im folgenden beziehen sich die Verfassernamen auf ihre in Abschnitt 4 in den Listen von a und b genannten Veröffentlichungen.

[2] So *Gressmann*, Messias; *Begrich* und *North*, Servant^{2} 134f, der hier ein zunächst Israel geltendes Lied findet, das nachträglich – wohl von Dtjes selber (vgl. l. c. 190) – in ein E-J-Lied umgestaltet wurde. Zur Stellungnahme früherer Autoren vgl. *Mowinckel*, ZAW 49, 93f.

[3] So u. a. *Feldmann* und *Kaiser*.

[4] Das Fehlen von לאור גוים in LXX Kod. B* (erster Hand) berechtigt nicht, die Worte im MT zu streichen, gegen *Gressmann*, Messias 293f, *Elliger* (1933) 56 und *North*, Servant^{2} 134.

[5] Vgl. *PWSkehan*, SVT 4 (1957) 151.

[6] *Muilenburg*, IntB V 468 nennt *Robert Lowth* (1710–87).

[7] So *Cheyne*, EB 4407 und *Mowinckel*, ZAW 49, 94 Anm. 4. – Nach *Torrey* 384 wäre עם eine poëtische Lizenz für עַמִּים mit dem Sinn »alles Volk«.

äußerte Verdacht, es liege ein Einschub aus 42₆ vor.[8] Ganz sicher ist es freilich nicht, da die präsentisch-futurische Aussage sich wie in 42₆ leicht in eine vergangenheitliche verwandeln läßt und man noch darauf hinweisen kann, daß Dtjes Wiederholungen liebe.[9] Wie man hier auch urteilen mag, so ergibt sich, daß 42₆ als die wichtigere von beiden Stellen gelten muß, zu deren Ergänzung 49₈bα nur mit Vorbehalt herangezogen werden kann.

2.

Christopher North, The Suffering Servant (²1956) 132 nennt zu ברית עם die folgenden vier Erklärungsversuche:[10] 1. Covenant-people, 2. Covenant(-bond) of the people (i. e. of Israel), 3. Covenant(-bond) of the people (i. e. of the nations), 4. Splendour of the people(s). – Davon ist die vierte Deutung die auffallendste und zugleich unwahrscheinlichste. Von *Torczyner* aufgebracht und von *Winton Thomas* zustimmend beachtet,[11] führt sie das hebräische ברית auf ein angeblich akkadisches Wort *barārû* »Schein«, »Glanz« zurück. Ein solches figuriert bei *von Soden,* Akk. HWB 106 und 107 nicht. Er verzeichnet ein Verb *barāru* »flimmern«, davon abgeleitet den Adverbialis *barāri* »in der (Flimmerzeit-) Abenddämmerung« und die Substantive *barīru* »(etwa) Flimmerglanz« und *barārītu, barartu* »(Abenddämmerungszeit-) erste Nachtwache«, dazu als Name einer Dämonin *barīrītu* »die Flimmernde«. (Dieselben Worte und Bedeutungen auch in CAD II, 1965, 105–107). Mit diesen Belegen dürfte der erwähnten Ableitung der Boden ein für allemal entzogen sein.

Die an erster Stelle genannte Erklärung im Sinne von Bundesvolk, genauer ein Bund von Volk, ein vermittelndes Volk, geht auf *Ewald* zurück und wurde von *Hitzig* übernommen. Sie wirkt wohl auch nach bei *Duhm,* Jesaja¹ 288f, der annimmt, der Prophet habe mit ברית עם ein älteres עם ברית absichtlich umgekehrt. »Früher mußte Israel zu dem Bundesvolk gemacht werden, jetzt, seitdem es den Bund gebrochen

[8] So u. a. *Auvray-Steinmann, Budde,* HSAT I 679, *Duhm*²⁻⁴ (in der 1. Auflage noch zögernd), *Koehler, Marti, North,* Servant² 134 und The Second Isaiah 192, *Sellin,* Mose; *Staerk* (1913), *Volz* und *Westermann.*

[9] So *Duhm*¹, *Gressmann,* Messias 301 und *Kissane* 140. U. a. lehnen auch *Rudolph,* ZAW 46, 161, *van der Ploeg* 46 und *Ziegler,* Echter B. die Streichung von V. 8bα ab.

[10] Vgl. dazu auch *Martin-Achard* 26f und *Orlinsky* 110.

[11] Die zugehörigen bibliographischen Angaben bei *North,* Servant² 133. – *North,* The Second Isaiah 112 erwägt für ברית (Jes 42₆) die Übersetzung »Vision« nach einem akkadischen *birûtu,* das dasselbe bedeuten soll, doch vgl. dazu *vSoden,* Akk. HWB 110a zu *bārûtu* und 128 b zu *birītu.*

hat (Jer 31$_{31}$) und deswegen als עם zu Grunde ging, muß es zu einem Bund von Volk werden, zu einem neuen Volk, das sich mit dem Bunde identifiziert, nur für ihn und durch ihn wieder ersteht und im Leben bleibt«.[12] Was dieser so geistvollen Erklärung entgegensteht, ist die Annahme des hypothetischen עם ברית als Ursprung. Dieses müßte als in der Sprache lebendige Wendung auch erwartet werden, wenn *Ewald* Recht haben sollte.[13] Sie ist aber weder im Alten Testament noch, soweit ich sehe, in Qumran nachweisbar. In der Tat ist es auffallend und gewiß mehr als ein Zufall, daß man zwar sagen kann: »Das ganze Volk trat dem Bunde bei« (2Kön 23$_{3}$), dieses Volk aber nicht als עם ברית bezeichnet. Dafür kann es עם (ה)אלהים (Ri 20$_{2}$; 2Sam 14$_{13}$) und häufiger עם יהוה (Ri 5$_{11}$; Num 11$_{29}$; 17$_{6}$ etc.) genannt werden.

Nachdem von den erwähnten vier Deutungen die erste und die letzte ausgeschieden sind, bleiben noch die beiden mittleren, dh »Bund des Volkes (Israel)« und »Bund der Völker«, von denen *North*, Servant² 133 zögernd das Recht der zweiten anerkennt. Mit mehr Zuversicht tut er es in The Second Isaiah 38 und 112.

3.

Bevor wir uns der Frage zuwenden, welche der beiden Auffassungen vorzuziehen sei, falls überhaupt ein Entscheid möglich ist, gehen wir kurz auf das Wort ברית ein. Was ist sein Inhalt, und in welcher Weise kann es vom Gottesknecht gesagt werden?

Was das erste anlangt, so soll hier die Diskussion der letzten Jahre über ברית nicht dargestellt werden.[14] Es genüge festzuhalten, daß *Ernst Kutsch* überzeugend dargelegt hat,[15] daß das Wort im profanen Bereich Verpflichtung bedeutet, und zwar die Verpflichtung, welche der die

[12] Ähnlich über das Verhältnis von ברית עם zu einem zu postulierenden עם ברית denkt *Füllkrug* 85, den *Fischer* (1916) 194 zustimmend oder wenigstens aufmerksam zitiert.

[13] So u. a. *Delitzsch* 435 und *Giesebrecht* 167.

[14] Vgl. dazu *Ernst Kutsch*, Gesetz und Gnade. Probleme des alttestamentlichen Bundesbegriffs, ZAW 79 (1967) 18–35 und derselbe, Der Begriff בְּרִית in vordeuteronomischer Zeit, Das ferne und das nahe Wort. Festschrift Leonhard Rost, BZAW 105 (1967) 133–143.

[15] Eine Zusammenfassung seiner Ergebnisse, der wir hier folgen, gibt *Kutsch* in dem Aufsatz: Sehen und Bestimmen. Die Etymologie von בְּרִית, Archäologie und Altes Testament. Festschrift für Kurt Galling (1970) 165–178, bes. 169f. – Durch die Darlegungen von *Kutsch* zur Etymologie, wonach das Substantiv בְּרִית vom Verb ᴵᴵבָּרָה »sehen«, »ersehen«, »erwählen« abzuleiten ist, werden die Versuche hinfällig, בְּרִית im Sinne von »Fessel«, »Band«, »Bund« (nach Analogie des akkadischen *riksu*) zu erklären, vgl. *Kutsch*, l. c. 166f.

ברית »Schneidende« entweder selbst übernimmt, oder die er einem anderen auferlegt, und daß es zum dritten den selteneren Fall der gegenseitigen ברית gibt, »bei der also beide Partner Verpflichtungen gegenüber dem anderen übernehmen«. Im theologischen Bereich (im Gegenüber von Gott und Mensch) meint der Begriff: a) »Die Selbstverpflichtung (Zusage) Jahwes, etwas Bestimmtes zu tun oder zu geben« (Gen 15_{18}; 2Sam 23_{5}; Ps 89_{4}; Gen 9_{11} etc.) und b) »Die Verpflichtung, die Jahwe den Menschen auferlegt« (Ex 19_{5}; Hos 8_{1}; 2Kön 17_{15}; Ps 25_{10}).

Will man ברית עם, dessen ersten Bestandteil wir der Einfachheit halber nach wie vor mit »Bund« übersetzen, hier einordnen, so kann es gewiß nur bei der Gruppe a geschehen, wobei das die Selbstverpflichtung ergänzende Moment der Zusage zu betonen ist. Unabhängig vom genauen Wortsinn von ברית legt das die Botschaft des Dtjes an sich nahe. So schlägt denn *Torrey* 231 und 327 als Wiedergaben vor: pledge, covenant of grace, gracious promise, und Sellin, ZAW 55, 202 macht darauf aufmerksam, daß ברית in Jes 54_{10} und 55_{3} Parallelwort zu חֶסֶד ist, was für jenes auf die Übersetzung »feste Verheißung« bzw. »Verheißungsträger« führe.[16] Eine Umschreibung dieser Art möchte ich anderen und zum Teil sehr speziellen Vorschlägen vorziehen.[17]

Mit dem Stichwort »Verheißungsträger« ist bereits die Frage berührt, in welchem Sinn der Gottesknecht ברית עם genannt werden konnte. In eine allgemeine Kategorie sprachlichen Ausdruckes gefaßt, liegt eine sog. Metonymie vor, dh die bildliche Bezeichnung einer Person durch eine Sache, als deren Inbegriff oder Verkörperung sie gilt. In seiner »Stilistik, Rhetorik, Poetik in Bezug auf die biblische Litteratur komperativisch dargestellt« (1900) 15–33 gibt *Eduard König* zahlreiche mehr oder weniger treffende Beispiele, darunter שֵׁבֶט »Stab« als Bild für den Herrscher (Num 24_{17}), מָגֵן »Schild« als Bild für den Mächtigen oder den König (Ps 47_{10}; 84_{10}; 89_{19}) und פִּנָּה »Ecke«, »Zinne« (?) als Bild für den Anführer (KBL 768a). Außer dem אור von Jes 42_{6} und 49_{6} ist – so *Sellin*, ZAW 55, 202 – die בְּרָכָה von Gen 12_{2} die nächste Parallele.[18] Wenn der Knecht die ברית ist, so wie Abraham die ברכה,

[16] Auch *Zimmerli*, ThW V 668 Anm. 89 unterstreicht, daß der Bundesbegriff »hier kaum juristisch gepreßt werden dürfe«.

[17] Es seien die folgenden erwähnt: »Rechtsbrief« (*Klostermann*), »Gesetz« (*van der Ploeg* und *Volz*), »costituzione«/»erezione« (*Vaccari*), »a consolidation of the people« (*de Boer*), »Opfer des Bundes mit dem Volk« (*Elliger*), »Blutsbrüderschaft« (*Koehler*, Wb^1 152b und *Baumgartner*, Wb^3 152a). Hinter dieser auffallenden Übersetzung steht wohl die בְּרִית אַחִים »Bruderbund« (Am 1_{9}). Sie steht formal dem ברית עם nahe, doch trägt sie inhaltlich zur Erhellung des letzteren nichts bei, weil sie ein Verhältnis rein unter Menschen bezeichnet. Zu Am 1_{9} vgl. *HWWolff*, Joel und Amos, BK XIV/2 (1969) 193f.

so bedeutet das, daß er jene nicht allein verkörpert, sondern sie auch vermittelt oder bringt. Seit *Dillmann* hat man das wiederholt auch[19] aus dem mit ברית עם verbundenen אור גוים geschlossen, wie *Fischer* (1916) 86 es tut mit dem Satz: »Wenn ›Licht der Heiden‹ inhaltlich nur bedeuten kann ›Erleuchter der Heiden‹, so kann ›Bund des Volkes‹ inhaltlich nur bedeuten ›Vermittler des Bundes mit dem Volke‹«.

Da dieser Gebrauch von ברית im Alten Testament singulär ist, wäre eine Parallele von außerhalb willkommen. Eine solche glaubt *Vogt*, Bibl 36, 565f in einem Brief aus Mari gefunden zu haben.[20] Darin bittet der Absender *Jarkab-^{d}Adad* den König von Mari, *Zimrilim*, einem früheren Versprechen gemäß, die Eintracht (*salīmu*) zwischen zwei verfeindeten Fürsten zu erwirken; denn, so lautet die Begründung, die der Absender gibt: »Du bist das (einzige) Band (*riksu*) zwischen diesen Leuten«. Nun kann das Wort *riksu* im Akkadischen wirklich über den ursprünglichen Sinn von »Band« hinaus auch »Bund«, »Vertrag« bedeuten,[21] aber dieser übertragene Gebrauch liegt an der in Frage stehenden Briefstelle gerade nicht vor. Hier hat *riksu* seine konkrete Grundbedeutung, während das Wort *salīmu* »Eintracht« sich der übertragenen von *riksu* nähert, wie es denn in ARM XV (1954) 254 nicht nur mit amitié, sondern geradezu noch mit alliance übersetzt wird.

Mit der soeben besprochenen Umschreibung oder Deutung des mit ברית עם gesetzten Amtes hängt weiter die Frage zusammen, ob sich seine Herkunft noch näher bestimmen lasse. Auf dem Hintergrund der These, Jes 42$_{5-9}$ sei nicht ein E-J-Lied, sondern ein Cyrus-Orakel – so *Haller* und *Mowinckel*[22] – erscheint jenes Amt als ein königliches. Die Würde des »Bundbringers« wäre von David auf Cyrus übertragen. Jedoch, was nach Jes 45$_{1}$ für den stark politisch verstandenen Titel מָשִׁיחַ möglich war, gilt nicht in gleicher Weise für die Bezeichnungen »Bund des Volkes« und »Licht der Heiden«. Sie sind nur bei einem Israeliten denkbar, wie *Ziegler*, Echter B. 139 bemerkt. So wird auch Jes 42$_{5-9}$ sicher kein ursprüngliches und wohl auch kein nachträglich

[18] *Cheyne* (1898) 92 Anm. weist hin auf 2Kor 3$_{2}$: »Ihr seid mein Brief«, und im Werk von 1889, 266 nennt er als Analogien יְשׁוּעָה (Jes 49$_{6}$), שָׁלוֹם (Mi 5$_{4}$) und ἀνάστασις und ζωή (Joh 11$_{25}$).

[19] So u. a. *Bredenkamp, Füllkrug, Gressmann,* Messias; *König, Kraetzschmar, Schian* und *Sellin,* Mose. *Valeton,* ZAW 13, 258 sagt: »Die *Berith* wird durch ihn (den Knecht) verwirklicht; er ist der persönliche Ausdruck derselben«.

[20] Der Brief ist veröffentlicht von *Georges Dossin,* Syria 19 (1938) 120f.

[21] Vgl. *Oswald Loretz,* VT 16 (1966) 239–241.

[22] *Mowinckel,* Knecht Jahwäs 2 und 7f noch sehr zurückhaltend; danach zuversichtlich *Haller* in SAT und in der Gunkel-F., ebenso dann *Mowinckel,* ZAW 49, 93f und *Sidney Smith,* der nicht nur Jes 42$_{5-9}$, sondern auch 42$_{1-4}$ auf Cyrus beziehen möchte.

für den Gottesknecht umgestaltetes Cyrus-Lied sein, wie *Hempel* das Letztere vermutete (ZSTh 7, 654).

Ohne diese unsichere Stütze läßt sich eine königliche Tradition vermuten wegen der Bundeszusage von Jes 55$_{3b-5}$, da sie zeigt, daß Dtjes die Nathansverheißung von 2Sam 7 kannte, deren Geltung er von David und seiner Dynastie auf das ganze Volk übertrug. Neben *Venantius de Leeuw* vertritt heute *Kaiser,* Knecht^{2} 35ff eine Deutung von Jes 42$_{6}$ vom Königtum her, dh vom König aus, insofern er Bundesmittler ist. »So wie Gott einst den König als Band zwischen sich und dem Volke einsetzte, stellt er jetzt den Knecht mit der gleichen Aufgabe zwischen sich und das Volk« (35). Wenn dem König vielleicht zu Zeiten auch das Attribut eines Bundesmittlers zugestanden haben mochte, so ist doch fraglich, ob Dtjes den Knecht in dieser Würde gesehen hat. Die demokratisierende Art, in der er die Nathansverheißung interpretiert, spricht eher dagegen. Zudem stützt sich *Kaiser* auf die kaum mehr haltbare Deutung von ברית im Sinne von »Fessel«, »Band«, vgl. oben Anm. 15.

Mit der Königstradition als Hintergrund rechnen auch die zahlreichen Autoren, die im Knecht direkter oder indirekter den Messias sehen; sie sind bei *North,* Servant^{2} 42ff und 85ff genannt; nach 218f rechnet er sich selber in gewisser Weise zu ihnen. Sie hätten dann recht, wenn bei Dtjes irgendwie die davidische Herkunft des Knechtes angedeutet wäre und es feststünde, daß schon das Alte Testament die Gestalt des leidenden Messias kannte.[23]

Viel ungezwungener ergibt sich ein Zusammenhang mit der Mose-Tradition, auf die denn auch *Fischer, Fohrer, Füllkrug, Kittel, von Orelli* und *Rudolph* nachdrücklich hinweisen.[24] Wie Mose ist der Knecht Mittler eines Bundes, wie Mose gibt er Weisung (Jes 42$_{4}$) und hat er am Volk eine sammelnde und führende Aufgabe (42$_{7}$; 49$_{6}$). Wie Mose ist der Knecht leidender Mittler (Jes 50$_{4-9}$), und sein stellvertretendes Leiden entspricht einem Zug im Mose-Bild des Dtn, wenn den Stellen 3$_{23ff}$; 4$_{21}$; 9$_{18ff.25ff}$ wirklich entnommen werden darf, daß er stellvertretend für die Sünde des Volkes starb.[25] Da der Knecht bei Dtjes ausgesprochen prophetische Züge hat und sein Amt über Israel hinaus auch den Völkern gilt, kann er mit *von Rad,* Theologie II 273 nicht einfach als zweiter Mose oder Moses redivivus bezeichnet werden, wie das seinerzeit *Sellin,* Mose 86 getan hatte.

[23] Vgl. dazu einerseits *Joachim Jeremias,* ThW V 676ff und andererseits *Harold HRowley,* The Servant of the Lord (^{2}1965) 63ff.

[24] So auch *Aage Bentzen,* Messias, Moses redivivus, Menschensohn, AThANT 17 (1948) 64ff und *GvRad,* Theologie des Alten Testaments II (1960) 264–274.

[25] So *vRad,* Theologie II 273 und I 292ff.

Wenn man sich daran erinnern läßt,[26] daß Dtjes zu den älteren Traditionen »eine lockere Beziehung« hatte, wird man zunächst mit *Pierre Buis*, VT 18 (1968) 14f nur feststellen, daß dieser Prophet in die Erwartung des neuen Bundes den Mittler wieder einführte. Dieser Mittler, so darf man hinzufügen, trägt vor allem prophetische Züge, hinter denen jedoch die Gestalt des Mose sichtbar wird. Durch die Beziehung auf die Völker ist sie vom Gründer des israelitischen Volkes so verschieden, daß die Frage, ob ברית עם dem *einen* Volk oder allen Völkern gelte, noch immer offen ist.

4.

Sie kann nicht ohne Berücksichtigung der alten Übersetzungen beantwortet werden. Die LXX bietet in Jes 42_6 καὶ ἔδωκά σε εἰς διαθήκην γένους εἰς φῶς ἐθνῶν.[27] Der Wechsel zwischen γένος und ἔθνος darf gewiß als Hinweis darauf genommen werden, daß das erstere auf das Bundesvolk geht, und dies um so mehr, als γένος auch sonst gelegentlich an Stelle des üblichen λαός[28] zur Wiedergabe von עם gebraucht wird.[29] In Jes 49_8 hat die LXX καὶ ἔδωκά σε εἰς διαθήκην ἐθνῶν mit dem Zusatz in Kod. S* (ursprüngliche Lesart) γενους εις φως.[30]

Die Vulgata zeigt in 42_6 mit ihrem »et dedi te in foedus populi, in lucem gentium« die von LXX übernommene Differenzierung. Das hier als Äquivalent von עם verwendete »populus« wiederholt sie bei 49_8 »et dedi te in foedus populi«.

Eine gleichartige Gegenüberstellung ist ebenfalls im Targum beabsichtigt, wo in 42_6 das *eine* Wort עַם zuerst im Singular (קְיָם עַם) und dann im Plural (נְיהוֹר עַמְמִין) auftritt.[31] Der Ausdruck קְיָם עַם erscheint wiederum in 49_8. Auch die syrische Übersetzung bedient sich des Wortes עַמָּא zuerst im Singular und dann im Plural.

Die alten Übersetzungen begünstigen ohne Zweifel die Meinung derjenigen, welche zwischen ברית עם und אור גוים in dem Sinne unter-

[26] So *Siegfried Herrmann*, Die prophetischen Heilserwartungen im Alten Testament, BWANT 85 (1965) 297f.

[27] Zu dem in Kod. B* (erster Hand) fehlenden φῶς ἐθνῶν vgl. *Ziegler*, Untersuchungen zur Septuaginta des Buches Isaias, Altt. Abh., hg. v. *ASchulz* XII/3 (1934) 54, vgl. auch *Tournay*, RB 54 (1952) 368 und oben Anm. 4.

[28] *Hermann Strathmann*, ThW IV 32–37.

[29] Vgl. *Hatch* and *Redpath*, A Concordance to the Septuagint I 239 und danach die Stellen von Gen 17_{14}; Ex 1_9; Lev 20_{17f}; Est 2_{10}; $3(_6)_{7.13}$. Etwas häufiger findet sich die Wiedergabe von עם durch γένος, wenn ersteres »Familie«, »Sippe« bedeutet.

[30] Vgl. *Ziegler*, Isaias (1939) 306.

[31] Vgl. *JFStenning*, The Targum of Isaiah (1953) 141 und 167.

scheiden, daß im ersteren Ausdruck das israelitische Volk und im letzteren die Heiden gemeint sind. Die Sache ist damit nicht entschieden, aber es liegt immerhin ein Urteil vor, dessen Gewicht nicht unterschätzt werden darf.

Das Werk von *North*, Servant² dankbar benutzend,[32] nennen wir unter den Forschern der neueren Zeit zuerst solche, die in ihrer Stellungnahme den alten Übersetzungen folgen (Meinung I).

a) *Paul Auvray-Jean Steinmann*, Isaïe (Bible de Jérusalem, 1951) 163. – *Joachim Begrich*, Studien zu Deuterojesaja (ThB 20, 1963) 139. 141. 143f. – *Georg Bertram*, Art. ἔθνος (ThW II 364). – *Peet AH de Boer*, Second-Isaiah's Message (OTS 11, 1956) 93f. – *Conrad Justus Bredenkamp*, Der Prophet Jesaja (1887) 241. 242. 244. – *Karl Budde*, Die sogenannten Ebed-Jahwe-Lieder und die Bedeutung des Knechtes Jahwes in Jes 40–55. Ein Minoritätsvotum (1900) 27f. – Derselbe, Das Buch Jesaja Kap. 40–66 (HSAT I, ⁴1922) 663 und 664. – *Thomas Kelly Cheyne*, Jewish Religious Life after the Exile (1898) 91f und 92 Anm. – Derselbe, Servant of the Lord (EB IV, 1903, 4398–4410). – Derselbe, The Prophecies of Isaiah I (⁵1889) 266f. – *Albert Condamin*, Le serviteur de Jahvé (RB NS 5, 1908) 162–181, bes. 180 Anm. 1. – *Franz Delitzsch*, Commentar über das Buch Jesaja (⁴1889) 434f. – *August Dillmann*, Der Prophet Jesaja (⁵1890) 387f. – *Bernhard Duhm*, Das Buch Jesaja (¹1892) 288f. – *Karl Elliger*, Deuterojesaja in seinem Verhältnis zu Tritojesaja (BWANT IV/11, 1933) 55 und 56f. – Derselbe, Jesaja II (BK XI/1, 1970) 25f. – *Heinrich Ewald*, Die Propheten des Alten Bundes III (²1868) 45 und 47. – Derselbe, Ausführliches Lehrbuch der Hebräischen Sprache des Alten Bundes (⁸1870) § 287g. – *Franz Feldmann*, Die Weissagungen über den Gottesknecht im Buche Jesaias (³1913). – *Johann Fischer*, Isaias 40–55 und die Perikopen vom Gottesknecht (Altt. Abh. hg. v. JNikel, VI, 4./5. Heft, 1916) 86ff. – Derselbe, Wer ist der Ebed? (Altt. Abh. VIII, 5. Heft, 1922) 3.6 und 57. – Derselbe, Das Buch Isaias II Teil: Kapitel 40–66 (HSchAT VII, 1. Abt., 2. Teil, 1939) 53. – *Georg Fohrer*, Das Buch Jesaja, 3. Bd. (Zürcher Bibelkommentare, 1964) 51. – *Gerhard Füllkrug*, Der Gottesknecht des Deuterojesaja. Eine kritisch-exegetische und biblisch-theologische Studie (1899). – *Wilhelm Gesenius*, Commentar über den Jesaia, 3. Teil. Commentar über Kapitel 40–66 (1821) 62f. – *Friedrich Giesebrecht*, Der Knecht Jahves des Deuterojesaja (1902) 167ff, bes. 171. – *Hugo Gressmann*, Der Ursprung der israelitisch-jüdischen Eschatologie (1905) 315ff. – Derselbe, Der Messias (1929) 293f. – *Hermann*

[32] Vgl. auch *Herbert Haag*, Ebd Jahwe-Forschung 1948–1958, BZ NF 3 (1959) 174–204 und *Otto Eissfeldt*, Neuere Forschungen zum ʿEbed Jahwe-Problem, Kl. Schr. II (1963) 443–452.

Gunkel, Ein Vorläufer Jesu (1921) 4. – *Max Haller*, Das Judentum (SAT 2. Abt., 3. Bd., ^{2}1925) 33. – Derselbe, Die Kyros-Lieder Deuterojesajas (Gunkel-F. I, 1923) 261–277, bes. 263f. – *Johannes Hempel*, Vom irrenden Glauben (ZSTh 7, 1929) 631–660, bes. 653 und 654. – *Hans Wilhelm Hertzberg*, Die »Abtrünnigen« und die »Vielen«. Ein Beitrag zu Jesaja 53 (Verbannung und Heimkehr. Wilhelm Rudolph zum 70. Geburtstage, 1961) 97–108, bes. 106f. – *Ferdinand Hitzig*, Der Prophet Jesaja (1833) 494. – *Josef Hontheim*, Bemerkungen zu Isaias 42 (ZKTh 30, 1906) 745–761, bes. 751f. – *Otto Kaiser*, Der königliche Knecht (FRLANT 70, ^{2}1962) 34f und 38. – *Edward JKissane*, The Book of Isaiah II (1943) 37f. – *Rudolf Kittel*, GVI III/1 (1927) 225f. – *August Klostermann*, Deuterojesaja, Hebräisch und deutsch mit Anmerkungen (1893) 12. – *August Knobel*, Der Prophet Jesaja (^{2}1854) 322. – *Eduard König*, Das Buch Jesaja (1926) 371f. – *Richard Kraetzschmar*, Die Bundesvorstellung im Alten Testament (1896) 169f. – *Venantius de Leeuw*, De Ebed Jahwe-Profetieen. Historisch-kritisch onderzoek naar hun ontstaan en hun beteekenis (Diss. theol. Lovaniensis, 1956) 135f und 166ff. – *Robert Martin-Achard*, Israël et les nations. La perspective missionnaire de l'Ancient Testament (1959) 26–28. – *Sigmund Mowinckel*, Der Knecht Jahwäs (1921) 32. – *Christopher North*, Isaiah 40–55 (The Torch Bible Commentaries, 1952) 64. – *Conrad v. Orelli*, Der Prophet Jesaja (^{3}1904) 156. – Derselbe, Der Knecht Jahve's im Jesajabuche (Biblische Zeit- und Streitfragen, 1908) 7–9. – *Harry MOrlinsky*, Studies on the Second Part of the Book Isaiah. The So-Called »Servant of the Lord« and »Suffering Servant« in Second Isaiah (SVT 14, 1967) 1–133, bes. 107–110. – *Wilhelm Rudolph*, Der exilische Messias (ZAW 43, 1925) 90–114. – Derselbe, Die Ebed-Jahwe-Lieder als geschichtliche Wirklichkeit (ZAW 46, 1928) 156–166. – *Josef Scharbert*, Heilsmittler im Alten Testament und im Alten Orient (Quaestiones Disputatae 23/24, 1964) 178–212, bes. 196f. – *Martin Schian*, Die Ebed-Jahwe-Lieder in Jes. 40–66 (Diss. phil. Leipzig 1895). – *Ernst Sellin*, Serubbabel. Ein Beitrag zur Geschichte der messianischen Erwartung und der Entstehung des Judentums (1898) 173f. – Derselbe, Studien zur Entstehungsgeschichte der jüdischen Gemeinde nach dem babylonischen Exil I. Der Knecht Gottes bei Deuterojesaja (1901) 78ff. – Derselbe, Mose und seine Bedeutung für die israelitisch-jüdische Religionsgeschichte (1922) 77–113. – Derselbe, Die Lösung des deuterojesajanischen Gottesknechtsrätsels (ZAW 55, 1937) 177–217, bes. 200. – *George Adam Smith*, The Book of Isaiah II (^{5}1897) 260–262. – *Sidney Smith*, Isaiah Chapters XL–LV. Literary Criticism and History (The Schweich Lectures of the British Academy 1940, London 1944) 54–59. – *Norman HSnaith*, The Servant of the Lord in Deutero-Isaiah (Studies in Old

Testament Prophecy, ed. by HHRowley, 1950) 187–200. – Derselbe, Studies on the Second Part of the Book of Isaiah. Isaiah 40–66. A Study of the Teaching of the Second Isaiah and its Consequences (SVT 14, 1967) 135–264, bes. 157f. – *Alberto Vaccari,* I carmi del »Servo di Jahve«, ultime risonanze e discussioni (Miscellanea Biblica II, 1934) 216–244. – *Josué Jean Philippe Valeton,* Das Wort ברית bei den Propheten und in den Ketubim (ZAW 13, 1893) 245–279, bes. 257f. – *Ernest Vogt,* Vox *berît* concrete adhibita illustratur (Bibl 36, 1955) 565f. – Derselbe, Die Ebed-Jahwe-Lieder und ihre Ergänzungen (Estudios Eclesiasticos 34, 1960) 775–788. – *Hans Eberhard von Waldow,* Anlaß und Hintergrund der Verkündigung des Deuterojesaja (Diss. theol., Bonn 1953) 163–167. – *Joseph Ziegler,* Das Buch Isaias (EchterB III, 1958) 139.

b) Die folgenden Verfasser urteilen in dem Sinne, daß nicht nur אור גוים, sondern auch ברית עם die Völker einschließt (Meinung II). *Martin Buber,* Der Glaube der Propheten (1950) 321. – *Henri Cazelles,* Les poèmes du serviteur (Recherches de science religieuse 43, 1955) 5–31. – *Io. Christoph Doederlein,* Esaias ex recensione Textus Hebraei ... latine vertit (²1780) 179. – *André Feuillet,* Isaïe XL–LXVI (Suppl. au dict. de la Bible IV, 1949) 690–729. – *Hellmuth Frey,* Das Buch der Weltpolitik Gottes. Kapitel 40–55 des Buches Jesaja (Die Botschaft des Alten Testaments 18, 1937) 69f. – *Ludwig Koehler,* Deuterojesaja stilkritisch untersucht (BZAW 37, 1923) 16. – *Johannes Lindblom,* The Servant Songs in Deutero-Isaiah (LUÅ NF 1, Bd. 47 Nr. 5, 1951) 21. – Derselbe, Prophecy in Ancient Israel (1962) 400. – *Karl Marti,* Das Buch Jesaja (1900) 287f. – *Sigmund Mowinckel,* Die Komposition des deuterojesajanischen Buches (ZAW 49, 1931) 87–112 und 242–260, bes. 94 Anm. 4. – *James Muilenburg,* IntB V (1956) 469. – *Christopher North,* The Second Isaiah (1964) 38 und 112. – *Johannes Pedersen,* Der Eid bei den Semiten (1914) 46. – *Johannes van der Ploeg,* Les chants du Serviteur de Jahvé (1936) 30f. – *Gottfried Quell,* Art. ἀγαπάω (ThW I 34 Anm. 73). – *Edouard Reuss,* Les prophètes II (1876) 237. – *Ernst Friedrich Carl Rosenmüller,* Scholia in Vetus Testamentum. Part. III, Vol. III, Jesajae vaticinia (²1820) 78. – *Willy Staerk,* Die Ebed Jahwe-Lieder in Jesaja 40ff (BWAT 14, 1913) 16. 60. 69. – Derselbe, Zum Ebed Jahwe-Problem (ZAW 44, 1926) 242–260, bes. 248ff. – *Charles Cutler Torrey,* The Second Isaiah. A new Interpretation (1928) 231 und 327. – *Raymond JTournay,* Les chants du serviteur dans la seconde partie d'Isaïe (RB 59, 1952) 355–384. 481–512, bes. 362 und 368f. – *Wilhelm Vischer,* Der Gottesknecht (Jahrb. d. theol. Schule Bethel, 1930) 59–115, bes. 87. – *Paul Volz,* Jesaja II (1932) 149 und 155f. – *Theodorus Christian Vriezen,* Die Erwählung Israels nach dem Alten Testament (AThANT 24, 1953) 65. – Derselbe, Theologie des

Alten Testaments in Grundzügen (1957) 313. – *Claus Westermann*, Das Buch Jesaja Kapitel 40–66 (ATD 19, 1966) 81 und 83. – *Walther Zimmerli*, Art. παῖς ϑεοῦ (ThW V 653–767, bes. 668 mit Anm. 89). – Zürcher Bibel [*Jakob Hausheer*] (1931). –

c) Wir haben *Cazelles* und *Vischer* in der zweiten Liste aufgeführt, doch verdient bemerkt zu werden, daß sie eine etwas schwebende Zwischenstellung zwischen der ersten und der zweiten Gruppe einnehmen. In welcher Weise zeigt der schöne Satz von *Cazelles* (23): »Le plus probable c'est qu'est visé en premier lieu Israël en exil, mais qu'il y a une perspective universaliste à l'arrière-plan. L'analyse de l'oracle est favorable à cette vue«.

d) Ich bin mir bewußt, daß die vorstehenden Listen ihre Lücken haben. Trotzdem ist es offenkundig, daß die Vertreter von Meinung I viel zahlreicher sind als die von II. Das gilt für das 19. und 20. Jahrhundert. Ja, in unseren Tagen tritt die erstere bei *Snaith* und *Orlinsky* noch verschärft dadurch hervor, daß beide nicht nur ברית עם, sondern auch אור גוים auf das Bundesvolk beschränken. In der Abhandlung von 1950 schreibt *Snaith* zu Jes 49$_{1-6}$ (198): »The Servant will be a light to guide every Israelite wanderer home. His mission is to gather in all exiles wherever they may be scattered«.[33] *Orlinsky* seinerseits glaubt (SVT 14, 107), ברית עם streng in den Grenzen des judäischen Nationalismus verstehen zu sollen, und אור גוים wertet er (l. c. 117) nur unter dem Gesichtspunkt, daß der Triumph Israels die Heiden blenden (dazzle) werde. Das sind Übertreibungen, die als Abwehr einer allzu modern gedachten Missionstendenz bei Dtjes, wie *Volz* sie vertrat, ihre Berechtigung haben. Indessen ist diese Sicht, ohne den Universalismus dieses Propheten preiszugeben, bereits von *Zimmerli*, ThW V 667f und von *Martin-Achard*, Israël et les nations 21ff korrigiert worden: Der Knecht geht nicht hinaus zu den Völkern, diese kommen vielmehr herzu, weil sie Zeugen von Gottes freisprechendem und wiederherstellendem Handeln an seinem Volk sind.

Gegenüber den Befürwortern der Meinung I sind diejenigen der Meinung II deutlich in der Minderzahl. Immerhin beginnen die letzteren mit *Doederlein* früh, und von da geht die Linie mit *Rosenmüller* und *Reuss* weiter, um sich in der ersten Hälfte dieses Jahrhunderts fortzusetzen mit *Marti*, *Staerk*, *Pedersen*, *Koehler*, *Torrey*, *Vischer*, *Zürcher Bibel*, *Mowinckel*, *Volz*, *Quell*, *van der Ploeg* und *Frey*. Sich eher noch verbreiternd geht die Linie seit 1950 weiter, indem auf *Buber*

[33] Zur Kritik an *Snaith* vgl. *de Boer*, OTS 11, 80ff, der immerhin in Jes 40–55 auch einen »nationalistic and particularistic character« glaubt finden zu müssen, vgl. ferner *DEHollenberg*, Nationalism and »The Nations« in Isaiah XL–LV, VT 19 (1969) 23–36. Weitere Literatur zum Gegenstand bei *Georg Fohrer*, Studien zur alttestamentlichen Prophetie, BZAW 99 (1967) 49 Anm. 70.

Exegeten folgten wie *Lindblom*, *Feuillet*, *Tournay*, *Cazelles*, *Muilenburg*, *Vriezen*, *Zimmerli*, *North* und *Westermann*. Der Unterschied gegenüber früher tritt trotz der kleineren Reihe von Namen hervor, wenn man die 20 Jahre seit 1950 mit dem davor liegenden Zeitabschnitt (1900–1950) vergleicht. Die schon länger beobachtete Zunahme der Meinung II war mir der Anlaß, in dem vorliegenden Beitrag nach ihrer inneren Berechtigung zu fragen.

5.

Die Gründe für I sind gegeben im Nebeneinander der zwei Ausdrücke ברית עם und אור גוים, von denen der erste durch die beiden ihn bildenden Begriffe auf das *eine* israelitische Volk weist, während der andere schon wegen des Wortes גוי und noch mehr durch dessen pluralische Verwendung auf die heidnischen Völker und damit auf ein Doppelamt des Knechtes tendiert. Wie schon oben in Anm. 4 bemerkt, gibt der textkritische Befund in LXX kein Recht, das אור גוים zu streichen. Das wäre ein zu einfaches Mittel, um den Gehalt von ברית עם einschränkend zu bestimmen. Sieht man im Knecht das Subjekt der Infinitive von V. 7, so lassen sich auch hier die Spuren seines Doppelauftrages finden, indem das Öffnen blinder Augen auf die Völker und das Herausführen der Gebundenen aus dem Kerker auf die verbannten Judäer ginge. Doch ist die differenzierende, zusammen mit V. 6 einen guten chiastischen Aufbau ergebende Deutung[34] umstritten; denn es ist möglich, V. 7 entweder ganz auf Israel zu beziehen[35] oder ganz auf die Heiden.[36] Was als Zeichen eines Doppelamtes in V. 6 deutlicher und in V. 7 verhüllter wahrgenommen werden kann, liegt 49_5 und $_6$ am Tage, insofern hier der Auftrag des Knechtes an Israel ein Erstes ist, zu dem mit den Worten וּנְתַתִּיךָ לְאוֹר גּוֹיִם der Auftrag an die Völker als ein Zweites hinzukommt. So liegt es nahe, die beiden dem Berufe des Knechtes geltenden Aussagen von 42_6 im Sinne von 49_{5f} zu verstehen. Was hier klar entfaltet gesagt wird, wäre dort kürzer und beinahe formelhaft zusammengefaßt. Manche Vertreter der Meinung I berufen sich auch noch auf 49_8, weil an dieser Stelle das Amt des Bundbringers geradezu definitionsmäßig mit dem wieder aufzurichtenden und neu zu verteilenden Land verbunden ist. Der Schluß wäre zwingend, wenn ohne Bedenken mit der Ursprünglichkeit von V. 8bα gerechnet werden dürfte, vgl. dazu oben unter 1.

[34] So *König*, Jesaja 373; *Kittel*, GVI III/1 225 und *Scharbert* 197.
[35] So *Gressmann*, Messias 294.
[36] So u. a. *Volz* 156 und *Westermann* 83f.

Bei den Befürwortern der Meinung II spielt die allgemeine Bedeutung, welche das Wort עַם in Jes 42_5 hat, eine wichtige Rolle. Im Satz: »So spricht Gott, Jahwe, der die Himmel geschaffen und ausgespannt, der die Erde befestigt samt ihrem Gesproß, oder Odem gibt לָעָם עָלֶיהָ und Lebenshauch denen, die über sie hinwandeln«, da können die nicht übersetzten Worte in der Tat nichts anderes bedeuten als »dem Menschengeschlecht / dem Volke / den Leuten auf ihr«. Mit vielen anderen zieht *van der Ploeg*, Les chants du Serviteur ... 31 für 42_6 daraus den Schluß: »Il semble donc plus indiqué de donner ici à ʿam le même sens indéterminé sans pourtant y vouloir comprendre toutes les nations comme telles, car il faut entendre un même mot dans le même contexte de la même manière, à moins que le contraire ne soit clairement exprimé«.

Weitere Argumente werden aus der sprachlichen Form gewonnen: Das artikellose עָם in Jes 42_6 weise auf den allgemeinen oder kollektiven Sinn des Wortes hin.[37] Dieser sei der gleiche wie in dem ebenfalls nur grammatikalischen, aber nicht inhaltlichen Singular von גוי in 49_7 im Ausdruck לִמְתֹעַב גוי[38] »dem Abscheu der Leute« oder »der den Völkern ein Abscheu ist«.[39] *Lindblom* 21 macht außerdem die asyndetische Nebenordnung von ברית עם und אור גוים geltend, die beweise, daß der allgemeine Sinn der Worte עם und גוי derselbe sei. Auf die Versuche, statt עָם vielmehr עַמִּים zu lesen oder im ersten eine poëtische Lizenz für das zweite zu sehen, wiesen wir schon früher hin (Abschnitt 1 und Anm. 7).

Neben den erwähnten sprachlichen Gründen werden auch theologische ins Feld geführt, vor allem der weite Hoffnungshorizont des Dtjes, der eine Ausdehnung des Bundes auf alle Völker erwarten lasse.[40] *Feuillet* 709f nennt die Stellen Jes 19_{24-25}; 25_{6-8}; Ps 47_{10} und Gen 9_9, aus denen sich ergebe, daß der Gedanke eines die Menschheit einschließenden Bundes dem Alten Testament keineswegs fremd war.

Um mit der Beurteilung gerade beim letzten Punkt zu beginnen, so enthalten die drei ersten der von *Feuillet* genannten Stellen wohl die Weite der Hoffnung, wie sie sich besonders in späterer Zeit findet,[41] aber allein zu dem als viertem Beleg aufgeführten Gen 9_9 gehört ein Bund, der Mensch und Tier als Partner der einen Seite hat. Sein

[37] So schon *Rosenmüller* 78, ferner *Lindblom* 21 und *Tournay*, RB 54, 369.

[38] So ist sicher statt des überlieferten Piel לִמְתָעֵב zu lesen.

[39] Der Hinweis auf 49_7 bei *Torrey* 327 und *Tournay* 368.

[40] Vgl. dazu auch *Cazelles*, *Muilenburg*, *Volz* und *Westermann*; ferner die besonders eindrücklichen Darlegungen bei *Pedersen*, Eid 46 und *Buber*, Der Glaube ... 321.

[41] Vgl. dazu *Fohrer*, l. c. (Anm. 33) 49f und derselbe, Studien zur alttestamentlichen Theologie und Geschichte, BZAW 115 (1969) 17ff.

Inhalt ist eine durchaus von Gott gewährte und mit dem Regenbogen durch ein vom Menschen unabhängiges Zeichen verbürgte Setzung Gottes, die darum auch keines Bringers oder Vermittlers bedarf. Entsprechend fehlt bei ihr auch eine Weisung (תּוֹרָה), wie eine solche für Dtjes so wichtig ist, vgl. dazu auch *North*, Servant² 133.

Wenn wir somit diesem Versuch, den Begriff בְּרִית weit zu fassen, nicht zustimmen können, so ist der Universalismus des Dtjes selbstverständlich nicht bestritten. Nur verlangt er nicht, ברית עם und אור גוים in Jes 42$_{6}$ als Synonyme in einem weiteren Sinn zu verstehen; denn Dtjes vertrat keinen gleichförmigen Universalismus ohne Stufen. In seiner weiten Hoffnung gab es vielmehr Stufen oder, wie angemessener zu sagen ist, Kreise. Dabei stellt Israel im erneuerten Bund als heimgeführtes und im wiederhergestellten Land lebendes Volk den inneren, leuchtenden Kreis dar, und die Völker sind der äußere Kreis, in welchem sie das Licht von innen her wahrnehmen, das ihnen der Knecht als Bringer des Lichtes und Spender von Belehrung verständlich macht. Mit diesem Satz bekennen wir, daß wir geneigt sind, der Meinung I zuzustimmen, indem es uns vor allem richtig scheint, die kurze Aussage von Jes 42$_{6}$ mit Hilfe der ausgeführteren von 49$_{5f}$ zu verstehen. Gerne verweisen wir in diesem Zusammenhang auch auf die Darlegungen von *Hertzberg*, Rudolph-Festschr. 106f.

Noch sind freilich nicht alle Gründe erwogen, die zu Gunsten von Meinung II vorgebracht werden. Wie uns scheint, ist keiner von ihnen durchschlagend. Am ehesten könnte das noch vom Postulat gelten, die Bedeutung von עָם als »Menschengeschlecht« von 42$_{5}$ auch für den folgenden Vers maßgebend sein zu lassen. Das Wort hätte in beiden Versen den *einen* gleichen Sinn, der auch noch in der Glosse von Jes 40$_{7}$ אָכֵן חָצִיר הָעָם vorzuliegen scheint. Doch ist, wie *Westermann*, ATD 19, 37f zeigt, zu erwägen, ob mit הָעָם nicht im besonderen das *eine* exilierte Volk gemeint sei, dessen Klage in die allgemeine Vergänglichkeitsklage hineingenommen wurde. Mehr als dem nicht eindeutig festzulegenden Gehalt von עם in 40$_{7}$ ist sicher dem sich folgenden Auftreten des Wortes in 42$_{5f}$ zu entnehmen. Dennoch besteht kein Zwang, daß es im zweiten Vers das Gleiche bedeuten müsse wie im ersten. Es gilt, was *Kissane* 37 dazu bemerkt: »But verse 5 is merely an introductory clause to emphasise the omnipotence of Jahwe, and like other clauses of this character, to be interpreted independently«. Das ist zum mindesten eine Möglichkeit der Interpretation, die stets wird berücksichtigt werden müssen.

Bei dem Hinweis auf das in ברית עם ohne Artikel gebrauchte עם ist eine sichere Beurteilung ebenfalls nicht möglich. Eine solche wäre gegeben, wenn sich ברית עם als ein dem Dtjes überkommener, altertümlicher Ausdruck erweisen ließe, in den der Artikel noch nicht eingedrungen wäre. Da es dafür einen Anhaltspunkt nicht gibt, muß man sich allein an Dtjes halten. Er gebraucht nun ein singularisches עם, das dem גוי von 49_{7} nicht ohne weiteres parallel gesetzt werden darf, nicht in kollektivem Sinn. Er hat das Wort meist mit Suffix עַמִּי/עַמּוֹ, wodurch das israelitische Volk bezeichnet wird. Auf dieses bezieht sich auch das des Artikels entbehrende עם an vier Stellen,[42] an denen der Zusammenhang je eindeutig darauf führt. Sollte das nicht ein Hinweis sein können auf den Sinn, den עם 42_{6} hat? Das erscheint umso eher möglich, als es auch sonst noch im Alten Testament Belege für עם gibt, bei denen es sich auch ohne Artikel auf das Bundesvolk bezieht, so Dtn $33_{5.21.29}$; Jo 2_{16}; Ps 72_{4}; 107_{32}. Ganz stereotyp erscheint das indeterminierte und doch nur Israel meinende עָם im לְעָם der Bundesformel: »Ich will euer Gott sein, und ihr sollt mein Volk sein«.[43] Da diese in ihren beiden Teilen mit dem Deuteronomium und Jeremia beginnend erst der späteren Literatur angehört, gelangt man unwillkürlich zur Frage, ob sie nicht in ברית עם das indeterminierte und inhaltlich doch bestimmte עם mit beeinflußt haben könnte. Zweifelsfrei wäre sie zu beantworten, wenn sich die Bundesformel bei Dtjes fände. Weil das nicht der Fall ist, kommt man über die Frage nicht hinaus.

Doch auch so glaube ich, daß mehr zu Gunsten von Meinung I als zu Gunsten von II spricht. Diese hat für sich wohl mögliche, aber keine eindeutigen Gründe, während es bei jener neben offenen Fragen doch Argumente gibt, die von bestimmender Art sein dürften. Dazu rechne ich 1. den Befund bei den alten Übersetzungen, 2. den Gebrauch des artikellosen עם bei Dtjes und in der Bundesformel und 3. das aus 49_{5f} sicher und aus 42_{7} vielleicht zu erkennende Doppelamt des Knechtes, dem die Zweiheit der Aussagen von 42_{6} am besten entspricht.

[42] עַם־עִוֵּר (Jes 43_{8}) וְהוּא עַם־בָּזוּז וְשָׁסוּי (Jes 42_{22}), עַם־זוּ יָצַרְתִּי לִי (Jes 43_{21}), עַם תּוֹרָתִי בְלִבָּם (Jes 51_{7}); bei dem vielleicht noch zu nennenden Jes 44_{7} ist der Text unsicher.

[43] Dazu *Rudolf Smend*, Die Bundesformel (1963) 5 und 25ff.

ODIL HANNES STECK

GENESIS 12 1–3 UND DIE URGESCHICHTE DES JAHWISTEN

In seinem bahnbrechenden, längst klassischen Buch »Das formgeschichtliche Problem des Hexateuch« hat der hochverehrte Jubilar erstmals grundlegende Einsichten auch zu Anlage und Funktion der jahwistischen Urgeschichte ausgesprochen, indem er aufwies, daß die Aussagen des Jahwisten in Gen 2–11 unlöslich mit Gen 12 1–3 zusammenhängen, ja in diesem Neueinsatz des Handelns Jahwes bei Abraham und den an ihn ergehenden Verheißungen geradezu erst Ziel und Abschluß finden: die Urgeschichte mündet angesichts der Kluft zwischen Gott und den Menschen hier in einen letzten göttlichen Bewahrungsakt, der, über alle bisherigen weit hinausgehend, dieser Menschheit in Abraham nunmehr den Segen Jahwes eröffnet; in dieser Segensvermittlung an die Völkerwelt hat das göttliche Handeln an Abraham und in ihm an Israel seinen umfassenden Sinn.[1]

Obwohl sich die alttestamentliche Forschung seit *von Rads* erster Veröffentlichung dieser Einsicht der jahwistischen Quelle und ihren Überlieferungen weiter zugewandt hat, hat sie im Zuge solch übergreifender Fragestellungen bislang doch keine zwingenden Ergebnisse von der Art erbracht, daß eine Überprüfung oder gar Korrektur der These *von Rads* nötig würde: die wichtige Frage nach Umfang, Gestalt, Eigenart der vom Jahwisten aufgegriffenen Überlieferung[2] steht heute ebenso wie die nach der traditionsgeschichtlich-theologiegeschichtlichen

[1] *GvonRad*, Das formgeschichtliche Problem des Hexateuch (1938), jetzt in: Gesammelte Studien zum Alten Testament, ThB 8 (³1965) 9–86, dort 71ff; vgl. zur Weiterführung dieser eher beiläufige Bemerkungen von *KBudde* (Die Biblische Urgeschichte (Gen. 1–12,5), 1883, 409) und *OProcksch* (Die Genesis, KAT I, ²·³1924, 96f) aufgreifenden These durch *von Rad* selbst: Das erste Buch Mose, ATD 2 (1949) 15f. 127ff; Theologie des Alten Testaments I (1957) 164–168, ferner den wichtigen Aufsatz, den *HWWolff* 1964 über »Das Kerygma des Jahwisten« vorgelegt hat (jetzt in: Gesammelte Studien zum Alten Testament, ThB 22, 1964, 345ff).

[2] Vgl. dazu aus der neuesten Literatur die Arbeiten von *RKilian*, Die vorpriesterlichen Abrahams-Überlieferungen, BBB 24 (1966) und *VFritz*, Israel in der Wüste (1970), die für J bereits mit schriftlich vorliegenden Überlieferungen rechnen wollen, den Nachweis allerdings an anderen Textbereichen als der Urgeschichte versucht haben.

Prägung der leitenden Auffassungen dieser Quellenschrift[3] noch an den allerersten Anfängen, und im literarkritischen Bereich gibt es in Gen 1–12 meines Erachtens weder ausreichende Gründe, durchlaufende, selbständige Quellen zu bestreiten,[4] noch zureichende Argumente, die eine literarische Aufspaltung des jahwistischen Anteils fordern:[5] eine eingehende, in diesem Rahmen aber nicht auszubreitende Analyse führt vielmehr auch nach meiner Auffassung zu dem weitgehend akzeptierten, zuletzt von *Noth* dargelegten quellenkritischen Ergebnis.[6] Eine erhebliche Korrektur der genannten Einsicht *von Rads* hat sich jedoch auf anderem Wege ergeben, nämlich aus erneuter Untersuchung der Gen 2–12 prägenden Aussageintentionen des Jahwisten. Sie ist vor einem Jahrzehnt von *Rolf Rendtorff* in seinem eindrucksvollen, in diffiziler Argumentation prozedierenden Aufsatz »Genesis 8,21 und

[3] Vgl. dazu jüngst die sehr verschiedenartigen Hinweise zB bei *LAlonso-Schökel*, Bibl 43 (1962) bes. 301ff; *WRichter*, Urgeschichte und Hoftheologie, BZ NF 10 (1966) 96ff; *REClements*, Abraham and David (1967) 15ff. 47ff; *WHSchmidt*, Die Schöpfungsgeschichte, WMANT 17 ([2]1967) 229 Anm. 1; *WBrueggemann*, David and his theologian, CBQ 30 (1968) 156ff; *JScharbert*, Prolegomena eines Alttestamentlers zur Erbsündenlehre (1968) 60ff; *GWallis*, Die Tradition von den drei Ahnvätern, ZAW 81 (1969) 18ff; *KKoch*, Die Hebräer vom Auszug aus Ägypten bis zum Großreich Davids, VT 19 (1969) bes. 71ff.

[4] Die herkömmlich J und P zugewiesenen Bestandteile hängen in sich jeweils thematisch, bei P auch stilistisch so eng zusammen und zeigen, im ganzen miteinander verglichen, so unterschiedliches Gepräge, daß die übliche Quellenscheidung mit dem Ergebnis durchlaufender, selbständiger Quellen in Gen 1–12 einfach unumgänglich ist. Dies gilt in der Urgeschichte jedenfalls auch für P; die Auffassung, P mit der Endredaktion des Pentateuch ineins zu setzen (vgl. dazu neuerdings *RRendtorff*, EvTh 27, 1967, 147) scheitert hier daran, daß die P-Bestandteile nirgends auf die J-Stücke redaktionell Bezug nehmen oder sie auch nur als sachliche Voraussetzung erkennen lassen, weiter daran, daß die P-Bestandteile in sich einen geschlossenen und genau geplanten Aufbau ergeben (vier Abschnitte, in denen zweimal hintereinander jeweils auf einen Bericht von einem erlassenden Wirken Gottes eine Genealogie folgt, in denen aspekthaft das Funktionieren der getroffenen Setzungen Gottes dargetan wird: Gen 1 + Gen 5 und Gen 6–9 + Gen 10, wobei jeder dieser Abschnitte mit dem charakteristischen *Toledot* markiert wird: 2_{4a}; 5_1; 6_9; 10_1), schließlich an dem literarkritischen Befund im Sintflutabschnitt.

[5] Die erneuten Versuche, von J eine weitere Quelle abzuspalten (so *GFohrer*, Einleitung in das Alte Testament, 1965, §24) oder gar E schon in der Paradieserzählung beginnen zu lassen (so *WFuß*, Die sogenannte Paradieserzählung, 1968, vgl. dazu *HMöller*, ThLZ 94, 1969, 577ff), haben mE nicht zu literarkritisch wirklich notwendigen und zwingenden Ergebnissen geführt. Vgl. zur Kritik *JScharbert*, Prolegomena 60 Anm. 1; *OHSteck*, Die Paradieserzählung, BSt 60 (1970) 24ff.

[6] Vgl. *MNoth*, ÜPent (1948) 4ff, bes. 9ff. 17.29 (J-Bestandteile). Mit *Noth* bleibt Gen 6_{1-4} für den ursprünglichen Bestand des J außer Betracht, da ausreichende Sicherheit über die Quellenzugehörigkeit hier nicht zu gewinnen ist (anders jüngst *WHSchmidt*, EvTh 27, 1967, 243ff), vgl. zur Diskussion *FDexinger*, Sturz

die Urgeschichte des Jahwisten« vorgenommen worden[7] mit dem Resultat, daß die mit Gen 2 anhebende Urgeschichte im Sinne des Jahwisten nicht in 12₁–₃, sondern bereits nach der Sintflut ihren definitiven Abschluß findet. Dieses von *Rendtorff* vorgetragene Verständnis, das seinen Eindruck auf die alttestamentliche Wissenschaft nicht verfehlt hat,[8] verlagert das durch *von Rad* aufgewiesene Aussagegefüge von Gen 2–12J so grundlegend mit weitreichenden Konsequenzen für die Exegese insbesondere von Gen 2–4, daß es hier zunächst einer näheren Überprüfung seiner tragenden Argumente unterzogen werden soll (I.); danach soll den Aussageintentionen der jahwistischen Urgeschichte erneut nachgefragt werden (II.).

I.

Eine Überprüfung der Argumentation *Rendtorffs* hat, dem Gedankengang seines Aufsatzes folgend, bei dem dort vorgetragenen Verständnis von 8₂₁ einzusetzen,[9] bei dem in zwei parallelen Sätzen ausgesprochenen Entschluß Jahwes, der für alle Folgezeit grundlegende Bedeutung hat (8₂₁aβ und ₂₁b). Ist der zweite Satz zweifellos auf das Sintflutgeschehen bezogen, so ist dieses zunächst naheliegende Verständnis nach *Rendtorff* beim ersten Satz problematisch, einmal, weil er dann dasselbe wie der zweite besagte,[10] zum anderen aber, weil bei der herkömmlichen Bestimmung קלל pi. »verfluchen« weder ein terminiertes Einzelereignis wie die Sintflut vom Wesen des Fluches her als ›Verfluchung des Erdbodens‹ qualifiziert werden kann noch der jahwistische Prolog zum Sintflutbericht (6₅–₈), auf den der Epilog hier deut-

der Göttersöhne oder Engel vor der Sintflut? (1966) 56ff; *JScharbert*, BZ NF 11 (1967) 66ff; *Steck*, Paradieserzählung 29 Anm. 37.

[7] KuD 7 (1961) 69–78; wichtige Modifikationen und Weiterführungen: ders., Hermeneutische Probleme der biblischen Urgeschichte, Festschrift für Friedrich Smend (1963) 19–29, bes. 20ff.

[8] Vgl. die Zustimmung jüngst zB bei *Koch*, VT 1969, 72 und die allerdings eher zurückhaltende bis kritische Aufnahme der These bei *vRad*, ThAT I ([4]1962) 178; *Wolff*, ThB 22, 358ff; *CWestermann*, Forschung am Alten Testament, ThB 24 (1964) 57; *WSchottroff*, Der altisraelitische Fluchspruch, WMANT 30 (1969) 30f; *Scharbert*, Prolegomena [illegible]; *GWehmeier*, Der Segen im Alten Testament (1970) 201f Anm. 11.

[9] KuD (1961) 69–74.

[10] aaO 69. Dasselbe sagen beide Vershälften bei diesem Verständnis allerdings nur hinsichtlich der doppelt ausgesprochenen Versicherung, daß eine Sintflut kein zweites Mal kommen soll; ansonsten sind die Aspekte durchaus verschieden: V.21a spricht vom Erdboden, der um des Menschen willen bei einer Sintflut in Mitleidenschaft gezogen wird, V.21b von den Lebewesen, die eine Sintflut vernichtet.

lich Bezug nimmt (8_{20-22}), überhaupt von einer Verfluchung des Erdbodens spricht. Worauf ist der erste Satz aber dann zu beziehen? Die Antwort ergibt sich *Rendtorff* aus zwei Beobachtungen: einmal aus einer Untersuchung der Bedeutung von קלל pi., in deren Verlauf treffend herausgearbeitet wird, daß J zwischen ארר und קלל unterscheidet, daß קלל nicht den Verfluchungsakt bezeichnet, und schließlich das Fazit erreicht wird, daß das Verb den Sinn hat ›jemand als verflucht/unter einem Fluch stehend bezeichnen/betrachten/behandeln‹.[11] Diese Bedeutung empfiehlt sich *Rendtorff* für V. 21a umsomehr, als der in ihr implizierte Rückverweis auf einen früheren Verfluchungsakt im Text auch sonst zum Ausdruck kommt: die Formulierung lehnt sich, und das ist die zweite Beobachtung, auffallenderweise an 3_{17} an, wo der dem Menschen verfügte Akt der Verfluchung des Erdbodens berichtet wird; auf ihn bezieht sich V. 21a, also nicht auf das Sintflutereignis. $8_{21a\beta b}$ ist dann zu übersetzen: »Ich will nicht mehr die Erde als verflucht bezeichnen (wie ich bisher getan habe) um des Menschen willen, weil das Gebilde des Menschenherzens böse ist von Jugend auf, und ich will nicht noch einmal alles Lebendige schlagen, wie ich getan habe.«[12] Dann aber besagt V. 21a nicht weniger als dies, daß die Verfluchung des Erdbodens von 3_{17} hiermit außer Kraft gesetzt ist, und *Rendtorff* kann folgern, daß in 8_{21} nicht nur das Ende des Sintflutgeschehens, sondern das Ende der Urgeschichte überhaupt von Gen 2 an konstatiert wird. 8_{22} wird dann als Akt göttlicher Segnung der Erde verstanden, so daß 8_{20-22} als eminenter Einschnitt zutage tritt: »Von jetzt an regiert nicht mehr der Fluch die Welt, sondern der Segen. Die Zeit des Fluches ist zu Ende, die Zeit des Segens bricht an.«[13]

Hat dieser eindrucksvolle und für das Verständnis der jahwistischen Urgeschichte folgenreiche Gedankengang ein gesichertes Ergebnis erbracht? Es läßt sich zeigen, daß er jedenfalls nicht zwingend ist, ja daß die Textindizien in andere Richtung weisen. Betrachtet man Gen 8_{21} näher, so wird sichtbar, daß Stellung des Verses im Kontext, die Entsprechungen seiner beiden parallelen Sätze, von denen der zweite unbestritten auf das Sintflutgeschehen Bezug nimmt, und deren Satzglieder sowie der Rückverweis auf den jahwistischen Sintflutprolog darauf hindeuten, daß das mit קלל bezeichnete Vorgehen Jahwes gegen den Erdboden weit wahrscheinlicher ebenfalls das Sintflutgeschehen

[11] Es ist hervorzuheben, daß *Rendtorff* durchaus auch eine überhaupt nicht auf einen Fluch bezogene Bedeutung von קלל pi. in Blick nimmt (aaO 71.72 Anm. 16), die Frage aber, ob V.21a nicht dieser Sinn vorliegt und der Satz dann doch auf die Sintflut zu beziehen wäre, leider nicht überprüft, anscheinend wegen des beobachteten Rückverweises auf 3_{17}.

[12] aaO 69.73.73f. Zum Verständnis des כי-Satzes in V.21a vgl. ebenda 73f.

[13] aaO 74.

im Auge hat.[14] Dieses zunächst gewiesene Verständnis muß nicht an der Bedeutung von קלל scheitern; daß die Sintflut von J nicht als Verfluchungsakt qualifiziert ist, hat *Rendtorff* mit Recht hervorgehoben, aber zugleich gezeigt, daß קלל diesen auch gar nicht bezeichnet. Von einer Verbindung von קלל in V. 21a mit dem Sintflutgeschehen muß vielmehr nur dann abgegangen werden, wenn der unspezifische Sinn des Verbum (»schmähen« oder ähnlich) an dieser Stelle ausscheidet, weil es ob des Rückverweises auf 3_{17} hier fluchterminologisch prägnant mit »als verflucht bezeichnen, behandeln« wiedergegeben werden muß. Die Notwendigkeit dieser letzteren, von *Rendtorff* gezogenen Konsequenz läßt sich jedoch füglich bezweifeln, wobei mehrere Gesichtspunkte zu bedenken sind. Was das Verhältnis von V. 21aβ zu 3_{17} betrifft, so ist ein gewisser sprachlicher Anklang natürlich nicht zu bestreiten, ob aber ein ausdrücklicher Rückverweis intendiert ist, bleibt fraglich; jedenfalls läßt sich die Formulierung V. 21aβ in diesem Kontext für den Jahwisten als notwendige schon für sich verstehen,[15] was die Annahme eines beabsichtigten Rückverweises zumindest unsicher macht. Einem derartigen Rückverweis stehen aber darüber hinaus vor allem unüberwindliche sachliche Bedenken entgegen; wir werden nachher auf sie stoßen, wenn wir die Folgerungen *Rendtorffs* aus der vermeintlichen Beziehung von 8_{21a} auf 3_{17} im Blick auf das

[14] So ist bei *Rendtorffs* Verständnis schon mißlich, daß die offensichtlich bewußt parallel gebildeten Sätze von $8_{21aβ.b}$ eine jeweils verschiedene Übersetzung des לא־אסף עוד erfahren, für die die unterschiedliche Stellung von עוד nicht ins Feld geführt werden darf (vgl. dazu *BJacob*, Das erste Buch der Tora, 1934, 227; *UCassuto*, A Commentary on the Book of Genesis, II, 1964, 120), was bei *R.* auch nicht geschieht. Weiter befremdet, daß der Parallelität der Sätze kein paralleler Bezug auf das Sintflutgeschehen entsprechen soll, der doch auch nach dem Kontext das Nächstliegende ist, und nicht minder, daß der dem Nachsatz des zweiten Satzes (»wie ich getan habe«, sc. in der Sintflut!) entsprechende Nachsatz des ersten (»um des Menschen willen, weil das Trachten des Menschenherzens böse ist von Jugend an«) zwar auf die Begründung des Sintflutgeschehens im Prolog (6_5) zurückgreift, sich hier aber anders als dort begründend nicht auf die Sintflut, sondern auf die von 3_{17} an wirksame Verfluchung des Erdbodens beziehen soll, vgl. *Rendtorff*, aaO 73f, wo die Bezüge auf 3_{17} aber nicht dem Text des ersten Nachsatzes entnommen, sondern interpretierend eingetragen sind; die Parallelität auch der Nachsätze spricht um des zweiten willen noch einmal für die Beziehung von $8_{21aβ}$ auf die Sintflut.

[15] Der Sinn von קלל ist offen; daß mit diesem Verb ein Rückverweis auf 3_{17} intendiert ist, steht hier ja erst zur Debatte. Daß im Zusammenhang des Sintflutgeschehens hier von der אדמה die Rede ist, muß keinen Rückverweis bedeuten, sondern liegt schon nach dem jahwistischen Sintflutbereich selbst nahe (vgl. 6_7; $7_{4.23}$; $8_{8.13}$). Bleibt בעבור האדם, wozu aber zu sagen ist, daß האדם mehrfach im jahwistischen Flutbericht auftritt (vgl. 6_{5-7}; 7_{23}) und die Präposition בעבור ein beliebtes Wort beim Jahwisten darstellt (vgl. außer 3_{17} und 8_{21} noch Gen $12_{13.16}$; $18_{26.29.31.32}$; 26_{24}; $27_{4.10.19.31}$; u. ö.).

Ganze der jahwistischen Urgeschichte überprüfen. Gegen einen von J intendierten Rückverweis im Sinne *Rendtorffs* sprechen weiter Beobachtungen zu dem folgenden Vers 22, den *Rendtorff* als Segnung der Erde und Anfang einer neu qualifizierten Zeit bestimmt. Es ist nämlich zu beachten, daß J hier in seinem zugestandenermaßen von ihm selbst formulierten Sintflutepilog angesichts eines derart tiefen Einschnittes das zu erwartende Stichwort בָּרֵךְ vermissen läßt, weiter, daß V. 22 auch formgeschichtlich kein Segenswort ist,[16] endlich, daß dieser Vers inhaltlich mit seinem Inkraftsetzen des geordneten Rhythmus des landwirtschaftlichen Jahres den Fluch über der Ackerarbeit überhaupt nicht tangiert, im Gegenteil: hier wird lediglich in Kraft gesetzt, allerdings für immer und ohne Ausnahme, was als gegebener Rahmen und Ermöglichung landwirtschaftlicher Arbeit natürlich auch in 3$_{17-19}$ selbstverständlich vorausgesetzt war. Das Wort hat an dieser Stelle seine brisante Aktualität in Bezug auf das Sintflutgeschehen, nicht aber auf die 3$_{17}$ verfügte Verfluchung des Erdbodens.[17] Die aufgeführten Gesichtspunkte ergeben, daß zu einer fluchterminologisch prägnanten Auffassung von קלל in 8$_{21}$ keine Nötigung besteht, ja sie widerraten ihr geradezu und weisen hier eher auf eine unspezifische Sinnbestimmung des Verbum, die auch durch seine Verwendung in 12$_{3}$ nahegelegt wird;[18] man kann sogar fragen, ob der genannte fluchterminologische Sinn von קלל gegen *Rendtorff*, der ihn für »das Charakteristikum des Begriffs« hält, nicht überhaupt in Zweifel zu ziehen ist.[19] – So scheint mir *Rendtorff* den exegetischen Nachweis für seine

[16] Vgl. Untersuchung und Material bei *Schottroff*, Fluchspruch 163–198, wo Gen 8$_{22}$ konsequenterweise auch nicht erscheint. Der negativ formulierte Segensspruch Ps 15$_{5b}$ scheidet als Parallele aus, weil er in einen von Gen 8$_{22}$ völlig abweichenden Gattungszusammenhang gehört, vgl. die Hinweise bei *Schottroff*, aaO 109. 170.

[17] Vgl. schon *HHolzinger* zSt. – Anders als 8$_{22}$ fassen die auf den landwirtschaftlichen Bereich bezogenen Segenaussagen wirklich eine Steigerung gegenüber den normalen Gegebenheiten ins Auge, vgl. zB Gen 27$_{28}$; 49$_{25}$; Lev 26$_{4f}$; Dtn 28$_{3-5.11f}$ und dazu *Schottroff*, aaO 164ff.

[18] קלל pi. findet sich bei J nur noch in Gen 12$_{3}$, wo es offenbar mit Bedacht statt ארר steht, wie die hier aufgegriffene Formelsprache zeigt, vgl. dazu *Schottroff*, Fluchspruch 36ff, bes. 38. Die Bedeutung »als verflucht bezeichnen« paßt an dieser Stelle überhaupt nicht, weil völlig unerfindlich bleibt, wieso Abraham von jemand als unter dem Fluch stehend betrachtet werden sollte; hier kann nur die »schmähende Herabsetzung« (*Schottroff*, aaO 29) überhaupt gemeint sein. Die Ersetzung von ארר durch קלל besagt dann, daß nicht erst der, der Abraham/ Israel verflucht, sondern schon der, der hier schmäht, der Verfluchung Jahwes anheimfällt (zu *Wolff*, ThB 22, 358).

[19] Angesichts einer erdrückenden Fülle von Gegenbelegen ist der für den Bedeutungsgehalt des Verbum angenommene Rückbezug auf einen bereits erfolgten Verfluchungsakt überhaupt nur an einer Stelle, dem von *R.* herangezogenen Beleg 2Sam 16$_{5ff}$, diskutabel. – Vgl. neben *JScharbert*, Bibl 39 (1958) 8ff jetzt bes. *HChBrichto*, The Problem of »Curse« in the Hebrew Bible, JBL Mon.Ser. XIII

Auffassung des Verses 821 und dessen Funktion in der jahwistischen Urgeschichte nicht zwingend erbracht zu haben; die Namensätiologie, die J in 529 für Noah bietet, vermag die Beweislast nicht zu tragen; dieser Text ist mehrdeutig und kommt ohnehin nur als konvergierendes Argument in Frage.[20] Alle Indizien deuten vielmehr darauf, daß J bei 821a wie bei dem Parallelsatz V. 21b an das Sintflutgeschehen dachte, auf dessen Hintergrund auch V. 22 zu sehen ist.

Zu derselben kritischen Position führt auch eine Überprüfung, die die Folgerungen *Rendtorffs* im Blick auf das Ganze der jahwistischen Urgeschichte durchdenkt.

Wenden wir uns zunächst der jahwistischen Darstellung der Zeit vor der Flut zu, die allerdings nicht ganz unversehrt erhalten ist.[21] Nach

(1963) 118–177; *Schottroff*, aaO 29f und seine Feststellung: »קלל ... meint im pi. die geringschätzige Behandlung und die schmähende Herabsetzung, durch die ein anderer in seinem Ansehen und in seiner Geltung geschmälert und in seinem Gedeihen und in seiner Kraft gelähmt wird.« Vgl. *EJenni*, Das hebräische Piel (1968), der für קלל pi. allerdings nur eine deklarative Bedeutung feststellt (40ff). Gegen eine Beziehung des Verbum auf den von Jahwe dem Erdboden zugefügten Sintflutvorgang könnte allerdings sprechen, daß das schmähende Herabsetzen an den Belegstellen von קלל pi. als worthafter Vorgang gefaßt ist (anders aber *Brichto*, der dies für die meisten Belegstellen sogar bestreitet, vgl. 172); demgegenüber ist aber 1Sam 313 zu beachten, wo die Schmähung Jahwes ausschließlich im kultischen Fehlverhalten der Eli-Söhne besteht (vgl. 1Sam 211ff.29f und dazu *Brichto* 148ff); außerdem ist Gen 821 der einzige Beleg, wo קלל pi. Jahwe zum Subjekt hat, was die Abweichung von der möglicherweise vorwaltenden Verbindung des Verbum mit einem Wortakt weiter nahelegt. Danach ist Gen 821aβ also zu übersetzen: »nicht noch einmal will ich den Erdboden geringschätzig behandeln« (faktitives Piel), wobei daran gedacht ist, daß Jahwe die אדמה eben damit so behandelte, daß er sie im Dauerregen der Sintflut zeitweilig völlig unter Wasser setzte (vgl. Gen 88.13b). Die Sinnbestimmungen, die *Schottroff* (aaO 29) für קלל pi. gibt, bewähren sich hier aufs beste: Jahwe hat den Erdboden damit „in seinem Gedeihen und in seiner Kraft gelähmt« und »in seiner Integrität beeinträchtig(t)«.

[20] Vgl. *Rendtorff*, aaO 74. Demgegenüber aber wird es bei der herkömmlichen Deutung von 529 auf den Wein, der dem geplagten Bauern seit Noah (vgl. 920J) zuteil wird, bleiben müssen, vgl. *Wolff*, ThB 22,361 Anm. 48.

[21] J ist in P ergänzend eingearbeitet worden, vgl. schon *JWellhausen*, Die Composition des Hexateuch (²1899) 3 und bes. *Noth*, ÜPent 7ff.25. Der Anfang des jahwistischen Werkes (Gen 24b–324) ist unversehrt, vor Gen 24b also nichts weggefallen, J hat ja an der Schöpfung als eigenständigem Thema gar kein Interesse (vgl. treffend *Rendtorff*, Smend-Festschrift 20); auch die unmittelbare Fortsetzung ist in 41–24 wohl lückenlos erhalten, danach aber ist mit Textverlust zu rechnen: 425f gehört zumindest in der vorliegenden Gestalt nicht zu J, sondern zum Endredaktor (vgl. *Noth*, ÜPent 12 Anm. 26); zwischen 424J und 529J klafft eine Lücke, in der J von einem dritten Sohn des ersten Menschenpaares berichtet haben muß, von dem sich Noah und sein Beruf als Ackerbauer herleiten. Nach 529 mag sich ziemlich unmittelbar der jahwistische Sintflutbericht angeschlossen haben, der in Gen *6–8 weitestgehend erhalten ist. – Zum Thema Schöpfung bei J vgl. auch *Steck*, aaO 28 Anm. 33; 74ff.

Rendtorffs Folgerung will J hier eine Zeit des Unheils, der Sünde und des Fluches schildern, die durch das Flutgeschehen derart definitiv abgeschlossen ist, daß sie in die gegenwärtige Geschichte überhaupt nicht hineinreicht; ihr steht die nunmehr ganz neu einsetzende Zeit des Segens gegenüber, die allein noch die Gegenwart bestimmt.[22] Der Textbefund kommt dieser Sicht freilich keineswegs entgegen. Selbst wenn 8 21f die Verfluchung des Erdbodens aufgehoben und durch Segen ersetzt wäre, bleiben doch noch die anderen Daseinsminderungen, die Jahwe in dem Fluchabschnitt 3 14ff über Schlange und Menschen verfügt, von deren Aufhebung in 8 21f nichts verlautet; wie gesagt – nicht einmal das Stichwort Segen fällt, in dem solche Aufhebung implizit ausgesprochen sein könnte. Noch gewichtiger ist das ätiologische Gepräge dieses Fluchabschnittes 3 14–19 im ganzen, der überhaupt erst vom Jahwisten gestaltet und erst von ihm bei der Bildung der Paradieserzählung (Gen 2 4b–3 24) mit deren überlieferten Stoffen verbunden worden ist[23] und zwar in der Absicht, die Entstehung von Minderungen des Daseins aufzuweisen, die zweifellos bis in die eigene Zeit des Jahwisten als andauernde und charakteristische Phänomene erfahren werden; dies gilt nicht nur von Einschränkungen, zu denen die Schlange verflucht wird, von dem unaufhörlichen Kampf zwischen Schlangen und Menschen, von den Lebenseinbußen, die das Dasein der Frau in der Beschwer von Schwangerschaft und Geburt und im Unterworfensein unter den Mann prägen, sondern ebenso auch von der Mühsal, mit der der Mensch sich vom verfluchten Erdboden nähren muß – gewiß auch dies ätiologische Verdichtung einer in der Gegenwart noch andauernden Erfahrung und somit Indiz eines durch den Sintflutabschluß keineswegs beeinträchtigten Weiterwirkens der Verfluchungen von 3 14ff. Hier liegen die unüberwindlichen sachlichen Bedenken, 8 21 als Außerkraftsetzung intendierenden Rückverweis auf 3 17 zu fassen, die oben schon angesprochen wurden. Diesen mit dem ätiologischen Charakter und der andauernden Erfahrbarkeit von 3 14–19 argumentierenden Einwand hat sich *Rendtorff* später selbst schon zu eigen gemacht, aber gleichwohl an seinem Verständnis von 8 21f festgehalten,[24] ohne dessen gewahr zu werden, daß seine präzisierte Fassung des jahwistischen Sachverhaltes die ursprüngliche These vom Abschluß der Urgeschichte gänzlich problematisch macht.[25] Nimmt man hinzu, daß auch

[22] Vgl. KuD (1961) bes. 74.76; Smend-Festschrift 20–22.

[23] Vgl. *WHSchmidt*, Schöpfungsgeschichte 214ff; *Schottroff*, Fluchspruch 87–91. 143–147; *CWestermann*, VuF 14 (1969) 26ff, Genesis (BK I/4, 1970) 266f; *Steck*, aaO 108f. Anders *Rendtorff*, Smend-Festschrift 21 Anm. 7.

[24] Smend-Festschrift 21f.

[25] Wenn die Fluchfolgen von Gen 3 14ff »nach der Meinung des Jahwisten« noch »bestehen« und er insofern »diese einzelnen Fluchsprüche nicht einfach als auf-

das sich bei J an die Paradiesgeschichte unmittelbar anschließende Kapitel von Kain und den Kainiten (Gen 4,1–24) offensichtlich Tatbestände herleitet und wertet, die über das Sintflutgeschehen hinaus bis in die Gegenwart von J hinein gegeben sind,[26] dann hat auch von Gen 2ff her nicht nur die Annahme eines Rückverweises in 8,21 auf 3,17, sondern überhaupt die These einer mit der Sintflut definitiv abgeschlossenen Urgeschichte, die nicht in die gegenwärtige Geschichte hineinreiche,

gehoben (betrachtet)« (aaO 21), dann kann von einer gegenüber der Gegenwart abgeschlossenen Zeit des Fluches, die die jahwistische Urgeschichte in Gen 2–8 darstellen soll, nicht mehr gesprochen werden. Natürlich ist richtig, daß der Menschheit nach der Sintflut bei J versichert wird, »daß diese Erde Bestand haben und daß sich auch der Wechsel der Tages- und Jahreszeiten, der die notwendige Lebensgrundlage für ihn bildet, regelmäßig und ohne Unterbrechung vollziehen wird« (ebd.); aber mit der Feststellung »entscheidend ist, daß der Fluch nicht mehr für das Verhalten Gottes zur Welt bestimmend ist« (ebd.) übersieht *Rendtorff*, daß die nunmehr zugestandenermaßen nicht aufgehobenen Fluchfolgen von Gen 3 (und 4) doch über die Flut hinaus uneingeschränkt wirksam sind, also auch unter diesem Aspekt durch 8,21f gar nicht tangiert werden, also auch das Verhalten Gottes zur Welt nach wie vor bestimmen, wie sich aus der Akzentuierung der sich anschließenden J-Stücke in Gen 9–11 erneut ergeben wird. Bei *Rendtorff* bleibt unbeachtet, daß das Vernichtungsgeschehen der Flut für J von exzeptioneller Qualität ist; vgl. unten Anm. 27 und bes. 63.

[26] J gestaltet Gen 4 unter Verwendung von Überlieferungen, die mit den Kenitern verbunden sind; davon mag 4,17–24 auf kenitische Eigenüberlieferungen zurückgehen, 4,1–16 hingegen fußt auf einer Überlieferung, die das Phänomen Keniter vom Standort der Kulturlandbewohner kritisch behandelt (gegen *HHeyde*, Kain, der erste Jahwe-Verehrer, 1965). Dabei scheint die Überlieferung von Kain und den Kainiten, wie sie J in Gen 4 insgesamt gestaltet, ziemlich genau die Erscheinungsform dieser Keniter in der davidisch-salomonischen Zeit des Jahwisten wiederzugeben: sie sind vorwiegend noch Halbnomaden, ohne Kulturlandbesitz, Ackerbautätigkeit, unstet und flüchtig hin und her ziehend, eine Existenz, zu der Kain in 4,11ff verurteilt wird, teilweise aber auch schon seßhaft in festen Städten (vgl. 4,17b mit 1Sam 30,29), teilweise nomadisierende Hirten, Musikanten, Schmiede (vgl. *HJStoebe*, RGG³ IV 216f; *LRost*, BHH 210; etwas anders *GWallis*, ZAW 78, 1966, 133ff, vgl. dazu aber *Schottroff*, Fluchspruch 235). Obwohl streng genommen die Kainiten gemäß der jahwistischen Urgeschichte die Sintflut nicht überleben, würde eine Beschränkung der Aussagen von Gen 4 auf die Zeit vor der Flut doch übersehen, daß J hier wie sonst nicht eine strikt chronologisch-sukzessiv durchreflektierte, sondern eine noch von der Denkweise der Sage mitgeprägte, geschichtliche Darstellung bietet. Für den Jahwisten sind die Keniter seiner unmittelbaren Nachbarschaft und Zeit typisch für Menschengruppen ohne Kulturlandanteil und diese wiederum typisch für eine Ausprägung der Art des Menschen, die dem Vergehen des ersten Menschenpaares entspricht, ja es mit verschärften Konsequenzen zum Ausdruck kommen läßt. Diese Art überdauert die Sintflut, ist in dieser Ausprägung für J in der nichtbäuerlichen Lebensweise der Nomaden typisch gegeben und in dem Nomadenstamm der nächsten Umgebung, den Kenitern, konkret anschaulich. – Vgl. zu Gen 4 auch *HSchultze*, Die Großreichsidee Davids, wie sie sich im Werk des Jahvisten spiegelt, ev.-theol. Diss. Mainz (1952, Masch.) 31ff und zur Forschungsgeschichte jetzt *Westermann*, BK I/5 (1970) 385ff.

alles gegen sich. Was der Jahwist in Gen 2–4 schildert, ist der wertende Aufweis der Entstehung von Phänomenen der Lebenswelt des bäuerlichen Menschen Palästinas, in denen der Fluch Jahwes bis in seine eigene Zeit wirksam und erfahrbar ist.[27] Der Epilog des Sintflutberichtes hebt diese Wirksamkeit der Fluchverfügungen weder auf noch verweist er solche Wirksamkeit in einen fernen Bereich abgeschlossener Vergangenheit; er gibt nur die Zusicherung, daß Jahwe darüber hinaus nicht noch einmal zu einer umfassenden Vernichtung von Lebensmöglichkeit und Leben auf Erden wie in der Sintflut schreiten wird.

Nicht anders ist das Bild, wenn man die Folgerungen *Rendtorffs* an den jahwistischen Bestandteilen von Gen 9–11 überprüft. *Rendtorff* zufolge sollen die drei hier vor allem auszuwertenden jahwistischen Stücke: Noah, der Weinbauer (9_{18-27}), Völkertafel (*10) und Turmbau (11_{1-9}) in die Darstellung einer Zeit gehören, die von der vorangehenden, aber endgültig abgeschlossenen Fluchzeit der Urgeschichte geschieden ist, unter dem Zeichen eines völlig neu einsetzenden Handelns Jahwes zum Segen steht und dann vor allem in 12_{1-3} ihre Sinnbestimmung programmatisch erfährt.[28] Eine derartige Abtrennung dieser Stücke von Gen 2ff und somit von der Urgeschichte des Jahwisten erweist sich jedoch schnell als problematisch. Auch wenn man außer Betracht läßt, daß der angebliche Einschnitt Gen 8_{21f} weder das Leitwort Segen noch in V. 22 eine Segenszusage aufweist, fällt auf, daß J in Gen 9–11 weder die Aufhebung der Verfluchung des Erdbodens[29] noch überhaupt die Aufhebung der Verfluchungen im menschlichen Lebensbereich durch stattdessen hier zugunsten des Menschen ergehenden Segen andeutet;[30]

[27] Dieser Sachverhalt erlaubt freilich noch nicht, die jahwistische Darstellung von Gen 2ff als die einer Zeit des Unheils, der Sünde und des Fluches zu charakterisieren, wie es bei *Rendtorff* geschieht. Eine derartige Charakterisierung kann sich nur empfehlen, wenn man Gen 2–4 unmittelbar mit den Sintflutvorgängen verbindet, darüber aber vernachlässigt, daß J hier Geschehnisse unterschiedlicher Qualität darstellt (s. unten Anm. 63), und außer acht läßt, daß Jahwe im Gegensatz zu allen anderen Vorgängen in Gen 2–11 bei seinem Einschreiten in der Sintflut den Schuldigen nicht zugleich auch vor dem Äußersten bewahrt (vgl. zu diesen Bewahrungen in der Urgeschichte des J vor allem *vRad*, ATD 2 zu den Stellen und bes. 127f), sondern vernichtet.

[28] KuD (1961) 75f; Smend-Festschrift 21f. In Gen 12_{2f} »beginnt nun erst wirklich die Geschichte des Segens: in der Erwählung Abrahams als Anfang der ›Heilsgeschichte‹ Gottes mit Israel« (aaO 21).

[29] Die mit Noah aufgekommene Errungenschaft, Weingärten anzupflanzen (9_{20}), kann natürlich nicht als Anzeichen einer Segnung der Erde gewertet werden; vgl. schon oben Anm. 20 zu 5_{29} und die eine wirkliche Steigerung anzeigenden Segensaussagen im landwirtschaftlichen Bereich in den oben Anm. 17 genannten Belegen.

[30] Gen 9_{26} kann in diesem Zusammenhang nicht herangezogen werden, mit *Wolff*, ThB 22, 360 gegen *Rendtorff*, Smend-Festschrift 21; vgl. u. Anm. 36. 37.

im Gegenteil: die drei jahwistischen Stücke haben darin ihre Gemeinsamkeit und Zusammengehörigkeit, daß sie ganz wie Gen 2–4 die Entstehung von andauernden Lebensminderungen der Menschheit oder bestimmter Menschengruppen darstellen; eben darin liegt ihr Aussageziel, um dessentwillen sie J hier bietet. Dies ist bei der Turmbauerzählung ganz offenkundig, in der J eine ältere, letztlich dem sumerischen Bereich entstammende Überlieferung aufgegriffen hat,[31] die die Verwirrung der ehedem einheitlichen Sprache in eine Vielzahl von Sprachen erklärte, beim Jahwisten aber den weiteren Akzent bekommen hat, zusätzlich noch die Zerstreuung der Menschheit über die Erde zu begründen.[32] Dieser zweite, der Erzählung nachträglich auferlegte Aus-

[31] Vgl. jetzt *SNKramer,* The »Babel of Tongues«: A Sumerian Version, JAOS 88 (1968) 108–111. – Schon dieser sumerische Überlieferungshintergrund von Gen 11 widerspricht der problematischen Auffassung *Rendtorffs*, J habe mit Bedacht die vor- und außerisraelitischen Traditionen in Gen 2–8 untergebracht und wolle sie damit an der Abgeschlossenheit der Urgeschichte teilhaben lassen, um ihre Bedeutungslosigkeit für das Israel der Gegenwart darzutun (KuD 1961, 76f).

[32] Die Turmbauerzählung ist klar abzugrenzen, insofern V.9 die Aufhebung des V.1 geschilderten Zustandes konstatiert, scheint aber eine Reihe von Doppelungen aufzuweisen, die ihre Entstehung durch Kontamination zweier verwandter, aber ursprünglich selbständiger Überlieferungen nahelegen könnten: einer Turmbau- und einer Stadtbauerzählung (so jüngst wieder *GWallis,* ZAW 78, 1966, 141ff). Es wurde allerdings mit Recht hervorgehoben, daß sich beide Rezensionen im vorliegenden Text überlieferungsgeschichtlich nicht mehr klar trennen lassen (vgl. *Procksch, vRad, Zimmerli* zSt), vor allem aber, daß angesichts Babylons und seines Tempelturmes Stadt und Turm sachlich nicht voneinander zu lösen sind (vgl. *Cassuto*, Genesis II, 237; *BOLong*, The Problem of Etiological Narrative in the Old Testament, BZAW 108, 1968, 23). Auch die auffallende Wiederholung der Herabkunft Jahwes (V.5.7) muß nicht Indiz für zwei zusammengearbeitete Überlieferungen sein (vgl. zur Diskussion *Cassuto*, aaO 245ff), da beide Aussagen im Erzählungsverlauf verschiedene Funktion haben: in V.5 soll der Zug die Kläglichkeit menschlichen Unterfangens, ein himmelragendes Bauwerk zu schaffen, unterstreichen (vgl. *Procksch* zSt), in V.7 hingegen den im Kohortativ pl. ausgedrückten Entschluß Jahwes als machtvoll-überlegenes Handeln qualifizieren (vgl. auch Ex 3$_{8}$; 19$_{11.18.20}$; Num 11$_{17.25}$; Ps 18$_{10}$; 144$_{5}$; Jes 31$_{4}$; Mi 1$_{12}$; Jes 63$_{19}$; Neh 9$_{13}$). Die einzige wirkliche Schwierigkeit für die überlieferungsgeschichtliche Einheitlichkeit der vorliegenden Erzählung stellt das dreimal auftretende Moment der Zerstreuung dar (V.4b.8.9), weil es zu Doppelungen führt sowohl im Vorhaben der Menschheit (V.4: Namen machen, sich nicht zerstreuen) wie im von Jahwe verfügten Ergehen (V.7.9a Verwirrung der Sprache, V.8.9b Zerstreuung über die Erde). Doch ist dieses Zerstreuungsmoment nicht ursprünglich, an allen drei Stellen ist es weder fest noch überhaupt organisch im Erzählungsablauf verankert: V. 4 bleibt unerfindlich, wieso das Namenmachen (nicht: Denkmal schaffen, vgl. den Sinnhorizont von עשה שם in Jes 63$_{12}$; Jer 32$_{20}$; Neh 9$_{10}$; 2Sam 7$_{9}$; 8$_{13}$) die Zerstreuung verhindern soll, V. 8 fügt sich nicht zu V. 7, dessen Ausführung vielmehr erst V.9a konstatiert wird, und in V.9 wird das Zerstreuungsmoment endgültig als sekundär dadurch erwiesen, daß zur Etymologie von Babel nur das Verbum בלל paßt, mit dem die Erzählung die Sprachenverwirrung bezeichnet (V. 7.9b). Gen 11$_{1-9}$ ist also nicht durch Kontamination zweier

sageakzent wirkt auf die von J zuvor gebotene Völkertafel[33] zurück und zeigt, wie J das dort Dargestellte gesehen wissen will: die Noah-Nachkommen haben sich zwar in Kraft der göttlichen Zusage, alles Lebendige nicht noch einmal zu vernichten (8_{21}), zur Völkerwelt vermehrt, in ihrer weitläufigen Zerstreuung über die ganze Erde aber ist eine Minderung menschlichen Daseins wirksam, die Jahwe wie die Verwirrung der Sprache in Reaktion auf das Turmbauereignis verfügt hat.[34] Die nämliche Aussageabsicht ist aber auch bei Gen 9_{18-27} leitend,

Erzählungen entstanden, sondern stellt eine überlieferte Erzählung dar, die nachträglich noch um das zusätzliche Zerstreuungsmoment erweitert wurde. Daß diese zusätzliche Akzentuierung erst von J stammt, ist zwar nicht exakt zu beweisen, aber schon wegen der dadurch gegebenen kompositorischen Funktion das Wahrscheinlichste, vgl. auch den kompositionell wichtigen, von J stammenden Vers 9_{19}.

[33] Die Völkertafel des J, der jedenfalls $10_{8.10-19.*21.25-30}$ zuzuweisen sind, ist in Umfang und Aufbau nur sehr fragmentarisch erhalten, da nur Teile von ihr zur Ergänzung in die priesterschriftliche Völkertafel und deren Anordnung eingearbeitet sind. 9_{18f} und 10_{21} zeigen, daß auch sie schon nach den Nachkommen der drei Noah-Söhne aufgebaut war. Einigermaßen deutlich ist nur noch der Sem-Abschnitt zu erkennen; hinsichtlich des Japhet- und Ham-Abschnittes des J bleibt alles unsicher; $10_{8.10-19}$ liest sich im jetzigen Zusammenhang wie die Nachkommen von Ham; aber dieser genealogischen Zuordnung liegt die von P zugrunde (vgl. 10_{6}); möglicherweise ist hier zusammengeordnet, was bei J noch auf Ham und Japhet verteilt war. – Der fragmentarische Erhaltungszustand von J und zumal seiner Völkertafel bringt es mit sich, daß auch deren Stellung im Kontext, die jetzt durch die Position der Völkertafel von P fixiert ist, nicht ganz sicher ist, vgl. schon die Überlegungen von *BJacob* zSt. Obwohl der Zustand einer zerstreuten Menschheit, wie ihn die Völkertafel darstellt, in Gen 11_{1-9} erst herbeigeführt wird, nimmt man die vorliegende Reihenfolge doch am besten auch als die jahwistische, da sich 11_{1ff} nicht nahtlos an 9_{18-27} anschließt und die Entstehung der Menschheit aus den Noah-Söhnen, die die Völkertafel bringt, voraussetzt; außerdem scheint die Turmbauerzählung mit dem Motiv des Namenmachens korrelativ unmittelbar auf 12_{2} hinzuweisen (vgl. *Procksch* zSt), wovon sie nur durch das genealogische Stück 11_{28-30}, das freilich an seinem Anfang und Ende jetzt verlorene Übergangssätze zu 11_{9} bzw. 12_{1} aufwies (vgl. *Noth*, ÜPent 29), getrennt ist. Damit ist zugleich der Auffassung das Wort geredet, daß J zwischen Sintflut und Abraham nicht wesentlich mehr, aber bei der Redaktion Ausgeschiedenes enthielt, sondern die drei Stücke 9_{18ff}; *10; $11_{1-9.28-30}$, wofür spricht, daß P zu solch redaktioneller Ausscheidung von jahwistischen Erzählungsstücken keinerlei Anlaß gab. Bei dieser Auffassung muß lediglich angenommen werden, daß der verlorene Anfang der Völkertafel den Übergang zu 9_{27} enthielt, ihr ebenfalls verlorenes Ende den zu 11_{1} (vgl. 11_{2}); hinzu kommen die schon genannten Übergänge vor und nach 11_{28-30}. Die sachliche Überschneidung speziell zwischen Völkertafel und Turmbauerzählung hat darin ihren Grund, daß J hier seine Darstellung an Hand bereits festgeformter Überlieferungsstücke gestaltet; vgl. auch die folgende Anm.

[34] Dieser Rückverweis ist trotz des fragmentarischen Zustands der jahwistischen Völkertafel auch in ihrem erhaltenen Text noch zu erkennen: so in der Angabe der Wohngebiete, die bei Kanaanäern und Joktaniden noch erhalten ist ($10_{19.30}$),

dem Stück »Noah, der Weinbauer«, das J wohl unmittelbar nach seiner Sintflutdarstellung geboten hat,[35] das aber in seinem Sinne treffender mit »die Verfluchung Kanaans« überschrieben würde. Die Tendenz der hier aufgegriffenen, nicht leicht zu analysierenden Überlieferung[36]

ferner in einer bei den Kanaanäern gebotenen, in der vollständigen Völkertafel aber gewiß öfter auftretenden Zerstreuungsnotiz (10_{18}), deren negative Wertung eben die Turmbauerzählung abgibt, vgl. auch 9_{19}, was J wohl ebenso verstanden wissen wollte, desgleichen 10_{25}: das Verbum ist hier wegen der Namensätiologie zwar פלג, doch wird J die Aussage ebenfalls im Zusammenhang seiner Wertung der Zerstreuung der Menschheit gesehen haben; vgl. zu הארץ (כל־) in 9_{19}; 10_{25} die entsprechende Verwendung in 11_{1}. In der Peleg-Notiz gäbe J dann an, in welcher Phase der Vermehrung der Noah-Nachkommen sich 11_{1ff} zugetragen und damit die Zerstreuung der Menschheit eingesetzt hätte – ein weiteres Indiz, daß die Völkertafel in ihrer vollständigen J-Gestalt offenbar erheblich anders ausgesehen hat als der ergänzende Einbau von J-Fragmenten in die P-Anordnung jetzt erscheinen läßt.

[35] Vgl. die für die jahwistische Komposition in Gen 9–11 wichtigen Verse 9_{18f}: V. 18 knüpft an die vorangehende Sintfluterzählung an, V. 19 deutet durch den Hinweis auf die auf der Erde zerstreute Weltbevölkerung auf Völkertafel und Turmbau voraus. Gen 9_{18-27} J abzusprechen, besteht keinerlei Anlaß; J hat auch hier ein älteres Überlieferungsstück aufgegriffen und es seinen besonderen Aussageintentionen dienstbar gemacht.

[36] Zur neueren Diskussion vgl.: *LRost*, Noah der Weinbauer (in: Das kleine Credo, 1965, 44ff); *JHoftijzer*, OTS 12 (1958) 22ff; *DNeiman*, The Date and Circumstance of the Cursing of Canaan (in: Biblical Motifs, 1966, 113ff); *KKoch*, VT 1969, bes. 72f; *Schottroff*, Fluchspruch bes. 148ff. – Bei der überlieferungsgeschichtlichen Analyse ist zunächst zu beachten, daß die Brüderreihe Sem-Ham-Japhet in einem für das Überlieferungsstück unnötigen, für die jahwistische Komposition aber sehr wichtigen Zusammenhang steht: 9_{18f} (s. Anm. 35); diese Verse stammen von J; er erst hat zumindest Ham in die Überlieferung eingeführt, um sie mit den traditionellen drei Söhnen Noahs, die ihm wahrscheinlich schon die Sintflutüberlieferung, sicher aber die Völkertafel vorgab, zu verbinden. Indem er Ham als Vater Kanaans einführt (V. 18b Eigenformulierung J; V. 22aα חם אבי jahwistischer Zusatz), stellt J die Verbindung her; das Überlieferungsstück kannte Ham also nicht, sondern sprach von Kanaan als dem jüngsten von drei Brüdern, um dessen negativer Wertung willen das Überlieferungsstück gebildet ist. Dementsprechend gehört zur vorjahwistischen Überlieferung auf jeden Fall der Fluchspruch über Kanaan (V. 25), der aber ob seiner Formulierung zuvor die Erzählung eines ihn begründenden Geschehens voraussetzt, in dem Kanaan im Unterschied zu seinen Brüdern negativ agiert. Daß die vorangehende Erzählung vorjahwistisch ist, zeigt ja auch die Spannung zwischen V. 22 und V. 24b, in der J offensichtlich eine Schilderung der Untat unterdrückt hat. Lediglich die Wehrlosigkeit des Vaters konnte in der Überlieferung anders erzählt gewesen sein, da Noah als Mann der אדמה und Entdecker des Weins (5_{29}!) jahwistischen Interessen entspricht. Da aber Kanaanspruch wie vorangehende Erzählung von (zwei) Brüdern sprechen, ist kein zwingender Grund zu sehen, warum zusammen mit dem Sem-Spruch (V. 26) nicht auch der Japhet-Spruch (V. 27) ursprünglich zum Überlieferungsstück gehört haben sollte, zumal auch diese Sprüche – nunmehr allerdings in positiven Aussagen über die Brüder – das Knechtsein Kanaans entfalten und darin ihre Spitze haben, vgl. die gleichlautenden Nachsätze V. 26b.

verstärkend hat J alles Gewicht auf die Verfluchung Kanaans gelegt, eine Segnung von Menschen an dieser Stelle seiner Darstellung mit Bedacht aus der älteren Überlieferung getilgt,[37] um eine weitere Einbuße menschlichen Daseins in ihrer Entstehung zu fixieren, die wie Gen 4 über eine Gruppe von Menschen verfügt wurde: die abhängige Stellung der Kanaanäer gegenüber anderen Bevölkerungsteilen im Großreich Davids.[38] So ergibt sich trotz eines nicht unversehrten Erhaltungs-

27b mit V. 25b. Die abweichende Formung des Japhet-Spruches ist Ausdruck der ja auch inhaltlich ausgesagten Zuordnung Japhets zu Sem; die Vermeidung von בָּרֵךְ und vielleicht auch die Verwendung von אלהים hängen damit zusammen. Der Sem-Spruch ist freilich in der vorliegenden Gestalt leicht verändert: die Segnung Jahwes, des Gottes Sems, fällt völlig aus dem Ductus des Kontextes und führt zu der ausweislich des Nachsatzes V. 27b unsinnigen Konsequenz, als sollte Kanaan nicht Sems, sondern des Gottes Sems Knecht sein. V. 26a muß ursprünglich, in welcher Formulierung auch immer, von der Segnung Sems gesprochen haben; auch diese Änderung geht wie die anderen auf das Konto des J. Dieses nunmehr bestimmte vorjahwistische Überlieferungsstück zielt, wie gesagt, auf die Begründung der Verknechtung Kanaans, und das heißt der Kanaanäer, unter seine Brüder ab, hat also Machtverhältnisse innerhalb palästinischer Bevölkerungselemente im Auge. Die Zeit, in der diese Verhältnisse gegeben waren und in denen diese Überlieferung entstanden ist, ist nach der einleuchtendsten Annahme doch die des davidischen Großreichs; sie liegt also wenige Jahrzehnte vor der Abfassung von J. Bei den drei Bevölkerungsteilen hat das Überlieferungsstück neben den Kanaanäern, deren Vergehen ($9_{22.24}$) anscheinend in der Homosexualität gesehen wurde (vgl. bei J auch Gen 19, was nach J im Kanaanäergebiet spielt [10_{19}]; ferner Lev $18_{22.27}$), im Sem-Spruch natürlich die Israeliten oder vielleicht auch die weitergefaßte Bevölkerungsgruppe der Hebräer im Blick (vgl. dazu die wichtigen Ausführungen von *Koch*, VT 1969, 71ff), im Japhet-Spruch hingegen nach der immer noch wahrscheinlichsten Auffassung die Philister, was auch die abstufenden Formulierungs- und Sachdifferenzen zu 9_{26} erklärte; 10_{14} spricht nicht dagegen, da die dortige Zuweisung der Philister zu Ham mit der Unterwerfung der J-Völkertafel unter die P-Anordnung zusammenhängen wird, vgl. Anm. 33. – Eine andere Frage ist, ob die beiden positiv gezeichneten Brüder auch in der vorjahwistischen Überlieferung schon Sem und Japhet hießen; auszuschließen ist es nicht; man muß dann aber mit einem älteren Sinngehalt der Namen rechnen, gemäß dem sie noch nicht Teile der Weltbevölkerung, sondern prägnant palästinische Bevölkerungsgruppen andeuteten.

[37] Bei J bleibt nicht nur die gegen Kanaan gerichtete Tendenz des Überlieferungsstückes voll erhalten, sie wird noch unterstrichen dadurch, daß die Segnung Sems in eine Segnung Jahwes, des Gottes Sems (zur Vorstellung vgl. *Schottroff*, Fluchspruch 165ff), verändert wird, was nur so erklärt werden kann, daß J eine Menschen zugewendete Segnung bewußt für Gen 12 aufsparen will. Sem- und Japhetspruch sind für J an dieser Stelle nach ihrer negativen Seite hin funktional wesentlich, insofern sie beide die Verfluchung Kanaans unterstreichen durch Nennung derer, die ihn knechten. Auf die Akzentsetzung deutet schließlich auch der folgende jahwistische Kontext, mit dem J das Überlieferungsstück fest verbunden hat (9_{18f}). – Zu dieser kanaanäerkritischen Position des J fügt sich, daß er es offensichtlich vermeidet, vom »Land Kanaan« zu sprechen.

[38] Eine völlig andere Auffassung des jahwistischen Stückes 9_{18-27} hat jetzt *Koch* (VT 1969, 72f) vorgetragen; in Weiterführung der Auffassung *Rendtorffs* wird

zustandes[39] in den jahwistischen Stücken von Gen 9–11 ein thematisch einheitlicher Aussagezusammenhang, der als Aufweis der Entstehung andauernder, elementarer Daseinsminderungen der Menschheit nicht nur Gen 2–4 genau entspricht, sondern vom Jahwisten offensichtlich auch als Fortführung des dort Dargestellten gedacht ist. Diese jahwistische Zusammengehörigkeit von Gen 2–4 und 9–11 nach Intention und Thematik widerrät aus anderem Aspekt erneut der Auffassung von Gen 2–8 als eines abgeschlossenen, ersten Abschnitts der Menschheitsgeschichte und nötigt zusammen mit dem exegetischen Befund zu 8_{21f} und der Aussageabsicht von Gen 2–4 zu dem Ergebnis, daß der Jahwist 2–11 insgesamt als die erste Phase der Menschheitsgeschichte verstanden wissen wollte, als die Urgeschichte, in deren Verlauf sich die Menschheit entgegen den ursprünglichen Intentionen des Schöpfergottes (Gen 2_{4b-24}) die Minderungen und Einbußen ihrer Lebensmöglichkeiten zugezogen hat, die ihr Dasein fortan bis in des Jahwisten eigene Zeit kennzeichnen.[40]

In dieselbe Richtung weist schließlich auch eine Betrachtung der ersten, an Abraham ergehenden Gottesrede in Gen 12_{1-3}, die J völlig oder doch in allem Wesentlichen selbst gestaltet hat.[41] Ihre grund-

Gen 12_{1-3} als Neueinsatz zur Heilsgeschichte bestritten und in seiner Bedeutung herabgemindert (anders aber *Rendtorff* selbst), wovon nachher noch zu handeln sein wird, und stattdessen 9_{18-27} zu dem Abschnitt erklärt, durch den J in vorwaltend positiver Aussagetendenz den Einsatz der Heilsgeschichte markieren wollte; 9_{26} wird zum Herzstück des Abschnitts und als Weissagung einer Heilsgeschichte für Sem betrachtet, dh aber einer Heilsgeschichte für die Hebräervölker, in deren weiteren Kreis auch Israel gehört. Damit ist die jahwistische Aussagetendenz mE in die Gegenrichtung gelenkt: es ist hierbei nicht nur *Rendtorffs* Auffassung einfach vorausgesetzt, es ist auch der folgende J-Kontext vernachlässigt, demzufolge doch ebenso noch die Hebräervölker von den Lebensminderungen in Gen 10 und 11 erfaßt sind, was sich zu dem vermeintlichen Neueinsatz der Heilsgeschichte in Gen 9 nicht fügt, es ist übersehen, daß 9_{26} gar nicht von einer Segnung Sems die Rede ist, bzw. unerklärt gelassen, inwiefern eine Segnung Jahwes, des Gottes Sems, durch Noah die Weissagung einer Heilsgeschichte für Sem darstellt, und vor allem: es ist hierbei unbeachtet geblieben, daß ein Menschen zugewendeter Segen von J erstmals in Gen 12 genannt wird, dort aber an Abraham (ohne Einschluß von Lot) und mit ihm an Israel, nicht aber an die Hebräervölker ergeht, wie die Aufnahme von Gen 12 unter Übergehung von Ismael und Esau bei Jakob zeigt (Gen 28_{14}!). Hinsichtlich des Segens [illegible] die Hebräervölker wie die Weltvölker überhaupt als Empfänger Abraham und Israel gegenüber.

[39] Vgl. oben Anm. 33.

[40] Vgl. zur Auffassung von Gen 2–11 als eines von J als thematische Einheit intendierten Abschnittes seine Charakterisierung außer in den Arbeiten *von Rads* bes. bei *Wolff*, ThB 22, 359ff; *Schottroff*, aaO 39f.147; doch ist schon die Annahme einer Fluchsuspension bei 8_{21f} (so *Wolff* und ihm folgend *Schottroff*) ein zu weitgehendes Zugeständnis an *Rendtorffs* Argumentation.

[41] Für freie Eigenformulierung des J ohne Grundlage aus älterer Abrahamüberliefe-

legende Bedeutung im jahwistischen Werk wird auch von *Rendtorff* nicht bestritten, wohl aber, daß sie zu Gen 2–11J insgesamt in Beziehung steht; ihre Vorgeschichte sei nicht die Urgeschichte, sondern allein die Geschichte der noachitischen Menschheit in Gen 9–11.[42] Dem widerspricht aber, daß das von J bislang vermiedene, Lebenssteigerung anzeigende Leitwort Menschen zugewendeten Segens, das hier mit einem Mal gehäuft gleich fünffach auftritt,[43] nicht nur auf einen Teil

rung halten 12_{1-4a} zB *Noth,* ÜPent 256; *vRad,* ATD 3 (1951) 138; *Wolff,* ThB 22, 351; *REClements,* Abraham and David 15.57f; anders etwa *Kilian,* Abrahams-Überlieferungen 10ff, der aber doch V. 2f für Eigenbeitrag des J hält. Vor 12_1 und nach 12_{4a} ist J nicht lückenlos erhalten, vgl. oben Anm. 33 und *Noth,* ÜPent 29; daß 12_1 nicht wie ein Neuansatz wirkt, ist deshalb ein fragwürdiges Argument gegen die Bedeutung dieses Abschnitts (zu *Koch,* VT 1969, 72). – Zu der schwierigen syntaktischen Struktur dieser Gottesrede vgl. vor allem *Wolff,* aaO 351ff; ferner *H-PMüller,* EvTh 28 (1968) 559f. Zur Präzisierung der parataktischen Verknüpfung von Imperativ und Indikativ sind andere Konstruktionsparallelen in jahwistischen Verheißungsreden zu beachten (Gen 31_3; 32_{10}; umgekehrt 13_{15-17}), von denen 31_3 klar zeigt, daß die kausale Präzisierung ausscheidet; vielmehr wird zu einer Handlung aufgefordert, in deren Gefolge eine andere eintritt; diese im Zuge der Ausführung des Imperativs eintretende Folge unterstützt als vorweg verheißene also dessen Ausführung, sieht sie aber nicht als Bedingung, vgl. treffend *Wolff,* aaO 352.

[42] *Rendtorff,* KuD (1961) 75f; Smend-Festschrift 21. – J greift in 12_{1-3} gewiß eine Orakelform auf, die hier wie sonst in den Verheißungsreden der Vätergeschichte allerdings noch genauerer Untersuchung bedarf und von den Selbstvorstellungs- und Fürchte-dich-nicht-Orakeln in der Väterüberlieferung (vgl. zu diesen *HM Dion,* CBQ 29, 1967, 198ff) zu unterscheiden ist. Auch andere jahwistische Verheißungsreden folgen dieser Form (vgl. 13_{14-17}; 26_{3f}; 31_3). *Kochs* Bestreitung der herkömmlich angenommenen Schlüsselstellung von 12_{1-3} unter Hinweis auf die Formung lediglich als Ankündigung von Segnung (VT 1969, 72) übersieht, daß J auch sonst die theologischen Leitaussagen seiner Vätergeschichte in Gestalt von Verheißungsreden Jahwes bietet, weil er nicht an eine schlagartige Änderung der urgeschichtlich konzipierten Situation der Menschheit mit dem Auftreten Abrahams denkt, sondern an eine mit Abraham einsetzende Gegenbewegung eines neuen, segnenden Gotteshandelns, das den ebenfalls weiterwirkenden Lebensminderungen, die Jahwe über die Menschheit verfügt hat, entgegenwirkt und in der eigenen Zeit des J im davidisch-salomonischen Großreich allerdings in die entscheidende Phase umfassender Verwirklichung getreten ist, vgl. jetzt bes. auch *Schottroff,* aaO 39f. 170f. 204. Kurz: gewichtiger kann also Gen 12_{1-3} von J gar nicht gestaltet sein! S. zur Form von Gen 12_{1-3} ferner unten Anm. 70.

[43] Vgl. *Wolff,* ThB 22, 355ff; zu Fluch und Segen als Leitbegriffen in J vgl. ebd. 359ff; *Schottroff,* aaO 39f. 147. 204. 233. – Wenn *Westermann* bereits die flucheingrenzenden Bewahrungen in der jahwistischen Urgeschichte als Segenswirkung ansieht, so mag das von einem religionsphänomenologischen Segensverständnis her möglich sein, das aber an die jahwistische Konzeption herangebracht werden muß; dem Verständnis des J entspricht diese Auffassung gewiß nicht; er hat nicht nur diese Bewahrungen nicht als Segenssprüche formuliert, er hat vor allem das Leitwort ברך bis Abraham aufgespart; Segen im strengen Sinn der Lebenssteigerung wird für J erst mit Gen 12 wirksam! (zu *Westermann,* BK I/2, 1967, 85f).

der von J zuvor geschilderten Lebensminderungen bezogen sein kann, wie ein vorschnelles Auswerten der in Gen 9–11 und in 12_{3b} angesprochenen Völkerthematik nahelegen könnte,[44] sondern sich doch auf den gesamten Aufweis der Einschränkungen menschlichen Daseins von Gen 2f an beziehen muß.[45] Den charakteristischen Lebensminderungen der Menschheit, deren Entstehung Gen 2–11 gezeigt hat, wirkt nunmehr das lebenssteigernde Segenshandeln Jahwes entgegen, das er in Gen 12 Abraham und Israel und durch deren Vermittlung[46] der Menschheit verheißen hat.[47] Daß diese Überlegung richtig ist, mag an einem in der Auseinandersetzung mit *Rendtorff* wichtigen Detail verdeutlicht werden, das zeigt, daß J Gen 12_{1-3} auch in Relation zu Gen 2–4 sieht. Der Jahwist rechnet nämlich durchaus mit einer Außerkraftsetzung der Verfluchung des Erdbodens von 3_{17}, nur noch nicht am Ende des Sintflutberichtes, sondern in Auswirkung erst der an Abraham ergehenden Verheißung Menschen zugewendeten Segens. So wird es schon nicht von ungefähr sein, daß Lot das im Gehorsam gegen die Aufforderung Gen 12_1, dem der Segen verheißen ist, erreichte Gelände des unteren Jordantales nach J als ein Land »wie den Garten Jahwes« sieht (Gen 13_{10}; vgl. 3_{17} mit 2_{8-15}; 3_{23}); noch wichtiger aber ist die Wirksamkeit der Segensverheißung, die J zeichenhaft bei Isaak sichtbar werden läßt: »Isaak aber säte in diesem Lande und erzielte in diesem Jahre das Hundertfache; so hatte Jahwe ihn gesegnet« (26_{12}). Hier ist nun die Aufhebung der Verfluchung des Erdbodens ganz eklatant,[48] aber diese Aufhebung ist nicht, wie *Rendtorff* zu 8_{22} unterstellt, als Segnung der Erde, sondern als Segnung des Erzvaters ausgesagt, mithin Auswirkung der Segnung von Menschen, die J erstmals und programmatisch in Gen 12 eröffnet sieht!

[44] Daß J die Menschheit, die von Gen 2 an thematisch im Blick ist, nach der Sintflut als eine in Völker, Sprachen, Siedlungsgebiete gegliederte Menschheit darstellt, wird durch ein bereits traditionelles Bild der nachsintflutlichen Zeit bedingt sein; daß Gen 12 besonders darauf Bezug nimmt, liegt am geschichtlichen Ort der Abrahamsverheißung in der Darstellung des J, an welchem natürlich an die letzterreichten Zustände der Menschheit angeknüpft wird. Ein sachlich gewichtiger Einschnitt, der 12_{1-3} nur zu 9–11 in Beziehung setzte, ist mit dem Auftreten des Aspekts einer gegliederten Menschheit nicht gegeben.

[45] Vgl. außer *von Rads* Äußerungen hierzu auch die Argumentation von *Wolff*, aaO 359ff.

[46] Zum Verständnis der [illegible] vgl. *Schreiner*, BZ NF 6 [illegible] 2ff, *Wolff*, aaO 351ff; *Wehmeier*, aaO 88.99.177ff.199ff.

[47] Diesen uneingeschränkten Sinn hat der Ausdruck »alle Sippen des (fruchtbaren, bewohnbaren) Erdbodens«; auch die Kanaanäer (Gen 9) und selbst die Menschen ohne eigenen Kulturlandanteil (Gen 4) sind hier eingeschlossen, vgl. zB *Schreiner*, aaO 5f.

[48] Vgl. auch Gen 27_{27} und *Wehmeier*, aaO 133ff.203, ferner die Hinweise oben Anm. 17.

Unsere Überprüfung der Argumentation *Rendtorffs* hat von verschiedenen Seiten immer wieder die Rückkehr zu der von *Gerhard von Rad* gelehrten Einsicht in Anlage und Funktion der jahwistischen Urgeschichte geboten, von der wir ausgegangen waren: nicht der Epilog des Sintflutberichtes, sondern die grundlegende Verheißung Jahwes an Abraham bildet den Neueinsatz göttlichen Handelns, das die von Gen 2–11 reichende Urgeschichte des Jahwisten begrenzt und zugleich zur Voraussetzung hat; setzt es doch an der dort in ihrer Entstehung geschilderten Lage der Menschheit an und stellt den aus der Urgeschichte weiterwirkenden Minderungsverfügungen Jahwes das Segenswirken Jahwes entgegen, das im Verlauf der Geschichte Israels statt jener Platz greifen soll.

Faßt man zusammen, so sind es – von einzelexegetischen Überlegungen zu 8 21f abgesehen – folgende Sachverhalte, die für eine von Gen 2–11 reichende Urgeschichte des Jahwisten sprechen: die nämlichen, am Aufweis von Lebensminderungen orientierten Aussageintentionen, komplementär dazu das Einsetzen einer Segensbewegung Jahwes auf die Menschheit zu erst jenseits dieses Komplexes bei Gen 12 und schließlich die unmittelbare thematische Konzentration auf die Menschheit in 2–11, die ab Gen 12 dann nur noch mittelbar, im Rahmen einer thematischen Konzentration auf Israel, im Blick ist.

Indes – die wichtigste Beobachtung *Rendtorffs* bleibt trotz seines problematischen Erklärungsversuches bestehen; sie betrifft die Stellung der Sintflut innerhalb der jahwistischen Urgeschichte. »Es will doch auch nicht recht befriedigen, wenn innerhalb der Gn 1–11 umfassenden Urgeschichte die Sintflut als *ein* Ereignis unter anderen verstanden wird. Die Reihe der Strafen Jahwes: Austreibung aus dem Garten Eden, Verfluchung Kains, Sintflut, Zerstreuung der Menschheit ist doch keine wirkliche climax. Die Zerstreuung ist gegenüber der Sintflut vergleichsweise harmlos und kann kaum als Steigerung angesehen werden.«[49] Dieser Frage müssen wir uns im folgenden Abschnitt unseres Beitrages zuwenden, der, nunmehr ungebunden durch argumentierende Auseinandersetzung, den in Gen 2–12 waltenden Aussageintentionen des Jahwisten noch etwas näher nachgehen soll.

II.

Was der Jahwist in Gen 2–11 darstellt, ist eine Frühgeschichte der Menschheit von der Entstehung des Menschen bis zum Stadium, da Menschen als in Völker, Völkergruppen, Wohngebiete und Sprachen

[49] KuD (1961) 75.

gegliederte Weltbevölkerung in Erscheinung treten, wie es J vor Augen ist. Dieser Zustand, erreicht noch ehe die Geschichte Israels mit Abraham überhaupt einsetzt, steht am Ende eines Geschehensverlaufes, der trotz des Fehlens genauer chronologischer Fixierungen (anders P!) durchaus als sukzessive, unumkehrbare Abfolge gefaßt ist. Das leitende Interesse in dieser vom Jahwisten gezeichneten Frühgeschichte der Menschheit ist jedoch keineswegs auf das Thema: Entstehung, Vermehrung, Ausbreitung der Menschheit beschränkt, schon gar nicht auf seine neutral-registrierende Darstellung in einer längst abgeschlossenen Vergangenheit; es ist vielmehr an der Gegenwart des J orientiert und entsprechend dem vorwaltenden Gepräge fast aller Abschnitte in Gen 2–11 als ätiologisches Interesse zu bestimmen,[50] das im Rahmen der Anfänge der Menschheit charakteristische, konstante Phänomene menschlichen Daseins und seines Lebensraumes überhaupt in Blick nimmt und in ihrer Erstmaligkeit und Begründung festhält. Allerdings in sehr eigenartiger Weise. Der Jahwist verankert auf diesem Wege weder bestimmte Staats- und Gesellschaftsformen Israels in der Urzeit noch konzentriert er sich wie P in ihrer Urgeschichte auf den Aufweis von Gott ein für allemal gesetzter Regelungen und Rahmungen, die allem Leben fortan vorgegeben sind. J sieht hier mit dem ihm eigenen Blick für gelebtes, erlebtes menschliches Leben in seiner Vielfalt und Konkretheit das menschliche Dasein, wie es in seinem Gesichtskreis erscheint, vielmehr mit all den charakteristischen Minderungen, die ihm mitgegeben sind; das Ineinander von Lebensmöglichkeit und Lebensminderung, das die Lage der Menschheit kennzeichnet, ist es, was J in Gen 2–11 bewegt, und dementsprechend ist die hier dargestellte Frühgeschichte der Menschheit als begründende Entstehungsgeschichte der elementaren Minderungen innerhalb der Lebensmöglichkeit, die dem Menschsein verliehen ist, gezeichnet. Diese Hinsicht ist derart dominant, daß sie nicht nur die Auswahl der zur Urgeschichte verarbeiteten

[50] Vgl. zur ätiologischen Gesamtintention einer Erzählung im ganzen, die die in ihr waltende Geistesbeschäftigung ausmacht, aber von ätiologischen Formeln und Motiven weder abhängig noch auf diese zu beschränken ist, jetzt vor allem *RSmend*, Elemente alttestamentlichen Geschichtsdenkens, ThSt(B) 95 (1968) 10ff. Diese ätiologische Gesamtintention eignet in der jahwistischen Urgeschichte allen Abschnitten mit Ausnahme der Darstellung des Sintflutvorgangs; auch die [illegible] von Gen 11 ätiologischen Akzent. J steht mit seinem Interesse, typische Aspekte des gegenwärtigen Zustandes der Menschheit durch Aufweis ihres erstmaligen Auftretens bei Einzelgestalten (selbst Gen 11₁ff zeichnet die Menschheit wie eine Einzelgestalt), die für Menschsein bis zu seiner Zeit repräsentativ sind, zu bewältigen, selbst der Denk- und Gestaltungsweise der Sage, der seine Überlieferungen hier zumeist entstammen, noch sehr nahe; vgl. zu dieser *vRad*, ATD 2, 22ff; ThLZ 88 (1963) 410ff; *KKoch*, Was ist Formgeschichte? (²1967) § 12; *Steck*, aaO 66ff.

Überlieferungen bedingt, sondern auch den Geschehensablauf selbst, wie er hier geboten wird, bestimmt: J setzt zwar ein mit der Schilderung eines schlechthin sinnvollen menschlichen Daseins ohne jede Minderung und Einbuße, wie es bei der allein waltenden göttlichen Initiative dem Menschen zusammen mit seiner Erschaffung eingerichtet worden ist, erzählt aber schon in der Fortsetzung der Paradiesgeschichte und anschließend in einer Reihe in sich abgeschlossener Einzelabschnitte, von denen keiner notwendig die weiteren fordert, aber doch jeder an dem vorangehenden ansetzt, wie sich menschliche Initiative der göttlichen Sinnbestimmung des Menschseins entzieht, sie stattdessen in immer neuen, typischen Anläufen selbst festzulegen und zu verwirklichen trachtet;[51] damit verstößt der Mensch aber gegen das von Jahwe Gegebene und zieht sich so ein Einschreiten Gottes nach dem anderen zu, das nur um der darin bleibend wirksamen Bewahrung Jahwes nicht als Vernichtung, sondern als Minderung menschlichen Daseins erfolgt. Alle jahwistischen Abschnitte in Gen 2–11 außer dem Sintflutgeschehen weisen in sich dieses Gepräge auf[52] und haben, zu einem Geschehens-

[51] Das typische Vergehen, wie es J fixiert, besteht in der Verwendung der dem Menschen zu eigen gewordenen »Erkenntnis des Guten und Bösen«, womit das Vermögen des Menschen gemeint ist, selbst (!) zu bestimmen, zu entscheiden, was ihm förderlich und abträglich ist; so treffend neuerdings bes. *HJStoebe*, ZAW 65 (1953) 201 und jüngst *WMClark*, JBL 88 (1969) 277f; zur Forschungsgeschichte vgl. *CWestermann*, BK I/5 (1970) 330ff. Der Akzent autonomer, von Gott gelöster Orientiertheit des Menschen an sich selbst ist für die jahwistische Fassung dieses Vermögens unverzichtbar, wie das positive Gegenbild zeigt, das J in 2_{18-23} und 12_{1-4a} (s. unten) zeichnet. Daß der Mensch dieses Vermögen besitzt, wird ihm von Jahwe bei J ausdrücklich attestiert (3_{22}), aber er besitzt es nur formal, ist damit nur wie Gott, nicht aber Gott geworden, insofern das vom Menschen autonom bestimmte Förderliche in Wahrheit das ihm Abträgliche ist, wie Gen 3 und die ganze Urgeschichte des J zeigt; was dem Menschen wirklich förderlich oder abträglich ist, kann nur Jahwe selbst bestimmen (2_{18}); die emanzipierten Bestrebungen des Menschen qualifiziert J in 6_5. – Vgl. zur Frage ausführlich *Steck*, aaO 34ff.64.88.90.96ff.99ff.107ff.119ff.

[52] Wichtige Einsichten in die Gleichartigkeit der Aussagestrukturierung der Urgeschichte des J finden sich schon bei *Westermann*, ThB 24, 47–58; BK I/1 (1966) 66–77, wo auch der oben genannte ätiologische Charakter bereits herausgestellt ist. Eine eingehende, sichtende Würdigung der von *Westermann* vorgelegten Untersuchungen zur Urgeschichte des J, die sich den religions-, überlieferungs-, traditionsgeschichtlichen Ergebnissen ebenso wie den vorgenommenen Bestimmungen der jahwistischen Aussageintention zuzuwenden hätte, kann im begrenzten Rahmens dieses Beitrags nicht vorgenommen werden. Ob der von *Westermann* vorgeschlagene Begriff »Erzählungen von Schuld und Strafe« geeignet ist, den Sachverhalt zu erfassen, kann man fragen; er ist einerseits zu weit, insofern auch sehr anders geartete Erzählungen im Alten Testament unter ihn fallen (zB 2Kön 1_{2ff}, vgl. dazu *OHSteck*, EvTh 27, 1967, 546ff), er ist andererseits zu eng, insofern er die Differenziertheit der jahwistischen Anlage dieser Erzählungen (Bewahrung!) nicht in sich hat. Wieweit derartige, an der inhaltlichen Strukturierung von Erzählungen orientierte Klassifizierungen im Rahmen der Gattungsfor-

ablauf zusammengefügt, unter diesem für J leitenden Aspekt ihren Zusammenhang, so daß die Frühgeschichte der Menschheit hier nun eine zunehmende, vom Menschen und seiner Art ausgelöste und allein dadurch weitergetriebene Überschattung und Reduktion der am Anfang von Jahwe vergebenen Sinnbestimmungen menschlichen Daseins darstellt.[53] In diesen Abschnitten, die die zunehmende Verschlechterung des Gen 2 von Jahwe gesetzten Zustandes anzeigen, schildert J seiner ätiologischen Sehweise entsprechend zwar Erstmaliges, aber nichts Einmaliges und schon gar nicht das Aufkommen von Verhäng-

schung verwendbar sind, müßte in einem weiteren methodischen Rahmen diskutiert werden.

[53] Im ersten Teil der Paradiesgeschichte (2_{4b-24}) erzählt J die Erschaffung und Ausstattung des Menschen und seiner Lebenswelt durch Gott, und zwar als positives Spiegelbild zu Gen 3 und den weiteren Aussagen der Urgeschichte: der von Jahwe gebildete Mensch ist von Gott versehen mit einem köstlichen Lebensbereich (2_{8-15}), den zu hegen Erfüllung menschlichen Wirkens ist (2_{15}), mit der lebensfördernden Regelung seines Daseinsvollzuges (2_{16f}), mit Tieren, die sinnvoll seiner Lebenswelt eingegliedert sind (2_{19f}) und mit der Frau als dem Wesen, dem er wie nichts anderem in Liebe zu einer Lebenseinheit verbunden ist ($2_{18.21-23}$). Dieses Schöpfungswerk ist auch beim Jahwisten ein Werk voller Harmonie und absoluter Förderlichkeit (gegen *Rost* in: Das kleine Credo und andere Studien zum AT, 39; *Rendtorff*, Smend-Festschrift 20). Hier ist der Mensch gezeichnet, wie er von Gott (!) mit allem Guten zu seinem Dasein versehen ist, ein Mensch, der das Förderliche seines Lebens in letzter Geborgenheit allein aus der Hand Gottes zu nehmen weiß und dem Wahn der Selbstbestimmung seines Daseins noch nicht verfallen ist. Aber schon die Fortsetzung in Gen 3 zeigt, wie die Aufkündigung dieser ursprünglichen Verbindung des Menschen mit Gott zugunsten emanzipierter Selbstbestimmung die in Gen 2 gestifteten Relationen des Menschen korrumpiert und mindert ($3_{11ff.15ff}$); im Kain- und Abelabschnitt Gen 4 ist es wieder der an sich orientierte, Benachteiligung durch Gott argwöhnende Mensch, der sich hier gar dazu treiben läßt, die zwischenmenschliche Relation (vgl. das mehrfache »dein Bruder«) durch Mord zu vernichten, angesichts dessen die neue Minderung eines Lebens ohne Kulturlandbesitz entsteht; ebenso die Verfluchung Kanaans (9_{18-27}), die, bei J im Familienkreis der Ahnherren der Weltbevölkerung spielend, ein weiteres Phänomen der Korrumpierung zwischenmenschlicher Relation durch die von Gott gelöste, an sich orientierte Art des Menschen bringt und im Unterschied zur räumlichen Trennung von den Kulturlandbewohnern (Gen 4) hier nun die weitere Minderung des Geknechtetseins bestimmter Bevölkerungsteile im Kulturland unter andere einträgt; in der Turmbaugeschichte schließlich treibt des Menschen Art die Menschen nicht gegeneinander, sondern zu einem die ganze Menschheit vereinenden Unternehmen der Selbstbestimmung, das gar den Ort Jahwes für erreichbar wähnt und damit faktisch in unüberbietbarer Weise gegen Gott agiert, was Verwirrung der Sprache und Zerstreuung der Wohngebiete als Minderung zur Folge hat, womit sich die Menschheit zuzieht, was sie selbst (!) verhindern wollte (vgl. 11_4 mit $_{8f}$; 11_{3f} ist geradezu eine Veranschaulichung von 6_5). – Vgl. die ausführliche Begründung und Entfaltung der oben gegebenen Charakterisierung von Gen 2 bei *Steck*, Paradieserzählung 30ff.74–98, zur Korrumpierung der Relationen des Menschen in Gen 3 ebd. 33ff.98ff.106ff.108ff.119ff.

nissen, die seitdem über der Menschheit walten: nicht nur die freilich erheblich eingeschränkte Ausstattung des Menschseins von Gen 2 und die im Anschluß daran aufgekommenen Minderungen und Bewahrungen bleiben ja fortan wirksam und prägend für die Lage der Menschheit, sondern auch die Art des Menschen, die den urgeschichtlichen Geschehensablauf evozierte, ist der Menschheit bleibend eigen, wie J ausdrücklich hervorhebt,[54] so daß Vergehen und Ergehen der Menschheit unbeschadet ihrer in Gen 2–11 dargestellten Erstmaligkeit auch weiterhin in ständiger aktueller Korrelation stehen. Was der Jahwist beim ersten Menschenpaar, im Kainitenabschnitt, in der Verfluchung Kanaans und in Völkertafel und Turmbau schildert, ist die Entstehungsgeschichte von Aspekten, von denen jeder die gegenwärtige Lage der Menschheit hinsichtlich Lebensmöglichkeit und Lebensminderung kennzeichnet und in wirksamer Andauer seiner Entstehungskomponenten prägt;[55] daß diese Aspekte am Ort ihrer Entstehung aufgesucht werden, ist ätiologischer Ausdruck ihrer umfassenden, andauernden Geltung und ihrer typischen Qualität; daß sie zu einem zusammenhängenden Geschehensablauf aneinandergeordnet werden, ist nicht nur in der Verwendung von Einzelüberlieferungen begründet, sondern Folge des Bestrebens, das gegenwärtige Erscheinungsbild solcher Lebensminderungen differenzierter zu erfassen, und zugleich Ausdruck, und zwar zielgerichteter[56] Ausdruck der Permanenz göttlicher Bewahrung und der Permanenz der fatalen menschlichen Art, die in der Lage der Menschheit walten.[57] Dabei bestimmen die Ausprägungen dieser Art auch den Aufbau der Entstehung und Vermehrung der Menschheit qualifizierenden Abschnitte in Gen 2–11; es ist kaum von ungefähr, daß J gemäß der Relationalität der menschlichen Art[58] an Anfang (Gen 3) und Ende (Gen 11) seiner Urgeschichte jeweils einen ausdrücklich oder doch faktisch gegen Gott selbst gerichteten Akt menschlicher Auflehnung, in Gen 11 gar der darin bezeichnenderweise einigen

[54] Vgl. Gen 6_{5} mit 8_{21}, wo dieselbe Zustands-Feststellung noch einmal getroffen wird; der כי-Satz begründet hier nicht לא־אסף, sondern das לקלל בעבור האדם (so treffend *Rendtorff*, KuD 1961, 73f), womit, wie sich ergeben hat, die Sintflut gemeint ist.

[55] Zu dieser Gegenwartsrelation der Abschnitte der jahwistischen Urgeschichte vgl. oben Anm. 50. In diesem Rahmen sind auch die Anachronismen begreiflich, die Gen 4; 9_{18ff}; *10 hinsichtlich des dargestellten Zeitpunktes bieten.

[56] Vgl. *vRad*, ATD 2, 127ff; TheolAT I (⁴1962) 177f; *Wolff*, ThB 22, 360f.

[57] Gegenüber der oben vorgenommenen Bestimmung der leitenden Aussageintention der jahwistischen Urgeschichte legt *Rost* alles Gewicht auf den Gedanken einer »durch Jahwes Eingreifen ständig zu vervollkommenden (Schöpfung), auf der Gott trotz der Sünde der Menschen ... seine Geschichte mit den Menschen vorantreibt.« (vgl. in: Das kleine Credo, 40); in solcher Charakterisierung der Urgeschichte ist die Absicht des J in ihr Gegenteil verkehrt.

[58] S. oben Anm. 53.

Menschheit als ganzer, stellt, während dazwischen zwei typische Ausprägungen dieser Art in ihrer Erstreckung zwischen den Menschen geboten werden (Gen 4; 9), die die zwischenmenschlichen Konsequenzen der Auflehnung gegen Gott, die Gen 3 ebenfalls schon vermerkt, in Blick nehmen.[59]

Zu dieser Bestimmung der die jahwistische Urgeschichte kennzeichnenden Aussageintentionen scheint sich allerdings der Sintflutabschnitt nicht zu fügen. Er schildert als einziger ja nicht ein erstmaliges, sondern, wie J ausdrücklich feststellt (8_{21}), ein streng einmaliges Geschehen; das Sintflutereignis stellt als einziges auch keine Lebensminderung, keine Bewahrung, sondern die Vernichtung der Menschheit dar, die, will man die Strafverfügungen der jahwistischen Urgeschichte als Klimax sehen, einen unüberbietbaren Höhepunkt ergibt, demgegenüber Gen 9–11 abfallen.[60] Doch muß schon der Tatbestand, daß die Sintflut die Entstehungsgeschichte der Lebensminderungen in Gen 2–11 nur unterbricht, davor warnen, das Sintflutgeschehen deshalb als einen definitiven Abschluß zu betrachten. Sieht man näher zu, so zeigt sich, daß sich auch der jahwistische Sintflutabschnitt trotz der Besonderheit des hier Erzählten völlig dem Aussageductus der Urgeschichte des J einfügt, wie wir ihn bisher bestimmt haben; man muß nur darauf achten, was J auch hier, in Prolog und Epilog, die er selbst gebildet hat, als das Bleibende, weiterhin Wirksame, die Gegenwart Bestimmende herausstellt. Nicht das Vernichtungsgeschehen selbst, sondern die fatale Art des Menschen, die J in 6_{5-8} als typisch und bezeichnend für Menschen fixiert,[61] und die Schwere des Urteils Jahwes angesichts dieser Art, sind es, die im Sintflutgeschehen als fortan Bleibendes erfaßt werden; und es ist zugleich die Größe und Dominanz der Bewahrung Jahwes, die J seinem Leser neben der Rettung Noahs und des Lebendigen bei ihm vor allem durch die ausdrückliche Feststellung der Einmalig-

[59] In diesem Aufbau liegt ein weiteres, konvergierendes Argument für die herkömmliche Abgrenzung der jahwistischen Urgeschichte, zu der unser Beitrag zurücklenken will.

[60] Vgl. die oben genannte Beobachtung *Rendtorffs* in KuD (1961) 75.

[61] J stellt hier fest, daß sich mit der Vermehrung der Menschen auch ihr Gen 3 erlangtes Vermögen, sich von Gott emanzipiert an sich selbst zu orientieren, ausgebreitet hat und daß der Mensch dieses Vermögen in all seinen Vorhaben ständig betätigt – kurz: daß dies des Menschen typische Art ist. Im Blick auf die von J bisher dargestellten (!) Einzelfälle wird hier in der Tat eine stetige, umfassende Zunahme der Sünde konstatiert; damit macht J aber nur ausdrücklich, was Gen 3 und 4 gemäß ihrem ätiologischen Charakter ohnehin als typisch menschliches Verhalten – ein positives kommt als vorfindliches gar nicht in Sicht – andeuten. Dies ist zu beachten, wenn man von ›einem lawinenartigen Anwachsen der Sünde‹ in der jahwistischen Urgeschichte spricht (so *vRad* ATD 2; vgl. auch TheolAT I, [4]1962, 167–178), das J als solches nicht wirklich darstellt und im qualitativen Sinne auch nicht meint.

keit und Unwiederholbarkeit des Sintflutgeschehens zeigen will in den Versicherungen des Epilogs, daß Jahwe trotz der typischen Art des Menschen, die nur der Vernichtung des Menschengeschlechtes wert ist, nie mehr Lebensmöglichkeit[62] und Leben auf Erden vernichten will (8_{21f}). Das Vernichtungsgeschehen der Flut hat somit nur eine mittelbare, aber sachlich gleichwohl wesentliche Funktion im Aussagegefüge der jahwistischen Urgeschichte: an ihm artikuliert J das Ausmaß der seine Urgeschichte weitertreibenden, menschlichen Vergehen als vernichtenswerte typische, charakteristische Art des Menschen, und an ihm unterstreicht er das Gewicht der ständigen göttlichen Bewahrungen, die im vollen Wissen und Betroffensein Gottes über die Auflehnung der Menschheit auch weiterhin ergehen. In diesem göttlichen Nebeneinander von schärfster Beurteilung des Menschen und gleichwohl weitergewährter Bewahrung des Menschen, das der jahwistische Sintflutabschnitt ausspricht, gibt J den stärksten Hinweis auf ein neues, jenseits der Urgeschichte einsetzendes Handeln Jahwes mit der Menschheit.[63] Auch diese theologische Funktion des Flutberichtes zeigt, daß man die Urgeschichte doch weiter von altorientalischen Vorbildern abrücken muß, als es zunächst erscheinen mag.[64]

[62] Darauf zielt der in Teil I unseres Beitrags diskutierte Sinn von $8_{21a\beta}$, wo Jahwe versichert, daß er nie mehr soweit wie in der Sintflut gehen wird, die אדמה, das fruchtbare Kulturland als Lebensbereich des Menschen, in ihrer Integrität und Kraft zu beeinträchtigen und außer Funktion zu setzen. In dieser Zusage liegt der auch Gen 9–11 charakterisierende Bewahrungsaspekt, vgl. *Steck,* aaO 39f Anm. 47.

[63] Vgl. *Wolff*, ThB 22, 361. – Bei J sind also das Sintflutgeschehen und alle anderen Vorgänge in Gen 2–11 zwar darin miteinander verbunden, daß sie von derselben Art des Menschen hervorgerufen sind und Reaktionen Jahwes auf diese Art darstellen, aber darin voneinander unterschieden, daß das Sintflutgeschehen als ausdrücklich einmaliges Geschehen gefaßt ist, während die »Strafen« aller anderen Geschehnisse bis in die Gegenwart hinein wirksam sind. Infolgedessen wird das Flutgeschehen um seiner Einmaligkeit willen nicht nur nicht als Verfluchungsakt dargestellt, sondern überhaupt aus jeder Fluchqualifikation herausgehalten; die unspezifische Bedeutung von קלל in 8_{21} legt sich demnach sowohl vom vorwaltenden Sinngehalt dieses Verbum und seiner jahwistischen Verwendung (vgl. oben Anm. 18.19) als auch von der Eigenart des Sintflutgeschehens in der Sicht des J nahe. Umgekehrt ist in den bis in die Gegenwart andauernden Strafen der anderen Geschehnisse in Gen 2–11 statt Vernichtung des Schuldigen immer auch noch die göttliche Bewahrung vor Vernichtung wirksam; sie bleibt weiterhin ständig erfahrbar und bewirkt die Eigenart der Strafen als Lebensminderung; dem Sintflutgeschehen als solchem fehlt dieser Aspekt; selbst das Überleben Noahs artikuliert diesen Aspekt nur insofern, als es anzeigt, daß Gott die Menschheit trotz seines Urteils überhaupt weiterbestehen ließ; Noahs Rettung in der Flut aber ist nicht Indiz andauernder Bewahrungserfahrung, insofern nur Noah und das Lebendige bei ihm in der Flut bewahrt wurde, die Menschheit nach ihm aber laut 8_{21f} für immer vor einer Sintflut bewahrt bleiben soll.

[64] Zu *Rendtorff,* KuD (1961) 75f. Die Frage nach den von J in die Urgeschichte auf-

Gen 2–11 ist im Sinne des Jahwisten ein Ganzes, das die typische, durch Lebensmöglichkeit und Lebensminderung zugleich geprägte Lage der Menschheit erfassen soll; eine Klimax liegt in der dazu dargebotenen Entstehungsgeschichte weder in dem Sinne vor, daß die Vergehen der Menschen immer schwerer, noch in dem Sinne, daß die Verfügungen göttlichen Einschreitens immer härter ausfallen, sondern nur insofern, als angesichts der andauernden menschlichen Art die Minderungen gegenüber der uranfänglichen Lage des Menschen durch weiter hinzukommende immer zahlreicher werden bis zu der Situation, in der sich die Menschheit im Gesichtskreis des Jahwisten befindet.

Doch sind es die urgeschichtlichen Geschehnisse nicht allein, die die Lage der Menschheit kennzeichnen; obwohl die Lebensminderungen und Bewahrungen weiterhin wirksam sind, obwohl auch die typische Art des Menschen weiterhin virulent bleibt, sind doch die im Zusammenhang des Turmbauunternehmens getroffenen Verfügungen die letzten, die Jahwe lebensmindernd über die Menschheit ausgehen läßt. Aber statt die Menschheit diesem Zustand einfach zu überlassen, hat Jahwe bei Abraham zur Überwindung dieses Zustands der Lebensminderung noch einmal ganz neu eingesetzt zu einer Geschichte segnender Lebenssteigerung, die Abraham und in ihm Israel und durch Israel, das als großes Volk im verheißenen Lande lebt, der ganzen Menschheit zugute kommen soll. In der ganzen von ihm dargestellten Frühgeschichte Israels hat der Jahwist zeichenhafte Verwirklichungen dieses neuen, seit Abraham dominierenden Gotteshandelns aufgewiesen,[65] in den Gegebenheiten seiner eigenen Zeit im davidisch-salomonischen Großreich die akuten Voraussetzungen seiner umfassenden Durchsetzung gesehen und damit der weltweiten Wandlung der ur-

genommenen Überlieferungen ist deshalb so schwierig, weil Gestalt und Vermittlung dieser Überlieferungen weitgehend unbekannt sind; präzise exegetische Einsichten in das Verfahren von J lassen sich aus den altorientalischen Parallelen zur Zeit noch kaum gewinnen. Sicher ist, daß J neben anderen (jedenfalls Gen 4; 9) auch Überlieferungen letztlich sumerischer Herkunft verarbeitet hat (Sintflut, Turmbau); ob er den Aufriß der sumerischen Königsliste oder des Atra(m)-ḫasis-Epos (vgl. dazu *GFohrer*, Einleitung, 95f. 144; *Westermann*, BK I/2, 95ff) gekannt hat und in welcher Überlieferungsgestalt, ist unbekannt, einer gewissen Verwandtschaft im Aufriß stehen tiefgreifende sachliche und stoffliche Unterschiede gegenüber. Von der sumerischen Königsliste und ihrem Einschnitt bei der Sintflut ist J nicht nur durch seine ätiologisch-gegenwartsbezogene Zeichnung der vorsintflutlichen Zeit, die nichts von einer unüberbietbaren Urzeit an sich hat, getrennt, sondern auch durch den Verzicht, die Existenz Israels und seines Königtums schon in der Urzeit zu verankern. Auch der Zug ur-abbildlicher Entsprechung fehlt bei J völlig.

[65] Vgl. bes. *Wolff*, ThB 22, 361ff.

geschichtlichen Lage der Menschheit in Segen.[66] Doch sollen uns diese schon mehrfach in der Forschung herausgestellten Sachverhalte hier nicht näher beschäftigen; wir haben vielmehr noch einen Blick auf Gen 12 1–3 zu werfen. In dieser grundlegenden Gottesrede an Abraham, auf die J in späteren Verheißungsreden mehrfach zurückgreift und der er eine Schlüsselstellung für das Ganze seines Werkes gegeben hat, wird jenes neu einsetzende Gotteshandeln, das auf die ganze urgeschichtliche Lage der Menschheit und ihre Überwindung zum Segen bezogen ist, eröffnet und programmatisch formuliert.[67] Daß hier der Neueinsatz liegt, wird, abgesehen von früher genannten Überlegungen, wieder vom jahwistischen Aufbau her deutlich: seit Beginn des Werkes, der Erschaffung des Menschen und seiner Lebenswelt, nimmt hier zum ersten Mal ein Geschehen wieder ganz bei der Initiative Jahwes seinen Ausgang; was J dazwischen von Jahwe erzählt hatte, waren alles ahndende, bewahrende Reaktionen auf des Menschen Art; J markiert in Gen 12 also einen der Schöpfungsinitiative vergleichbaren Neuansatz des Handelns Gottes mit der Menschheit. Die Rückbeziehung auf die Urgeschichte reicht aber noch weiter; dazu gehört, wie längst gesehen, der universale Horizont der Urgeschichte, den die Abrahamverheißung in V. 3 erreicht, ferner das in der Vätertradition bislang nicht beheimatete und von J hier ad hoc eingeführte Stichwort des Segens,[68] das die Lebenssteigerung der Lebensminderung der Ur-

[66] Gerade die Relation zur Völkerwelt mußte für J Gegenstand seiner Erwartung gewesen sein, vgl. zu dieser jüngst *Wolff,* ThB 22, 369f; *W.Zimmerli,* Der Mensch und seine Hoffnung im Alten Testament (1968) 49ff; *Schottroff,* Fluchspruch 38–40. Hinsichtlich der Urgeschichte hat J in seiner Erwartung gewiß eine Überwindung der dort entstandenen Lebensminderungen im Auge; wieweit dabei für Israel und die Menschheit geradezu eine restitutio in integrum erwartet wird (Tierfriede, schmerzfreie Geburt, müheloser Ackerbau, Einheit von Sprache und Wohngebiet der Menschheit, gar Wiederkehr des Paradieses im Lande Israels, das J in Gen 2 vielleicht mit Bedacht vom Zion [vgl. dazu Jes 11 6–9; Ez 36 35] wegverlegt hat, usw.) ist dem erhaltenen Bestand des jahwistischen Werkes nicht mehr zu entnehmen; vgl. aber die Vermutung unten Anm. 70.

[67] Die Funktion von Gen 12 1–3 im jahwistischen Werk ist nicht mit einem Wort zu erfassen; der Text ist einerseits das Klammerstück zwischen Ur- und Vätergeschichte, andererseits die Aussage, auf die Gen 2–11 insgesamt hinzielt, die aber auch eine programmatische, Väter- und Frühgeschichte Israels bis in die Gegenwart des J übergreifende Bedeutung als Qualifikation aller Zukunft Israels und der Menschheit hat, weshalb man sie unter dieser Hinsicht mit *von Rad* als »Abschluß« der Urgeschichte bezeichnen kann (vgl. ThB 8, 72 (vgl. aber 73); ATD 2, 129; TheolAT I [4]1962, 174. 178), der im Unterschied zu den anschließend von J berichteten Einzelgeschehnissen der Frühgeschichte Israels selbst noch gleichsam urgeschichtliche Eigenschaften und Funktionen hat.

[68] Von J stammt auf jeden Fall die Einführung des Segens in die Verheißungen der Väterüberlieferung, da Segen nirgends als überlieferungsgeschichtlich vor J verankerter Verheißungsinhalt faßbar wird (vgl. auch *Westermann,* ThB 24, 26);

geschichte gegenüberstellt, vor allem aber das Menschenbild, das hier in Korrelation zur Segensgewährung steht: die Gottesrede an Abraham ist mit Bedacht so gestaltet, daß der Verheißung ein menschliches Verhalten entspricht, das entgegen der typischen, an sich orientierten und selbst das Förderliche des Daseins bestimmenden Art des Menschen wieder mit Menschsein in seiner sinnvollen Verwirklichung konvergiert, wie sie nach Gen 2 bei der Schöpfung von Jahwe intendiert ist. Das Wort Jahwes an Abraham und Israel ruft den Menschen, der nicht selbst das völlig Ungesicherte der hier ergehenden Aufforderung wägt und ablehnt, sondern der sich der Führung Jahwes willig und vertrauensvoll überläßt,[69] und es hat hinsichtlich der übrigen Menschheit den Menschen im Blick, der sich wiederum nicht an sich selbst orientiert, sondern der auf das Gesegnetsein Abrahams, Israels sieht, hierin und nicht mehr in eigenen Planungen das Förderliche auch seines Lebens anerkennt und so selbst Segen Jahwes erwirbt (12_3). Was bewirkt diese Befreiung der Menschheit aus ihrer selbstbezogenen, den Planungen des eigenen Herzens verfallenen Art? Es ist Jahwe selbst; er eröffnet die Wende bei Abraham und Israel durch die Vergabe der Verheißung, auf die hin sich der Mensch in Gehorsam orientieren kann, er eröffnet sie bei der übrigen Menschheit durch die Geschichte Israels als einer von ihm geführten Geschichte des Segens; sie ist das Zeichen, das die Menschheit im ganzen in die Segnung Jahwes zu leiten vermag. Damit hat der Jahwist Israel größte Bedeutung zugewiesen, und es spricht manches an Gen 12_{1-3} dafür, daß er hier in Abraham nicht nur Israel, sondern als Repräsentanten Israels wiederum den davidischen König im Auge hat; [70] ob man allerdings seine Aussageintentionen als

zu *AJepsen,* WZLeipzig 3 (1954) 273f; *Schreiner* BZ (1962) bes. 29; *Wolff,* ThB 22, 355f; ob er dafür einen Anhalt in einem schon in der Vätertradition verwurzelten Segens-Begriff hatte, ist zweifelhaft. Zu überprüfen wäre vielmehr, ob nicht die ganze Segensterminologie von Gen 12 der Königstradition entstammt (s. unten Anm. 70).

[69] Vielleicht hat J auch schon Noah in diesem Sinne gezeichnet, wenn die Aufforderung zum Bau der Arche eine Gehorsamsprobe darstellt (vgl. bes. *Gunkel, vRad* zSt; anders *HHSchmid,* Gerechtigkeit als Weltordnung, 1968, 106f); Sicherheit ist hier freilich nicht zu erreichen, da zwischen 6_8 und 7_1 im J-Bericht eine Lücke ist. – Daß dieses von Abraham in 12_{1-4a} gezeigte Verhalten so wenig wie der Segen bei Israel und der übrigen Menschheit schlagartig typisch wird, vielmehr gegenüber der urgeschichtlichen Art des Menschen, an der auch Israel weiterhin teil hat, bewährt werden muß, zeigt J im Fortgang seines Werkes mehrfach, vgl. *M-LHenry,* Jahwist und Priesterschrift (1960) 10ff; *Wolff,* ThB 22, 361ff. – Zum Verhalten Abrahams in 12_{1-4a} vgl. *Steck,* aaO 125ff.

[70] Das legen schon historische Überlegungen nahe, vgl. jetzt *REClements,* Abraham and David, 47ff, bes. 58ff!; *JScharbert,* Prolegomena 60ff; *PFEllis,* The Yahwist (engl. Ausg. 1969) 189ff. Aber möglicherweise ist auch die bislang noch völlig offene form- und traditionsgeschichtliche Frage an Gen 12_{1-3} aus dieser Richtung zu

Jerusalemer Hoftheologie qualifizieren darf, muß zweifelhaft erscheinen;[71] einiges deutet darauf hin, daß der Jahwist, weisheitlich gebildet,[72] in den Raum eines königstreuen Landjudäertums gehört, dessen Gesichtskreis, Denken und Traditionen ihn noch maßgeblich prägen.[73]

beantworten. Auf hier einwirkende Königsvorstellungen kann nicht nur die Form (vgl. oben Anm. 42 und besonders *Schottroff*, Fluchspruch 170ff) hinweisen, sondern vor allem der Zusammenbestand charakteristischer Verheißungsinhalte in Gen 12, so: die Segnung durch Gott (vgl. das altorientalische Material bei *Schottroff*, aaO 178ff und zB Ps 21_{4}, vgl. 2Sam 7_{29}), das Großmachen des Namens (vgl. mit *Wolff*, ThB 22, 356 2Sam 7_{9}), »so daß du ein Segen wirst“ (vgl. mit *Schreiner*, BZ 1962, 5 Ps 21_{7}, vgl. auch 2Sam 6_{18}; 1Kön $8_{14.55}$ und zum König als Segensvermittler *Mowinckel* V, 21), V. 3b schließlich ist mit Ps 72_{17} zu vergleichen. Träfe diese Herleitung zu, dann verlohnte es der Überprüfung, ob nicht die Gen 2–11 genannten Lebensminderungen von J als negativer Kontrast zu den Lebenssteigerungen gesehen sind, die man im altorientalischen »Hofstil« mit dem Regierungsantritt des Königs verband, vgl. das bei *KHBernhardt*, Das Problem der altorientalischen Königsideologie im Alten Testament (VTS VIII, 1961) 68f nachgewiesene Material, zB die bekannten ägyptischen bzw. mesopotamischen Belege (s. AOT² 23–25. 328). Die Repräsentanz Abraham-Israel-König, die Gen 12 voraussetzte, ist allerdings von der Königsauffassung der Jerusalemer Kultüberlieferung, wie sie die Königspsalmen spiegeln, unterschieden; dort spielt Israel im Blick auf das Königtum keine Rolle; das Königtum ist vielmehr ausschließlich auf den Weltkönig Jahwe auf dem Gottesberg Zion bezogen (vgl. Ps 2 und besonders Ps 89_{20ff} mit 2Sam 7_{8ff}). – Zur Frage der Beziehung von Gen 12 auf den König vgl. auch die eingangs (s. Anm. 3) genannte Arbeit von *WBrueggemann*, der mit seiner Hypothese, in J zeichne sich die Familiengeschichte Davids ab und die Urgeschichte sei geradezu in Entsprechung zu bestimmten Szenen der Thronnachfolgegeschichte gestaltet, über das in den Texten selbst Erkennbare erheblich hinausgeht.

[71] Zu *SMowinckel*, Erwägungen zur Pentateuchquellenfrage (1964) 55ff; *WRichter*, Urgeschichte und Hoftheologie (s. oben Anm. 3), der in Gen 2–11 allerlei Motive zusammenträgt, die nicht nur auf den König, sondern sogar auf Jerusalem und den Tempel deuten sollen – ein schier durchweg nicht überzeugendes Verfahren, das vorschnelle motivgeschichtliche Kombinationen an die Stelle sorgfältiger, traditionsgeschichtlicher Analyse setzt; geradezu fatal ist die Fehldeutung der אדמה auf das Land Palästina (vgl. aaO 99. 104), sogar in 12_{3}!; aber in Gen 28_{15} ist »diese adama«, keineswegs mit »der adama«, von der J V. 14 und in Gen 2–12 spricht, identisch! Vgl. אדמה vielmehr *Rost* in: Das kleine Credo, 77ff; *JG Plöger*, ThWAT I/1 (1970) 95ff.

[72] Vgl. dazu *vRad*, TheolAT I (1957) 158; die bei *JLCrenshaw*, JBL 88 (1969) 129 Anm. 1 genannte Lit.; *JBlenkinsopp*, in: VTSuppl XV (1966) 50ff; *WHSchmidt* (s. oben Anm. 3).

[73] Darauf deutet zunächst der Gesichtskreis des Jahwisten, den er in seiner Urgeschichte freigibt: unbeschadet der weisheitlichen Bildung, einiger Kenntnisse von Mesopotamien (Gen 10; 11), von außerisraelitischen Überlieferungen, ist sein Interesse auf Gegebenheiten gerichtet, die der Landbewohner in Blick nimmt: Kulturland und Steppe, kulturlandbesitzende Bauern und nomadisierende Gruppen, Mühsal des Ackerbaus, Weinbau, Wasser, Rhythmen im landwirtschaftlichen Jahr, Tiere, Gefährdung durch die Schlange, die Familie, die Frau; bezeichnend auch, daß das Paradies als wohlbewässerte Oase mit mühelosem Ernten vorge-

Aller Beachtung wert ist, wie J gemäß 12_{1-3} Israel sieht: angesichts seiner imposanten Darstellung im Großreich Davids im Kreis der Völker ist jede Hybris aus dem Selbstbewußtsein Israels hinausgebannt:[74] was Israel jetzt ist, ist es geworden in Kraft des Segens Jahwes, den er Abraham verheißen hat; und was Israel jetzt ist, ist es zur Wahrnehmung einer einzigen Aufgabe: es soll Zeichen des Segens Jahwes sein, das die

stellt wird. Auf diesen Raum weisen wahrscheinlich auch im Hintergrund stehende gesellschaftliche Vorstellungen und Einrichtungen: Familie, Sippe, Sippenverband 12_1, vgl. dazu jetzt *FIAndersen*, BiTrans 20, 1969, 29ff und zu jahwistischen Gemeinschaftsvorstellungen überhaupt *Steck*, aaO 33ff (38 Anm. 45 Lit.). 89ff.106ff. 108ff.119ff), als der offenbar die ganze Menschheit verstanden wird (9_{18f}; *10; 12_3!), weshalb sie auch zusammen wohnen sollte (11_{1ff}), die Bedeutung des Fluches in der Urgeschichte (vgl. dazu *Schottroff*, Fluchspruch 199ff, bes. 206ff. 232f), die Beargwöhnung der Stadtkultur, die Menschen bewahrend gewährt ist, die keinen Kulturlandanteil haben (4_{17ff}), vielleicht auch des Herrschertums mit seinen städtischen Zentren (10_{8ff}), während das Königsamt positiv im Zusammenhang mit dem Volk, etwa als Haupt von Sippenverband, Stämmen gesehen wird (12_{1-3}?), vgl. auch 2Sam 7_{8ff}, den alten Kern der Nathanweissagung (so *Martin Metzger* in seiner Hamburger Probevorlesung 1969, der auch die ganz anders geartete, jerusalemische Ausprägung in Ps 89_{20ff} herausgestellt hat). Hinzu kommt die große Bedeutung, die J den Überlieferungen des vorstaatlichen Israel in seinem Werk eingeräumt hat, ferner die Nähe seiner Darstellung zu vorstaatlichen Erzählformen und sein ätiologisch geprägtes Denken. Entstammt J einem davidstreuen Landjudäertum, dann wird auch der seltsame Befund verständlich, daß J dem doch sicher zu seiner Zeit schon im Schwange befindlichen Prozeß der israelitischen Adaption jebusitischer Überlieferungen, abgesehen von Königstraditionen, so fern steht, daß Zion, Weltkönigtum Jahwes, aber vor allem auch Jerusalemer Schöpfungsvorstellungen keine Rolle spielen, wie ja überhaupt das spezifische Blickfeld eines Städters in der Residenzstadt Jerusalem zur Zeit Davids, Salomos bei J so gut wie völlig fehlt, während umgekehrt in den typisch Jerusalemer Kulttraditionen, wie sie die Psalmen erkennen lassen, weder das Volk noch die Überlieferungen der Frühgeschichte Israels eine wirklich maßgebliche Rolle spielen. Trotz gewisser Wechselwirkungen (vgl. zB Ps 47_{10} mit Gen 12_3! und umgekehrt das Aufgreifen der wohl Jerusalemer Völkerthematik in J) ist doch zu fragen, ob im Territorium des Südreiches nicht zwei verschiedene theologische Strömungen zu unterscheiden sind – die Jerusalemer Theologie, die entscheidend von rezipierten jebusitischen Vorstellungen geprägt ist, und die theologische Prägung des Landjudäertums, zu dessen ersten Exponenten 2Sam 7_{8-16}, aber eben vor allem auch der Jahwist gehörte; theologiegeschichtlich zu überprüfen wäre, ob sich nicht Beobachtungen ergeben, daß hier auch Amos, Micha, der in seiner Erwartung nicht auf den davidischen König, aber auf den Zion ver- [illegible] Über-lieferungen (Prophetenerzählungen, Hosea, Deuteronomium, elohistische Überlieferung), JE, aber auch Dtr und eine dtr-redaktionelle Verbindung von JE mit dem dtr Geschichtswerk (Dtn bis 2Kön) einzustellen sind, mit der wohl gerechnet werden muß, bevor in einem abschließenden Redaktionsgang die Priesterschrift in dieses von Gen bis 2Kön reichende Geschichtswerk zumal im Tetrateuch maßgeblich eingearbeitet wurde und in den von P nicht mehr gedeckten Partien bis 2Kön wenigstens einzelne priesterliche Akzente (zB 1Kön 8; 18) gesetzt wurden.

Völker zu überwinden vermag, auf daß alle aus dem urgeschichtlichen Raum der Daseinsminderung hinübergelangen in den Raum des Segens. Mit der grundlegenden Verheißung an Abraham hat der Jahwist nicht nur Urgeschichte und Heilsgeschichte unlöslich verklammert; nach einem Wort *Gerhard von Rads,* dem zu Dank und Ehren unser Beitrag geschrieben ist, hat der Jahwist damit zugleich »die Ätiologie aller Ätiologien Israels« gegeben.[75]

[74] Vgl. *M-LHenry,* Jahwist und Priesterschrift (1960) 15ff; *Wolff,* ThB 22, 369f.
[75] ThB 8, 73.

PETER STUHLMACHER

ZUR INTERPRETATION VON RÖMER 11 25–32

Nach wie vor stellen die bekannten Kapitel Röm 9–11 einen Testfall gegenwärtiger Paulusinterpretation dar. Im exegetischen Urteil über diesen Komplex des Römerbriefes wirkt sich unverkennbar aus, welches Bild man von der Rechtfertigungstheologie des Apostels hat, wie man den Charakter des Römerbriefes beurteilt und in welcher Weise man die Missionskonzeption des Paulus ansieht.

Besonders deutlich hat sich dies in den letzten Jahren an der Diskussion um Begriff und Phänomen der Gottesgerechtigkeit gezeigt. Der extremen Individualisierung der Rechtfertigungslehre und dem radikalen soteriologischen Verständnis der Gottesgerechtigkeit entspricht bei *RBultmann* eine deutliche Zurückhaltung und Kritik gegenüber Röm 9–11.[1] Umgekehrt rücken im Zuge einer schöpfungstheologisch bezogenen Rechtfertigungstheologie und eines christozentrischen Verständnisses der Gottesgerechtigkeit bei *EKäsemann* Röm 9–11 in den Mittelpunkt des Interesses.[2] Versteht man ferner den Römerbrief in erster Linie als lehrhaftes Vermächtnis des Apostels und folgt man zudem *Bultmanns* Rechtfertigungsinterpretation, dann erscheinen Röm 9–11 als ein nicht zufällig erst nach den acht Anfangskapiteln stehender Exkurs zum Israelproblem.[3] Sieht man hingegen im Römerbrief historisch weniger das theologische Testament als vielmehr ein in die Zukunft weisendes missionsgeschichtliches Dokument, dann interessieren Röm 9–11 schon deshalb in hohem Maße, weil diese Kapitel besonderen Aufschluß geben über Sinn und Hintergrund der paulinischen Heidenmission.[4]

[1] Vgl. *RBultmann*, Geschichte und Eschatologie (1958) 48; ders., Geschichte und Eschatologie im Neuen Testament, in: Glauben und Verstehen III (1960) 101 (91–106); ders., Theologie des Neuen Testaments (⁵1965) 484.

[2] *EKäsemann*, Gottesgerechtigkeit bei Paulus, in: Exegetische Versuche und Besinnungen II (1964) 191 (181–193); ders., Paulus und Israel, EvB II, 194–197; ders., Rechtfertigung und Heilsgeschichte im Römerbrief, in: Paulinische Perspektiven (1969) 108–139, bes. 132ff.

[3] *GBornkamm*, Paulus, Urban-Bücher 119 (1969) 103ff. 155ff.

[4] Vgl. *Peter Richardson*, Israel in the Apostolic Church, SNTS-Monograph-Series 10 (1969) 126ff.; *GSchrenk*, Der Römerbrief als Missionsdokument, in: Studien zu Paulus, AThANT 26 (1954) 81–106, bes. 98ff; *WGrundmann*, Paulus aus dem Volke Israel, Apostel der Völker, NovTest 4 (1960) 267–291; *JohMunck*, Christus und Israel, Acta Jutlandica, teol. Ser. 7 (1956) 14ff u. passim.

Bei einem theologisch so brisanten und gleichzeitig historisch diffizilen Problem kommt es freilich nur zu leicht zu Scheinalternativen, die der Erkenntnis der historischen Sachverhalte ebenso abträglich sind wie für die theologische Wahrheitssuche hinderlich. Es ist daher sehr begrüßenswert, daß sich *Ulrich Luz* in seinem imponierenden und anregenden Buch über »Das Geschichtsverständnis des Paulus«[5] bemüht hat, das Spezialproblem von Röm 9–11 im Zusammenhang des paulinischen Geschichtsdenkens überhaupt sehen zu lehren. Der Gewinn dieser Zuordnung ist der, daß man Vergleichsmöglichkeiten gewinnt und mindestens drei Charakteristika paulinischer Geschichtsbetrachtung erkennt. Sinngebende Mitte aller paulinischen Verkündigung, also auch der Darlegungen von Röm 9–11, ist der gekreuzigte und auferstandene Christus. Von diesem Christus läßt sich missionarisch und theologisch nur im Glauben sprechen; dementsprechend ist der Glaube der Beziehungs- und Ansatzpunkt des paulinischen Evangeliums, des paulinischen Geschichtsdenkens und der drei Kapitel Röm 9–11. Der Glaube aber ist bei Paulus nicht Selbstzweck, sondern dankbare und gehorsame Anerkennung der Offenbarung Gottes in der Sendung Jesu Christi. Der Lobpreis Gottes wird so zu der Gegenwart und Zukunft erfüllenden eigentlichen Tat des Glaubens. Auf den Lobpreis Gottes zielen infolgedessen letztlich alle paulinischen Reflexionen über die Geschichte und, wie 11$_{33-36}$ ausdrücklich dokumentieren, auch die Erörterungen von Röm 9–11 ab. Folgt man dieser Argumentation, dann dürften in der Tat die in der Diskussion immer wiederkehrenden Antithesen einer anthropozentrischen oder theozentrischen Rechtfertigungslehre des Paulus, oder einer schematisch geordneten Geschichtskonstruktion einerseits und eines sich bereits als Ende der Geschichte erfahrenden individuellen Glaubens andererseits als Scheinalternativen entlarvt sein, in die man nur um den Preis des Unverständnisses der paulinischen Tradition zurückfallen darf.

Wendet man sich freilich, dergestalt belehrt und bereichert, erneut der konkreten Exegese unserer drei Kapitel zu, dann zeigt sich alsbald, daß auch die von *Luz* erarbeiteten drei Koordinaten der Christologie, des Glaubens und der doxologischen Ausrichtung alles Denkens auf Gott sinnvoll nur erst eine hermeneutische Ortsangabe für die Beschäftigung mit Paulus abgeben können, also nicht sogleich als theologische Ergebnisse einer Analyse von Röm 9–11 ausgegeben werden dürfen. Wie wichtig solche Differenzierung ist, zeigt insbesondere ein Textabschnitt, der unserem historischen und theologischen Bemühen bis heute zwar größte Widerstände entgegensetzt, sich aber innerhalb der von *Luz* erarbeiteten Richtungsangaben sinnvoller diskutieren läßt als zu-

[5] BEvTh 49 (1968).

vor, nämlich das apostolische Mysterium über die Wiederannahme ganz Israels Röm 11$_{25-32}$.

1.

Luz hat gerade diesen Abschnitt mit Recht ausführlich behandelt. Während *Christoph Plag* in seiner neuen Arbeit über »Israels Wege zum Heil«[6] die Einheitlichkeit des Stückes anficht und 11$_{25-27}$ als einen sekundären Einschub betrachten will, der aus einem unbekannten Paulusbrief »aus irgendeinem Grund nach Röm. 11 versetzt worden ist«,[7] insistiert *Luz* auf dem Zusammenhang der Verse 25–32. Er erkennt in ihnen in der Nachfolge *Ernst Gauglers* »das Zentrum des ganzen Abschnittes R. 9–11«[8] und teilt den Abschnitt ein in V. 25–27, welche Verse »das eigentliche Mysterium enthalten, das dann in V. 28–32 interpretiert und fruchtbar gemacht wird«.[9] Wie man *Luz* bei dieser Sicht des Gesamtstückes und seiner Gliederung gern folgen wird, so verdienen auch seine exegetischen Einzelergebnisse Beachtung. Ohne sich im ganzen auf zitierbare Tradition abstützen zu können, gibt der Apostel seinen Äußerungen durch das in V. 25 genannte Stichwort μυστήριον »die Autorität eines Mysteriums, d. h. eines auf menschliche Autorität hin allein nicht sagbaren Satzes«.[10] Paulus stellt das Mysterium möglicher heidenchristlicher Selbstüberschätzung entgegen und verkündet in ihm die unerwartete, rein gnadenhafte Errettung ganz Israels, wobei das semitisierende πᾶς Ἰσραήλ kollektiv zu verstehen ist, also das Ganze aus dem derzeit verstockten Israel (V. 25) und dem schon zum Glauben gekommenen »Rest« (11$_{1ff}$) meint. Paulus will das Mysterium »ausdrücklich als Explikation der in Jesus Christus geschenkten Gnade verstanden wissen«[11] und stellt es deshalb ins Licht eines nicht nur auf die Parusie, sondern auf »das Christusgeschehen insgesamt« zu beziehenden Schriftzitates (V. 26f).[12] – Die Auslegung der Verse 25–27 in V. 28–32 steht unter dem Gesichtspunkt der Verkündigung des Gottseins Gottes. Paulus interpretiert dieses Gottsein kühn als reine Gnade, so daß Israels gegenwärtige Verstoßung und seine kommende Wiederannahme als Ausdruck ein- und desselben Verhaltens Gottes erscheinen und gleichzeitig deutlich werden kann, daß und wie Gott sich selbst in

[6] Arbeiten zur Theologie, 1. Reihe, Heft 40 (1969).
[7] aaO 60.
[8] *Luz*, aaO 268; vgl. *EGaugler*, Der Brief an die Römer, 2. Teil, Prophezei (1952) 198ff.
[9] aaO 286.
[10] aaO 289, vgl. 292.
[11] aaO 295, im Original kursiv.
[12] aaO 295.

der Geschichte treu bleibt. V. 32 ist der Höhepunkt und Spitzensatz dieser Verkündigung der Gnade Gottes. Er proklamiert die endzeitliche Bekehrung Israels als iustificatio impii, sagt also demonstrativ: »So bleibt Gott bei sich selbst, daß er sein Erbarmen über den Ungehorsam triumphieren läßt«.[13] – Insgesamt ergibt sich also, daß es sich in Röm 11_{25-32} nicht, wie *Bultmann* meinte, um ein bloßes Produkt spekulativer Phantasie handelt, sondern um ein wirkliches Mysterium des Glaubens, welches das Geheimnis der Gnade Gottes wahrt und von der Zukunft dieser Gnade spricht, um gerade die Gegenwart der Verstocktheit Israels nicht der Gottferne preiszugeben.[14] – Wie gesagt, den Grundzügen dieser theologisch fruchtbaren Interpretation wird man gern zustimmen. Aber – ist sie historisch schon präzis genug? Daß sie innerhalb jener drei Grundkoordinaten, die *Luz* für das paulinische Geschichtsdenken erarbeitet hat, verläuft, ist deutlich zu erkennen. Wahrt sie aber auch streng genug die zunächst nur hermeneutische Funktion dieser Koordinaten?

Man wird dies nicht sogleich konzedieren dürfen. Jedenfalls nicht, ohne auf die eigentümliche Allergie aufmerksam gemacht zu haben, mit der *Luz* im Grunde auf jeden vorstellungsgebundenen Versuch reagiert, die paulinische Geschichtskonzeption überschaubar in einem horizontal gegliederten Geschichtsentwurf zu erfassen. Ähnlich wie *HConzelmann*, der in Röm 9–11 gerade »kein Geschichtsbild, sondern eine Erwählungs- und Gnadenlehre« erkennen will, eine Gnadenlehre, deren Zusammenhalt nur die unanschauliche »Kontinuität der Freiheit des Erwählens Gottes« bildet,[15] äußert sich auch *Luz*. *Cullmann* gegenüber möchte er in seinem Buch »zu zeigen versuchen, daß nicht der Ereignis*zusammenhang*, verstanden als Einordnung der einzelnen Ereignisse in einen nur auf einer Horizontale darzustellenden Geschichtsentwurf, für das paulinische Denken der Ausgangspunkt ist, sondern nun doch die Interpretation der ›vertikalen‹ Gnade Gottes, ein Sprachgeschehen, das sich aber gerade der Horizontalen zur Manifestation von Gottes Gottheit bedient«.[16]

Die Probe auf die Tragfähigkeit dieser These stellt in unserem Zusammenhang die Auslegung der Verse 26 + 27 dar. Hier bedarf die

[13] aaO 299.

[14] aaO 299f.

[15] Grundriß der Theologie des Neuen Testaments (1967) 274.

[16] aaO 278 Anm. 51, Hervorhebung im Original. Ich halte die Diskussion mit *Cullmann* (Heil als Geschichte, 1965, und Christus und die Zeit, ³1962), die *Luz* sein ganzes Buch über führt, für notwendig. Ich sehe leider nur nicht, daß und wie *Luz* die von ihm bejahte Manifestation der Gottheit Gottes im horizontalen Geschichtsverlauf seinerseits noch wirklich mit Paulus zu explizieren bereit wäre. Vgl. zur Sache auch *Käsemann*, Rechtfertigung und Heilsgeschichte im Römerbrief (s. Anm. 2) 132f.

Exegese von *Luz* aber m. E. gerade der Korrektur. – Da *Christoph Plag* die Einheitlichkeit des Zusammenhangs von V. 25–32 bestritten hat und V. 28 unmittelbar an V. 24 anschließen läßt, ist auch auf den schwierigen Vers 28 einzugehen. Interessanterweise ordnet Paulus hier ja selbst die Verkündigung des Evangeliums an die Heiden in epochale Zusammenhänge ein, die über diese Verkündigung bereits hinausweisen. Auch diesen auffälligen Tatbestand streift *Luz* nur beiläufig, ohne ihn exegetisch wirklich aufzunehmen. – Schließlich aber ist noch einmal auf V. 32 einzugehen, weil dieser Spitzensatz paulinischer Gnadenverkündigung die Korrelation von Rechtfertigung und Geschichtsdenken bei Paulus klassisch zu exemplifizieren erlaubt und gleichzeitig dokumentiert, wie Geschichtsbetrachtung und Eschatologie sich für den Apostel von der Christusverkündigung her verzahnen.

2.

Nachdem Paulus heidenchristlichem Enthusiasmus gegenüber in V. 25 betont darauf hingewiesen hat, die gegenwärtig zum Teil über Israel von Gott verhängte Verstockung werde nur dauern bis die apokalyptisch gesetzte Vollzahl der Heiden herzugekommen sei, läßt er V. 26f folgen. In welchem Sinne? *Luz* wehrt sich zunächst mit Recht dagegen, καὶ οὕτως πᾶς Ἰσραὴλ σωθήσεται mit *Zahn*,[17] *Jülicher*,[18] *Althaus*,[19] *Michel*,[20] *Barrett*[21] u. a. einfach im Sinne von καὶ τότε, also »und dann« bzw. »alsdann« zu übersetzen. Weder geht dem καὶ οὕτως ja ein temporaler Nebensatz voran, noch ein Genitivus absolutus oder ein Participium coniunctum, die solche Wiedergabe rechtfertigen würden.[22] Wie aber ist dann zu verstehen? *Luz* meint, es sei gerade die oft übersehene Feinheit des Textes, es bei einem schwebenden »und so« lassen zu wollen. Entgegen der Vermutung in den genannten Kommentaren vermeide es der Apostel, einen chronologischen Dreistufenplan zu entwickeln, welcher die Verhärtung Israels, das Herzukommen bzw. Eingehen der Fülle der Heiden und die Bekehrung ganz Israels einander heilsgeschichtlich nachordnet. Paulus stellt nach *Luz* die Bekehrung Israels »gerade nicht als Bestandteil einer endzeitlichen Er-

[17] Der Brief des Paulus an die Römer, KNT 6 ([illegible]1910) 523.
[18] Göttinger NT, II³ 306.
[19] NTD III (1968) 117.
[20] Der Brief an die Römer, MeyerK. 4. Abtlg. (⁴/¹³1966) 278.
[21] A Commentary on the Epistle to the Romans, Black's New Testament Commentaries (1957) 223.
[22] Vgl. *HGLiddell* & *RScott*, A Greek English Lexicon (⁹1961) s. v. οὕτως I 7 (1277); *RKühner-BGerth*, Ausführliche Grammatik der griechischen Sprache II³ 83.

eignisabfolge« dar, sondern legt nur Wert auf »die Art und Weise der Bekehrung Israels ... Der Skopus des Mysteriums ist also nicht, daß *dann*, nach der Heidenbekehrung, auch noch ganz Israel gerettet werden wird, sondern: Israel wird auf unerwartete und paradoxe Weise gerettet, nämlich, indem es bis zur Bekehrung der Heiden der Verhärtung preisgegeben wird.«[23] Das καὶ οὕτως weist also nur auf die Paradoxie der Errettung Israels hin und widersetzt sich einer horizontalgegliederten Geschichtsschau.

Diese exegetische Schlußfolgerung dürfte jedoch verfrüht sein. Schon *Lietzmann* hatte mit sicherem philologischen Gespür übersetzt: »und so wird (dann schließlich) ganz Israel gerettet werden, wie geschrieben steht ...«, also καὶ οὕτως im Sinne eines nach vorn verweisenden und mit καθώς zu verbindenden Adverbs aufgefaßt.[24] *WBauer* hat dieses Verständnis unserer Stelle bestätigt,[25] und *ChrMüller* hat dementsprechend vorgeschlagen zu übersetzen: »und folgendermaßen wird ganz Israel gerettet werden, wie geschrieben steht ...«.[26] Dieses Verständnis unserer Stelle widerspricht zwar den Konsequenzen von *Luz*, trägt aber seinen philologischen Bedenken gegen die übliche Wiedergabe Rechnung und entspricht durchaus dem paulinischen Griechisch, das die οὕτως-καθώς Relation immer wieder anwendet.[27] *Chr Plag* hat die zweite Übersetzungsmöglichkeit noch durch den Hinweis verstärkt, daß καί hier konsekutiv zu verstehen sei = »und dann«.[28] Muß man freilich V. 26f als selbständige temporale Weiterführung von V. 25 verstehen, dann dürften die Dinge genau umgekehrt stehen, als *Luz* sie darstellt: Paulus stellt die Wiederannahme Israels bewußt in eine endzeitliche Ereignisabfolge hinein, die nach dem Eingehen der Heiden die Bekehrung ganz Israels und die Parusie des Erlösers vom Zion her zusammenordnet. Für dieses Verständnis spricht ja auch das eindeutig temporale ἄχρι οὗ in V. 25. Liegen die Dinge so, dann ist aber weiterhin *Käsemann* und *Plag* zuzustimmen, wenn sie in V. 25 das alte Motiv der Völkerwallfahrt zum Zion christlich verarbeitet und auf die Heidenmission angewandt sehen.[29] Zu-

[23] *Luz*, aaO 294, Hervorhebung im Original.

[24] An die Römer, HNT 8 (⁴1933) 104.

[25] Griechisch-deutsches Wörterbuch zu den Schriften des Neuen Testaments und der übrigen urchristlichen Literatur (⁵1958) s. v. οὕτως 2 (1185).

[26] *ChrMüller*, Gottes Gerechtigkeit und Gottes Volk, FRLANT 86 (1964) 43 Anm. 88.

[27] Vgl. Röm 15$_{20f}$; 1Kor 16$_{1}$; Phil 3$_{17}$ usw.

[28] *Plag*, aaO 37 Anm. 147.

[29] Vgl. *Käsemann*, Paulus und der Frühkatholizismus, in: EVB II (239–252) 244: »Paulus ist fest davon überzeugt, daß Israel sich bekehren wird, wenn die Fülle der Heiden für Christus gewonnen ist. Er kehrt also die prophetische Verheißung um, wonach die Heiden kommen und anbeten, wenn in der Endzeit Zion aus der

sätzlich kann unter solchen Umständen aber auch wenig Zweifel daran bestehen, daß die Parusie des Erlösers in dem Mischzitat (aus Jes $59_{20.21}$ und 27_{9}) mit Hilfe jener alten Zionstradition formuliert wird, wie sie sich schon in PsSal $17_{21ff.30ff}$ mit dem Motiv der Völkerwallfahrt verband und das endzeitliche Heilswerk der Entsühnung Israels durch den Messias beschreibt. V. 26f bezieht sich also keineswegs auf »das Christusgeschehen insgesamt«, wie *Luz* meint,[30] sondern präzis auf die Parusie des Christus, der in Übernahme jüdisch-messianischer Tradition als der vom Zion kommende Erlöser bzw. Gottessohn verstanden wird.[31] Die vorpaulinische Missionstradition von 1Thess 1_{9f} erlaubt es anzunehmen, daß die Übernahme dieses Traditionskomplexes im Zusammenhang der Prädizierung Jesu als des Gottessohnes zu sehen ist, eine Titulatur, die ja insgesamt im Zeichen bewußter christlicher Auslegung alttestamentlich-jüdischer Messiastraditionen steht.[32] Insgesamt heißt das, daß in dem von Paulus in apostolischer Autorität verkündeten Mysterium die Erfüllung der alttestamentlich-jüdischen Hoffnung auf die Wallfahrt der Völker zum Zion und die endzeitliche Verherrlichung Israels verkündigt wird. Eine Verkündigung freilich, die nun auf Christus als Messias bezogen ist, vom Evangelium her gesehen wird und folglich für Paulus ganz im Zeichen der Rechtfertigung erst und nur der Gottlosen zu sehen ist. Eben dies explizieren die Verse 28–32.

irdischen Schmach erlöst wird. Die Mission des Apostels ist ein ungeheuerlicher Umweg zum Heile Israels, wobei die Ersten zu Letzten werden. Doch kann die Weltgeschichte nicht enden, ehe nicht auch die zuerst Berufenen als letzte heimgefunden haben«. – *Plag*, aaO 43ff.56ff mit einleuchtender Interpretation des εἰσέρχεσθαι der Heiden V. 25 vom Motiv des »Herzukommens« der Völker zum Zion her (vgl. bes. Jes 2_{2f}; Mi 4_{2}; Jes 56_{7}; 60_{3} usw.). Vom ἔρχεσθαι der ἔθνη spricht ausdrücklich auch PsSal 17_{31}.

30 *Luz*, aaO 295. Wenn Paulus im Zitat V. 26 statt mit der Septuaginta ἕνεκεν Σιων zu sagen, ἐκ Σιων einsetzt, dann kann man entweder mit *Michel* zSt daran denken, daß »der Erlöser aus dem himmlischen Heiligtum kommen (wird) (Gal. 4_{26})«, oder auch – was kein Gegensatz zu sein braucht – daran, daß Christus als Messias vom Zionsberge aus sein Heils- (und Gerichts-) Werk vollstrecken wird (vgl. 4Esra 13[illegible]ff und zum traditionellen Charakter der Stelle *W.Harnisch*, Verhängnis und Verheißung der Geschichte FRLANT 97, 1969, 151 Anm. 2).

31 Daß der ῥυόμενος Christus ist, ergibt sich aus 1Thess 1_{10}. Ihn als Messias und Gottessohn zu bezeichnen, erlauben nicht nur Röm 9_{5} und 1Thess 1_{9f} zusammen mit Röm 1_{3f}, sondern auch die Tatsache, daß sich gerade PsSal $17_{4ff.21ff}$ auf die Nathanweissagung 2Sam 7_{14} vom messianischen Davididen als dem Sohne Gottes abstützen.

32 Der Auslegungsvorgang spiegelt sich deutlich in Apg $13_{22f.33ff}$; Röm 1_{3f}; Mk 1_{9-11}; 12_{35-37} usw.

3.

Christoph Plag hat, wie erwähnt, diese Bezogenheit der beiden Versgruppen aufeinander bestritten. Die Verse 25–27 stehen für ihn insofern isoliert im Zusammenhang von c. 11 da, »als Israels Rettung nicht mit, sondern ohne die Mission zu den Heiden in Gang kommt und statt der pistis der Juden jetzt der kommende ryomenos die Rettung Israels einleitet und statt der Heiligkeit der ›Väter‹ Gottes eigene Anordnung die Gültigkeit der Erlösung Israels verbürgt«.[33] Entsprechend meint er feststellen zu können, daß »V. 28 ... inhaltlich durch nichts mit dem unmittelbar Vorhergehenden verbunden (ist)«.[34]

Aber ist dies richtig? *Plag* macht sich selbst bereits den Einwand, daß die in V. 28ff angesprochenen ὑμεῖς (also die sich möglicherweise selbst überschätzenden Heidenchristen in Rom) mit den in V. 25ff angeredeten ὑμεῖς identisch sein könnten, hält diese stilistische Verbindung aber »wegen V. 13–16 nicht (für) absolut zwingend«.[35] Man wird fragen, ob der Verweis auf V. 13–16 angesichts der von V. 17–24 durchgehaltenen diatribischen Dialogform in der 2. Sing. tragfähig ist. Jedenfalls schließen V. 24 und 28, die nach *Plag* zusammengehören, sprachlich härter aneinander an als V. 25–27 und 28ff. – Ferner scheint die Inhaltsangabe der Verse 25–27, wie *Plag* sie gibt, nicht ganz präzis zu sein. Israels Bekehrung kommt ja nicht einfach ohne die Heidenmission in Gang, sondern kann erst nach deren Abschluß beginnen, ist also an diese Mission und den Umstand gebunden, daß die Vollzahl der Heiden nach Gottes Willen erst noch herzuzukommen hat. – Daß auf den Glauben der Juden plötzlich nicht mehr reflektiert wird, weil der Erlöser selbst erscheint, um Israel zu entsühnen, ist paulinisch nicht eben wahrscheinlich. Der Erlöser ist ja Christus, und dessen Vergebungswerk setzt bei Paulus stets den Glauben der Betroffenen voraus (vgl. Röm 8$_{1ff.31ff}$; 10$_{9ff}$). Ob man schließlich die Sendung des Erlösers vom Zion her in Gegensatz zu der von Paulus in V. 28 apostrophierten Vätertradition stellen darf, ist schon dann ein offenes Problem, wenn man V. 26f nur mit Röm 4$_{17ff}$; 9$_{4}$ und Gal 3$_{15ff}$ vergleicht. Sollte Paulus nicht vielmehr der Meinung sein, das Kommen des Erlösers vom Zion her in Gestalt des Christus sei gerade die Einlösung der den Vätern zugesprochenen Verheißung Gottes? So entspräche es ja zweifellos alttestamentlich-jüdischem Denken. Auch dem des Apostels?

In der Tat dürfte es auch für Paulus selbst zutreffen. Ohne jetzt auf die verzweigte Diskussion über Röm 4 ausführlich eingehen zu

[33] aaO 37.
[34] aaO 38.
[35] aaO 38 Anm. 155.

können,[36] scheint mir exegetisch festzustehen, daß Paulus dort betont auf Abraham zu sprechen kommt, um bereits die Vater-Gestalt Abrahams und die Abrahamsverheißung für die Rechtfertigung in und durch Christus zu reklamieren. Er führt damit zugleich den Schriftbeweis für 3_{21-31}. Das Denkmittel, das dem Apostel solchen Rückgriff auf Abraham im Sinne des Rechtfertigungsglaubens erlaubt, ist jene die alttestamentliche Vätertradition insgesamt prägende und vom Judentum aufgenommene paradigmatische Geschichtsbetrachtung, auf die zuletzt *RSmend* aufmerksam gemacht hat.[37] Doch brauchen wir es in unserem Zusammenhang nicht bei dem bloßen Verweis auf Röm 4 bewenden zu lassen. In Röm 9_4 kommt Paulus ja wiederum betont auf die Väter zu sprechen, und zwar im Sinne einer jener Prärogativen, welche Israel auch nach Tod und Auferweckung Jesu und der Eröffnung des Glaubens noch als das von Gott in einzigartiger Weise erwählte Volk auszeichnen. Wieder kann man nun auch in Röm 9 jene eben schon in Röm 4 beobachtete christliche Reklamation der Vätertradition feststellen. Wie *Michel* mit Recht hervorhebt,[38] *Conzelmann* aber übersieht[39] und *Luz* trotz seines eigenen Hinweises auf die Parallelität von Röm 9_{6-13} und 4Esra 3_{13-16}[40] überspielt, geht Paulus in Röm

[36] Vgl. nur *EKäsemann*, Der Glaube Abrahams in Röm 4, in: Paul. Perspektiven, 140–177; *LGoppelt*, Paulus und die Heilsgeschichte. Schlußfolgerungen aus Röm 4 und 1Kor 10_{1-13}, in: Christologie und Ethik, Aufsätze zum NT (1968) 220–233; *ULuz*, aaO 173ff.

[37] Vgl. *RSmend*, Elemente alttestamentlichen Geschichtsdenkens, ThSt 95 (1968) 18ff. *Luz* erkennt diese Zusammenhänge nicht, weil er m. E. die Prädikation Abrahams als unseres »Vaters« bzw. »Vorvaters« in $4_{1.11ff}$ historisch nicht ernst genug nimmt. Folglich meint er von einer »völligen Isoliertheit Abrahams gegenüber seiner sichtbaren Vor- und Nachgeschichte« sprechen zu können (aaO 181) und gegenüber Röm 4 mit folgender eleganter Dialektik auszukommen: »Paulus blickt nicht auf Abraham, sondern mit Hilfe Abrahams blickt er auf ›uns‹, denen der Glaube zur Gerechtigkeit angerechnet wird. Thema von R. 4 ist die Rechtfertigung als einziger Heilsweg, mithin nicht die Vergangenheit, sondern die Gegenwart« (aaO 177, im Original kursiv).

[38] Röm. ($^{4/13}$1966) 230ff.

[39] Theol. d. NTs. 274 stellt C. ausdrücklich fest: Die alttestamentliche Geschichte wird in Röm 9–11 »nicht als Kontinuum dargestellt. Paulus greift nur einzelne Vorgänge heraus, nur solche, an denen er die wesentlichen Faktoren der Existenz Israels aufweisen kann: die freie Erwählung Israels, seine Bestimmung auf den Glauben hin. Nur zu diesem Zweck sind Jakob und Esau, Mose und der [illegible]

[40] aaO 64. Zu beachten ist ferner, daß auch im berühmten Lob der Väter Sir 44ff die Väter 44_{10ff} als Zeugen des Erbarmens und der Erwählung gelten und in 44_{19ff} die Röm 9_{6ff} durchgeführte Zeugenreihe: Abraham – Isaak – Jakob – Mose ebenso auftaucht wie in 4 Esra 3. Angesichts dieses Materials halte ich die bei *Luz* immer wiederkehrenden Hinweise auf die im paulinischen Geschichtsdenken unverbunden nebeneinanderstehenden Einzelepisoden der alttestamentlichen Vergangenheit (aaO 72. 177ff.206ff.357.383.400) für eine unzureichende Phänomen-

9_{6ff} in typisch jüdischer Manier die Reihe der »Väter«: Abraham, Isaak, Jakob, schließlich sogar Mose und dann in V. 24ff der namentlich aufgeführten Propheten: Hosea, Jesaja entlang. Und zwar will der Apostel zeigen, daß sich Gott gerade den »Vätern« gegenüber als jener strenge und gnädige Gott, der erst die Gottlosen rechtfertigt und nur das Nichtige erwählt, erwiesen und zugesprochen hat. – Der gemeinsame Befund aus Röm 4 und 9 bedeutet so insgesamt, daß Paulus auf die Väter aus zwei Gründen zu sprechen kommt: Israel gegenüber, um ihm zu zeigen, daß Gott sein Volk bereits und gerade in den Vätern zur Rechtfertigung der Gottlosen erwählt hat (vgl. $9_{11f.16}$; 10_{3ff}; $11_{16.23f}$); den Heidenchristen gegenüber, um zu demonstrieren, daß sie unbegreiflicher und Gott allein zu dankender Weise kraft der Rechtfertigung durch Christus einbezogen und eingegliedert werden in das Erwählungswerk Gottes, das mit Israel begann und erst zur Vollendung kommen kann, wenn Israel ebenfalls gerechtfertigt worden ist (vgl. $11_{13ff.25ff}$). In der Tat sind die Israeliten also nach Gottes Erwählung von Gott geliebte Geschöpfe wegen der Väter, wie 11_{28} sagt. Sie sind es deshalb, weil die Erwählung und die den Vätern zugesprochene Verheißung auf die Zusage des Heilsgewinns durch Rechtfertigung lauten! Kommt Christus aber nun in Einlösung der alttestamentlich-jüdischen messianischen Erwartungen vom Zion her als der Erlöser und sündenvergebende Gottessohn (11_{26f}), dann wird eben damit Gottes Verheißung auf Rechtfertigung und Sündenvergebung, die an Abraham und die ihm folgende Kette der Väter erging, auch den Juden gegenüber eingelöst und erfüllt. Hier widerspricht sich also gar nichts, sondern hier ist alles höchst konsequent und imponierend aufeinander bezogen.[41]

Was aber bedeutet unter dieser Voraussetzung die erste Vershälfte von 11_{28}, die Israeliten seien, dem Evangelium nach, Feinde Gottes um der Heidenchristen willen? Kaum je wagt man, den Vers konsequent zu exegesieren. Es ist zunächst natürlich richtig, daß dieser Satz aus der gegenwärtigen Missionserfahrung des Paulus heraus formuliert ist. Die Juden verschließen sich dem Missionsevangelium gegenüber und stehen

beschreibung dieses Denkens. *Luz* sieht ja selbst, daß diese Episoden »durch das sich selbst treue Handeln Gottes miteinander in Beziehung stehen« (72, vgl. 181. 183.273.296ff usw.). Sofern Gott für Paulus aber der allein Einheit stiftende Grund aller Geschichte ist, hat der Apostel dann nicht durch die Beziehung der Vätergestalten auf Gottes Erbarmen für den Glauben die stärkste ihm mögliche Kontinuität geschichtlicher Ereignisse behauptet, die ihm möglich war?

[41] Ich halte unter diesen Umständen *Plags* Versuch, in Röm 11_{11-32} zwei Heilswege zu unterscheiden, wobei der »Weg über die Umkehr« im Glauben in V. 11–24. 28–32 und der »Weg über den Erlöser« in V. 25–27 verkündigt wird, nicht länger für haltbar. Im übrigen bietet auch die Textgeschichte keinen Grund, in V. 25–27 eine sekundäre Interpolation zu sehen.

damit gegenwärtig in überwiegender Mehrzahl als Gegner Gottes da.[42] Gegnerschaft Gottes meint dabei die objektive Sündhaftigkeit der von Israel intendierten Selbstrechtfertigung (vgl. 10_{3ff}). Aber, so fährt Paulus ja in V. 29ff fort und hat er bereits in V. 25ff gezeigt, dieser Zustand wird nicht ewig bleiben! Eben weil auch die Israeliten schon in ihren Vätern zur Rechtfertigung erwählt worden sind, wird jene Phase der Verschlossenheit gegenüber dem in der Heidenmission verkündeten Evangelium zu Ende gehen und auch noch für Israel die Zeit der Rechtfertigung kommen. Die Zeit der Heidenmission ist also, was dasselbe besagt, nur eine Zwischenzeit, und das Ende der Geschichte kommt erst und kann erst kommen, wenn auch Israel zur Rechtfertigung gelangt ist. Andernfalls wäre das Wort Gottes hinfällig geworden, was aber nach Röm 9_6 und 11_{29} unmöglich ist.

OCullmann hat Röm 11_{25} in Verbindung mit Mk 13_{10} gebracht, ein Vers, der offensichtlich erst von Markus selbst in den traditionellen Text der synoptischen Apokalypse eingefügt wurde. Er enthält den Hinweis, daß vor dem Weltende und der Parusie das Evangelium erst noch allen Heiden verkündet werden müsse.[43] Jetzt sehen wir in unserem Zusammenhang, daß offenbar schon Paulus diese Vorstellung teilt. Mk 13_{10} ist nicht »nur eine aus dem theologischen Entwurf des Markus zu verstehende Analogie« zu V. 25 und 28, wie *Luz* schreibt,[44] sondern in Röm $11_{25.28}$ wird uns eine traditionsgeschichtliche Vorstufe des markinischen Gedankens greifbar. Die alttestamentlich-jüdische Hoffnung auf die Völkerwallfahrt zum Zion wurde nicht nur vom partikularistischen Judenchristentum der vorpaulinischen Zeit aufgegriffen, um dessen Beschränkung allein auf Judenmission theologisch zu rechtfertigen, ein Vorgang, der sich noch in Apk 14_6 spiegelt,[45] sondern derselbe Gedanke wurde offensichtlich auch von den zur Heidenmission aufbrechenden Judenchristen (wie Paulus) aufgenommen, nun aber erklärend und in gewissem Sinne auch polemisch mit dem umstrittenen neuen Missionswerk unter den Heiden verbunden. Gerade in der Heidenmission und durch sie kommt jene erwartete Völkerwallfahrt zustande! Die Heidenmission ist deshalb nicht etwa ein Gottes Grenzen illegitim überschreitendes Vorhaben, sondern ein in Gottes Geschichts-

[42] Vgl. *Luz*, aaO 295f; *Plag*, aaO 38; *GBornkamm*, ThW IV 829, 11–27; *LGoppelt*, Israel und die Kirche, heute und bei Paulus, in: Christologie und Ethik (165–189) 187.

[43] *OCullmann*, Der eschatologische Charakter des Missionsauftrags und des apostolischen Selbstbewußtseins bei Paulus, in: Vorträge und Aufsätze 1925–1962 (1966) 328 (305–336). – Zur Problematik von Mk 13_{10} vgl. mein Buch: Das paulinische Evangelium I, FRLANT 95 (1968) 284 Anm. 2.

[44] *Luz*, aaO 289.

[45] Vgl. Das paul. Evangelium, 210ff.

plan mit der Welt vorgesehenes, freilich auch epochal begrenztes Geschehen. Ihr gehen die Erwählung Israels, das Auftreten Jesu, sein Tod und seine Auferweckung (als das eigentlich Mission auslösende Ereignis) voran. Die Heidenmission wird aber und soll noch gefolgt werden von der Erlösung Israels selbst. Von dieser Erlösung Israels sprechen die synoptische Apokalypse Mk 13 und vor allem der für den Vers 10 verantwortliche Markusevangelist nicht mehr in der Deutlichkeit, die wir bei Paulus in unserem Zusammenhang (vgl. auch Röm 15_{14ff}) finden. Ich halte deshalb die paulinischen Äußerungen traditionsgeschichtlich für älter als Mk 13_{10}.

Kehren wir nun zu unserem Zusammenhang 11_{28} zurück, zeigt sich an diesem Vers, daß Paulus das von ihm selbst betriebene Werk der Heidenmission als zeitlich begrenzt angesehen hat. Aber mehr noch. Wenn tatsächlich, wie *Luz* schön herausarbeitet, Erwählung Israels in den Vätern und Evangelium beide Werk desselben Gottes sind,[46] Israel aber gerade wegen des Evangeliums und um die Heiden herzuströmen zu lassen gegenwärtig in der Gottesfeindschaft steht, dann bedarf diese widerspruchsvolle und durch Gottes eigenen Willen veranlaßte Situation Israels »zwischen Gott und Gott«[47] einer Auflösung. Sie ist von Gott her möglich, weil im Evangelium und in der Erwählungszusage beide Male von der Rechtfertigung der Sünder als dem Heilsgewinn die Rede ist. Sie ist von menschlicher Seite her aber nur denkbar in der Form einer geschichtlichen Prognose der Zukunft. Die Einlösung der Väterverheißung (im Sinne der Rechtfertigung) und die Erfüllung des Christusevangeliums in der endzeitlichen Gemeinschaft mit Gott durch Christus fallen zusammen in und mit dem zukünftigen Ereignis der Parusie des Christus als Retter und Richter zugleich.

Ich habe bereits anderwärtig zu zeigen versucht, daß Paulus auch sein Christusevangelium noch als Verheißungswort versteht, dh als eine prophetische Ansage, die über sich hinausweist auf den Zeitpunkt der Parusie des Christus und des Anbruches der ewigen Gottesherrschaft.[48] Zwar ist das Evangelium seiner Wahrheit nach endgültig und unwiderruflich. Seiner Wahrheit, dh der Rechtfertigung allein in und durch Christus nach, stellt das paulinische Evangelium bereits die Erfüllung der Abrahamsverheißung dar (vgl. Röm 4_{20-25}). In seiner Wortgestalt, Anfechtbarkeit und gegenwärtigen Adressiertheit vor allem an die Heiden aber weist es noch hoffnungsvoll über sich hinaus auf die Zeit des Schauens. Diese Zeit ist gleichzeitig die der Parusie und der Erfüllung der Abrahamsverheißung im Sinne des Vollzugs

[46] *Luz*, aaO 296.
[47] *Luz*, aaO in Aufnahme einer Formulierung *Ebelings*.
[48] Paul. Evangelium, 252 Anm. 2.

der Rechtfertigung auch an den heute noch ungläubigen Juden. Diese seinerzeit nur angedeuteten Zusammenhänge bestätigen sich von Röm $11_{25.28}$ her sehr schön, indem Paulus hier (ebenso wie in 11_{13ff}) deutlich über die Zeit seines eigenen Wirkens hinausblickt auf das Ereignis der Erfüllung seines Evangeliums und des Erwählungswerkes Gottes schlechthin in der Parusie seines Christus.[49]

4.

Wir haben bisher nicht eingestimmt in das übliche tapfere hermeneutische Schmälen über die überholte Vorstellungswelt des Apostels. Wie jede Zeit, so bedurfte auch er, um sich mitzuteilen, der vorstellungsgesättigten Bildersprache seiner Zeit, und es ist noch sehr die Frage, ob wir uns theologisch von der biblischen Denk- und Vorstellungstradition je ganz lösen können und sollen. Der Versuch, Paulus zunächst historisch von seinen eigenen Denkvoraussetzungen her zu verstehen, zahlt sich aus, wenn wir nun abschließend auf 11_{32} eingehen.

Wie die neueste Analyse von V. 28–32 durch *Peter Richardson* erkennen läßt, entspricht V. 32 in dem äußerst sorgfältig aufgebauten Abschnitt V. 29.[50] Darüber hinaus bildet der Vers den Schlußstein des ganzen Mysteriums von V. 25 an. Gott hat alle, dh Juden und Heiden, in den Ungehorsam eingeschlossen, um sich ihrer aller zu erbarmen. Gott tut dies in Einlösung der in der Schrift verbürgten und den Vätern zugesprochenen Verheißung, die unwiderruflich feststeht (V. 26f. 29). Es ist daher nicht richtig, wenn *Luz* schreibt, »R. 11_{32} faßt nicht eine Periodisierung der Geschichte in Zeiträume des Ungehorsams und des Erbarmens ins Auge, sondern verkündet ganz einfach die unerwartbare und unfaßbare Wirklichkeit der Gnade Gottes«.[51] Paulus spricht in V. 32 vielmehr vom Ende der Geschichte als der Rechtferti-

[49] Noch einmal muß ich von hier aus *Luz* widersprechen, wenn er 393f das paulinische Missionswerk und die Rettung ganz Israels ganz voneinander zu trennen sucht. Da Paulus seine eigene Missionstätigkeit und die Erbarmung Gottes über alle in V. 30–32 von dem im Evangelium schon eröffneten »Jetzt« der Heilszeit umgriffen sieht (*Luz* behält 297 Anm. 133 das νῦν in V. 31b mit Recht als lectio difficilior bei, während *Plag*, aaO 19, es wieder zu streichen versucht), kann man mE einen Zusammenhang zwischen der paulinischen Heidenmission und der endzeitlichen Rechtfertigung aller Gottlosen nicht leugnen. Vielmehr wird man auch im Blick auf Röm 15_{15f}, wo Paulus das Ende seines Missionswerkes ebenso ins Auge faßt wie in $11_{25.28}$, sagen müssen, daß Paulus der Parusie des Christus faktisch und wahrscheinlich auch willentlich voranarbeitet.

[50] Israel in the Apostolic Church 127. V. 28a.b entsprechen V. 30 und 31, während V. 29 seine Entsprechung in V. 32 findet.

[51] *Luz*, aaO 299.

gung aller Gottlosen![52] Was wir in V. 25–32 vor uns haben, ist ein in seiner Mitte aus christlich adaptierten alttestamentlich-jüdischen Traditionen gefügtes apostolisches Mysterium. Es wird deshalb zu Recht vom Apostel als solches bezeichnet, weil es eine überhaupt erst vom Christusglauben her entwerfbare, in Rückblick und Ausblick stimmige Geschichtsprognose darstellt, die im Endeffekt auch wieder nur der Glaubende als Verkündigung verstehen und als Grund zur Rühmung Gottes annehmen kann (vgl. 11$_{33ff}$). Nicht schon das Zum-Glauben-Kommen der Heiden nach Röm 10$_{4ff}$, sondern erst die Rechtfertigung von Heiden und Juden insgesamt stellt für Paulus das Ende aller Geschichte dar.

Ist um dieses prognostischen Charakters willen der Text theologisch als illegitime Geschichtsspekulation unter apokalyptischem Vorzeichen abzuwerten? Schon *Luz* hat sich, wie wir sahen, gegen dieses Verdikt *Bultmanns* gewehrt.[53] Er tut dies mit Recht, weil er in der paulinischen Eschatologie eine notwendige Explikation des Christuskerygmas erkennt. Aber die in Röm 11$_{25-32}$ klassisch als endgeschichtliche Prognose auf Grund des Rechtfertigungsglaubens erscheinende paulinische Eschatologie ist nicht nur um ihrer Bezogenheit auf das Kerygma willen und den durch solche Bezogenheit gewahrten Verkündigungs- und Anredecharakter[54] theologisch akzeptabel. Sie ist respektabel auch, wie wir heute vielleicht besser verstehen als noch vor einigen Jahren, von der inneren Leistungsfähigkeit ihres prognostischen Entwurfes her. Man darf ja nicht verkennen, daß gerade eine apostolische Geschichtsprognose wie 11$_{25ff}$ der urchristlichen Heidenmission, mit ihr den urchristlichen Gemeindegründungen, dem Zusammenhalt einer aus Heiden- und Judenchristen gemeinsam sich erbauenden einen Kirche und nicht zuletzt der paulinischen Ethik und Paraklese einen festen Orientierungshorizont gab. Alle eben genannten, vom Mut des Glaubens getragenen Neuerungen in der Geschichte des Urchristentums, der Aufbruch also zur Gestaltung des Lebens nach dem Maß der Freiheit der Söhne Gottes, erfolgte im Rahmen einer eschatologischen Vorschau auf das Ende der Geschichte wie Paulus sie in Röm 11 vor unseren Augen beispielhaft entwickelt. Nachdem wir heute in je unterschiedlicher Weise von *JMoltmann, GSauter* und *GPicht* gelernt ha-

[52] Daß das in V. 30–32 genannte »Erbarmen« Gottes sein Rechtfertigungshandeln meint, geht aus dem Vergleich mit 9$_{11f.16.23f}$; 10$_{3ff}$; 11$_{15f}$ eindeutig hervor. Vgl. *ChrMüller*, Gottes Gerechtigkeit und Gottes Volk 47ff. Gerechtigkeit und Erbarmen Gottes sind ja vom Alten Testament an ständige Korrelate, vgl. dazu jetzt:*HHSchmid*, Gerechtigkeit als Weltordnung, BHTh 40 (1968) 130ff. 151ff.

[53] Vgl. *Luz*, aaO 268.299 gegen *Bultmann*, Theol.^{5} 484.

[54] Vgl. *Luz*, aaO 143f; *Käsemann*, EVB II 191. 197; *Goppelt*, Apokalyptik und Typologie bei Paulus, in: Christologie und Ethik (234–267) 248.

ben, daß christliches Handeln als Tat des Glaubens stets von eschatologischen Prognosen abhängig bleibt, sollten wir nicht nur die kerygmatische Legitimität, sondern auch die geschichtliche Leistungsfähigkeit der christologisch begründeten Eschatologie des Apostels zu würdigen verstehen.

Und noch eines. *HGese* hat schon vor längerer Zeit darauf hingewiesen, daß modern a priori konstruierte Geschichtskonzeptionen den biblischen Texten gegenüber leicht stumm bleiben und dem um das Alte Testament bemühten Exegeten somit wenig nützen.[55] In seiner Abhandlung über »Elemente alttestamentlichen Geschichtsdenkens« führt nun *RSmend* im Anschluß an *GvRad* aus: »Nicht die formale Struktur seines Geschichtsdenkens ist Israels Proprium. Dies ist vielmehr das Zeugnis von dem einen Gott Jahwe, das sich die Denkstrukturen dienstbar macht, es seien die des Kultus oder des Rechts oder der Weisheit oder eben der Geschichte. Unter ihnen nehmen freilich die der Geschichte einen besonderen Platz ein. Denn sie sind vor den anderen geeignet, das Wesen des alttestamentlichen Gottes auszusagen, das Tat und Geschehen ist und so erfahren wird und dem darum vor allem die Form der Erwählung entsprechen muß. So liefert das Geschichtsdenken im Alten Testament Elemente besonders angemessener Rede von Gott. Es erhält dabei keine eigene, sondern nur eine geliehene Würde. Jahwe bleibt Subjekt, die Geschichte eins seiner Prädikate. Daß in der Bezeugung von Geschichte im Alten Testament das Prinzip der Freiheit gegenüber dem der Wiederholung vielleicht eine größere Rolle spielt als anderwärts, daß es hier ein besonders hartes Nein zu allem überkommenen Geschichtsverständnis gibt, daß Geschichte hier zu einer Linie mit eschatologischem Ziel geworden ist, ja selbst daß sie so ausschließlich als Wirkung göttlichen Handelns erscheint, und was sich noch mehr anführen ließe, mag viel, ja einzigartig sein. Theologisch qualifiziert ist es alles erst dadurch, daß ihr Subjekt dieser eine und einzige Gott Jahwe ist, der in ihr an seinem Volk Israel handelt. Das erfahren wir nicht, indem wir die Überlieferungsvorgänge oder gar die hinter ihnen stehenden geschichtlichen Ereignisse rekonstruieren, sondern durch das Wort derer, die es uns ausdrücklich gesagt haben und denen wir glauben, also des Jesaja und des Deuterojesaja und all der anderen, natürlich auch der Erzähler«.[56] Vergleicht man dieses Resümee mit der vom Christuszeugnis her entworfenen, zugleich retrospektiven wie prognostischen Geschichtsbetrachtung des Paulus, die, wie 11$_{25ff}$ ganz besonders deutlich zeigen, an dem Zeugnis der Kon-

[55] Geschichtliches Denken im Alten Orient und im Alten Testament, ZThK 55 (1958) 128 (127–145).

[56] aaO (vgl. Anm. 37) 36f.

tinuität der Gnade Gottes und seines in der Erwählung begonnenen Heilswerkes stärker interessiert ist als an geschichtlichen Kausalabläufen, dann tritt eine beachtenswerte Gemeinsamkeit der Aspekte zutage. Angesichts dieser Gemeinsamkeiten im alttestamentlichen und neutestamentlich-paulinischen Geschichtsdenken besteht wenig Anlaß, die paulinische Betrachtungsweise vorzeitig zu verlassen. Vielmehr besteht Grund zu der Frage, ob Paulus uns nicht verhelfen könnte, eine Geschichtsbetrachtung zu finden, vor der weder die Texte des Alten noch des Neuen Testaments verstummen und die auch die exegetischen Schwesterdisziplinen vom Alten und Neuen Testament zu einem neuen Gespräch vereint.[57] Daß solches Gespräch zustandekommen und einmal ausmünden möge in den gemeinsamen Versuch einer biblischen Theologie, ist eine Hoffnung, die vor *GvRad* zu äußern, ein Teil des Dankes ist, den wir ihm für seine Arbeit schulden.

[57] In aller Vorsicht scheinen mir an solche Geschichtsbetrachtung mindestens drei Bedingungen gestellt werden zu müssen und zu können: a) sie kann und darf die Wirklichkeit Gottes nicht a limine leugnen oder ausschließen wollen; b) sie muß für Rückblick und Vorausschau, Tradition und prognostische Innovation offen sein und die dafür erforderlichen Kriterien an die Hand geben; c) sie kann sich schließlich mit dem sog. Verlust der Geschichte in Form einer künftigen berechenbaren Planbarkeit alles menschlichen Daseins und seiner Lebenssituation weder anthropologisch noch ontologisch abfinden, sondern hat das Problem der Geschichte als Problem menschlicher Freiheit und Preisgegebenheit wach zu halten.

SHEMARYAHU TALMON

TYPEN DER MESSIASERWARTUNG UM DIE ZEITENWENDE*

I.

Eine erneute Erörterung des messianischen Problems am Ende des vorchristlichen Zeitalters, das heißt in der Epoche, in der der jüdisch-christliche Kulturkreis wurzelt und aus der die jüdisch-christliche Ideenspannung entstand, könnte, zu einem gewissen Maße mit Recht, als ein Versuch angesehen werden, Eulen nach Athen zu tragen. Diese Frage, die zweifellos im Brennpunkt des religiösen Blickfeldes steht, ist ja in neuerer Zeit oft und ausgiebig behandelt worden.[1] Daher möchte ich meinen Ausführungen einige Erklärungen vorausschicken, die das Recht und vielleicht sogar die Notwendigkeit einer solchen Neuerörterung darlegen.

Grundsätzlich gesehen handelt es sich in der Messiaserwartung um ein immanentes Problem, mit dem sich jedes Geschlecht in unserem Kulturkreis auseinandersetzen muß, gerade weil es im Mittelpunkt des jüdisch-christlichen Dialoges steht. So formuliert ist diese Aussage wohl ein Gemeinplatz, der über jede Diskussion erhaben ist. Es bestehen aber auch andere, mehr aktuelle Gründe für die Forderung nach einem neuen Ansatz zu einer wissenschaftlich distanzierten Erwägung dieser Frage. Ausschlaggebend ist das Auffinden von antikem Quellenmaterial, das bis vor etwa 20 Jahren völlig unbekannt war. Es erübrigt sich zu explizieren, daß ich, in *Paul Kahles* Formulierung, auf »die Rollen aus der Höhle« anspiele, oder genauer gesagt auf die Rollen aus den Höhlen von Qumran. Wie so vielen anderen Forschungsgebieten, die sich um die Klärung der geistigen und literarischen Situation

* Gastvorlesung an der theologischen Fakultät der Universität Heidelberg, deren Text ohne wesentliche Änderungen wiedergegeben wird.

[1] Es wird genügen, hier auf einige Namen und Titel [illegible] Lorenz *Dürr*, Ursprung und Ausbau der Israelitisch-Jüdischen Heilandserwartung (1925); *Hugo Gressmann*, Der Messias (1929); *Martin Buber*, Königtum Gottes (1932); *Josef Klausner*, The Messianic Idea in Israel from its Beginning to the Completion of the Mishna (1955); *Sigmund Mowinckel*, He that Cometh, the Messianic Concept in the Old Testament and Later Judaism ([2]1959); *Gershon Scholem*, Zum Verständnis der Messianischen Idee im Judentum (1959). Dieser kurzen Liste könnte man eine wahre Legion von Monographien und Aufsätzen hinzufügen. Sie würde dann in eine fast unendliche Bibliographie auslaufen.

um die Zeitenwende bemühen, haben die Manuskripte aus der Judäischen Wüste auch der Erforschung des jüdisch-christlichen Messianismus neue Dimensionen gegeben. Eine detaillierte Darstellung dieser Funde erübrigt sich. Möge es genügen, darauf hinzuweisen, daß sie einer antiken Büchersammlung entstammen und uns einen Einblick in die Geschichte und Ideenwelt einer Gemeinde gewähren, die ungefähr am Beginn des zweiten vorchristlichen Jahrhunderts aus dem Proto-Pharisäischen Judentum entsprang, sich von ihm distanzierte und schließlich trennte. Die Blütezeit dieser Splittergruppe ist spätestens am Anfang des ersten nachchristlichen Jahrhunderts zu Ende gekommen. Ein Nachklingen ihrer Existenz läßt sich noch bis in die Mitte des zweiten Jahrhunderts vernehmen. Ihre Lebensspanne erstreckte sich also auf ungefähr 300 Jahre.

Es muß betont werden, daß zur Zeit nur ein, wenn auch großer Teil jener Zeugnisse veröffentlicht worden ist, und daß alle Angaben und Theorien über die Geschichte dieser Gruppe und ihrer geistigen Welt als provisorisch zu betrachten sind. Aber das dem Forscher bis jetzt zur Verfügung stehende Material erlaubt doch gewisse tentative Schlüsse zu ziehen. Dabei läuft man natürlich Gefahr, daß weitere Informationen einige Hypothesen als unbegründet erweisen oder zumindest deren Revision und Modifikation erfordern werden.

Die neuen Funde legen unmittelbares Zeugnis über Entwicklungsrichtungen ab, die am Ende der zweiten Tempelperiode, also in der letzten Phase des souveränen jüdischen Staates und der gleichzeitigen Entfaltung des Christentums, im Judentum hervortraten. In den Rollen spiegeln sich die religiösen und historischen Begriffe einer Gemeinde, die aus dem Judentum hervor-, aber nicht ins Christentum hineinging. Da es sich zweifellos um eine äußerst stark messianisch gerichtete Bewegung handelt, können wir mit Recht von ihrer Erforschung neue Erkenntnisse über die zeitgenössische Messiasauffassung der Synagoge wie auch der frühen Kirche erwarten, sei es durch die Aufweisung von Parallelen mit der Einen oder der Anderen, sei es durch die Hervorhebung von Kontrasten.

Der große Wert dieser erst vor zwei Jahrzehnten entdeckten Schriften liegt darin, daß sie mit den in ihnen reflektierten historischen Begebenheiten und den in ihnen verwurzelten Ideen kontemporär sind. Als Zeugnisse aus erster Hand sind sie in der Sicht des Historikers den retrospektiven Berichten über das vorchristliche Judentum und das Judentum des ersten und des zweiten Jahrhunderts, wie wir sie aus der rabbinischen Literatur kennen, natürlich überlegen. Etwas abgeschwächt trifft dies auch auf die auf einer kleineren Zeitspanne beruhenden Angaben des Neuen Testaments und der ersten Kirchenväter über das frühe Christentum zu.

Es ist üblich, die besagte Gruppe, von der wir keine Selbstaussage über ihren Namen besitzen, als die »Sektierer aus der Judäischen Wüste« zu bezeichnen. Diese Bezeichnung ist etwas heikel. Vom soziologischen Standpunkt aus gesehen, ist eine befriedigende Definition des Begriffes »Sekte« noch immer ein Desideratum, und die hier zu betrachtende Gemeinde macht in dieser Hinsicht besondere Schwierigkeiten. Wenn man die Gesamtheit ihrer charakteristischen Züge betrachtet, scheint es, daß sie jedweder Einordnung in eine der herrschenden Typologien widerstrebt. Es ist daher besser von der »Gemeinde des Neuen Bundes« zu sprechen, da der »Neue Bund« – הברית החדשה – auf den sie sich verpflichtete, ein markanter Begriff in ihren Schriften ist. Der Kürze halber werde ich sie als »Yaḥad« bezeichnen. Dieses hebräische Wort, das sich am besten mit »Gemeinschaft« übersetzen läßt, ist ein der Qumranliteratur eigentümlicher, charakteristischer Ausdruck, den die Mitglieder des Bundes oft auf sich beziehen, wie zB in der Form: יחד בני צדוק = »Die Gemeinschaft der Söhne Zadoks« oder »der Gerechten«, und יחד בני אל – »Die Gemeinschaft der Gottessöhne«.

II.

Aus der Bezeichnung »Typen der Messiaserwartung« ist zu ersehen, daß ich beabsichtige, die Frage zu erörtern, in welchen Gestaltungen die Messiasidee im Judentum um die Zeitenwende in Erscheinung tritt. Es geht mir um einen Vergleich der prägnanten Formen der messianischen Idee, die sich im Schrifttum jener Zeitspanne und in der Literatur der ersten nachchristlichen Jahrhunderte mit genügender Klarheit erfassen lassen. Das schließt von unserer Betrachtung alle Variationen aus, die in den uns zur Verfügung stehenden Quellen zwar angedeutet sind, aber niemals jenen Minimalgrad der Kristallisierung erreicht haben, der für eine typologische Analyse unentbehrlich ist. Jeder Versuch einer Typologie in der Geisteswelt kann notgedrungen nur Hauptströmungen erfassen, die einerseits aus einer gemeinsamen Grundquelle fließen und in denen sich andererseits klare Entwicklungsunterschiede und phänomenologische Differenzen erkennen lassen. Nuancen der Formulierung, die oft von dem Kontakt und dem gegenseitigen Assimilationsprozeß von kontemporären Ideologien resultieren, können zwar das Gesamtbild bereichern, aber verwischen doch zur gleichen Zeit die markanten Züge, auf denen eine Typologie aufzubauen ist.

Ferner ist noch zu bemerken, daß ich mich auf einen Vergleich der Typen der Messiasidee beschränken werde, die in einem institutionell erfaßbaren Gemeinschaftswesen wirksam waren. Dies schließt von unserer Darlegung Strömungen aus, die nur rein »literarisch« erkennbar sind wie die besonders zu bewertenden messianischen Ideologien der Apokryphen und des jüdischen Hellenismus.

Diese Betrachtungen lenken unseren Blick auf einen weiteren Faktor im Lebensraum des palästinischen Judentums am Ende des Zweiten Tempels, dessen Einstellung zur Messiashoffnung in der wissenschaftlichen Diskussion der Frage nicht genügend in Betracht gezogen wurde: Die Samaritaner. Wie noch darzulegen ist, stellen die Samaritaner sozusagen den negativen Pol der Messiaserwartung im jüdischen Kulturkreis dar. Ihre Einbeziehung in unsere Darlegung ist daher für die beabsichtigte typologische Analyse besonders wichtig.

Ich werde die messianischen Bewegungen im Judentum der ausgehenden zweiten Tempelperiode unter den folgenden Gesichtspunkten betrachten:

1. Die unterschiedliche Basierung der verschiedenen Typen auf verschiedenen Schichten der alttestamentlichen Literatur und auf den sich in ihnen kundgebenden geistigen Haltungen.

2. Die differenzierte Betonung der restaurativen gegenüber der utopischen Orientierung in den verschiedenen Formulierungen der Messiasidee. Wie noch auszuführen ist, sind sowohl das Restaurationsbestreben als auch der utopische Drang in der Messiasidee grundlegend.

3. Die Darstellung der erwarteten Erlösung durch den Messias als auf eine natürliche soziale Einheit bezogen, sei sie nationaler oder ethnisch-kultischer Natur, im Gegensatz zu ihrer Realisation im Kreis von inspirierten Individuen, deren Gemeinschaftlichkeit nicht askriptiv ist, sondern nur auf dem Glauben an den Erlöser fundiert, also als charismatisch-elektiv zu betrachten ist. – Das führt auf

4. die Realisierung der Endzeit in konkret nationalen Institutionen im Unterschied zu ihrer Entfaltung in einer unsichtbaren Verinnerlichung in der Seele des Einzelnen. – Damit hängt zusammen

5. die Erfassung des Eschaton als eines diffusen Zustandes ohne besondere Artikulation der Messiasfigur, im Gegensatz zu dessen Sicht als einer auf die Persönlichkeit des Erlösers konzentrierten Epoche.

Weitere Gesichtspunkte, deren sich so manche darbieten, müssen hier außer Betracht gelassen werden.

III.

Es ist allgemein anerkannt, daß die verschiedentlichen, in Bezug auf den jüdischen Kanon nachbiblischen messianischen Strömungen, auf die wir hier hingedeutet haben, direkt im Alten Testament verankert sind.

Damit ist nicht gesagt, daß die Eschatologie als solche, die für den nachbiblischen Messianismus einen unentbehrlichen Rahmen bildet, mit ihm schon in seinen alttestamentlichen Frühformen zusammenhaftet. Der ursprüngliche Begriff des משיח oder משוח entstand im Rahmen der Ideenwelt des israelitischen Königtums und hat keine Wurzeln in der vormonarchischen Epoche und den vormonarchischen politischen Konzeptionen Israels. Er betrifft zuerst die aktuelle Person des jeweiligen Königs, vorzüglich des Königs der davidischen Dynastie. Infolge der Kritik an den kontemporären Königen, vor allem von Seiten der Propheten, trennt sich der Begriff משיח von der enttäuschenden Gegenwart und wird auf einen in greifbarer Zeit zu erwartenden idealisierten König bezogen. Aber das ändert nichts daran, daß für die Geschichtsbücher des Alten Testaments und auch für den größeren Teil der prophetischen Literatur der Begriff des משיח eine klare historische Konnotation hat. Auch seine Verschiebung von der aktuellen Situation auf eine in der Zukunft liegende Hoffnung für das Erstehen eines neuen משיח bleibt geschichtsgebunden und ist nicht als metahistorisch zu betrachten. In dieser wie auch in vielen anderen Beziehungen erstreckt sich der Blick der alttestamentlichen Prophetie auf nicht mehr als drei bis vier Generationen. Die erstrebte »Endzeit« ist historisch – relativ, nicht absolut. Sie ist der Ausdruck einer Sehnsucht nach besseren, nicht nach absolut guten religiösen, sozialen und politischen Verhältnissen.

Es lassen sich, wie schon angedeutet, in der alttestamentlichen Prophetie zwei Maschiach-Auffassungen erkennen, die bei verschiedenen Propheten und in verschiedenen Perioden mit verschieden starker Betonung zum Ausdruck kommen. *GScholem* (op. cit.) hat diese zwei sich gegenseitig komplementierenden Grundhaltungen als »utopischen Messianismus« und »restaurativen Messianismus« bezeichnet. Die relative Überspannung der einen Grundhaltung der anderen gegenüber resultiert in einer Differenzierung der Formen der Messiaserwartungen in der nachbiblischen Zeit. Das läßt sich aus einem Vergleich der jüdisch-pharisäischen mit der christlichen und mit der dem »Yaḥad« eigentümlichen messianischen Ideologie erkennen. Im pharisäischen Judentum, dessen messianische Hoffnungen verhältnismäßig gedämpft sind, ist die restaurative Orientierung ausschlaggebend. Im Christentum wird das utopische Element, das nicht oder kaum geschichtlich gebunden ist, zum hervorstechenden Zug. In der messianischen Ideologie des »Yaḥad« läßt sich eine Balancierung der beiden Haltungen erkennen, die vielleicht der alttestamentlichen Situation am nächsten kommt. In dieser wie in vielen anderen Beziehungen ist der »Yaḥad« mehr als alle anderen jüdischen religiösen Gruppen der zweiten Tempelperiode als am stärksten der Welt des Alten Testaments verbunden zu sehen.

Es scheint, daß sich die differenzierte Betonung der utopischen vis à vis der restaurativen Messiashoffnung in den nachbiblischen religiösen Strömungen aus ihrer Verankerung in unterschiedlichen Schichten der alttestamentlichen Literatur erklären läßt. In jeder restaurativ-eschatologischen Ideologie beruht das Bild der »Endzeit« auf einer weitgehend idealisierten »Urzeit«. Die Erkenntnis der Geistes- und Literaturschichten, in denen das Bild dieser Urzeit haftet, ist daher ausschlaggebend für das Verständnis der besonderen Entwicklung des Endzeitbildes.

In diesem Zusammenhang ist es angemessen, alle vier religiösen Formationen, auf die oben hingewiesen wurde, nämlich Judentum, Christentum, die Samaritaner und die Gemeinde des »Yaḥad« in einer Diskussion und Typologie der Messiasidee auf ihre unterschiedliche Abhängigkeit vom Alten Testament hin zu betrachten. Es scheint, daß die Situation der Samaritaner hier am klarsten ist. Deswegen ist es günstig, unseren Vergleich mit einem Blick auf sie zu beginnen.

IV.

Wie allgemein bekannt ist, gelten für die Samaritaner nur die fünf Bücher des Pentateuch als Heilige Schrift. Auch wenn anzunehmen ist, daß sich die samaritanische Gemeinde schon in der Antike der Existenz der anderen zwei Komponenten des dreiteiligen jüdischen alttestamentlichen Kanons, nämlich der Nebiim und Ketubim – der Propheten und der Schriften – bewußt war, hat sie deren kanonische Heiligkeit niemals anerkannt. Daraus folgt, daß die geistigen und sozialpolitischen Entwicklungen des biblischen Judentums, die in diesen zwei Teilen des alttestamentlichen Kanons zum Ausdruck kommen, keinen oder zumindest nur einen sehr schwach bemerkbaren Einfluß auf den samaritanischen Glauben ausgeübt haben. Die Behauptung, daß der alttestamentliche Messiasbegriff im israelitischen Königtum und in der in der Königszeit entstandenen Literatur verankert ist, wird bestärkt durch die in der samaritanischen Religion vorherrschende Situation. Die Opposition zur davidischen Dynastie und die Ablehnung der prophetischen Schriften brachte es mit sich, daß die Samaritaner keine wirkliche Messiasidee entwickelt haben, obwohl sie zwischen wertmäßig differenzierten Schichten in ihrer eigenen und in der Weltgeschichte unterscheiden, Schichten, in denen sich Begriffe von »Endzeit« und »Urzeit« widerspiegeln. Die ursprüngliche Ära der »Raḥuta«, die samaritanisch-aramäische Bezeichnung der göttlichen Barmherzigkeit, ist die grundlegende Phase ihrer Geschichte, in der das Auge Gottes wohlwollend auf ihnen ruhte. Diese wurde abgelöst durch die negative Ära der »Fanuta«, in der Gott sich ihrer Sünden wegen von ihnen abwandte. Diese Phase umfaßt die gesamte samaritanische Geschichte von den Tagen des Priesters Eli bis auf die heutige Zeit. Der samaritanischen Tradition gemäß hatte Eli die heilige Lade vom Berge Garizim geraubt und sie nach Silo gebracht. Die Zeitspanne, die jener schicksalsvollen Episode voranging, im wesentlichen die Zeit der Wüstenwanderung, ist die einzige, die sie mit den Juden gemeinsam haben. Sie ist für die Samaritaner die klassische Urzeit. Die ideale Endzeit wird als eine Restauration jener grundlegenden Stufe der »Raḥuta« aufgefaßt. Es ist eine Zeit des erneuten göttlichen Wohlwollens, in der die Samaritaner aus ihrer aktuell-geschichtlichen, mitleid-erregenden Gegenwart in einen strahlenden Äon hineingehen werden.

Die Erfassung dieser Endzeit ist sehr vage. Sie knüpft irgendwie an die Epoche der Wüstenwanderung an, das heißt, an eine territorial und national nicht definierbare Situation. Da, wie gesagt, jener vorköniglichen Zeit der Begriff des nicht-priesterlichen, politischen משיח noch fehlte, haben die Samaritaner auch keine Messiasfigur entwickelt. Wenn sie überhaupt auf eine Zentralpersönlichkeit in der idealen Endzeit anspielen, und dergleichen Anspielungen gibt es wenig, so ist es die Figur des Moses redivivus, des wiederauferstandenen Moses. Vielleicht ist schon damit zuviel gesagt. Es scheint nämlich, daß der Glaube an eine Auferstehung nach dem Tode in einer zukünftigen Welt sich in der samaritanischen Religion erst sehr spät, anscheinend unter dem Einfluß des späteren Judentums und des Christentums entfaltet hat. Die vorherrschende Figur in der erwarteten Endzeit, der »Taheb«, ein Wort, das sich am besten mit »Restaurator« übersetzen läßt, weist auf die eschatologische Grundauffassung der Samaritaner hin. Das restaurative Element ist hier völlig dominant. Ohne sich mit mythischen oder philosophischen Spekulationen zu befassen und ohne sich Rechenschaft über den implizierten Begriff der Wiederauferstehung nach dem Tode zu geben, erfassen die Samaritaner die »Endzeit« als eine Replika der mosaischen »Urzeit«. Hierbei fehlt völlig der utopisch-kosmische Überbau, das »Ende der Tage«, der von den Propheten stammt und dessen Einfluß, wie noch darzulegen ist, in den anderen drei Typen der Messiaserwartung in verschiedenem Grad spürbar ist.

Die Messiasidee als solche wurzelt in dem historischen Erleben des Königtums. Die Samaritaner haben das Königtum nie erfahren. Die Ablehnung der geschichtlichen und prophetischen Bücher und die Beschränkung der samaritanischen Bibel auf den Pentateuch haben das Aufkommen einer Messiashoffnung bei ihnen im Keime erstickt.

V.

Der Zusammenhang der besonderen Formen der Messiasidee mit unterschiedlichen Schichten der alttestamentlichen Literatur läßt sich auch durch eine Analyse der anderen drei Hauptströmungen beweisen. Der Brennpunkt des jüdischen Messianismus liegt zweifellos in der mit der Königsideologie stark durchsetzten historischen und prophetischen Literatur des Alten Testaments, also in den früheren und den späteren Prophetenbüchern. Zu diesem Komplex, der die Mittelgruppe des dreiteiligen jüdischen Kanons ausmacht, muß noch das Buch der Psalmen hinzugefügt werden. Die in ihm vorherrschende Königs- und Zions-Orientierung weist darauf hin, daß die Psalmisten von der davidischen Dynastie inspiriert waren und zum Teil vielleicht sogar in deren Auftrag ihre Lieder verfaßten. Man könnte etwa sagen, daß das restaurative Element in dem jüdischen Messiasbild auf den biblischen Geschichtsbüchern fußt, während ihre utopische Färbung aus den prophetischen Büchern abzuleiten ist. Die restaurative Basis wiegt aber weit schwerer als der utopische Überbau. Sowohl innerhalb des alttestamentlichen Gesichtskreises als auch in der weitgehenden Majorität der auf den Messias gerichteten Aussprüche des sogenannten »normativen« Judentums des zweiten Tempels wird die »Endzeit« als eine überraschend greifbare Restitution der davidisch-salomonischen Epoche gesehen.

Die Zeit Salomos war durch den ihr vorangehenden Eroberer David von der Not und der Furcht des Krieges befreit worden. Daher erlebte sie einen zumindest zeitweiligen Friedenszustand. Dies und die von Salomo inaugurierten Handelsunternehmungen brachten auch einen anscheinend allgemein-völkischen wirtschaftlichen Wohlstand mit sich. Damit war eine Macht und Prachtentfaltung verbunden, derengleichen Israel weder vorher noch nachher je erlebt hat. Die Tage Davids, in denen es Israel gelungen war, sein Machtgebiet von Ägypten bis zum Libanon auszudehnen, und die Tage Salomos, die sich durch ihren großen Reichtum und Glanz auszeichneten, stellten überdies zusammen die einzige Phase der biblischen Geschichte dar, in der Israel eine geeinigte Nation war. Die enthusiastische Einschätzung dieser Epoche durch die biblischen Geschichtsschreiber gibt sich in der kurzen Zusammenfassung des Köngsbuches kund: »Juda und Israel lebten in Sicherheit, ein jeder unter seinem Weinstock und unter seinem Feigenbaum, von Dan bis nach Beer-Sheba in allen Tagen Salomos« (1Kön 5_5). Diese Epoche wurde auf ein Piedestal erhoben und zum »urzeitlichen« Vorbild der nationalen »Endzeit«-Erwartung gemacht.

In der prophetischen Eschatologie wird das real-nationale Friedensbild in schwärmerisch-utopischer Weise auf alle anderen Völker ausgedehnt. In einigen Überspitzungen der späten Prophetie nimmt es sogar kosmische Dimensionen an. In einem gewissen Grade hat diese schwärmerisch-utopische Richtung auch auf den jüdischen Messianismus eingewirkt, weniger zur Zeit des zweiten Tempels als vielmehr im frühen und späten Mittelalter. In diesen Entwicklungsstufen muß man jedoch den Einfluß von außerjüdischen eschatologischen Ideen auf die jüdische Welt berücksichtigen. Weder das Alte Testament noch das rabbinische Schrifttum haben der Beschreibung des »Tages des Herrn«, an dem die Fundamente der Welt erschüttert werden, viel Raum gegeben. Die in der späteren Literatur im Detail ausgemalten apokalyptischen Gerichtsszenen bleiben hier im Dunkeln. Wir erfahren auch nichts Genaues über das utopisch akzentuierte »Ende der Tage«.

Jesaja (2_{1-4}) erblickte in seiner glühenden Vision eine »Endzeit«, die von einem kosmischen Frieden durchdrungen ist, in der der Zion und der über ihm herrschende Gott zum Mittelpunkt einer wohlgeordneten Völkerwelt werden, einer Welt, die von jeder politischen und religiösen Spannung befreit ist.

Der Prophet Micha bringt eine im großen und ganzen wörtliche Parallele dieser Vision. Mit Recht wird angenommen, daß diese Doppelüberlieferung von einer gemeinsamen Vorlage abzuleiten ist, ohne daß sich die gegenseitige Abhängigkeit der beiden Versionen genau bestimmen läßt.[2] Man kann aber wohl sagen, daß mit der im Buche Micha gebrachten Variante und Ergänzung der kürzeren Jesaja-Vision ein Zurückschrauben der utopischen Wendung auf das restaurative Fundament beabsichtigt ist. An Stelle des Schlußverses in Jesaja: »Haus Jakobs, auf! laßt uns wandeln in Jahwes Licht«, lautet der Micha-Text: »Und sitzen wird jeder unter seinem Weinstock und unter seinem Feigenbaum, ohne daß einer sie aufscheucht. Denn der Mund Jahwe Zebaots hat gesprochen«. Der historisch-restaurative Charakter dieser Worte ist daran zu erkennen, daß sie eine Paraphrase des schon zitierten Verses im 1. Königsbuch 5_5 sind: »Juda und Israel lebten in Sicherheit, ein jeder unter seinem Weinstock und unter seinem Feigenbaum, von Dan bis nach Beer-Sheba, in allen Tagen Salomos«.

Die real-politische und real-religiöse Tendenz des Micha-Spruches kommt noch mehr in den sich ihr anschließenden Versen, die in der Jesaja-Parallele fehlen, zum Ausdruck: »Denn alle Völker wandeln ein jeder im Namen seines Gottes, wir aber wandeln im Namen Jahwes, unseres Gottes, in alle Ewigkeit« (Mi 4_5). Die neuzeitliche Exegese scheint die Derivation dieses dem Micha eigentümlichen Stückes aus der Ideenwelt der alttestamentlichen Geschichtsliteratur nicht bemerkt zu haben. Daher hat sie auch den Wert der Variante, die fast

[2] Eine kurze Synopsis der wissenschaftlichen Diskussion bringt *HWildberger*, Jesaja, BK X (1965) 76–77.

als ein innerbiblischer Kommentar zu dem Jesajaspruch aufzufassen ist, nicht erkannt. In der modernen Bibelwissenschaft wird der utopisch-übernationale Ton der alttestamentlichen Messiasidee besonders hervorgehoben. Die restaurativ-nationalen Züge werden als minderwertige Überbleibsel eines nicht völlig entwickelten Monotheismus betrachtet. Im Hinblick auf die frühbiblische restaurativ-orientierte Eschatologie ist es auch falsch, das Micha-Fragment als nachexilisch zu betrachten, wie es oft getan wird.[3] In Wirklichkeit muß man sagen, daß Micha auf die religiös-separatistische Ideenwelt, die wir aus der alttestamentlichen Geschichtsliteratur kennen, zurückgreift.

Die Verankerung des nachbiblischen jüdischen Eschatonbildes in der frühbiblischen Geschichtsliteratur, im Hause Davids und in der von den zwei hervorstechenden Königsfiguren des David und des Salomo bestrahlten Periode des geeinigten Königtums brachte es mit sich, daß in der rabbinischen Eschatologie der personifizierte Messias eine ziemlich beschränkte Rolle spielt. Das Bild der Endzeit ist situationsbedingt. Man könnte die in der rabbinischen Literatur vorherrschende Idee als »Situationseschatologie« bezeichnen.

Die eschatologische Hoffnung bleibt auf das Volk Israel beschränkt, und das zukünftige politische Weltbild ist keinem revolutionären Umsturz unterworfen. Was die Endzeit von der Gegenwart unterscheidet, sagt ein Ausspruch der Weisen, ist »die Befreiung Israels von dem Joch der Völker« (Berakhot 34b). In biblischer Sicht ist dieser Idealzustand als eine Reflektion des geeinigten israelitischen Imperiums unter David und Salomo aufzufassen.

Die Wiederherstellung des Davidischen Großreiches in seiner salomonischen Entfaltung ist das erhoffte Ideal, das sich noch in dem verhältnismäßig späten Buche Jeremia widerspiegelt. Wenn Israel sich an die Gesetze Gottes halten wird, sagt der Prophet, so werden wieder »durch die Tore dieser Stadt Könige einziehen (und Fürsten), die auf dem Throne Davids sitzen, die mit Wagen und Rossen fahren, sie und ihre Fürsten, die Leute von Juda und die Bewohner Jerusalems, und die Stadt wird für immer bewohnt bleiben« (Jer 22_4).

VI.

Auf der gleichen Ebene betrachtet, das heißt in ihrem Bezug auf die unterschiedlichen Schichten der alttestamentlichen Literatur, läßt sich sagen, daß die christliche Eschatologie und mit ihr der Messiasglaube in den späteren Prophetenbüchern verwurzelt ist. Hieraus erklären

[3] Cf. zB *ThRobinson,* Micha, HAT I/14 (1964) 5. 141.

sich zwei Züge, die die christliche Idee von der jüdischen scharf unterscheiden und sie zur gleichen Zeit in ihrem Messiasreichtum zum Gegenpol der samaritanischen Messiasarmut machen. Der national-politisch orientierte, restaurative Grundton der jüdischen Eschatologie ist in der christlichen nur sehr schwach herauszuhören. Zwar bestehen Anknüpfungspunkte der Messiasfigur mit der Davidischen Dynastie, aber diese sind mehr darauf gerichtet, den Messias in der geschichtlichen Tradition des Alten Testaments zu verankern als in der »Endzeit« eine Widerspiegelung der Davidischen Königszeit zu sehen. Die fast ausschließliche Derivation der Messiasfigur aus der prophetischen und aus der Psalmenliteratur, die viel weniger realgeschichtlich gebunden sind als die alttestamentliche Historiographie, bringt ferner eine Entnationalisierung mit sich, bis die Messiasidee schließlich allumfassende, kosmische Dimensionen erreicht. Der Verzicht auf eine Verwirklichung der aus der davidischen Urzeit geschöpften, national-politischen Hoffnungen in der Endzeit, resultiert in einer Individualisierung und einer Verinnerlichung der Messiasvorstellung. Es ist der Einzelne, der am Ende der Tage im Kommen des Erlösers eine Selbsterfüllung erlebt, nicht das geschichtlich definierbare jüdische Volk. Die erwartete Erlösung ist nicht mehr realpolitisch auf eine nationale Einheit bezogen, sondern auf eine Gemeinde von gläubigen Individuen.

Die Abwendung von der realhistorisch bedingten nationalen Erfassung der »Endzeit« macht Raum für eine viel stärkere Ausbreitung der utopischen prophetischen Grundrichtung im christlichen Messianismus. Der alttestamentliche, prophetische Glaube hatte sich schon teilweise losgelöst von dem realpolitischen Boden, auf dem die Ideologie der alttestamentlichen Geschichtsbücher fundiert. Die prophetische Kritik der aktuellen Geschichte lief im spätbiblischen Zeitalter in ein schwärmerisch-utopisches Porträt der erhofften Endzeit aus. Zu Beginn wurde diese noch als historisch erreichbar betrachtet. Aber infolge von immer wiederkehrenden Enttäuschungen und Rückschlägen wurde sie in eine weit distanzierte Zukunft verschoben. Schließlich überschritt sie den Rahmen der Geschichte. Es läßt sich nicht klar definieren, wann die Endzeit endgültig in die Metahistorie verlegt wurde. Aber man darf wohl annehmen, daß das in der Phase des Überganges von der alttestamentlichen zur apokryphen Literatur geschah.

Eine Folge dieser Entwicklung ist die Abschwächung des – von mir so bezeichneten – jüdischen Situationsmessianismus und die Konzentration der eschatologischen Hoffnung auf eine klar umrissene Messiasfigur. Auch hierin fußt der christliche Messiasglaube auf alttestamentlichen Grundlagen, die wiederum besonders in den exilischen und nachexilischen Prophetenbüchern hervortreten. Ausschlaggebend ist die Figur des leidenden »Knechtes Gottes«, die ein Hauptmotiv der Visionen des nachexilischen Jesaja ist, und die dem Buche Ezechiel entnommene Figur des »Menschensohnes«. Die Identifizierung des »Gottesknechtes« mit dem erhofften Erlöser brachte eine verschärfte Personifikation des Messias mit sich, derengleichen das normative Judentum des zweiten Tempels nicht kennt, einen Messias, der nicht im Mittelpunkt eines real-politisch erschauten und geographisch begrenzten Endreiches steht, sondern von den Gläubigen übernational, kosmisch freischwebend aufgefaßt wurde.

VII.

Ich bin mir der schematischen Natur dieser Ausführungen bewußt, glaube aber, daß sie sich durch eine Betrachtung der Beziehung des Yaḥad zum Alten Testament unterbauen lassen. Die in der Literatur der Gemeinde des Neuen Bundes zum Ausdruck kommende Eschatologie, die besonders stark alttestamentlich akzentuiert ist, bringt die dem jüdisch-pharisäischen und dem christlichen Messianismus eigentümlichen Charakterzüge in scharfes Licht. Eine Analyse der Yaḥad-Literatur beweist, daß sie sprachlich und stilistisch der nachexilischen alttestamentlichen Literatur am nächsten steht. An sich ist das nicht überraschend, da ja diese beiden Schichten der hebräischen Sprache und Literatur nur ungefähr 200 Jahre auseinanderliegen und sich sogar teilweise decken. Aber die beiden gemeinsamen Elemente liegen viel tiefer. Es läßt sich zeigen, daß die Gemeinde des Neuen Bundes mit besonderer Vorliebe auf Motive der nachexilischen Literatur zurückgreift. Es ist meine These, daß der Grund dafür darin zu suchen sei, daß der Yaḥad sich als verspätete »Rückkehr aus dem Exil« betrachtete,[4] die sich dem Alten Testament zufolge zu Beginn des persischen Zeitalters abgespielt hatte. Jene Zeit der Wiederherstellung der in dem Schmelzofen des Exils gereinigten jüdischen Gemeinde, die die Sündhaftigkeit des israelitischen Volkes der ersten Tempelperiode überwunden hatte, wurde für den Yaḥad das urzeitliche Vorbild der erstrebten Endzeit. Die messianische Hoffnung bleibt auch hier grundlegend restaurativ. Das Eschaton wickelt sich im geographischen Raum Palästinas ab, in den die erlösten Yaḥad-Gläubigen siegreich zurückkehren. Das »Neue Jerusalem« wird im Prinzip als eine besonders schöne, aber nicht vergeistigte, sondern fast beklemmend realistisch gezeichnete Reproduktion des historischen Jerusalem erblickt. Ähnlich der pharisäischen Auffassung wird das Eschaton von der

[4] Ich werde diese Selbstidentifizierung des Jaḥad mit der aus dem Exil zurückkehrenden Gemeinde im Rahmen einer Untersuchung »Qumran und das Alte Testament« im Einzelnen darlegen.

Gruppe als Gruppe erfahren und wird nicht individualisiert wie im christlichen Messianismus. Aber im Gegensatz zum Pharisäertum ist die erlöste Gemeinschaft nicht nur national-jüdisch askriptiv umschrieben, sondern auch charismatisch-elektiv. Der Yaḥad sieht sich als die Elite des jüdischen Volkes an, als der erwählte Rest, der seiner Gottesfürchtigkeit wegen das historische Debakel der Zerstörung des Tempels und des Staates überstanden hatte. In der pharisäischen Messiasauffassung war die die Erlösung erwartende Gemeinschaft national-ethnisch bestimmt. In der christlichen Eschatologie ist es eine aus inspirierten Individuen zusammengesetzte Gemeinde, die auf dem allen gemeinsamen Glauben an den erstandenen Messias basiert. In der Gemeinde des Neuen Bundes läßt sich ein Ausgleich dieser differenzierten Charakterzüge erkennen, die im Christentum und im Judentum unterschiedlich betont wurden. Die Mitgliedschaft im Yaḥad, im Bunde der auf die endzeitliche Erlösung Harrenden, gründet sich auf eine Fusion von jüdisch-ethnischer Zugehörigkeit und einem individuellen Glaubensbekenntnis. Es ist eine Wahlverwandtschaft im wahrsten Sinne des Wortes.

In letzter Sicht ist auch die Yaḥad-Eschatologie eine Situationseschatologie. Hierin steht sie zweifellos der normativ-jüdischen Auffassung nahe. Aber viel stärker als im Judentum ist der Nachdruck auf die im Mittelpunkt der Endzeit stehende Zentralfigur gelegt. In dieser Beziehung nähert sich die Yaḥad-Eschatologie der christlichen. Aber es besteht doch ein tiefgehender Unterschied. Die Personifizierung des Messias stellt sich in einer eigentümlichen Spaltung dar. Wie schon *LGinzberg* auf Grund der Damaskusschrift annahm, erwartete man offenbar zwei Messiasfiguren: einen Messias, der dem priesterlichen Hause Arons entstammt, und einen, der ein Sproß der David-Dynastie ist.[5] Diese Doppelung der Messiasvorstellung der Gemeinde des Neuen Bundes ist grundverschieden von der auf einen markanten individuellen Messias zugespitzten christlichen Eschatologie. Die Differenz zwischen dem einzigen Messias und den zwei Messiasfiguren des Yaḥad ist nicht nur quantitativ, sondern grundsätzlich qualitativ, prinzipiell.

In dieser Differenz läßt sich die typisch jüdische, restaurative Orientierung der Yaḥad-Eschatologie erkennen. In dem Bild des königlichen Messias aus dem Hause David, neben dem der priesterliche Messias aus dem Hause Aron fungiert, spiegelt sich die religiös-politische Organisation der aus dem Babylonischen Exil zurückgekehrten Gemeinde.

[5] *LGinzberg*, Eine unbekannte jüdische Sekte. MGWJ 58 (1914) 159–177. 395–429. Diese These ist nach der Entdeckung der Rollen aus der Judäischen Wüste öfters wieder erörtert worden und wurde von *RDeichgräber* überzeugend unterbaut (ZAW 78, 1966, 333–342).

Damals forderte der Prophet Sacharja eine klar demarkierte Machtteilung zwischen dem davidischen Prinzen Serubabel und dem Hohenpriester Josua. Königtum und Priestertum sollten sich gegenseitig ergänzen und komplementär die Grundlage der nationalen Einigkeit bilden. Damit sollte die Basis für ein friedliches Staatsleben, konzentriert auf die Königsstadt Jerusalem und auf den Tempel, die Domäne des Hohen Priesters, geschaffen werden. Die konkret-geschichtliche Situation der judäischen Provinz im Rahmen des persischen Imperiums wird vom Yaḥad als die Urzeit aufgefaßt, die das Vorbild der idealisierten Endzeit ist. In dieser Endzeit wird die Gemeinde des Neuen Bundes nicht nur ihrer bedrückenden Minoritätssituation enthoben werden, sondern in ihr werden sich auch die Spannungen der historischen Urzeit lösen. Das Neue Jerusalem wird als eine verklärte Neuschöpfung des makelhaften Jerusalem zu Beginn der zweiten Tempel-Periode aufgefaßt.

Die früh-alttestamentliche real-historische Erfassung des Eschaton wurde von dem Yaḥad in fast ungetrübter Reinheit übernommen. Die Zeit der Erlösung wird in historisch-greifbarer Zukunft erwartet. Der für das pharisäische Judentum charakteristische Prozeß einer sich allmählich in die Metahistorie entfernenden Zukunftshoffnung spielt sich hier nicht ab. Die Gemeinde des Neuen Bundes fühlt sich vor der Pforte des Eschaton stehend und spürt den Hauch des sich nähernden Erlösers. Wir haben es mit einem extrem chiliastischen Messianismus zu tun. Das Kommen des Messias wird nicht als ein jähes, überraschendes Einbrechen des himmlischen Reiches in den normalen Ablauf der Geschichte betrachtet, sondern als ein sich zu einem berechenbaren Termin abspielender Umsturz. Die Bestimmbarkeit dieses Termins beruht auf in der Bibel erwähnten Daten. Sie bringt mit sich, daß der Mensch sich auf die messianische Zeit vorbereiten kann und vorbereiten muß. Das Vorbereitungsstadium, das die abgelehnte Gegenwart von der ersehnten Zukunft trennt, gleicht der zwischen dem Exodus und der Besitznahme des Landes liegenden Wüstenwanderung, die Israel sowohl am Anfang als auch am Ende seiner Geschichte erfahren hatte, nach dem ägyptischen und nach dem babylonischen Exil. Die Interim-Periode dient der Entsündigung und Reinigung, die für den Eintritt in die Endzeit unentbehrlich sind. Sie bildet die Kulisse für einen grandiosen rîte de passage.

Es war wieder die exilische und nachexilische biblische Literatur, die für die Bestimmung des Termins der »Endzeit« entscheidend wurde. Die Exulanten zur Zeit Serubabels sahen in ihrer Rückkehr aus dem Exil die Verwirklichung der Jeremianischen Prophezeiung, die eine Restitution des jüdischen Staates 70 Jahre nach seiner Zerstörung in Aussicht gestellt hatte (Jer $25_{11.12}$; 29_{10}). Das ergibt sich ganz klar aus dem ersten Vers des Buches Esra, in dem die durch das Dekret des persischen Königs Cyrus ermöglichte Rückkehr als eine Erfüllung dieser Verkündigung aufgefaßt wird (vgl. 2Chr 36$_{22}$). Auch der Prophet Sacharja, selbst aus dem Exil zurückgekehrt, beruft sich auf jene jeremianische Weissagung (Sach 1$_{12}$; 7$_{5}$). Der ersten Welle von Repatrianten folgten noch weitere. Der Prozeß zog sich über ein Jahrhundert hin, bis in die Tage Nehemias in der zweiten Hälfte des fünften vorchristlichen Jahrhunderts. Unsere Quellen machen es klar, daß nur ein Teil der Exulanten dem Rufe, nach Palästina zurückzukehren, Folge leistete. Eine große Anzahl, vielleicht sogar eine Mehrheit, verblieb in Persien. Unter diesen wird die Hoffnung auf eine historisch-endzeitliche Rückkehr lebendig geblieben sein.

Wie gesagt, sah sich die Gemeinde des Neuen Bundes als die wahre Verwirklichung jener historischen Restaurationsbewegung vom Beginn des persischen Zeitalters. Infolge der schon realisierten Erfüllung der jeremianischen Weissagung suchte diese eschatologisch orientierte Gruppe einen neuen Ausgangspunkt im Alten Testament für die Errechnung des Termins ihrer eigenen »ideologischen Rückkehr« aus dem Exil. Sie fand sie im Buche des Propheten Ezechiel, der durch eine symbolische Handlung eine 390 Jahre währende Exilszeit Israels nach der Zerstörung des Tempels ankündigt.[6] Diese Ziffer wurde von den Yaḥadschwärmern völlig ernst genommen und in einer typischen Pescherausdeutung auf sich bezogen. Der Tempel war 587/6 vChr zerstört worden. 390 Jahre später befinden wir uns am Beginn des zweiten vorchristlichen Jahrhunderts. Auf Grund von historischen Referenzen in der Yaḥadliteratur, sprachlichen, epigraphischen und archäologischen Untersuchungen ist es ziemlich allgemein anerkannt, daß die Gemeinde wirklich etwa um diese Zeit entstand, also ungefähr zu Beginn der hasmonäischen Epoche. Es ist ferner klar, daß nach einer weiteren Periode von 20 Jahren[7] in der »sie waren wie Blinde, und wie solche, die nach dem Wege tasten« (Damaskusschrift I$_{9-10}$), die Mitglieder des Neuen Bundes anscheinend in dem Hasmonäerkönig Jannäus den König der Endzeit erblickten. Aber es stellte sich bald heraus, daß Jannäus nicht der ideale König der idealen Endzeit war. Seine Usurpation der Würde des Hohen Priesters entsprach nicht der ausgeglichenen Dualität von Priester und König, die der realen Organisation und der Eschatologie der Gemeinde von Qumran eigentümlich war. Schon aus diesem Grunde allein, ganz abgesehen von anderen schwerwiegenden negativen Charakterzügen, konnte die hasmonäische Epoche nicht als die ideelle End-

[6] Ez 4$_{5}$ MT; 𝔊 liest 190.

[7] Diese Ziffer ist wohl als eine Qumranvariante des vierzig Tage-Jahre währenden Exils Judas, das Ezechiel 4$_{6}$ voraussieht, zu betrachten.

realisierung der nachexilischen Urzeit angesehen werden. Das Eschaton mußte aufs neue verlegt werden.

In der Art, in der diese Verlegung ausgeführt wird, nimmt der Yaḥad wiederum eine Mittelstellung zwischen Judentum und Christentum ein. Das Judentum der zweiten Tempelepoche, für das das Eschaton niemals in greifbare Nähe rückte, bewahrte die biblische David-Salomo-Periode als den urzeitlichen Haftpunkt der endzeitlichen Erlösung. Die Gemeinde des Neuen Bundes betrachtete sich zwar als das »letzte Geschlecht« (Damaskusschrift I12), erlebte aber nie eine Realisierung der »Endzeit«. Sie stand sozusagen auf der Schwelle des Königreiches Gottes, die zu überschreiten ihr aber nicht zuteil wurde. Aus den Nachwehen der enttäuschten Hoffnung wurde ein neues Eschaton geboren, das man nicht mehr historisch zu definieren wagte. Aber das Urbild änderte sich nicht. Es blieb in der auf das Exil folgenden Restaurationsperiode verankert. Doch seine Konkretisierung mußte, nolens volens, verlegt werden.

In die neue Interimsperiode zwischen der historischen Gegenwart und der idealen Endzeit strömen jetzt apokalyptische Motive hinein, die wiederum dem Alten Testament entnommen sind, diesmal der überspitzt irrealen Gog-und-Magog-Vision Ezechiels. Der einstmals erhoffte, aber niemals realisierte Übergang von der vorherigen historischen Situation in die ebenso historisch gesichtete Endzeit hätte sich in einem ziemlich glatten Prozeß abspielen sollen. Die Erkenntnis des bevorstehenden Beginnes des Eschaton hatte bewirkt, daß die Gemeinde des Neuen Bundes sich vom alltäglichen Leben und natürlichen Gesellschaftsformen abwandte. Die Gemeindebrüder zogen sich freiwillig in die Wüste zurück, errichteten dort den vielleicht frühesten Mönchsorden, um sich ungestört, individuell und als Gemeinschaft auf das Ende der Tage vorzubereiten. In der Praxis vollzog sich dieser Vorgang aber nicht ohne Schwierigkeiten. Die Yaḥadliteratur berichtet, daß die Häupter des normativen Judentums, vor allen Dingen der Hohe Priester, den Handlungen der Gemeinde feindlich gegenüberstanden, sie in die Wüste verfolgten, um sie mit Gewalt an der Ausübung ihrer speziellen rituellen Gesetze zu verhindern. Aber dieser Umstand ist als eine unerwartete Entwicklung aufzufassen, die in der ursprünglichen eschatologischen Ideologie des Yaḥad nicht vorgesehen war, der zufolge der Prozeß sich friedlich und sukzessiv hätte abwickeln sollen.

Als Resultat der ersten Enttäuschung und der in die ferne Zukunft verschobenen Endzeithoffnung erfährt der Übergang von der aktuellen Geschichtssituation in das Eschaton eine völlig neue Gestaltung. Er wird jetzt als ein erschütternder Umsturz des Kosmos erfaßt. Die Realisierung des Eschaton erfordert eine vorhergehende siegreiche Bewältigung der sich ihr gegenüberstellenden Kräfte. Hierin werden Grundzüge der späteren Vorstellung des Kampfes gegen den Antichrist spürbar. Die Zeitspanne des letzten Kampfes bleibt berechenbar. Sie wird 49 Jahre dauern. Aber der Beginn dieser Kriegszeit kann nicht mehr genau bestimmt werden. Er muß also als ein plötzlicher, gewaltsamer Eingriff in die Geschichte angesehen werden. Dadurch entsteht oder verstärkt sich in der Yaḥad-Eschatologie der extrem militante Zug der Messiaserwartung, dessen Grundlagen sich in der Gog-und Magog-Vision des Ezechiel finden.

Aber noch immer getreu der geschichtlich-konkreten Zeichnung seiner ursprünglich-historischen Endzeiterwartung wird auch der Endkampf in der Kriegsrolle von Qumran in einer quasi-realistischen, in unserer Auffassung aber surrealistischen Form geschildert. Die apokalyptischen Vorgänge, durch die die Festen des Kosmos vor dem Anbruch des himmlischen Reiches einstürzen, werden hier in einer phantastisch-konkreten Art und Weise dargestellt. Die Terminologie dieser Rolle scheint aus einem Handbuch der klassischen römischen Kriegstaktik entnommen zu sein. Die Verschmelzung überirdischer utopisch-schwärmerischer Motive mit kalt-konkreter irdischer Kriegstechnik ist ohne Präzedent in der kontemporären Literatur. Aber an dem Bild des endgültigen Eschaton ändert sich nichts Wesentliches. Es haftet weiterhin an der nachexilischen Urzeit.

Zusammenfassend läßt sich folgendes sagen:

Der christologische Messianismus muß, nach den Worten *Max Webers,* als ein völlig neuer Durchbruch gegenüber den vorchristlichen Formen betrachtet werden. Die Christus-Gläubigen erharrten nicht nur, sondern erlebten das Gottesreich. Die Realisierung der Messiasidee in der Person Jesu ermöglichte es ihnen, die Schwelle der in das Himmelreich führenden Pforte zu überschreiten. Das Eschaton war Geschichte geworden. Darin liegt der entscheidende Unterschied zwischen der christlichen Auffassung und den anderen drei, im niemals realisierten Hoffnungsstadium verbliebenen Messiasideologien der Samaritaner, des Pharisäertums und der Gemeinde des Neuen Bundes.

Auch das Christentum machte die Erfahrung, daß die Erlösung nicht endgültig war. Die Realisierung der Endzeit wurde daraufhin in eine ferne Zukunft verschoben, wie das auch in den anderen Typen der Messiashoffnung geschah. In manchen chiliastischen, christlichen Strömungen, die diese intervenierende Zeitspanne auf 1000 Jahre berechnen, läßt sich vielleicht eine Reflexion der Yaḥad-Ideologie erkennen. Diese Strömungen wurden aber immer als nicht-orthodox betrachtet und abgelehnt.

Entscheidender ist der Umstand, daß mit der Verschiebung der Endzeit auch eine Verschiebung des urzeitlichen Vorbildes stattfindet. Es greift über die historisch bestimmte Situation Israels in der alttestamentlichen Zeit hinaus und wird jetzt mit der schon einmal realisierten Endzeit in den Tagen Jesu identifiziert, die jetzt zu einer neuen Urzeit wird. Das einst konkret erlebte Eschaton wird zum neuen Ansatzpunkt des Messianismus, der in dem Wiedererstehen Jesu gipfelt. Hier trennt sich die Christologie von allen ihr zeitlich vorausgehenden jüdischen Messiasideologien. Während für alle jüdischen Richtungen die alttestamentlichen Urbilder ausschlaggebend bleiben, entlehnt das Christentum seinen Prototyp der Endzeit dem Neuen Testament. Damit scheidet sich der christliche Messiasglaube endgültig von den jüdischen Typen der Messiashoffnung, dem der Samaritaner, des Yaḥad und des rabbinischen Judentums.

WOLFGANG TRILLHAAS

FELIX CULPA

Zur Deutung der Geschichte vom Sündenfall bei Hegel

1.

Nicht weniger als dreimal bezieht sich *Hegel* in seinen Vorlesungen über die Philosophie der Religion auf die Geschichte vom Sündenfall. Und dies nicht nur beiläufig, sondern an Achsenstellen seiner Entwicklungen, und mit so ausführlichen Erinnerungen an die biblische Erzählung, daß er förmliche Nacherzählungen liefert.[1] Der Zusammenhang ist jeweils ein anderer, und doch handelt es sich jedesmal um denselben tragenden Gedanken, der eine Schlüsselstellung beansprucht. Er begegnet uns zunächst zu Beginn des zweiten Teiles über die bestimmte Religion, wo unter der Überschrift »Die unmittelbare Religion« *Hegel* eben diese gegen das Mißverständnis der Aufklärung abgrenzt, es handele sich um Vernunftreligion oder metaphysische Religion, kurz um das Resultat der Aufklärung. Vielmehr meint *Hegel* wirklich die Urformen ethnischer Religion, wie das ja dann im Fortgang dieses Abschnittes unmißverständlich zur Anschauung kommt. Aber das erspart ihm nicht die andere Aufräumungsarbeit. Er wendet sich gegen die Vorstellung von der unmittelbaren Religion, »daß sie es sein müsse, welche die wahrhafte, vortrefflichste, göttliche Religion sei und daß sie ferner auch geschichtlich habe die erste sein müssen. Nach unserer Einteilung ist sie die unvollkommenste und *so* die erste, aber die wahrhafteste«.[2] Damit ist *Hegel* beim Thema: Was ist die Unmittelbarkeit in der Religion eigentlich wert? »Unmittelbarkeit«, dh »der Geist in der Einheit mit der Natur«, oder auch »der Mensch im Stande der Unschuld«. Hier nun schließt sich die Geschichte an, die uns berichtet, wie der Mensch diesen Zustand der Unschuld verlassen und schuldig geworden ist. – Die zweite Bezugnahme auf die Sündenfallgeschichte findet sich im Zusammenhang mit der Entwicklung der »Religion der

[1] Vorlesungen über die Philosophie der Religion, hg. von *GLasson* (Neudr. 1966) I/2, 22–38; II/1, 82, 85–89; II/2, 121–129. In der »Jubiläumsausgabe« = *GWFr Hegel:* Sämtliche Werke, hg. von *HGlockner*, Bd. 15, 282ff; Bd. 16, 72ff; 257ff. Ich zitiere nachfolgend der leichteren Übersicht wegen nur nach der *Glockner*schen Ausgabe Band und Seitenzahl.

[2] 15,280.

Erhabenheit«, dh also der jüdischen Religion in eben demselben zweiten Teil über die bestimmte Religion, wo *Hegel* die Eigentümlichkeit der jüdischen Religion in drei Stufen entfaltet: Die göttliche Besonderung gegenüber der Welt, dann »die Form der Welt«[3] und drittens »der Zweck Gottes mit der Welt«. In diesem dritten Teil tritt erst die Weisheit Gottes, die Zweckhaftigkeit der Natur, dann, als zweite Bestimmung, die sittliche Weltordnung, die Korrespondenz von Wohlergehen und Gerechtigkeit, in den Blick. Aber als dritte Bestimmung dann der Mensch als Ebenbild Gottes, als endlicher Geist, als »der Ort des Kampfes des Bösen und des Guten«. Damit ist dann der Punkt erreicht, wo vom Sündenfall, bzw. von dem biblischen »Mythus« vom Sündenfall die Rede sein muß. – Ein dritter Anlaß, die Geschichte des Sündenfalles ausführlich zur Sprache zu bringen, findet sich für *Hegel* dann im dritten Teil »Die absolute Religion«, und zwar im zweiten Abschnitt über »Die ewige Idee Gottes im Element des Bewußtseins und des Vorstellens, oder die Differenz: Das Reich des Sohnes«. Hier läuft in dem entscheidenden dritten Absatz über die Bestimmung des Menschen alles auf die Versöhnungslehre hinaus. Aber wer wird versöhnt, und warum ist Versöhnung notwendig? Wäre der Mensch von Natur gut, nicht entzweit in sich, so wäre keine Versöhnung nötig. Sie ist nötig, weil der Mensch von Natur böse ist. Er ist also aus der ursprünglichen Gutheit herausgetreten, und das wird in der Geschichte vom Sündenfall erzählt. Dank dieser Erzählung gibt es überhaupt gar keinen Rückgriff mehr in eine ursprüngliche Gutheit, es wäre eine leere Vorstellung. Das Interesse an der Geschichte vom Sündenfall erklärt sich also, an dieser Stelle jedenfalls deutlich genug, daraus, daß sie das Widerlager der Versöhnungslehre darstellt.

Die dreifache Erörterung der Geschichte vom Sündenfall ist allerdings einzigartig, aber das Interesse *Hegels* an diesem Thema hat sich nicht nur hier niedergeschlagen. In der »Encyklopädie der philosophischen Wissenschaften im Grundrisse«, und zwar im Vorbegriff zur Wissenschaft der Logik wird die Entstehung des reflektierenden Erkennens unter Zuhilfenahme des »mosaischen Mythus vom Sündenfall« beschrieben: Die Formen des reflektierenden und dann des philosophischen Erkennens »treten heraus aus der unmittelbaren natürlichen Einheit. Indem sie dies miteinander gemein haben, so kann die Weise durch das Denken das Wahre erfassen zu wollen, leicht als ein Stolz des Menschen, der aus eigener Kraft das Wahre erkennen will, erscheinen. Als Standpunkt der allgemeinen Trennung, kann dieser Standpunkt allerdings angesehen werden als der Ursprung alles Übels und alles Bösen, als der ursprüngliche Frevel, und es scheint hiernach, daß das Denken

[3] »Die Natur ist hier entgöttert« 16,59.

und Erkennen aufgegeben sei, um zur Rückkehr und Versöhnung zu gelangen«.[4] – Auch in den Vorlesungen über die Philosophie der Geschichte wird im Eingang zum Kapitel über das Christentum der Gegenstand zur Sprache gebracht:[5] »Der Sündenfall ist der ewige Mythus des Menschen, wodurch er eben Mensch wird«. – Es ist nicht die Absicht, alle Stellen zu notieren, welche das Interesse *Hegels* an dem Mythus oft nur durch Anspielungen bezeugen.[6]

Bevor ich mich dem Inhaltlichen selbst, der Auslegung durch *Hegel* zuwende, wobei ich mich im wesentlichen auf die Religionsphilosophie beziehe, muß ich die Einstellung *Hegels* zur Erzählung als solcher kurz bezeichnen. Er faßt die Erzählung vom Sündenfall nicht als »Text«. Das ist bei dem durchgängig ironischen Verhältnis *Hegels* zur exegetischen Theologie auch gar nicht zu erwarten. Für ihn ist die Erzählung ein Mythus, eine »alte Vorstellung.« »Diese bekannte Darstellung, wie das Böse in die Welt gekommen, ist in der Form eines Mythus, einer Parabel gleichsam eingekleidet. Wenn nun das Spekulative, das Wahrhafte, so in sinnlicher Gestaltung, in der Weise von Geschehensein dargestellt wird, so kann es nicht fehlen, daß unpassende Züge darin vorkommen. So geschieht es auch bei Plato, wenn er bildlich von Ideen spricht, daß ein unangemessenes Verhältnis zum Vorschein kommt«.[7] Die Beziehung zum Alten Testament wird nirgends thematisch. Im Gegenteil: »Zu bemerken ist noch, daß diese Geschichte im jüdischen Volke geschlafen und ihre Ausbildung in den Büchern der Hebräer nicht erhalten hat; einige Anspielungen in den späteren apokryphischen Büchern abgerechnet kommt sie darin überhaupt nicht vor. Lange Zeit ist sie brach gelegen und erst im Christentum sollte sie zu ihrer wahren Bedeutung gelangen«.[8] Das freilich will nun wiederum nicht als eine historische Aussage, sondern schon als ein spekulativer Satz verstanden werden; denn »Christentum« meint hier nicht dessen neutestamentliche Gestalt, sondern die im christlichen Dogma modellhaft vorgezeichnete und sich in der »absoluten Religion« erfüllende Spekulation.

2.

Diese spekulative Enträtselung des Mythus vom Sündenfall vollzieht sich nun in kritischer Abwehr der konventionell kirchlichen Deutung. Diese konventionelle Deutung birgt für *Hegel* so viele Ungereimthei-

[4] 8,92–97; das Zitat 92.
[5] 11,412ff.
[6] Beispiele: 2,432.588; 9,41f; 10, 163; 13,406; 17,140f; 18,121.528f; 19,105f; 20,167.
[7] 16,73.
[8] 16,76.

ten in sich, aber sie können spekulativ aufgelöst werden. Der Mythus selbst kann gegen seine dogmatischen Interpreten aufgeboten werden, er soll in seinem eigentlichen Sinne zur Sprache gebracht werden. »In der ganzen Geschichte vom Sündenfall sind diese großen Züge vorhanden in scheinbarer Inkonsequenz, wegen der bildlichen Vorstellung des Ganzen. Der Austritt aus der Natürlichkeit, die Notwendigkeit des Eintretens des Bewußtseins über das Gute und Böse ist das Hohe, was Gott hier selbst ausspricht«.[9]

Diese Natürlichkeit bezeichnet den paradiesischen Zustand. »Was die Kritik solcher Vorstellung anbetrifft, so muß zunächst gesagt werden, daß solche Vorstellung ihrem wesentlichen Gehalt nach notwendig ist«. Es ist die ursprüngliche Einheit, Harmonie, eine Harmonie, »die noch nicht in die Entzweiung übergegangen ist, weder in die von Gut und Böse, noch in die untergeordnete Entzweiung, in die Vielheit, Heftigkeit und Leidenschaft der Bedürfnisse. Diese Einheit, dieses Aufgelöstsein der Widersprüche enthält allerdings das Wahrhafte und ist ganz übereinstimmend mit dem Begriff. Aber ein Anderes ist die nähere Bestimmung, daß diese Einheit als Zustand in der Zeit vorgestellt wird, und als ein solcher, der nicht hätte verloren gehen sollen und der nur zufällig verloren gegangen ist ... Wir müssen dieser Vorstellung ihr Recht widerfahren lassen.«[10] Es ist der Zustand der Unmittelbarkeit des Wissens, der ursprünglichen Gutheit, ohne alles Bedürfnis nach Versöhnung.[11] »Wenn man jenen Zustand den Zustand der Unschuld nennt, kann es verwerflich scheinen, zu sagen, der Mensch müsse aus dem Zustand der Unschuld herausgehen und schuldig werden. Der Zustand der Unschuld ist, wo für den Menschen nichts Gutes und nichts Böses ist: es ist der Zustand des Tiers, der Bewußtlosigkeit, wo der Mensch nicht vom Guten und auch nicht vom Bösen weiß, wo das, was er will, nicht bestimmt ist als das eine oder das andere: denn wenn er nichts vom Bösen weiß, weiß er auch nichts vom Guten«.[12] Hier kündigt sich die völlige Umwertung der Paradiesesvorstellung bei *Hegel* an. Das Prinzip des unmittelbaren Wissens ist »polemisch gegen das Erkennen«,[13] und »in Wahrheit ist jene erste natürliche Einigkeit als Existenz nicht ein Zustand der Unschuld, sondern der Rohheit, der Begierde, der Wildheit überhaupt«.[14] *Hegel* bestreitet, daß in dieser ur-

[9] ebd.
[10] 15,282f.
[11] 16,258.
[12] 15,284f.
[13] 15,61.
[14] 15,285. Der Gedanke, in der Geschichtsphilosophie 11,413 zur Ironie verstärkt, wird übrigens auch von *WVatke* aufgenommen: Die menschliche Freiheit in ihrem Verhältnis zur Sünde und zur göttlichen Gnade wissenschaftlich dargestellt (1841) 239ff.

sprünglichen, natürlichen Einheit, also in dem paradiesischen Zustand das wahrhafte Bewußtsein von Gott gelegen habe. Erkenntnis bedeutet Bewußtsein der unendlichen Trennung des Fürsichseins gegen die Einheit. »Die natürliche Unmittelbarkeit ist so nicht die wahrhafte Existenz der Religion, vielmehr ihre niedrigste, unwahrste Stufe«.[15]

Fragt man nach den Gründen dieser Umwertung, so schälen sich vier deutliche Absichten *Hegels* heraus. Zum einen: Die Erzählung vom Paradies ist ein Mythus, dh sie hat keine historische Wahrheit. Man könnte allenfalls, etwas außerhalb der *Hegelschen* Terminologie, sagen, sie habe eine »geschichtliche« Wahrheit, weil sie in die immer gegenwärtige Geschichte des Menschen, weil sie in die Geschichte des Geistes gehört. Aber die »Vorstellung« von einem besseren Urzustand ist historisch nicht realisierbar. »Daß der Mensch in diesem Zustande das höchste Wissen der Natur und Gottes gehabt, auf dem höchsten Standpunkt der Wissenschaft gestanden, ist eine törichte Vorstellung, die sich auch historisch als ganz unbegründet erwiesen«.[16] Anders ausgedrückt: Die Geschichte überhaupt beginnt nicht mit einem Abstieg, sondern sie ist von Anfang an eine aufsteigende Geschichte. Sie bewegt sich zu ihrer Zukunft, zu unserer Gegenwart hin. Das bedeutet freilich nicht Fortschrittsglauben im banalen Sinne; denn es ist zu viel Abschied, zu viel Trauer in dieser Geschichte. Ihr Fortschreiten ist bei *Hegel* ein ums andere Mal mit dem »Schmerz« erkauft: »Um die Rose im Kreuz der Gegenwart zu pflücken, dazu muß man das Kreuz selbst auf sich nehmen«.[17] Zum zweiten handelt es sich um eine Klarstellung in der Bewertung der natürlichen Religion gegen die Tendenz, welche die moderne Religionsgeschichte immer unterschwellig begleitet hat. Wie es sich auch immer damit verhalten mag, daß in der »Naturreligion« diese ursprünglichste Religion der ungeschiedenen Einheit des Menschen mit der Natur anschaubar sei: es ist nichts mit den Vorzügen paradiesischer Zustände. Von dieser Stufe der Naturreligion gilt, »daß wir sie des Namens der Religion nicht für würdig halten können«.[18] Es kommt aber etwas drittes hinzu. Es ist die unwahre Schwärmerei der Romantiker, der Lobpreis des Ursprünglichen. »Allen Ansichten und Wünschen einer kranken Philanthropie, welche den Menschen in jene ursprüngliche Unschuld zurückwünscht, steht schon die Wirklichkeit gegenüber und wesentlich die Natur der Sache, daß es nämlich jene Natürlichkeit nicht ist, zu was der Mensch bestimmt ist«.[19] So wird sichtbar, daß ein tiefes Wahrheitsverlangen *Hegels* Gedanken erfüllt. »Er-

[15] 15,292.
[16] 15,287.
[17] 15,293.
[18] 15,292.
[19] 15,289.

kennen« – und das ist das vierte – ist eben weit mehr als Erkenntnis im nur kognitiven Sinne, es ist ein Erwachen des Geistes zum Bewußtsein der Freiheit und der Wahl zwischen den beiden Seiten des Gegensatzes. »Daß der Mensch als Herr über Gut und Böse dasteht, so ist das ein Standpunkt, der nicht sein soll, der aufgehoben werden muß, nicht aber ein solcher, der gar nicht eintreten soll, sondern dieser Standpunkt der Entzweiung endigt seiner eigenen Natur gemäß mit der Versöhnung«.[20]

Das hat nun nach verschiedenen Seiten seine Folgen. Der Sündenfall ist »die ewige, notwendige Geschichte des Menschen«. Es ist der wesentliche Grundzug der Idee, »daß der Mensch ... herausgeht aus dem Natürlichen, aus diesem Ansich, in die Unterscheidung, und daß das Gericht kommen muß seiner und des Natürlichen«.[21] Das Paradies ist – so läßt sich auch sagen – ein per definitionem verlorenes Paradies. Der Mensch soll nicht bleiben, was er unmittelbar ist. Er soll schuldig sein, sein Wille soll ihm imputabel sein. »Schuld heißt überhaupt Imputabilität«.[22] So wird aus dem, was als Störung des ursprünglichen Planes der Schöpfung erscheint, ein notwendiges Element der sich immer mehr zu ihrem Ziel hin bewegenden Schöpfung. Wenn man es theologisch ausdrücken will, so kann man auch sagen: Durch den Sündenfall wird nicht die Heilsgeschichte hervorgerufen, sondern der Sündenfall ist selbst der erste und entscheidende Schritt der beginnenden Heilsgeschichte.

So wird durch diese Urgeschichte vom Bösen das Böse als solches nicht geleugnet. Aber es wird doppelbödig, es wird ambivalent. Und das gilt auch von der »Strafe«, die für den Fall angedroht ist. Sie ist Folge der Endlichkeit, »aber andererseits ist das gerade die Hoheit des Menschen, im Schweiße des Angesichts zu essen, durch seine Tätigkeit, Arbeit, Verstand sich seinen Unterhalt zu erwerben. Die Tiere haben dies glückliche Los (wenn man es so nennen will), daß die Natur ihnen, was sie brauchen, darreicht: der Mensch dagegen hebt selbst das, was ihm natürlicher Weise notwendig ist, zu einer Sache seiner Freiheit empor«.[23] »Die Trauer der Natürlichkeit ist allerdings an die Hoheit der Bestimmung des Menschen geknüpft«. Im Kontext der Entfaltung der »jüdischen Religion«, wo sich diese Aussagen finden, ist zu dieser

[20] 15,286.
[21] 15,285f.
[22] 16,259f, ebenso 15,285.
[23] 16,75. Hegel hat in den Jenenser Vorlesungen von 1803/4 sowie in der Phänomenologie und dann wieder in der Rechtsphilosophie die Arbeit ausführlich behandelt. Hier in der Geschichte vom Sündenfall liegen sozusagen die »biblischen Wurzeln« der Arbeitsphilosophie, die dann von *Karl Marx* aufgenommen und weitergeführt worden ist. Vgl. hierzu *K. Löwith,* Von Hegel zu Nietzsche (1964^5) 284ff, dort auch weitere Nachweise. – In der Religionsphilosophie ferner 16, 266f.

einen Bestimmung des Menschen noch die andere hinzugefügt, die in dieser Geschichte noch nicht enthalten ist, dh von der die jüdische Religion noch nichts weiß, nämlich die Bestimmung des Geistes, ewig zu leben. »Das Bewußtsein der Unsterblichkeit des Geistes ist in dieser Religion noch nicht vorhanden«.[24] In den Psalmen Davids aber kommt der Schmerz aus den innersten Tiefen der Seele im Bewußtsein ihrer Sündhaftigkeit, und es folgt die schmerzlichste Bitte um Vergebung und Versöhnung.

3.

Die Schwierigkeit spitzt sich zu in der Doppelsinnigkeit des Bösen selbst. Denn einerseits handelt der Mensch gegen ein Verbot. Das Wort der Schlange wird als Verführung zum Bösen gedeutet und die Scheu vor dem Bösen setzt sich für *Hegels* Sicht sogar darin durch, daß – wenn man den Zusammenhang von Bösem und Erkenntnis festhält, von dem noch zu sprechen sein wird – der Mensch sich auch vor dem Denken, vor der Erkenntnis scheut, weil er darin das Böse fürchtet. So schon beiläufig in der Abhandlung von 1802 »Über das Wesen der philosophischen Kritik überhaupt«, dort spricht *Hegel* von dem »Abdruck einer schönen Seele, welche die Trägheit hatte, sich vor dem Sündenfall des Denkens zu bewahren, aber auch des Muts entbehrte, sich in ihn zu stürzen, und seine Schuld bis zu ihrer Auflösung durchzuführen«.[25] Andererseits aber muß immer wieder hervorgehoben werden, daß Gott das Wort der Schlange bestätigt hat.[26] Die Schlange hat also nicht gelogen. Die Schlange der biblischen Erzählung vertritt also kein außer- und gegengöttliches Prinzip – ein Ungedanke ohnehin für *Hegel.* Gott bestätigt, was die Schlange gesagt hat. »Man hat sich mit dieser Stelle viel Mühe gegeben, und ist so weit gegangen, sie für Ironie zu halten. Die höhere Erklärung aber ist, daß unter diesem Adam der zweite Adam, Christus, verstanden ist. Die Erkenntnis ist das Prinzip der Geistigkeit, die aber, wie gesagt, auch das Prinzip der Heilung des Schadens der Trennung ist. Es ist in diesem Prinzip des Erkennens in der Tat auch das Prinzip der Göttlichkeit gesetzt, das durch ferneren Ausgleich zu seiner Versöhnung, Wahrhaftigkeit kommen muß«.[27] Hier wird *Hegel* nun ganz heilsgeschichtlich, er sagt, daß darin die Verheißung der wiederzuerreichenden Ebenbildlichkeit lage und verweist auf das Wort von der Feindschaft zwischen dem Men-

[24] 16,76.
[25] 1,176.
[26] 15,287; 16,73. 265.
[27] 16,265f.

schen und der Schlange im Sinne der Deutung als Protevangelium. Nun, das alles macht nur die verwirrende Doppelsinnigkeit noch einmal anschaulich, in der hier über das Böse, aber ebenso über die Erkenntnis gesprochen wird. Denn einmal ist die Erkenntnis die Trennung, die Entzweiung, »aber damit auch das Böse«, und dann wieder ist die Erkenntnis das göttliche Prinzip.

Aber in *Hegels* Urteilen verbergen sich mehr, als daß sie zu deutlicher Aussage kämen, zwei Aspekte des Bösen. Es ist einmal etwas Transitorisches. So, wie man die Stufe der Unmittelbarkeit, des Einsseins mit der Natur überwinden muß, liegt auch in der dann gewonnenen Phase der Trennung, der Erkenntnis, der Unterscheidung etwas ebenso Notwendiges wie Transitorisches, eine Verheißung der Versöhnung, die im Augenblick der Trennung noch nicht ist. *Hegel* hat ein deutliches Empfinden für den Durchbruchscharakter des Überganges von der baren Unmittelbarkeit zur Erkenntnis gehabt. Es gehört Mut und Entschlußkraft dazu, das »Verbot« zu brechen, das vor den Genuß der Früchte des Baums der Erkenntnis gesetzt ist. Das ist das Böse, das in seiner Notwendigkeit dann doch gerechtfertigt ist. Es ist so etwas wie eine »Rechtfertigung des Sünders« durch *Hegel*, die ihm ohne eine Rechtfertigung der Sünde nicht gelingt.

Aber *Hegel* hat offenkundig noch einen anderen Aspekt von der Sache. Hätte nämlich der Mensch das phänomenale Verbot vor der Erkenntnis des Guten und Bösen respektiert, dann erst wäre er ins eigentlich Böse, in das Unmenschliche, in die Tierheit gesunken. »Dieser Standpunkt des Bewußtseins der Reflexion, Entzweiung ist ebenso notwendig, wie er verlassen werden muß«.[28] Das Böse ist Stehenbleiben in dieser Natürlichkeit.[29] »Das Bleiben auf diesem Standpunkt (des Sündenfalles) ist jedoch das Böse«.[30] Hier ist also an eine andere, neue und tiefere Art des Bösen gedacht, als es das transitorisch Böse ist. Für diese tiefere Art des Bösen, die in der Sünde verharrt, gibt es keine Rechtfertigung.

Dieses Böse ist seine Subjektivität. »In diesen Standpunkt der Endlichkeit und Entzweiung fällt die ganze Endlichkeit des Denkens und Wollens. Der Mensch macht sich hier Zweck aus sich und nimmt aus sich den Stoff seines Handelns. Indem er diese Zwecke auf die höchste Spitze treibt, nur sich weiß und will in seiner Besonderheit mit Ausschluß des Allgemeinen, so ist er böse und dieses Böse ist seine Subjektivität.« Der Mensch will seine Natürlichkeit und Einzelnheit. »Gegen dieses der natürlichen Einzelnheit angehörige Handeln aus Trieben und Nei-

[28] 15,287.
[29] 16,76.
[30] 11,413.

gungen tritt dann allerdings auch das Gesetz oder die allgemeine Bestimmung auf. Dieses Gesetz mag nun eine äußere Gewalt sein oder die Form göttlicher Autorität haben. Der Mensch ist in der Knechtschaft des Gesetzes, so lange er in seinem natürlichen Verhalten bleibt. In seinen Neigungen und Gefühlen hat nun der Mensch wohl auch über die selbstische Einzelnheit hinausreichende wohlwollende, soziale Neigungen, Mitleid, Liebe usf. Insofern aber diese Neigungen unmittelbar sind, so hat der an sich allgemeine Inhalt derselben doch die Form der Subjektivität; Selbstsucht und Zufälligkeit haben hier immer ihr Spiel«.[31] Diese Sätze aus der Einleitung in die Wissenschaft der Logik in der Encyclopädie klingen zwar wie eine Reminiszenz aus der klassischen lutherischen Lehre vom Gesetz. Hier hat die Lehre vom geltenden Recht, vom Verbrechen und seiner Bestrafung in *Hegels* Rechtsphilosophie ihren Ort.[32] Wesentlich ist etwas anderes für unseren Zusammenhang. Es ist nämlich so, daß auch das subjektiv Gute, also die Tugendhaftigkeit des Einzelnen, selbst Mitleid, Liebe, »insofern diese Neigungen unmittelbar sind«, die Grundbefindlichkeit des Bösen nicht zu durchbrechen vermag. Ist einmal der Standpunkt der Natürlichkeit und »Einzelnheit« eingenommen und festgehalten, dann fallen die relativen Unterschiede des subjektiv Guten und des subjektiv Bösen nicht mehr ins Gewicht. Die im vorliegenden Text der *Hegelschen* Religionsphilosophie etwas fahrig hin und hergehenden Reflexionen über die These, daß der Mensch an sich, seinem Begriff nach gut sei, und der entgegengesetzten, daß er als natürlicher böse sei, verhandelt jedenfalls eine spekulative Differenz. Sie hat nichts zu tun mit dem sittlichen Kampf der Individualität, die sich womöglich im Bewußtsein ihres subjektiven Rechtes gegen das Allgemeine auflehnt. Dieses tragische Verhältnis zwischen der Tugend und dem Weltlauf hat schon in der »Phänomenologie des Geistes« zu einer desillusionierenden Verhandlung Anlaß gegeben,[33] denn der »Weltlauf ist der Feind des Ritters der Tugend, die Tugend wird vom Weltlauf besiegt, er verkehrt das Unwandelbare, aber er verkehrt es aus dem Nichts der Abstraktion in das Sein der Realität.« Er siegt »über diese pomphaften Reden vom Besten der Menschheit und der Unterdrückung derselben, von der Aufopferung für das Gute . . .«

Es liegt für *Hegel* nicht in der Kompetenz der auf die Subjektivität gestellten privaten Moral, gegen das allgemeine Recht und abseits vom allgemeinen Leben der Gegenwart über das Gute zu entscheiden.

[31] 8,96f.

[32] 7,286ff, bes. 299f: »Das Verbrechen immer nur eine Einzelnheit gegen die Gesellschaft, ein Unfestes und Isoliertes ... Verbrechen sind Scheinexistenzen, die eine größere oder geringere Abweisung nach sich ziehen können.«

[33] 2,292–301.

»Der Staat ist die selbstbewußte sittliche Substanz« heißt es in dem Kapitel über die Sittlichkeit in der Encyclopädie,[34] die Freiheit des Individuums ist nur über die tiefere Vernünftigkeit der Gesetze und Befestigung des gesetzlichen Zustandes zu gewinnen. »Auf die Frage eines Vaters, nach der besten Weise, seinen Sohn sittlich zu erziehen, gab ein Pythagoräer (auch Anderen wird sie in den Mund gelegt) die Antwort: wenn du ihn zum Bürger eines Staates von guten Gesetzen machst«.[35] In der reinen Subjektivität gehen für *Hegel* das Gute und das Böse ineinander über. »Diese sich auf ihre Spitze stellende reine Gewißheit seiner selbst erscheint in den unmittelbar ineinander übergehenden Formen, des Gewissens und des Bösen. Jenes ist der Wille des Guten, welches aber in dieser reinen Subjektivität das nicht Objektive, nicht Allgemeine, das Unsagbare ist, und über welches das Subjekt sich in seiner Einzelnheit entscheidend weiß. Das Böse aber ist dieses selbe Wissen seiner Einzelnheit als des Entscheidenden, insofern sie nicht in dieser Abstraktion bleibt, sondern gegen das Gute sich den Inhalt eines subjektiven Interesses gibt«.[36]

Blicken wir von hier aus noch einmal auf *Hegels* Auslegung des »Mythus« vom Sündenfall zurück, so erzählt er die Geschichte des Menschen, der sich seiner Unmittelbarkeit entwindet, um durch die Schuld der Erkenntnis hindurch am Ende der Versöhnung teilhaftig zu werden. Diese Geschichte des Menschen ist die Geschichte seines Geistes. Aber es ist nicht die Geschichte des individuellen Menschen. Das sich aus dieser Geschichte emanzipierende Individuum kommt, indem es sich verweigert, in die Verzögerung, es »verharrt« in der Rohheit, und auch die Stufe der Reflexion, der Trennung und Entzweiung wird, wenn sie nicht durchschritten wird, zur Erscheinung des Bösen, für das es keine Rechtfertigung gibt.

4.

Will man die Auslegung der Erzählung vom Sündenfall in der Philosophie *Hegels* gerecht würdigen, so muß man mit ihren Vorzügen beginnen. *Hegel* nimmt – wir sahen es – die Erzählung als Mythus, also wie einen platonischen Mythus unter Hinnahme der darin liegenden »unangemessenen Verhältnisse«. Auch *Schelling* hat sich im Zusammenhang seiner Philosophie der Mythologie immer wieder für die Sündenfallgeschichte interessiert,[37] es tauchen Motive, Anklänge cita-

[34] 10,409 u. 413f.
[35] 7,235.
[36] 10,396.
[37] Schon in den Vorlesungen über die Methode des akademischen Studiums von 1803,

tim auf. *DFrStrauß* hat in seiner »Christlichen Glaubenslehre« in den Deutungen und Umdeutungen der Geschichte vom Sündenfall geradezu geschwelgt,[38] andererseits hat *JChrKvHofmann* in dem seinem »Schriftbeweis« vorausgeschickten »Lehrganzen«[39] nicht weniger spekulativ die orthodoxe Auffassung reproduziert. *Hegels* Eigentümlichkeit ist alledem gegenüber diese: Er hält, anders als *Schelling*, den biblischen Bericht fest und verliert sich nicht in analoge oder weitergesponnene Mythologeme. Er nimmt, anders als *DFrStrauß*, diesen Mythus als wahr an, aber er bindet sich nicht an die gedanklichen Aporien der Erzählung im Sinne der orthodoxen Tradition, wie es *Hofmann* tut. *Hegel* verfährt, so könnte man sagen, in einer hintersinnigen Weise »naiv«.

Aber er vermeidet nun alle Stolperdrähte der orthodoxen Theorie, als ob gleich nach geschehener Schöpfung Gottes Pläne mit dem Menschen gestört worden wären. Der Sündenfall war »notwendig«. Die Schlange gibt keinen Anlaß zu einer Satanologie, von einem Verlust der iustitia originalis ist keine Rede, ebensowenig von einem Verlust der Gottebenbildlichkeit. Und damit kennt er auch kein Problem der »Reste« derselben, keine Frage, ob die Sünde Substanz oder Akzidenz des Menschen sei. Es ist auch nicht aufzuklären, wie erst ein Verbot Gottes, durch schwere Strafandrohungen gestützt, dasteht, dessen Übertretung dann förmlich bestätigt wird, sofern diese Bestätigung nicht geradezu als »Ironie« Gottes gedeutet werden soll. Alles das weicht einer geradezu »klassischen« Vereinfachung. Schon die Lehre vom Sündenfall ist, wie dann die ihr korrespondierende Lehre von der Versöhnung, ganz und gar aufgesogen in den logischen und metaphysischen Prozeß.[40]

8. und 9. Vorlesung (V,286ff = III,208ff der *MSchröter*schen Ausg.). In den »Philosophischen Untersuchungen über das Wesen der menschlichen Freiheit« von 1809 (VII,331 = IV,223 ed. *MSchröter*) finden sich immerfort Anspielungen, wie auch in der Philos. Einleitung in die Philosophie der Mythologie (XI,508ff = V,690ff ed. *MSchröter*) das Interesse dem einheitlichen Ursprung des Menschengeschlechtes zugewandt ist, den Theogonien und immer wieder der Mythologie als solcher (vgl. auch XIV,260ff = VI,652 ed. *MSchröter*). Wo die Sündenfallgeschichte deutlicher in den Gesichtskreis tritt (XIV,265 = VI,657 ed. *MSchröter*), konvergiert *Schelling* stark zum kirchlichen Auslegungstypus. Aber das sind späte Formen. Sie sind, verglichen mit *Hegels* Deutung, unergiebig.

38 II. Band (1841) [illegible]

39 I. Band (1852) 3. und 4. Lehrstück 38ff.

40 Die sachgemäßesten Darstellungen der Theologie *Hegels* sind bis zu der von *EHirsch* (Geschichte der neuern evangelischen Theologie, IV. Band 1952, 455–490, und V. Band 1954, 231–268) immer noch: *FChrBaur*, Die christliche Lehre von der Versöhnung (1838) 712ff und *JADorner*, Entwicklungsgeschichte der Lehre von der Person Christi, II. Teil (1853²) 1096ff. Hier steht die Lehre vom Ursprung des Bösen bzw. der Mythus vom Sündenfall zwar nicht im Mittelpunkt

Das Unbehagen der Theologen kam zunächst in einer Art von Verteidigung der Sünde zum Ausdruck, vor allem in *JMüllers* »christlicher Lehre von der Sünde«,[41] was allerdings schon die heftige Gegenkritik *WVatkes* und den von ihm geführten Nachweis erheblicher Mißverständnisse *JMüllers* hervorrief.[42] Und es sollte zugestanden werden, daß die gegen *Hegel* aufgebotene Argumentation in der Regel mehr die apologetische Technik der Theologen bloßstellt, als *Hegel* selbst zu Fall bringen kann. Es wird nicht ausreichen zu sagen, *Hegel* habe der Tiefe der Sünde nicht genug getan. Der Hinweis darauf, »quanti ponderis sit peccatum«, hat seit *Anselm* dogmengeschichtlichen Rang und ist immer wieder erneuert worden. *Hegels* Sündenbegriff durchdringt den ganzen Werdeprozeß des menschlichen Bewußtseins, und er verschärft sich überdies, sobald der Mensch auf dieser Stufe der Trennung verharrt und im Eigensinn der Subjektivität sich vereinzelt. Auch jede Rückkehr zum orthodoxen Auslegungstypus der Geschichte vom Sündenfall ist abgeriegelt, hier war *Hegel*, genau wie in seiner Weise *Schleiermacher*,[43] schlechthin Anwalt des modernen Wahrheitsbewußtseins. Man kann nicht das Widerspruchsvolle und schlechthin Undenkbare postulieren und das Nicht-mehr-wegdenkbare theologisch zum Nicht-sein-sollenden erklären. Und es ist schließlich vollends schwierig, gegen den Gedanken der »Notwendigkeit« der Sünde zu protestieren. Gewiß, die Kategorie der Notwendigkeit mag problematisch sein. Aber die von *Hegel* hier berührte Sache ist doch die: In unserem Selbstverständnis ist die »Sünde«, dh also die Möglichkeit des Widerspruches, der Auflehnung, des Zweifels in jeder Form, dermaßen ein Ferment des Prozesses des menschlichen Bewußtseins, daß jede Entgegensetzung eines »ethischen« Einwandes eben die Prinzipien dieser Einwendungen zu einem nihil machen muß. Und schon in der alten Litur-

des Interesses, aber die Geschlossenheit des Systems durch alle seine Elemente hindurch macht auch dieses Lehrstück durchsichtig.

[41] I. Band (1849³) 536–555; II. Band (1849³) 239ff.

[42] Hallische Jahrbücher (1840) 1089f, 1109, 1129ff.

[43] In der Glaubenslehre wird der bei den einschlägigen »Eigenschaften Gottes, welche sich auf das Bewußtsein der Sünde beziehen« gewagte Gedanke, Gott zugleich als Urheber der Sünde zu betrachten (§ 79 Leitsatz) zwar erheblich modifiziert. Wichtiger ist in unserem Zusammenhang folgendes. In § 72 schließt *Schleiermacher* den Gedanken, daß durch die erste Sünde der ersten Menschen eine Veränderung der menschlichen Natur entstanden sei, aus dem christlichen Selbstbewußtsein aus. Es heißt dann im Abs. 4: »Wenn also an der Person der ersten Menschen keine Veränderung in der menschlichen Natur vorgegangen ist durch die erste Sünde, sondern was sich aus derselben entwickelt haben soll, auch schon vor ihr vorausgesetzt werden muß; und wenn dies nicht nur für den Fall irgend einer bestimmten ersten Sünde gilt, sondern immer worin sie auch bestanden haben möge ...«, so gilt, daß man für die Sündigkeit keine Anfänger verantwortlich machen kann. Also »ist jene Ableitung auf keine Weise ein Glaubenselement«.

gie finden wir das Bekenntnis zur »Notwendigkeit der Sünde«. In der Liturgie der Osternacht, in der die ganze Heilsgeschichte im Verbund mit einer Reihe von Weiheriten meditiert wird, heißt es bei der Weihe der Osterkerze in dem Gesang »Haec nox est«: »O certe necessarium Adae peccatum, quod Christi morte deletum est! O felix culpa, quae talem ac tantum meruit habere redemptorem.« Man kann auch nicht mit *Karl Barth Hegel* wegen seines Erkenntnisgrundes ablehnen, der einen für die Theologie unannehmbaren Wahrheitsbegriff voraussetzt.[44]

Tatsächlich muß das kritische Bedenken der christlichen Theologie auf den Wirklichkeitsbegriff *Hegels* Bezug nehmen. Und zwar jener Wirklichkeit, in welcher der einzelne untergeht. In jenem Prozeß des Geistes ist die Individualität nur »Moment der Idee des Staates«,[45] sie verfällt dem Wahnsinn des Eigendünkels, wenn sie das Gesetz des Herzens verwirklichen will.[46] Auf die Brüchigkeit und Tragik einer individuell konzipierten Tugendlehre in *Hegels* Urteil habe ich schon verwiesen. Blenden wir, ohne uns in die sehr weitläufige Problematik des Individualitätsbegriffes einzulassen, sofort zu unserem Thema zurück. Die christliche Lehre von der Sünde ist nicht ohne die »Kategorie des Einzelnen« denkbar, um diesen Grundbegriff *Kierkegaards* in Erinnerung zu rufen. »Aber die Sünde, daß du und ich Sünder sind (der Einzelne), hat man abgeschafft«.[47] Es gibt keinen Zugang zur Wirklichkeit, welche den Anspruch erheben kann, »christlich« zu gelten, als den über die Subjektivität. Es geht hier nicht darum, die Spitzensätze *Kierkegaards* gegen *Hegel* durchzusetzen, wobei ich besonders an die Polemik der »Nachschrift« denke, daß die Entscheidung in der Subjektivität liegt u. dgl. Es geht einfach um den Einwand gegen *Hegel*, ob nicht die Wahrheit seiner Philosophie des Geistes und des sich zur absoluten Religion erhebenden Bewußtseins damit zu teuer erkauft ist, daß das Individuum und die Subjektivität darin völlig untergeht.

Es handelt sich dabei um eine Frage nach der Wirklichkeit, und das heißt nach der Wirklichkeit des Menschen. Sie ist keineswegs eine exklusiv theologische Frage, sondern eine Frage, an der jeder Denkende

[44] *Karl Barth*, Die protestantische Theologie im 19. Jahrhundert (1947) 375: »Wenn der Erkenntnisgrund der Theologie die Offenbarung, die Offenbarung aber die Offenbarung Gottes an den in seiner Sünde verlorenen Menschen und die Offenbarung von Gottes unbegreiflichem Versöhnen sein sollte, dann liegt hier, wo es erlaubt scheint, über das Geheimnis des Bösen und des Heils hinauszudenken, erlaubt und möglich in dieser Weise hinter dies doppelte Geheimnis zu kommen – dann liegt hier ein anderer Erkenntnisgrund, ein für die Theologie unannehmbarer Wahrheitsbegriff vor«.

[45] 7,337.

[46] 2,283.

[47] Einübung im Christentum, übers. von *E Hirsch* (1951) 68.

teilhat. Es ist zugleich eine auch die Theologie bewegende Frage, aber sie steht nicht in der Dienstbarkeit eines dogmatischen Interesses.

Wendet man sie nun auf die Deutung des Sündenfalles an, dann verwandelt sie sich in die Frage, was eine Rede von »Sünde« bedeuten kann, welche nicht die Sünde eines Einzelnen meint oder die der Einzelne auf das anwenden kann, was er selber als seine Sünde erfährt. Bei dieser Fragestellung – man verstehe wohl – bleiben die gängigen theologischen Einwände gegen *Hegel* noch vor der Tür; also die Frage nach der Schwere, dem Gewicht der Sünde, oder die Frage ihrer Notwendigkeit, oder die nach der Denkbarkeit eines unsündlichen Zustandes vor dem Eintritt der Sünde, oder die Frage, was sich denn durch den Eintritt der Sünde an der menschlichen Natur verändert haben soll, oder die Frage nach der außersubjektiven Veranlassung der Sünde. Es handelt sich hier nur um eine anthropologische Frage. Aber wenn es so ist, daß die Sünde ebenso in der Subjektivität begangen wie begriffen wird, dann kann ihre Heilung nicht in einer »Versöhnung« geschehen, die als ein metaphysicher Begriff ihren Sinn aus einem in *Hegels* Sinne logischen Prozeß empfängt. Sondern es handelt sich um die Rechtfertigung und um die Vergebung, und das sind Begriffe, die ihren Sinn verlieren, wenn sie in einen logischen Prozeß transportiert werden.

Wie an den anderen Achsenbegriffen der Dogmatik, so hat *Hegel* auch an dem vergleichsweise untergeordneten Komplex dieses Artikels die Theologie philosophisch gezwungen, Farbe zu bekennen und sich darüber Rechenschaft zu legen, was man sagen kann und was nicht. Er hat für die Epoche nach der Orthodoxie und nach der Aufklärung gleichsam die Naivität unmöglich gemacht, noch einmal vor den Sündenfall zurückzureflektieren. Er hat das Problem der menschlichen Vernunft und des aufsteigenden Bewußtseins nach dem »Fall«, den Kostenüberschlag für das Zusichkommen des menschlichen Bewußtseins zu einem Thema der Theologie gemacht. Und die Theologie wird dieses Problem der Neuzeit nicht mehr vom Tisch wischen können. Das Ineinander von Sünde und Gnade, von Schuld und Notwendigkeit, das Bewußtsein des Schmerzes, mit dem der Mensch seine Zukunft erkauft, das alles könnten Komponenten einer neuen Art von Heilsgeschichte werden, für die doch unter sehr veränderten Modifikationen der Satz *Gerhard von Rads* Geltung behält: »In diesem derart schon durch Jahwes Gnade stabilisierten Raum wird sich dann zu seiner Zeit die Heilsgeschichte bewegen«.[48] Es kommt darauf an, für die Erkenntnis dieser Bewegung heute den freien Blick zu gewinnen.

[48] Theologie des Alten Testaments, Band I (1957) 161.

WILHELM VISCHER

NEHEMIA, DER SONDERBEAUFTRAGTE UND STATTHALTER DES KÖNIGS

Die Bedeutung der Befestigung Jerusalems für die biblische Geschichte und Theologie

Es ist schon eine bedeutsame Seltenheit, daß in den heiligen Schriften Israels ein Dokument erhalten ist, in dem ein »Laie« über seine Sendung Gott Bericht erstattet. Das wird dadurch noch wertvoller, daß dieser Jude einen hohen Vertrauensposten am Hofe Artaxerxes I innehat: »*Ich war nämlich Mundschenk des Königs*« (Neh 1 11b).

Von der Stellung des Mundschenks eines Perserkönigs erfahren wir durch Herodot, wenn er (III 34) berichtet, Kambyses habe seinem Kämmerer damit eine besondere Ehre erwiesen, daß er dessen Sohn zu seinem Mundschenk machte. Wie gefährlich dieser hohe Beamte der Laune eines Despoten ausgesetzt war, zeigt der Vorfall, daß Kambyses im Zorn und zum Beweis, daß er nicht von Sinnen sei, seinem Mundschenk einen Pfeil mitten ins Herz schießt.

Artaxerxes Longimanus hatte einen andern Charakter. Ihm fällt auf, daß sein Mundschenk, indem er ihm den Wein reicht, der des Menschen Herz erfreut, »schlecht aussieht«; freundlich erkundigt er sich nach der Ursache. Auf Nehemias Antwort, es sei der Kummer, daß die Stadt, wo die Grabstätten seiner Väter sind, in Trümmern liegt und ihre Tore vom Feuer verzehrt sind, gewährt er ihm sogar, einen Wunsch zu äußern, und erlaubt ihm daraufhin, nach Juda zu gehen und Jerusalem wieder aufzubauen (2 1–6).

Nehemia hat es nicht gewagt, diesen hochpolitischen Wunsch zu äußern, ohne vorher zum Gott des Himmels gefleht zu haben (2 4b). Er hat ja auch seine Denkschrift, in der er nicht dem Großkönig von Persien, sondern dem Gott Israels Rechenschaft ablegt, mit einem Gebet begonnen (1 5–11a). Das zeigt, daß er, bei aller Untertänigkeit gegenüber dem Großkönig, sich im Dienst eines weit höheren Königs weiß, nämlich des HERRN, des Gottes des Himmels, des großen und furchtbaren Gottes, der sein Volk durch seine große Kraft und seine starke Hand befreit hat. Für ihn ist der König von Persien nur »dieser Mann« (1 11aβ).

Sein Wunsch, Jerusalem zu befestigen, ist denn auch nicht so sehr durch die Pietät für die Gräber seiner Väter begründet, als durch die

Absicht, dem Volk, mit dem der HERR seinen Gnadenbund geschlossen hat, wieder seinen festen Mittelpunkt zu geben, wo die unter die Völker Zerstreuten, »selbst wenn sie am Ende des Himmels wären, sich wieder sammeln können an der Stätte, die er erwählt hat, seinen Namen dort wohnen zu lassen« (1 9).

Andererseits hatte die überraschende Einwilligung des Königs gewiß auch einen tieferen Grund als die Gunst für seinen Mundschenk. Im 5. Jahrhundert vor Chr. hatte die Herrschaft der Perser über den Westen durch die medischen Kriege eine schwere Einbuße erlitten. Artaxerxes besiegelte den Verlust durch einen Vertrag mit Athen. Dann meuterte der Satrap von Syrien; nur mühsam konnte der Aufruhr in Ägypten niedergehalten werden. Im Jahr 445, also um die Zeit, da Herodot seine Reise nach Ägypten antrat und Nehemia nach Jerusalem aufbrach, war die Ordnung wieder einigermaßen hergestellt.

Unter diesen Umständen konnte die Befestigung Jerusalems nützlich sein. Die Lage der Stadt und der Widerstand der Juden gegen die Politik ihrer Nachbarn ließen diesen Plan so günstig erscheinen, daß Artaxerxes sein nicht lange vorher erlassenes Verbot aufhob.

Der einzigartige politische Charakter der Stadt Davids wird durch Urkunden im Buch Esra grell beleuchtet: 4 6–23. Auf eine Eingabe der Vertreter der persischen Herrschaft in Transeuphratene wird durch Nachforschungen im Buch der Denkwürdigkeiten der Könige festgestellt, »daß sich jene Stadt von altersher gegen Könige erhob, und daß in ihr Empörung und Aufruhr betrieben wurden. Und starke Könige haben über Jerusalem geherrscht und in ganz Transeuphratene geboten und Steuern, Naturalgaben und sonstige Gefälle empfangen« (Esr 4 19f).

Diese Charakteristik Jerusalems wird bestätigt durch die Denkwürdigkeiten des Gottes Israels in der ganzen Bibel und überdies damit begründet, daß der Gott des Himmels diese alte Jebusiterfestung als die Hauptstadt seines Königreiches auf der Erde erwählt hat. Wegen der eigenmächtigen Politik der Könige auf Davids Thron hatte er sie durch seinen Knecht Nebukadnezar zerstören lassen. Das war jedoch nicht sein letztes Wort gewesen. Während der babylonischen Gefangenschaft hatte er seinen Hirten Cyrus beauftragt, zu Jerusalem zu sagen: »Werde gebaut!« (Jes 44 26ff).

Jetzt legt Nehemia Hand an das Werk, das Cyrus nicht ausgeführt hat; und das allgemein gehaltene Prophetenwort erhält durch ihn seine bis in die Einzelheiten gehende Bestimmung. Für den ganzen Umfang der Stadt wird jeder Bauabschnitt verzeichnet und man »sieht aus all den aufgezählten Strecken, Toren, Türmen und Innenbauten ein topographisches Gesamtbild entstehen, wie es in der vorhellenistischen Literatur über und aus Jerusalem sonst nirgends so vollständig anzutreffen ist«.[1] Und indem das Verzeichnis »unter den Teilnehmern an der Erneuerung der Mauer nicht nur die Geschlechter und Berufsgruppen der Stadt, sondern auch Ortsverbände der Landschaft und die Vorsteher fast aller Verwaltungsbezirke der persischen Provinz Juda nennt, gibt es uns sowohl über den Umfang wie über die Einteilung dieser Provinz die einzige zuverlässige Auskunft«.[2]

Eine Reihe von Angaben der Aufzeichnungen Nehemias, die über die Grenzen der Provinz Juda noch hinausreichen und die politische Gliederung des übrigen Palästina unter der Herrschaft der Perser einigermaßen erkennen lassen, geben Auskunft über die Nachbarn Judas. Die von der persischen Regierung eingesetzten Verwalter dieser Nachbarprovinzen versuchen mit allen Mitteln die Befestigung Jerusalems zu hintertreiben. Den stärksten Grund hierzu hatten der Statthalter der *Provinz Samaria,* Sanballat, und die Körperschaft, die Nehemia als חֵיל שֹׁמְרוֹן (Neh 3_{34}) bezeichnet. Denn die Aufteilung des davidischen Reiches in Provinzen eines Weltreichs, welche die Assyrer begonnen und die Babylonier weitergeführt haben, hatte das Verhältnis von Jerusalem und Samaria in der Weise umgekehrt, »daß Jerusalem alle Eigenrechte verlor und mit seiner Landschaft als schlechthin nur dienendes Glied in die Ordnung der Provinz Samaria eintreten mußte«.[3]

Diese Ordnung haben die Perser übernommen, zugleich aber durch den Wiederaufbau des Tempels den kultischen Vorrang Jerusalems gegenüber Samaria gehoben. Sodann »war durch die Repatriierung der exilierten Jerusalemer und Judäer, die Serubbabel ... zu leiten hatte, eine ... auch das politische Gebiet zum mindesten berührende Korrektur an den Verhältnissen der Provinz vorgenommen worden«.[4] »Denn damit wurde eine zweite Oberschicht, noch dazu eine alteinheimische, neben die fremde in Samaria gestellt, freilich zunächst noch nicht mit gleichen Rechten«.[5]

Die Entschlossenheit der Juden, den Tempel in Jerusalem unter Ausschluß der Samarier zu bauen, steigerte die Spannung zwischen den beiden nun vorhandenen Oberschichten in bedrohlicher Weise. »Die zurückgekehrte Aristokratie mußte ... vor allem durch Verheiratung mit Angehörigen der Oberschichten in Samaria und in den übrigen Nachbarprovinzen, ihre Stellung im Lande zu heben versuchen. Erst Nehemia hat dieser wenig klaren und darum für alle Beteiligten unbefriedigenden Lage ein Ende zu schaffen vermocht, indem er die volle

[1] *AAlt,* Judas Nachbarn zur Zeit Nehemias, KlSchr II 338.
[2] *AAlt* aaO.
[3] *AAlt,* Die Rolle Samarias bei der Entstehung des Judentums, KlSchr II 329.
[4] *AAlt,* aaO 334.
[5] AaO 335.

Herauslösung des judäischen Gebiets aus den Nachbarprovinzen durchsetzte«.[6]

Der Mauerbau genügte dazu nicht; innen- und außenpolitische Neuordnungen waren durchzuführen. Am 25. Elul, dh Anfang Oktober 445 war die Mauer fertig, nach einer Bauzeit von nur 52 Tagen (Neh 6 15). Man hat diese Zeitdauer allzu kurz gefunden.[7] Doch ist die Mauer Athens im Winter 479/78 noch rascher gebaut worden, ἐν ὀλίγῳ χρόνῳ (Thukydides I 93), nämlich in einem Monat.[8] Sie war allerdings kein so gutes Werk wie dasjenige Jerusalems und auch nicht so hoch, wie Themistokles gewünscht hatte. Es ist lehrreich, das Unternehmen der beiden großen Staatsmänner zu vergleichen. Während Themistokles die Griechen von dem persischen Übergriff befreite, handelte Nehemia mit großköniglicher Vollmacht. Doch stieß der Eine wie der Andere auf den Widerstand der Nachbarn. Unterstützt durch Megara, Korinth und Ägina wehrte sich Sparta gegen die Gefahr, durch Athen verdrängt zu werden als Vorort des panhellenischen Bundes. Sparta spielte die gleiche Rolle wie Samaria; Themistokles mußte seine Widersacher mit Diplomatie und List so lange hinhalten, bis der Mauerbau vollendet war. Nehemia hat das Gleiche mit seiner Klugheit, der Stärke seines Charakters, seiner Tatkraft und nicht zuletzt »im Gebet zu unserm Gott« (Neh 4 3) erreicht.

Seine Widersacher mochten spotten: »Diese elenden Juden wollen die Steine aus dem Schutthaufen wieder lebendig machen. Laß sie ruhig bauen! Wenn ein Fuchs daran hochspringt, reißt er ihre Steinmauer ein« (Neh 3 34f). Nehemia befiehlt sie der Strafe seines Gottes (3 36f). Das Drängen, er solle zu einer Besprechung an einem neutralen Ort kommen, lehnt er mit der spitzen Bemerkung ab, er habe dazu keine Zeit, weil er mit einer großen Arbeit beschäftigt sei (6 1ff). Er läßt sich nicht Angst machen und durch den Spruch eines gedungenen »Propheten« verführen, wie ein verfolgter Verbrecher sich in den Schutz des Tempels zu begeben (6 10–13).

Am gefährlichsten war das, von dem Araber Gaschmu aufgebrachte, geschickt verbreitete Gerücht, »die Juden beabsichtigten, vom Großkönig abzufallen, und du wollest ihr König werden. Auch habest du für dich Propheten bestellt, daß sie vor dir in Jerusalem ausrufen sollen: *Ein König ist in Juda*« (6 6f). Diese Verdächtigung greift die Wurzel von Nehemias Werk an, dessen tiefster Beweggrund wohl sein Glaube an die Erwählung Jerusalems als die Königsstadt des HERRN auf der Erde war. Er hat das in seiner Denkschrift nicht ausgesagt, wohl aus politischer Weisheit; denn, wenn der Großkönig etwas davon er-

[6] AaO 336.
[7] Vgl. bei *WRudolph*, Esra und Nehemia, HAT 20 (1949) 139.
[8] *GGlotz*, La Grèce au Ve siècle, 108.

fahren hätte, wäre es mit Nehemia und seinem Werk zu Ende gewesen. Wie gefährlich eine politisch-prophetische Proklamation war und wie die persische Regierung sie beantwortete, hatte man zur Zeit der Propheten Sacharja und Haggai erfahren. Es hätte nahe gelegen, daß Nehemia beim Ablehnen der Verleumdung sich an Gott gewandt hätte. Er läßt sich dazu nicht provozieren, doch wohl nicht nur aus Klugheit, sondern aus Ehrfurcht. Er ist weder Prophet noch Priester. Er ist ein frommer »Laie«, der im Dienst eines irdischen Despoten gelernt hat zu schweigen und der erst recht und mit viel tieferer Überzeugung es der Freiheit des Gottes des Himmels anheimstellt, wann und wie er sein Königtum in Jerusalem neu erweisen will. So begnügt er sich damit, dem Sanballat zu antworten: »Dergleichen, was du da sagst, ist nicht geschehen; du hast das Geschwätz in deinem Herzen ersonnen« (6₈).

Das Jerusalem, das Nehemia wieder aufrichtet, kann nicht die Königsstadt Gottes und damit der Herd der göttlichen Revolution sein, wenn in ihr nicht die *Gerechtigkeit Gottes unter allen Bürgern* herrscht. Alle Teile der Bibel sind voll von Zeugnissen, daß Gott eben damit die verkehrte Ordnung umkehrt, daß er sich der Armen annimmt und nicht duldet, daß sie ausgebeutet und erniedrigt werden.

Schon während des Mauerbaus ist Nehemia in dieser Richtung zu einem einschneidenden sozialen und national-ökonomischen Eingriff genötigt worden (c. 5). Die armen Volksgenossen beklagen sich bitter darüber, daß sie tief verschuldet sind, ihr Land verpfänden und zum Teil sogar ihre Kinder als Sklaven verkaufen müssen. Hier wie an den anderen Stellen seiner Denkschrift sind Nehemias Angaben statistisch genau; beim Aufzählen der Klagen unterscheidet er drei verschiedene Klassen der Verschuldeten. In großem Zorn wirft er den Reichen ihr unbrüderliches und unerträgliches Ausbeuten vor und bringt sie in einer öffentlichen Versammlung mit starken Beweggründen und seinem eigenen Beispiel dazu, einen völligen Schuldenerlaß zu erklären. Um ganz sicher zu sein, daß jeder diese Pflicht erfülle, läßt er ihnen durch die Priester einen Eid abnehmen und fügt selbst noch durch eine symbolische Handlung einen doppelten Fluch über jeden Wortbrüchigen hinzu.

WRudolph hat mit Recht diesen Akt als eine σεισάχθεια bezeichnet.[9] Das klassische Vorbild dieses »Abschüttelns der Last« ist das Gesetz, das Solon als Archon im Jahr 594 der Stadt Athen als den Grundpfeiler der Bürgerfreiheit gegeben hat. Innerhalb der sozialen Verfassung Israels, die vom Ursprung her den Besitz an Gütern dem Menschen unterordnete und die Freiheit der Person schützte, war eine Seisachthie

[9] AaO 131.

weniger revolutionär als bei den Griechen. Nehemias Tat, die das alte Recht der armen Volksgenossen, »die gleiches Fleisch und Blut haben wie ihre Brüder« (5_{5}), wieder in Kraft setzte, war darum nicht weniger notwendig und bedeutsam. Um dieser Maßnahme Nachdruck und Dauer zu verschaffen, im Sinn des »durch den Gottesknecht Mose gegebenen Gesetzes Gottes« (10_{30}), nahm Nehemia in die »Verpflichtungsurkunde« (c. 10) den Paragraphen auf (V. 32b): »... daß wir auf den Ertrag des siebenten Jahres verzichten und jede Schuldverordnung in ihm nachlassen«.

»Die heilige Stadt« (11_{1}) ist Jerusalem, weil und insofern als der Gott des Himmels dort wohnen will. Eben Er will aber auch dort inmitten seines Volkes wohnen. Diese *Bevölkerung* fehlt noch. Deshalb führt Nehemia einen συνοικισμός durch (11_{1f}). Auch dafür gibt es Beispiele in der Antike. Doch bezeichnet das Wort dort, wo es zum erstenmal vorkommt, nämlich in Athen, einen andersartigen politischen Vorgang. Der Synoikismos Athens, den die Sage auf Theseus zurückführt, einigte mehrere Städte und Landschaften zu einer einzigen Polis unter der Regierung der Stadt Athen. Nehemia hingegen hat Juden, die in anderen Städten oder auf ihren Landsitzen wohnten, veranlaßt, nach Jerusalem überzusiedeln, um so die Bevölkerung innerhalb der Mauer wesentlich zu verstärken.

Um diesen Zweck richtig zu erfüllen, mußte die Bevölkerung möglichst *einheimisch jüdisch* sein. Das war durchaus nicht der Fall, insbesondere nicht bei der aus dem Exil zurückgekehrten Aristokratie. Ihre Versippung mit Feinden Jerusalems konnte leicht staatsgefährlich werden (6_{17-19}) und führte zu Unfug: der Priester Eljaschib, der über die Kammern des Gotteshauses gesetzt war, hatte zu der Zeit, als Nehemia an den Königshof zur Berichterstattung zurückgekehrt war, dem Ammoniter Tobia, der sein Verwandter war, eine große Kammer verschafft, die eigentlich zur Aufbewahrung von Materialien für den Gottesdienst und die Priester bestimmt war. Entrüstet wirft Nehemia den ganzen Unrat des Tobia auf die Straße, läßt die Kammern reinigen und sie ihrem heiligen Zweck zurückgeben (13_{4-9}).

Nehemia begnügt sich nicht damit. Einer von den Großsöhnen des Hohenpriesters hat eine Tochter des Choroniters Sanballat geheiratet. Den jagt Nehemia weg von sich: »Gedenke ihm, mein Gott, die Befleckung des Priestertums und des Bundes der Priester und Leviten!« (13_{28ff}).

Aber nicht nur die Aristokraten, auch andere Juden waren mit asdodischen, ammonitischen und moabitischen Frauen verheiratet; die Hälfte ihrer Kinder sprach Asdodisch und andere Sprachen, aber Jüdisch konnten sie nicht mehr. Nehemia verlangt nicht, wie Esra das im Übereifer getan, daß sie sich von ihren Frauen scheiden; wohl aber macht er ihnen Vorwürfe, schlägt sogar einige, rauft ihnen das Haar und beschwört sie bei Gott: »Ihr dürft eure Töchter nicht ihren Söhnen geben und dürft keine von ihren Töchtern für eure Söhne oder euch selbst zu Frauen nehmen.« Am Beispiel Salomos, »dem unter vielen Völkern kein König gleich war, indem er ein Liebling Gottes war und Gott ihn zum König über ganz Israel gesetzt hatte«, zeigt er, wie groß die Versuchung ist, durch ausländische Frauen Gott untreu zu werden (13_{23-27}). Dieses Verbot wird ebenfalls in einem Paragraphen der Verpflichtungsurkunde verankert (10_{31}).

Der Mittelpunkt der »heiligen Stadt« ist der *Tempel*, das Haus des Himmelsgottes. Sein Dienst braucht viel Personal und Opfer; er ist kostspielig, und es besteht die doppelte Gefahr, daß nicht genug Gaben eingehen und daß diese eigennützig verwaltet werden. Nehemia sorgt auch hier für die rechte Ordnung bis in Kleinigkeiten hinein. Es gelingt ihm, das Volk willig zu machen für die Abgabe von Korn, Wein und Öl; und er bestellt zur Verwaltung zuverlässige Männer (13_{10-13}).

Eines der wichtigsten Kennzeichen der Königsstadt und überhaupt der Juden in allen Ländern ist der *Sabbath*. Er erinnert ständig an den Schöpfer, an den Ursprung und das Ziel der Schöpfung. Der Sinn des Menschenlebens ist höher als der Existenzkampf. Jeder Sabbath schenkt denen, die unter der Königsherrschaft stehen, neu die Freiheit der Kinder Gottes, wenn auch zunächst nur in beschränktem Maße, so doch mit dem erneuerten Versprechen der vollkommenen Erfüllung. Er ist von großer Bedeutung für die Nationalökonomie. Dieser tiefe Eingriff in Handel und Wandel kann jedoch auch als Schädigung der Arbeit und des Marktes empfunden werden. Die andern Völker haben sich über diese Gewohnheit der Juden gewundert und ihnen Müßiggang vorgeworfen (Tacitus, Hist. V 4). Ebenso zeigen die Schriften des Alten Testaments, daß auch manchen Israeliten dieser Unterbruch lästig war (zB Amos 8_{5}). So beobachtet jetzt Nehemia, daß in Judäa Leute am Sabbath die Kelter treten, Kornsäcke holen und sie auf Esel laden, auch wie sie Wein, Trauben und Feigen und sonstige Traglasten aller Art am Sabbathtag nach Jerusalem bringen wollen. In Jerusalem bieten die dort wohnenden Tyrier Fische und Waren aller Art den Juden zum Verkauf. Da greift er energisch ein, erinnert die Vorsteher daran, daß sie Zorn auf Israel laden, und befiehlt, die Stadttore vor Sabbathanbruch für den Marktverkehr zu schließen und erst nach Sabbathende wieder zu öffnen. Er verbietet sogar Bauern und Händlern, in dieser Zeit vor den Stadtmauern zu übernachten (13_{15-22}).

Mit alledem hat Nehemia sein Werk glücklich vollendet.

Worin liegt seine *Bedeutung*?

Er ist kein Priester und kein Prophet, wohl aber ein ebenso frommer wie politisch qualifizierter »Laie«. Seine Denkschrift läßt nichts verspüren von einer messianischen Hochspannung, jedoch eine klare und starke Überzeugung des Glaubens, daß es mit dem Wiederaufbau des Tempels nicht getan ist; Gottes Königtum hat eine starke politische Komponente, die durch die Befestigung der heiligen Stadt handgreiflich und weithin leuchtend zum Ausdruck kommen muß. Er war Realpolitiker und nicht zugleich Dichter wie Solon. Wäre er Tempelsänger gewesen – doch der Chronist hat nicht versucht, aus ihm, wie aus dem König David, einen solchen zu machen –, dann hätte er wohl Psalmen angestimmt in der Art und Weise der Korachiten oder der Königspsalmen.

Ist sein Werk gelungen? Wie sich schon in den Tagen der Propheten Sacharja und Haggai gezeigt hat, duldete die persische Regierung bei aller religiösen Toleranz keine revolutionäre Politik Jerusalems. Sie wollte auch dem Werk Nehemias keine solche zuerkennen. Die führenden Männer und das Volk der Juden scheinen diese Beschränkung gern in Kauf genommen zu haben. Es genügte ihnen, für ihre Gemeinde Religionsfreiheit zu haben. Der Hohepriester ersetzte den König.

Aber die Stadtmauer hielt stand und wurde in den folgenden Jahrhunderten bei Freiheitskriegen heiß umkämpft. Die תְּרוּעַת מֶלֶךְ (Nu 23$_{21}$) ließ sich nie ganz ersticken, bis Jesus mit höchster Gewalt verkündigte: »Die Königsherrschaft Gottes steht vor der Tür!« Wie er unter dem Jubelruf der Menge: »Heil dem König!« in die heilige Stadt einzieht, weint er über sie, weil er voraussieht, daß ihre Feinde Wall und Graben gegen sie aufwerfen, sie von allen Seiten bedrängen und keinen Stein auf dem andern lassen werden.

Immerhin ist das nicht Gottes letzter Beschluß gewesen. Zunächst wurde sogar die Stadtmauer durch König Agrippa I noch erweitert; und nach der Zerstörung durch Titus wurde sie auch wieder aufgebaut. Vor allem ist Jerusalem bis auf den heutigen Tag ein Brennpunkt des Königreichs Gottes auf der Erde geblieben.

CLAUS WESTERMANN

ZUM GESCHICHTSVERSTÄNDNIS DES ALTEN TESTAMENTS

Gerhard von Rad, den dieser Aufsatz zu seinem 70. Geburtstag in Dankbarkeit und Verehrung grüßen möchte, hat in seinem Aufsatz »Der Anfang der Geschichtsschreibung im alten Israel« (ThB 8, 1958, 148–188) ein wegweisendes Wort zum Geschichtsverständnis des Alten Testaments gesprochen, das in den zweieinhalb Jahrzehnten seit Erscheinen des Aufsatzes (1944) immer wieder zitiert wurde und Generationen von Studenten in das Geschichtsverständnis des Alten Testaments eingeführt hat.

In der Mitte des Aufsatzes steht die Darstellung und Beurteilung der »Geschichte von der Thronnachfolge Davids« (im Anschluß an *LRost,* Die Überlieferung von der Thronnachfolge Davids, 1926). Während *von Rad* die hohe Bedeutung dieses Geschichtswerkes anschaulich und eindrücklich herausarbeitet und es in jeder Hinsicht positiv bewertet, enthält allein die Schlußbemerkung (188, Anm. 44) eine kritische Randnote:

> »Die Zeit Salomos war in außenpolitischer Hinsicht sehr ruhig. Es waren ihr keine brennenden Fragen strategischer oder staatspolitischer Art aufgegeben. Vielleicht dürfen wir damit einen der fühlbarsten Mängel unseres Geschichtswerkes in Verbindung bringen, daß nämlich in ihm die politischen Konflikte so ausschließlich im Persönlichen und Familiären verankert werden ...«

Dieser Bemerkung sei eine sehr viel schärfere *Eduard Meyers* an die Seite gestellt, in der er nicht das Geschichtswerk als solches kritisiert (das positive Urteil zitiert *von Rad,* 180), wohl aber die Tatsache, daß ein solches Geschichtswerk zu einem Bestandteil der Bibel wurde (bei *von Rad,* 180f, Anm. 39):

> »(Es) zeigt sich hier in geradezu grotesker Weise die in der Weltgeschichte waltende Ironie, daß diese durch und durch profanen Texte dem Judentum und dem Christentum als heilige Schriften gelten ...« (bei *EMeyer,* 285f).

Beiden Bemerkungen gemeinsam ist, daß sie von einem Geschichtsverständnis herkommen, für das Geschichte eigentlich und wesentlich politisches Geschehen ist; *EMeyer* erscheint es sinnlos, daß ein ganz von politischem Geschehen bestimmtes Geschichtswerk, wie es für ihn das Werk von der Thronnachfolge Davids ist, zum Bestandteil einer »heiligen Schrift« wurde; für *von Rad* liegt ein fühlbarer Mangel des

Geschichtswerkes darin, daß politische Vorgänge »im Persönlichen und im Familiären verankert werden«. Für beide ist es eine Grenzüberschreitung, wenn die Darstellung eines politisch-historischen Gegenstandes auf das Gebiet religiöser oder persönlich-familiärer Aussagen und Begründungen hinübertritt.

Vom Standort der im 19. Jahrhundert geprägten Geschichtswissenschaft her ist die Beanstandung solcher Grenzüberschreitung völlig berechtigt.

Die strenge Isolierung auf das politische Geschehen ist in der neueren Geschichtswissenschaft und Geschichtsdarstellung von ganz verschiedenen Gesichtspunkten her aufgebrochen worden; einen ersten Einblick in die sehr komplexe Situation hier gibt eine Zusammenstellung von *FStern:* Geschichte und Geschichtsschreibung, Möglichkeiten, Aufgaben und Methoden. Texte von Voltaire bis zur Gegenwart (1966). Eine Darstellung der neueren Geschichtswissenschaft in Frankreich gibt *LRamlot,* O. P., Histoire et mentalité symbolique (1968), der dann eine Skizze des AT-lichen Geschichtsverständnisses auf dem Hintergrund einer wertvollen Zusammenfassung der Geschichtsdarstellung in der Umwelt Israels bietet (Teil II: Du discours historique dans l'antiquité, 125ff.).

Aber gerade auf dem Hintergrund der modernen Geschichtswissenschaft, deren Wurzeln in der Aufklärung liegen und die im 19. Jahrhundert den Begriff einer streng rationalen und immanenten Geschichtskausalität entwickelte, wird die Besonderheit des alttestamentlichen Geschichtsverständnisses deutlich.

Das Phänomen des Politischen im eigentlichen Sinn tritt in der Thronfolgegeschichte so stark heraus, weil dies in der frühen Königszeit *die* große neue Entdeckung war. In ihm wurde ein ganz neuer Daseinsbereich entdeckt, den es so für Israel bisher noch nicht gegeben hatte. Es war eine neue Entdeckung wie etwa die in der vorangehenden Epoche: »Jahwe ist ein Krieger!« Zu einer Isolierung oder gar Verabsolutierung des Politischen in der Geschichtsdarstellung konnte aber diese neue Entdeckung nicht führen, so großartig und selbständig auch die Geschichtsdarstellung der Thronfolgegeschichte diesem neuen Phänomen gerecht wurde. Für die israelitische Geschichtsdarstellung, sieht man sie in dem weiteren Zusammenhang der Aufeinanderfolge der verschiedenartigen Geschichtskonzeptionen vom Jahwisten an bis zum Chronisten, ist besonders bezeichnend die Tendenz, die Wirklichkeitsdarstellung und Wirklichkeitserfahrung einer vergangenen Epoche in die veränderte Wirklicheitserfahrung und Wirklichkeitsdarstellung der Gegenwart aufzunehmen oder sie in irgendeiner Weise mit ihr zu verbinden. Das eindrücklichste Beispiel für diese Tendenz ist der Pentateuch, der ja eine ganze Skala aufeinanderfolgender Konzeptionen von Geschichte miteinander verarbeitet hat, ohne daß es für richtig oder notwendig gehalten wurde, daß die neue Konzeption die ältere auslöschte oder zum Verschwinden brachte.

Das Gleiche gilt für die Thronfolgegeschichte. Die umwerfend neue Entdeckung des Politischen, zu der auch die Entdeckung von so etwas wie Geschichtskausalität und politischer Eigengesetzlichkeit gehörte, konnte in Israel nicht die Verabsolutierung des Politischen zur Folge haben, weil auch diese neue Erfassung und Verarbeitung von Geschehendem in fester Kontinuität zu vorangehender, wesensmäßig anderer Erfassung und Verarbeitung von Geschehendem blieb und sie nicht auslöschen wollte. In der Thronfolgegeschichte zeigt sich das vor allem in den beiden Linien, die den zu Anfang zitierten kritischen Bemerkungen entsprechen.

Es ist für den Darsteller der Thronfolgegeschichte eine Voraussetzung, daß hinter allem Geschehen Gott steht. Damit ist aber nicht eigentlich das gemeint, was wir Glaube an Gott nennen, weil es die andere Möglichkeit, Gott nicht zu glauben, für ihn noch nicht gibt. Ein Abstrahieren von der Voraussetzung, daß hinter allem Geschehen Gott steht, wäre für ihn schlechterdings undenkbar. Es kann also für ihn auch das Phänomen des Politischen mit seiner Eigengesetzlichkeit und mit der ihm eigenen politischen Kausalität als ein rein immanentes Phänomen, so wie es die von der Aufklärung herkommende Geschichtswissenschaft des 19. Jahrhunderts sah, nicht geben. Hier hat also *Eduard Meyer* in der oben zitierten Bemerkung doch nicht historisch-kritisch, sondern befangen und voreingenommen geurteilt. Die genauere Untersuchung der Thronfolgegeschichte hätte ihm zeigen müssen, daß seine Beschreibung: »Gänzlich fern liegt jede religiöse Färbung, jeder Gedanke an eine übernatürliche Leitung« nicht stimmt. In der Zeit und in dem geistigen Raum, in dem die Thronfolgeschichte entstand, wäre eine »rein profane« Geschichtsschreibung eine Unmöglichkeit.

Dennoch hat diese Bemerkung *EMeyers* einen Wert. Er hat etwas Richtiges gesehen, auch wenn das, was er dazu sagt, nicht zutrifft. *Gvon Rad* hat das Werk daraufhin befragt, »wo in ihm sein Verfasser von Gott redet« (181). Er läßt dabei beiseite die »mehr oder minder rhetorischen Apostrophierungen Gottes«.

Dabei ist mir fraglich, ob diese nicht doch nach der Überzeugung des Verfassers das gleiche Gewicht haben wie die drei bei *von Rad* herausgestellten Aussagen über Gott. Denn für den Verfasser dieser Darstellung kann es ein Reden oder Handeln Gottes, wie es diese Sätze aussagen, noch nicht ohne die Entsprechung in einem zu Gott hingewandten Reden oder Handeln des Menschen geben. Ein das Reden oder Denken über Gott abstrahierende Theologie kann hier noch nicht vorausgesetzt werden. An der Stelle einer solchen »Theologie« steht hier noch das wechselseitig zwischen Gott und Mensch Geschehende (in Wort und Handlung); das eine gibt es noch nicht ohne das andere. Mir scheint, daß *vRad* dies selbst voraussetzt, wo er die beabsichtigte und für den Zusammenhang wichtige Entsprechung von 15_{31} und 17_{14}, dem Stoßgebet Davids und dessen Erhörung herausstellt (184). So wäre es lohnend, für das Verstehen des Redens von Gott in der Thronfolgegeschichte außer den drei bei *vRad* genannten besonders wichtigen noch folgende weitere Stellen heranzuziehen, wobei natürlich der jeweilige besondere Zusammenhang bzw. die besondere Schicht zu berücksichtigen wäre: 2Sam 6_{12-21}; 7; $8_{6.14b}$; 10_{12b}; 12_{1-13}; $14_{11.17}$; 15_{7-8}; 15_{25-26}; 15_{31}; $16_{8.10}$; 16_{23}; 18_{28}; 20_{19}; $21_{2.14}$.

Von Rad findet drei solcher Sätze, die ein wichtiges theologisches Urteil enthalten: 2Sam 11_{27}; 12_{24}; 17_{14}. Der eindringlichen und überzeugenden Erklärung dieser Sätze durch *vRad* ist nichts weiter hinzuzufügen, als daß sie alle drei ein ausgesprochen untheologisches, weltliches Gottesverhältnis wiedergeben. Diese Sätze lassen auch nicht die Spur einer heilsgeschichtlichen Theologie erkennen. Hier handelt und redet nicht der Gott, der Israel aus Ägypten errettet hat, oder der am Sinai erscheinende Jahwe. Dieses Reden von Gott oder Denken über Gott steht in gar keiner Beziehung zum »geschichtlichen Credo«; es ist nicht der Gott dieses Credo, dessen Wirken jene drei Sätze nur wie »Signale« (182) andeuten.

Dagegen läßt sich sehr deutlich eine Beziehung dieser Sätze zu der Art erkennen, wie in der Urgeschichte und in der Vätergeschichte, also vor der Begegnung Israels mit Jahwe, geredet wird. Die kurze Bemerkung in 12_{24}: ». . . und Jahwe liebte ihn (Salomo)« entspricht der Deutung, die dem Handeln Gottes an Jakob und Esau (Gen 25_{23}) in Röm 9_{12} gegeben wird; zu vergleichen ist auch das Verhalten Gottes zu Kain und Abel in Gen $4_{4f.}$ Der zweite Satz: »Aber böse war das, was David getan hatte, in den Augen Jahwes« steht im weiteren Zusammenhang der sehr weit verbreiteten Vorstellung, daß ein Gott das Tun, insbesondere das böse Tun der Menschen sieht, vgl. *RPettazzoni,* Der allwissende Gott (1960). Die gleiche Vorstellung ist in Gen 3 und Gen 4 vorausgesetzt, deutlicher noch in Gen 44_{16}. In dem dritten Satz 2Sam 17_{14} kommen mehrere Motive zusammen; er ist bei *vRad* ausführlich erklärt. Daß Gott über jemanden (oder eine Gemeinschaft) Unheil bringt, ist eine ebenso allgemeine und weit verbreitete Vorstellung; sie begegnet im Alten Testament in der Urgeschichte, in der Vätergeschichte, in der Weisheit.

Alle drei Sätze also, die vom Wirken Gottes in der Thronfolgegeschichte sprechen, haben nichts spezifisch Israelitisches an sich, sie stehen nicht in dem spezifischen Traditionszusammenhang des Redens von Gottes Geschichte mit Israel; sie gehören einem weiteren Bereich des Redens von Gott an, wie man ihn im Alten Testament in beiden Teilen der Genesis, aber auch in der Weisheit antrifft, wie man sie aber auch in vielen anderen Religionen ebensogut antreffen könnte.

Somit kann die Bemerkung *EMeyers* zurechtgerückt werden: Eine rein immanente Geschichtsschreibung, für die das politische Geschehen vom Wirken Gottes absolut losgelöst wäre, kann es für den Verfasser der Thronfolgegeschichte nicht geben; für ihn gibt es Wirklichkeit ohne Gott nicht. Wohl aber hat *EMeyer* richtig empfunden, daß das spezifisch israelitische Reden von Gott, das in der Mitte des Pentateuch wurzelt, das in den Credo-Formulierungen zusammengefaßt ist und bis in die Verkündigung Deuterojesajas und Ezechiels sich erstreckt, in die Geschichtsdarstellung der Thronfolgegeschichte nicht hineinreicht.

Damit ergibt sich die Aufgabe, die Geschichtsschreibung im Alten Testament daraufhin zu untersuchen, von welchen theologischen Strukturen sie jeweils bestimmt ist bzw. wie sich die von einer Credo-Theologie bestimmten Geschichtskonzeptionen zu solchen wie der Thronfolgegeschichte verhalten, in denen von dieser Credo-Theologie nichts zu finden ist.

Von Rad sieht einen Mangel der Thronfolgegeschichte darin, daß in ihr die »politischen Konflikte so ausschließlich im Persönlichen und Familiären verankert werden«. Damit ist allerdings eine Besonderheit der Thronfolgegeschichte genau getroffen. Wie es für den Verfasser der Thronfolgegeschichte unmöglich ist, politisches Geschehen von dem zwischen Gott und Mensch Geschehenden absolut abzulösen, so ist es für ihn auch unmöglich, politisches Geschehen vom persönlichen Geschehen im familiären Bereich völlig abzulösen. Ich sagte oben: In der frühen Königszeit wurde in Israel das Politische als ein ganz neuer Daseinsbereich entdeckt, den es so für Israel bis dahin noch nicht gegeben hatte. Bei der Tendenz, die Wirklichkeitsdarstellung und Wirklichkeitserfahrung einer vergangenen Epoche in die veränderte Wirklichkeitserfahrung und Wirklichkeitsdarstellung der Gegenwart aufzunehmen oder sie in irgendeiner Weise mit ihr zu verbinden (s. o.), lag es nahe, die bei der neuen Form des dynastischen Königtums bestimmende Funktion des »Hauses«, dh der Familie des Königs mit den Erfahrungen und Reflexionen in Verbindung zu bringen, die Israel in den Vätergeschichten bewahrt hatte aus einer Epoche, in der die Familie noch die alles bestimmende Gemeinschaftsform war. Denn damit, daß in der für die Thronfolgegeschichte grundlegenden Nathan-Verheißung (2Sam 7) der König eine Verheißung *für sein Haus* erhält, (711b) ist die Familie zum Bestandteil der neuen Regierungsform geworden. *Von Rad* sieht (177) das Problem der Thronnachfolge als »die Frage nach dem ersten Funktionieren der ... neuartigen Institution der dynastischen Bindung«. Das Funktionieren dieser Institution aber hing in einem hohen Maße von Faktoren ab, die in der viel älteren Gemeinschaftsform der Familie begründet waren.

Damit ergab sich ganz von selbst, daß der Verfasser der Thronfolgegeschichte die Möglichkeit ergriff, die Frage nach der Nachfolge auf dem Thron Davids als ein Ineinander und Miteinander von Vorgängen in zwei wesensverschiedenen Geschehensbereichen darzustellen: *als politisches Geschehen und zugleich als Familiengeschehen.* Die Dramatik der Thronnachfolge ist *eine* Linie; unablösbar mit ihr verbunden ist die Dramatik eines Familiengeschehens im Hause Davids. Die Kunst des Verfassers hat es vermocht, das Geschehen auf zwei so verschiedenen Ebenen zu *einem* Geschehensbogen zu vereinen; seine Meisterschaft des Darstellens zeigt sich gerade darin, wie es ihm gelungen ist, die innerfamiliäre Dramatik dem großen politischen Geschehensbogen, der sein eigentlicher Gegenstand ist, so zu integrieren, daß das Ganze geschlossen und als ein einheitlicher Geschehensverlauf wirkt. Dabei läßt sich leicht zeigen, daß die beiden Motivkreise, der politische und der familiäre, tatsächlich ursprünglich verschiedenen, weit voneinander entfernten Traditionsbereichen entstammen. Ich will das nur für den einen der beiden andeuten.

Die Nähe der Familienmotive in der Thronfolgegeschichte zu den Vätergeschichten ist offenkundig. Der Geschehensbogen setzt 2Sam 6$_{16.20ff}$ mit der Kinderlosigkeit Michals ein; im Abrahamkreis Gen 12 bis 25 ist die Kinderlosigkeit Saras der Erzähleinsatz (Gen 11$_{30}$). Daß sie auch sonst ein häufiges Erzählmotiv ist, braucht nur erwähnt zu werden. Der entscheidende Punkt, an dem die beiden Ebenen des Geschehens einander berühren, ist der Ehebruch Davids 2Sam 11. Im Hintergrund steht die Erzählung von der Gefährdung der Ahnfrau Gen 12; 20; 26. Ein tragendes Motiv in ihr ist, daß der Machthaber in dem fremden Land, in das Abraham vor der Hungersnot ausweichen mußte, sich eine schöne Frau, gleich zu wem sie gehört, einfach nehmen konnte; er hatte die Macht dazu und niemand konnte ihn hindern. Der Verfasser der Thronfolgegeschichte baut den Spannungsbogen seiner Darstellung darauf auf, daß der König David – ein König Israels! – dieser Versuchung der Macht, die das neue Königtum ermöglichte, erlag; der Mißbrauch der Macht vollzog sich im Bereich des familiären Geschehens, er verletzt eine Ordnung, über die Gott wacht, und Gott greift ein, wie er auch gegen den mächtigen Pharao (Gen 12) eingegriffen hatte. Die tragische Entwicklung im Hause Davids setzt damit ein (*vRad:* »das Unheil, das sich über dem Hause David zusammenzieht«), die nun gleichzeitig die Dramatik der Thronnachfolge bestimmt.

Die weiteren Motive, die dem Familiengeschehen angehören, seien nur noch aufgezählt: Der Tod des Kindes der Lieblingsfrau 2Sam 12; das Vergehen Amnons an seiner Halbschwester Thamar, das zur Blutrache zwischen den Brüdern führt; Absaloms Flucht aus dem Vaterhaus und seine Rückkehr; die Empörung Absoloms gegen seinen Vater, in deren Verlauf der familiäre und der politische Aspekt dieses Vorganges zu der tragischen Entwicklung führen, und gegen Ende die Rivalität zwischen den Brüdern Adonia und Salomo. Die meisten dieser Motive lassen sich in den Vätergeschichten nachweisen, einige mehrfach, einige fehlen; denn in den Vätererzählungen ist ja nur ein schmaler Ausschnitt überliefert. – Der Kontrast zwischen den beiden Ebenen des Geschehens kommt zu seinem stärksten Ausdruck in der Klage des Vaters über seinen Sohn Absalom 19_{1}. In dieser erschütternden Klage, die so deutlich an die Klage Jakobs um seinen Sohn (Gen 37_{33f}) erinnert, kommt die Linie zum Abschluß, die mit dem Frevel Davids an der Ehe des Uria eingesetzt hatte. Die Geschichte geht weiter, weil die politische Linie hier noch nicht zum Abschluß gekommen ist; aber die eigentümliche Passivität Davids in allem, was jetzt noch geschieht, hat in dem Aufschrei des Vaters beim Tod seines Sohnes ihren Grund, seines Sohnes, der sein Feind und der Räuber seines Thrones war. Dieser Aufschrei des Vaters beim Tod seines Sohnes ist darum zugleich der Punkt in der Darstellung der Thronnachfolge Davids, an dem die Linie des familiären und die Linie des politischen Geschehens im stärksten Kontrast zueinander stehen. Wie David durch seinen Feldherrn Joab aus der durch sein persönliches Leid bewirkten Lähmung (es ist viel mehr als persönliches Leid!) herausgerissen und zu dem politisch notwendigen Handeln gezwungen werden muß, ist vom Verfasser meisterhaft dargestellt: an dieser Stelle macht er im Herausarbeiten dieses Kontrastes am deutlichsten auf das *innere* Gefüge seines Werkes aufmerksam.

Wenn es richtig ist, daß der Verfasser der Thronfolgegeschichte die beiden Linien des Geschehens so bewußt miteinander ins Spiel gebracht, wenn er in dem Höhepunkt der Klage des Vaters bewußt diese beiden Linien zu so dramatischer Dissonanz geführt hat, dann folgt daraus, daß er für die Konzipierung seines Werkes die Wechselbeziehungen zwischen der neuen politischen Form des dynastischen Königtums, die auf dem »Haus« des Königs beruhte, und den Geschehensstrukturen des »Hauses«, wie Israel sie von seinen Vätern kannte, also den Grundlinien des Geschehens in den Vätergeschichten, bewußt und durchdacht herangezogen hat.

Daraus aber ergibt sich ein neuer Aspekt für das Verständnis des Königtums. Es wird in der Thronnachfolgegeschichte zum Bindeglied zwischen der staatlichen und der vorstaatlichen Epoche. Der Verfasser verbindet mit seinem brennenden Interesse an dem neuen Phänomen politisch bestimmter Geschichte, die er meisterhaft in ihrer eigenen, neu entdeckten Gesetzlichkeit und in der Vielfalt ihrer komplizierten Zusammenhänge darstellt, das andere, mindestens ebenso starke Interesse nach dem Zusammenhang dieses neuartigen Phänomens mit Israels bisherigen Erfahrungen und entdeckt dabei dieses Bindeglied des Königshauses, das eine Familie ist, so wie der Lebenskreis des Abraham, des Isaak und des Jakob Familien waren. Die Grundzüge dessen, was in der Familie geschieht, sind hier und dort die gleichen, nur daß sie in der Geschichte Davids einen neuen, den politischen Aspekt erhalten. Vor allem *ein* Motiv hat der Verfasser der Thronfolgegeschichte als verbindend erkannt: das der Kontinuität der Generationen, das im Königtum wiederkehrt als Kontinuität der Dynastie.

Die das Werk leitende Frage: Wer wird auf dem Thron Davids sitzen? wird vom Verfasser dieses erstaunlichen Werkes zu einer Antwort geführt, die auf der politischen Ebene lautet: Es ist Salomo, und Salomo ist es, den Jahwe liebte. Aber das ist nicht die ganze Antwort. Auf der familiären Ebene des Geschehens ist der Vater an dem Streit der Brüder Adonia und Salomo, der dann schließlich zur Thronbesteigung Salomos führt, im Grunde nicht mehr beteiligt. Das letzte wirkliche Lebenszeichen, das von David berichtet wird, ist sein Aufschrei der Klage um seinen Sohn. In allem, was nun noch geschieht, kann man sagen, was in der Josephsgeschichte von Jakob gesagt wird, der mit der Trauer um sein geliebtes Kind leben muß: »Sein Herz blieb kalt« (Gen 45$_{26}$). Auf der Ebene dieses familiären Geschehens ist die Antwort auf die Frage, wer der Thronfolger sein werde, nicht: Salomo ist es, den Jahwe liebte, sondern: Salomo ist es, aber ... Der Verfasser der Thronfolgegeschichte hat auf diese Weise einen stillen Hinweis gegeben, daß eine direkte Kontinuität auf dem Königsthron auch eine gebrochene Kontinuität sein kann. Die Kontinuität auf dem Thron Davids, seine Dynastie, hat die Verheißung Gottes, daß sie bleiben soll; mit dem vollen Akkord dieser Verheißung für das Haus Davids setzt das Werk ein. Der Schluß, der berichten kann, daß nun tatsächlich der Nachfolger auf dem Thron sitzt und seine Herrschaft gesichert erscheint, ist merkwürdig verhalten; der Kontrast zwischen den beiden Linien des Geschehens ist nicht wirklich zum Austrag gekommen. Es bleibt etwas offen. Der Jubel, der den neuen König begrüßt, übertönt nicht den Ruf der Klage, der voraufging. Diese Gebrochenheit geht in die Geschichte des Königtums mit hinein, – trotz der Verheißung.

Auch wenn also für den Verfasser der Thronfolgegeschichte die neue politische Daseinsform des dynastischen Königtums als von Gott bestätigt voll zu bejahen ist, so weiß er doch, daß die politische Herrschaftsstruktur des Königshauses immer ein außerpolitisches Element in sich trägt: das Haus des Königs ist auch nur eine Familie, eine Familie wie jede andere, woran auch die Salbung des Königs nichts ändert. Im Königtum ist die väterliche Autorität zum Kern staatlicher Autorität geworden; die Kontinuität der Generationenfolge ist in die Kontinuität der Dynastie eingegangen. Aber das Herrschaftsamt des Königs in der Dynastie ist nicht ablösbar von der Familie des Königs, er ist König nur als pater familias und als solcher bleibt er der Menschlichkeit der Gestalt jeder Familie ausgeliefert, von der Israel aus der Überlieferung seiner Väter weiß. Weil das Haus des Königs Familie ist, bleibt der politischen Institution des Königtums das nichtpolitische Element des Familiengeschehens für immer eingeprägt.

Wenn diese Bindeglied-Funktion des Königtums dem Verfasser der Thronfolgegeschichte am Anfang der politischen Epoche des Volkes

Israel bewußt war, können wir annehmen, daß das junge israelitische Königtum nicht *nur* ein Import aus der Umwelt war, sondern daß in ihm Elemente der vorpolitischen Existenz, wie sie gerade in Israel in den Vätergeschichten bewahrt wurden, in das neue Gefüge staatlicher Existenz übertragen wurden.

ERNST WOLF

DER BEGRIFF ANGST BEI SÖREN KIERKEGAARD

Paul Tillich hat in seiner Schrift »Der Mut zum Sein« (1953) in etwas schematischer Weise drei Typen der Angst unterschieden, »entsprechend den drei Richtungen, in denen das Nichtsein das Sein bedroht. Das Nichtsein bedroht die ontische Selbstbejahung des Menschen relativ als Schicksal, absolut als Tod. Das Nichtsein bedroht die geistige Selbstbejahung des Menschen relativ als Leere, absolut als Sinnlosigkeit. Das Nichtsein bedroht die sittliche Selbstbejahung des Menschen relativ als Schuld, absolut als Verdammung. Das Gewahrwerden dieser dreifachen Bedrohung ist die Angst, die in drei Formen erscheint, der des Schicksals und des Todes (kurz: die Angst des Todes), der der Leere und des Sinnverlustes (kurz: die Angst der Sinnlosigkeit) und der der Schuld und der Verdammnis (kurz: die Angst der Verdammung). In allen drei Formen ist die Angst existentiell in dem Sinne, daß sie zur Existenz als solcher gehört und nicht zu einem abnormen Geisteszustand wie die neurotische (und psychotische) Angst« (34). »Die drei Formen der Angst (und des Mutes) sind einander immanent, aber gewöhnlich überwiegt eine von ihnen« (35).

Der Begründung und Entfaltung dieser Feststellungen im einzelnen brauchen wir nicht nachzugehen; auch nicht den Darlegungen dessen, daß sich diese drei Typen auf historische Epochen in der Geschichte der abendländischen Kultur verteilen, »daß am Ende der antiken Kultur die ontische Angst vorherrscht, am Ende des Mittelalters die moralische Angst und am Ende des modernen Zeitalters die geistige Angst«(45), wobei das Christentum die Situationsänderung von der Antike zum Mittelalter herbeiführt.

Diese drei Typen existentieller, mit der menschlichen Existenz selbst gegebener Angst werden unter Umständen überkreuzt von einer nichtexistentiellen Angst, der »neurotischen« Angst, die »das Ergebnis zufälliger Geschehnisse im menschlichen Leben« ist (50). Sie wird im Durchschnittlichen interpretiert als »Erfahrung ungelöster Konflikte zwischen den Strukturelementen der Persönlichkeit, ... Konflikte (etwa) zwischen den unbewußten Trieben und verdrängenden Gesetzen, Konflikte zwischen verschiedenen Trieben, die das Zentrum der Persönlichkeit zu beherrschen versuchen, Konflikte zwischen Vorstellungswelten und der Erfahrung der wirklichen Welt, zwischen Streben nach Vollkommenheit und Erfahrung der Unvollkommenheit usw., zwischen dem Willen zu sein und der untragbaren Last des Seins«. Hier gilt: »alle diese Konflikte, wenn sie unbewußt, oder wenn sie unterbewußt und nicht zugelassen, oder wenn sie bewußt und ungelöst sind, machen sich in plötzlichen oder dauernden Angstzuständen fühlbar«. Das führt zur Nachfrage nach einer Grundangst als psychologisches Phänomen, deren Beantwortung vielfach bei allen einleuchtenden Einsichten tiefenpsychologischer Analyse einzelne Symptome oder Fundamentalstrukturen zu zentraler Bedeutung erhebt. Es fehlt hier die Beziehung der psychologischen Analyse auf ein ontologisches Verständnis des menschlichen Wesens, die allein eine umfassende Theorie der Angst ermöglichen kann; anders gesagt: die Sicht darauf, daß die pathologische Angst »ein Zustand der existentiellen Angst unter besonderen Bedingungen« ist, insbesondere derjenigen, daß hier das Streben der Angst danach, »Furcht zu werden, um einen Gegenstand zu haben, mit dem der Mut fertig werden kann«, fehlt, also die Hereinnahme der Angst des Nichtseins in den Mut zum Sein, das Aufsichnehmen der Angst des Nichtseins in der Selbstbejahung. »Angst treibt zum Mut, weil die andere Alternative Verzweiflung ist. Der Mut widerstrebt der Verzweiflung, indem er die Angst in sich hineinnimmt ... Wer nicht erreicht, daß er die Angst auf sich nimmt, kann die extreme Situation der Verzweiflung vermeiden durch das Ausweichen in die Neurose ... Die Neurose ist die Methode, dem Nichtsein auszuweichen durch Ausweichen vor dem Sein« (51). Aber diese Methode führt nicht aus der Angst heraus. Sie verkürzt oder verbiegt nur die menschliche Existenz.

»Im neurotischen Zustand fehlt die Selbstbejahung nicht, sie kann sogar sehr stark und überbetont sein. Aber das Selbst, das bejaht wird, ist ein reduziertes Selbst. Einige oder viele seiner Potentialitäten werden zur Verwirklichung nicht zugelassen, weil die Verwirklichung des Seins die Annahme des Nichtseins und seiner Angst implizit enthielte«. Das Selbst »gibt einen Teil seiner Potentialitäten auf, um das zu retten, was übrig bleibt. Diese Struktur erklärt die Ambivalenz des neurotischen Charakters. Er ist der Drohung des Nichtseins gegenüber empfindlicher als der Durchschnittsmensch. Und da das Nichtsein das Mysterium des Seins erschließt, ... kann er schöpferischer sein als der Durchschnitt ...« (52).

Diese letzten Sätze *Tillichs* hören sich an wie eine psychologische Charakterisierung *Kierkegaards*, bis hin zu der gelegentlichen Überbetonung der Selbstbejahung, die bei ihm zur Stelle ist in der ganzen, gewiß zum Teil dem Erbe der Romantik entstammenden Pseudonymität des Schriftstellers, der sich hier so künstlich verbirgt, um umso deutlicher sich selbst zu zeigen. Und wenn man nun fragt, wohin innerhalb des skizzierten Schemas einer ontologisch-psychologischen Theorie der Angst *Kierkegaard* mit seinem »Begriff Angst« gehöre, dann könnte man dazu neigen, ihn nicht einem der Typen existentieller Angst, sondern – zunächst wenigstens – im großen ganzen der nicht-existentiellen *neurotischen* Angst zuzuweisen.

Eine lehrreiche Untersuchung aus der Schule *CGJungs* hat es denn auch unternommen, »Die Angst als abendländische Krankheit« – wie ihr Titel lautet (1958) – am Leben und Denken *Kierkegaards* darzustellen. Sie stammt von *Arnold Künzli.* Die geistige, physische und psychische Existenz *Kierkegaards* ist hier als symptomatisch für den modernen Angstmenschen schlechthin interpretiert, wobei eine bestimmte Liebesbotschaft Christi als Maßstab für *Kierkegaards* ethisches Verhalten gewählt wird: Christus habe nämlich eine Liebesreligion verkündet, »mit der er den in tausenderlei ›primitiven‹ Ängsten gefangenen Menschen erlösen wollte« (5). Das signalisiert den freilich sehr problematischen theologischen Einschlag in dieser Untersuchung, die schließlich das Christentum selbst im wesentlichen als Neurose beurteilt und so den evangelischen Begriff der Liebe verkennt.

Der Verfasser geht davon aus, daß *Kierkegaard* gegenüber der Sekurität der *Hegelschen* Identität von Vernunft und Sein, gegenüber dem rational-spekulativem Denk-Absolutismus die Frage nach der Wirklichkeit und damit nach der Möglichkeit stellt, im Namen der »Existenz«, der »Subjektivität«, der »Innerlichkeit«, des »Einzelnen«, der »Nachfolge« im Leiden. Das sei zugleich die kritische Wendung *Kierkegaards* in einsamem Protest gegen das »offizielle« Christentum seiner Zeit, um Raum zu schaffen dafür, daß Gott im »Einzelnen« wieder ein Gegenüber habe, und daß der Mensch in eine Beziehung zu Gott treten könne. Diese Erwägung umreißt zwar im großen ganzen richtig die philosophisch-theologische Stellungnahme *Kiekegaards* zum Geist seiner Zeit und zu ihrem Christentum, führt aber zur nächsten Frage, ob nämlich *Kierkegaard* selbst in seinem *Leben* seine Antworten auf die Fragen der Existenzproblematik verwirklicht habe. Daß er das Leben eines Sonderlings an den Tag legte, legt es nahe, hier umgekehrt *Kierkegaards* Existenzphilosophie als Ausdruck seiner seelischen Struktur zu deuten und diese entscheidend als Angstneurose zu verstehen. Er selbst verführt dazu mit einer Fülle von analysierenden Aussagen: »Ich war nie Mensch: das war von Geburt an mein Unglück; und dieses Unglück wurde durch meine Erziehung erst recht mein Unglück«. Das kühle Verhältnis zur Mutter, das Ausweichen vor jeder Auseinandersetzung mit ihr in einer unaufgelösten Trotz-Bindung; die starke, bis zur Hörigkeit gehende Bindung an die Autorität des Vaters, die Unterwerfung unter eine streng pietistische, »unsinnige« Erziehung im Christentum durch diesen schwermütigen Mann, den *Kierkegaard* später unter einem »Fluch« leiden sieht und von dem er so ganz unmittelbar erfährt, daß Christentum Leidenmüssen heißt – all das soll den Ansatz der Angstneurose *Kierkegaards* darstellen. Und daß er zuletzt seinen Vater mit Gott identifiziere, verweise ihn auf die Stufe primitiver Angst-Religionen, dränge ihn dazu, seine Angst religiös zu rationalisieren, nämlich zum »Paradox«, indem er die »Unmöglichkeit« zu denken sucht, die Gegensätze von Gott und Welt, Ewigkeit und Endlichkeit zu vereinigen. *Kierkegaards* Angstneurose sei durch den väterlichen Zwang entstanden, »der ihn jeder seelischen und vitalen Freiheit beraubte« (109) und ihn zur Einsicht brachte, daß »Schwermut und Religiosität wunderlich sich mischen können«.[1]

Ergebnis dieser *Kierkegaard*-Deutung: »Da er (*Kierkegaard*) unter Religion nur das Christentum verstehen konnte, heißt dies: Christentum ist Schwermut, Neurose, und das wiederum heißt: Liebe ist Angst. Und dieser paradoxe Sachverhalt entspricht denn auch tatsächlich seiner psychischen Existenz, denn mit dem Intellekte wollte er die Religion, das Christentum, die Liebe, und seelisch-wirklich lebte er die Schwermut, die Neurose und die Angst« (180).

»Das ganze Dasein« – heißt es in den Tagebüchern[2] – »ängstigt mich, von der kleinsten Mücke bis zu den Geheimnissen der Inkarnation; ganz ist es mir unerklärlich, am meisten ich selbst; das ganze Dasein ist mir verpestet, am meisten ich selbst. Groß ist mein Leid, grenzenlos«.

Noch einmal: Solche und ähnliche Aussagen verführen in der Tat dazu, das Phänomen *Kierkegaard* unter dem Blickwinkel der Angstneurose zu begreifen, zumal nicht zu leugnen ist, daß *Kierkegaards* Selbstanalyse in der »erstmaligen Aufdeckung von psychischen Phänomenen« ihren positiven Ertrag zeigt, »die bis anhin noch völlig unbekannt waren und in denen sich das ganze Existenzproblem des modernen ›christlichen‹ Abendländers spiegelt« (101).

Aber es geht dann doch zu weit über die Behauptung hinaus, *Kierkegaards* Schrift »Der Begriff Angst« sei der »verzweifelte Versuch einer Selbstanalyse, und die Angst, die Kierkegaard hier zu zergliedern und zu deuten suchte«, sei »seine eigene tief erlebte und erlittene Angst« ([illegible]), diese Schrift selbst als eine »Neurosenlehre« zu klassifizieren, als den »vielleicht ersten Versuch einer Neurosenlehre überhaupt«, und zu sagen, *Kierkegaard* »gelangt bei seinen Untersuchungen des Phänomens der Neurose zu Resultaten, die fast ein Jahrhun-

[1] *Sören Kierkegaard*, Die Tagebücher, ausgewählt und übersetzt von *ThHecker*, II (1923) 39, zum 25. April 1849.

[2] Die Tagebücher I (1923) 131.

dert später erst von den modernen Psychoanalytikern wieder entdeckt und wissenschaftlich formuliert wurden« (100).

In *Kierkegaards* Schrift »Der Begriff Angst« von 1844,[3] die nach Fertigstellung unter das Pseudonym Vigilius Haufniensis (der Beobachter von Kopenhagen) gestellt wurde, steht zwar mancherlei, was autobiographische Hintergründe hat. *Kierkegaard* »hat Tiefen seelischer Angst durchlitten und dabei Schlupfwinkel und Verborgenheiten in sich entdeckt wie kaum einer vor ihm«; er hat als großer Diagnostiker seelischen Lebens die »Realität der Sünde als verzweifelte Selbstbehauptung aufgewiesen«.[4] Aber man darf nicht übersehen, daß »Der Begriff Angt« eine wissenschaftliche Monographie mit unverhältnismäßig großem gelehrten Apparat ist, durch die Kierkegaard unmittelbar in Philosophie und Theologie seiner Zeit eingreifen will, und daß der Untertitel ganz präzise sagt: »Eine schlichte psychologisch-andeutende Überlegung in Richtung auf das dogmatische Problem der *Erbsünde*«. Die Einleitung gibt so gleich den Aufriß einer ganzen theologischen Wissenschaftslehre, um klarzustellen, wie die Sünde als psychologisches und als dogmatisches Problem zu behandeln sei. Das heißt aber, daß bei dieser Zielsetzung *Kierkegaards* eng mit dem Begriff der Sünde verbundene Theorie der Angst weit eher auf die Seite der »existentiellen« Angst und einer Ontologie der Angst gehört als auf die Seite der nur psychologisch behandelten nicht-existentiellen, neurotischen Angst. Mit anderen Worten: man wird *Kierkegaard* hier weit weniger auf *Freud* und *Jung* zu als vielmehr von *Augustin* und *Luther* her lesen und verstehen müssen. Man wird die Angst bei ihm nicht als Krankheit, sondern der Sache nach, in der Verbindung mit der Sünde, als Existential zu begreifen haben.[5]

Das läßt sich an dem Verhältnis von Selbsterkenntnis und Sündenerkenntnis verdeutlichen. Daß die Sündenerkenntnis Selbsterkenntnis in sich schließt, ist keine Frage; aber ist das Bestreben, sich selbst zu erkennen, die Voraussetzung der Sündenerkenntnis? Daß der zur Erkenntnis seiner selbst – γνῶϑι σεαυτόν – aufgerufene Mensch im Bekenntnis des Sünderseins die Wahrheit seiner selbst finden könnte, ist dem Griechentum ein unvorstellbarer Gedanke und der Philosophie nicht nachvollziehbar. Und auch solange der Theologe als Christ sich selbst eigentlicher Gegenstand seiner Theologie bleibt, haben die Aus-

[3] Hier zitiert nach *Sören Kierkegaard,* Gesammelte Werke, 11. u. 12. Abt., übers. von *EHirsch* (1952), im Folgenden zitiert mit BA.

[4] *APaulsen,* Sören Kierkegaard. Deuter unserer Existenz (1955) 34.

[5] Zur Fülle der Aspekte auf das Problem der Angst und zur reichen Literatur vgl. jetzt *KSchwarzwäller,* Die Angst. Gegebenheit und Aufgabe, Theol. Studien 102 (1970).

sagen der Theologie über den Menschen ihre Grenze am christlichen Selbstbewußtsein. Sie fallen nicht zusammen mit einer universalen theologischen Aussage über den Menschen. Erst die Lehre vom peccatum originale qualifiziert die theologische Erkenntnis des Menschen als theologische. Die philosophische Fragestellung nach dem Menschen endet aber nicht, zumindest nicht notwendig, bei dem Bekenntnis »peccator sum coram Deo«; die theologische beginnt mit dieser confessio. Das heißt aber: die Lehre vom peccatum originale hat nur dann und insofern Sinn, als sie eine Lehre vom Menschen im Licht der Offenbarung ausspricht. So hat *Luther* Röm 5$_{12}$, die klassische Stelle von der »Erbsünde« – ὥσπερ δι' ἑνὸς ἀνθρώπου ἡ ἁμαρτία εἰς τὸν κόσμον εἰσῆλθεν, καὶ διὰ τῆς ἁμαρτίας ὁ θάνατος … –, mit *Augustin* (De peccat. merit. et remiss. I, 9,19) ausgelegt: »Actualia enim omnia per diabolum intrant et intrauerunt in mundum, Sed originale per hominem vnum« (WA 56, 310).[6] Er redet vom Teufel, wo wir erwarten würden, daß vom Menschen, von seiner Freiheit und Verantwortung die Rede sei, nämlich bei den Aktsünden; und er redet vom Menschen, wo nach der Tradition vom Teufel die Rede ist. Im peccatum originale geht es um die Erkenntnis des ganzen Menschen und der ganzen Menschheit, es ist das Kennzeichen des wahren Menschseins, daß er sich in der Aufdekkung seines Sünder-Seins durch das Wort Gottes über ihn erst die Wahrheit über sich sagen lassen muß.

Worum es *Kierkegaard* im »Begriff Angst« zuletzt geht, scheint etwas ganz Analoges zu sein; nur stärker »psychologisch« gefaßt: »Der Mensch, der sich Gott entzieht, der sich, wie Sören Kierkegaard sagt, im Lärm der Welt versteckt, um bei sich selbst zu bleiben, ist dadurch gebrandmarkt. Wer mit einer solchen Energie der Verschlossenheit vor Gott ausweicht, gerät in immer tiefere Angst hinein, und an seine Fußspuren heftet sich der Fluch«.[7]

Der »Begriff Angst« nun beginnt mit einer summarischen dogmengeschichtlichen Orientierung über das Erbsündenproblem, und die Schrift endet beim Hinweis auf den Glauben, der dann fünf Jahre später in der »Krankheit zum Tode«, in dem Buch des Anti-Climacus über die Sünde, das Seezeichen ist, das unentwegt angesteuert wird. Das heißt mit anderen Worten: die Schrift *Kierkegaards* ist wesentlich durch Kategorien der Dogmatik bestimmt; das schließt eine psychologische Darlegung der Selbstanalyse nicht aus. Man darf durchaus mit *RNiebuhr, Søe* und anderen *Kierkegaard* den größten christlichen Psychologen heißen. Dennoch ist die Schrift »keine Pathologie der Angst schlechthin … Es geht hier nicht eigentlich um die Angst als psychi-

[6] Vgl. dazu *HJIwand,* Sed originale per hominem unum, EvTh 6 (1946/47) 26–43.
[7] Paulsen, aaO 34.

schen Befund, sondern die Angst ist als anthropologische Urtatsache gemeint«.[8] Dort, wo in der theologischen Anthropologie *Luthers* die Sünde steht – »sed originale per hominem unum« –, steht bei *Kierkegaard* die Angst. Und wo bei Luther die Menschwerdung des Menschen als Widerfahrnis der Rechtfertigung verstanden wird – »hominem iustificari fide« (WA 39 I, 175ff, These 32) –, dort taucht auch bei *Kierkegaard* der Glaube auf, als einzige Überwindung der Angst.

Seine Diagnose der Angst dient – so wie bei *Luther* der theologische Begriff der Sünde – sowohl der Ortsbestimmung des Menschen als auch zugleich damit der Erkenntnis seines Wesens. »Wäre der Mensch ein Tier oder ein Engel, so würde er sich nicht ängstigen können«, heißt es (BA 161). Der Engel kennt die Angst nicht, denn es gibt für ihn keine Bestimmung, die verscherzt werden kann, und dem Tier gilt kein Sollen, das es in seiner Übereinstimmung mit sich selbst beunruhigen könnte. Das Dasein des Menschen aber ist unabgeschlossen. Er steht zwischen beiden, Engel und Tier, als Synthese aus zwei Prinzipien, aus Geist und Sinnlichkeit. Er muß sich immer wieder neu verwirklichen in jenem »Augenblick«, in dem Zeit und Ewigkeit sich kreuzen. Er steht immer vor Entscheidung. Das Vorzeichen seiner Existenz ist gleichsam die Möglichkeit. Und die Möglichkeit ist das bestimmende Gegenüber der Angst. »Das Zukünftige« ist »die Möglichkeit des Ewigen (der Freiheit) in der Individualität als Angst« (BA 93) oder: »Angst (ist) die Wirklichkeit der Freiheit als Möglichkeit für die Möglichkeit« (BA 40). Dieses Hingestelltseins vor die Möglichkeit wird freilich nur der Geist gewahr. Geist und Angst bedingen einander. Sollte jemand »meinen, es sei Großes an ihm, daß ihm niemals angst geworden, so werde ich ihn mit Vergnügen in meine Erklärung einweihen, dies komme daher, daß er recht geistlos sei« (BA 163). »Man wird darum beim Tier Angst nicht finden, eben weil es in seiner Natürlichkeit nicht als Geist bestimmt ist« (BA 40); »... je weniger Geist, desto weniger Angst« (BA 40).

Geist ist aber nicht nur spannungsvoll bedrängt von Sinnlichkeit, sondern gleichsam quantitativ gemindert durch das Kollektiv. Hier zeigt sich die Bedeutung des Einzelnen für *Kierkegaard* auch im Licht des Satzes: „je ursprünglicher ein Mensch ist, desto tiefer ist die Angst« (BA 51) oder: »je tiefer er sich ängstigt, desto größer der Mensch« (BA 161).

Von hier führt die Linie zur durchschnittlichen Definition der Angst in der Existentialphilosophie: »Die Angst ist eine Befindlichkeit des Daseins, das an sich selbst entlassen, sich selbst überantwortet worden

[8] Paulsen, aaO 209.

ist (Heidegger)«.[9] Aber das geht bereits über *Kierkegaard* hinaus. »Der Mensch, wie ihn Vigilius versteht, ist in diesem zeitlichen Dasein eben nicht mit sich allein, sondern steht in einem unlösbaren Bezug auf seinen wahren Partner, zu Gott als seinem Schöpfer und Herrn«.[10] Darum redet *Kierkegaard* von der Angst in Richtung auf den dogmatischen Begriff der Sünde, mit dem, wenngleich in negativer Bestimmung, jene Beziehung des Menschen zu Gott signalisiert ist. Dadurch aber wird angezeigt, daß es *Kierkegaard* beim Begriff Angst um das Zentralproblem theologischer Anthropologie geht. Angst gehört zum Menschen. Die Diagnose läßt keinen aus, ja, sie weiß, daß die Angst am gefährlichsten sein kann, wo sie am meisten verdeckt ist. Noch schärfer: Angst ist die *Aufgabe* des Menschen in seinem und zu seinem Menschsein. Im Anschluß an das *Grimm*'sche Märchen von dem, der auszog, das Fürchten zu lernen, heißt es: »Daß dies ein Abenteuer ist, welches jeder Mensch zu bestehen hat, das Gruseln, das Sichängstigen zu lernen, damit er nicht verloren sei entweder dadurch, daß ihm niemals angst gewesen, oder dadurch, daß er in der Angst versinkt; wer daher gelernt, sich zu ängstigen nach Gebühr, der hat das Höchste gelernt« (BA 161).

Wir gehen nunmehr der Schrift »Begriff Angst« in ihren Grundzügen noch etwas nach: sie setzt ein mit dem Problem der Sünde. Welche Wissenschaft ist hier zuständig? Die Ethik kann das Wesen der Sünde nicht erfassen, weil sie keine deskriptive Wissenschaft ist. Die Metaphysik ist nicht zuständig, weil sie die Rätselhaftigkeit einer Sache nicht auf sich beruhen lassen kann. Die Psychologie kann an das Phänomen heranführen, kann in gewissem Maß in der Stimmung »aufdeckender Angst« die Sünde abzeichnen, aber sie ängstigt sich selbst vor der Zeichnung und kann das Phänomen der Sünde nicht erklären. Hier ist sie angewiesen auf die Dogmatik.

Kierkegaard setzt gleichwohl ein mit der Angst als psychologischer Kategorie entsprechend der Geschichte seiner Eigenerfahrung. »Es war ja doch Angst dabei«. Angst vor dem Geheimnis der Schuld seines Vaters, die ihn mitbetraf, Angst vor dem Christentum, das der Vater ihm auferlegte, Angst als sympathetische und zugleich antipathetische Regung, bzw. als »eine sympathetische Antipathie und eine antipathetische Sympathie« (BA 40)

1. Die Angst war Schrittmacher und Bahnbrecher der Sünde und zugleich ihre Folge. Die eigene Erfahrung ist für *Kierkegaard* das Tor zur Erfassung des Wesens der Sünde. Aber wollte man die Sünde als Krankheit oder – traditionell – vornehmlich mit dem Sexuellen gleich-

[9] Vgl. Paulsen, aaO 208.
[10] Paulsen, aaO 208.

setzen, als Abnormität, als Disharmonie, dann ist schon alles verfehlt. Immer wieder betont *Kierkegaard* – fast zu sehr! –: »Das Geschlechtliche ist nicht die Sünde«.[11]

2. Die Sünde ist unableitbar. »Sünde kommt durch Sünde in die Welt«. Das Problem ihres Ursprungs, dem *Kierekgaard* sicher auch bei *Schelling* begegnet ist, ist nicht zu suchen in einer aufzuhebenden Unvollkommenheit der Schuld, auch nicht im Verbot, das die Begehrlichkeit weckt, sondern bei der zunächst neutralen Zwischenbestimmung der Angst. Sie ist eine Bestimmung des »träumenden Geistes«; sie hat es mit dem Möglichen zu tun, mit dem »Unbestimmten«, mit dem »Nichts«; Angst ist der in sich saugende »Schwindel der Freiheit« (BA 60). »In diesem Schwindel sinkt die Freiheit zusammen. Weiter vermag die Psychologie nicht zu kommen und will es auch nicht. Den gleichen Augenblick ist alles verändert, und indem die Freiheit sich wieder erhebt, sieht sie, daß sie schuldig ist. Zwischen diesen beiden Augenblicken liegt der Sprung, den keine Wissenschaft erklärt hat oder erklären kann. Wer in Angst schuldig wird, er wird so zweideutig schuldig wie nur möglich« (BA 61).

3. Die Folge des Sündenfalls ist ein Doppeltes: Die Sünde kommt in die Welt, und das Sexuelle wird gesetzt; Geist und Sinnlichkeit sind nicht mehr ungeschieden. Allerdings: »Die Sündigkeit ist ... nicht Sinnlichkeit, keinerwege, aber ohne Sünde keine Geschlechtlichkeit und ohne Geschlechtlichkeit keine Geschichte« (BA 47). Aber die Scham, die mit der Freisetzung des Sexuellen erwacht, vermittelt wieder nur Angst. So führt die Sünde, die durch Angst in die Welt kam, wieder die Angst mit sich. Während die Sünde sich in der Form eines jeweils neuen Sprunges, dh also einer jeweils konkreten neuen Entscheidung gegenüber der Möglichkeit »wiederholt«, also die Diskontinuität fortsetzt, unterhält die Angst eine »gleichsam unterirdische Kommunikation« mit ihrem Gegenstand (vgl. BA 106). Auf jeder Stufe ist Angst das auslösende Moment für die Sünde. Es wird »in einem späteren Individuum die Angst reflektierter sein können als in Adam, weil der quantitative Zuwachs, den das Geschlecht hinter sich bringt, sich nun in ihm geltend macht« (BA 51). So etwa suchte *Kierkegaard* den herkömmlichen Gedanken der Erbsünde zu verdeutlichen: Durch die Sünde wird in der Welt die Angst vermehrt. Auch sofern durch die Sünde die Sexualität als sündig bestimmt wurde, als Schuld. *Diese* Sinnlichkeit weckt nun wieder Angst. Während zunächst für *Kierkegaard* Geist und Angst zusammen gehörten – »je weniger Geist, desto weniger Angst« (BA 40) – kann es jetzt, unter dem Aspekt der Wirkung der Sünde, auch heißen: »je mehr Angst, desto mehr Sinnlichkeit« (BA 73).

[11] Vgl. Paulsen, aaO 190.

4. Aber das Unheimliche besteht nun darin, daß, wenn die Angst gleichsam die Möglichkeit der Sünde ankündigt, sie doch nicht vor ihr zu bewahren vermag, sondern daß sie eben damit indirekt auf das Geschehen der Sünde hinwirkt. Erloschen aber scheint die Angst in der Geistlosigkeit des nachchristlichen Heidentums zu sein, das in der Abwendung vom Geist, auf der Flucht vor dem Zusichselbstkommen, lebt, das sich ständig also auf der Flucht vor Gott befindet. Das Aufhören der Angst ist hier aber doch nur Schein. Sie hat sich hier letztlich doch nur verborgen. Sie lebt weiter als Angst vor dem blinden Schicksal, in ihrem ganzen Verhängnis gerade im Leben des genialen Menschen, der nur groß ist, solange er sich nach außen wendet, der aber nie groß werden kann »für sich selbst« (BA 104). Eine Befreiung, eine Erlösung von dieser Angst gibt es für den Menschen aber nur, wenn ihm das Geheimnis der Vorsehung, ja geradezu der Erwählung aufgeht, wenn er sich in seinem Gegenüber zu Gott endlich verstehen lernt als ein Einzelner, der dann auch die Verantwortung für seine Schuld als solcher übernehmen muß.

5. Den circulus vitiosus zwischen Sünde und Angst, daß die Sünde die Angst als ihr Werkzeug gebraucht in der unheimlichen Folgerichtigkeit ihrer Auswirkungen, daß die Angst hier zuletzt die Reue entmächtigt, jene Reue, in der die persönliche Schuldübernahme ihren Ort hat, all das wird im einzelnen in dem Kapitel »Die Angst vor dem Bösen« (BA 116–121) analysiert: »Die gesetzte Sünde ist eine unberechtigte Wirklichkeit, sie ist Wirklichkeit und vom Individuum als Wirklichkeit gesetzt in der Reue, aber die Reue wird nicht des Individuums Freiheit. Die Reue wird herabgesetzt zu einer Möglichkeit im Verhältnis zur Sünde, mit anderen Worten, die Reue kann die Sünde nicht beheben, sie kann lediglich über sie Leid tragen. Die Sünde schreitet fort in ihrer Folgerichtigkeit (Konsequenz), die Reue folgt ihr Schritt für Schritt, jedoch alle Zeit einen Augenblick zu spät. Sie zwingt sich selbst dazu, das Entsetzliche zu schauen, aber sie ist jenem wahnwitzigen König Lear gleich (›O du zertrümmert Meisterstück der Schöpfung‹), sie hat die Zügel des Regiments verloren und allein die Kraft behalten, sich zu grämen. Hier ist die Angst auf ihrem Gipfel. Die Reue hat den Verstand verloren und die Angst ist potenziert zur Reue. Die Folge der Sünde schreitet voran, sie schleift das Individuum mit sich gleich einem Weibe, das ein Büttel an den Haaren hinter sich herschleift, während sie in Verzweiflung schreit. Die Angst läuft vorweg, sie entdeckt die Folge, ehe denn sie kommt, so wie man es an sich selbst spüren kann, daß ein Wetter im Anzuge ist; die Folge kommt näher, das Individuum zittert wie ein Roß, das keuchend anhält an der Stelle, da es einmal gescheut. Die Sünde siegt. Die Angst wirft sich verzweifelt in der Reue Arme, die Reue wagt das Letzte. Sie faßt die

Folge der Sünde als Strafleiden, die Verlorenheit als Folge der Sünde. Sie ist verloren, ihr Urteil ist gesprochen, ihre Verwerfung ist gewiß, und die Schärfung des Urteils ist, daß das Individuum durchs Leben hin geschleift werden soll zur Stätte des Gerichts. Mit anderen Worten, die Reue ist wahnsinnig geworden« (BA 118/119).

Die einzige Rettung wird schon hier jedoch angedeutet: der Glaube. »Das Einzige, das in Wahrheit den Sophismus der Angst entwaffnen kann, ist der Glaube, Mut zu glauben, daß der Zustand selber eine neue Sünde ist, Mut, der Angst zu entsagen sonder Angst, und dies vermag allein der Glaube, ohne daß er deshalb die Angst zunichte machte, sondern, selber ewig jung, entwindet er sich fort und fort dem Todesaugenblick der Angst. Dies vermag allein der Glaube; denn allein im Glauben ist die Synthesis auf ewig und in jedem Augenblick möglich« (BA 120/121).

6. Noch deutlicher wird das dann im folgenden Kapitel: »Angst vor dem Guten« oder auch: »Das Dämonische« (BA 122ff). Hier meldet sich die Angst als Regung der Gegenwehr gegen das durch die Sünde verspielte Gute, so wie nach dem Evangelium bei den Besessenen, die Jesu begegnen. Die *Verschlossenheit* gewinnt hier die Form des sich Einschließens mit sich selbst, diese Verschlossenheit ist Lüge, gebrochenes Verhältnis zur Wahrheit, sie kann Wahrheiten in sich bergen, aber sie entbehrt der Gewißheit. – Das ist das eigentliche Kennzeichen der modernen Zeit. Es zeigt sich zB in der kirchlichen Rechtgläubigkeit, die nicht überzeugen kann, aber auch im Freidenkertum, das sich durch die Angst zum Fanatismus drängen läßt. Diese »Dämonie« wird also zum Verrat an der Wahrheit, ja zuletzt zu einem Verrat der Zeit an der Ewigkeit, denn man will die Ewigkeit nicht ernsthaft bedenken, man hat Angst vor ihr und ersinnt sich in dieser Angst eine Fülle von Ausflüchten. Und gerade dies, das Einschwenken wiederum in die Fluchtbewegung, das ist das Dämonische. Zuletzt verfällt man hier sozusagen einer geistlosen Sicherheit.

7. In dem Tiefsten des innersten Lebens eines Menschen wohnt so eine Angst vor einer noch unentschiedenen Möglichkeit seines eigenen Daseins. Es ist eine Angst, die sich im Zustand des Gefallenseins in ihrer ganzen unheimlichen Macht über den Menschen aufdeckt. Ihre Regungen sind die »Fangarme, mit denen die Sünde die Seele des Menschen umgarnt«.[12] Aber gerade diese letzten, allerletzten Zusammenhänge von Angst und Sünde führen dann zu dem, was *Kierkegaards* Schlußkapitel ankündigt: »Angst, als das kraft des Glaubens Erlösende«. Indem nämlich die Angst die Fragwürdigkeit menschlicher Existenz aufdeckt, alle Vorwände und Beruhigungen, alle Fluchtversuche

[12] Paulsen, aaO 212.

entkräftet, mit denen er sich selbst Sicherung und Geborgenheit zu verschaffen sucht, indem die Angst alle Auswege verstellt, drängt sie zum letzten Ausweg: sich dem Glauben zu ergeben. Es wird also nochmals deutlich: der Glaube ist der Zielpunkt dieses ganzen Werkes der Erwägungen zum »Begriff Angst«.

Die entscheidende Frage an Kierkegaards Entwurf vom »*Begriff* Angst« stellt sich beim Ausgangspunkt, dh im Umkreis der Frage nach dem Ursprung der Sünde. Mußte der Sündenfall eintreten, weil der Mensch auf andere Weise nicht »Geist« werden konnte? *Kierkegaard* spürt selbst diese Frage – und verbietet sie: »Wir haben uns nirgends die Torheit zu schulden kommen lassen, die da meint, der Mensch *muß* sündigen, dahingegen haben wir fort und fort Einspruch erhoben gegen jedes bloß experimentierende Wissen, haben gesagt, was wir abermals wiederholen, daß die Sünde sich selbst voraussetze ebenso wie die Freiheit . . .« (BA 115). Aber das ist gewiß noch keine Lösung.

Kierkegaard setzt bei einer – dem Sündenbegriff *Schleiermachers* verwandten – Wesensbestimmung des Menschen an als Synthese zweier Komponenten – Geist und Sinnlichkeit – und leitet die Angst aus deren Mißverhältnis ab, während *Luther* nach dem Menschen vor Gott fragt und ihn angesichts der Enthüllung seines Wesens am Kreuz aufdeckt als den Gottlosen, dem Gottes Liebe das Bekennen abnötigt: »peccator sum coram Deo«, um ihn so in das Widerfahrnis der Rechtfertigung hereinzuholen. Diese theologische Anthropologie läßt alle Möglichkeiten psychologischer Analyse offen, *sofern* sie nicht auf die *letzten* Aussagen über das Wesen des Menschen tendieren, sondern seine *erfahrbare* Vorfindlichkeit helfend klären wollen.

Indem *Kierkegaard* von der Analyse zum Begriff, von der Psychologie zur Dogmatik vorstößt, ahnt er zwar etwas vom Geltungshorizont theologischer Anthropologie. Aber seine Antwort zeigt dann doch Risse und Brüche. Er kann die Angst als Existential nicht ganz ablösen von neurotischen Phänomenen. Auch bei ihm wird so deutlich, was *Tillich* von der Notwendigkeit eines ontologischen Verständnisses des menschlichen Wesens für eine umfassende Theorie der Angst sagte. *Kierkegaard* hat das sicher vor Augen, aber er hat das Ziel nicht ganz erreicht. Ebensowenig freilich gelingt das seiner neueren existentialphilosophischen Auswertung.

WALTHER ZIMMERLI

ALTTESTAMENTLICHE TRADITIONSGESCHICHTE UND THEOLOGIE

I.

Gerhard von Rad, dem die folgenden Erwägungen in herzlicher und dankbarer Freundschaft zu seinem siebzigsten Geburtstag gewidmet sein möchten, hat es wie kein zweiter in unserer Generation verstanden, erzählende Aussagen des Alten Testamentes in ihrem theologischen Gehalt zum Sprechen zu bringen. Was zuvor »Literatur«, vielleicht »religiöse Literatur« war, was unter *Gunkels* Frage nach dem Sitz im Leben stärker zu leben begann und als munter oder gar listig am Zeltfeuer erzählte Sage oder auch in frommer Stimmung berichtete Heiligtumslegende verstanden werden konnte, gewann die Qualität der bekenntnishaften Äußerung Israels, in der sich Glaube und unmittelbare Existenz des Jahwevolkes aussprechen.

So hat die knappe, aber inhaltsschwere Monographie über das formgeschichtliche Problem des Hexateuchs[1] sichtbar gemacht, daß sich der ganze, ungefüge Bau der Bücher von Genesis bis Josua[2] um das zentrale Bekenntniselement vom Auszug aus Ägypten,[3] das dann etwa in der Präambel des Dekalogs seine Bedeutsamkeit als Bekenntniselement voll erkennen läßt, herum kristallisiert hat. Diese Einsicht behält auch Gültigkeit, nachdem die anschließende Diskussion inzwischen für das Gebet Dtn 26$_{5-10}$, das *Gvon Rad* als »kleines geschichtliches Credo« zum Ausgangspunkt benutzt hatte, sichtbar gemacht hat, daß es in seiner jetzigen Formulierung nicht vom Deuteronomium getrennt werden kann.[4] Es ist nicht zu übersehen, daß der Gesamtpentateuch[5] mit all dem, was an literarischen Prozessen an ihm zweifellos wahrzunehmen ist, von diesen Erkenntnissen her in seiner Aussage anders

[1] *GvonRad*, Das formgeschichtliche Problem des Hexateuch, BWANT 4. Folge Heft 26 (1938) (= Gesammelte Studien 9–86).

[2] Auch wer in diesem Zusammenhang lieber vom Pentateuch redet, wie etwa *MNoth* in seiner »Überlieferungsgeschichte des Pentateuch« (1948), kann an dieser Erkenntnis nicht vorbeigehen.

[3] Dazu kommen Wüstenführung und Landnahme.

[4] *LRost*, Das kleine Credo und andere Studien zum Alten Testament (1965) 11–25.

[5] Bzw. Hexateuch.

zu qualifizieren ist, als wenn er nur als literarisches Produkt des Zusammenbaus alter Überlieferungen beurteilt wird. Seine Bewertung als תּוֹרָה, »Weisung«, bekommt von hier aus tiefere Relevanz.

Nun verdankt diese Bezeichnung ihren Ursprung zunächst ohne Zweifel dem Umstand, daß in die Erzählung vom Auszug der weitere große Überlieferungskomplex der Sinaiberichte mit dem sich hier in unschöner Fülle anlagernden Stoff an Rechts- und Kultordnung eingebaut worden ist. In Anknüpfung an die von *Mowinckel*[6] und *Alt*[7] geleistete Vorarbeit hat die genannte Untersuchung auch hinter dem Bericht vom Sinaigeschehen eine lebendige Gottesdienstsituation sichtbar zu machen vermocht, welche das »Gedenken« an jene für Israels Ethos, Recht und Kultur normative Situation der Gottesbegegnung vollzog.

Die lebhafte Debatte, die sich in der Folge[8] daran angeschlossen hat, braucht in diesem Zusammenhang nicht weiter verfolgt zu werden. Die Auseinandersetzung um »Auszug und Sinai«[9], bei der ein allseitig akzeptiertes Ergebnis noch nicht erreicht ist, hat sich im einzelnen auf zwei nicht immer deutlich genug unterschiedenen Ebenen vollzogen. Es hat sich auf der einen Seite dem Historiker die Frage gestellt, wie denn in Israels Frühgeschichte die unter den Stichworten »Auszug« und »Sinai« befaßten Geschehnisse einander geschichtlich zuzuordnen seien.[10] Darüber hinaus aber hat sich gerade von *Gvon Rads* Untersuchung her die traditionsgeschichtliche und dann auch theologische Frage erhoben, wann und wie sich, wie immer die geschichtliche Beziehung gewesen sein mag, die beiden für die religiöse Überlieferung und das religiöse Selbstverständnis je so bedeutsamen Komplexe zu einer im Glauben Israels zusammengefaßten religiösen Bekenntnisaussage verbunden haben, die in der Folge als ein Ganzes empfunden wird.

Im vorliegenden Zusammenhang genügt es, die Einsicht festzuhalten, daß die traditionsgeschichtliche Nachfrage zunächst einen spürbaren Isolierungseffekt gezeitigt hat – und dieses auf den beiden erwähnten Ebenen. Die scharfe Herausarbeitung des Traditionskomplexes »Exodus« neben demjenigen des »Sinai« hat für die historische Nachfrage Nachrichtenkomplexe gesondert, die im vorliegenden Text verbunden sind, und daraus historische Fragen für den Ablauf der

[6] *SMowinckel*, Le décalogue (1927).

[7] *AAlt*, Die Ursprünge des israelitischen Rechts, BAL Phil. hist. Klasse 86, 1 (1934) (= Kleine Schriften I 278–332).

[8] Genährt durch die Arbeiten *Noths* zu Traditionsgeschichte, Geschichte und Recht Israels.

[9] Vgl. etwa *ASvanderWoude*, Uittocht en Sinai (1961).

[10] Schon *Wellhausen* hat dieser Frage im Rahmen seiner literarkritischen Analysen nachgedacht.

Frühgeschichte Israels entstehen lassen.[11] Sie hat aber auch eine Sonderung im religiösen Besitzstand des frühen »Israel«[12] bewirkt, die den frühen Glauben Israels in zwei zunächst getrennt laufende Ströme schied, die sich dann irgendwo einmal getroffen und ihre Wasser vermischt haben müssen.

Die Frage läßt sich stellen, ob dem Geschäft der Sonderung, das ohne Zweifel eine Fülle wertvoller Erkenntnisse gezeitigt hat, schon mit gleichem Nachdruck die vom gegenwärtigen Textbestand her ganz ebenso gebotene Nachfrage nach dem inneren Recht der Verbindung der Traditionsströme zur Seite getreten ist. Genügt es zu konstatieren, daß sich zwei in ihrem Ursprung ganz unabhängige und gleichberechtigte Ströme getroffen und eben einmal in der Landschaft vereinigt haben, wobei die Ratio dieser Vereinigung in der zufälligen Morphologie des geschichtlichen Geländes begründet ist? Reicht das aus der Natur bezogene Bild von den sich vereinigenden Überlieferungsströmen wirklich hin, um den Vorgang sachgerecht zu erfassen?

II.

Ein analoger Vorgang traditionsgeschichtlicher Sonderung hat sich in der Folge an einer Stelle der religiösen Geschichte Israels, die viel stärker im Licht historisch vertrauenswürdiger Überlieferung liegt, vollzogen.

Daß mit David eine neue Ära der Geschichte Israels eröffnet worden ist, hat die Forschung schon seit längerem gesehen. Es ist auch erkannt worden, daß für Jerusalem, das von David erobert und dem Großreich seiner Tage zugeschlagen worden ist, von da her seine große, auf dem Wege über Israel, die Christenheit und den Islam schließlich weltbedeutsam werdende Geschichte anhebt.[13]

In einem wichtigen Aufsatz hat *LRost* 1947 dann unter dem Stichwort »Sinaibund und Davidsbund«[14] darauf hingewiesen, daß David und Jerusalem nicht nur als politische Faktoren in die Geschichte Israels eintreten. Mit Jerusalem und David sind auch ganz entscheidende neue Vorstellungsgehalte in den Glauben Israels eingedrungen. Diese haben in der Folge die Forschung immer stärker beschäftigt. Das Pro-

[11] Vgl. dazu die Erwägungen im Rahmen der Anzeige von *MNoths* »Geschichte Israels«, GGA 207 (1953) 9f.

[12] Die Israelstele *Merneptahs* läßt es als wahrscheinlich erscheinen, daß der Israelname schon im Lande verwendet wurde, bevor die aus Ägypten Kommenden dazustießen.

[13] *AAlt*, Jerusalems Aufstieg, ZDMG 79 (1925) 1–19 (= Kleine Schriften III 243 bis 257).

[14] *LRost*, Sinaibund und Davidsbund, ThLZ 72 (1947) 129–134.

blem der David/Davididen- und Jerusalem/Zion-Tradition und der in diesen beiden Komplexen eingebrachten Überlieferungen des vorisraelitischen Jerusalem[15] ist weiter verfolgt worden. Erneut hat sich dabei ein Vorgang tiefgreifender traditionsgeschichtlicher Sonderung innerhalb der alttestamentlichen Aussagen vollzogen. Diese Sonderung hat sich auch in der Untersuchung der Prophetie widergespiegelt. Schon *Rost* weist in dem erwähnten Aufsatz darauf hin, daß neben den Nordreichpropheten Hosea, der von den Überlieferungen von Auszug und Wüstenwanderung her lebt, in Jesaja der Jerusalemer tritt, bei dem jene Elemente zurücktreten und dafür jerusalemisch-davidisches Traditionsgut zu finden ist. Dieses hat etwa in den korachitischen Psalmen 46.48.76 eine nahe Entsprechung. *Rohland* ist diesen Traditionssträngen in der Prophetie weiter nachgegangen.[16]

In der Theologie von *GvRad* schlägt sich dieser weitere Vorgang der Sonderung im 1. Band, der die »geschichtlichen Überlieferungen« behandelt,[17] darin nieder, daß der geschichtliche Stoff des Alten Testamentes auf zwei große Hauptkomplexe verteilt wird. Der »Theologie des Hexateuch«, welche den Umkreis der Exodus- und Sinaiüberlieferung mit ihrem Vorbau in Väter- und Urgeschichte behandelt, tritt ein »die Gesalbten Israels« überschriebener Teil gegenüber. Dieser umfaßt die Überlieferung von den Richtern bis zum Ausgang der Geschichte Israels nach dem deuteronomistischen und dem chronistischen Geschichtswerk. Wie sehr *GvonRad* diesen zweiten Hauptteil von der jerusalemischen Davidtradition her versteht, zeigt sich darin, daß hier nicht in historischer Folge von den Richtern zu den Königen fortgeschritten, sondern nach kurzen methodischen Vorüberlegungen der »Davidbund« vorangestellt wird. Alles weitere, die Gestalt Sauls ganz ebenso wie diejenige der Richter wird in dem von David herkommenden Gefälle geschaut. So stehen sich auch in diesem theologischen Aufriß in deutlicher Sonderung die um Exodus-Sinai kreisende Frühüberlieferung mit ihrem Vorbau in der Genesis und die um David-Jerusalem kreisende jüngere Überlieferung gegenüber. Beide Komplexe haben ihre eigenen Traditionskerne. Damit aber hat sich an einer weiteren Stelle in der Erforschung der alttestamentlichen Aussagen ein Vorgang der differenzierenden Erkenntnis zunächst eigenständiger, ihre eigenen Schwergewichte enthaltender Elemente vollzogen.

[illegible] das Aufkommen des davidischen Königtums keine besonders schwierigen Erkenntnisproble-

[15] *HSchmid*, Jahwe und die Kulttraditionen von Jerusalem, ZAW 67 (1955), 168–197.

[16] *ERohland*, Die Bedeutung der Erwählungstraditionen Israels für die Eschatologie der alttestamentlichen Propheten (Diss. Heidelberg 1956).

[17] *Gvon Rad*, Theologie des Alten Testaments, Band I Die Theologie der geschichtlichen Überlieferungen Israels ([4]1966).

me. Der Aufstiegsweg Davids, die geschichtlichen Motivationen, die zur Konstituierung und Weiterung seiner Königsherrschaft geführt haben, liegen offen zutage und sind vor allem durch die Arbeiten von *Alt* in ihren Grundlinien weitgehend geklärt.[18] Das gleiche ist nicht zu sagen von den traditionsgeschichtlich-theologischen Fragen. In dem erwähnten Aufsatz von 1947, in dem *Rost* diesen ganzen Fragenkomplex erstmals voll ins Licht gerückt hat, glaubte er die Bewegung der Traditionsgeschichte in folgender Weise sehen zu können: Bis zur Reichsteilung stellt sich der religiösen Überlieferung kein Problem. Dann aber reißt das Nordreich in Jerobeam den Israelnamen und damit auch die ältere Israeltradition von Auszug und Sinai an sich. In einem Akt der Gegenwehr und Abgrenzung beginnt demgegenüber das judäisch-davidische Königtum sich auf eine besondere Verheißung, die David zuteilgeworden ist, zu besinnen und diese zur Mitte seines theologischen Denkens zu machen. Sie wird mit Traditionen verbunden, die sich um den Jerusalemer Tempel weben. In dieser Sicht lebt Jesaja, der im übrigen weiß, daß das geschichtliche Jerusalem durchaus noch einer göttlichen Läuterung bedarf (1 21ff). Mit dem anhebenden Zusammenbruch des Nordreiches ist aber 732 auch der Zeitpunkt gekommen, zu dem nun gerade ein Jesaja den Israelnamen für das Südreich beanspruchen kann.[19] Eine weitere, kräftige Stelle des Hereinholens der Nordreichtradition ist dann das Deuteronomium, das aus der Hand von aus dem Nordreich flüchtigen Israeliten stammt. Indem die Ratgeber Josias diesem bei der vollen Übernahme des zunächst verborgenen Deuteronomiums als Staatsgesetz nahelegen, Dtn 12 im Sinne eines unbedingten Monopols des Jerusalemer Tempels zu interpretieren, wird die Verschmelzung der beiden Ideenkreise kräftig gefördert. Ihre ursprüngliche Geschiedenheit ist aber noch bei Ezechiel und Deuterojesaja zu verspüren, sosehr dort der Verschmelzungsprozeß in vollem Gange ist.

Die Diskussion, die sich an *Rosts* fruchtbare These anschloß, hat in der Folge verstärkt deutlich gemacht, daß im davidisch-jerusalemischen Traditionskomplex ein sehr eigenständiges Traditionsgut steckt, das einen von der älteren Exodus-Sinai-Überlieferung verschiedenen Horizont theologischen Denkens zeigt. Dazu hat ohne Zweifel die im englischen und skandinavischen Bereich ganz unabhängig von den eben geschilderten traditionsgeschichtlichen Erkenntnissen stark herausgehobene Königsideologie, in welcher Israel an einem Gesamtdenken des umgebenden Vorderen Orients partizipiert, weiter beigetra-

[18] *AAlt*, Die Staatenbildung der Israeliten in Palästina, Reformationsprogramm der Universität Leipzig (1930) (= Kleine Schriften II 1–65).

[19] Vgl. dazu *LRost*, Israel bei den Propheten, BWANT 4. Folge Heft 19 (1937).

gen.[20] Auch wenn man deren Thesen von einem allgegenwärtigen kultischen Königs-pattern auf das vertretbare Maß zurückschneidet,[21] so bleibt doch die Erkenntnis, daß vor allem in den Königs- und Zionspsalmen ein neuartiger Bereich von »Erwählungstraditionen« zu den Erwählungstraditionen des vorköniglichen Israel hinzukommt.[22] *GvonRad* stellt mit Recht fest, daß dieses Gut, das mit Davids Eintreten in die Geschichte Israels zusammenhängt, für den Glauben der Folgezeit, etwa wenn man es mit dem vergleicht, was Sauls Königtum eingebracht hat, ungemein fruchtbar gewesen ist. »Während das davidische Königtum von Anfang an aufs stärkste literatur- und traditionsschöpferisch gewirkt hat, ist das Sauls fast ganz steril geblieben«.[23]

Der traditionsgeschichtliche Prozeß ist an dieser Stelle durch die Arbeit der vergangenen Jahre über den ersten Entwurf *Rosts* hinaus verdeutlicht worden. Die Frage muß aber auch hier gestellt werden, ob es für das theologische Verständnis der alttestamentlichen Aussagen schon genügt, auf den mit David-Zion in den Glauben Israels neu einbrechenden Traditionsstrom, der sich dann in der Folge immer stärker mit dem älteren Credo Israels verbindet und eng vermischt,[24] hinzuweisen. Schärfer formuliert: Ist dieser Traditionsstrom das eigentliche Phänomen der Offenbarung, zu dem der Glaube, indem er sich in diesen eingliedert, sich bekennt? *KKoch* hat diese Sicht im Abschluß einer kundigen Analyse der Traditionsströme im Alten Testament, die er unter die provozierende Überschrift vom »Tod des Religionsstifters« gesetzt hat, sehr bestimmt formuliert. Der auf das alttestamentliche Wort hörende Glaube sieht sich »zwangsläufig vor die Frage gestellt, ob er seine Gegenwart, sein Leben und seine Existenz anders verstehen kann als in der ›Fluchtlinie‹ dieser Geschichte«.[25]

In dieser Feststellung ist eine durchaus mögliche geistesgeschichtliche Betrachtung zum Ausdruck gebracht. Aber ist mit dem Hinweis auf die Traditionsströme, in deren geschichtlicher Weiterführung man sich selber angesiedelt findet, die Aussage wirklich zu Gehör gebracht, mit der das alttestamentliche Wort den Glauben konfrontiert?

[20] Eine reiche Orientierung bei *KHBernhardt*, Das Problem der altorientalischen Königsideologie im Alten Testament, VTSuppl 8 (1961).

[21] *MNoth*, Gott, König, Volk im Alten Testament, ZThK 47 (1950) 157–191 (= [illegible] I [illegible]).

[22] *Rohland*, l. c., vgl. auch *HMLutz*, Jahwe, Jerusalem und die Völker, WMANT 27 (1968).

[23] Theologie l. c. 336.

[24] *GvonRad* hat in Weiterführung der Aussagen von *Rost* hier etwa über diesen Prozeß im Deuteronomium und im chronistischen Geschichtswerk (l. c. 346–365) schöne Ausführungen gemacht.

[25] *KKoch*, KuD 8 (1962) 123.

III.

Was mit dieser Frage gemeint ist, sei an dem Text, den *GvonRad* als das »kleine geschichtliche Credo« zum Ausgangspunkt seiner ganzen Untersuchung gewählt hat, verdeutlicht. Hier[26] tritt der Bauer in Israel, der seine Früchte geerntet hat, mit seiner Gabe am Heiligtum vor seinen Gott und »gedenkt« in seinem Gebet alles dessen, was Jahwe an Israel getan hat und auf das hin er seinen Acker hat und mit seinem Korb voller Ackerfrucht vor Jahwe steht. Gewiß, daran besteht kein Zweifel, daß er sich in alledem im Gefälle der großen Geschichte, die Jahwe an seinem Volke getan hat, weiß und bekennt. Aber es bleibt nicht bei der Erinnerung an Tradition, die ihm zugekommen ist, sondern diese Erinnerung wendet sich in einem unmerklichen Übergang von der schildernden Reproduktion der geschichtlichen Traditionsgehalte, in der Jahwe in 3. Person erschien (»Jahwe führte uns aus Ägypten heraus ...« V. 8), zur direkten Anrede: »Und nun, siehe, bringe ich dir da die Erstlinge (das Beste) von der Frucht des Landes, das du mir gegeben hast, Jahwe« (V. 10).

»Du ... Jahwe«, darin liegt die entscheidende Wendung, die des Bauern ganzes »Gedenken« in seiner theologischen Relevanz qualifiziert und es dem Bereich einfacher geschichtlicher »Erinnerung« entnimmt. In der Geschichte, »in deren Fluchtlinie er sich versteht«, liegt ein Anrufendes, Verpflichtendes, zu dem er sich in seiner Wendung zur Anrede, aber ganz ebenso mit dem Korb voller Früchte bekennt, der das Hören auf diese Geschichte als tätigen, in der Gabe sich verleiblichenden Gehorsam ausweist. In dieser Wendung kommt die religiöse Relevanz der im »Gedenken« vergegenwärtigten Tradition voll zum Ausdruck. Das ist mehr und ein qualitativ anderes als das bloße »Sich-Verstehen« in der Fluchtlinie einer tradierten Geschichte.

Man kann das Gesagte auch exemplifizierend mit dem Hinweis auf die Gestalt des Schrifttums verdeutlichen, das im alttestamentlichen Kanon gesammelt ist. Indem in diesem neben die »geschichtlichen Überlieferungen« im dritten Kanonteil als erstes die Sammlung der Psalmen tritt, die in *GvonRads* Theologie mit gutem Grund unter das Stichwort »die Antwort Israels« gesetzt sind, wobei ebenfalls zu Recht »der Lobpreis Israels« an erster Stelle steht, wird der zu Jahwe hin transitive Charakter des »Gedenkens« im alttestamentlichen Glauben ganz deutlich. Die als »Verkündigung« auftretende »Überlieferung« will den Hörenden aus einem bloß Zuhörenden zum Antwortenden, Gehorchenden, im Lobpreis und dann auch im Hilfeschrei das Gehörte Anerkennenden, mit ihm für seine Gegenwart Rechnenden, sich an das Gehörte mit ganzer Person Wagenden machen.

[26] Dtn 26_{5-10}.

Dieses Sich-Wagen an das Gehörte ist dabei nicht als der kühne Husarenritt verstanden, mit dem ein Verwegener sich in selbstgefundenem Mut an ein ihm Berichtetes wagt, um es einmal mit ihm zu versuchen. Vielmehr stellt es nach dem alttestamentlichen Verständnis die legitime Antwort auf eben dieses Berichtete dar. Es ist die Annahme einer Einladung, die ausgerufen worden ist. Das »Du ... Jahwe« setzt sich gegenüber ein zuvor ergangenes »Ich ... Jahwe« voraus, mit dem Jahwe, der Gott Israels, diesem entgegentritt – nicht als ein Es, das in ein Traditionsgefüge sachlich eingeordnet werden kann, sondern als ein Ich, das sich nicht »einordnen« läßt, weil es entgegentritt und es mit dem angerufenen Du zu tun haben will. »Ich ... Jahwe, dein Gott«. Dieser Anruf Jahwes braucht nicht an jeder Stelle expliziert in 1. Person formuliert zu sein.[27] Es ist aber doch wohl bezeichnend, daß in der Endredaktion des unförmigen Gefüges der Sinaioffenbarung an der Stelle, wo Jahwe an seinem Berge in feierlichster Form seinem Volke entgegentritt, in den ersten Worten als die eigentliche Grundlegung alles Folgenden zu hören ist: »Ich bin Jahwe, dein Gott« (Ex 20$_2$). Das ist der Ruf, auf welchen hin Israel als Volk, wie der Einzelne im Volk sich zum gehorsamen Gegenruf aufgefordert weiß: »Und nun bringe ich dir ... die Frucht des Landes, das du mir gegeben hast, Jahwe«.

IV.

In der Ich-Rede von Ex 20 sowohl wie in der Du-Rede von Dtn 26 ist mit diesem Anruf ein Stück Erinnerung an Jahwes Tun verbunden. »Ich ... Jahwe, dein Gott, der ich dich aus Ägyptenland herausgeführt habe«. »Du, Jahwe, der du mir das Land durch das Tun an den Vätern und die Hineinführung ins Land gegeben hast«.

Es ist das große Verdienst der gesamten Arbeit von *GvonRad*, mit Nachdruck zur Geltung gebracht zu haben, daß von Jahwe im Alten Testament immer wieder in der Form der Erzählung von seinem geschichtlichen Tun[28] geredet ist. Diese Art des Redens kann nun ebenso, von der anderen Seite her beleuchtet, dahingehend beschrieben werden, daß in all die von der »Tradition« berichteten Geschehnisse hinein der Name Jahwes ausgerufen wird. Theologisch relevante Tradition ist in jedem Fall Bericht über Geschehen, über dem der Herrenname Jahwes steht und anerkannt wird. Auf diesen Namen hin wendet sich der

[27] Zu den Stellen, an denen dieses »Ich ... Jahwe« ganz explizit in der Form der Selbstvorstellung vorkommt, vgl. den Beitrag zur Festschrift für AAlt (1953) 179–209 (= Gottes Offenbarung. Gesammelte Aufsätze 11–40).

[28] Auch das Handeln Jahwes bei der Schöpfung der Welt wird im Alten Testament nicht als etwas Geschichtsjenseitiges verstanden.

Mensch im Hören der berichteten Tradition, um vor ihm zu bekennen: »Du . . . Jahwe«. Was den Menschen zu diesem »Du . . .Jahwe« wendet, ist nicht schon der Blick in vergangene Geschichte, mag diese auch die eigenste Geschichte der Väter und des ganzen Volkes gewesen sein, sondern die Tatsache, daß aus dieser Geschichte heraus der Name des über ihr Ausgerufenen, weil in ihr Handelnden, Gehorsam heischend heraustritt.

Damit ist nun aber ohne Zweifel eine Mitte zu Gesicht gekommen, die durch die ganze alttestamentliche Traditions- und Interpretationsgeschichte hin eigentümlich entschlossen festgehalten wird. Gewiß wird das Tun Jahwes in immer neu sich bewegender Geschichte erfahren. Es eröffnen sich im Laufe dieser Geschichte auch überraschend neue Horizonte. Die »Traditionen«, die in dieser weiteren Geschichte aufgenommen werden und zum Erzählen von Jahwe dienen, erschließen zT ganz neue Bereiche. Aber durch alles hin, in seinem Erzählen von Exodus und Sinai ganz ebenso wie in seinem Reden von David und dem erwählten Jerusalem glaubt Israel den Ruf des Einen, Jahwes, hörbar zu machen und wendet es sich in seinem Lobpreis und Flehen an diesen Einen, Jahwe.[29]

Alttestamentlicher Glaube ist danach nicht schon erfaßt, wo die Ströme, die in seinem Erzählen zusammengeronnen sind, zutreffend und nach ihren Ursprüngen gesondert beschrieben werden. Er ist es erst da, wo durch all das vielgestaltige Reden hindurch der Eine zu Gesicht gebracht ist, welcher der Eine bleibt, wenn auch die von ihm berichteten Überlieferungen im Laufe der Zeit ganz neue Aspekte eröffnen. Nicht schon in dem »Sich-verstehen in der Fluchtlinie einer bestimmten Geschichte« ist das Proprium des alttestamentlichen Glaubens beschrieben, sondern erst da, wo aus dem Traditum das Ich des Gottes heraustritt, den Israel durch alle Wandlungen seiner Geschichte hin als den Einen kennt und bekennt und von dem es sich zu Anrufung und Gehorsam gerufen weiß.

Es ist die der theologischen Weiterarbeit am Alten Testament aufgetragene Aufgabe, die »Theologie des Alten Testamentes« unter der Frage nach diesem einen Herrn, der nach den Aussagen dieses ersten Bibelteiles von der Schöpfung der Welt her durch die Vätergeschichte in die Mose-, die Landnahme-, die Königs-, die Exils- und Nachexilszeit als der eine Herr der Welt und Israels am Werk ist, zu beschreiben. Nicht so, daß der Glaube Israels nun ungeschichtlich flächig zu einem Lehrgebäude zusammenkonstruiert würde, sondern so, daß der ganze Lauf der Geschichte und der aus dieser entlassenen Traditionen darin

[29] Das Alte Testament kennt weder eine von Jahwes Ehre abgelöste Verherrlichung des Königs noch des Zions.

Raum hat und doch dabei die Mitte,[30] der Eine, in seinem Namen Bezeichnete, der sich die Welt, Israel und den Einzelnen immer neu konfrontiert, nicht aus der Mitte des Blickfeldes entschwindet.

Der Isolierung und differenzierenden Herausarbeitung der einzelnen Traditionsstränge, die manche Aussage des Alten Testamentes so viel schärfer in ihrer Genesis und ihrer Sonderbedeutung hat erkennen lassen, müßte sonach eine nach der inneren Verbundenheit ausschauende Gegenfrage gestellt werden. Wie nimmt Israel neue Traditionsbereiche auf, wie vollzieht es das Geschäft der weiterbildenden Auslegung vorgefundener Überlieferung, sodaß doch, wie es unverkennbar die Eigenbehauptung des Alten Testamentes ist, der Eine, dessen Wirken in den verschiedenen Überlieferungsbereichen und -zeiten geschildert sein will, zu Gehör kommt und sich den Gehorsam schafft, welcher dann in Lobpreis oder Geschrei ruft: »Du ... Jahwe«.

V.

Man wird sich nicht entmutigen lassen dürfen, diese Frage trotz aller Schwierigkeit des Traditionsgeländes, in dem man sich dabei bewegt, schon an die Überlieferungsverschlingung von »Exodus und Sinai« zu richten, um hier deutlichere Antworten zu bekommen. Im vorliegenden Zusammenhang kann dieses Problem nicht näher angegangen werden.[31]

Dagegen möchte hier der Blick noch etwas auf jenen Übergang von der frühisraelitischen Exodus-Sinai-Überlieferung zur David-Jerusalem-Tradition gerichtet werden.

Die aus Ägypten kommende Gruppe bringt die Erinnerung an Jahwe, den Gott, der durch seine Siegestat Gebundene aus der Fronknechtschaft freigemacht hat, mit. Im Mirjamlied ist über diesem Geschehen die lobpreisende Rühmung Jahwes aufgebrochen. Darin ist die Wendung von der Kenntnisnahme zur anbetenden Ehrung dokumentiert. Das »Du ... Jahwe« steckt in diesem Lobpreis, auch wenn es in der grammatischen Formulierung nicht ausdrücklich heraustritt.

Im Geschehen der Richterzeit ist das gleiche besonders klar im Bericht über die Deboraschlacht zu erkennen. Da steht neben einer alten Prosaerzählung ganz wie in Ex 14f ein Siegeslied, in dem die Wendung von der schildernden Erzählung zur rühmenden Anrede »Du ... Jahwe« im Lauf des Liedes nun auch mehr als einmal ausdrücklich ge-

[30] Der Frage nach der »Mitte« ist nun auch *RSmend*, Die Mitte des Alten Testaments, ThSt(B) 101 (1970) nachgegangen.

[31] Von da her wird sich auch die Frage nach Mose als dem »Anfänger« der spezifisch alttestamentlichen Jahweverkündigung erneut stellen und das Gespräch mit *KKoch* (Anm. 25) geführt werden müssen.

schieht. »Jahwe, als du auszogst von Seir, als du einherschrittest vom Gefilde Edoms, da bebte die Erde« (Ri 5$_{4}$). »So mögen umkommen all deine Feinde, Jahwe. Die dich lieben aber mögen sein wie der Aufgang der Sonne« (5$_{31}$). Es ist ein Rettungsgeschehen im Lande von neuer, überraschender Art. Es ist dabei nicht zu verkennen, wie Israel im Neuen seinen alten, vom Sinai her bekannten Gott sieht und in der Ausrufung des Namens Jahwes über diesem Geschehen so fröhlich ist, weil »der vom Sinai«, der Eine, auch hier Befreiung von Bedrängnis wirkt und seine Nähe zu Israel erweist.[32]

Daß dann Sauls Königtum in seiner ganzen Struktur dem Charismatikertum der sog. Richterzeit nicht ferne steht, ist schon von *Alt* einleuchtend nachgewiesen und auch durch *GvonRad* in seiner Theologie entsprechend gewertet worden. Das schattet sich auch in dem traditionsgeschichtlichen Vorgang der älteren Berichterstattung vom Aufkommen des Königtums Sauls ab. Wenn hier in 1Sam 9$_{16}$ das Wort, mit dem Jahwe den Samuel zur Salbung des am Folgetag ahnungslos zu ihm kommenden Saul vorbereitet, lautet: »Du sollst ihn zum נָגִיד über mein Volk Israel salben, und er wird mein Volk aus der Hand der Philister erretten (הושיע), denn ich habe ›das Elend‹[33] meines Volkes angesehen, denn sein Schreien ist zu mir gelangt«, dann ist hier in die Überlieferung von Saul hinein der Name des Gottes ausgerufen, der erneut, wie schon einst bei der Fronnot in Ägypten, das Geschrei seines Volkes hört und sich zur Rettung aufmacht.[34] Es ist der gleiche Herr, der dann nach dem Bericht von 1Sam 11 den Berufenen in actu durch seinen Geist zu seinem Tun aufscheucht (11$_{6}$). Vor ihm wird hinterher im Heiligtum von Gilgal die Königsausrufung vollzogen. Zugleich aber ist in dem Überschuß über jene ältere Überlieferung von Jahwes Retten der weitere Horizont, in den nun alles tritt, nicht zu übersehen. Über die aktuelle Errettung des im Lande bedrängten Volkes, wie sie schon in den Richterberichten von Jahwe her erfahren wurde, kommt es nun zur Verfestigung des Werkzeuges der Rettung in der Dauerinstitution des Königtums – einem für das Verständnis des Gottes Israels höchst folgenreichen nächsten Schritt. Die Dimension des irdischen Königsbereiches öffnet sich.[35]

Ein kräftiger weiterer Schritt vollzieht sich im Geschehen um David. In seiner historischen Analyse hat *Alt* den Aufstiegsweg Davids sehr

[32] Es ist für die Beurteilung des Problems von »Auszug und Sinai« vielleicht nicht ganz unerheblich, daß das Deboralied den Jubel über die erneute geschichtliche Rettungstat unmittelbar mit der Erwähnung »dessen vom Sinai« (זה סיני 5$_{5}$ ist doch nicht so ohne weiteres zu tilgen, vgl. auch Ps 68$_{9}$) verbindet.

[33] ins. עֳנִי. Vgl. auch den nach 𝔊 ergänzten Text von 10$_{1}$.

[34] Vgl. Ex 3$_{7f}$ J; 3$_{9f}$ E; 2$_{23a\beta.b24}$ P.

[35] Die Davidüberlieferung braucht hier nicht beigezogen zu werden.

profiliert demjenigen Sauls gegenübergestellt. Es darf dabei immerhin nicht aus dem Auge verloren werden, daß schon im »Richter« Jephta die Form des Aufstiegs über den Beruf des freien Söldnerführers, der dann in einer Stunde der Bedrängnis vom Volke in Gilead geholt und geradezu institutionell zum Helfer ermächtigt wird, ihren Vorläufer hat. Von diesem ganz anders gelagerten, geschichtlich zu eruierenden Aufstiegsweg als einem Gegenstand geschichtlicher Nachfrage ist nun aber auch hier die traditionsgeschichtliche Aussage klar zu unterscheiden. Sie ist wohl nicht allzuferne von den tatsächlichen Ereignissen vom Glauben Israels formuliert worden. Mag man auch die Erzählung von 1Sam 16, den Bericht über die Salbung Davids durch Samuel, der wohl erst nachträglich der ganzen Aufstiegsgeschichte Davids vorangestellt worden ist und in welcher Davids Anfänge ganz ins Licht der Anfänge Sauls gerückt sind,[36] zunächst zurückstellen, so zeigt doch auch die weitere Geschichte vom Aufstieg Davids, wie sehr Israels Überlieferung diesen Vorgang dem Namen Jahwes unterstellt hat. In der Tat an Goliath erweist sich David als der Retter in einer akuten Bedrängnis der Schlachtreihen Israels, die in dessen eigenen Worten zu »Schlachtreihen des lebendigen Gottes« werden (1Sam 17$_{26.36}$). Jahwe ist »mit ihm« (1Sam 18$_{12.14.28}$, vgl. 20$_{13}$), so daß er Gunst bei Saul und dem Volke gewinnt und durch Saul beauftragt wird, die »Kriege Jahwes« (1Sam 18$_{17}$) zu führen. Jonathan verteidigt ihn vor Saul mit dem Hinweis darauf, daß Jahwe durch ihn »große Rettung« (תְּשׁוּעָה גְדוֹלָה) an ganz Israel gewirkt habe (1Sam 19$_{5}$). Aus dem Munde der Abigail ist es zu hören, daß David die »Kriege Jahwes« führt und (darin zeichnet sich schon eine kommende nochmalige Weitung des Horizontes ab) ein »dauerndes Haus« (בַּיִת נֶאֱמָן) bekommen soll (1Sam 25$_{28}$). Bis in die kleinen taktischen Entscheidungen des Tages hinein bestimmt Jahwe den Weg Davids durch seine Weisungen (1Sam 23$_{10-12}$; 30$_{8}$) und bewahrt ihn vor seinen Feinden (1Sam 23$_{14}$).[37] Unter Jahwes Weisung zieht er nach Hebron (2Sam 2$_{1}$), wo ihn dann die Männer Judas zum Königs salben. In den Worten Abners, des alten Heerführers Sauls, klingt der Hinweis auf einen Schwur an, den Jahwe David getan haben soll und der ohne Zweifel sein kommendes Königtum meint (2Sam 3$_{9}$). Ganz voll wird dieses dann in den Worten, mit denen Abner die Vertreter Israels dem David geneigt machen will, erkennbar. In ihnen nimmt er ganz ausdrücklich auf einen Gottesbescheid Bezug: »Jahwe hat zu David gesprochen: Durch die Hand Davids, meines Knechtes,

[36] Diese Beeinflussung der David- durch die Saultradition ist bei *GvonRad* wohl nicht kräftig genug bewertet.

[37] 1Sam 23$_{10f}$ reden ausdrücklich von »Jahwe, dem Gott Israels«. 23$_{14}$ 𝔐 nur von »Gott«.

werde ›ich‹[38] mein Volk Israel aus der Hand der Philister und aus der Hand aller ihrer Feinde erretten« (2Sam 3 18). Und so ist es denn die Krönung dieses Weges, wenn nach 2Sam 5 2f die Vertreter Israels, die David in Hebron das Königtum anbieten, mit den Worten kommen: »Schon zuvor, als Saul (noch) König war über uns, führtest du Israel ins Feld und wieder zurück. Und Jahwe sprach über dich: Du sollst mein Volk Israel weiden und sollst נָגִיד sein über Israel«. So wird die Abmachung, die David ins Königsamt ruft, denn ganz so wie zuvor bei Saul am heiligen Orte, hier in Hebron, »vor Jahwe« geschlossen. Und in diesem Gefälle muß es gesehen werden, daß dann auch der Kampf gegen die Philister nach den Regeln des Jahwekrieges mit einführender Jahwezusage und persönlichem Einherschreiten Jahwes im Sturm durch die Wipfel der Bakabäume geschildert wird (2Sam 5 17–24).

Der Aufstiegsweg Davids ist ein anderer gewesen als derjenige Sauls. Man darf sich aber durch diese historische Einsicht den Blick dafür nicht verstellen lassen, daß die Überlieferung vom Aufstieg Davids, die in 1Sam 16–2Sam 5 vorliegt, auch in der Erzählung von diesem Geschehen ganz so wie bei Saul den Namen Jahwes, der sich seines Volkes Israel annimmt und ihm Hilfe schafft, ausrufen will. Ganz so wie im Richterbuch über den Gestalten, welche im einzelnen auf sehr verschiedenen Wegen[39] zur Stellung eines Helfers in ihrem Bereich aufsteigen, von Othniel und Barak bis zu Jephta und sogar Simson der Name Jahwes gerühmt wird, so wird dieser gleiche Gott über dem Aufstiegsweg Davids zum Retter Israels, der nochmals ganz anders gestaltet und vor allem ungleich mehr im einzelnen geschildert ist, am Werke gesehen. Auch dieses Geschehen wird nicht selbstzwecklich als »Tradition« erzählt. Es will ganz so wie die Erzählung vom Aufstieg Sauls zur Anerkennung Jahwes, des Gottes Israels, als des eigentlichen Gebers der Hilfe, führen. Auch hinter diesem Erzählen lautet der verborgen zugrunde liegende Anspruch: »Ich ... Jahwe«. Auch hier hat er die Wendung des diese Erzählung hörenden Menschen zum bekennenden und rühmenden »Du ... Jahwe« zum Ziele.

Dann aber tritt in die Überlieferung von dem gleichen David ein Zweites, was nun unverkennbar eine besonders schwerwiegende Ausweitung des Horizontes der Aussage vom Tun Jahwes im Gefolge hat. Neben jene Davidüberlieferung, die im vorliegenden Texte der Aufstiegsgeschichte vom Prophetenwort Samuels über David herkommt, tritt die Überlieferung vom Eingriff eines zweiten Propheten in die Davidgeschichte. 2Sam 7 erzählt von der Verheißung Nathans an David. Auch hier läßt sich historisch nach der Stellung Nathans zu Tem-

[38] l. אוֹשִׁיעַ mit 35 MSS Vrs.

[39] Der dtr. Rahmen rückt das Verschiedene uniformierend näher zueinander.

pelbau und Dynastiegründung und aufgrund von 1Kön 1 zur Thronfolge Salomos, des in Jerusalem Geborenen, fragen. Man wird gerade auch hier die Frage nach eingebrachten jerusalemischen Traditionen sehr voll stellen. Theologisch wird die Fragestellung erst da, wo gefragt wird, wie in dieser neuen Erzählweise in neuen Horizonten von Jahwe die Rede ist. Oder, um die Formulierung dem zuvor Gesagten anzunähern: wie der Bericht von der Erwählung des Davidhauses in Jerusalem Jahwe, den Gott Israels, in neuartiger Weise in seinem »Ich ... Jahwe«, dem dann im Glauben Israels das »Du ... Jahwe« antwortet, erkennbar macht.

Über das in Exoduscredo und Sinaiüberlieferung wie auch in den Richtergeschichten und den Aufstiegsgeschichten Sauls und Davids Gesagte hinaus bindet sich hier Jahwe in neuartiger Weise an eine dynastisch stabilisierte Königsfamilie. Durch diese Bindung qualifiziert er seine Herrschaft über die Lebenszeit eines einzelnen Königs hinaus in ihrer durchhaltenden Art. Und da sich mit dem Glauben an die Erwählung Davids nach den Königspsalmen auch der Glaube an die Erwählung der Königsresidenz und des Jerusalemer Tempels verbindet,[40] wird Jahwes Herrschaft darüber hinaus durch den besonderen Haftpunkt an einem bestimmten heiligen Orte mitten im Lande qualifiziert.[41]

Die Königs- wie die Zionspsalmen sind Belege dafür, wie nun der Glaube Israels in der Wendung auf dieses Königtum und auf den Zion hin Jahwe, der sich in seiner Zuwendung zu Dynastie und Zion offenbart, rühmt. Ps 46 läßt erkennen, wie diese Verbindung des Zion mit Jahwe mit altjerusalemischem, zT mythischem Traditionsmaterial ausgeformt worden ist, wie aber darin in ganz neuem Kontext der alte Glaube an den aus Feindnot rettenden Gott sich ausspricht. Zugleich läßt Ps 46 erkennen, wie das Bekenntnis zu Jahwe[42] im Gegenüber zu einem »Ich ... Jahwe« seine Kraft bekommt: »Lasset ab und erkennet, daß ich ›Jahwe‹ bin[43], erhaben unter den Völkern, erhaben auf Erden«.

Die traditionsgeschichtliche Frageweise hat im Bereich des Komplexes der David-Zionaussagen eine besonders reiche Fülle von vorgegebenen, nicht aus der Geschichte Israels, sondern über Jerusalem aus Kanaan und der politischen Umwelt stammenden Überlieferungs-

[40] *HJKraus*, Die Königsherrschaft Gottes im Alten Testament (1951).

[41] Das hatte gewiß seine Vorstufen schon in den örtlichen Heiligtumstraditionen im Lande, erfuhr aber durch die Verbindung mit dem Jerusalemer Tempel, in dem die Lade stand, eine auf Ausschließlichkeit drängende Heraushebung.

[42] Die anbetende Ehrung Jahwes kommt hier im beschreibenden Stil in 3. Person zum Ausdruck.

[43] Das אֱלֹהִים des 𝔐 wird der elohistischen Überarbeitung innerhalb des »elohistischen Psalters« seine Entstehung verdanken.

elementen gefunden. Sie hat sich vor allem bemüht, die einzelnen Vorstellungsströme voneinander zu isolieren und das einem jeden je ursprünglich Eigene herauszuarbeiten.[44] Aufgabe theologischer Arbeit muß es sein, zu erfragen, was diese einzelnen Traditionselemente für die alttestamentliche Rede von Jahwe da einbringen, wo nun der Name Jahwes, des Gottes Israels, über ihnen ausgerufen ist.

VI.

Es will in alledem keinesfalls einer gewaltsamen Uniformierung und Nivellierung der Unterschiede das Wort geredet sein. Wohl aber darf die Frage nicht unterbleiben, wieso über die Vielfalt der Traditionselemente der eine Name Jahwes, des Gottes Israels, ausgerufen werden konnte – der Name, in dem sich die Menschen verschieden geprägter »Theologien« im Alten Testament doch ganz unverkennbar in einer auffallenden Verbundenheit beieinander und nebeneinander finden. Es kann sich angesichts der durch traditionsgeschichtliche Fragestellung aufgedeckten Unterschiede des Überlieferungsgutes doch wirklich die Frage erheben: Wieso ist es nie zu einer sektenhaften Abspaltung des Nordreiches, das seinen Jahweglauben unter Bezugnahme auf die Exodus-Sinaiüberlieferung formulierte, von der Jerusalemer Theologie, wie sie in den Königspsalmen und bei Jesaja zu finden ist, gekommen? Wie ist es möglich, daß der aus dem Süden kommende Amos[45] mit unbefangener Selbstverständlichkeit in Jahwes Namen im Nordreich auftreten kann? Wie hat das aus dem Nordreich stammende Deuteronomium so ohne weiteres Heimatrecht in Jerusalem bekommen können? Wie konnte der doch ohne Zweifel von der Nordreich-Exodusüberlieferung bestimmte Jeremia so unbefangen und offenbar nie um dieser besonderen Prägung willen angefochten in dem, wie es von Jesaja her scheinen möchte, theologisch so ganz anders redenden Jerusalem seine Botschaft verkündigen?

Diesen Fragen muß ernstlich standgehalten werden. Sie führen darauf, daß für den alttestamentlichen Glauben ganz offensichtlich das »Jahwe, der Gott Israels«, das in den verschiedenen Traditionsformen geglaubt wurde, das eigentlich verbindende Bekenntnis war, vor dem die unter sich traditionsgeschichtlich abweichenden Formulierungen in die zweite Reihe zurücktraten. Wenn bei Hosea das »Ich, Jahwe, dein Gott von Ägypten her« (12_{10}; 13_4) laut wird, so ist nach dem Verständnis des alttestamentlichen Glaubens die volle Identität mit

[44] Vgl. Anm. 22.
[45] Er ist traditionsgeschichtlich nicht einfach Jesaja gleichzustellen.

dem »Heiligen Israels«, um die jesajanische Formulierung aus dem Jerusalemer Tempelbereich zu zitieren, in keiner Weise gefährdet. Von der anderen Seite her ist festzustellen, daß Jesaja von den »beiden Häusern Israels« reden kann, denen Jahwe zum Fallstrick wird (8$_{14}$), ohne daß er dabei den Jahwe des Nordreiches, der doch traditionsgeschichtlich gesehen so anders beschrieben zu werden scheint,[46] von dem »Jahwe Zebaoth, der auf dem Zion wohnt« (8$_{18}$), unterschiede. Alttestamentliche Theologie wird diesem Tatbestand bei allem Wissen um die Fülle an Differenzierung und differenzierender Interpretation, deren Erkenntnis uns die traditionsgeschichtliche Frageweise eingebracht hat, bewußter als bisher nachzudenken haben.

Die Antwort auf die gestellte Frage wird auf keinen Fall einfach lauten können: Die Einheit der Geschichte Israels verbindet die beiden Glaubensformen. Nicht die Geschichte mit ihrem Fluß stellt die Einheit dar, in der Israel sich in Nord und Süd verbunden weiß. Wohl aber ist es der im Norden wie im Süden in ihren verschiedenartigen Traditionsformulierungen, hinter denen verschiedene geschichtliche Begegnungen stehen, ausgerufene und geglaubte Jahwe. Vor ihm, dem Gott Israels, weiß man sich auch bei auseinanderlaufenden Traditionen als vor dem Einen stehen. So sind denn auch die später vollzogenen Traditionsverschmelzungen, auf die schon *Rost* gewiesen hat und die auch in der Theologie *GvonRads* eindrücklich zur Darstellung gelangen, nicht späte, die klaren Konturen verwischende Erschlaffungserscheinungen, sondern gehorsame Versuche, das Handeln des einen Jahwe, des Gottes Israels, im Umgreifen der verschiedenen Redeweisen möglichst voll zum Ausdruck zu bringen.[47]

Wo diese Konfrontation mit dem Einen uneingeschränkt als die Mitte des Alten Testaments erkannt ist, da wird auch die Zentralfrage, welche das Evangelium von Jesus Christus als die entscheidende Frage an die erste Bibelhälfte stellt, in aller Schärfe hörbar werden, ob dieser Gott nun, um es paulinisch zu formulieren, der Gott Abrahams oder der Gott Moses sei.

[46] In dem »Tag Midians« von Jes 9$_{3}$ ist allerdings auch Nordreichüberlieferung zu finden.

[47] In besonders eindrücklicher Weise ist etwa Jerusalem und das Zwölfstämmecredo in den 13 Landanteilen von Ez 48 verbunden.

HANS WALTER WOLFF

GESPRÄCH MIT GERHARD VON RAD

Was soll der Schüler und Freund, der Nachfolger und Nachbar tun, wenn er zur Feder greift? »Das Rühmen ist nichts nütze« – das hat er manches Mal in der Studierstube an der Amselgasse vernommen. Wäre es doch lediglich die Kehrseite jener Polemik, die sich der Lehrer in seinen Vorlesungen und Büchern versagte, wo andere sich damit vielleicht am Leben erhielten. Er sieht die Gefahr, daß sich die menschliche Person in den Vordergrund schiebt, wo uns doch aufgegeben ist, die Texte und ihre Aussagen zu verstehen. Autorenregister sucht man in seinen Büchern vergeblich.

Doch wenn die Erkenntnisse eines Forschers tief in seinem Leben wurzeln und den Lauf seines Lebens mitbestimmen, dann darf sich der Schüler wohl an den beharrlichen Rat des Lehrers erinnern, Texte immer zusammen mit ihrem Sitz im Leben zu verstehen. Sollte es nicht gerade seinen jüngsten und fernsten Lesern nützlich sein, etwas von den Umständen zu erfahren, unter denen er schreiben mußte, und ein wenig von den Leitgedanken, die seine Zuhörer deutlicher erfuhren als die, die ihn nur lesen konnten?

Wenn diese Leser demnach eingeladen sind, hier am Gespräch mit Gerhard von Rad teilzunehmen, dann ist ausschließlich beabsichtigt, den tragenden Grund seiner Arbeiten, seine Hoffnungen und seine Befürchtungen etwas deutlicher werden zu lassen, so wie es gelegentlich seinen Gesprächspartnern vergönnt ist. Im Vorwort seines Buches über die Weisheit in Israel erkennt man, wie der Autor darunter leidet, daß er »das, was ihm vorschwebte, offensichtlich nicht erreicht hat«. Solche Andeutungen spornen den Schüler an, sich viel mehr mit dem Gegenstand als mit dem Lehrer zu beschäftigen, also auch mit dem, »was ihm vorschwebte«.

Kommt die Frage auf, wie der Neunzehnjährige eigentlich zum Theologiestudium gefunden habe, so hört man zunächst, daß dieser Entschluß ohne alle Sensation zustande kam. Das Studium der alten Sprachen hätte fast ebenso interessiert. Doch da predigte seit 1916 Wilhelm Stählin in der Lorenzkirche der Vaterstadt Nürnberg. Was er 1918 von der Bibel her zu sagen hatte, war für den Obersekundaner eine große Sache. Und dann war in den Primanerjahren ein neuer, junger Schulleiter aufgetaucht, der jeden Montag sehr lebendige Andachten hielt. So gab wohl solches Hören christlicher Verkündigung beim Abitur im Jahre 1921 den Ausschlag zum Theologiestudium. Vom Elternhaus her war es nicht zu erwarten, geschweige denn erwünscht.

Trat schon im Studium das Alte Testament in den Vordergrund? Ganz und gar nicht. In den ersten beiden Erlanger Semestern beeindruckt ihn die Auslegung des Johannesevangeliums durch den reformierten Professor EFKMüller ungeheuer. In den vier folgenden Semestern in Tübingen übt Karl Heim die stärkste Wirkung aus mit seiner Frage nach der Glaubensgewißheit. In der Erinnerung tritt in den Vordergrund, daß die Stiftskirche barst, wenn er predigte. So wenig der Tübinger Alttestamentler Paul Volz besondere Erwähnung verdient, so wenig tritt Otto Procksch in Erlangen für den Studenten in den Vordergrund, auch nicht in den beiden abschließenden Erlanger Semestern. Paul Althaus war hier viel wichtiger.

Der Kandidat von Rad, der 1925 in Ansbach das 1. theologische Examen absolvierte, hat nichts anderes als das Pfarramt im Sinn. So geht er ins Vikariat in der heimatlichen bayerischen Landeskirche. Doch innerhalb dieser Zeit von zwei Jahren fordert der »Bund für Deutschkirche« die Auseinandersetzung heraus. Diese früheste völkische Gruppe in der evangelischen Kirche prangert die Verjudung des Christentums an. Da fragt sich der Vikar, was man denn überhaupt schon vom Alten Testament wisse.

Vorsichtig beantragt er Urlaub von der Landeskirche, um dem Alten Testament näher kommen zu können. Der Geheimrat Procksch diktiert das Thema der Dissertation. Unter großen Qualen und nicht ohne Gespräche mit Professor Albrecht Alt in Leipzig wird die Schrift über »Das Gottesvolk im Deuteronomium« fertig. Damit aber hat das Deuteronomium den jungen Licentiaten der Theologie endgültig für das Alte Testament gewonnen. Zwar weist der jüngere Freund Karl Nold, der schon stark von Karl Barth bestimmt ist und der dem älteren Gerhard von Rad als der Überlegene erscheint, mit Kraft darauf hin, daß Christus jetzt in der Kirche zu finden sei. Wo ist unser Anteil an Christus? Nicht an der Universität, sagt Karl Nold. Das damit verbundene Nein zu einer Habilitation leuchtet ein. Aber der Zug zum Alten Testament ist stärker als diese Überlegungen.

1929 wird durch Weggang von Leonhard Rost nach Berlin in Erlangen die Stelle des Repetenten frei, der vor allem den hebräischen Sprachkurs durchzuführen hat. Otto Procksch überträgt sie ihm. Inzwischen hat er ihm eine Habilitationsschrift über das chronistische Geschichtswerk empfohlen. Was der Geheimrat dabei erwartet – die Entdeckung von Liturgieen! –, bestätigt sich dem Repetenten nicht; stattdessen fesselt ihn, wie sich hier Geschichte darstellt. Procksch meint daraufhin das Thema »Geschichts*anschauung* des Chronisten« nennen zu können; doch das ist von Rad zu subjektiv. Von Rad schreibt dann »das Geschichts*bild* des chronistischen Werkes«.

Inzwischen hat ihn schon Albrecht Alt mehr und mehr angezogen. Unvergessen ist ein Sacharja-Seminar in Leipzig. Er meint, wie blöd habe er dabei gesessen und nichts sagen können. Nebenher haben die semitistischen Studien begonnen. Es wird nicht lange dauern, bis Albrecht Alt erkennt, daß der junge Gerhard von Rad den Schritt von der historischen Wissenschaft zur Theologie tut. Obwohl er selbst ihn so kaum vollziehen konnte, erkennt er ihn doch als sachgeboten an.

Die Möglichkeit, von Erlangen ganz nach Leipzig überzuwechseln, ergibt sich 1930, nachdem der Privatdozent Martin Noth als ordentlicher Professor nach Königsberg ging. Albrecht Alt bietet dem Erlanger Repetenten an, als Privatdozent nach Leipzig zu kommen. In Traunstein (Bayern) möchte man ihn gleichzeitig gern als Pfarrer haben. So sieht sich von Rad nochmals vor die Grundfrage gestellt: »akademisches oder praktisches Amtsleben«.[1]

[1] Sie spiegelt sich in einem Brief *Alts*. Dieses Dokument sollte der Vergessenheit entrissen werden, damit das Bild des Lehrers wie des Schülers deutlicher werde; es läßt ja auch erkennen, wie man damals auf dem Weg ins akademische Lehramt miteinander umging. Der Brief lautet:

»Leipzig C. 1, den 21. Januar 1930
Ferdinand-Rhodestraße 17/II.

Sehr geehrter Herr Lizentiat!

Haben Sie vielen Dank für Ihren freundlichen Brief vom 18. d. M., der mir zwar begreiflicherweise noch keine Antwort auf meine Frage, wohl aber einen viel tieferen Einblick in den Ernst der Entscheidung gebracht hat, vor der Sie jetzt stehen. Nachdem nun inzwischen auch, wie mir heute Herr Geheimrat Procksch schreibt, Ihre Besprechung mit ihm stattgefunden hat, sehen Sie wohl mit ausreichender Klarheit, was in solchen Fällen überhaupt im voraus zu sehen ist, nämlich was an Möglichkeiten und Bindungen in Erlangen, in Traunstein und in Leipzig unmittelbar vor Ihnen liegt. Die Entscheidung selbst darf Ihnen nun niemand abnehmen wollen, am allerwenigsten ich, der ich ja nur eine von drei Parteien vertrete. Und wenn ich trotzdem schon jetzt auf Ihren freundlichen Brief antworte, so muß es sich von selbst verstehen, daß ich nicht versuchen darf und will, Ihnen die Freiheit Ihrer Entscheidung zu verkürzen oder die Verantwortlichkeit dafür abzunehmen. Aber es sind in Ihrem Brief einige Erwägungen angedeutet, zu denen ich mich am Ende doch äußern darf.
Zunächst die Grundfrage: akademisches oder praktisches Amtsleben? Dazu möchte ich nur sagen, daß Ihr Übergang hierher noch nicht das letzte Wort in dieser Frage zu sein braucht. Gewiß, wenn Sie zu mir kommen, so hat das nur unter der Voraussetzung einen Sinn, daß Sie das Hineinwachsen in die akademische Tätigkeit mit aller Energie versuchen wollen. Das versteht sich ja ganz von selbst. Aber angenommen, Sie gewännen dann hier über kurz oder lang erst recht den Eindruck, daß Ihnen die akademische Tätigkeit auf die Dauer die innere Befriedigung nicht geben kann, deren Sie bedürfen, so wird es Ihnen kein vernünftiger Mensch verübeln,

Die Leipziger Jahre von 1930–34 sind von sehr harter Arbeit erfüllt. Neben dem fünfstündigen hebräischen Sprachkurs und dem zweistündigen Proseminar ist Semester um Semester eine große vierstündige Hauptvorlesung vorzubereiten und zu halten. Es ist nicht zu schaffen, wenn nicht in den Semesterferien kräftig gearbeitet wird. Davon entfallen 1930 und 1932 lange Monate für die ersten Palästina-Studien-Reisen mit Alt. Nebenher entstehen so verschiedenartige Studien wie die über »Zelt und Lade«, die biblische Begriffsuntersuchung »Es ist noch eine Ruhe vorhanden dem Volke Gottes« und »Die falschen Propheten«, vor allem aber das Buch über »Die Priesterschrift im Hexateuch – literarisch untersucht und theologisch gewertet«. Daß die darin vorgelegte Quellenscheidung später weithin abgelehnt wurde, nimmt er mit Schmunzeln an (»das hat meinen Ruhm wahrlich nicht begründet«), wenn ihm auch bis heute manche Partien

wenn sie dann, und sei es auch aus der vollen Würde eines Privatdozenten heraus, doch noch den Übergang ins praktische Amt vollziehen. Im Hinblick auf solche Möglichkeiten täten Sie allerdings gut, sich eine offene Tür nach dieser Seite hin schon jetzt zu sichern; ich wäre damit vollkommen einverstanden.
Und dann all das philologische, archäologische und sonstige Zubehör des alttestamentlichen Handwerks! Sie erwarten von mir gewiß nicht, daß ich das Gewicht dieser Dinge nun plötzlich als unerheblich hinstellen soll, um Sie zu beruhigen. Aber käme es nicht auch da auf einen fortgesetzten Versuch an? Daß Ihnen Erlangen in dieser Hinsicht nicht genug bot, haben Sie mir selbst neulich geklagt und verstehe ich sehr wohl. Aber damals meinten Sie doch selbst, daß Sie Leipzig ganz anders anregen würde. Ist also nicht auch das eine Frage, die eigentlich erst nach einiger Zeit hier entschieden werden kann? Daß ich für meine Person Ihnen nach dieser Seite hin gern helfen würde, so weit ich kann (am einfachsten so, daß ich Sie, wie das so meine Art ist, an dem Anteil nehmen ließe, was mich selbst von Tag zu Tag beschäftigt), brauche ich Ihnen nicht erst zu versichern.
Aber ich breche lieber ab; sonst verfalle ich schließlich doch, obwohl ich es nicht will, in einen Überredungsversuch. Darum will ich nur noch eines sagen. Ich muß am nächsten Sonntag (26. 1.) zu Verhandlungen nach Stuttgart fahren und kann das voraussichtlich gut so einrichten, daß ich hier in Leipzig schon früh vor 7 Uhr aufbreche und in Nürnberg einen Zug überspringe. Ich würde dann gern noch meine Schwester in Ansbach kurz besuchen und am Abend nach Stuttgart weiter reisen. Dann ergäbe sich die Möglichkeit einer Besprechung zwischen uns auf dem Nürnberger Hauptbahnhof zwischen 13.30 und 14.32. Natürlich nur, wenn Sie es wünschen! Vielleicht könnte ich bis dahin mindestens auch schon einen Teil Ihres neuen Manuskripts gelesen haben (einstweilen kam ich nicht dazu). Und vor allem könnten wir dann auch so manche praktische Einzelheiten für Leipzig und Palästina besprechen, falls Sie dann Ihren Weg schon klar vor sich sehen.
Mit den besten Wünschen

in Eile

Ihr ergebenster A. Alt

Die sehr vernünftigen Besprechungen Ihres ›Gottesvolks‹ im ›Theologischen Literaturblatt‹ und in ›Christentum und Wissenschaft‹ werden Sie wohl schon gesehen haben; sonst bringe ich sie Ihnen nach Nürnberg mit.«

nicht besser erklärt wurden. Der Vorstoß in den Pentateuch ist erfolgt, vor allem in seine theologische Thematik.

Willy Staerk holt 1934 den Leipziger Privatdozenten mit einem unico-loco-Berufungsvorschlag der Fakultät an die Universität Jena. Die nationalsozialistische Flut steigt. Es ist eine Ausnahme in der deutschchristlich beherrschten Fakultät, wenn der Kollege Macholz von Rad's Überlegungen zum »theologischen Problem des alttestamentlichen Schöpfungsglaubens«, die 1936 – hoch aktuell! – niedergeschrieben werden, mit Interesse begleitet. Studenten geben am Schwarzen Brett bekannt, daß sich ihr deutsches Blut gegen die hebräische Sprache wehre. Der junge Professor, der zur »Wissenschaftlichkeit« als dem eigentlichen akademischen status confessionis erzogen worden ist, merkt mehr und mehr, daß die Entscheidungsfrage sich völlig anders stellt.

Wilhelm Vischers »Christuszeugnis des Alten Testaments« ist 1934 erschienen. Es hat ihn sehr aufhorchen lassen. Von Rad ist ihm im Grunde viel mehr zugetan, als er in seiner Auseinandersetzung 1935 zu erkennen gibt. Aber er sieht diesen Weg doch bei aller elementaren Zuneigung zum Grundanliegen als eine Versuchung für sich selbst an, weil er merkt, daß auf diesem Wege nicht weiterzukommen ist. Allerdings noch ungleich weniger mit E Hirsch. Die Fragen um das Alte Testament treiben die Pfarrerschaft und die Gemeinden derart um, daß nun zahllose Vortragsreisen nötig werden. Worum es in diesem Einsatz thematisch geht, spiegelt sich in den Veröffentlichungen »Das Alte Testament – Gottes Wort für die Deutschen!«, »Fragen der Schriftauslegung im Alten Testament«, »Führung zum Christentum durch das Alte Testament«, »Gesetz und Evangelium im Alten Testament«, »Die bleibende Bedeutung des Alten Testaments«, »Warum unterrichtet die Kirche im Alten Testament?«. Mit jedem Thema ist in dieser Zeit die Bekenntnisfrage gestellt. Lieber als generelle Fragen legt der Vortragsreisende offenbar bestimmte Texte und alttestamentliche Sachverhalte aus: »Mose«, »Der Gott Abrahams, Isaaks und Jakobs«, »Die Konfessionen Jeremias«, »Die Bileamperikope«, »Alttestamentliche Glaubensaussagen vom Leben und vom Tod«, »Die Wahrheit der Geschichte vom Sündenfall«.[2] Die Kirche erweist sich als Raum der Freiheit der Lehre. Die Frage einer Berufung aus der staatlichen Professur in das Amt eines Hauptpastors in Hamburg kommt vorübergehend auf. Fand der »geistige Umsatz« an der Universität in Jena denn noch ein Echo?

Und konnte in der Unruhe dieser Jahre die wissenschaftliche Forschungsarbeit fortgesetzt werden? Es entstehen nicht nur grundlegen-

[2] Vgl. zu allen in diesem Beitrag genannten Titeln die Bibliographie u. S. 665–681.

de kleinere Arbeiten: neben der zum Schöpfungsglauben andere zu den Königspsalmen, zur Geschichtsschreibung, über »Verheißenes Land und Jahwes Land im Hexateuch« und schon: »Grundprobleme einer biblischen Theologie des Alten Testaments«. Der große Wurf »Das formgeschichtliche Problem des Hexateuch« wächst und erscheint 1938. Im Beginn dieser Arbeit hatte er eines Tages Albrecht Alt auf dem Weg durch die Straßen Leipzigs seine Meinung mitgeteilt, Josua 24 sei doch eigentlich ein kleiner Hexateuch. Albrecht Alt später: »Wie wir am Reichsgericht waren, da hab ich's schon gefressen!« In der Jenaer Zeit wuchs auch das Manuskript zur Auslegung der Genesis, die dann erst nach dem Kriege vollendet wurde und ab 1949 im »Alten Testament Deutsch« erschien. Wer hätte das damals zu hoffen gewagt! Der Verfasser träumte vielmehr davon, daß in Jahrzehnten über den Packen Papier, der auf dem Boden im Jenaer Hause lag, ein Enkel geriete und rätselte, was der Großvater wohl einst im Sinn gehabt habe. Zeit zum Schreiben blieb, saßen in der Vorlesung in der Kriegszeit doch oft nur noch zwei bis drei Studenten. Dieser und jener kam aus Halle herüber, wo Julius Schniewind und Ernst Wolf wirkten.

Im Sommer 1944 erfolgte die Einberufung zum Kriegsdienst. Sie endete mit der harten Zeit im Gefangenenlager auf flachem Feld bei Bad Kreuznach, wo Mann bei Mann nur den allerschmalsten Lebensraum hatte. Erdlöcher als »Unterkunft« galten schon als Luxus. Von Mitte März bis Ende Juni 1945 währte diese böse Zeit. Dann hagelte es Rufe nach Bethel, Bonn, Erlangen, Göttingen. Die Wiedereröffnung der Jenaer Fakultät erschien ausgeschlossen.

In Göttingen beginnt die neue Arbeit zum Wintersemester mit zwei vierstündigen Vorlesungen. Nun wird von Rads Hörsaal voll und übervoll. Wohl hatte schon der Privatdozent in Leipzig bald mehr Hörer gehabt als der Meister Albrecht Alt. Konnte er sich besser auf die Fragen seiner Hörer einstellen? Jetzt kamen die Jungen aus den Lagern. »Sie wollten genau das, was wir bieten konnten. Bedürfnis der Studenten und Möglichkeiten des Dozenten kamen sich entgegen«. Das war die Sternstunde. Es gibt Beifall auf offener Szene. Das Geheimnis war sicher ein Eros, ein überzeugendes Engagement, der Blick und Sinne, der sich von exegetischen Befunden aus weitertastete. Aber dieser fünfundvierzigjährige Professor bleibt weit entfernt von aller Aufdringlichkeit; exegetische Wahrhaftigkeit läßt die Sache zum Reden kommen. So erfährt das Kolleg wirklich Theologie aus dem Alten Testament. Dichterische Kraft kommt in der Hingabe an die Texte zu einer neuen Sprache, in der sich das Wort erschließt.

Doch der große Hörsaal und das neu beginnende wissenschaftliche Gespräch schreckten auch auf: »Holla! Du mußt aufholen!« Wieviel war in den Jahren vor 1945 liegengeblieben! Was stürmte nun auch wieder aus dem Ausland herein! »Da mußte ich schaffen«. Die Deuteronomiumstudien erscheinen zuerst, zwanzig Jahre nachdem das Deuteronomium den Vikar in die wissenschaftliche Arbeit hineingeholt hatte. Nach weiteren zwei Jahrzehnten wird der Deuteronomium-Kommentar vorliegen. Die damaligen Göttinger Kollegen, besonders auch die, die mit von Rad aus dem Einsatz in der Bekennenden Kirche herkommen, wie Günther Bornkamm, Hans Joachim Iwand und Ernst Wolf, sind in jenen ersten Nachkriegsjahren alle ungemein engagiert. Aber Hans Joachim Iwand gesteht ihm: »Sie und Bornkamm sind doch eigentlich die einzigen, die wirklich arbeiten«. Von Rad selbst denkt mehr daran, wie er in Jena »gelumpt« hatte. Auch das »formgeschichtliche Problem des Hexateuch« findet er nun viel zu flüchtig hingeworfen. Im Jahr des Abschieds aus Göttingen, 1949, erscheint die erste Lieferung des Genesiskommentars, die die Urgeschichte bis zum neuen Einsatz in 12$_{1-9}$ auslegt.

Von nun an wird Heidelberg der Ort des Wirkens. Die Lehrveranstaltungen setzen im großen Stil die Göttinger Zeit fort. Man geht bald des Alten Testaments wegen nach Heidelberg. Mehr und mehr Ausländer finden sich ein. Fragt man ihn, welche Vorlesung er selbst wohl am liebsten gehalten habe, so nennt er die »Einleitung ins Alte Testament« sein »Kassenstück«. Da konnte er vom Literarischen und Historischen an die Schwelle des Theologischen führen. Was da zu sagen ist, wächst mehr und mehr in die Theologie des Alten Testaments hinein. Doch die Auslegung der großen biblischen Bücher wirkt sicher ebenso. Konkretion und Sublimität sind einzigartig verbunden. In der Liebe zum Diesseitigen findet sich der Hörer geheimnisvoll wieder. Die Weite des Horizonts macht einen weiten Atem. Die Wissenschaft findet in diesem Hörsaal zur Weisheit. Die Wirklichkeit des Menschen ist in einer Breite, die nichts ausläßt, präsent.

Der Lehrer, der selbst immer wieder die Sehnsucht zum Pfarramt verspürte, möchte seine Studenten vor allem zur Predigt anleiten. Es quält ihn, daß die Jungen den Aufschwung vom Text in die heutige Situation hinein schwierig finden. Jedes Semester predigt er. Und jedes Mal schert er aus der Perikopenordnung aus, um etwas Alttestamentliches vorzunehmen und daran zu zeigen, wie schnell der Text Gegenwart ist, wenn man sich ihm nur ganz stellt. Da wird die Peterskirche auch von denen überfüllt, die sonst nicht zum Gottesdienst gehen.

Oft sitzt der Lehrer aber auch unter der Kanzel. Er wartet auf das kräftige Wort. »Kraftlos« ist sein härtestes Urteil über eine enttäuschende Predigt. Lieber als die Fülle langweilender Richtigkeiten hört er eine zündende Häresie, hinter der ein Mensch steht, wenn er auch nur einen Zipfel der Bibel ergriffen hat. Da kann er neuerdings sogar einem Podium mit Diskussion der Gemeinde aufmerksam und weithin zustimmend lauschen, wenn nur neben allen Fragen und Forderungen ein evangelischer Indikativ hörbar wird. Jedoch traut er wegen dieses Indikativs der Einzelpredigt, die selbst aus dem Zuhören kommt, auf die Dauer mehr zu.

So erinnerte der Emeritus noch kürzlich seine jüngeren Kollegen im Blick auf die »Übersichtsvorlesungen« im neuerlichen Angebot von Lehrveranstaltungen daran, was die exegetischen Hauptvorlesungen eigentlich bedeuten. Wollen sie nicht zu jener Begegnung anleiten, von der alle Textpredigt herkommt? Begegnung heißt doch: sich verwundern, sich an dem Text reiben, anerkennen, daß er quer liegt. Der Text schickt einen in die Defensive, aber man entkommt ihm nicht. Den besten Predigten spürt man das Erstaunen, ja Entsetzen des Predigers vom Samstag noch an, wo ihm der Text als echter Gesprächspartner widerstanden hat. Der Emeritus beobachtet, wie langweilig Theologie werden kann, wenn ihr die Anstöße fehlen, die von der Bibelwissenschaft ausgehen. Er sieht den Exegeten auch am Katheder zuweilen unausweichlich an den Punkt gelangen, wo er in irgendeiner Weise der Betroffene ist. Es gehört zu seiner Erfahrung, daß das Auslegen eines bisher unbeachteten Textes zu einem Abenteuer wird, bei dem alle wissenschaftlichen Fragen zweitrangige Hilfsmittel werden.

Die regelmäßigen Zusammenkünfte aller Heidelberger Alttestamentler bis hin zu den Assistenten und zuweilen auch mit den Orientalisten liebt er sehr. Aber traurig wird er, wenn einmal andere Themen die eigentliche Aufgabe verdrängen. Da kann er an jenen jüdischen Droschkenkutscher in Warschau erinnern, der in seinem Warteraum einen Kollegen bittet: »Sag mer a Stickl Thora!« Und wir, sagt Gerhard von Rad enttäuscht, haben heute abend »nicht ein Stickl Thora« gehabt. Weil es dort daran nie fehlt, mag er nicht fernbleiben, wenn jährlich in der Karwoche die Mitarbeiter des Biblischen Kommentars in Neukirchen zusammenkommen. Er muß hören und fragen und kann den Austausch mit den Fachkollegen nicht entbehren.

Doch das Gespräch mit den Kollegen der anderen theologischen Disziplinen ist ihm nicht weniger wichtig, nennt er sich doch selbst kaum »Professor für Altes Testament«, sondern in der Regel »Professor der Theologie«, was in dieser Zunft durchaus nicht selbstverständlich ist. So versäumt er die Sozietät seiner Heidelberger Fakultät nicht. Er ist dabei, wenn der Chr. Kaiser Verlag seine Autoren um brennende Probleme gegenwärtiger Theologie nach Josefstal einlädt. Begierig hört er vor allem auf die Neutestamentler und auf die jungen Systematiker. Fast noch mehr lebt er auf, wenn andere Fakultäten sich hinzugesellen, etwa in der von ESchlink ausgebauten Heidelberger Sozietät oder in der Akademie der Wissenschaften. War es Zufall, daß Gerhard von Rad als erster evangelischer Theologe nach Adolf v. Harnack in die Friedensklasse des Ordens pour le mérite gewählt wurde? Harnack wollte das Alte Testament aus dem Kanon entfernt sehen, von Rad wurde eben wegen seiner Arbeit am Alten Testament diesem erlesenen Kreis von Künstlern, Geistes- und Naturwissenschaftlern zugesellt.

Jeder spürt seinen Schriften den ungewöhnlich reichen Umgang mit Kunst und großer Literatur ab, auch da, wo er nicht ausführlich die biblische Josephserzählung mit Thomas Mann's Josephsroman oder die Entsetzen erregende Geschichte von Isaaks Opferung mit Rembrandts Darstellung vergleicht. Die ungewöhnliche Wirkung der beiden Bände »Theologie des Alten Testaments« rührt sicher daher, daß das Ungenannte kräftig mitgeschrieben hat, der Umgang mit Goethe und Schiller und Möricke, aber auch mit den Arbeiten von Ernst Robert Curtius, Bruno Snell und Wolfgang Schadewaldt, ferner so Verschiedenartiges wie die tiefe Hinneigung zu geliebten Tieren und die Freude an großen Denkmälern künstlerischen Geistes, schließlich das Leben mit der Kirche und ihren Gottesdiensten. Nach einer guten Zeit der Betrachtung von Grünewalds Madonna in Stuppach staunt er aufs neue, wie eine halbe Stunde der Betrachtung von etwas ganz Schönem dem Menschen wohltut. So hat er immer seine Studenten anregen wollen, sich durch die ruhige Hingabe an einen großen Text verwandeln zu lassen.

Wie die Texte selbst verändernde Macht über ihn gewinnen, zeigt der Weg von der »Theologie« zum neuen Buch über die »Weisheit in Israel«. Er hört schon ärgerliche Stimmen: »Was macht er denn nun?« Wo bleibt die Geschichte, wo das erwählende Wort? Aber alle umgreifenden Theorien müssen dem jeweiligen Eigenwillen der Texte weichen. Sie etwas besser zu erklären, dazu darf keine aufmerksam geschriebene Neuerscheinung übergangen, kein hilfreiches Gespräch versäumt werden. Er verlangt nach Kontrolle, wenn er Manuskriptstücke vor dem Druck verständnisvollen, kritischen Freunden vorliest. Vieles von dem, was er schrieb, hält er nachträglich für töricht, an anderes, etwa an den Aufsatz über Hiob 38 und die dahinter stehende Entdekkung, denkt er nicht ohne etwas Stolz zurück. Wenn er an den meisten seiner Publikationen heute auch viel zu ändern hätte – wieviel Mühe bereitet ihm jetzt die Überarbeitung seines Genesiskommentars! –, so sieht er doch zumeist auch hinter unbefriedigenden Arbeiten – etwa dem (»törichten« – so kann er sagen!) Aufsatz über die »Typologische Auslegung des Alten Testaments« – bis heute völlig unerledigte Aufgaben.

Haben sich die Fragen innerhalb der beiden Heidelberger Jahrzehnte nicht erheblich gewandelt? In den beiden Bänden einer »Theologie des Alten Testaments« wuchsen wohl die älteren klassischen Disziplinen der »Einleitung« und der »Theologie« zusammen. Aber der Autor sieht: »Ich habe meine Theologie ja ganz phänomenologisch geschrieben«. »Das ist noch keine ausreichende Theologie des Alten Testaments«. Doch mußte man zuerst einmal die Zeugen sich ausreden lassen. Um weiter zu kommen, wäre eine viel strengere Zusammenarbeit mit den anderen theologischen Disziplinen erforderlich. Aber mit einer Umsetzung in heutige Denksysteme wäre noch nichts getan. Sollte man nicht an den freien Umgang der Propheten mit den vorgegebenen Überlieferungen denken? Sie gingen nicht mit Denksystemen um, sondern mit der Wirklichkeit ihrer Welt. Sie brechen in die Welt ein und brechen zugleich gültige Ansichten.

Ohne die Fragen einer rechten Theologie des Alten Testaments befriedigend bewältigt zu haben, sah sich der Exeget von dem großen Textbereich der Weisheit gefordert. So sehr er ihn inzwischen fasziniert hat, – von Haus aus lag er ihm nicht; vieles war ihm zu dürr, »entpersönlicht«. Doch nun hat sich über dieser Arbeit die Dimension der Welt ganz neu aufgetan, so daß die unerledigten Fragen einer »natürlichen Theologie« durch die Weisheitstexte neu gestellt werden, so wie auf dem Weg vom Pentateuch zur Prophetie die früheren Arbeiten die Dimension der Geschichte neu zur Sprache gebracht hatten.

Der Interpret sieht seine Grenze. »Ich war ein bißchen geschichtsmonoman«. Doch wenn der jüngere Leser wünscht, daß er die Spannung zwischen den altisraelitischen Erwählungs- und Geschichtstraditionen, dem prophetischen Gerichts- und Verheißungswort einerseits und dem neu aufgedeckten Wort der Weisheit andrerseits (vielleicht mit Hilfe des Wortes von der Gottesfurcht) einer Lösung entgegenführen möchte, so wird er diese Aufgabe von sich weisen und sie anderen überlassen. Wenn diese anderen die Wasser, die er geschöpft hat, nur nicht auf falsche Mühlen leiten! Gerhard von Rad macht dort halt, wo er etwas gesehen hat. »Mir ist ab und zu etwas aufgefallen«, das ist alles. Die Furcht vor übergreifenden Konstruktionen ist noch im Wachsen, vor allem auch gegenüber seiner eigenen traditionsgeschichtlichen Sicht. »Der Text mit seinem Wahrheitsanspruch« wird »zum Sprungbrett zur Erforschung von etwas anderem, Umfassenderem gemacht«. Es ist nicht gut, wenn »der Blick des Auslegers sich von dem Text selbst auf einen größeren Zusammenhang verschiebt«. So lesen wir jetzt im Vorwort zur »Weisheit in Israel«. Das Moment der Meditation dringt vor.

Deshalb werden wir ein umgreifendes theologisches Thema vielleicht vergeblich von ihm erwarten. Eher wird er sich noch begrenzteren Studien stellen: den Ungeheuerlichkeiten von Genesis 22, vielleicht der rätselhaften Moseerzählung oder typischen Geschichtsdarstellungen, um die Selbstsicherheit unserer modernen historischen Sicht noch entschlossener in Frage zu stellen, als es seine Kritik an der überkommenen Disziplin »Geschichte Israels« schon getan hat. Doch kann er sich auch fragen, ob man nicht im Alter zwar nicht seinen Christenstand, aber doch die theologische Arbeit auch einmal wieder auf die Seite legen könne.

Vielleicht locken diese »ungeschützten« Gesprächsnotizen den Lehrer zu verbessernden und ergänzenden biographischen Skizzen, zumal, wenn Leser zu Nachfragen gereizt werden. Dabei wollte dieser kleine Bericht im Grunde nur zur Fortsetzung des Gesprächs ums Verstehen der Bibel beitragen.

GERHARD VON RAD

ÜBER

GERHARD VON RAD

1966*

Meine Aufgabe als akademischer Lehrer war und ist: lesen zu lernen und lesen zu lehren. Sich recht zu bewegen in der Literatur eines antiken Volkes, das viel weniger schrieb und las, als das moderne Völker tun, das darum aber viel gesammelter schrieb, so daß dem einzelnen Wort in der Regel ein viel größeres Gewicht und ein markanteres Profil eigen ist – das ist eine Bemühung, in der keiner auslernt. Immer neu mußte, etwa im Seminar, die für die Studenten zunächst entmutigende Erkenntnis eingebracht werden, daß sich die alten biblischen Texte uns abweisend verweigerten, wenn man sie frischweg von den bedrängenden Tagesfragen aus anging. Aber dem, der sich für sie ganz frei machte, der versuchte, ihnen die Spannungen abzuspüren, in denen sie standen, dem können sie sich in einer oft überraschenden Weise und vorher gar nicht geahnten Aktualität öffnen.

Mit dieser Aktualität der alttestamentlichen Texte für den modernen Leser war es damals, als wir in die Wissenschaft eintraten, freilich so eine Sache. Für die historisch-kritische Wissenschaft des letzten Jahrhunderts und auch noch für viele ihrer Vertreter am Anfang unseres Jahrhunderts, die der deutschen Bibelwissenschaft Weltgeltung verschafft hatten, war dies wohl eine ihrer geringsten Sorgen. Ja mehr noch: viele der monumentalen Monographien und Kommentare dieser Forschergeneration beschäftigten sich viel weniger mit dem Text, der Erzählung, wie sie dastand, als mit ihrer Entstehung, ihren literarischen, sagengeschichtlichen oder mythologischen Vorstufen. Wieviel Gelehrsamkeit und Scharfsinn war zB zur Auslegung der biblischen Urgeschichte oder der Vätergeschichte in der Genesis aufgeboten worden, aber es beunruhigte mich schon früh, daß bei dieser Art von Lesen und lesen Lehren etwas nicht stimmte, solange die Bemühung fehlte, den Text nun auch ebenso präzis in seiner Letztgestalt und im Rahmen seines Kontextes zu verstehen. Die Aufgabe war also, den Weg – und zwar ohne »pneumatische« Gewaltakte – wieder zum Text in seiner Ganzheit zurückzufinden und vor allem das Sinngebäude der großen

* in *WEBöhm* (Hg.), Forscher und Gelehrte (1966) 17–18.

literarischen Kompositionen zu verstehen, in die der jeweilige Text als ein Baustein ja auch nicht zufällig geraten war. Hier mußte eines das andere interpretieren helfen: die Einzelerzählung die große Gesamtkomposition und umgekehrt. Das Volk Israel hat ja – ein Unikum in der Literatur der altorientalischen Völker! – immer aufs neue große Geschichtswerke entworfen, weil es vor der Notwendigkeit stand, sich unter immer neuen Gesichtspunkten als Gegenstand einer göttlichen Führung zu verstehen. Enthalten diese Geschichtswerke auch vorzügliches dokumentarisches Material, das uns in den Stand setzt, die Geschichte dieses Volkes ziemlich genau zu rekonstruieren, so ist unsere Arbeit an diesen Werken damit noch nicht getan, daß wir sie als Historiker in ihrer Eigenschaft als Geschichtsquellen ausholen. Sie müssen ja in ihrer spezifisch bekenntnismäßigen Eigenart ernst genommen werden, dh es müssen die Bilder, die Israel selbst von seiner Geschichte gezeichnet hat, zuerst einmal für sich als eine Leistung von einem hohen geistigen Anspruch und theologischen Gewicht aufgenommen, untersucht und gewertet werden.

Das Leben und der Werdegang eines deutschen Hochschullehrers verläuft normalerweise still und ohne äußere Sensationen. Die Spannungen, unter denen es wie jedes Leben steht, sind verborgener. Ich kann darin nichts Unrechtes sehen. Wirklichkeitsfremd? Steht der akademische Lehrer nicht vor Wirklichkeiten besonderer Art und in Verpflichtungen, in denen er sich stellvertretend für viele, die sie nicht kennen, zu bewähren hat? Als aber der Nationalsozialismus kam mit seiner widerlichen und groben Absage an das Alte Testament, die doch in weiten Kreisen verwirrend wirkte, wurde die Lage kritisch, denn diese Herausforderung traf die alttestamentliche Wissenschaft fast völlig ungerüstet. Sie hatte mit einem fast schon religiösen Ernst zum Ethos eines unbestechlichen historischen Erkennens erzogen, aber nicht dazu, in entscheidungsvoller Situation – die Theologen sagen: in statu confessionis – öffentlich, ja im politischen Raum sich zum Alten Testament zu bekennen. Zum Glück weiß ich heute kaum mehr, was ich in den zahllosen Vorträgen vor Studenten, in Pfarrkonventen, in illegalen Fortbildungskursen und kirchlichen Gemeindeversammlungen (oft mit anschließender heftiger Diskussion) gesagt habe. Damals schien es mir oft, als ob die zeitraubenden Reisen, die im Krieg noch mühseliger wurden, mich störend von der mir eigentlich aufgetragenen wissenschaftlichen Arbeit abhielten. Aber vielleicht hat doch auch dieser Dienst ein wenig dazu beigetragen, mein lesen Lernen und mein lesen Lehren zu prägen.

Heute bin ich alt. Die Begeisterung, mit der ich ehedem las und lehrte, hat sich etwas gelegt. Es mischt sich ihr gelegentlich etwas wie eine Trauer bei, daß sich manchmal die stärksten Eindrücke nicht angemessen wiedergeben und nicht in die nötigen größeren Zusammenhänge recht einordnen lassen. So sehe ich mich nach wie vor in meinem lesen Lernen und meinem lesen Lehren unterwegs und noch weit von einem befriedigenden Ziel.

BIBLIOGRAPHIE GERHARD VON RAD
NAMEN- UND SACHREGISTER
STELLENREGISTER
HEBRÄISCHE UND GRIECHISCHE WÖRTER

BIBLIOGRAPHIE GERHARD VON RAD

(Abgeschlossen Ende 1970)

Zusammengestellt von Konrad von Rabenau

(Abkürzungen nach RGG, 3. Aufl., Bd. 6, 1962, S. XIX–XXXIII)

SELBSTÄNDIGE VERÖFFENTLICHUNGEN

1a. Das Gottesvolk im Deuteronomium.
Stuttgart 1929, 65 S.
(Erlangen, Theol. Diss. vom 29. März 1928)
b. (BWANT H. 47), Stuttgart 1929, 100 S.

2. Das Geschichtsbild des chronistischen Werkes.
(BWANT H. 54), Stuttgart 1930, 136 S.

3. Die Priesterschaft im Hexateuch.
Literarisch untersucht und theologisch gewertet
(BWANT H. 65), Stuttgart 1934, IV, 246 S.

4. Das Alte Testament – Gottes Wort für die Deutschen!
(Klares Ziel [1]), Berlin [1937], 11 S.

5a. Das formgeschichtliche Problem des Hexateuchs.
(BWANT H. 78), Stuttgart 1938, 72 S.
b. Abgedruckt in Nr. 14a.b.c, S. 9–86
c. The Form-Critical Problem of the Hexateuch, in Nr. 14d, S. 1–78

6. Fragen der Schriftauslegung im Alten Testament.
(Theologia militans H. 20), Leipzig 1938, 21 S.

7a. Mose.
(Wege in die Bibel H. 3), Göttingen 1940, 48 S.
b. Moses.
(World Christian Books No. 32), London 1959, 80 S.
c. Moses.
(World Christian Books No. 32), New York 1960, 80 S.
d. Môse [Moses jap.]. Haibara Masaru yaku [Nach d. engl. Übers.] (Gendai to kyôkai Shinsho), Tôkyô 1964, 125 S.
e. Moses. Uitgegee deur die Verenigde Lutherse Teologiese Seminarie, Paulinum, Otjimbingwe, S.W.A. en die Teologiese Seminarie van die Evangeliese Broederkerk in Suid-Afrika, Port Elizabeth.
Deel I is uit Engels vertaal deur Helge Staby. (S. 1–70).
Deel II is uit Duits vertaal deur Lukas de Vries. (S. 71–77: aus: Theologie ... Bd I. 4. Aufl. S. 302–308).
(Teologiese Boekreeks. Nr. 14.) Genedendal, K.P. o. J. 77 S.

8a. Deuteronomium-Studien.
(FRLANT H. 58), Göttingen 1947, 64 S.
b. 2. Aufl. Göttingen 1948, 64 S.

c. Studies in Deuteronomy translated by David [Muir Gibson] Stalker. (Studies in Biblical Theology No. 9), London 1953, 96 S.
d. 2. ed London 1956, 96 S.
e. 3. ed. London 1961, 96 S.
f. Chicago 1953, 96 S.
g. S. 41–51 = Nr. 47
h. S. 52–64 = Die deuteronomistische Geschichtstheologie in den Königsbüchern, in Nr. 14a.b.c, S. 189–204
i. S. 52–64 = The Deuteronomic Theology of History in I and II Kings, in Nr. 14d, S. 205–221

9Ia. Das erste Buch Mose. Genesis Kapitel 1–12,9. Übersetzt und erklärt (ATD 2), Göttingen 1949, S. 1–136
b. 2. durchges. Aufl. Göttingen 1950, S. 1–136
c. 3. durchges. Aufl. Göttingen 1953, S. 1–136
d. 4. durchges. Aufl. Göttingen 1956, S. 1–136
e. 5. durchges. Aufl. Göttingen 1958, S. 1–136
f. 6. Aufl. Göttingen 1961, S. 1–136
g. 7. Aufl. Göttingen 1964, S. 1–136
h. 8. Aufl. Göttingen 1967, S. 1–136
i. Genesi (capp. 1–12). [Übers. von] Giovanni Moretto (Antico Testamento Nr. 2), Brescia [1969], 203 S.

9IIa. Das erste Buch Mose. Genesis Kapitel 12,10–25,18. Übersetzt und erklärt (ATD 3), Göttingen 1952, S. 137–226
b. 2. Aufl. Göttingen 1956, S. 137–226
c. 3. durchges. Aufl. Göttingen 1958, S. 137–226
d. 4. Aufl. Göttingen 1961, S .137–226
e. 5. Aufl. Göttingen 1964, S. 137–226
f. 6. Aufl. Göttingen 1967, S. 137–226

9IIIa. Das erste Buch Mose. Genesis Kapitel 25,19–50,26. Übersetzt und erklärt (ATD 4), Göttingen 1953, S. 227–384
b. 2. durchges. Aufl. Göttingen 1958, S. 227–384
c. 3. Aufl. Göttingen 1961, S. 227–384
d. 4. Aufl. Göttingen 1964, S. 227–384
e. 5. Aufl. Göttingen 1967, S. 227–384

9IVa. Das erste Buch Mose. Genesis. Übersetzt und erklärt [Gesamtausg.] (ATD 2–4), Göttingen 1953, 384 S. (= ATD 2, 3. Aufl.; ATD 3, 1. Aufl.; ATD 4, 1. Aufl.)
b. [2. Aufl.] Göttingen 1958, 384 S. (= ATD 2, 5. Aufl.; ATD 3, 3. Aufl.; ATD 4, 2. Aufl.)
c. [3. Aufl.] Göttingen 1961, 384 S. (= ATD 2, 6. Aufl.; ATD 3, 4. Aufl.; ATD 4, 3. Aufl.)
d. [4. Aufl.] Göttingen 1964, 384 S. (= ATD 2, 7. Aufl.; ATD 3, 5. Aufl.; ATD 4, 4. Aufl.)
e. [5. Aufl.] Göttingen 1967, 384 S. (= ATD 2, 8. Aufl.; ATD 3, 6. Aufl.; ATD 4, 5. Aufl.)
f. Lizenzausgabe für die DDR [nach der 1. Gesamtausg. von 1953] Berlin 1955, 384 S.
g. 2. Aufl. Berlin 1956, 384 S.
h. 3. Aufl. Fotomech. Nachdruck der 2. Aufl. [= 2. Aufl. der Gesamtausg. von 1958] Berlin 1967, 384 S.

i. Genesis. A Commentary. Translated by John H. Marks [nach der 2. Aufl. der Gesamtausg. von 1958]
(The OT Library), London, Philadelphia 1961, 434 S.
k. 2. rev. ed. London 1963, 434 S.
l. La Genèse. Traduction par Étienne de Peyer [nach der 5. Aufl. der Gesamtausg. von 1967]
(Collection de commentaires bibliques), Genève, Paris 1968, 454 S.

10. Der Prophet Jona.
Nürnberg 1950, 15 S.

11a. Der Heilige Krieg im alten Israel.
(AThANT 20), Zürich 1951, 84 S.
b. 2. Aufl. Göttingen 1952, 84 S.
c. 3. Aufl. Göttingen 1958, 84. S.
d. 4. Aufl. Göttingen 1965, 84 S.
e. 5. Aufl. Göttingen 1969, 84 S.

12a. Die Josephsgeschichte. Ein Vortrag.
(Biblische Studien H. 5), Neukirchen 1954, 23 S.
b. 2. Aufl. Neukirchen 1956, 23 S.
c. 3. Aufl. Neukirchen 1959, 23 S.
d. 4. Aufl. Neukirchen 1964, 23 S.

13Ia. Theologie des Alten Testaments.
(Einführung in die evangelische Theologie Bd 1)
Bd 1: Die Theologie der geschichtlichen Überlieferungen Israels, München 1957, 472 S.
b. 2. durchges. Aufl. München 1958, 476 S.
c. 3. Aufl. München 1961, 476 S.
d. 4. bearb. Aufl. München 1962, 511 S.
e. 5. durchges. Aufl. München 1966, 511 S.
f. 6. Aufl. München 1969, 511 S.
g. Lizenzausgabe für die DDR, unveränd. Nachdruck der 4. Aufl. Berlin 1963, 511 S.
h. 2. Aufl., unveränd. Nachdruck der 4. Aufl. Berlin 1969, 511 S.
i. Old Testament Theology. Vol. 1: The Theology of Israel's Historical Traditions. Translated by David Muir Gibson Stalker nach der 3. Aufl.
Edinburgh, London, New York, Toronto 1962, XII, 483, 45 S.
k. Théologie de l'Ancient Testament.
T. 1: Théologie des traditions historiques d'Israel, traduit par Étienne de Peyer
(Nouvelle série theologique No. 12), Genève 1963, 448 S.
l. 2. ed. Genève 1967, 448 S.
m. S. 353–367 der 1. Aufl = Nr. 70
n. S. 415–439 der 1. Aufl. = Nr. 71
o. S. [illegible] der 4. Aufl. in Nr. 7e

13IIa. Theologie des Alten Testaments.
(Einführung in die evangelische Theologie Bd 1)
Bd 2: Die Theologie der prophetischen Überlieferungen Israels, München 1960, 458 S.
b. 2. Aufl. München 1961, 458 S.
c. 3. Aufl. München 1962, 448 S.
d. 4. verb. u. erw. Aufl. München 1965, 474 S.
e. 5. durchges. u. verb. Aufl. München 1968, 474 S.

f. Lizenzausgabe für die DDR, Nachdruck der 3. Aufl. Berlin 1964, 448 S.
g. 2. Aufl., Nachdruck der 5. Aufl. Berlin 1969, 474 S.
h. Old Testament Theology.
Vol. 2: The Theology of Prophetic Traditions.
Translated by David Muir Gibson Stalker nach der 4. Aufl.
Edinburgh, London, New York, Toronto 1965, XIII, 470 S.
i. Théologie de l'Ancient Testament.
T. 2: Théologie des traditions prophétiques d'Israel.
Traduit par André Goy
(Nouvelle série théologique No. 19), Genève 1967, 406 S.
k. Franz. Übers. von S. 112–132 der 1. Aufl. = Nr. 77
l. Engl. Übers. von S. 133–137 der 1. Aufl. = Nr. 75
m. Sonderdruck von S. 315–337. 437–447 der 4. Aufl. München 1965
n. Bearbeitete Auswahl aus Hauptteil II der Theologie des Alten Testaments = Nr. 17a
o. Englische Übersetzung dieser Auswahl = Nr. 17b

14a. Gesammelte Studien zum Alten Testament.
(Theologische Bücherei Bd 8), München 1958, 312 S.
[Enthält Nr. 5. 8 (S. 52–64). 20. 21. 24. 29. 43. 45. 48. 52. 58. 60. 64. 65. 67]
b. 2. Aufl. München 1961, 312 S. [Enthält die gleichen Stücke wie Nr. 14a]
c. 3. erw. Aufl. München 1965, 349 S. [Enthält die gleichen Stücke wie a und b, dazu Nr. 83. 84]
d. The Problem of the Hexateuch, and other Essays.
Translated by E. W. Trueman Dicken, introduced by Norman W. Porteous.
Edinburgh, London, New York, Toronto 1966, XIII, 340 S.
[Enthält die gleichen Stücke wie a und b, dazu Nr. 84]

15a. Das fünfte Buch Mose. Deuteronomium, übersetzt und erklärt.
(ATD 8), Göttingen 1964, 150 S.
b. 2. durchges. Aufl. Göttingen 1968, 150 S.
c. Lizenzausgabe für die DDR, fotomech. Nachdruck der 1. Aufl. Berlin 1965, 150 S.
d. Deuteronomy. A Commentary. Translated by Dorothea Barton
(The Old Testament Library), London, Philadelphia 1966, 211 S.

16a. Biblische Josephserzählung und Josephsroman.
[Weihnachtsgabe des Chr. Kaiser Verlages], München 1966, 27 S. [= Nr. 87b]
b. Früherer Druck = Nr. 87a

17a. Die Botschaft der Propheten.
Von Eduard Haller im Auftrag des Verfassers aus der »Theologie des Alten Testaments« ausgewählt und gemeinsam mit dem Verfasser überarbeitet.
(Siebenstern-Taschenbuch 100/101), München, Hamburg 1967, 285 S. [= Nr. 13 II n]
b. The Message of the Prophets. Translated by David Muir Gibson Stalker.
London 1968, 289 S. [= Nr. 13 II o]

18a. Weisheit in Israel.
Neukirchen 1970, 427 S.
b. S. 309–336 = Nr. 89

AUFSÄTZE

19. Noch einmal Lc 2, 14 ἄνθρωποι εὐδοκίας.
ZNW 29, 1930, S. 111–115

20a. Zelt und Lade.
NKZ 42, 1931, S. 476–498
b. Abgedruckt in Nr. 14a. b. c, S. 109–129
c. The Tent and the Ark, in Nr. 14d, S. 94–102

21a. Es ist noch eine Ruhe vorhanden dem Volke Gottes.
Eine biblische Begriffsuntersuchung.
ZZ 11, 1933, S. 104–111
b. Abgedruckt in Nr. 14a. b. c, S. 101–108
c. There Remains Still a Rest for the People of God:
An Investigation of a Biblical Conception, in Nr. 14d, S. 94–102

22. Das Reich Israel und die Philister.
PJ 29, 1933, S. 30–42

23. Die falschen Propheten.
ZAW 51, 1933, S. 109–120

24a. Die levitische Predigt in den Büchern der Chronik.
Festschrift Otto Procksch, Leipzig 1934, S. 113–124
b. Abgedruckt in Nr. 14a. b. c, S. 248–261
c. The Levitical Sermon in I and II Chronicles, in Nr. 14d, S. 267–280

25. Das Ergebnis.
Albrecht Alt, Joachim Begrich, Gerhard von Rad:
Führung zum Christentum durch das Alte Testament. Drei Vorträge. Leipzig 1934, S. 54–70

26. Der Gott Abrahams, Isaaks und Jakobs.
Neues Sächsisches Kirchenblatt 41, 1934, Sp. 773–780

27. Das Christuszeugnis des Alten Testaments.
Eine Auseinandersetzung mit Wilhelm Vischers gleichnamigem Buch [Bd 1: Das Gesetz 1934]
ThBl 14, 1935, Sp. 249–254 [= Nr. 195]

28. Sensus Scripturae Sacrae duplex?
Eine Erwiderung [auf Fritz Feldges: Die Frage des alttestamentlichen Christuszeugnisses. Zum Angriff von Gerhard v. Rad auf Wilhelm Vischer in: ThBl 15, 1936, Sp. 25–30]. ThBl 15, 1936, Sp. 30–34

29a. Das theologische Problem des alttestamentlichen Schöpfungsglaubens.
Johannes Hempel (Hrsg.): Werden und Wesen des Alten Testaments (BZAW 66) Berlin 1936, S. 138–147
b. Abgedruckt in Nr. 14a. b. c, S. 136–147
c. The Theological Problem of the Old Testament Doctrine of Creation, in Nr. 14d, S. 131–143

30. Die Konfessionen Jeremias.
EvTh 3, 1936, S. 265–276

31. Die Bileamperikope 4. Mose 22 bis 24.
DtPfrBl 40, 1936, S. 52–53

32. Gesetz und Evangelium im Alten Testament.
Gedanken zu dem Buch von E[manuel] Hirsch: Das Alte Testament und die Predigt des Evangeliums, 1936. ThBl 16, 1937, Sp. 41–47 [= Nr. 198]

33. Die bleibende Bedeutung des Alten Testaments.
Der Kindergottesdienst 47, 1937, S. 9–10

34. Alttestamentliche Glaubensaussagen vom Leben und vom Tod.
AELKZ 71, 1938, Sp. 826–834

35. Warum unterrichtet die Kirche im Alten Testament?
An der Lebensquelle, Ev. Gemeindebote für den Kirchenbezirk Baden-Baden 20, 1939, Nr. 6–7

36. Die Wahrheit der Geschichte vom Sündenfall.
Theodor Schlatter (Hrsg.): Friede Gottes, Berlin 1939, S. 47–59

37. Zur Arbeit am Alten Testament. Eine Orientierung.
ThBl 19, 1940, Sp. 257–267

38. Erwägungen zu den Königspsalmen.
ZAW 58, 1940/41, S. 216–222

39. Zur prophetischen Verkündigung Deuterojesajas.
[Rezension von] Begrich, J[oachim]: Deuterojesaja-Studien, 1938
VF 1940, 1941, S. 58–65 [= Nr. 201]

40. Erwägungen zum Prediger Salomo.
Im Anschluß an den Kommentar von K[urt] Galling[: Der Prediger, in: Die Fünf Megilloth von Max Haller und Kurt Galling (Handbuch zum AT, R. 1, Bd 18), Tübingen 1940, S. 47–90]
VF 1941, 1941, S. 1–7 [= Nr. 202]

41. Vom Menschenbild des Alten Testaments.
Der alte und der neue Mensch. Aufsätze zur theologischen Anthropologie von G[erhard] von Rad, H[einrich] Schlier, E[dmund] Schlink, E[rnst] Wolf (BhEvTh 8), München 1942, S. 5–23

42. Das Alte Testament in der katholischen Kirche.
⟨Gedanken zu dem »Werkbuch der Bibel« von E[dmund] Kalt⟩.
[Bd 1: Das Alte Testament 1941]
ThBl 21, 1942, Sp. 177–181 [= Nr. 203]

43a. Verheissenes Land und Jahwes Land im Hexateuch.
ZDPV 66, 1943, S. 191–204
b. Abgedruckt in Nr. 14a. b. c, S. 87–100
c. The Promised Land and Yahweh's Land in the Hexateuch, in Nr. 14d, S. 79–93

44. Grundprobleme einer biblischen Theologie des Alten Testaments.
ThLZ 68, 1943, Sp. 225–234

45a. Der Anfang der Geschichtsschreibung im alten Israel.
AkultG 32, 1944, S. 1–42
b. Abgedruckt in Nr. 14a. b. c, S. 148–188
c. The Beginnings of Historical Writing in Ancient Israel, in Nr. 14d, S. 166–204

46. Das hermeneutische Problem im Buche Genesis.
VF 1942/46, 1946, S. 43–51

47. Herkunft und Absicht des Deuteronomiums.
ThLZ 72, 1947, Sp. 151–158 [= Nr. 8g]

48a. Das judäische Königsritual.
ThLZ 72, 1947, Sp. 211–216
b. Abgedruckt in Nr. 14a. b. c, S. 205–213
c. The Royal Ritual in Judah, in Nr. 14d, S. 222–231

49. Theologische Geschichtsschreibung im Alten Testament. ⟨Nach einer Antrittsvorlesung⟩.
ThZ 4, 1948, S. 161–174

50. Alttestamentliche Heilsgüter.
ELKZ 2, 1948, S. 43–45

51. Die Erlösererwartung im Alten Testament.
Evangelische Weihnacht F. 5, 1948, S. 17–29

52a. Die Stadt auf dem Berge.
EvTh 8, 1948/49, S. 439–447
b. Abgedruckt in Nr. 14a. b. c, S. 214–224
c. The City on the Hill, in Nr. 14d, S. 232–242

53. Das Zeugnis der biblischen Erzvätergeschichten.
DtPfrBl 49, 1949, S. 105–107

54. Israel. Die Entstehung des Judentums als besonderes geschichtliches Phänomen.
Göttinger Universitaets-Zeitung 4, 1949, Nr. 17, S. 6–8

55. Simson.
Die Glocke 3, 1949, H. 6, S. 14–15

56. Hexateuch oder Pentateuch?
[Rezension von] M[artin] Noth, Überlieferungsgeschichtliche Studien I 1943
VF 1947/48, Lieferung 1/2, 1949, S. 52–56 [= Nr. 204]

57. Literarkritische und überlieferungsgeschichtliche Forschung im Alten Testament.
VF 1947/48, Lieferung 3, 1950, S. 172–194

58a. »Gerechtigkeit« und »Leben« in der Kultsprache der Psalmen.
Festschrift für Alfred Bertholet, Tübingen 1950, S. 418–437
b. Abgedruckt in Nr. 14a. b. c, S. 225–247
c. »Righteousness« and »Life« in the Cultic Language of the Psalms, in Nr. 14d, S. 243–266

59. Göttliche und menschliche Gerechtigkeit im Alten Testament. Thesen und Auszug aus dem Referat.
Die Treysa-Konferenz 1950 über das Thema Gerechtigkeit in biblischer Sicht 1950, S. 16–21

60a. Die Anrechnung des Glaubens zur Gerechtigkeit.
ThLZ 76, 1951, Sp. 129–132
b. Abgedruckt in Nr. 14a. b. c, S. 130–135
c. Faith Reckoned as Righteousness, in Nr. 14d, S. 125–130

61. Man and the Guidance of the Hidden God in the Old Testament.
The Student World 44, 1951, S. 140–147

62. Kritische Vorarbeiten zu einer Theologie des Alten Testaments. Ein Bericht.
Henning, Liemar (Hrsg.): Theologie und Liturgie, (Kassel) 1952, S. 11–34

63a. Typologische Auslegung des Alten Testaments.
EvTh 12, 1952/53, S. 17–33
b. Abgedruckt in Urner, Hans (Hrsg.): Vergegenwärtigung.
Aufsätze zur Auslegung des Alten Testaments.
(Kirche in dieser Zeit H. 14), Berlin 1955, S. 47–65
c. Abgedruckt im Auszug unter dem Titel: Das Alte Testament ist ein Geschichtsbuch. In: Westermann, Claus (Hrsg.): Probleme alttestamentlicher Hermeneutik. Aufsätze zum Verstehen des Alten Testaments.
(ThB 11), München 1960, S. 11–17 [= Nr. 78a]
d. 2. Aufl. München 1963, S. 11–17 [= Nr. 78b]
e. 3. Aufl. München 1968, S. 11–17 [= Nr. 78c]
f. Typological Interpretation of the Old Testament.
Translated by John Bright.
Interpretation 15, 1961, S. 174–192
g. Abgedruckt in Westermann, Claus (ed.): Essays on Old Testament Interpretation.
(The Preacher's Library), London 1963, S. 17–39
h. Abgedruckt in Westermann, Claus (Ed.): Essays on Old Testament Hermeneutics, Richmond (Virginia) 1963, S. 17–39

64a. Josephsgeschichte und ältere Chokma.
Congress Volume Copenhagen 1953.
(VTSuppl 1), Leiden 1953, S. 120–127
b. Abgedruckt in Nr. 14a. b. c, S. 272–280
c. The Joseph Narrative and Ancient Wisdom, in Nr. 14d, S. 292–300

65a. Die Vorgeschichte der Gattung von 1. Kor. 13, 4–7.
Geschichte und Altes Testament. Albrecht Alt zum siebzigsten Geburtstag.
(BHTh 16), Tübingen 1953, S. 153–168
b. Abgedruckt in Nr. 14a. b. c, S. 281–296
c. The Early History of the Form-Category of I Corinthians XIII, 4–7, in Nr. 14d, S. 301–317

66. Verheißung. Zum gleichnamigen Buch Fr[iedrich] Baumgärtels. [1952]
EvTh 13, 1953, S. 406–413 [= Nr. 206]

67a. Hiob 38 und die altägyptische Weisheit.
Wisdom in Israel and in the Ancient Near East. Presented to Professor Harold Henry Rowley
(VTSuppl 3), Leiden 1955, S. 293–301
b. Abgedruckt in Nr. 14a. b. c, S. 262–271
c. Job XXXVIII and Ancient Egyptian Wisdom, in Nr. 14d, S. 281–291

68. Die biblische Schöpfungsgeschichte.
Schöpfungsglaube und Evolutionstheorie (Das Heidelberger Studio [3] = Kröners Taschenbücher Bd 230), Stuttgart 1955, S. 25–37

69. Kurakielto Vanhassa Testamentissa [Das Bilderverbot im Alten Testament].
Eripainos Teologisesta Aikakanskirjasta 1, 1955, S. 48–55

70. Der Lobpreis Israels.
Antwort. Festschrift zum 70. Geburtstag von Karl Barth, Zollikon-Zürich 1956, S. 676–687 [= Nr. 13Im]

71. Die ältere Weisheit Israels.
KuD 2, 1956, S. 54–72 [= Nr. 13In]

72. Antrittsrede [als Mitglied der Heidelberger Akademie der Wissenschaften]. Sitzungsberichte der Heidelberger Akademie der Wissenschaften, Jahresheft 1955/56, 1957, S. 24–36

73. Die Tagebücher Jochen Kleppers.
[Rezension von: Unter dem Schatten deiner Flügel. Aus den Tagebüchern der Jahre 1933–1942, 1956]
EvTh 17, 1957, S. 241–248 [= Nr. 208]

74. Die Wirklichkeit Gottes.
Wirklichkeit heute. Referate und Arbeitsberichte vom Kirchentagskongreß. Hamburg, Stuttgart 1958, S. 89–105

75. The Origin of the Concept of the Day of Yahweh.
JSS 4, 1959, S. 97–108 [= Nr. 13Il]

76. Naaman. Eine kritische Nacherzählung.
Medicus viator. Fragen und Gedanken am Wege Richard Siebecks.
Tübingen, Stuttgart 1959, S. 297–305

77. Les idées sur le temps et l'histoire en Israël et l'eschatologie des prophètes.
maqqél shâqédh. La branche d'amandier. Hommage à Wilhelm Vischer, Montpellier 1960, S. 198–209 [= Nr. 13IIk]

78a. Das Alte Testament ist ein Geschichtsbuch.
Westermann, Claus (Hrsg.): Probleme alttestamentlicher Hermeneutik.
Aufsätze zum Verstehen des Alten Testaments
(ThB 11), München 1960, S. 11–17 [= Nr. 63c]
b. 2. Aufl. München 1963, S. 11–17 [= Nr. 63d]
c. 3. Aufl. München 1968, S. 11–17 [= Nr. 63e]

79. Ancient Word and Living Word. The Preaching of Deuteronomy and Our Preaching. Translated by Lloyd Gaston
Interpretation 15, 1961, S. 3–13

80. History and the Patriarchs.
ET 72, 1961, S. 213–216

81. Glaube und Welterkenntnis im alten Israel.
Ruperto-Carola, Mitteilungsblatt der Vereinigung der Freunde der Studentenschaft der Universität Heidelberg 13, 1961, S. 84–90

82. Offene Fragen im Umkreis einer Theologie des Alten Testaments.
ThLZ 88, 1963, Sp. 401–416

83a. Die Nehemia-Denkschrift.
ZAW 76, 1964, S. 176–187
b. Abgedruckt in Nr. 14c, S. 297–310

84a. Aspekte alttestamentlichen Weltverständnisses.
EvTh 24, 1964, S. 57–73
b. Abgedruckt in Nr. 14c, S. 311–331
c. Some Aspects of the Old Testament World-View, in Nr. 14d, S. 144–165

85. [Skizze der derzeitigen Situation des Gesamtthemas der Theologentagung in] Leoni 1963 [»Wort und Geschichte. Das Alte Testament im Neuen«]. Zitiert in Wolf, Ernst: Hinweise. Leoni 1963. EvTh 24, 1964, S. 166–167

86. Antwort auf Conzelmanns Fragen.
EvTh 24, 1964, S. 388–394

87a. Biblische Joseph-Erzählung und Joseph-Roman [von Thomas Mann].
Neue Rundschau 76, 1965, S. 546–559 [= Nr. 16b]
b. Abgedruckt als Nr. 16a

88. כִּפְלַיִם in Jes 40,2 = Äquivalent?
ZAW 79, 1967, S. 80–82

89. Die Weisheit des Jesus Sirach.
EvTh 29, 1969, S. 113–133 [= Nr. 18b]

90. Christliche Weisheit?
1845–1970 Almanach. 125 Jahre Chr. Kaiser Verlag München.
München 1970. S. 60–65

GELEITWORTE, NACHRUFE, ERINNERUNGEN

91. Vorwort [zu:] Otto Procksch: Theologie des Alten Testaments.
Gütersloh 1950, S. V–VI

92. Geleitwort [zu:] Martin Schröter: Verkündung in der Studentengemeinde. Zwölf Predigten
Göttingen 1964, S. 5–6

93a. Begegnungen [mit Dietrich Bonhoeffer] in frühen und späten Jahren.
Begegnungen mit Dietrich Bonhoeffer. Ein Almanach. Hrsg. von Wolf-Dieter Zimmermann.
München 1964, S. 140–142
b. 2. Aufl. München 1964, S. 140–142
c. 3. erw. Aufl. München 1965, S. 155–157

94. Erinnerungen an Ricarda Huch.
Hausbuch [von] Radio Bremen 1964, S. 16–18

95. [über sich selbst] in: Forscher und Gelehrte. Hrsg. von W. Ernst Böhm in Zusammenarbeit mit Gerda Paehlke. Stuttgart 1966. S. 17–18

96. Adam Falkenstein 1906–1966. Nachruf.
Jahrbuch der Akademie der Wissenschaften in Heidelberg 1966/67, 1968, S. 104–106

97a. Gedenkworte für Romano Guardini.
Das Parlament 19, 1969, Nr. 34, S. 8–9
b. Orden pour le mérite für Wissenschaft und Künste: Reden und Gedenkworte Bd 9, Heidelberg 1968/69, S. 147–152

98. Vom Lesen des Alten Testaments. Einleitung zu: Das Buch der Bücher. Altes Testament. Einführungen, Texte, Kommentare.
Herausgegeben von Hanns-Martin Lutz, Hermann Timm, Eike Christian Hirsch. München 1970. S. 11–18

LEXIKONARTIKEL

99a. ἄγγελος B. מַלְאָךְ im AT.
ThW 1, 1933, S. 75–79
b. [2. Aufl.] Unveränd. Nachdruck der Erstaufl. 1953, S. 75–79

100a. βασιλεύς. B. מֶלֶךְ und מַלְכוּת im AT.
ThW 1, 1933, S. 563–569
b. [2. Aufl.] Unveränd. Nachdruck der Erstaufl. 1953, S. 563–569
c. Basileia. Melek and Malkuth in the O.T.
Schmidt, Karl Ludwig; H[ermann] Kleinknecht; K[arl] G[eorg] Kuhn; Gerhard von Rad: Basileia. Translated with additional notes by H[enry] P[aul] Kingdon
(Bible Key Words from Gerhard Kittel's Theologisches Wörterbuch zum Neuen Testament No. VII), London 1958, S. 4–12

101a. διαβάλλω, διάβολος. B. Die at.liche Satansvorstellung.
ThW 2, 1935, S. 71–74
b. [2. Aufl.] Unveränd. Nachdruck der Erstaufl. (1957), S. 71–74

102a. εἰκών. A. Das Bilderverbot im AT. – Die Gottesebenbildlichkeit im AT.
ThW 2, 1935, S. 378–380. 387–390
b. [2. Aufl.] Unveränd. Nachdruck der Erstaufl. (1957), S. 378–380. 387–390

103a. εἰρήνη. B. שָׁלוֹם im AT.
ThW 2, 1935, S. 400–405
b. [2. Aufl.] Unveränd. Nachdruck der Erstaufl. (1957), S. 400–405

104a. ζάω. B. Leben und Tod im AT. Abschnitt 1–3.
ThW 2, 1935, S. 844–850
b. [2. Aufl.] Unveränd. Nachdruck der Erstaufl. (1957), S. 844–850
c. Bultmann, Rudolf with contributions by G[erhard] von Rad and G[eorg] Bertram: Life and Death
(Bible Key Words from Gerhard Kittel's Theologisches Wörterbuch zum Neuen Testament No. XIV), London 1965, S. 1–14

105a. ἡμέρα. A. »Der Tag« im AT.
ThW 2, 1935, S. 945–949
b. [2. Aufl.] Unveränd. Nachdruck der Erstaufl. (1957), S. 945–949

106a. Ἰσραήλ. A. Israel, Juda, Hebräer im AT.
ThW 3, 1938, S. 357–359
b. [2. Aufl.] Unveränd. Nachdruck der Erstaufl. 1957, S. 357–359

107. οὐρανός. B. Altes Testament.
ThW 5, 1954, S. 501–509

108. Sprüchebuch (Sprüche Salomos).
RGG 3. Aufl. Bd 6, 1962, Sp. 285–288

MEDITATIONEN

[illegible] Trinitatis)
GPM 1, 1946/47 H. 1, S. 3–7

110. Psalm 32 (19. Sonntag nach Trinitatis).
GPM 1, 1946/47 H. 1, S. 27–29

111. Haggai 2,1–9 (22. Sonntag nach Trinitatis).
GPM 1, 1946/47 H. 1, S. 35–37

112. Jes. 40,3–8 (2. Adventssonntag).
GPM 1, 1946/47 H. 2, S. 7–9

113. Psalm 96 (1. Sonntag nach Epiphanias).
GPM 1, 1946/47 H. 2, S. 36–38

114. Gen. 4,1–16 (Invokavit).
GPM 1, 1946/47 H. 2, S. 52–54

115. Jes. 52,13–53,12 (Karfreitag).
GPM 1, 1946/47 H. 3, S. 26–29

116. 2. Chron. 20 (Cantate).
GPM 1, 1946/47 H. 3, S. 44–46

117. 1. Mos. 12,1–9 (1. Alttestamentliche Meditation).
GPM 1, 1946/47 H. 4, S. 51–54

118. 1. Mos. 16,1–16 (2. Alttestamentliche Meditation).
GPM 1, 1946/47 H. 4, S. 54–56

119. 1. Mos. 22,1–19 (3. Alttestamentliche Meditation).
GPM 1, 1946/47 H. 4, S. 56–60

120. 1. Mos. 32,22–33 (1. Alttestamentliche Meditation).
GPM 1, 1946/47 H. 5, S. 59–61

121. 1. Mos. 50,20 (2. Alttestamentliche Meditation).
GPM 1, 1946/47 H. 5, S. 61–63

122. Jeremia 29,4–14 (Alttestamentliche Meditation).
GPM 2, 1947/48 H. 3, S. 69–72

123. Hiob 2,1–10 (Alttestamentliche Meditation).
GPM 2, 1947/48 H. 4, S. 72–75

124. Jeremia 31,31–34 (1. Advent).
Eichholz, Georg (Hrsg.): Herr, tue meine Lippen auf.
Eine Predigthilfe. Bd 5, Wuppertal 1948, S. 1–4

125. Maleachi 3,19–24 (2. Advent).
Eichholz, Georg (Hrsg.): Herr, tue meine Lippen auf.
Eine Predigthilfe. Bd 5, Wuppertal 1948, S. 4–7

126a. Jos. 1,1–9 (Neujahr).
GPM 12, 1957/58, S. 38–40
b. Lizenzausgabe für die DDR, Jg. 1957/58, S. 39–42

127a. Jes. 61,1–3.10.11 (2. Sonntag nach Epiphanias).
GPM 17, 1962/63, S. 78–82
b. Lizenzausgabe für die DDR, Jg. 1962/63, S. 60–64

128a. 1. Kön. 19,1–8 (5. Sonntag nach Trinitatis).
GPM 20, 1965/66, S. 288–292
b. Lizenzausgabe für die DDR, Jg. 1965/66, S. 235–239

PREDIGTEN, ANDACHTEN, BETRACHTUNGEN

129. Christus vor der Tür. [Zu Offenb. 3,20].
AELKZ 65, 1932, Sp. 697–698

130. Lebenswende. Joh. 1,35–42
Unser Blatt 1934 H. 1, S. 3–5

131. Vom Gebet.
Es sollen dir danken, Herr, alle deine Werke, und deine Heiligen dich loben.
(Schriftenreihe für die evangelische Mutter) Nürnberg [1936] S. 16–18

132. Das Halten der Gebote.
Schaffe in mir, Gott, ein reines Herz, und gib mir einen neuen, gewissen Geist.
(Schriftenreihe für die evangelische Mutter) Nürnberg [1941] S. 7

133a. Predigt über Ruth 1. Gehalten im akademischen Gottesdienst in Heidelberg am 27. Januar 1952.
EvTh 12, 1952/53, S. 1–6
b. Urner, Hans (Hrsg.): Vergegenwärtigung, Berlin 1955, S. 121–127

134a. Predigt über Hosea 2,16.17.21.23.24
Kraus, Hans-Joachim (Hrsg.): Predigten aus Universitätsgottesdiensten (Alttestamentliche Predigten F. 1.), Neukirchen 1954, S. 76–88
b. 2. Aufl. Neukirchen 1959, S. 70–80

135. Predigt über 5. Mose 29,28
Heidelberger Predigten (Pflüget ein Neues 8), Göttingen 1959, S. 10–15

136. Richter 12,5–7
Männer der Evangelischen Kirche in Deutschland.
Präses Kurt Scharf zum 60. Geburtstag.
Berlin 1962, S. 194–195

137. Predigt über Jer. 9,23–24
Heidelberger Predigten. NF (Pflüget ein Neues 11/12), Göttingen 1963, S. 54–59

138. Predigt über Jes. 29,9–14 zum 1. Advent, gehalten im Universitätsgottesdienst Heidelberg am 27. 11. 1966.
EvTh 27, 1967, S. 281–286

REZENSIONEN

(Vgl. auch die Sammelreferate Nr. 37.57.62)

139. Volz, Paul: Der Prophet Jeremia. 3. Aufl. 1930
ChuW 6, 1930, S. 351

140. Thilo, Martin: Was jedermann zum Verständnis des Alten Testamentes wissen muß. 3. Aufl. [1929]
ChuW 6, 1930, S. 351

141. Löhr, Max: Alttestamentliche Religionsgeschichte.
3. Aufl. [1930]
ChuW 6, 1930, S. 351–352

[illegible] und Ortsheiligtümer in Israel. [1930]
ChuW 6, 1930, S. 428

143. Dalman, Gustav: Jerusalem und sein Gelände. 1930
ChuW 6, 1930, S. 428–429

144. Cramer, [Karl]: Amos. [1930]
ChuW 6, 1930, S. 470

145. Bruno, Arvid: Der Rhythmus der alttestamentlichen Dichtung. 1930
ChuW 6, 1930, S. 470–471

146. Noth, Martin: Das System der 12 Stämme Israels. [1930]
ChuW 7, 1931, S. 71

147. Kahle, Paul: Die Masoreten des Westens II. [1930]
ChuW 7, 1931, S. 71–72

148. Alt, Albrecht (Hrsg.): Palästinajahrbuch, Jg. 25, 1929; Jg. 26, 1930.
ChuW 7, 1931, S. 72–73

149. Fischer, Johann: In welcher Schrift lag das Buch Isaias den LXX vor? 1930
ChuW 7, 1931, S. 190

150. Sellin, Ernst: Das Zwölfprophetenbuch. 2.–3. Aufl., 2. Hälfte, 1930
ChuW 7, 1931, S. 190

151. Schaeder, H[ans] H[einrich]: Esra der Schreiber. 1930
ChuW 7, 1931, S. 191

152. Procksch, Otto: Jesaja I. 1930
ChuW 7, 1931, S. 229

153. Kuhl, Curt: Die drei Männer im Feuer. 1930
ChuW 7, 1931, S. 229–230

154. Böhl, Franz: Das Zeitalter Abrahams. 1930
ChuW 7, 1931, S. 307

155. Eißfeldt, Otto: Vom Werden der biblischen Gottesanschauung und ihrem Ringen mit dem Gottesgedanken der griechischen Philosophie. 1931
ChuW 7, 1931, S. 307

156. Rabin, Israel: Studien zur vormosaischen Gottesvorstellung. 1929
ChuW 7, 1931, S. 458

157. Hempel, Johannes: Altes Testament und völkische Frage. 1931
ChuW 7, 1931, S. 458–459

158. König, Eduard: Zentralkultstätte und Kultzentralisation im Alten Israel. 1931
DLZ 53, 1932, Sp. 1972–1973

159. Meinhold, Johannes: Das Alte Testament und evangelisches Christentum. 1931
ChuW 8, 1932, S. 36

160. Jirku, [Anton]: Geschichte des Volkes Israel. 1931
ChuW 8, 1932, S. 36–37

161. Weiser, [Artur]: Glaube und Geschichte im Alten Testament. 1931
ChuW 8, 1932, S. 37

162. Hänel, [Johannes]: Die Religion der Heiligkeit. 1931
Das Wort Gottes und das Alte Testament. 1932
ChuW 8, 1932, S. 188

163. Schmidt, Hans: Die Erzählung vom Paradies und Sündenfall. 1931
ChuW 8, 1932, S. 188–189

164. Heinisch, Paul: Die Trauergebräuche bei den Israeliten. 1931
Die Totenklage im Alten Testament. 1931
ChuW 8, 1932, S. 189

165. Haeußermann, Friedrich: Wortempfang und Symbol in der alttestamentlichen Prophetie. 1932
ChuW 8, 1932, S. 312

166. Jeremias, Joachim: Die Passahfeier der Samaritaner und ihre Bedeutung für das Verständnis der alttestamentlichen Passahüberlieferung. 1932
ChuW 8, 1932, S. 312

167. Begrich, Joachim: Antisemitisches im Alten Testament. 1931
Hempel, Johannes: Fort mit dem Alten Testament? 1932
ChuW 8, 1932, S. 313

168. Möhlenbrink, K[urt]: Der Tempel Salomos. 1932
ChuW 8, 1932, S. 436

169. Sellin, E[rnst]: Geschichte des israelitisch-jüdischen Volkes, T. 2. 1932
ChuW 8, 1932, S. 436–437

170. Weinrich, Friedrich: Der religiös-utopische Charakter der »prophetischen Politik«. 1932
ChuW 8, 1932, S. 472

171. Beer, Georg: Kurze Übersicht über den Inhalt der alttestamentlichen Schriften. 2. Aufl. 1932
ChuW 8, 1932, S. 472

172. Kraemer, Richard: Die biblische Urgeschichte. [1931]
ChuW 8, 1932, S. 472–473

173. Klamroth, Erich: Lade und Tempel. 1932
DLZ 54, 1933, Sp. 2360–2361

174. Baumgärtel, Friedrich: Die Eigenart der alttestamentlichen Frömmigkeit. 1932
ChuW 9, 1933, S. 110

175. Meinhold, Johannes: Einführung in das Alte Testament. 3. Aufl. [1932]
ChuW 9, 1933, S. 110

176. Volz, Paul: Jesaja II übersetzt und erklärt. 1932
ChuW 9, 1933, S. 110–111

177. Thilo, Martin: Der Kampf gegen das Alte Testament. 1931
Volz, Paul: Der Kampf um das Alte Testament. 1932
Sellin, Ernst: Abschaffung des Alten Testaments? 1932
Lembert, Hermann: Anstöße des Glaubens im Alten Testament. 1932
ChuW 9, 1933, S. 237–238

178. Eißfeldt, Otto: Der Gottesknecht bei Deuterojesaja. 1933
ChuW 9, 1933, S. 238

179. Baumgärtel, Friedrich: Der Hiobdialog. 1933
ChuW 9, 1933, S. 396

180. Fichtner, Johannes: Die altorientalische Weisheit in ihrer israelitisch-jüdischen Ausprägung. 1933
ChuW 9, 1933, S. 396–397

181. Budde, Karl: Die biblische Paradiesesgeschichte. 1932
ChuW 9, 1933, S. 397

182. Herntrich, Volkmar: Ezechielprobleme. 1932
ChuW 9, 1933, S. 397–398

183. Rudolf [!], Wilhelm: Jesaja 24–27. [1933]
ChuW 9, 1933, S. 431

184. Volz, Paul: Mose und sein Werk. 2. Aufl. 1932
ChuW 9, 1933, S. 431

185. Hertzberg, H[ans] W[ilhelm]: Der Prediger. 1932
ChuW 10, 1934, S. 112

186. Schmidt, H[ans]: Der Mythos vom wiederkehrenden König im Alten Testament. 2. Aufl. 1933
ChuW 10, 1934, S. 112

187. Elliger, Karl: Deuterojesaja in seinem Verhältnis zu Tritojesaja. 1933
ChuW 10, 1934, S. 188

188. Herntrich, Volkmar: Völkische Religiosität und Altes Testament. 1933
ChuW 10, 1934, S. 188

189. Schmidt, Hans: Luther und das Buch der Psalmen. 1933
ChuW 10, 1934, S. 189–190

190. Gunkel, H[ermann]: Einleitung in die Psalmen, 2. Hälfte. 1933
ChuW 10, 1934, S. 313

191. Sellin, E[rnst]: Israelitisch-jüdische Religionsgeschichte. [1933]
Theologie des Alten Testaments. 1933
ChuW 10, 1934, S. 313–314

192. Eichrodt, Walter: Theologie des Alten Testaments, Bd 1. 1933
ChuW 10, 1934, S. 427–428

193. Bertholet, [Alfred]: Die Religion des Alten Testaments. 1932
ChuW 10, 1934, S. 428

194. Grether, Oskar: Name und Wort Gottes im Alten Testament. 1934
DLZ 56, Sp. 843–845

195. Das Christuszeugnis des Alten Testaments. Eine Auseinandersetzung mit Wilhelm Vischers gleichnamigen Buch [Bd 1: Das Gesetz. 1934]
ThBl 14, 1935, Sp. 249–254 [= Nr. 27]

196. Möhlenbrink, Kurt: Die Entstehung des Judentums. 1936
ThLBl 57, 1936, Sp. 273–274

197. Weiser, Arthur: Die Psalmen Deutsch. 1935
ThBl 15, 1936, Sp. 118–120

198. Gesetz und Evangelium im Alten Testament. Gedanken zu dem Buch von E[manuel] Hirsch: Das Alte Testament und die Predigt des Evangeliums. 1936
ThBl 16, 1937, Sp. 41–47 [= Nr. 32]

199. Schmökel, Hartmut: Altes Testament und heutiges Judentum. 1936
DLZ 58, 1937, Sp. 871–872

200. Friedrich Rittelmeyer. [Zu seiner Selbstbiographie.]
[Rezension von] Rittelmeyer, Friedrich: Aus meinem Leben. 1937
ThBl 18, 1939, Sp. 128–131

201. Zur prophetischen Verkündung Deuterojesajas.
[Rezension von] Begrich, J[oachim]: Deuterojesaja-Studien. 1938
VF 1940, 1941, S. 58–65 [= Nr. 39]

202. Erwägungen zum Prediger Salomo.
Im Anschluß an den Kommentar von K[urt] Galling. [1940]
VF 1941, 1941, S. 1–7 [= Nr. 40]

203. Das Alte Testament in der katholischen Kirche.
›Gedanken zu dem »Werkbuch der Bibel« von E[dmund] Kalt‹.
[Bd 1: Das Alte Testament. 1941]
ThBl 21, 1942, Sp. 177–181 [= Nr. 42]

204. Hexateuch oder Pentateuch?
[Rezension von] Noth, M[artin]: Überlieferungsgeschichtliche Studien I. 1943
VF 1947/48, Lieferung 1/2, 1949, S. 52–56 [= Nr. 56]

205. Schrade, Hubert: Der verborgene Gott. 1949
VF 1949/50, Lieferung 3, 1952, S. 172–179

206. Verheißung. Zum gleichnamigen Buch F[riedrich] Baumgärtels. 1952
EvTh 13, 1953, S. 406–413 [= Nr. 66]

207. Noth, Martin: Geschichte Israels. 2. Aufl. 1953
VF 1953–1955, 1956, S. 129–134

208. Die Tagebücher Jochen Kleppers.
[Rezension von: Unter dem Schatten deiner Flügel. Aus den Tagebüchern der Jahre 1933–1942. 1956]
EvTh 17, 1957, S. 241–248 [= Nr. 73]

209. Wolff, Hans Walter: Gesammelte Studien zum Alten Testament. 1964
EvTh 24, 1964, S. 692–693

HERAUSGEBER

210. Verkündigung und Forschung. Theologischer Jahresbericht.
München 1941–1959 [Mithrsg.]

211. Procksch, Otto: Theologie des Alten Testaments.
Gütersloh 1950

212. Biblischer Kommentar. Altes Testament.
Neukirchen 1955–1965 [Mithrsg.]

213. Kerygma und Dogma.
Göttingen Jg. 1, 1955ff [Mithrsg.]

214. Wissenschaftliche Monographien zum Alten und Neuen Testament.
Neukirchen 1959ff.

NAMEN- UND SACHREGISTER

Unterschiedliche Schreibweisen desselben Begriffs bei verschiedenen Autoren sind im Register vereinheitlicht worden

STELLENREGISTER

HEBRÄISCHE UND GRIECHISCHE WÖRTER